1 MONTH OF
FREE
READING

at

www.ForgottenBooks.com

By purchasing this book you are eligible for one month membership to ForgottenBooks.com, giving you unlimited access to our entire collection of over 1,000,000 titles via our web site and mobile apps.

To claim your free month visit:

www.forgottenbooks.com/free702951

ISBN 978-0-428-36374-1
PIBN 10702951

Für Offiziere aller Waffen.

Zugleich

Organ *11827*

für

kriegstechnische Erfindungen und Entdeckungen

auf allen militärischen Gebieten.

Verantwortlich geleitet

von

E. Hartmann,

Oberst z. D.

— — — · ··

Berlin 1899.

Ernst Siegfried Mittler und Sohn,
Königliche Hofbuchhandlung
SW., Kochstrasse 68—71.

Alle Rechte aus dem Gesetze vom 11. Juni 1870
sowie das Uebersetzungsrecht sind vorbehalten.

Inhaltsverzeichniss des Jahrganges 1899

„Kriegstechnischen Zeitschrift".

Aufsätze.

Seite

Desgl., Fortsetzung . . . . 73—83

Desgl., Fortsetzungen . . . . 86—92. 132—138

Dr. Christian Göttig, etatsmässigem Professor der Königlichen Vereinigten Artillerie und Ingenieurschule. (Mit 3 Abbild.) . . . . . 151—158

Die Radfahrtruppe der Zukunft. Von Julius Burckart. Major im
    Königl. bayer. 3. Feldart.-Regt. »Königin Mutter«. (Mit 7 Taf.) . . .   193—206
    Desgl., Fortsetzungen . . . . . . · . . . . 247—261. 300—316
Ueber Signalisiren. Mit einem Anhange: Feldsignaldienst ohne
    besondere Vorbereitung. (Mit 6 Abbild.). . . . . 207—215

Desgl., Fortsetzung . . . . 453—462

Desgl., Fortsetzung . . . . 474—482

Die neuesten französischen Befestigungen im Seealpen-Gebiet   41
Das kleinkalibrige Magazingewehr und die Feldbefestigung   42
Schlitten für den russischen Regimentstrain. (Mit 2 Abbild.)   44
Ziel-Kontrollapparat für die französische Kavallerie. (Mit 1 Abbild.)   45
Schrittmesser   46
Libellenaufsatz für Feldgeschütze   46
Gewehr-Abzieh-Kontrollapparat. (Mit 1 Abbild.)   92
Mittel zur Gewehrreinigung. (Mit 1 Abbild.)   92
Armee-Maassstab-Zirkel. (Mit 2 Abbild.)   95
Zur Frage der Wirkungen kleinkalibriger Gewehre 138
Ein neuer Sicherheits-Steigbügel. (Mit 1 Abbild.) 139

Küttner, Dr., Ueber die Bedeutung der Röntgen-Strahlen für die Kriegschirurgie 144
Korsch, Dr., Kriegschirurgische Erfahrungen aus dem griechisch-türkischen
    Kriege 1897 191
Stavenhagen, Militär-geographische Skizzen von den Kriegsschauplätzen Europas 192
Brialmont, Progrès de la défense des états et de la fortification permanente
    depuis Vauban 240
Voit, Prof. Dr., Sammlung elektrotechnischer Vorträge 240

Entwickelung der gegenwärtigen Waffentechnik.

Mit siebzehn Abbildungen.

Die Entwickelung im Waffenwesen hat in den letzten Jahrzehnten eine so ungeheure Ausdehnung gewonnen, dass die Wiedergabe einer Uebersicht nur möglich ist, wenn man den davorliegenden Zeitraum flüchtig berührt und sich auch bezüglich der neueren Erscheinungen auf das Wichtigste in diesem Gebiet, das Geschützwesen und die Infanteriegewehre, beschränkt.

I. Geschützwesen.

Auf dem Gebiete des Geschützwesens ist niemals eine so grossartige und schnelle Umwälzung erfolgt als durch den in den 50er Jahren geschehenen Uebergang vom glatten zum gezogenen System. Umgestaltend wirkte derselbe nicht nur auf die Fechtweise, welcher Kriegsschauplatz auch in Frage kam, sondern er griff auch in das Befestigungswesen, den Schiffsbau u. s. w. ein. Die vielen früheren Versuche, gezogene Geschütze und Hinterlader herzustellen, konnten nicht Bestand haben, weil Technik und Wissenschaft noch nicht hinreichend fortgeschritten waren. Auch die zuerst gebrauchten gezogenen Vorderlader im Kriege 1854 und ihre Nachfolger in den Jahren 1859 und 1866 (Systeme von Lancaster, Whitworth, Lahitte, Lenk) mussten von den 70er Jahren ab dem Hinterladesystem weichen. Preussen führte dasselbe, wie beim Gewehr, auch bei den Geschützen (1859) zuerst ein und hielt daran fest, trotzdem die Vorderlader grossen Kalibers bei der bald erwachsenden Aufgabe, starke Panzer zu durchschiessen, zunächst eine Ueberlegenheit zeigten. Den Hinterladern kam bei diesem Wettstreit zu statten, dass in dem Kruppschen Gussstahl vorzüglicher Werkstoff zu Gebote stand, und dass es gelang, durch Anwendung von neuen Pulversorten mit grossem Korn (prismatischem Pulver) die Rohranstrengungen zu mindern. Hierdurch konnten sie erst die grossen Erfolge erreichen, die man von der Verbindung der Hinterladung mit der gezogenen Seele und von der Anwendung langer Geschosse mit gasdicht abschliessender Geschossführung sich versprach, und welche den Vorderladern wegen des bei ihnen nothwendigen Spielraums versagt bleiben musste. Da bei letzteren auch eine grosse Rohrlänge, der man zur vollen Ausnutzung der Pulverladung bedarf, nicht zulässig ist, mussten sie im Kampfe um die Panzerfrage unterliegen. Für andere Aufgaben bestand ein Hauptvortheil des Hinterlade- gegen das Vorderladesystem in der Anwendbarkeit von Aufschlagzündern bei den Geschossen.

Die Rohre mussten nun immer widerstandsfähiger werden, weil man die Anwendung stärkster Ladungen zur Erreichung grösster Geschossgeschwindigkeiten forderte. Dies war nur durch zweckmässigen Rohrbau bei Verwendung besten Werkstoffs zu erreichen. Der durch Nickelzusatz

später zu erhöhter Widerstandskraft gebrachte Gussstahl ist bisher un-
übertroffen,*) in Betreff des Baues aber ging man von der natürlichen
Metallkonstruktion (des Blocks) zu der künstlichen über. Während in
England die Konstruktionen von Armstrong und Fraser in Anwendung
kamen, versah in Amerika Longridge eine Kernröhre mit Drahtumwickelungen,
und von dieser Methode macht man in neuester Zeit in Russland, England (unter Ersatz des Drahtes durch Stahlband) vielfach Gebrauch. Dieselben Grundsätze beobachtete Krupp bei dem Bau seiner Ring-, (Abbild. 1)
Mantel- (Abbild. 2) und Mantelringrohre. Die künstliche Metallkonstruktion
erhöht nämlich die Widerstandsfähigkeit der Rohre dadurch, dass im
Augenblick der höchsten Gasspannung die äusseren Schichten des Metalls
auf die inneren drücken und so von vornherein Antheil an dem Widerstande nehmen, den zunächst die letzteren auszuhalten haben, welche
aber am Nachgeben verhindert sind, weil der Druck der äusseren erst
nachlassen muss. Bei der natürlichen Lagerung der Metalltheile, wie sie
in dem aus einem Stück gegossenen Rohre stattfindet, können sich dagegen
die Schwingungen der inneren nicht so schnell den äusseren mittheilen,
dass diese an dem Widerstande Antheil nehmen können. Deshalb erhöht

Abbild. 1. Ringrohr (c/72).

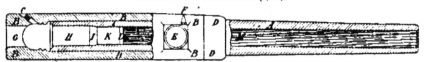

A Kernrohr. B Ring der 2. Lage. a Uebergangsring. b 4 Ringlagen. c 5. (Schluss-) Ring. d Diebelring.

Abbild. 2. Mantelrohr (c/73).

A Kernröhre. B Mantel. C Gemünde für die Zündlochschraube. D Schlussring. E Schildzapfen. F Korn.
G Ladeloch. H Kartuschraum. I Hinterer Uebergangskonus. K Geschossraum. L Vorderer Uebergangskonus.
M Gezogener Theil.

auch eine Vergrösserung der Metallstärke des Blocks die Widerstandsfähigkeit nicht in gleichem Maasse. Gelang es auf diese Weise, zunächst
die Panzer, welche nicht dicker waren als das bezügliche Kaliber gross,
zu durchschlagen, so zwang bald die Verstärkung jener, zu immer grösseren
Kalibern zu schreiten. Auf diese Art kam man aber bald an eine Grenze
(etwa 45 bis 50 cm), bei der das Geschütz eine zu unbehülfliche Maschine**)
wurde, und zugleich lehrte die Erfahrung, dass die Stosskraft der Geschosse
grosser Kaliber doch nicht die Durchschlagskraft eines kleineren besass,
wenn dieses dieselbe lebendige Kraft (Masse mal Geschwindigkeit) hatte
wie jenes. Das Geschoss von kleinerem Kaliber braucht weniger Stoff zu
verdrängen, nur ein kleineres Loch zu stanzen. Man suchte daher wieder
die Geschossgeschwindigkeit zu steigern, was, abgesehen von den neuen

---

*) Dieser Meinung ist, im Gegensatz zu den Panzerfabriken, die englische
Admiralität nicht beigetreten.
**) Für Küstenbefestigungen werden solche auch jetzt noch verwendet. So sind
für die von Nordamerika 40,6 cm Kanonen in grösserer Zahl in Bestellung gegeben,
die sich der früher von Krupp für Spezia gelieferten 40 cm Kanone und der von
Armstrong im 43,81 cm Kaliber an die Seite stellen können.

rauchlosen Pulvern, durch Verlängerung der Seele (bis 35,40 Kaliber und darüber) geschah, und womit möglichste Ausnutzung des Kalibers erreicht wurde. Nur bei Feldkanonen musste es aus Rücksichten der Beweglichkeit, leichten Handhabung und Marschfähigkeit in jedem Gelände auf 22 bis 23 Kaliber belassen. Auf dem bezeichneten Wege gelang es, bei Flachbahnkanonen die Leistungsfähigkeit der Kaliber auf das Höchste zu steigern (beim 15 cm auf das Zehnfache), und ein 35 Kaliber langes 40 cm Rohr ergab z. B. 18 000 mt lebendiger Kraft. Für diese mächtigen Geschütze der Marineartillerie musste man Pivotlaffeten benutzen, die in ihrer älteren Form (in den offenen Küstenwerken) den Vortheil grossen Gesichtsfeldes boten. Wegen der hierzu erforderlichen weiten Scharte mussten sie aber, als die Panzerungen immer mehr Anwendung fanden, den Mündungspivotlaffeten, bei welchen sich das Geschützrohr um eine ideelle Achse in der Mündungsfläche während des Richtens dreht und nur eine minimale Scharte erfordert, weichen. Diese fanden in den Panzern der Landbefestigungen Anwendung, während auf Schiffen die Mittelpivotlaffete (des dort beschränkten Raumes wegen) zweckmässiger ist (siehe Abbild. 9).

Abbild. 3.

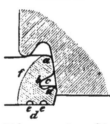
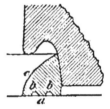

Broadwellring.
a Kugelige Fläche.
b Hintere Dichtungsfläche.
c Schmutzrinnen.

Liderungsring c/73.
a Liderungsreifen, vorderer und hinterer. b Steg mit Rille c. d Hintere Dichtungsfläche. e Schmutzrinnen.
f Wölbung.

Kupferring.
a Hintere Dichtungsfläche.
b Schmutzrinnen.
c Wölbung.

Wie bei den Rohren, so musste auch bei den Verschlüssen auf immer gesteigerte Widerstandskraft Bedacht genommen werden. Die ersten, aus mehreren Theilen bestehenden Konstruktionen (Kolben-, Doppelkeilverschluss) mussten solchen weichen, die aus nur einem Haupttheil, einem starken Block, bestehen, der durch Schraubengewinde im Rohr festgehalten wird. So bildeten sich zwei Hauptformen heraus, der Kruppsche Rundkeil- und der französische Schraubenverschluss. Den Lebensnerv jeder derartigen Einrichtung bildet die Liderung, welche bestimmt ist, die Fuge zwischen Verschluss und Rohr an dessen hinterer Mündungskante beim Schuss völlig abzudichten, wenn dies nicht durch metallene Kartuschbülsen bewirkt wird. Mangelhafte Liderung bringt Gefahr für die Gangbarkeit und Haltbarkeit des Verschlusses, daher auch für die Bedienung. Bei den Keilverschlüssen bedient man sich als Liderung eines elastischen, in das Rohr eingeschliffenen Ringes (Abbild. 3), des Broadwellringes bei Kanonen grössten, des mehr elastischen Ringes c/73 bei weniger grossen Kalibern oder eines sich dem Ringlager innig anschmiegenden Kupferringes bei Geschützen für kleinere Ladungen, z. B. bei Feldgeschützen. Unter Anwendung derartiger Ringe ist auch ein Schraubenverschluss in der deutschen Artillerie für Wurfgeschütze, die für im Verhältniss zum Kaliber kleine Ladungen bestimmt sind, gebräuchlich und gewährt den Vortheil, die Ladungen in der Kammer des Verschlusses unterbringen zu

1*

können. Da letztere geringeren Durchmesser wie die Seele des Rohres hat, ist dies für die Verbrennung der Ladung günstig. In mehreren Artillerieen ist der französische Schraubenverschluss angenommen, welcher das Rohr durch einen Kolben verschliesst, dessen Mantelfläche mit durchschnittenen Schraubengängen versehen ist, die in entsprechende, unterbrochene Rillen des Rohrs eingreifen. Die Liderung (de Bange) ist dieser Verschlussart eigenthümlich, indem der Kolben vorn ein einem Pilzkopf ähnliches Polster von Asbest mit Hammeltalg (in Leinewand) trägt, welches durch die Pulvergase zusammen- und gegen die Seelenwand gepresst wird.

Abbild. 4.   15 cm Mörser.

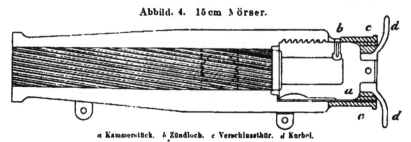

a Kammerstück. *b* Zündloch. *c* Verschlussthür. *d* Kurbel.

In der Festungs- und Belagerungsartillerie erreichte man auf gleichem Wege wie bei der Marine für die Flachbahnkanonen grössere Leistungen in Schussweite (lg. 15 cm Ringkanone),*) Treffähigkeit und Geschosswirkung. Daneben aber musste im gezogenen System auf ähnliche Weise, wie es im glatten geschah, an die Herstellung von Wurfgeschützen gedacht werden. Da im Festungskriege die meisten Ziele sich hinter und unter Deckungen befinden, so musste man hier Geschütze haben, welche, mit verringerten Ladungen feuernd, mehr oder weniger gekrümmte Flug-

Abbild. 5.

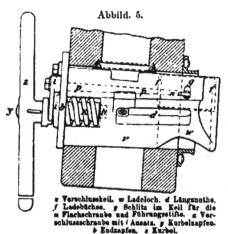

bahnen erzeugten. Bei der grossen Widerstandskraft der Ziele musste den Geschossen entsprechende Zerstörungskraft innewohnen; sie mussten als Träger grosser Sprengladungen diese im Ziele zur Wirkung bringen, mithin von grossem Kaliber sein. Dies konnte nur erreicht werden, indem man die Röhre verkürzte und somit erleichterte. Den kurzen Kanonen gab man Seelenlängen von 10 bis 12 (bei Haubitzen auch 14), den Mörsern von 5 bis 8 Kalibern. Für letztere Geschützart ergab sich die Grenze für die Verkürzung daraus, dass die Langgeschosse noch ausreichende Anregung zur Umdrehung im gezogenen Theil der Seele

v Verschlusskeil. *w* Ladeloch. *d* Längsnuthe. *f* Ladebüchse. *g* Schlitz im Keil für die *n* Flachschraube und Führungsstifte. *z* Verschlussschraube mit *i* Ansatz. *y* Kurbelzapfen. *b* Endzapfen. *z* Kurbel.

erhalten müssen. Im Jahre 1870 kamen kurze 15 cm Kanonen und versuchsweise einige 21 cm Mörser im Kriege zur Thätigkeit, später traten

---

*) Das Rohr unterscheidet sich von dem in Abbild. 1 dargestellten 15 cm Ringrohr c/72 nur durch grössere Länge und dadurch, dass es statt der Schrägzündung achsiale Keilzündung hat.

15 (Abbild. 4) und 28 cm Mörser, kurze 21 cm Kanonen, zuletzt die 21 cm Thurmhaubitze und 15 cm (Belag.-) Haubitzen hinzu. In neuester Zeit legte man Werth auf **leichte Belagerungsgeschütze**, die unter Umständen auch im Felde verwendbar sind, und dies führte, neben Flachbahnkanonen von 10,5 und 12 cm Kaliber, zu 12 und 15 cm Haubitzen,[*] desgleichen zu Mörsern erleichterter Konstruktion von 15 und 21 cm Kaliber. In Russland ging man sogar so weit, 15 cm Mörser in Feld-Batterien bezw. Regimenter zusammenzustellen. Dass man in der **Küstenartillerie** von der Verwendung der Steilfeuergeschütze sich grossen Erfolg verspricht, geht wohl daraus hervor, dass für die neue Armirung der Küstenbefestigungen in Nordamerika bedeutend mehr solcher Geschütze als Flachbahnkanonen in Aussicht genommen sind.

In der **Feldartillerie** trat zufolge der Kriegserfahrungen und der Fortschritte in der Infanteriebewaffnung die Konstruktion 73 (Rohr Abbild. 2, Verschluss Abbild. 5) an Stelle der von 61 und 64. Dieselbe erhielt den Rundkeilverschluss, und die Einführung des grobkörnigen, später des rauchlosen Pulvers sowie die Verbesserung der Geschosswirkung bewirkten auch hier eine Steigerung der Leistungsfähigkeit. Das für die fahrenden Batterien angenommene Kaliber (8,8 cm) konnte nach unerheblicher Erleichterung auch den reitenden gegeben werden, so dass man zu einem Einheitsgeschütz gelangte. In neuester Zeit wurde die Geschützwirkung erheblich durch Einführung von Doppel- (Brenn- und Aufschlag-) Zündern und des Schrapnels als Hauptgeschoss, sowie dadurch gesteigert, dass die Feuergeschwindigkeit erhöht wurde. Letzteres geschah u. A. durch die Seilbremse, welche, als Fahr- und Schussbremse wirksam,

Abbild. 6.
Fahrbare Panzer-Laffete.
A Oeffnung für Dampfabzug. *C* Rohrträger.
D Verstärkungsreifen. *F* Handrad. *G* Sitz für Bedienung. *K* Getriebe.

den Rücklauf beschränkte, durch Fortfall des Auswischens beim rauchlosen Pulver u. s. w. Die Fortschritte der Artillerietechnik ermöglichten es jedoch auch hier, jetzt zum, System der Schnellfeuergeschütze überzugehen.

Nachdem die **Mitrailleusen** im Kriege 1870/71 sich nicht bewährt hatten, traten andere Systeme (Gatling, Hotchkiss, Nordenfelt u. s. w.) hervor, zunächst auch für den Gebrauch von Infanteriemunition. Als vollkommenste Waffe dieser Art erschienen zuletzt die Maxim-Maschinengewehre, bei welchen der Verschluss durch den Rückstoss geöffnet und geschlossen wird, wobei das Auswerfen, Laden und Abfeuern selbstthätig geschieht (vergl. Heft 5, 8 u. 10, 1898, dieser Zeitschrift). In Festungen wurden diese Waffen mehrfach eingestellt, da man hier aber nicht nur Ersatz des Infanteriefeuers, sondern auch den der Kartätschgeschütze verlangte, so kam man bald zu den bereits in der Marine bewährten **Revolverkanonen** (meist 3,7 cm Kaliber), deren Granaten noch auf 2000 m die Stahlblechwände der Torpedoboote durchschlugen. Dieselben haben fünf

---

[*] In England sind ausser der 127 mm (Feld-) Haubitze und der 152 mm Haubitze noch solche im 137 mm Kaliber konstruirt.

zu einem Bündel vereinigte Läufe, die sich um eine ihnen parallele Achse drehen; hierbei wird das Laden, Abfeuern und Ausziehen der Patronenhülsen selbstthätig ausgeführt. Entsprechend laffetirt fanden sie in Flankenkasematten u. s. w. Aufstellung. Das Bedürfniss nach grösserem Kaliber führte dann wieder zuerst die Marine auf die Schnellfeuergeschütze, die nach und nach bis zu den grössten Kalibern eingeführt wurden; bei den letzteren bleiben jedoch Geschoss und Ladung getrennt. Es folgten auf diesem Wege die zum Festungskriege bestimmten Geschütze, zunächst im kleinsten Kaliber (meist 5,3 cm), die man in Panzerthürme (Abbild. 6) stellte und auch wohl mit diesen fahrbar machte, um sie in improvisirten Befestigungen und sogar zur Verstärkung von Stellungen im Felde zu brauchen. Als man dann zu Schnellfeuergeschützen grossen Kalibers gelangte, trat auch für diese das Bedürfniss nach Panzerung hervor, und so bildete sich ein System solcher Geschütze in Senk- oder in Dreh- (Kuppel-) panzern (Abbild. 7 u. 8) aus. Im ersten Fall wird durch Senken des Geschützes, im andern durch Drehen der Panzerkuppel nach dem Schuss die Scharte geschlossen. Die Einrichtungen der grossen und mittleren Kaliber kommen im Allgemeinen darin überein, dass die Rohre 40 bis 45 Kaliber lang sind und durch den (wagerechten oder senkrechten) Keil- oder den Schraubenverschluss geschlossen werden; Liderungen sind wegen der Metallkartuschen entbehrlich geworden. Der Verschluss öffnet sich zuweilen selbstthätig beim Vorlauf des Geschützes, ebenso geschieht das Abfeuern mitunter durch den letzten

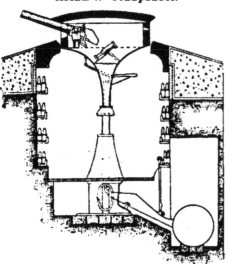

Abbild. 7. Senkpanzer.

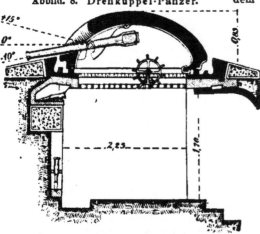

Abbild. 8. Drehkuppel-Panzer.

Handgriff beim Schliessen des Verschlusses. Bei der Laffete (Mittelpivot-) ist der Rücklauf beschränkt, der Vorlauf selbstthätig. Das Rohr läuft mittelst Gleitstücks in der Laffete selbständig oder mit derselben gemeinsam zurück. Maschinen für Nehmen der Seitenrichtung sind angebracht, ebenso für ungedeckte Aufstellung Stahlschilde zum Schutze der Bedienung (Abbild. 9). Geschossarten sind: Granaten, stählerne Panzergranaten,

Schrapnels und Kartätschen. Die Anfangsgeschwindigkeiten betragen, je nach der Geschossschwere, zwischen 600 und 750 m. Die Feuergeschwindigkeit ist etwa fünfmal so gross wie bei den bisherigen Kalibern, und zwar beim 10, 12 und 15 cm Kaliber bezw. 12, 10 und 6 Schuss in der Minute.

Abbild. 9. Schnell-feuerkanone im Mittelpivot. Laffete für Schiffs-armirung.

(Die Abbildungen 9 und 12 bis 15 sind vom Bibliographischen Institut zu Leipzig aus „Meyers Konversations-Lexikon" zur Verfügung gestellt.)

Bei diesen und den grösseren Kalibern, ebenso bei den kleinsten waren die Einrichtungen für Schnellfeuer verhältnissmässig leicht zu treffen, weil sie einen festen Standort haben und Bremsvorrichtungen für den Rohrrückstoss leicht anzubringen sind. Anders gestaltete sich die Sache bei den Feldgeschützen, bei welchen Schnellfeuer nur Werth hat, wenn der Rücklauf so weit beschränkt wird, dass man nur ein leichtes Nachrichten (durch Verschieben des Rohrs oder der Oberlaffete) nöthig hat. Endlich gelang es, kriegsbrauchbare Muster (meist 7,5 cm Kaliber) aufzustellen, von denen einige sich mit Anfangsgeschwindigkeiten von

Abbild. 10a. Kruppscher Horizontal-Keilverschluss für Schnellfeuergeschütze.

(Die Abbild. 10a und 10b sind dem Nachtrag 1897 zu dem Werke des Oberst z. D. Witte „Fortschritte und Veränderungen auf dem Gebiete des Waffenwesens", Berlin SW., Liebelsche Buchhandlung [Mk. 8.50], entnommen.)

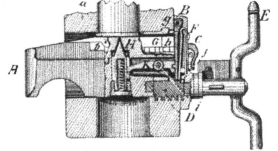

A Keilkörper. E Kurbel. D Verschlussschraube. K Spannhebel. i dessen Drehungspunkt. H Schlagbolzen. J Spiralfeder. f Abzugsblatt. B Verschlussplatte. C Abzugstück. F Abzugsfeder. g Wulst. G Auswerfer. h Nasen. a Nute. b Wulst.

500 m und einem Geschossgewicht von etwa 6 kg begnügten, um bei einem Gesammtgewicht von 1200 bis 1500 kg nur ein Viergespann zu erfordern.

Meist ging man hierin aber bis 1800 kg für einen Sechsspänner, um eine Anfangsgeschwindigkeit von 600 m mit Geschossgewichten von 6,5 kg bei Ladungen von 0,95 bis 1 kg rauchlosen Pulvers und Seelenlängen von 2,30 m zu erreichen. Diesen Verhältnissen entsprechen eine Querschnittsbelastung von 147 g und ein Gasdruck von 2200 Atmosphären. Der Rückstoss des Rohrs wird auch hier von hydraulischen Bremsen aufgenommen, und Puffer drücken hernach dasselbe in die alte Lage vor. Der Stand der Laffete wird dabei ausser durch die Radbremse durch einen unter dem Laffetenschwanz befindlichen Sporn gefestigt. Die Verschlüsse schliessen sich den beiden Hauptformen des Keil- und Schraubenverschlusses (Abbild. 10 a und b) an. Das Schliessen und Oeffnen kann durch Bewegung eines Hebels schnell erfolgen, es bedarf aber einer Vorrichtung, um ihn beim Rückstoss, auf dem Marsch u. s. w. gut festzustellen. Das Abfeuern, welches meist durch Schlagbolzen erfolgt, macht an der Abzugsvorrichtung das Anbringen einer Sicherung nöthig. Bei Wurfgeschützen sind die

A Träger.
B Achse.
C Kolben.
D bogenf. Ausschnitt.
E Hebel.
F Achse.
G segmentf. Triebrad.
H gezahntes Segment.
J Sporn.
K Schlagbolzen.
L Muffe.
M spiralf. Fläche.
N Vorstand.
O Schaft.
P Auszieher.
Q Achse des Ausziehers.
R Oesen.
S Ausziehkrallen.
T gekr. Sporn.
a Abzugshebel.
b Falz.
c Federknopf.
U Aufhalthaken.
V Arm.
W Lager des Schlagbolzens.

Abbild. 10 b.
Schraubenverschluss für Schnellfeuergeschütze.

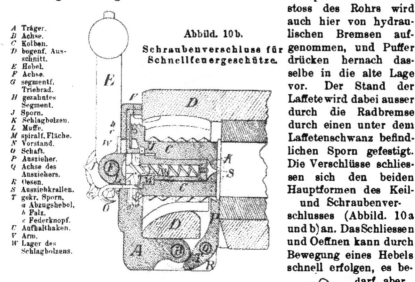

Einrichtungen zum Schnellfeuer zwar leichter anzubringen wie bei Kanonen, indessen ist hier der Werth derselben wegen der Anwendung verschiedener Ladungen und durch andere Umstände, die dieser Feuerart nicht günstig sind, geringer. Es sei jedoch erwähnt, dass man sie schon bei den Feldhaubitzen angebracht hat und dass vielfach den Schnellfeuerhaubitzen in Panzern grosse Bedeutung beigelegt wird.

II. Infanteriegewehre.

Wie bei den Geschützen, gelang es auch bei den Handfeuerwaffen erst um die Mitte dieses Jahrhunderts, nachdem Technik und Wissenschaft hinreichend fortgeschritten waren, kriegsbrauchbare gezogene Hinterlader herzustellen.

Nachdem schon im 30jährigen Kriege und später von gezogenen Gewehren Gebrauch gemacht war, erschienen 1813 die freiwilligen Jäger mit gezogenen Büchsen, und seitdem führte dann die Jägertruppe solche Waffen, die durch Delvigne und später durch Thouvenin (Dornbüchse) Verbesserungen erfuhren. Indessen, die umständliche Ladeweise und daher geringe Feuerschnelligkeit dieser Vorderlader machte sie trotz grösserer Trefffähigkeit für die Massenverwendung ungeeignet. Das bei ihnen nöthige Einkeilen des Geschosses wurde nun beim Minié-Gewehr (dem im Kriege 1854 gebrauchten gezogenen Vorderlader) durch Anwendung von Expansionsgeschossen vermieden, bei denen die Pulvergase das Geschoss hinten auftrieben. Diese und andere Verbesserungen (Geschosse von Lorenz, Nessler u. s. w.) wurden gegenstandslos durch das (1836) von Dreyse erfundene Zündnadelgewehr, dessen Annahme durch den maassgebenden Einfluss des damaligen Prinzen von Preussen, späteren Kaisers Wilhelm I., 1841 erfolgte. Aber erst Ende der 40er Jahre wurde seine Einführung in Preussen durchgeführt, und trotz des Vergleichs, welchen der Krieg 1864 mit dem österreichischen Vorderlader zuliess, wurde das vielfach vorhandene Misstrauen gegen seine Kriegsbrauchbarkeit erst durch die Erfolge des Jahres 1866 besiegt. Nun wurde diese allgemein anerkannt, ebenso wie die grössere Leistungsfähigkeit in ballistischer Beziehung und der Vortheil, den die Einheitspatrone (Geschoss, Ladung, Zündung in einer Hülse vereinigt) bot. In Preussen übersah man indessen die Mängel nicht, die das Gewehr gezeigt hatte, und, da Sachkenner (v. Plönnies u. A.) die Vortheile des kleinen Kalibers darlegten, so schritt man zu einer Aptirung, welche die Mängel des Schlosses u. s. w. beseitigte und das Kaliber durch Verdickung der Wand des Pappspiegels auf 12 mm (gegen 15 mm) herabbrachte; bis zum Jahre 1870 konnte sie aber nicht durchgeführt werden. In Frankreich war inzwischen ein ähnliches Nadelgewehr (Chassepot) von 11 mm eingeführt worden, welches statt der Führung mit Spiegel die Bleiführung hatte. Der Amerikanische Krieg hatte unterdessen der Waffenfabrikation grossen Aufschwung gegeben und mehrere Muster gezogener Hinterlader, ja sogar Repetirwaffen zu Tage gefördert, bei welchen Metallhülsen und mithin statt der Nadel ein Stift zur Verwendung kamen. Die Frage der Repetirer hielt man in Europa um diese Zeit noch nicht für spruchreif; dagegen erkannte man sofort die Vortheile, welche die Metallpatrone bezüglich der Verkleinerung des Kalibers, der Vereinfachung der Verschlusseinrichtungen u. s. w. bot. Ausserdem hatte sich eine moderne Waffe dieser Art, das bayerische Werder-Gewehr (11 mm Kaliber) im Kriege 1870/71, in welchem auch bei den französischen Neuformationen schon Stiftgewehre verwendet wurden, bewährt. Bevor aber derartige Neukonstruktionen angenommen wurden, hielt man es meist für geboten, die Armeebewaffnung zur Hinterladung umzuändern, und so entstanden noch Nadelgewehre (Petiti, Karlé) oder auch schon Stiftgewehre (Snider, à la tabatière, Milbank-Amsler, Remington). Die weitere Entwickelung der modernen Präzisionswaffen führte nun zu neuen Mustern, bei denen man, indem man das Selbstspannen zur Bedingung machte, die Feuergeschwindigkeit erhöhte, so dass, während das Zündnadelgewehr noch 5, das Chassepotgewehr 4 Ladetempos erforderte, man nur drei dergleichen (Oeffnen, Einlegen der Patrone, Schliessen) bedurfte. Die so entstehenden Verschlusssysteme waren: Die Cylinderverschlüsse beim M/71 (Mauser, Abbild. 11), Gras-, Vetterli-, Beau-

mont- und Berdan-Gewehr; die Blockverschlüsse beim Comblain- und
Henry-Martini-Gewehr; die Klappenverschlüsse beim Remington- und Spring-
field-Gewehr. Im Kaliber ging man allgemein auf 11 mm zurück, erreichte
dabei Anfangsgeschwindigkeiten von 400 bis 450 m, und nunmehr konnte
eine Steigerung der Leistungen nur noch von einer Erhöhung der Feuergeschwindigkeit erwartet werden. Da aber die Wirkung der Handfeuerwaffen von der Wirkung der einzelnen treffenden Geschosse und der
Zahl der in einer bestimmten Zeit treffenden abhängt, so war der Ueber-

Abbild. 11. Deutsches Infanteriegewehr M/71 (System Mauser).
Durchschnitt, Ansicht des Schlagbolzens und der Patrone: geschlossen und gespannt.

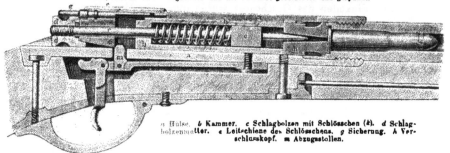

a Hülse. *b* Kammer. *c* Schlagbolzen mit Schlösschen (*k*). *d* Schlagbolzenmutter. *e* Leitschiene des Schlösschens. *g* Sicherung. *h* Verschlusskopf. *m* Abzugsstollen.

gang zum Mehrlader geboten. Als Vortheile desselben erkannte man
die grössere Feuerständigkeit (wegen steter Schussbereitschaft), die sich
aus der in gegebener Zeit gethanen Schüsse ergebenden besseren Treff-
leistungen, die grössere Menge Blei, welche man auf den nächsten Entfernungen entgegenschleudern kann, endlich die Vermeidung der Munitionsvergeudung durch Liegenlassen der Patronen, wenn der Schütze vor- oder
zurückgeht. Trotzdem trug man noch lange Bedenken, Mehrlader ein-

Abbild. 12. Französisches Gewehr (Lebel-Gewehr).
Verschluss geöffnet, Patronenhülse noch nicht ausgeworfen, Zubringer
mit der letzten Patrone gesenkt. Schlagbolzen gespannt.

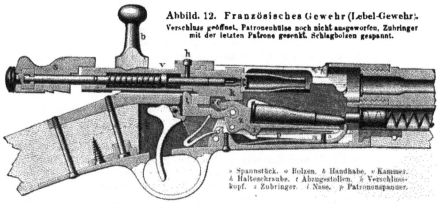

s Spannstück. *o* Bolzen. *b* Handhabe. *v* Kammer.
h Halteschraube. *t* Abzugsstollen. *k* Verschlusskopf. *z* Zubringer. *i* Nase. *p* Patronenspanner.

zuführen, weil schwerwiegende Nachtheile entgegenstanden. Nicht nur
der grosse Munitionsverbrauch, die nur durch strenge Feuerdisziplin aus-
zuschliessende Munitionsvergeudung waren es, die bemängelt wurden,
sondern die Waffe wurde auch zu schwer, wenn man nicht durch Verkleinerung des Kalibers oder anderweitig dies ausglich; sie war auch
komplizirt, und die stets veränderte Schwerpunktslage beim Anschlage
wirkte ungünstig auf die Treffergebnisse ein. Ausserdem ging aber ein
Hauptvortheil verloren, wenn sich massenhafter Pulverrauch vor der Front

lagert oder der glühende Lauf weiteres Schnellfeuer verhindert; letzterer Uebelstand musste daher durch Ummanteln des Laufs oder Anbringung eines Handschutzes abgestellt werden. Mit der Einführung der rauchlosen Stickstoffpulver und der Annahme kleinerer Kaliber wurden dann andere Nachtheile beseitigt; indessen schritt man auch schon vorher zur Umwandelung der vorhandenen Bewaffnung in Mehrlader (M/71. 84), und erst im Jahre 1886 erschien das Lebel-Gewehr (Abbild. 12) von 8 mm Kaliber und mit rauchlosem Pulver, dem dann in den Jahren 88 und 89 ähnliche Muster folgten. Bei den Abänderungen zum Mehrlader bestand diese Einrichtung entweder in einem anhängbaren Kasten- oder in einem

Abbild. 13. Das deutsche Gewehr M/88. Verschluss geschlossen und abgefeuert.

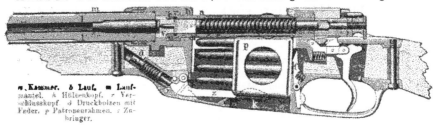

a, Kammer. b Lauf. m Laufmantel. k Hülsenkopf. v Verschlusskopf. d Druckbolzen mit Feder. p Patronenrahmen. z Zubringer.

Röhrenmagazin unter dem Lauf (M/71. 84); sie hatten meist nur den Zweck, dass dem Schützen die Patronen schneller zur Hand waren (Schnelllader), und man verlangte dabei auch eine Abstellvorrichtung, welche den Gebrauch als Einlader zuliess, um Munitionsverschwendung verhindern zu können. Hatte man nun bei den ersten Mehrladern das Magazin im Vorder-, Mittelschaft oder Kolben angebracht, so stellte sich bald die Lage im Mittelschaft als die beste heraus, und das amerikanische System Lee wurde meist vorbildlich. Ebenso zeigte sich von den Verschlusssystemen das des Cylinderverschlusses den anderen überlegen; er kam meist mit Drehbewegung, selten als Geradzug in Anwendung. Bei dem Uebergange zu dem 8 mm Kaliber lag nun, wie bei jeder Gewehrfrage, der Schwerpunkt in der Herstellung einer zweckmässigen Patrone. Die Metallhülse (jetzt ohne Rand, mit Rille für den Auszieher), welche allein gestattet, haltbare Patronen kleinen Kalibers zu fertigen, war bereits vorhanden; dagegen erforderte das Pulver Eigenschaften (geringes Volumen, grosse Treibkraft, mässige Anstrengung der Waffe, kein Rauch und Rückstand), welche das frühere nicht besass. Durch Verbesserungen konnte man zwar auch bei diesem zum Ziele gelangen, indessen machte die Erfindung der Stickstoffpulver derartigen Versuchen ein Ende. Desgleichen bot die Geschossfrage, weil die vergrösserte Geschossgeschwindigkeit bei den auf 4 Kaliber verlängerten Geschossen eine strammere Führung nöthig machte und die bisherigen Geschosse hierfür zu weich waren, Schwierigkeiten. Man erreichte hier durch Umgebung eines Hartbleikerns mit einem Mantel aus vernickeltem Stahl- oder Kupferblech u. s. w. (Abbild. 13a) den Zweck.

Abbild. 13a. Patrone zu M/88.

Mantel aus kupfernickelplattirtem Stahlblech od. Nickel-Kupferblech gezogen

Kern aus Hartblei

Pappeplättchen

Pulverladung

Eindrehung für die Auszieherkralle

Amboss mit zwei Zündöffnungen

Zündhütchen Zündglocke

Bei dem deutschen Gewehr M/88 (Abbild. 13) ist der Lauf *l* (von 7,9 mm Kaliber) mit leerem Zwischenraum vom Mantel *m* umgeben, und beide sind mit der Verschlusshülse *h* verbunden. Unter der Patroneneinlage sitzt der Kasten *k* zur Aufnahme des durch den Rahmenhalter *f* gehaltenen Patronenrahmens *p*, dessen fünf Patronen durch den Zubringer *z* mit Druckbolzen *d* so weit gehoben werden, dass der Verschlusskopf *v* beim Vorschieben der Kammer *a* und des Schlösschens *s* die Patrone in den Lauf schieben kann. Beim Drehen der Kammer legen sich deren zwei Warzen *e* in die Nuthen der Verschlusshülse und fangen so den Rückstoss in vortheilhafter Weise auf. Ist die letzte Patrone eingesetzt, so fällt der Patronenrahmen von selbst nach unten aus dem Kasten. Das 31,25 mm lange Geschoss wiegt 15 g, die Ladung 2,75 g, die 82,5 mm lange Patrone (Abbild. 13a) 27,3 g, der gefüllte Patronenrahmen 154 g, das ungeladene Gewehr 3,8 kg; Länge desselben 1,25 m. Die Anfangsgeschwindigkeit beträgt 620 m, die Zahl der Patronen für die Taschenmunition 120.

Dieses und das ihm ähnliche österreichische Gewehr M/89 (Kaliber 8 mm, System Mannlicher) können in ihren Eigenthümlichkeiten: Kaliber, Magazin mit fünf Patronen, Mantelgeschoss, randlose Patrone, zweiseitige centrale Auffangung des Rückstosses oder Geradzugverschluss als Typ dieser neuen Gruppe von Gewehren angesehen werden. Zu ihr gehört u. A. auch das Schweizer Repetirgewehr M/89

Abbild. 14. Englisches Gewehr M/89, System Lee-Metford. Geschlossen und abgefeuert.

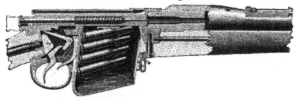

(System Schmidt) mit einem eigenthümlichen Geradzugverschluss. Dasselbe nimmt ein Magazin (nach Lee) mit 12 Patronen auf, doch soll mit Einzelladung und nur in entscheidenden Gefechtsmomenten aus dem Magazin geschossen werden. Aehnliche Anordnungen sind auch beim Englischen Gewehr M/89 (Lee-Metford, Abbild. 14) getroffen, welches 10 Patronen enthält, und ebenso sollten die nach Vitali abgeänderten, italienischen Vetterli- und Niederländischen Beaumont-Gewehre nur als Gelegenheitsrepetirer gebraucht

Abbild. 15. Russisches Gewehr M/91. Geschlossen und gespannt.

werden; dagegen ist beim deutschen und österreichischen Gewehr die Einzelladung ausgeschlossen. Endlich wurde auch in Dänemark ein Gewehr M/89 (System Krag-Jörgensen) eingeführt, welches recht brauchbar ist und eine Anordnung des Magazins zeigt, bei der es beim Tragen nicht unbequem hervorsteht. Zuletzt folgte Russland bei der Einführung der Mehrlader mit dem (Dreilinien-) Gewehr M/91 (Abbild. 15), bei welchem schon ein

Kaliber von 7,62 mm vorkommt.*) Die erste Gruppe der Mehrlader zeigte vielfach Mängel, welche z. B. beim österreichischen Gewehr bereits bei dem demselben folgenden Karabiner, dann bei dem Muster 90/95 vermieden wurden. Mauser beseitigte solche an dem deutschen Muster bei den 7,65 mm Gewehren, welche er für Belgien, Argentinien und die Türkei lieferte, und nach weiteren Versuchen erhielt Spanien im Jahre 1893 ein Mausergewehr von 7 mm Kaliber, welches konstruktiv wohl als das beste der vorhandenen anzusehen war. In allen Staaten ging man inzwischen mit Versuchen in Betreff der Frage vor, wie weit man für ein Armeegewehr in der Kaliberherabsetzung gehen könne, wobei von vornherein 5 mm als die unterste zulässige Grenze erkannt wurde. Dem zu kleinen Kaliber stellte sich, abgesehen von den technischen Schwierigkeiten der Herstellung in Bezug auf Bohren, Ziehen u. s. w. der Läufe, die wohl zu überwinden waren, auch das Bedenken entgegen, dass, um die Biegungsfestigkeit nicht zu gefährden, die Laufwand verstärkt, die Schwere der Waffe also unverhältnissmässig zunehmen musste. Zu den technischen Unzuträglichkeiten kamen indessen auch ballistische Bedenken, denn die bei abnehmendem Durchmesser erforderliche Verlängerung der Geschosse durfte nicht zu weit gehen, wenn man nicht die Sicherheit der Führung, die Regelmässigkeit der Flugbahn u. s. w. gefährden wollte, zumal man einen allzustarken Drall nicht anwenden kann. Ist man also in dieser Hinsicht beschränkt, so wird das Gewicht des Geschosses bei zu bedeutender Verkleinerung des Kalibers so vermindert, dass die lebendige Kraft zum sicheren Aussergefechtsetzen des Gegners bis zur äussersten Grenze der Waffenwirkung nicht ausreicht. Auch die Querschnittsbelastung wird dann zu gering, der Einfluss des Windes u. s. w. auf die Geschossbahn grösser. Ferner ergeben sich Uebelstände in Erhaltung der Schussfähigkeit und der Reinerhaltung der Gewehre, auch wird der Stossboden für die Kraftäusserung des Pulvers immer ungünstiger, die Vibrationen beim Schuss werden bei dünnen Läufen stärker, und die Abnutzung der Felder geht bei der grösseren Geschossgeschwindigkeit schneller vor sich, die Dauer der Gewehre wird beeinträchtigt. Dennoch ergab sich zunächst, dass eine Verringerung des Kalibers auf 6,5 mm wohl zulässig und die dadurch erreichten Vortheile höchst bedeutend seien. Sie bestanden in Steigerung der Anfangsgeschwindigkeit und lebendigen Kraft des Geschosses, sicherer Führung der bei gleicher Schwere längeren Geschosse und besserer Ueberwindung (grössere Querschnittsbelastung) der Bewegungswiderstände. Hieraus ergaben sich: grosse Schussweite, hohe Treffgenauigkeit, grosse Rasanz bei genügender Durchschlagskraft auf weite Entfernungen. Dazu traten noch die Vortheile des geringen Gewichts der Waffe und der leichten Munition, welche eine starke Ausrüstung mit Patronen zulässt. Die leichte Waffe kommt der Treffgenauigkeit, der Feuergeschwindigkeit, also auch der Massenleistung zu gute, der letzteren auch noch die starke Munitionsausrüstung.

Diesen Erwägungen entsprechend wurde als erstes das italienische 6,5 mm Gewehr (System Mannlicher) eingeführt, welches man namentlich wegen der rasanten Flugbahn, deren Scheitel sich bei Visir 600 m nicht über Manneshöhe erhebt, als Ideal der Taktiker bezeichnete. Es folgten dann mit Gewehren desselben Kalibers und Systems die Niederlande und Rumänien; auch Belgien und Schweden sollen sie mit Mausersystem ein-

---

*) Bis dahin hatten nur Belgien sich für 7,65 und die Schweiz für 7,5 mm entschieden.

Automobilen im Militärdienst.

Der Gedanke, einen Wagen zu konstruiren, der zum schnellen Transport vieler Leute geeignet sei, hat besonders in Frankreich schon längst begeisterte Vertreter gefunden und führte, wie wir erinnern wollen, vor etwa 12 Jahren zum Bau eines sogenannten Polycycles, eines Wagens, wie sich dessen die Feuerwehr in manchen Fällen zum schnellen Materialtransport bedient. Die Versuche mit jenem Polycycle, die seiner Zeit in der Nähe von Belfort angestellt wurden, scheinen aber zu keinen günstigen Ergebnissen geführt zu haben, wenigstens hat man seit langer Zeit nicht mehr von ihnen gehört. Neuerdings wendete man aber in Frankreich sich ähnlichen Versuchen wieder zu und zwar hat man diese mit Automobilen, also Wagen mit einem besonderen Motor, angestellt und erwartet, mit diesen zu besseren Resultaten zu gelangen. Vor Allem erhofft man von den Automobilen eine bei Weitem vielseitigere Verwendungsfähigkeit, als man von jenen ersten, durch Menschenkraft getriebenen Polycycles erwarten zu können berechtigt war, und schon ist dem General Jamont gelegentlich einer Armeekorps-Inspektionsreise ein derartiger Wagen mitgegeben worden. So hat denn thatsächlich die Automobile im französischen Heere bereits ihren Einzug gehalten, und bei dem fieberhaften Eifer, mit dem jede neue Errungenschaft der Technik in den Armeekreisen unserer westlichen Nachbarn weiter verfolgt wird und mit dem man bestrebt ist, solche der Allgemeinheit dienstbar zu machen, steht zu erwarten, dass die Frage der Verwendung der Automobilen im Kriege einer baldigen Klärung entgegengeht. So rückt sie überhaupt in den Vordergrund allgemein militärischen Interesses, und es würde nicht zu entschuldigende Versäumniss sein, wollten wir den französischen Versuchen nicht auch unsere Aufmerksamkeit zuwenden.*)

Nicht nur beschäftigen sich bereits die französischen Tageszeitungen mit der Frage der Selbstfahrwagen, sondern es ist auch bereits eine ganze Reihe von Broschüren der periodischen Fachlitteratur zu verzeichnen, die in diesbezügliche Erörterungen eingetreten sind. Vor Allem ist es aber ein Vortrag, den der durch seine Studien über das Militärradfahrwesen bekannte Lieutenant Gérard im Cercle militaire kürzlich gehalten, sowie eine kleine Abhandlung des Bataillonschefs Caillol, auf die wir uns im Nachfolgenden stützen.

Genau wie es seiner Zeit bei den Fahrrädern der Fall gewesen, so müssten auch die Automobilen sich zunächst im nicht militärischen Publikum eine gewisse Stellung sichern, ehe man in militärischen Kreisen auf sie aufmerksam wurde. Eine einigermaassen allgemeinere Aufnahme fanden die Automobilen erst seit wenigen Jahren, dieselbe führte aber bald zu der erst ganz vor Kurzem geschlossenen Ausstellung von Selbstfahrwagen in Paris. Auf dieser Ausstellung waren natürlich selbstfahrende Wagen aller Art, Fabrikate aus allen grösseren Ländern vertreten. Deutschland insbesondere hatte Wagen aus Cannstadt und Karlsruhe ausgestellt, und es war zu erkennen, dass durch die Aufnahme, welche die Automobilen bereits gefunden, eine eigene grossartige Industrie im Entstehen begriffen ist. Schon giebt es eine grosse Anzahl von Selbstfahrwagenfabriken, die gute Geschäfte machen, ja eine Fabrik — die von einem Grafen Dion in Gemeinschaft mit einem Schlosser begründet wurde — soll sogar Millionen-

---

*) Im deutschen Militäretat für 1899 sind bereits Mittel zu Versuchen mit Automobilen eingestellt. D. Red.

Geschäfte zu verzeichnen haben. Zu verwundern ist dies nicht, denn die Automobilen stehen, wie wir später sehen werden, noch hoch im Preise. In Paris besteht zur Zeit schon ein sogenannter Automobilenklub, der 600 bis 700 Mitglieder zählt, unter dem Vorsitze des Baron Zuylen van Nyvelt, einem Mitgliede der holländischen Gesandtschaft. In ganz Frankreich dürfte aber eine bei Weitem grössere Anzahl von Automobilenbesitzern, als eben genannt, zusammenkommen, und das französische Kriegsministerium soll beabsichtigen, die Besitzer von derartigen Wagen mit diesen zu den Truppentheilen einzuberufen, um sie an den Manövern theilnehmen zu lassen.

Wenn man nun von einer militärischen Verwendung der Automobilen spricht, so dürfte letztere kaum recht einzusehen und zu begreifen sein, wenn man hierbei nur an jene Selbstfahrwagen denkt, wie man sie wohl hin und wieder auf den Strassen unserer grossen Städte sieht. Einen schon besseren Begriff dürfte man aber erhalten, wenn man sich vergegenwärtigt, dass auf der erwähnten Ausstellung Wagen vorhanden waren, die mehreren — 6 bis 8 — Personen Unterkunft gewähren konnten. Derartige Fahrzeuge bestanden aus dem eigentlichen Motorwagen, der ausser dem Führer und Heizer noch drei Personen aufzunehmen im Stande war und einem zweiten anhängenden Wagen von ungefähr 12 Meter Länge und etwa $2^{1}/_{2}$ Meter Breite. In diesem Wagen, dessen Gestell auf niedrigen Rädern ruhte, fand man zwei Schlafkojen mit je 4 Betten (2 übereinander!), einen Speise-, einen Wohnraum und ein Gelass als Vorrathskammer. Auch auf dem Verdeck befanden sich noch Plätze. Allerdings betrug der Preis eines solchen Wagens, der aber mit grösstem, für militärische Zwecke natürlich entbehrlichem Luxus ausgestattet war, 12 000 bis 15 000 Mark. — Aus der Beschreibung der Einrichtung ergiebt sich ohne Weiteres, dass derartige Wagen sich zweckmässig zum Krankentransport und als ambulante Verbandstationen, als Geschäftsräume für obere Truppenbehörden, als militärische Post- und Telegraphenräume, als Kassenlokale und endlich für die Truppen als automobile Küchen verwenden lassen würden. Auf den grossen Vorzug derartiger, zu solchen Zwecken in Aussicht genommener Wagen einzugehen, erscheint unnöthig und zwecklos.

Den hauptsächlichsten Nutzen verspricht man sich aus der Verwendung der Automobilen zum Transport von Mannschaften, Munition, Lebensmitteln und Kriegsgeräth aller Art.

Der schon erwähnte Bataillonschef Caillol ist der Ansicht, dass man Radfahrerdetachements nur zum Theil, etwa bis zu $^{1}/_{2}$ bis $^{2}/_{3}$ ihrer Effektivstärke mit Fahrrädern, für den anderen Theil aber mit Automobilen ausrüsten soll, und verspricht sich aus dieser Ausrüstungsweise die Möglichkeit einer besonders schnellen Gefechtsentwickelung selbst grösserer Truppenmassen. Die den als Spitze vorausgehenden Radfahrern folgenden Automobilen sollen die übrigen Theile des Radfahrdetachements nachführen und sollen dazu dienen, die in einem etwaigen Gefecht überflüssig gewordenen Räder nach rückwärts zu bringen, um auf ihnen neue Truppen rasch in die Gefechtslinie werfen zu können. Dies würde allerdings bedingen, dass sämmtliche Infanterie im Radfahren ausgebildet wird, auch dürfte es die Schwierigkeit mit sich bringen, die Räder nach Abbruch des Gefechts schnell wieder ihren rechtmässigen Fahrern zuzustellen. Auf den Flügeln der Armeen sollen die Automobilen weit ausgreifende Umgebungen, hinter der Front sollen sie weitgehende Verschiebungen der Reserven ermöglichen. Um in dieser Beziehung ein Urtheil abgeben zu können, fehlen leider noch jedwede Angaben, in welcher Weise man sich die ein-

zelnen Truppentheile mit Automobilen ausgerüstet denkt, und welches
Fassungsvermögen die einzelnen Selbstfahrwagen haben werden.

Abgesehen vom Munitionsnachschub würden wir endlich die Automobilen noch in den Kolonnen und Trains wiedersehen. Offenbar lässt
sich eine zweckentsprechend gebaute Automobile mehr belasten als ein
gewöhnlicher Wagen — eine Hippomobile — und so glaubt man in Frankreich, dass man nicht nur die Marschtiefen der Kolonnen und Trains
unter weitgehender Verwendung der Automobilen wird bedeutend herab-
mindern können, sondern man verspricht sich noch besonders grossen
Nutzen von der grossen Steigerung der Geschwindigkeit, die man jenen,
unseren modernen Riesenheeren wie hemmende Gewichte anhängenden
Marschgliedern zu Theil werden lassen kann. Ueber die durch Einstellung
derartigen Kriegsmaterials erwachsenden grossen Kosten setzt man sich
ziemlich leicht hinweg, ja man denkt, dass sie sich einigermaassen werden
durch die Möglichkeit einer bedeutenden Herabminderung des Pferdeetats
ausgleichen lassen. — Wir möchten dies bezweifeln, obwohl wir uns der
Erkenntniss der ganz bedeutenden Vortheile, die den heutigen Heeren und
ihren Führern durch Herabsetzung der Marschtiefen und Steigerung der
Marschgeschwindigkeit der Kolonnen und Trains erwachsen würden, nicht
verschliessen können.

Man glaubt ferner in französischen Heereskreisen an die Möglichkeit,
einzelne Batterien der Artillerie mit automobilen Geschützen, wie solche
einer bisher allerdings unverbürgten Nachricht zufolge, jetzt in Oesterreich
erprobt werden sollen, ausrüsten zu können. Für Batterien der Feldartillerie dürfte dies nicht angängig sein, da man solche ihrer Unabhängigkeit von gebahnten Wegen nicht berauben darf, für Batterien der sogenannten bespannten Fussartillerie erscheint aber die durch Einführung
von Automobilen theuer erkaufte grössere Geschwindigkeit nicht recht
ausnutzbar.

Wenn im Vorstehenden allgemein angedeutet wurde, was man sich
in Frankreich von Einführung der Automobilen verspricht, so dürfen wir
nicht versäumen, auf zwei Punkte hinzuweisen, die zu überwinden schwierig
sein wird. Der erste derselben betrifft das Heizmaterial des Motors und
seine Mitführung, der zweite aber die voraussichtliche Unmöglichkeit, die
erforderlich grosse Anzahl geübter und geschulter Maschinenführer einzustellen. Solcher bedarf es aber unbedingt, wie überzeugend alle jene
Resultate klar gethan haben, die man bisher bei vergleichsweisen Erprobungen von Automobilen, Motoren und anderen Zwei- und Dreirädern
erzielt hat. Ein solcher sehr interessanter Versuch hat erst ganz kürzlich
zwischen Marseille—Hyères—Nizza stattgefunden. Diese Strecke beträgt
bis Hyères 76 km, von da ab 159 km, und man übersteigt auf ihr eine
absolute Höhe von ungefähr 400 Metern. In diesem Wettbewerb waren
die Automobilen unstreitig die schnellsten Fahrzeuge, denn ihre mittlere
Geschwindigkeit, etwa 38 km per Stunde, wurde nur von den besten
Fahrrädern erreicht. — Auch in Oesterreich plant man neuerdings eine
derartige vergleichsweise Probefahrt, und welches Interesse man derselben
von militärischer Seite entgegenbringt, geht daraus hervor, dass der Fahrt
militärische Delegirte beiwohnen und von diesen namentlich die Kontrol-
stationen überwacht werden sollen.

Wir hoffen ebensowohl über diese weiteren Versuche, wie auch besonders über die konstruktiven Einzelnheiten der Automobilen demnächst
eingehender berichten zu können.   Hbr.

Kriegstechnische Lehren aus dem spanisch-amerikanischen Kriege.

Selten wohl ist von Fachkreisen dem Beginne und Verlaufe eines Krieges mit grösserer Spannung und mit grösserem Interesse entgegengesehen worden, als dem jüngst beendeten spanisch-amerikanischen Kriege. Selten auch hatte ein Krieg der Neuzeit — ausgenommen derjenige von 1870/71 — bedeutendere Folgen in politischer Hinsicht als der eben beendete, insofern als die Vereinigten Staaten von Amerika sowohl mit einem Schlage in die Reihe der Kolonialmächte, wie in diejenige der über eine beträchtliche Landarmee und eine Seemacht, mit der Zeit ersten Ranges, verfügenden Staaten eintreten. Hiermit zugleich reiht sich die Union denjenigen Staaten an, welche auf dem Gebiete des internationalen Wettbewerbes im Weltverkehr einen entscheidenden Einfluss ausüben. — Jedoch nicht bloss in politischer Hinsicht, sondern auch auf militärischem Gebiete hat dieser Krieg überraschende Folgen gezeitigt; er zeigte ein von allen anderen Kriegen der Neuzeit wesentlich verschiedenes Bild und Gepräge, sowohl was die Vorbereitungen als auch den Verlauf des ganzen Unternehmens anbetrifft, welches einen derartig unglücklichen Ausgang für Spanien nahm, wie man es von vornherein durchaus nicht hätte erwarten können.

Die Lehren des spanisch-amerikanischen Krieges liegen selbstverständlich vor Allem auf der Seite der Kriegführung zur See. Die beiden taktischen Schläge, welche für Spanien endgiltig zum Verluste selbst jedes Scheines der Seeherrschaft führten und in letzter Linie den Zusammenbruch seines Kolonialreiches bedeuteten, waren die Unternehmungen zur See von Cavite und Santiago de Cuba. Auf diesen Schlachten hauptsächlich beruhen die nachstehenden Folgerungen. Nicht im Kreuzer- und Kaperkriege, sondern in den Geschwaderkämpfen der Schlachtschiffe liegt die Entscheidung. Nicht Panzerkreuzer, sondern grosse moderne Schlachtschiffe mit starkem Panzerschutze, einem Tonnengehalte von mindestens 8000 bis 9000 t und sehr starker Armirung, namentlich an Schnellfeuergeschützen von 10 bis 15 cm Kaliber, bilden die wichtigsten taktischen Einheiten einer Schlachtflotte. Bei den Schlachtschiffen kommt es neben grosser Geschwindigkeit und Manövrirfähigkeit auf die erwähnten Eigenschaften an; Geschützbedienung und Maschinistenpersonal müssen gründlich geschult sein und durch die erforderlichen Schiess- und Fahrtübungen vorgebildet. Bei Santiago waren die amerikanischen Schiffe von so grossem Tonnengehalte, dass eine überlegene schwere Artillerie sowie eine weit überlegene, auf Schnellladung eingerichtete mittlere und leichte Artillerie hinter genügend starken Panzerdeckungen untergebracht werden konnte. Wer die bereits in der Schlacht am Yaluflusse zu Tage getretene Wirkung der auf Schnellladung eingerichteten Artillerie in Betracht zieht, muss zu dem Ergebnisse kommen, dass es nicht allein genügt, Schiffe mit ausreichender Bestückung zu besetzen, sondern dass die Bedienungsmannschaften der Geschütze, sollen sie nicht in kürzester Zeit ausser Gefecht gesetzt sein, eines ausreichenden Schutzes durch Vertikalpanzer nicht entbehren können.

Um diesen beiden Anforderungen zu genügen, ist für das jetzige Schlachtschiff eine Wasserverdrängung von mindestens 8000 bis 9000 t erforderlich. Nur auf Schlachtschiffen von dieser Grösse kann auch jener überaus beträchtliche Munitionsvorrath untergebracht werden, dessen die jetzige Schiffsartillerie zur vollsten Ausnutzung ihrer Feuerschnelligkeit,

2*

selbst für ein Gefecht von nur mehrstündiger Dauer nicht entbehren kann. Die amerikanischen Schlachtschiffe und Panzerkreuzer hatten noch grössere als die vorangeführten Wasserverdrängungen (Schlachtschiff »Iowa« 11 400 t, Panzerkreuzer »Brooklyn« 9 300 t), während die spanischen Schlachtschiffe »Viscaya«, »Maria Teresa«, »Oquendo« 7000 t, der »Cristobal Colon« 6800 t hatten. In der Schlacht von Santiago sehen wir zum ersten Male bei einer verhältnissmässig geringen Zunahme an Tonnengehalt eine unverhältnissmässig grosse Zunahme an Gefechtswerth. Diese Erfahrung muss bei Zukunftsbauten entschieden gegen das Sparen am Tonnengehalt der Schlachtschiffe sprechen.

Die Anforderung eines starken Panzerschutzes geht von selbst aus der grossen Anzahl der eine vernichtende Wirkung auf die spanischen Schiffe ausübenden amerikanischen Treffer hervor. Einige wenige Treffer werden jedes Schiff ohne Seitenpanzer ausser Gefecht setzen.

Der Werth der Schnellfeuer- und Schnellladegeschütze hat sich als ein ungeheurer herausgestellt. Nach den Besichtigungen der zerschossenen Schiffe scheinen die der mittleren Artillerie angehörenden Schnellladegeschütze von 10 bis 15 cm Kaliber die entscheidendste Wirkung im Rumpfe der Schiffe gehabt zu haben, während kleinere Geschosse die leichten Aufbauten durchsiebt hatten.

Die gewöhnliche Granate erwies sich gegen die spanischen Schiffe als äusserst wirksam. Die Amerikaner benutzten keine Hochexplosivstoffe. Bei den Bombardements von Santiago und San Juan explodirten einzelne Geschosse nicht.

Den Uebungen im Aufklärungsdienste der Kreuzer muss in Zukunft grosse Sorgfalt zugewendet werden. Bei Ausbruch des Krieges wurde Cervera nicht von amerikanischen Kreuzern überwacht. Sampsons Fahrt nach San Juan, Schleys Thatenlosigkeit bei Cienfuegos und die tagelange Ungewissheit der Amerikaner, ob der Feind mit seiner ganzen Macht im Hafen von Santiago sei, waren die Folgen dieser verloren gegangenen Fühlung.

Eine wichtige andere Folgerung geht unzweifelhaft aus den verschiedenen Gefechten hervor: »Beim Bau von Schlachtschiffen darf so wenig Holz als möglich verwendet oder, wo es nicht zu umgehen ist, doch nur sogenanntes unverbrennbares, chemisch behandeltes Holz, wie es neuerdings in England hergestellt wird, benutzt werden.«

Ebenso müssen die Feuerlöschvorrichtungen mit Ausnahme von Schläuchen und Mundstücken geschützt unterhalb des Panzerdecks untergebracht werden. Dieser Schluss wird daraus gezogen, dass ein Brand im Achterschiff der »Maria Teresa« vor Santiago nicht gelöscht werden konnte, weil dieselbe Granate, welche die Kammern und Kajüten dort angezündet, auch die Feuerlöschvorrichtung zerstört hatte.

Es empfiehlt sich desgleichen, geeignete Feuerlöschmittel zur Hand zu haben, mit welchen ein ausbrechender Brand schon im Keime erstickt werden kann.

Es scheint ferner geboten, Torpedos aus Schlachtschiffen nur aus Unterwasserrohren abzufeuern und unterhalb des Panzerdecks aufzuwahren; es empfiehlt sich deshalb vielleicht auch das Oberwasser-Heckausstossrohr, welches unsere neuesten schweren Schiffe noch haben, wegfallen zu lassen. Ferner bedürfen die Schlachtschiffe genauer Distanzmesser, und darf Feuer nur auf wirksame Entfernungen abgegeben werden.

Es hat sich ferner gezeigt, dass die Torpedoverwendung aufs Sorgfältigste geübt werden muss, um zu Leistungen zu befähigen. Die

Spanier verstanden es in Ermangelung dieser Uebung nicht, von ihren Torpedos wirksamen Gebrauch zu machen, und die gebotene häufige nächtliche Beunruhigung und Ermüdung durch die spanischen Torpedojäger fand keineswegs statt.

Dagegen hat sich die Wirksamkeit starker Torpedosperren, welche vom Feuer des Vertheidigers beherrscht werden, bei Santiago glänzend bewährt.

Die Kohlenversorgung ist jetzt ein Gegenstand von äusserster Wichtigkeit; der Besitz von Kohlenstationen und Flottenstützpunkten hat besonders für die schwächere Macht eine gesteigerte Bedeutung erlangt. Cerveras Thätigkeit in Westindien wurde aus der Schwierigkeit der Kohlenvorraths-Ergänzung zum grossen Theile lahm gelegt.

Die Blockade eines feindlichen Hafens, in welchem sich ein starkes Geschwader befindet, kann ohne eine beträchtliche Ueberlegenheit von Kräften nicht aufrecht erhalten werden, wie das Verhältniss von Sampsons Blockadeflotte zur blockirten Flotte Cerveras beweist.

Wenn somit, wie dies bei dem ganz überwiegend zur See geführten Kriege nahe lag, der Hauptantheil seiner Lehren auf den Seekrieg entfällt, so blieb jedoch auch der Landkrieg auf Cuba und der kurze auf den Philippinen nicht ohne Fingerzeige.

Eine bewegliche, für augenblickliche Verwendung organisirte Landmacht ist ein wesentliches Erforderniss des so zu sagen Amphibienkrieges. Flotten sind selbst gegen ganz mittelmässige Befestigungen machtlos und können nur sehr schwache Truppenabtheilungen landen. So konnte Camp Mc. Callar bei Guantanamo nur mit Schwierigkeit gehalten werden, obgleich es durch das Feuer der Schiffe unterstützt wurde und obgleich ein Detachement überzähliger Seesoldaten dorthin als Besatzung gesandt worden war.

Der Werth improvisirter Befestigungen zeigte sich, wenn auch keineswegs mit dem Erfolge von Plewna, auch bei Santiago; ebenso deutlich aber auch die Vorbedingung, dass sie ausreichend besetzt, armirt und mit Kriegsvorräthen versehen sein müssen, wenn ihre Vertheidigung Aussicht auf Erfolg haben und nicht zu einem unglücklichen Ausgange wie bei Santiago führen soll. Zersplitterung der spanischen Truppen in der Provinz Santiago de Cuba, infolgedessen zu schwache Besatzung von Santiago, minderwerthige, zum Theil veraltete Geschütze, unbrauchbare Munition, Mangel an Kriegsgeräth und Proviant, an Trains, an sachgemässer Organisation des Sanitätswesens, ungenügende Friedensausbildung raubten schliesslich den Spaniern ungeachtet ihrer besseren Infanteriebewaffnung jede Aussicht auf Erfolg vor Santiago und führten zu einer völligen Aufreibung ihrer Streitkräfte.

Ein kaum viel günstigeres Bild zeigt die Feldarmee der Vereinigten Staaten auf Cuba. Mangelnde Kriegsvorbereitung in fast jeder Hinsicht, Mängel der Organisation, der Ausrüstung, der Trains, des Unterkunftsmaterials, der Verproviantirung, Günstlingswirthschaft in der Besetzung der Führer- und Beamtenstellen, Ränke zwischen dem Kriegsminister und dem Armee-Oberkommandanten zerrütteten die Verfassung der vom besten Geiste beseelten Truppen, welche oft glänzende Beweise von Tapferkeit, Unerschrockenheit, Ausdauer in Strapazen und Entbehrungen gaben. Es erscheint deshalb die Annahme nicht ungerechtfertigt, dass, wenn Spanien den Krieg mit seiner bei Havana in verhältnissmässig leidlicher Verfassung befindlichen Landarmee nach Verlust der Flotte fortgeführt hätte, die Amerikaner dort empfindliche Verluste erlitten haben würden.

Wenden wir uns nun zu den Erfahrungen, welche der spanisch-amerikanische Krieg auf militärisch-technischem Gebiete gezeigt hat, so sind mehrere Erscheinungen zu Tage getreten, welche mit Recht unser Interesse hervorrufen.

So ist z. B. die Einrichtung von Lazarethschiffen, schwimmenden Hospitälern für Fieberkranke, einem Krankenhause auf Rädern auf dem Gebiete des Sanitätswesens zu erwähnen.

Die amerikanische Gesellschaft vom Rothen Kreuze hatte während des Krieges ein Lazarethschiff in Dienst genommen. Auf demselben, welches den Namen »Solage« führte, hatte man für 250 Verwundete Raum geschaffen, welche nach einem Gefecht durch Boote von den Kriegsschiffen abgeholt und dann unter ärztlicher Fürsorge nach sicherem Hafen gebracht wurden. Das Schiff war zweckmässig eingerichtet; die Verwundeten waren so gut untergebracht wie in einem gut geleiteten Hospitale auf dem Lande. Der Sanitätsstab bestand aus einem Chefarzt, vier anderen Militärärzten, einigen Krankenwärtern und 18 Krankenpflegerinnen vom Newyorker Bellevue-Hospital sowie drei Apothekern. Das Schiff lag verankert auf der Rhede von Key West und war natürlich durch die Bestimmungen der Genfer Konvention vor feindlichen Angriffen geschützt.

Eine ganz ähnliche Einrichtung boten die schwimmenden Hospitäler für am gelben Fieber Erkrankte, auch in der Nähe von Key West verankert liegend, dar, welche, vier an der Zahl, für 1000 Kranke bequeme Unterkunft gewährten und mit allen erforderlichen Sanitätseinrichtungen versehen waren.

In der Nähe von Tampa befand sich ein Eisenbahnzug, aus zehn grossen Pullman-Schlafwagen bestehend, welcher gleichfalls als Krankenhaus eingerichtet war, das nöthige Sanitätspersonal enthielt und für Leichtkranke oder Leichtverwundete bestimmt war, deren Ueberführung nach Washington zu einer bestimmten Zeit täglich stattfand.

Ferner ist zu erwähnen: eine schwimmende Maschinenwerkstatt auf dem Schiffe »Vulkan«, welche zu leichten Schiffsreparaturen bestimmt und dementsprechend ausgestattet war. — Die Atlantische Küste der Vereinigten Staaten war bekanntlich an den wichtigsten Punkten durch unterseeische Minen und Torpedosperren geschützt worden. Der New Yorker Hafen erfuhr einen Schutz durch zwei unterseeische Hollandboote und durch die vom Admiral Howell erfundenen Raketentorpedos.

Kapitän James Allen vom Telegraphenkorps erfand bei Beginn des Krieges den vereinigten Apparat für Telegraphie und Telephonie, welcher bei verschiedenen Gelegenheiten werthvolle Dienste leistete, wie sich überhaupt das Telegraphenkorps auf dem Gebiete der Kriegstelegraphie auszeichnete.

Im Verlaufe des Feldzuges wurden ebenso an der Küste von Florida mehrere Brieftaubenstationen eingerichtet, welche, mit je 100 abgerichteten Tauben besetzt, den Luftpostdienst zwischen Washington und Tampa vermittelten. Von diesen Tauben waren auch einige zum Botendienste auf der See abgerichtet, ebenso waren einige Stationen auf Cuba und Portorico eingerichtet worden. Ferner soll zwischen San Francisco und Manila via Hawai ein regelmässiger Brieftaubenpostdienst hergestellt worden sein.

Im Laufe des Krieges wurde auch daran gegangen, einige Luftballons zur Verwendung auf dem Kriegsschauplatze herzustellen, doch kamen sie nicht mehr zur Verwendung, da bis zur Zeit ihrer Vollendung die Feindseligkeiten eingestellt waren. Von der Lichttelegraphie wurde auf den amerikanischen Kriegsschiffen ein ausgiebiger Gebrauch gemacht. Diese

Lichttelegraphie, eine Erfindung des Amerikaners Ingenieurs C. V. Boughton, besteht aus einem Apparate, Telephotos genannt, welcher aus einer Reihe von vier Doppellampen zusammengesetzt ist. Diese hängen senkrecht von Drahtseilen herab, deren oberes Ende auf einen Mast gehisst wird, während das untere Ende an Deck des Schiffes befestigt ist. Die Laternen sind von Glühlampen erleuchtet, die obere Hälfte durch je drei Lampen, umgeben von kräftigen weissen Linsen, die untere durch je vier Lampen in kräftige rothe Linsen eingeschlossen, so dass also jede Laterne in erleuchtetem Zustande eine obere weisse und eine untere rothe Hälfte zeigt. Der elektrische Strom wird den Lampen durch ein isolirtes Kabel zugeführt, das die unterste Lampe mit der Kommandobrücke verbindet. Auf letzterer steht ein Tastwerk, auf welchem ein geübter Telegraphist die einzelnen Buchstaben fast ebenso schnell auf dieselbe Weise angeben kann, wie auf der Schreibmaschine. Durch eine selbstthätige Anordnung erscheint für jeden Buchstaben eine besondere Zusammenstellung der vier weissrothen Laternen, ebenso für jede Zahl, so dass jedes beliebige Wort und jede beliebige Zahl in grosser Schnelligkeit signalisirt wird. Es ist auch noch die Sicherheitsmaassregel getroffen, dass beim Herunterdrücken einer Taste alle übrigen Tasten festgelegt werden, damit nicht etwa nebenbei noch ein anderer Buchstabe angeschlagen werden kann, der das Signal verwirren würde. Ferner kann jede einzelne Taste etwas zur Seite gedreht werden, worauf sie heruntergedrückt bleibt und infolgedessen auch das entsprechende Signal so lange sichtbar bleibt, bis die Taste wieder freigegeben wird. Auf diese Weise wurden sowohl gewöhnliche Befehle in den üblichen Buchstaben an die umgebenden Schiffe telegraphirt, als auch chiffrirte Depeschen oder besonders verabredete Zeichen gesandt und ausgetauscht. — Von einer anderen technischen Neuerung, der der unterseeischen Scheinwerfer, wurde ebenfalls Gebrauch gemacht. Das Licht fällt hierbei durch starke Linsen von einem Punkte weit unter der Wasserlinie in fast horizontaler Linie bis zur Oberfläche des Wassers und beleuchtet diese, ohne dass durch den Scheinwerfer selbst der Ort des eigenen Schiffes verraten wird. Diese unterseeischen Scheinwerfer sind sowohl in der Höhenrichtung als auch in der Seitenrichtung verstellbar, um auch bei festliegendem Schiffe die ganze Umgebung nach allen Seiten beleuchten zu können.

Ueber die ausgiebige Verwendung von Militärradfahrern auf Cuba in grösseren Abtheilungen liegen keine ausreichenden Nachrichten vor. Nur Einzelradfahrer sollen zum Ordonnanzdienste verwendet worden sein.

Der Leistungen der amerikanischen Eisenbahnen wird im New Yorker »Army and Naval Journal« rühmend gedacht, jedoch auch bemerkt, dass die Bewältigung des starken Truppen- und Kriegsmaterial-Verkehrs auf dem schwach entwickelten Bahnnetze im Süden der Union mit grossen Schwierigkeiten verbunden gewesen sei.

Die hochentwickelte Konservenindustrie der Vereinigten Staaten gestattete eine rationelle Verpflegung der Truppen fast überall; ihr ist es hauptsächlich zuzuschreiben, dass der Gesundheitszustand der Feldarmee und der Flotte trotz des Tropenklimas während des Krieges ein verhältnissmässig so günstiger geblieben ist. —

Wenn sich aus der Betrachtung dieses Krieges recht prägnant der Werth einer rechtzeitigen tüchtigen Kriegsvorbereitung, der guten Schulung und Ausbildung der Streitkräfte zu Lande und zur See, der Wahl guter Führer, hauptsächlich in den höheren Stellen, der Fürsorge für das beste Schlachtschiff- und Armirungsmaterial, für die Organisation der Truppentheile bis zu den Nebenbranchen herab, des Proviant-, Sanitäts-, Aus-

rüstungs-, Zufuhr- und Befestigungswesens ergiebt — welche Faktoren insgesammt bei beiden kriegführenden Parteien mehr oder minder zu wünschen
liessen —, so erhellt andererseits daraus, wie werthvoll auch die Technik
die Kriegführung allenthalben zu unterstützen und wie wichtige Dienste
sie ihr zu leisten vermag.

Das Goerzsche Triëder-Binocle.

(D. R. Patent.)

Mit einer Abbildung.

Das heutige Infanteriefeuer wird infolge unserer modernen weit-
tragenden Handfeuerwaffen bereits auf erheblich grösseren Entfernungen
eröffnet werden, als dies im Jahre 1870 mit dem Chassepot-Gewehr,
welches wir damals schon für den Gipfel alles Vollkommenen ansahen,
der Fall war. Wir werden den Gegner nicht mehr bis auf mittlere Entfernungen, 600 bis 1000 m, herankommen lassen, sondern werden ihm
bereits auf weite Entfernungen, also über 1000 m, unsere Geschosse ent-
gegenschicken. Ebenso wird natürlich der in einer Stellung sich befindende
Gegner uns gegenüber handeln. Um nun diese Stellung, diesen Raum,
den der Gegner besetzt hat, zu erkennen, reicht die menschliche Sehkraft
bei Weitem nicht aus, zumal sich die Stellung des Gegners bei dem
rauchlosen Pulver kaum noch aus der Ferne verrathen wird. Es ist
daher jeder Truppenführer, höherer wie Unterführer, welchem in irgend
einer Weise eine Feuerleitung zufällt, auf die Vermehrung seiner Sehkraft
angewiesen, d. h. er muss seine Zuflucht zu einem Fernglase nehmen.
Die Ausstattung unserer Unteroffiziere mit Ferngläsern beweist zur Genüge,
dass an maassgebender Stelle die Nothwendigkeit dafür anerkannt wird.
Das astronomische Fernrohr konnte zu solchen Beobachtungen jedoch
nicht verwendet werden, da es den gesehenen Gegenstand in der umgekehrten Stellung, also auf dem Kopfe stehend, zeigt, wie dies auch bei
den Fernrohren unserer gebräuchlichsten Aufnahmeinstrumente der Fall
ist. Der Wunsch, das astronomische Fernrohr auch für Erdbeobachtungen
nutzbar zu machen, führte bald nach der Erfindung des Fernrohrs dazu,
die aufrechte Lage des betrachteten Gegenstandes durch Einschaltung
eines bildumkehrenden Okulars zu erreichen, und wenngleich bei diesem
als »terrestrisches« bezeichneten Fernrohre die Eigenschaften des astronomischen vollauf gewahrt bleiben, so haftet dieser Konstruktion für den
Gebrauch als Handfernrohr wieder der schwerwiegende Nachtheil einer
bedeutenden Länge an. Diesen Uebelstand zu beseitigen, hat von jeher
den Scharfsinn der bedeutendsten Optiker herausgefordert, leider ohne
den gewünschten Erfolg. In jüngster Zeit nun hat man die Lösung der
Aufgabe in einer ganz anderen Richtung angestrebt, welche endlich zu
einem in mehrfacher Hinsicht überraschenden Ergebniss führte.

Die Umkehr des Bildes lässt sich erfahrungsgemäss auch durch
Reflexion an spiegelnden Flächen erreichen. Es ist das Verdienst des
Geodäten und Optikers Porro, schon vor mehreren Jahrzehnten diese
Methode praktisch verwerthet zu haben. Er sowohl wie namentlich sein
Schüler Hoffmann in Paris konstruirten astronomische Fernrohre, die
durch Verwendung von Spiegelprismen zur terrestrischen Beobachtung
brauchbar waren. Freilich, zur Anfertigung von Doppelrohren reichte die
Technik jener Zeit nicht aus. Das Problem, die genaue Uebereinstimmung
zweier Bilder auf diesem Wege zu erreichen, überstieg die Leistungsfähig-

keit der optischen Praxis, und ausserdem war die Glasfabrikation um die Mitte des Jahrhunderts der Theorie noch nicht ebenbürtig. Erst die Gegenwart lieferte ein so völlig reines und klares Material, dass der Lichtverlust beim Durchgang durch die dicken Schichten der Spiegelprismen infolge von Absorption unmerklich blieb, und so konnte in unserer Zeit das Porrosche Prinzip zur vollen Entfaltung gebracht werden. Dies ist unter Anderem in dem Triëder-Binocle der optischen Anstalt C. P. Goerz, Berlin-Friedenau, geglückt. Der innere und äussere Bau und die optische Wirkungsweise der Goerzschen Triëderkonstruktion lässt sich leicht an der beigegebenen Figur erkennen.

o_1 ist das Objektiv, durch welches die Lichtstrahlen in das Fernrohr eintreten. Dieses Objektiv (D. R. Patent) ist für das Triëder-Binocle nach neuen Prinzipien konstruirt worden und bietet, verglichen mit den bisher bekannten Fernrohrobjektiven, wesentliche Vortheile dar. Es besteht aus zwei untereinander verkitteten Linsen von besonderen optischen Eigenschaften, welche eine erhebliche Verbesserung der Bildschärfe an den Rändern des Gesichtsfeldes bewirken. Der Sehwinkel konnte solchergestalt bis auf 40°, die äusserste, bis heute erreichte Grenze, getrieben werden, ohne dass eine Verschlechterung der Bilder nach den Grenzen des Gesichtsfeldes hin zu bemerken wäre.

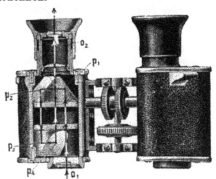

Vom Objektiv o_1 gelangen die Lichtstrahlen auf ihrem Wege zum Okular in der Richtung der eingezeichneten Pfeile zunächst in das in der Figur oben befindliche Prisma, erleiden hier an den brechenden Flächen bei p_1 und p_2 je eine rechtwinkelige Ablenkung von ihrer früheren Richtung und gelangen so zum unteren Prisma, dessen brechende Kante zu der des oberen senkrecht steht. In gleicher Weise erfolgt beim Durchgang der Strahlen durch dieses Prisma bei p_3 und p_4 nochmals je eine rechtwinkelige Richtungsänderung, und von p_4 aus erreichen die Lichtstrahlen seitlich am oberen Prisma vorbei direkt das Okular o_2. Die eigenartige Anordnung der beiden Glaskörper zu einander im Verein mit der viermaligen Reflexion ergiebt die gewünschte Bildumkehrung des astronomischen Fernrohrs.

Aber das Zwischenschalten der beiden Glaskörper bietet noch den weiteren Vortheil, die Länge des Fernrohrs erheblich zu verringern, ohne auch nur im Geringsten dessen optische Wirkungsweise zu beeinträchtigen. Durch die Anbringung der Reflexionsprismen wurde es möglich, die einzelnen Fernrohre gewissermaassen zu zerschneiden und die zugehörigen Theile anstatt voreinander, nebeneinander anzuordnen. Die optische Achse erhält hierdurch die Form einer rechtwinkligen, geknickten Zickzacklinie, und die Entfernung zwischen Objektiv und Okular wird ungefähr auf den dritten Theil ihrer ursprünglichen Länge verkürzt.

Die Triëderkonstruktion suchte auch in zweckdienlicher Weise den persönlichen Verschiedenheiten der Beobachter Rechnung zu tragen. Wir wissen, dass die Augen der meisten Menschen, wenn auch in der Regel nur in geringem Grade, verschieden sind. Erst durch Ausgleich dieser

Verschiedenheit wird das plastische Sehen ausserordentlich gefördert, und die Leistungen des Feldstechers kommen voll zur Geltung. Bei der Goerzschen Triëderkonstruktion ist daher die Einrichtung getroffen, dass jedes Fernrohr unabhängig von dem anderen für das betreffende Auge scharf eingestellt werden kann, und erst, wenn dies geschehen, lässt sich die Fokussirung auf einen entfernten Gegenstand für beide Rohre gemeinsam ausführen. Diese gleichzeitige Einstellung für beide Augen ist bedeutend vortheilhafter als die bei ähnlichen Konstruktionen mitunter angewandte besondere Einstellung jedes Okulars für sich. In letzterem Falle muss bei sich ändernder Objektentfernung immer wieder von Neuem für jedes Auge besonders eingestellt werden, wobei leicht Fehler in der Einstellung gemacht werden können, welche die Bildklarheit beeinträchtigen und vor Allem die Augen ermüden.

Schliesslich kann auch der Abstand der beiden Rohre voneinander entsprechend dem Augenabstand des jeweiligen Beobachters regulirt werden, so dass bei sorgfältiger Justirung die Achse jedes Auges mit der optischen Achse des zugehörigen Okulars zusammenfallen muss.

In technischer Hinsicht stellt die Triëderkonstruktion allerdings an die Kunst des Optikers sehr hohe Anforderungen. Ganz abgesehen von den Schwierigkeiten der Anfertigung durchaus ebener Spiegelflächen, wie sie allein hierbei Erfolg versprechen, ist die Justirung derartiger Prismenfernrohre eine mühsame Operation. Selbst gegen ganz kleine Differenzen in der Lage der ihnen zugeführten Strahlenbüschel sind unsere Augen äusserst empfindlich, und im Interesse der Ruhe bei der Bildauffassung muss eine vollkommene Parallelrichtung dieser Strahlenachsen unbedingt erreicht werden, denn jede Winkelverschiebung eines Spiegels geht bekanntlich mit doppeltem Betrage in die Strahlenrichtung ein. Da bei der Triëderkonstruktion nur vier Spiegelflächen benutzt werden, so sind die Schwierigkeiten ohne Weiteres verständlich.

Durch die sinnreiche Konstruktion des Goerzschen Triëder-Binocles werden also die Vortheile des astronomischen Fernrohres, ohne dessen Bildumkehrung, sowie eine Verkürzung des Rohres erreicht. Grosse Lichtstärke und Vergrösserung geben dem kleinen Glase eine bedeutende raumdurchdringende Kraft und zeichnen es hierdurch wie durch ein weites Gesichtsfeld vor den bisher gebräuchlichen Feldstechern ganz erheblich aus. Ein weiterer Vortheil ist, dass das Fernrohr für jedes Auge besonders eingestellt werden kann. Die Schwierigkeit der Herstellung hat allerdings einen hohen Preis, von Mk. 125 bis 200, zur Folge.

Aus dem Gesagten erhellt zur Genüge, dass uns in dem Goerzschen Triëder-Binocle ein Fernglas entstanden ist, welches sämmtlichen Anforderungen, die an ein solches gestellt werden können, entspricht, und es wäre mehr als wünschenswerth, wenn mit denselben auch in der Armee Versuche vorgenommen würden, um einen Vergleich mit den bisher gebräuchlichen anstellen zu können. Dass das Goerzsche Triëder-Binocle augenblicklich das Beste ist, was die deutsche Industrie auf diesem Gebiete liefert, beweist allein schon der Umstand, dass die Direktion der Anatolischen Eisenbahn bei der Fahrt des deutschen Kaiserpaares nach Héréké für die Majestäten zwei dieser vorzüglichen Ferngläser besorgt hatte, um die herrlichen, sich auf der Fahrt bietenden Aussichten voll und ganz geniessen zu können.

Wenn wir im Eingange zunächst nur auf die unbedingte Nothwendigkeit des Vorhandenseins tadelloser Ferngläser bei der Infanterie hingewiesen haben, so muss zum Schluss doch noch darauf aufmerksam gemacht werden,

dass die Artillerie, und zwar sowohl die Feldartillerie als auch die Fussartillerie, mit dem denkbar besten Fernglase ausgerüstet sein muss. Die
Hauptschussentfernungen betragen bei der Artillerie mehr als das Doppelte
der Infanterie, und für das Einschiessen ist die Beobachtung noch wichtiger
als bei jener, weil dasselbe durch die Nothwendigkeit der Gabelbildung
komplizirter ist. Dass die Offiziere der Kavallerie, insbesondere der Detachements Jäger zu Pferde sowie der Luftschiffer nur mit vorzüglichen
Ferngläsern im Felde wie im Festungskriege versehen sein müssen, ist
selbstverständlich. Für alle diese Aufgaben hat das Goerzsche Triëder-
Binocle alle übrigen Ferngläser, gleichviel welcher Konstruktion, siegreich
aus dem Felde geschlagen.

Weiteres über die Zuverlässigkeit des Ein-
schiessens.

Von Callenberg, Oberstleutnant a. D.

»Ohne Zorn noch Eifer!« war die Richtschnur für meine Untersuchungen
über die Zuverlässigkeit des Einschiessens; diese verlassen zu haben, bin
ich mir nicht bewusst. Auch jetzt werde ich mich bemühen, streng
sachlich zu bleiben, da ich hierin die beste Gewähr für die Klärung der
Anschauungen in dieser schwierigen Frage erblicke.

Nur eine Bemerkung kann ich mir nicht versagen: Damit der ans-
gebrochene Streit im Interesse der Sache wissenschaftlich geschlichtet werde,
bitte ich meinen Herrn Gegner, in Zukunft derartig scharfe Urtheile, wie
z. B.: »Dagegen muss im Namen der Wissenschaft ernstlich Einspruch
erhoben werden«, »Annahmen, die alles Andere, nur nicht wissenschaftlich
sind«, »was gegen alle Vernunft ist« und dergleichen mehr, d. h. Aus-
sprüche, die weder freundlich noch gerechtfertigt sind, zu vermeiden. In
der Wissenschaft kommen oft verschiedene Ansichten vor, und wenn
Gegenansichten stets durch solche Redewendungen niedergekämpft würden,
so wäre eigentlich jede Diskussion überflüssig, die sonst, wie auch im vorliegenden Falle, sehr wohl möglich gewesen wäre. Auch die bona fides
sollten wissenschaftliche Gegner einander stets zubilligen. Und nun
zur Sache!

1. Der geschichtliche Zusammenhang des Archivartikels und
meiner Studie.

Der Archivartikel ist nicht, wie vielfach angenommen wird, Veranlassung
zu meiner Studie gewesen, die bereits im Jahre 1894 als Denkschrift
für dienstliche Zwecke*) geplant und schon zum grossen Theile ausgearbeitet war, ehe ich Kenntniss von der Rohneschen Untersuchung
erhielt, wohl aber ist der Archivartikel Anlass zur Veröffentlichung der
Studie geworden, da mich die überaus ungünstigen Ergebnisse der dortigen
Ausführungen erschreckten und die Tragweite derselben mir im Interesse
der Waffe bedenklich erschien.

---

*) Diesen Weg möchte ich überhaupt empfehlen. Die Presse sollte für den
militärischen Fortschritt möglichst nicht herangezogen werden. In militärischer
Beziehung stehe ich persönlich auf dem Standpunkte. die Dienstvorschriften in der
That den »symbolischen Büchern« zuzurechnen, da wir sonst leicht in eine recht
gefährliche Richtung gerathen könnten.

2. Die Tragweite des Archivartikels.

Zur Rechtfertigung meiner Ansicht, dass die bestehende Schiessvorschrift durch den Archivartikel »angegriffen« und hierdurch »Beunruhigung«
hervorgerufen worden sei, führe ich an, dass es eines besonderen Angriffes
auf die eine oder die andere Ziffer der Schiessvorschrift nicht bedarf; es
genügt das theoretisch errechnete und durch das Ergebniss einer Truppenübung augenscheinlich bestätigte sehr ungünstige Resultat, das nicht nur
in denjenigen Kreisen, für welche der Artikel eigentlich geschrieben war,
Klagen hervorrief, sondern welches auch, nicht zum Geringsten durch
Löbells Jahresberichte (1897, S. 386), in alle Welt getragen wurde. Man
lese ferner die Besprechung meiner Studie in der Oesterreichischen »Vedette«
(9. Oktober 1898) und in der »Schweizerischen Zeitschrift für Artillerie und
Genie« (September 98), um sich ein Urtheil darüber zu bilden, welche
Folgerungen jenseits unserer Grenzen aus den Ergebnissen des Archiv-
artikels gezogen worden sind, und um festzustellen, ob ich mit dem Aus-
drucke »Beunruhigung« über das Ziel hinausgeschossen habe.

3. Der Kernpunkt der ganzen Frage.

Der Kernpunkt der ganzen Frage lässt sich durch folgenden Satz zum
Ausdruck bringen:

Welchen Zuverlässigkeitsgrad der Gabelbildung im Az.-Feuer
liefert die Theorie[*] unter Zugrundelegung der den thatsächlichen
Verhältnissen[*] entsprechenden Annahmen, und wie gestaltet
sich hiernach das Verhältniss zwischen Zahl der wirkungsvollen
und wirkungslosen Schiessen im Bz.-Feuer, sowie welches sind
demgegenüber die im Ernstfalle mit dem Schrapnel C/91 und der
Schiessvorschrift vom Jahre 1893[**]) zu erwartenden Ergebnisse?

Hieraus allein würden sich für die Weiterentwickelung der Schiessvorschrift sowohl wie für diejenige der Geschosskonstruktion werthvolle
Folgerungen ziehen lassen.

Prüfen wir nun an dieser Kernfrage die beiderseitigen Ausführungen
und Ergebnisse.

a) Die Theorie. Dem Archivartikel liegt der Magnousche Gedankengang zu Grunde, an welchen sich auch meine Untersuchung anlehnt.

Der Magnonsche Gedankengang ist insofern richtig, als er in der
richtigen Anwendung zweier Sätze aus der Wahrscheinlichkeitslehre beruht,
nämlich der bekannten Sätze: »Die Wahrscheinlichkeit für das Eintreten
eines von n voneinander unabhängigen Ereignissen ist gleich dem Produkte
der Wahrscheinlichkeiten für das isolirte Eintreten dieser n Ereignisse« und
»Die Wahrscheinlichkeit für das Eintreten eines von n einander aus-
schliessenden Ereignissen ist gleich der Summe der Wahrscheinlichkeiten
für das isolirte Eintreten dieser n Ereignisse«, zwei Sätze, denen sich noch
die Definition des Begriffes der »mathematischen Wahrscheinlichkeit« als
Zahl der günstigen durch Zahl der möglichen Fälle anreiht. Streng
genommen sind nun die Gesetze der einfachen Wahrscheinlichkeit auf das
Problem des kriegsmässigen Schiessens überhaupt nicht anwendbar;
die bei kriegsmässigem Schiessen herrschenden Verhältnisse sind hierzu
viel zu verwickelt. Nicht nur ist hier eine ganze Reihe von Fehlerursachen vorhanden, welche Abweichungen von den nach der Schuss-

---

[*] Feldkanone C/73/91, Feldschrapnel C/91, Geschützblättchenpulver und Schiessvorschrift vom 22. Mai 1893 mit sämmtlichen Abänderungen.
[**]) Einschliesslich aller Abänderungen bis auf den heutigen Tag.

tafel zu erwartenden Erscheinungen hervorrufen, sondern diese Fehlerursachen selbst sind theils konstanter, theils zufälliger Natur. Nur die
zufälligen Fehlerursachen aber sind durch die Wahrscheinlichkeitslehre zu
behandeln, die Ausschaltung der konstanten Fehlerursachen dagegen muss
schiesstechnisch-reglementarisch geschehen. Es muss also eine Trennung
beider Arten erfolgen. Hier tritt aber, wie ich im 2. Theile meiner Studie
bei Gelegenheit der Besprechung derjenigen Ursachen zeigen werde, welche
die Lage des jeweiligen Sprengpunktes hervorrufen, der heikle Fall ein, dass
die Erscheinungen, welche aus konstanten Fehlerursachen stammen, zum
Theil grosse Aehnlichkeit mit denen haben, welche das Ergebniss zufälliger
Fehlerursachen sind. Beide Arten sind daher nicht leicht auseinander-
zuhalten, und erst der fortschreitenden Erkenntniss gelingt es, allmählich
dieses Knäuel zu entwirren. Für die rechnerische Behandlung der feldkriegsmässigen Schiessen stellt daher der Magnonsche Gedankengang in
seiner stolzen Einfachheit nur eine rohe Annäherung dar und zwar umsomehr, je weniger sorgfältig die grundlegenden Annahmen über Streuungen
und Beobachtungsgüte geprüft sind. Jede Unvorsichtigkeit, jedes Uebersehen eines scheinbar nebensächlichen Umstandes kann hier Unheilvolles
liefern. Insbesondere warne ich hierbei vor einer zu grossen Verallgemeinerung in den grundlegenden Annahmen und vor einer
zu starren Anwendung der Theorie. Nicht angängig erscheint es
vornehmlich, wenn man die Theorie als richtig hinstellt und das Ergebniss
grosser Versuchsreihen anzweifelt, bloss weil es von dem Ergebnisse der
Theorie merklich abweicht, und wenn man auf der anderen Seite die
Ergebnisse der Theorie für bestätigt hält, wenn das Resultat einer kleinen
Versuchsreihe denselben zufälligerweise nahe kommt. Kein Geringerer als
der grosse Euler und der bedeutende Ballistiker Graf St. Robert haben
treffend nachgewiesen, dass man hierdurch recht arge Trugschlüsse herbeiführen kann.

Wenn zur besonderen Kräftigung der Magnonschen Theorie und ihrer
Ergebnisse im vorliegenden Falle die von Herrn Geheimrath Pochhammer
völlig unabhängig gefundene Formel $W_r = 1 - 0{,}59 \cdot \dfrac{s}{\gamma}$ angeführt wird,
so fürchte ich, dass dies gleichfalls ein pia fraus ist. Diese einfache Formel
besagt weiter nichts, als dass die Zahl der günstigen und die Zahl der
ungünstigen Fälle zusammen die Sicherheit (= 1) darstellt, und dass die Wahrscheinlichkeit der falschen Gabelbildung der mittleren Längenstreuung (s)
direkt, der Gabelweite (γ) aber indirekt proportional ist $\left(W_f = k \cdot \dfrac{s}{\gamma} \right)$. Dies
zeigt eine einfache Ueberlegung ohne Weiteres. Dass $k = 0{,}59$ [*]) genommen
ist, geht aus den Beschränkungen hervor, denen die Formel unterliegen
soll, nämlich: nur richtige Beobachtungen, nur weite Gabelbildung und
Ausschluss aller Gabeln, bei denen die Wahrscheinlichkeit der richtigen
Bildung unter zwei Drittel fällt. Diese Beschränkungen sind aber nicht
angethan, der Formel für kriegsmässige Schiessen die geringste Bedeutung beizumessen und dieselbe, wie im Artikel der Kriegstechnischen
Zeitschrift gethan ist (Seite 410), dazu zu verwenden, das Ergebniss
kriegsmässiger Schiessen mit derselben zu prüfen, sowie daraut-
hin den doch etwas gewagten Angriff auf die Statistik der
Schiessschule anzusetzen. Wenn die Wahrscheinlichkeit der falschen

---

[*]) Hierin allein kann die höhere Mathematik stecken.

Gabelbildung W_f, was viel für sich hat, als Funktion von $\dfrac{s}{\gamma}$ $\left(=\dfrac{\text{mittlere Längenstreuung}}{\text{Gabelweite}}\right)$ dargestellt wird, so ist W_f für die Verhältnisse des Feldkrieges diesem Werthe $\dfrac{s}{\gamma}$ jedenfalls nicht einfach proportional, d. h. k darf für diese Verhältnisse nicht als konstant angenommen werden.

Im Uebrigen könnte ich mir die Anwendung dieser nur auf theoretischen Grundlagen aufgebauten Formel des Herrn Professor Pochhammer zur Prüfung des von mir behandelten, gleichfalls nur theoretischen Falles I (siehe Tabelle 18 auf Seite 32 meiner Studie) sehr wohl gefallen lassen, denn ich würde dann unter Annahme der auf Seite 11 meiner Studie angegebenen Längenstreuungen Folgendes erhalten:

Entfernungsgruppe:		I.	II.	III.	IV.	V.			
200 m Gabel	nach Pochhammer	11,2	11,6	12,2	13,5	15,0 pCt.	falsche Gabeln		
	nach mir	11,9	12,3	12,8	14,0	15,6	`	`	`
100 m Gabel	nach Pochhammer	22,4	23,3	24,5	27,1	30,1	`	`	`
	nach mir	22,8	24,6	25,6	27,8	30,5	`	`	`

und umgekehrt, wenn ich meine Werthe für die Prozente falscher Gabelbildung zu Grunde lege und mittelst der nach s aufgelösten Formel (also

$$s = \frac{W_f \cdot \gamma}{0,59} = 169,5 \cdot W_f,$$ siehe Kriegstechnische Zeitschrift, November 1898

Seite 410) die Längenstreuungen berechne, so erhalte ich Folgendes:

Entfernungsgruppe:	I.	II.	III.	IV.	V.
Nach Pochhammer	38,6	41,7	43,4	47,1	51,7
Nach der Schiessstatistik .	38,0	39,5	41,5	46,0	51,0

Ich sollte meinen, dass man Besseres überhaupt nicht verlangen kann.

Da nun aber die Pochhammersche Formel für den feldkriegsmässigen Fall überhaupt nicht gilt, so sind auch die auf Seite 410 der Kriegstechnischen Zeitschrift in Betreff der Möglichkeit oder Unmöglichkeit der Angaben der Statistik nicht wohl zutreffend (abgesehen davon, dass die dort gegebenen Daten über die schusstafelmässigen Streuungen der Schiessvorschrift von 1890 anstatt derjenigen von 1893 entnommen sind). Die seltsame Thatsache, dass in den Entfernungsgruppen I bis III die Angaben der Statistik über die bei Zulassung falscher Beobachtungen zu erwartende Anzahl falscher 100 m Gabeln so erheblich niedriger sind als die unter Ausschluss falscher Beobachtungen von mir theoretisch selbst berechneten Werthe, ist mir keineswegs entgangen, ich habe dies vielmehr in den Ziffern 86 und 87 meiner Studie zu erklären versucht, natürlich unter der Voraussetzung, welche damals noch zutraf, dass die Begriffserklärung über falsche und richtige 100 m Gabeln seitens der Schiessschule sich mit der meinigen deckte. Diese Voraussetzung hat sich später leider als irrig erwiesen, und muss ich den Vorwurf, mich hierüber nicht genügend informirt zu haben, ruhig hinnehmen. Nachdem aber die blosse Thatsache bekannt gegeben war, dass noch 76 falsche Gabeln zu den 229 angeführten hinzutraten — aus welchem Grunde, war zunächst gleichgültig —, wäre es mit einigem Wohlwollen vielleicht doch möglich gewesen, die »Unmöglichkeit« der Statistik aufzuklären; denn es wäre dann wohl nicht schwer gewesen, einzusehen, dass ein grosser Theil dieser falschen 76 Gabeln höchst wahrscheinlich gerade auf diejenigen Entfernungsgruppen sich vertheilen würde, welche eben die »unmöglichen« Abweichungen zeigten. In der That entfallen nämlich von diesen 76 falschen 100 m Gabeln

auf Gruppe I: 10, auf Gruppe II: 12, auf Gruppe III: 40, auf Gruppe IV: 8 und auf Gruppe V: 6 Gabeln.

Hiermit werden aber die Prozente falscher 100 m Gabeln der Statistik in den fünf Entfernungsgruppen rund

16, 18, 28, 40 und 42 pCt.

anstatt, wie früher gegeben, 9, 13, 18, 35 » 37 » ,

was schon ganz anders aussehen dürfte.

Diese Werthe der Statistik (die obere Reihe) müssen aber mit denen der Theorie verglichen werden, d. h. mit den Werthen

24, 25, 26, 28 und 30 (theoretischer Fall),

bezw. mit den Worthen 25, 27, 29, 33 » 37 (Ernstfall).

Wenn man bedenkt, dass zufolge Bemerkung in Spalte 5 der Tabelle 2 meiner Studie die Zahlen 40 und 42 augenscheinlich zu hoch bemessen sind, da die Ziele über 3000 m, vornehmlich aber diejenigen über 3300 m fast alle verhältnissmässig recht schwierig waren (»verhältnissmässig recht schwierig« heisst hier soviel wie schwieriger als die grosse Entfernung dies an sich mit sich bringt!), und dass eine Vermehrung der Gabelzahl in den Entfernungsgruppen I, II, IV und V auf die Gabelzahl der III. Entfernungsgruppe (449) sehr wohl eine weitere Erhöhung der falschen Gabelzahl in den Gruppen I und II bewirken konnte, so gehört nicht viel Phantasie dazu, zu der Folgerung zu gelangen, dass das praktische Ergebniss dem theoretischen nicht zuwiderläuft. Keinesfalls dürfte aber der Beweis erbracht sein, dass die Statistik der Schiessschule falsch sein müsse. Ich bin auch der Ueberzeugung, dass dies von Exzellenz Rohne jetzt nicht mehr aufrecht erhalten wird.

Auf die 76 neu hinzugetretenen 100 m Gabeln komme ich übrigens noch zurück.

b) Die grundlegenden Annahmen. Die im Archiv-Artikel benutzten grundlegenden Annahmen stammen, wie dort auf Seite 176 angeführt ist, der Hauptsache nach aus den 70er Jahren, da sich in dem dort angezogenen Werke »Das Schiessen der Feldartillerie« vom Jahre 1881 sowohl die im Ernstfalle voraussichtlich zu erwartende mittlere Längenstreuung von etwa 50 m als auch das Verhältniss von neun richtigen auf eine falsche Beobachtung vorfindet.

Die Annahmen beziehen sich also auf die Granate C/73 und C/76, sowie das Schrapnel C/73 und C/76 und auf Schwarzpulver. Für die Granate C/82 und das Schrapnel C 82 dürfen dieselben vielleicht eben noch zugelassen werden, schwerlich aber für das Feldschrapnel C/91 (Einheitsgeschoss) und für rauchschwaches Pulver. Die Unmöglichkeit, anzugeben, wie sich das Verhältniss zwischen richtigen und falschen Beobachtungen bei Anwendung des rauchschwachen Pulvers gestalten würde, wird im Archiv ja auch zugegeben.

In Betreff der Längenstreuungen hat sich seit 1881 nicht viel geändert. Auch das Schrapnel C/91, das rauchschwache Pulver und das »vorzüglich ausgewählte und ausgebildete« Personal der Feldartillerie-Schiessschule*)

---

*) Die vorzügliche Ausbildung in der Geschützbedienung, im Richten u. s. w. erhalten diese Leute übrigens vorwiegend erst bei den Lehrbatterien; die Ausbildung, welche sie von der Truppe mitbringen, steht im Allgemeinen doch nicht auf der Höhe, welche Seine Exzellenz annimmt, da die Leute erst im 2. Halbjahre dienen, d. h. noch keine Schiessübung mitgemacht haben. Sie lernen also jetzt das Scharfschiessen erst auf der Schiesschule kennen! und selbst diese Schiessübung ist in der ge-

hatte darauf keinen nennenswerthen Einfluss; denn das Mittel der Statistik
hat sich gegen früher nur unbedeutend gehoben. Wenn man aber für die
Truppe 50 m zulässt und für die Feldartillerie-Schiessschule als Mittel
45 m annimmt, was einen Unterschied in den ganzen Streuungen von
»20«! m ausmacht, so erkennt man wohl leicht, dass aus diesem Grunde
die Truppe weder eine wesentlich geringere Zuverlässigkeit der Gabelbildung, noch eine grössere Zahl verfehlter Wirkungsschiessen liefern kann
als die Schiessschule. Der Grund müsste also wo anders liegen!

Bei der Berechnung könnte man übrigens sehr wohl einen konstanten
Werth für die mittlere Längenstreuung wählen, also 50 m oder 45 m.
Wenn ich selbst für den ganzen Entfernungsbereich von 1500 bis 4500 m
keinen konstanten Mittelwerth angenommen habe, so geschah dies, um
auch den Einfluss der Entfernung des Zieles von der feuernden Batterie
auf die Zuverlässigkeit der Gabelbildung zum Ausdruck zu bringen, was
mir schon um deswillen vortheilhaft erschien, weil mir die statistischen
Angaben über die Güte der Gabelbildung nach fünf Entfernungsgruppen
getrennt gegeben war, ich also unmittelbare Vergleiche anstellen konnte.

Was andererseits die Güte der Beobachtung anbetrifft, so hat sich
diese seit dem Anfange der 80er Jahre derartig gehoben, dass das oben
erwähnte Verhältniss 9 : 1 jetzt nicht mehr zugelassen werden darf.
Maassgebend hierfür sind folgende Faktoren gewesen:

Die Ermittelung der Entfernung geschah früher im Allgemeinen
mittels der Granate, seit Einführung des Schrapnels C/82 durfte dies unter
Umständen auch mit diesem Geschoss im Az. vorgenommen werden; jetzt
erfolgt sie durch das Feldschrapnel C/91 Az.

Die Granate C/82 und das Feldschrapnel C/91 Az. haben etwa die
gleiche Beobachtungsfähigkeit; ein Theil der älteren Batterieführer neigt
sogar der Ansicht zu, dass die Granate noch besser beobachtungsfähig sei,
indessen ist der Unterschied nicht so gross, dass er durch den Vortheil
der Einheitlichkeit des Az.- und Bz.-Geschosses, d. h. der Einheitlichkeit
der Flugbahn für Gabel- und Wirkungsschiessen, nicht reichlich ausgeglichen würde. Diese Einheitlichkeit der Geschossart hat, das möchte ich
hier gleich erwähnen, zweifellos viel dazu beigetragen, die Zahl der wirkungslosen Bz.-Schiessen erheblich herabzudrücken. Wie steht es nun mit den
älteren Schrapnels im Az.? Zur Ermittelung der Entfernung waren die
älteren Schrapnels im Az. bekanntlich gar nicht, das Schrapnel C/82 laut
Fussnote auf Seite 28 der Schiessvorschrift von 1893 »nur unter günstigen
Verhältnissen, im Allgemeinen nicht über 2000 m verwendbar«. Auch
hierin hat also das Feldschrapnel C/91 Az. vortheilhaftere Verhältnisse
geschaffen.

Wer andererseits die Sprengwolke der älteren Schrapnels (C/73, C/76
und C/82), sowie diejenige des Feldschrapnels C/91 Bz. jemals gesehen
hat, wird bedingungslos zugestehen, dass die Sicherheit der Beobachtung
der Sprengpunkte durch Einführung des letzteren Geschosses ganz erheblich gesteigert worden ist, was für das Wirkungsschiessen von hoher Bedeutung sein musste.

Weiterhin ist die Beobachtung durch die Einführung des rauchschwachen Pulvers für Geschütz- (und Gewehr-)ladungen erleichtert
worden. Nicht nur legt sich der Rauch der eigenen und derjenige von
Nachbargeschützen nicht mehr verschleiernd zwischen Batterieführer und

---

gebenen Statistik mit einbegriffen. Früher war dies eben anders als jetzt. Die Einführung der zweijährigen Dienstzeit hat auf diese Verhältnisse begreiflicherweise
nicht günstig eingewirkt.

Ziel, auch die eigenen Sprengpunkte sind nicht mehr mit dem Rauche der gegnerischen Geschütze zu verwechseln, und wenn auch die dem Gelände gut angeschmiegten Ziele sich nicht mehr durch eigenen Rauch verrathen, wenn sie daher auch an sich schwieriger auffindbar sind wie die früheren Ziele, so gelingt diese Auffindung doch bei sachgemässer Anleitung erfahrungsmässig auch den weniger gewandten Batterieführern schon nach kurzer Zeit, selbst bei den oft recht schwierig und geschickt aufgestellten Zielen der Feldartillerie-Schiessschule.

Bei den Truppenschiessübungen sind die Ziele meistens nicht annähernd so schwer aufgestellt, eben weil die Truppe es bei diesen Uebungen »meist mit Rekruten zu thun hat«, und es ihr daher begreiflicherweise darauf ankommt, wirkungsvolle Schiessen auszuführen, um das Vertrauen der jungen Soldaten in ihre Waffe zu wecken und zu befestigen. Hierauf kommt es aber der Schiessschule gar nicht an.

Drittens ist die Beobachtungsfähigkeit der Offiziere gegen früher erheblich besser geworden. Bis zu ihrer Ernennung zum Stabsoffizier werden die Feldartillerieoffiziere jetzt in mehreren Reprisen dreiviertel bis ein volles Jahr auf Feldartillerie-Schiessschule ausgebildet und selbst später noch daselbst im Führen grösserer Artillerieverbände beim Scharfschiessen geübt bezw. zu ihrer Information nach Jüterbog geschickt. Besonders wichtig ist es hierbei, dass vier Monate dieser Kommandozeit in die junge Leutnantszeit fallen, wo die Aufnahmefähigkeit und Aufnahmelust für schiesstechnische Lehren besonders gross ist, und wo es den Lehrern nicht schwer fällt, aus diesem Boden eine fruchtbringende Saat zu gewinnen. Wenn nun auch die Intensität der schiesstechnischen Ausbildung bei der Truppe eine geringere ist wie auf der Schiessschule, so wird doch das auf letzterer Gelernte bei den alljährlichen Schiessübungen immer wieder aufgefrischt. Hat doch jeder Offizier Gelegenheit, alljährlich wieder Hunderte von springenden Geschossen zu beobachten! Wenn daher auch die Güte der Beobachtung bei der Truppe etwas nachlässt, so ist dies doch bei Weitem nicht in dem Maasse der Fall, wie Generalleutnant Rohne anzunehmen scheint. Was man einmal firm gelernt hat in jungen Jahren, verlernt sich nicht so leicht wieder.

Zudem sind die Beobachtungsmittel ganz andere geworden. Sah man in den 70er Jahren in der Truppe die meisten Offiziere noch mit unbewaffnetem Auge beobachten (man schämte sich ordentlich, ein Glas zu verwenden), so waren in den 80er Jahren bereits die meisten Stabsoffiziere und Hauptleute mit Ferngläsern versehen, und jetzt? Kein Leutnant ohne Fernglas! und zwar ohne vortreffliches Glas! Die Optiker wetteifern mit einander in der Erzeugung guter Artillerie-Ferngläser, und in der That ist das Geld, welches für ein zum Auge passendes, gutes Doppelfernglas ausgegeben wird, die beste Kapitalsanlage, die ein Artillerieleutnant überhaupt machen kann. Je besser und passender das Fernglas, desto sicherer die Erkundung des Zieles, desto sicherer die Beobachtung, desto grösser der Erfolg! (Vergl. S. 24 ff. dieses Heftes. D. Red.)

Endlich hat auch die Aenderung der Schiessvorschrift auf die Güte der Beobachtung einen vortheilhaften Einfluss gehabt. In je engeren Grenzen die Gabel erschossen wird, um so schärfer muss man die Lage der Aufschläge mit dem Ziele in Verbindung bringen, desto schwieriger ist also die Beobachtung, und desto mehr fragliche und auch falsche Beobachtungen werden vorkommen. Das Fallenlassen der 50 m Gabel für das Schrapnelschiessen ist daher als wesentlicher Fortschritt zu bezeichnen und muss das Verhältniss 9:1 geändert, d. h. gebessert haben.

Aus den vorstehenden Entwickelungen geht wohl zur Genüge hervor, dass dieses Verhältniss 9 : 1 nicht mehr zutrifft. Auf Seite 3 meiner Studie hatte ich nun, um den Einfluss der Witterung auf die Güte der Beobachtung zahlenmässig zum Ausdruck zu bringen, gezeigt, dass nach der Statistik für die Monate Dezember bis Februar das Verhältniss 14,5 : 1 bestehe, während in den übrigen Monaten das Verhältniss 24,3 : 1 sei. Das Jahresmittel würde also 19,4 : 1 oder rund 19 : 1 sein, d. h. auf je 20 wirklich (nicht fraglich) beobachtete Schuss würde 1 falsch beobachteter entfallen.

Wenn man daher der Berechnung ein konstantes Mittel für die Güte der Beobachtung zu Grunde legen dürfte, so könnte dies nur das mit dem Feldschrapnel C/91 und rauchlosem Pulver erzielte Mittel 19 : 1 sein, nicht aber das für die älteren Geschosse und Schwarzpulver gültige Mittel 9 : 1.

Man darf aber ein solches konstantes Verhältniss überhaupt nicht anwenden, da hierdurch die errechneten Worthe für die Zuverlässigkeit der Gabelbildung viel zu roh werden, um der Wirklichkeit auch nur annähernd zu entsprechen. Die Güte der Beobachtung ändert sich vielmehr, abgesehen von personellen und Witterungseinflüssen, sowohl mit der Entfernung des Zieles von der feuernden Batterie, als auch mit der Entfernung und Lage der Aufschläge vom Ziele. Dies wird auch im Archiv-Artikel zugegeben, doch wird dort »angenommen«, nicht, wie ich versehentlich geschrieben hatte, »behauptet«, dass der Fehler in der Annahme (dass sich nämlich die Güte der Beobachtung mit der Entfernung des Aufschlages vom Ziel ändere) auf das Ergebniss der Untersuchungen keinen grossen Einfluss ausübe. Ich werde gleich zeigen, dass dieser Einfluss doch nicht so unbedeutend ist, wie dort angenommen wird. (Forts. folgt.)

Ueber die Zerstörung und Wiederherstellung einiger französischer Eisenbahn-Kunstbauten 1870/71.

Von Hauptmann Rothamel im Stabe des Königl. Bayerischen Eisenbahn-Bataillons.

Mit zwei Abbildungen.

1. Einleitung.

Die Kriegsereignisse von 1870/71 haben zum ersten Mal den ausserordentlichen Werth der Eisenbahnen für die moderne Kriegführung erwiesen, bei welcher es sich um den Kampf ganzer Völker handelt.

In der Annahme, dass die deutschen Hauptstreitkräfte den Angriff der Franzosen hinter dem Rhein-Strom als einem starken Hinderniss abwarten würden, sollte nach dem französischen Feldzugsplan ein überraschendes Angriffsverfahren mit den noch auf Friedensfuss befindlichen, sofort an die Grenzen verbrachten Truppen durchgeführt werden.

Wie anders gestalteten sich aber die ersten Zusammenstösse! Die Kämpfe bei Weissenburg, Spicheren und Wörth führten zu einem allgemeinen Zurückweichen der Franzosen, welche mangels entsprechender Vorbereitungen und wegen des eiligen Rückzuges nicht in der Lage waren, eine gründliche Zerstörung der grossen Eisenbahn-Kunstbauten im Wasgenwalde durchzuführen. Infolgedessen war im Rücken der deutschen Armeen der Eisenbahnbetrieb in keiner Weise erschwert. Bei dem weiteren Zurückgehen scheuten die Franzosen aber nicht mehr vor der Vernichtung fast aller bedeutenden Brücken, Viadukte und Tunnele zurück und zwangen so die Deutschen zu umfangreichen Wiederherstellungsarbeiten.

Die wie 1866 neu aufgestellten deutschen Feldeisenbahn-Abtheilungen mussten daher eine aussergewöhnliche Thätigkeit entfalten, weiche bisher leider nur theilweise durch Veröffentlichungen bekannt geworden ist, hoffentlich aber bald eine vollständige Darstellung in einer »Geschichte des Feldeisenbahn-Dienstes« findet. Allerdings stösst man bei diesbezüglichen Vorarbeiten und Forschungen vielfach auf Lücken, deren Ausfüllung sogar durch unmittelbaren Verkehr mit den Bauleitenden jener Zeit nicht gelingt.

Durch einen glücklichen Zufall kam ich in den Besitz einiger sehr gut ausgeführter Bilder von Brücken und Viadukten auf mehreren französischen Eisenbahnlinien, und dürfte die Veröffentlichung dieser Photographien als Abbildungen,*) allerdings unter Verkleinerung der ursprünglichen Aufnahmen, von allgemeinem Interesse sein.

2. Eisenbahn Weissenburg—Nancy—Blesme—Paris.

Trotzdem diese zweigleisige Linie der französischen Ostbahn von Beginn des Feldzuges an die grösste Wichtigkeit für die kriegführenden Staaten hatte, unterliessen die Franzosen die Zerstörung der Brücken und Tunnele bis zur Meurthe, so dass die deutschen Eisenbahntransporte bis Nancy nach Beseitigung verschiedener, kleiner Unterbrechungen ohne besondere Schwierigkeiten am 22. August aufgenommen werden konnten.

Die Strecke Nancy—Blesme war längere Zeit durch die Festung Toul gesperrt, so dass nördlich derselben bereits die Vorarbeiten zur Herstellung einer Umgehungsbahn eingeleitet wurden. Nach Uebergabe der Festung am 23. September konnte dieser Theil der Hauptlinie mangels irgend welcher Zerstörungen von Eisenbahn-Kunstbauten sofort in Betrieb gesetzt werden.

Von Blesme bis Paris waren im Marne-Thal zwei Tunnele (bei Nanteuil und bei Armentières) und vier Brücken (bei Vitry le Français, Trilport, Isles-les-Villenoy und Chalifert) gründlich zerstört. Die Wiederherstellung dieser Bauwerke und die Erweiterung der Bahnhöfe wurde mit aller Energie durchgeführt, wobei sich zur Umgehung des Tunnels von Nanteuil sogar eine 5 km lange Umgehungsbahn als nothwendig erwies.

Lagny, 20 km von den östlichen Pariser Forts entfernt, wurde vom 22. November an Eisenbahn-Endstation, Etappenhauptort der Dritten Armee, Kriegstelegraphenstation, Posthauptdepot und Verpflegungsmagazin, also ein für den militärischen Verkehr sehr wichtiger Ort.

Der Betrieb dieser Hauptlinie, welche längere Zeit mehr oder weniger allen Armeen dienen musste, erfuhr aber Ende Januar 1871 eine empfindliche Störung infolge Sprengung der Eisenbahnbrücke von Fontenoy sur Moselle (zwischen Toul und Frouard) durch ein Freischaarenkorps, so dass auf acht Tage der Eisenbahnverkehr verlegt und alle Züge der Zweiten und Dritten Armee den Umweg über Metz—Reims—Epernay machen mussten.

2a) Die Marne-Brücke bei Trilport. (Abbild. 1.)

Die gewölbte Brücke der Doppelbahn bestand aus drei Halbkreisbogen von 24,2 m Durchmesser, woran sich auf jedem Ufer eine Durchfahrt von

---

*) Die Mehrzahl der Abbildungen verdanke ich dem Herrn Geh. Baurath Krohn, welcher dieselben für die von ihm herausgegebenen, leider im Buchhandel nicht erschienenen »Kriegserinnerungen 1870/71« (gedruckt in der Königl. Hofbuchdruckerei von E. S. Mittler & Sohn, Berlin 1895) mit aussergewöhnlicher Mühe hergestellt hat. Für die Erlaubniss zur Benutzung des genannten Werkes und für die Ueberlassung der Abbildungen verfehle ich nicht, auch hier meinen verbindlichsten Dank auszusprechen.

3*

4,75 m Spannweite anschloss; die Brückenlänge (einschliesslich Flügel-mauern) betrug 166 m, die grösste Wassertiefe 7 m, die Schienenoberkante lag fast 16 m über Mittelwasser.

Die Franzosen hatten auf dem Rückzug nach Paris die Brücke nicht vollständig zerstört, so dass erst durch Sprengungen der Württembergischen Sappeur-Kompagnie am 17. September eine Gesammtunterbrechung von 90 m hergestellt wurde; von dem grossen Bauwerk war nur die östliche Durchfahrt und der nächste Strompfeiler erhalten. Aus der völligen Ver-nichtung der westlichen Brückenhälfte muss geschlossen werden, dass dort im Landauflager, im Ufer- und im Strompfeiler tiefliegende Minen angeordnet waren, dagegen der östliche Brückenbogen wohl nur infolge der Erschüt-terungen und wegen des Gewölbeschubes einstürzte, die Minen aber im östlichen Endauflager nicht zur vollen Wirkung kamen; mindestens an vier Stellen müssen also Sprengungen vorgenommen worden sein.

Noch im September begannen Theile der 2. Preussischen Feldeisenbahn-Abtheilung unter dem Eisenbahnbaumeister Jacobi, unterstützt vom 22. September bis 10. November durch ein Detachement der 3. Festungs-pionier-Kompagnie Pionier-Bataillons Nr. 8 und vom 15. Oktober bis 11. November durch den 2. Zug der Bayerischen Etappen-Genie-Kompagnie, den Bau einer eingleisigen Holzbrücke mit grossen Spannweiten. Theils

Abbild. 1. Die Marne-Brücke bei Trilport.

die Stromverhältnisse der Marne, theils die Steintrümmer auf dem Fluss-grund und die Höhenlage der Brückenbahn liessen die Herstellung einer Pfahljochbrücke als unausführbar erscheinen. Zunächst waren grosse Auf-räumungsarbeiten zu bewältigen, um in den Mauertrümmern Fluthöffnungen zu schaffen und die benutzbaren Grundmauern der Pfeiler u. s. w. frei-zulegen. Alsdann konnte die Herstellung der Pfeiler, und Endauflager erfolgen, wozu insgesammt etwa 400 cbm Mauerwerk benöthigt waren, welches in der Abbildung durch helle und dunkle Schichten sehr gut zu erkennen ist. Die Ausmaasse waren bedeutende; so erhielt z. B. der Strompfeiler eine Auflagerfläche von 5,2 × 3,3 m. Ueber den Strom wurden drei Howesche Träger mit obenliegender Fahrbahn von je 26 m Stützweite (eingetheilt in 15 Felder, bei 4 m Abstand der Gurtungen, 5,5 m Gesammt-höhe und 3,2 m Entfernung der Tragewände) angeordnet. Die Gurtungen bestanden aus je zwei Balken von 24 × 24 cm Stärke; doppelte Streben und einfache Gegenstreben, 12 × 24 cm im Querschnitt, waren ohne Stütz-klötze, also unmittelbar auf die Gurtbalken aufgesetzt. Die Zangenhölzer unter den Zug- und über den Druckgurtungen, 24 × 24 cm stark, wurden benutzt zur Anbringung eigenartiger Hängeisen, welche nicht als Bolzen durch die Zangen gingen, sondern auf der äusseren und inneren Seite jeder Tragwand als langgestreckte Schleifen aus 15 × 50 mm starkem Flach-eisen die Zangenhölzer umfassten und durch Keile auf denselben unterr und oben zu spannen waren.

Da die Fahrbahn auf den oberen Gurtungen lag, konnte die Abstützung der Tragwände mittelst Andreaskreuzen aus 8 × 24 cm starken Bohlen erfolgen, während der Längsverband durch eine horizontal liegende Verkreuzung von Bohlen hergestellt wurde. Die Eisenbahnschwellen ruhten auf zwei Längsbalken von 24 × 24 cm Stärke, welche über die Zangenhölzer gestreckt waren; um diese vor Einbiegungen zu bewahren, erhielten sie Stempel von 15 × 15 cm, welche oben in der Mitte 0,9 m Abstand hatten und sich auf die unteren Zangenhölzer nächst den Gurtbalken stützten. An den Auflagern waren weit austragende Sattelhölzer angebracht.

Für die westliche Durchfahrt war ein kleiner Fachwerkträger von 8 m Länge, 2 m Breite und 2 m Höhe benöthigt, welcher auf den oberen Gurtbalken die Eisenbahnschwellen trug.

Abgesehen von dem Holzmaterial zu den grossen Rüstungen mussten insgesammt fast 200 cbm Kantholz beschafft und abgebunden werden. Zweifellos bietet die Anwendung möglichst derselben Balkenausmaasse bei derartigen Bauwerken manche Vortheile, selbst wenn dadurch einzelne berechnete Holzstärken überschritten werden.

Zur Wiederherstellung der Brücke waren 45 Arbeitstage erforderlich, am 11. November konnte der Betrieb aufgenommen werden. Ein in der Nacht vom 5./6. November eingetretenes Hochwasser zerstörte die Einrüstungen der glücklicherweise bereits vollendeten Brücke.

Die Soldaten hatten vielfach unter der Ungunst der Herbstwitterung zu leiden, wegen anhaltenden Regenwetters und sehr heftiger Winde mussten zeitweise sogar die Arbeiten auf den hohen Rüstungen eingestellt werden; der Krankenstand war infolgedessen auch ein ziemlich bedeutender.

Infolge Eisganges im Dezember und Januar musste die 3. Festungspionier-Kompagnie Pionier-Bataillons Nr. 11 zur Sprengung von Eisstopfungen und zur Anlage von Eisbrechern herangezogen werden.

Der grosse Verkehr, welcher nach und von der Dritten Armee über diese Brücke ging, bewies nicht nur die vorzügliche Ausführung aller Arbeiten, sondern auch die Richtigkeit der gewählten Bauformen und der Berechnung aller einzelnen Theile.

2b) Die Mosel-Brücke bei Fontenoy, 7 km nordöstlich Toul.
(Abbild. 2.)

Die gewölbte Brücke der Doppelbahn bestand aus sieben Korbbogen von 16,5 m Lichtweite mit Pfeilern von 2,5 m Stärke in Kämpferhöhe und aus je einer Durchfahrt von 4 m Breite in den Endauflagern. Die Brücke war 150 m lang, die Schienenoberkante lag fast 10 m über Mittelwasser. Die westliche Brückenhälfte enthielt das Normalbett der Mosel, während die östliche die Fluthöffnungen für Hochwasser bildete. In diesem Theile war der erste Pfeiler mit einer Minenanlage versehen; eine Steinplatte verschloss 4 m unter den Schienen den Zugang zu einem wagerechten Gang, welcher in der Längsachse des Mauerkörpers lag und an den Enden 2 m tiefe, bis zur Hochwasserlinie herabreichende Röhren zur Aufnahme der Pulverladungen besass. Nach der Kriegserklärung sollen französische Geniesoldaten die Verschlussplatte entfernt und einen 3,2 m hohen Einsteigschacht hergestellt haben, der 0,8 m unter den Schienen mit einem Holzdeckel versehen wurde.

Schon bald nach Uebergabe der Festung Toul plante die französische Regierung Störungen des deutschen Hauptbahnverkehrs gegen Paris durch Sprengung von Eisenbahn-Kunstbauten auf der Strecke Nancy—Commercy und betraute damit den ortskundigen Oberinspektor der Ostbahn Alexandre

und eine Freischaar von Vogesen-Jägern. Da infolge verschiedener Hindernisse dieser Befehl nicht ausgeführt werden konnte, beauftragte die
Regierung in Tours die Militärkommission der Vogesen Mitte Dezember, den Handstreich gegen den Tunnel von Foug oder die Brücke von Fontenoy nunmehr nicht länger aufzuschieben. Es ergaben sich aber auch jetzt noch Schwierig-keiten aller Art, unter Anderem verweigerte der Kommandant der Fe-stung Langres die Ab-gabe von 400 kg Spreng-pulver, wozu dann ein besonderer Befehl des Kriegsministeriums er-wirkt werden musste, der erst am 10. Januar eintraf. Bei der Ueber-weisung des Pulvers wurde ausdrücklich be-merkt, dass man es für etwas verdorben halte und daher für dessen Brauchbarkeit nicht ein-stehen· könne.

Am 18. Januar, 5 Uhr abends, setzte sich das Freikorps unter dem Kommandanten Bernard mit berittenen Spähern, 300 Vogesen-Jägern, dem 4. Bataillon der Mobilen du Gard und einem Wagenzug von dem be-festigten Lager im Walde nördlich Lamarche, 50 km westlich Epinal, 60 km südlich Toul, in Bewegung. Drei Nacht-märsche mussten unter den denkbar schwierig-sten Verhältnissen im deutschen Etappengebiet bei grosser Kälte im tiefen Schnee fast nur auf Feld-, Wald- oder

Abbild. 2. Mosel-Brücke bei Fontenoy.

Fusswegen zurückgelegt, um Mitternacht des 21./22. sogar eine kleine
Mosel-Fähre bei Eisgang 4 km oberhalb Toul benutzt werden.

Ohne Mobilgarden, ohne Reiter und Fahrzeuge erreichte die Abtheilung mit vier Packpferden zum Tragen von 250 kg Pulver — Zündmittel, Schanz- und Werkzeuge waren an die Mannschaften vertheilt — am 22. Januar, 5 Uhr vormittags, die Ortschaft Fontenoy. Die Brückenwache (1 Vizefeldwebel, 2 Unteroffiziere, 1 Spielmann, 47 Mann der 6. Kompagnie des Landwehr-Bataillons Geldern), welche infolge von Alarmschüssen aus der Festung Toul die Ortsunterkunft in Fontenoy verlassen und den Bahnhof besetzt hatte, wurde im Stationsgebäude trotz verstärkten Patrouillenganges überrumpelt, die zwei Doppelposten auf der 800 m entfernten Brücke vertrieben. Nun konnte der Eingang zur Minenanlage freigelegt werden, Mineure stiegen mittelst einer Strickleiter in den Schacht und begannen das Laden.

In diesem Augenblick wurden die Signallichter eines von Toul abgelassenen Zuges (mit Gefangenen) bemerkbar, welchem die Freischaar entgegenging, trotzdem in dieser Richtung die Eisenbahn durch Aufreissen der Schienen zerstört war. Der Zug wurde aber bald von dem gegen Toul abziehenden Theil der Wache aufgehalten und dampfte sofort zurück.

Ein zur selben Zeit von Nancy kommender Postzug wurde 6 $^{1}/_{4}$ Uhr vormittags 4 km vor Fontenoy durch den absichtlich in dieser Richtung zurückgehenden Wehrmann Pott angehalten, die unter den Mitfahrenden befindlichen Offiziere und 40 Soldaten sammelten sich zur Vertreibung der Franzosen, welche aber um 6 ^{45} Uhr vormittags nach sorgfältiger Verdämmung der Minen die Sprengung vollzogen und dann eiligst nach Süden abmarschirten.

Trotzdem die gleichzeitige Zündung der Minen nicht glückte — deutlich wurden zwei Explosionen unterschieden —. war der Mittelpfeiler bis auf die Grundmauern völlig zerstört, so dass durch den Einsturz der zwei anschliessenden Brückenbogen eine Lücke von 34,5 m entstanden war.

Zur Strafe wurde noch am 22. das Dorf Fontenoy, dessen Bewohner theilweise von dem Unternehmen Kenntniss hatten, bis auf wenige, für die Truppen benöthigte Gebäude niedergebrannt und durch das Generalgouvernement von Lothringen eine besondere Kriegssteuer von 10 Millionen Francs ausgeschrieben.

Graf Moltke beorderte sofort die Feldeisenbahn-Abtheilung Nr. 5, welche auf der Strecke Epinal—Vesoul beschäftigt war, nach Fontenoy. Der Chef dieser Abtheilung, Oberingenieur Krohn, erhielt in der Nacht vom 22./23. Januar die Weisung in St. Loup, 110 km südlich Nancy, nahm nach dem Wortlaut derselben eine Zerstörung der ganzen Brücke an und bat telegraphisch die Oberbaudirektion in Karlsruhe, die Eisenbahndirektion Saarbrücken, das Generalgouvernement in Nancy und die benachbarten Betriebskommissionen um Absendung oder Bereithaltung von Handwerkern und Baumaterial. Infolge dieser fürsorglichen Maassnahmen trafen am 24. bereits die erbetenen Extrazüge in Nancy ein, wo auch 300 französische Arbeiter versammelt waren. In Frouard stand ein Kommando bayerischer Pioniere und die Pontonkolonne VII. Armeekorps zur Verfügung, letztere durch Befehl des Generalgouvernements von Lothringen aufgehalten in der Fahrt von Diedenhofen nach Epinal zur Südarmee.

Die Exekutivkommission für Eisenbahntransporte hatte inzwischen verfügt, die Sprengöffnung mittelst eines Dammes zu schliessen, wozu etwa 7000 cbm Schüttung benöthigt waren. Dieser Entschluss mag gefasst worden sein, weil die Aufstellung von Unterstützungen für ein grösseres zweigleisiges Holzbauwerk viele Schwierigkeiten bot und dieses durch die bevorstehenden Frühjahrs-Hochwasser mit Eisgang besonders gefährdet erschien.

Es dürfte sonach die Nachricht Jacqemins in seinem Werke »Les chemins de fer pendant la guerre de 1870—1871«, wonach die Spreng-lücke zuerst durch einen Holzbau geschlossen werden sollte, auf einer Verwechselung mit den Brücken beruhen, welche für den Arbeitsbetrieb in erster Linie hergestellt werden mussten. Eine Gerüstbrücke verband hierzu das südliche Gleise der Doppelbahn und bestand aus acht Schwellenböcken von 8 m Höhe; daneben stand in der Brückenachse ein Laufsteg, dessen Belag auf gleicher Höhe mit dem Boden der Eisenbahnwagen lag, um auch als Perron für die entladenden Arbeiter zu dienen.

Gleichzeitig musste der bisherige zweite Mittelpfeiler durch einen 4,5 m starken Anbau zu einem Endwiderlager verstärkt werden, und bot sich damit die Möglichkeit, die Böschungskegel des Dammes so zu führen, dass deren Fuss die nächste Durchflussöffnung nicht verengte. Nach Auf-räumung der Trümmer konnten die erforderlichen Spundwände geschlagen und ausbetonirt werden, was bei dem sehr niedrigen Wasserstand keine Schwierigkeiten bot. Zu der Aufmauerung wurde nur Cementmörtel ver-wendet.

Da in dem strengen Winter der Erdboden sehr tief gefroren war, die Verwendung von Frostklumpen im Damme aber vermieden werden sollte, war die Bodengewinnung sehr umständlich und um so beschwerlicher, als in der Nähe der Brücke keine entsprechenden Füllgruben eröffnet werden konnten. Es mussten daher Materialzüge gefahren werden, um die Mauer-reste der Häuser von Fontenoy, die abgebrochenen Brüstungsmauern u. s. w. der Eisenbahn-Kunstbauten, die Vorräthe eines grossen Steingeschäfts in Toul, Kies und Schotter sogar aus einem Lager 35 km von der Baustelle heranzubringen.

Durch den Damm wurde die Fluthöffnung der Brücke von 123,5 m auf 86,5 m (fünf Bogen zu 16,5 m und eine Durchfahrt von 4 m) verengt, also eine starke Stauung der Hochwasser, welche überhaupt schon gefährlich und reissend waren, herbeigeführt. Es war daher nothwendig, nicht nur die Dammböschungen gut abzupflastern, sondern auch deren Fuss durch starke Steinschüttungen besonders zu schützen. Bei den im Frühjahr ein-getretenen Hochwassern bewährte sich das Bauwerk vollständig, es entstand sogar keinerlei Wassergefahr für die oberhalb liegenden Ortschaften.

Was die Bauausführung betrifft, so kam Nachtarbeit infolge ungünstiger Witterung nur zeitweise vor, dagegen wurde der Tag voll ausgenutzt. Die in Toul untergebrachten Soldaten und Handwerker erhielten dortselbst vor der Abfahrt das erste Frühstück, an der Baustelle ein zweites ohne Arbeitspause, die Hauptmahlzeit wurde aber abends in Toul eingenommen.

Ueber die Bauzeit ist zu erwähnen, dass der Steg am 25. Januar vollendet wurde, die Pontonkolonne also gar nicht in Thätigkeit trat und am 27. die Fahrt nach Epinal fortsetzte; die Gerüstbrücke war am 29. für einzelne Wagen, am 30. für Lokomotiven fahrbar, wurde aber zunächst nur für Post- und Gefangenenzüge benutzbar erklärt. Am 4. Februar wurde der Betrieb auf einem Gleise, vom 11. ab auf beiden begonnen. Die Bauleitung hatte Oberingenieur Krohn mit dem Sektionsingenieur v. Kietzel und dem Bauführer Ruoff; die Pioniere standen unter dem Befehl der Leutnants Jahr und Kauffmann.

Das von oberstrom aufgenommene Bild zeigt den Damm kurz vor der Vollendung, der obere Theil der Gerüstbrücke ist noch erkennbar, ebenso die Verstärkung des Pfeilers am neuen Endauflager.   (Forts. folgt.)

────⋙ Kleine Mittheilungen. ⋘────

Die neuesten französischen Befestigungen im Seealpen-Gebiet. Das umfassende Vertheidigungssystem des südöstlichsten Frankreichs, welches sich am Westhange der Alpen von den Ufern des Genfer Sees über die verschanzten Lager von Albertville, Grenoble, Briançon und die ihm vorgelagerte Sperrfortkette bis zur Küste des Mittelmeers nach Nizza erstreckt, hat in jüngster Zeit eine erhebliche Verstärkung erfahren, und zwar in dem unweit des wichtigen Col di Tenda-Passes gelegenen Theil des Westhanges der Seealpen, der mit dem jüngst eingeweihten 10 km langen Col di Tenda-Tunnel und der durch ihn von Italien nach Frankreich führenden 2. Bahnlinie, einen besonders wichtigen Zugang von der Lombardei nach Frankreich erhielt. Ausser ihm bildet das Thal der Vésubie, eines Nebenflusses des Var, deren Quellen der Vertrag, der Nizza Frankreich überlieferte, Italien überliess, eine Invasionsstrasse ins französische Gebiet. Die Italiener, meint man französischerseits, könnten hier im Falle eines Krieges unbemerkt von den Franzosen einen Vorstoss organisiren und denselben mühelos durchführen, woraus für Frankreich das Erforderniss entstände, die Vertheidigung der Schluchten und Berge der Vésubie vorzubereiten. Die schmalsten Stellen der Thaleinschnitte der Vésubie und der Tinée bei St. Jean de la Rivière und Bauma Négra wurden daher französischerseits durch Gitter und Zugbrücken sowie durch in die Felsen gehauene Geschütz-emplacements gesperrt. Die Stellen, an denen der Thaleinschnitt stellenweise nicht 10 m breit ist, und bei denen die Strasse zwischen steil aufsteigenden schroffen Felswänden hindurchführt, sind nunmehr so gut wie undurchdringlich gemacht, und die Angriffsunternehmungen müssten auf den sehr schwer passirbaren ihnen vor-liegenden Gipfeln zur Durchführung gelangen, welche jene Defileen beherrschen. Die südlich der wichtigen Pässe des Col di Tenda und des Col de Fenestre ge-legenen Ketten haben ihren Ausgangspunkt in dem Gebirgsstock des Anthion, auf welchem den Franzosen während der Revolutionskriege von den österreichisch-sardi-nischen Truppen hartnäckiger Widerstand geleistet wurde. Heute ist das Anthion-massiv französisch, und seine Zugänge von französischen Strassen durchschnitten; Befestigungswerke krönen seinen 2080 m hohen Gipfel, und die Kette, die hier die Bevera von der Vésubie trennt, ist permanent besetzt, und inmitten der Waldungen des nahe gelegenen Ortes Peiracava wurde eine grosse Kaserne gebaut. Ein strate-gisches Strassennetz wurde an dem Westhange der Seealpen französischerseits an-gelegt, und eine seiner wichtigsten Strassen verbindet neuerdings die Befestigungen von Négra mit dem besonders wichtigen Col de Braus. Herr dieses Passes, vermag ein Angreifer auf Mentone oder auch durch das Thal des Paillon auf Nizza vor-zugehen. Als Frankreich sich einer eventuellen Aggressive Italiens, im Falle eines grossen kontinentalen Krieges, versehen zu können glaubte, wurde dieser Zugang von ihm durch Forts gesperrt und das unterhalb des Col de Braus auf einem isolirten Felskegel gelegene, aus altem Mauerwerk aufgeführte, rings dominirte Fort Barbonnet soll durch Batterieemplacements und die Herstellung der entsprechenden Kommunikationen den erforderlichen Schutz erhalten. Hier wurden ferner die Be-festigungen von Négra und neuerdings die Forts de la Drette und Bevera sowie die des Mont Chauve d'Asprément auf dem kahlen unwirthlichen Bergrücken errichtet. Im Nordosten erheben sich hier die Alpen des Col di Tenda, dessen Tunnelbenutzung binnen Kurzem bevorsteht, und man betrachtet dieselbe französ-ischerseits in militärischer Hinsicht als eine Bedrohung Frankreichs, die daher durch die Anlage der erwähnten Werke und Strassen, sowie für die Unterbringung von Truppen eingerichteter Punkte und deren Besetzung beantwortet wurde. Der Mont Orso bildet einen zweiten wichtigen Punkt der mächtigen Kette, die, sich vom

Col de Braus nach der Kette des Küstengebiets erstreckend, gegen die Grenze Front macht — einen wahren Festungswall, der bisher vernachlässigt wurde. Dieser Gebirgsrücken ist unlängst mit Forts und Batterien 1300 m über dem Meeresspiegel ausgestattet worden. Eine vom Col de Braus abgehende strategische Strasse verfolgt die Linie zwischen dem Becken der Roja und dem des Paillon und erhebt sich darauf zu den permanenten Werken der hier liegenden hohen Gipfel. Für schwere Geschütz passirbare Nebenwege führen zu den Batterieemplacements, und das Fort Barbonnet im Norden und der Mont Agel im Süden flankiren diese mächtige Courtine, die die beiden Strassen von Nizza und Mentone zum Col di Tenda beherrscht. Frankreich hat, wie man sieht, auch in jüngster Zeit nicht verabsäumt, seine Defensivpositionen am Westhange der Seealpen beträchtlich zu verstärken, und hierin namhafte Fortschritte gemacht. Allein fast alle Positionen im Gebirge vermögen in geringer oder grösserer Entfernung entweder umgangen oder am entscheidenden Einbruchspunkt mit überlegenen Kräften angegriffen zu werden, so dass eine absolute Uneinnehmbarkeit der französischen Seealpen-Grenze auch durch die neuen Anlagen nicht gewährt erscheint.

Das kleinkalibrige Magazingewehr und die Feldbefestigung.*) Infolge der Eigenschaften des neuen Gewehrs, das weit trägt, einen rasanten Schuss hat und schnell zu laden ist, wird die fortifikatorische Vorbereitung des Geländes jetzt dem noch grösseren Vortheil bieten, der sie zu benutzen versteht. Es ist dies besonders bei der Vertheidigung der Fall. Damit soll aber nicht gesagt sein, dass die Vertheidigung nur eine passive wäre; ohne zum Angriff überzugehen, kann nicht ein vollständiger Sieg erzielt werden. Der Angriff wird aber nur dann wirklich Nutzen bringen, wenn man vorher in vollem Maasse alle Vorzüge der ursprünglichen Lage benutzt. Das neue Gewehr müsste die Bedeutung der Befestigung der Feldstellungen somit steigern. Mit seiner Einführung merkte man indessen, dass der Glaube an den Nutzen der Befestigungen ins Schwanken gerieth. Die Verneinung des Nutzens der Anlage von Befestigungen auf den Stützpunkten hatte indessen einen logischen Grund: Man meinte, dass bei der grossen Schwierigkeit eines Frontangriffs, der immer mit ungeheueren Verlusten infolge des Feuers eines mit Magazingewehren bewaffneten Gegners verbunden ist, der Angreifer stets veranlasst sein wird, die Stellung taktisch zu umgehen. Dabei kann allerdings der grösste Theil der Befestigung einer gewöhnlichen, eine gerade Linie bildenden Stellung fast ihre ganze Bedeutung verlieren; wer sie aufrecht erhalten will, wird dem Feinde nicht die langen Flanken, sondern die verhältnissmässig kurzen Flanken zukehren. Die Gefahr, umfasst zu werden, soll aber nicht dazu führen, dass man von der Benutzung der Befestigungen absteht; vielmehr soll sie eine solche Aufstellung der Truppen veranlassen, bei welcher die Umfassungen weniger gefährlich sind. Wenn die gerade Linie eine mögliche und sehr wahrscheinliche Umfassung herbeiführt, so ist sie zu ändern und die Stellung bogenförmig anzulegen; an ihren Enden sind einige Reserveeingrabungen und wenn auch nur eine Reservebefestigung anzulegen, und der Kehle der auf den Flanken etwa vorhandenen Redouten ist ein stärkeres Profil zu geben. Nöthigenfalls ist es immer leichter, die halbkreisförmige Befestigung nach der Seite einer der Flanken zu verlängern, als die ganze Richtung zu ändern. Arbeiter werden immer dazu vorhanden sein, auch werden die Leute gern arbeiten, zumal, wenn sie die Ueberzeugung haben, dass die Befestigung der Stellung für die Vertheidigung grosse Vortheile bringt. Jede freie Stunde, jeder freie Mann muss dazu benutzt werden. Man muss allmählich, wie es die Zeit gestattet, von den schwächeren zu den stärkeren Profilen übergehen; es wird dann immer möglich sein, für den Fall der Umfassung Reservewerke auf den Flanken

*) Vergl. Aufsatz in dem Russischen ›Ingenieur-Journal‹ Nr. 11, 1897.

herzustellen. Die Eigenschaften des neuen Gewehrs, schnell geladen werden zu
können, seine weite Tragfähigkeit und Präzision haben zu der Maskirung geführt.
Auf die allgemeine Bedeutung dieses Prinzips näher einzugehen, dürfte überflüssig
sein; es sollen nur neue Vorschläge berührt werden. Seit einiger Zeit ist im Ausande
und in Russland der Rath gegeben, von den Werken mit gewöhnlichem Profil zu den
versenkten Eingrabungen (mit dem Profil ohne Brustwehr) überzugehen. (Siehe Heft 1
Jahrg. 1898 der Kriegstechn. Zeitschr. »Neuer Schützengraben«. D. Red.) Wenn ihnen
auch nicht stets und überall der Vorzug zu geben ist, so haben sie doch immerhin eine
gewisse Bedeutung. Viele halten sie für zweckmässig, als ob sie immer sich von dem
Felde weniger abhöben, was indessen nicht voll zugegeben werden kann. Es kann so
sein, aber nicht immer, nur in einzelnen Fällen; solche Eingrabungen sollen angewendet
werden, wenn zur Beschiessung irgend einer Geländefalte der Schütze möglichst niedrig
gestellt werden muss, oder wenn es dadurch möglich ist, irgendwohin ein Etagenfeuer
herzustellen. Von den drei Gründen der Einführung eines solchen Profils kann in dem
zweiten Falle der Schützengraben die Brustwehr entbehren, aber nicht in seiner ganzen
Länge, sondern auf einen gewissen Abschnitt, wo es durch die Verhältnisse gerechtfertigt wird; es muss dabei allmählich von einem Profil zum anderen übergegangen
werden. Die Herstellung einer Etagenvertheidigung wird bei dem Profil ohne Brustwehr durch zwei Umstände erleichtert: der Kopf des Schützen erhebt sich weniger
über den Horizont, und hinter ihm wird ein kleiner Aufwurf nach Art einer Rücken-
traverse aufgeworfen. In Bezug auf eine bessere Maskirung kann die Anwendung
dieses Prinzips nur dann Nutzen bringen, wenn man die Laufgräben auf dem Kamme
einer Erhöhung selbst oder sogar etwas hinter ihr, also im Allgemeinen in der zweiten
Vertheidigungslinie anlegt; hier werden sie nicht bemerkt. In den meisten Fällen
wird die erste Linie der Eingrabungen auf den dem Feinde zugewandten Hängen etwas
nach vorne und zu den Seiten der Höhen, die von der Artillerie besetzt sind, oder
unmittelbar vor den Höhen, die befestigt sind, hergestellt. Die so angelegten versenkten Laufgräben sind allerdings etwas besser maskirt als die gewöhnlichen; das
kann aber nicht dazu veranlassen, dass man von der Anwendung der letzteren ganz
Abstand nimmt, zumal die Arbeit zur Anlage der ersteren grösser ist. Ueberhaupt
ist die Frage, was für eine Eingrabung besser anzuwenden ist, schwer zu entscheiden;
jeder einzelne Fall ist dafür entscheidend. Der versenkte Laufgraben wird, abgesehen
von den beiden angegebenen Fällen, um eine Geländefalte unter Feuer zu nehmen,
oder um ein Etagenfeuer einzurichten, auch in einem Gelände angewendet, das weiterhin
vollständig eben und offen ist, in einer Ebene, mag sie nun ganz horizontal sein oder
leicht ansteigen oder sich senken. Hier wird dieses Profil unbedingt nicht gesehen
werden, während das gewöhnliche Profil sich scharf vom Himmel abhebt. Unter diesen
Umständen werden die Köpfe der Schützen in den gewöhnlichen Gräben mehr gesehen
werden als in denen ohne Brustwehr; in den letzteren markiren sie sich auf der
hinten aufgeworfenen Erde. Auf den mittleren und besonders auf den nahen Entfernungen macht sich dieser Unterschied fühlbar. Wenn die Gräben an dem Hange
einer Höhe, der dem Feinde zugewandt ist, angelegt sind, und der Gegner den gegenüberliegenden Hang besetzt, so entdeckt er von seiner Stellung aus den versenkten
Graben fast ebenso leicht, wie den gewöhnlichen. Wenn die Brustwehr des letzteren
sichtbar ist, so wird der hinter dem ersteren liegende breite Erdaufwurf gesehen, und
zwar umsomehr, je steiler der Hang ist. Allerdings fällt das fort, wenn es möglich
ist, diesen Aufwurf zu verdecken, wenn der Graben im Schnee oder im frisch geackerten
Boden, der noch nicht bewachsen ist, ausgehoben ist. Aus dieser Erörterung der neuen
Strömungen in der Feldbefestigung — dem Bestreben, sich in die Erde zu versenken,
und dem Uebergang von der geradlinigen Stellung zu der bogenförmigen — ergiebt
sich, dass das enge Band zwischen der Taktik und der Fortifikation nicht gelöst werden
darf. Bereits im Frieden ist darauf hinzuwirken, dass Offiziere und Mannschaften
die Ueberzeugung gewinnen, dass die erste Arbeit beim Besetzen einer Stellung deren

Vervollkommnung in fortifikatorischer Beziehung sein muss. Bei der jetzt wachsenden Bedeutung einer entsprechenden Befestigung der Feldstellungen ist daran zu erinnern, dass der, welcher den Spaten im Frieden verachtet, im Kriege es immer beklagen wird.

K—r.

Schlitten für den russischen Regimentstrain. Wenn irgend ein Kriegsschauplatz es nothwendig macht, Vorkehrungen zu treffen, um auch im Winter die Truppenfuhrzeuge fortschaffen zu können, so ist es der Russische. Es haben infolgedessen die mannigfachsten Versuche dort stattgefunden, geeignete Schlitten herzustellen, mittels deren die Fahrzeuge im Stande sind, den Truppen bei hohem Schnee zu folgen. Einfachheit, leichte Herstellung und Wendefähigkeit der Schlitten sind Vorbedingungen, wenn sie ihren Zweck erfüllen sollen. Von den vielen vorgeschlagenen bezüglichen Vorrichtungen heben wir den Versuch hervor, der bei dem 157. Imeretinskischen Infanterie-Regiment im Winter 1896 angestellt ist. Nach dem Bericht darüber (Russischer Invalide Nr. 67, 1897) wurden Schlitten angewandt, die einzeln unter den Vorder- und Hinterachsen angebracht werden. Sie können in einigen Stunden von

Abbild. 1.

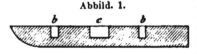

jedem Soldaten hergestellt werden, der mit der Axt und dem Stemmeisen umzugehen versteht; als Material dient Holz und Brennholz, welches immer bei den Truppen vorhanden ist; die Schlitten sind sehr biegsam,

Abbild. 2.

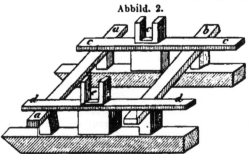

so dass sie fast auf der Stelle umgewandt werden können. Die Herstellung der Schlitten ist folgende: Ein 1½ Arschin (107,68 cm) langer Holzstamm mit einem Durchmesser von 3 Werschok (13,32 cm) wird zu einem Balken behauen und an dem einen Ende nach Art von Kufen abgerundet (Abbild. 1); an den Punkten a und b werden zwei quadratische Zapfenlöcher, die Seite zu 1½ Werschok (6,66 cm), die Tiefe zu 2 Werschok (8,88 cm), ausgestemmt; der Balken darf dabei nicht durchstossen werden. In diese Zapfenträger werden 2 Werschok (8,88 cm) dicke und 6½ Werschok (26,66 cm) hohe Stützen eingelassen (Abbild. 2). Zwischen denselben wird in dem Punkte c (Abbild. 1) ein ebenso tiefes Zapfenloch für eine mittlere Stütze ausgestemmt, die 1¾ Werschok (7,77 cm) dick, 4 Werschok (17,77 cm) breit und 9½ Werschok (41.21 cm) hoch ist (Abbild. 2). Die Breite des Zapfenloches beträgt 1½ Werschok (6,66 cm) und die Länge 3 Werschok (13,33 cm). In diese Zapfenlöcher werden alle drei Stützen fest eingesetzt. Dann werden für die äusseren Stützen zwei Quer-Bindebalken angefertigt. Ihre Länge hängt von der Breite des Gestells des Fahrzeuges ab und wird so bemessen, dass die mittleren Stützen gegen die Ränder des Zapfenloches der Achse, d. i. zwischen den Steigbrettern, zu stehen kommen. In diese Quer-Bindebalken werden je 2 Zapfenlöcher für die Stützen eingestemmt, und nachdem man die zwei Kufen parallel aufgestellt hat, schlägt man auf die äusseren Stützen a und b (Abbild. 2) die Quer-Bindebalken auf, welche so die Kufen miteinander verbinden. Um die grosse mittlere Stütze, welche bei der Bewegung die ganze Last trägt, widerstandsfähig zu machen, werden noch zwei Bindebalken c und d mit den entsprechenden Löchern für die Stützen angefertigt und auf alle drei Stützen aufgeschlagen. Dann wird noch in der mittleren Stütze ein Ausschnitt e gemacht, der so tief ist, dass er bis zum oberen Bindebalken reicht. In diesem kommt die Achse des Fahrzeuges zu liegen. Die Räder werden abgenommen und an den Seiten des Fahrzeugs angebracht oder auf dasselbe gelegt.

Ziel-Kontrolapparat für die französische Kavallerie. (Mit einer Abbildung.)
Durch Kriegsministerial-Dekret vom 26. August 1898 ist für den Schiessdienst der
französischen Kavallerie ein Ziel-Kontrolapparat eingeführt worden, dessen Beschreibung wir, wie auch die Vorschriften für seinen Gebrauch hierunter folgen
lassen. Der Apparat besteht hauptsächlich aus einem Spiegel *M*, der zwischen dem
Visir und dem Auge des Zielenden angebracht ist. Dieser sieht durch das leicht
geschwärzte Glas des Spiegels Visir, Korn und Zielpunkt, während gleichzeitig der
auf der linken Seite des Zielenden stehende Lehrer im Spiegel erkennen kann, ob
sich jene drei Punkte in einer Linie befinden. Ein kubischer Kasten *B* aus Stahlblech, der auf drei Seiten offen ist, nimmt den Spiegel auf, der vertikal in einer
unter 45° zur Schiessebene geneigten Ebene angebracht ist. Acht Schrauben, deren
Köpfe versenkt sind und die 2 mm in das Innere des Kastens hineinragen, halten
den Spiegel in jener Stellung fest. Der Boden des Kastens hat eine Verlängerung
nach vorn, *A*, die in einer Lothstelle und durch zwei Nieten mit einer federnden
Stahlgabel verbunden ist. Diese ist bestimmt, den Apparat am Visir zu
befestigen, indem sie sich gegen die beiden Seitenflächen desselben fest
anlegt. Die beiden Gabel-
arme haben gleiche Länge:
wie gesagt genügen sie schon

allein, um den Apparat festzuhalten, doch ist der Letztere
in seiner Lage noch durch eine
Klaue *G* gesichert. Die untere
Fläche der Gabel ist nach den
Abmessungen des Rohres, auf dem
der Apparat gebraucht werden
soll, geformt. Es kommt leicht vor
— besonders bei einem ähnlichen, bei der französischen Infanterie im Gebrauch stehenden
Apparat —, dass der Spiegel, wenn er ungenügend befestigt ist, heraus- und zu
Boden fällt und zerbricht. Um dies zu vermeiden, hat man eine kleine Scheibe *R*
aus Stahlblech noch angebracht, die rechtwinklig gebogen und am oberen Theil des
den Spiegel haltenden Kastens derart durch einen Niet angebracht ist, dass sie sich
drehen lässt. Der kleine Arm dieser Scheibe verhindert den Spiegel am Herausfallen,
während sie doch andererseits auch ein leichtes Herausnehmen desselben zwecks
Reinigung gestattet. — Um den Apparat zum Gebrauch anzubringen, genügt es, die
Visirklappe zu heben und die beiden Gabelarme so lange an den Seitenflächen des
Visirfusses hingleiten zu lassen, bis die innere Biegung zwischen den Armen gegen
das Visir stösst und die Klaue der Gabel unter den Stift der Platte tritt. Wenn
der Apparat so angebracht ist und der Zielende die ihm durch das Reglement vor-
geschriebene Stellung eingenommen hat, wird er veranlasst, die Visirlinie in Verbindung mit einem angesagten Ziel zu bringen. Der Lehrer, der auf der linken Seite
steht und sich dem Apparat zuzuwenden hat, sieht im Spiegel die zurückgeworfenen
Bilder von Visir, Korn und Zielpunkt; er folgt den Bewegungen, die der Zielende
mit der Visirlinie ausführt, und stellt es fest, ob dieselbe in richtiger Weise auf das
Ziel geführt wird. Der Lehrer darf aber nicht vergessen, dass infolge der Reflexion

die relative Stellung der im Spiegel gesehenen Objekte eine umgekehrte ist betreffs der Seite. Wenn der Schüler niedrig und nach links zielt, so sieht der Lehrer die Visirlinie zwar auch unten, aber rechts vom Zielpunkt verlaufen. Der Ziel-apparat soll nach den Angaben des französischen Ministeriums es erlauben, das Richten auf Entfernungen von 200 bis 1200 m zu überwachen. Die beigegebene Skizze vergegenwärtigt die Abmessungen des Apparates; der Spiegel ist ein ebenes Glas, leicht geschwärzt und gebläut, wie man es jederzeit im Handel findet. Der ganze Apparat ist, um ihn gegen Witterungseinflüsse zu schützen, blau angelassen. Der Preis beträgt bei Bezug aus Privatwerkstätten ungefähr 1 Frcs. 20 Cent., wohin-gegen er von den Militärwerkstätten für nur $\frac{1}{2}$ Frcs. abgegeben wird. Bisher hat jede Eskadron vier derartige Ziel-Apparate erhalten, Die Waffenschmiede sind ange-wiesen, die Apparate zu dem oben angegebenen Preis der Militärwerkstätten zu liefern, und können Muster von der Normal-Schiessschule des Lagers von Châlons beziehen.   Hbr.

Fussmesser. Durch Dekret vom 17. September 1898 ist in Frankreich ein »Podotypomètre« eingeführt worden. Das an und für sich sehr einfach konstruirte Instrument gestattet, mit Leichtigkeit die Abmessungen jedes Fusses festzustellen und dürfte gelegentlich der bei Mobilmachungen vorkommenden Einkleidungen grosser Massen das Vertheilen der passenden Fussbekleidung sehr vereinfachen.
                                                                 Hbr.

Libellenaufsatz für Feldgeschütze. Dieser neue Aufsatz, welcher in Heft 10 des I. Jahrganges S. 487 ff. beschrieben wurde, ist vom schweizerischen Artillerie-hauptmann H. Korrodi in Bern (durch ein Versehen war in dem betreffenden Artikel »Konradi« gesetzt worden) erfunden und konstruirt worden. Der Korrodische Libellen-aufsatz hat sich bei den vielfachen Schiessübungen der Artillerie-Versuchsstation zu Thun auf das Beste bewährt.

Bücherschau.

Petit dictionnaire militaire français-allemand et allemand-français par W. Stavenhagen, capitaine du génie en retraite. Berlin, librairie militaire de R. Eisenschmidt. Zwei Bände, Preis pro Band Mk. 5,50.

Dieses kleine Militär-Wörterbuch ist in erster Linie für Militärs aller Waffen und Grade bestimmt, besonders für die zur Kriegsakademie kommandirten Offiziere und die Militär-Dolmetscher; so heisst es in der in französischer und in deutscher Sprache abgefassten Vorrede. Wir möchten aber hinzufügen, dass es für jeden ein-zelnen Offizier bestimmt ist und von keinem einzigen derselben entbehrt werden kann, denn es giebt wohl kaum einen darunter, der nicht wenigstens im Lese-zimmer der Offizier-Speiseanstalt eine französische Militärzeitung oder eine Flug-schrift in die Hand nimmt, um sich über die Heeresverhältnisse bei unserem west-lichen Nachbar zu unterrichten. Auch in Offizier-Lesezirkeln wird ausnahmslos der französischen Militärlitteratur der ihr geziemende Platz eingeräumt, und da stolpert so mancher Leser über einen neuen militärischen Ausdruck, den er in seinem gewöhnlichen Wörterbuche nicht findet. Da wird er dann den üblichen kleinen Molé bei Seite legen müssen und zum kleinen Stavenhagen greifen, der beson-ders auch die in der Kriegskunst und der Technik seit etwa 25 Jahren vor sich gegangenen Veränderungen in geradezu erschöpfender Weise berücksichtigt, zumal sie auch eine völlig neue Sprache ge-schaffen haben. Namentlich wer sich mit der Waffentechnik, mit Ballistik und Kon-struktionslehre u. s. w. beschäftigt, kann ohne Stavenhagens Dictionnaire militaire nicht auskommen; denn selbst die neuesten

Wörterbücher anderer Verfasser können einen Vergleich mit der Vollständigkeit von Stavenhagens Arbeit nicht aushalten. Schreiber dieses beschäftigt sich seit fast 30 Jahren vornehmlich mit der französischen Militärlitteratur und weiss daher die Vorzüge eines guten und zuverlässigen Militär-Wörterbuches wohl zu würdigen; ein besseres wie das vorliegende ist ihm noch nicht zu Gesicht gekommen. Der nur scheinbar hohe Preis sollte Niemanden von der Beschaffung abschrecken, die man gewöhnlich doch nur einmal vornimmt. Dabei nehme man zweckmässig gleich hinzu:

W. Stavenhagen, Renseignements divers, Hülfsmittel zum Lesen französischer Werke und Pläne, sowie zur Abfassung französischer Schriftstücke. Zweite, durch einen Nachtrag und 18 Abbildungen vermehrte Auflage. Berlin 1898, Verlag von R. Eisenschmidt. Preis ℳ k. 0,50.

Diese Renseignements sind in französischer Sprache abgefasst und setzen eine bestimmte Kenntniss derselben voraus, so dass sie vornehmlich für den Offizier bestimmt sind. Der vortrefflich angeordnete Stoff bietet Anregungen in vielen Richtungen und wird durch die an einzelnen Stellen beigefügte Verdeutschung, wie beispielsweise bei den Sprichwörtern, besonders lehrreich wirken. Der beigefügte Anhang enthält ein militärisches Allerlei, das als ein vollständiges militärisches Auskunftsbuch zu bezeichnen ist. Die mit ebensoviel Fleiss wie Sprach- und Sachkenntniss verfassten Stavenhagenschen Werke können angelegentlichst empfohlen werden.

Der Festungskrieg. Als Ergänzung der Kriegsschul-Leitfäden für Befestigungslehre und Waffenlehre. Zum Selbststudium für Offiziere, sowie als Vorbereitung zur Aufnahmeprüfung für die Kriegsakademie. Von Gerwien, Oberstleutnant a. D. ℳit Abbildungen und zwei lithographirten Anlagen. Berlin 1889. Liebelsche Buchhandlung. Preis ℳ k. 3,60.

Nicht nur diejenigen Offiziere, welche den für den Festungskrieg bestimmten Sonderwaffen angehören, müssen sich mit den Verhältnissen dieser Art der Kriegführung vertraut machen, sondern auch die übrigen Offiziere sind dazu, wenn auch nur in geringerem Maasse, verpflichtet. Für diese ist das vorliegende Werk des Oberstleutnants a. D. Gerwien ein vor-

treffliches Hand- und Lehrbuch, woraus man sich vollständige Belehrung verschaffen kann, wie man sich bei uns den Verlauf des Festungskrieges und seiner einzelnen Phasen vorstellt. Zwar ist das Werk von dem besonderen fussartilleristischen Standpunkte geschrieben, aber es giebt ein klares Bild über den gewählten Stoff, welcher mit Kenntniss auch derjenigen Bestimmungen und Vorschriften behandelt ist, die nicht jedem einzelnen Offizier zugänglich gemacht sind. Das Werk hält sich von allen prinzipiellen Fragen, welche in neuester Zeit zu dem Kapitel des Festungskrieges aufgetaucht sind, fern und bringt nur das, was gegenwärtig als gültig angesehen wird. Nach einer Einleitung bespricht der Verfasser die Vorbereitungen auf den förmlichen Angriff, welche in der Armirung beim Vertheidiger und in der Einschliessung beim Angreifer bestehen, der dabei die Wahl der Angriffsfront vorzunehmen hat. Nach einer Besprechung des Belagerungstrains, Belagerungsparks und Hauptdepots folgt die Erörterung des Fernangriffs mit der Einrichtung des Kampffeldes beim Vertheidiger, dem Vorschieben der Schutzstellung aus der Einschliessungsstellung beim Angreifer, der Artilleriestellung des Angreifers und dem Artilleriekampf. Der Nahangriff umfasst sodann die Zwischenstellung des Vertheidigers, die erste Infanteriestellung des Angreifers, die Angriffsartillerie nach beendetem Geschützkampfe sowie das Vortreiben der Infanteriestellungen bis zur Sturmstellung. Der Schlussakt eines Festungsangriffes ist der Sturm, den der Verfasser durch Erörterung des Sturmreifmachens der Werke und der Truppen, des Gangbarmachens der Hindernisse, der Eintheilung der Sturmtruppen und der Gegenmaassregeln des Vertheidigers mit treffenden Schlagworten auseinandersetzt, um als die letzte Episode die Eroberung der Stadt hinzuzufügen. In zwei Anhängen werden der Sperrfort-Angriff, der abgekürzte Angriff gegen Fortfestungen, der geplante Angriff gegen eine verstärkte Feldstellung und der Angriff gegen flüchtige verstärkte Stellungen behandelt. Das Werk wird für jeden Offizier ein willkommener und zuverlässiger Wegweiser auf dem Gebiete des Festungskrieges sein.

Lehrbuch der Waffenlehre zum Gebrauche an den k. u. k. Militär-Akademien und zum Selbststudium für Offiziere aller Waffen bearbeitet von Eduard ℳarschner, k. u. k. ℳajor im Fest. Art. Regt. Kaiser Nr. 1, Besitzer des Militär-Verdienstkreuzes. Erster Band (Allgemeine Waffenlehre). ℳit 180 Abbildungen. Zweite Auflage. Wien und Prag, F. Tempsky. 1898. Preis geh. fl. 3,60, gebd. fl. 4,20.

Der vorliegende erste Band dieser ausgezeichneten Waffenlehre ist den Elementen der Feuerwaffen und der Wirkung der letzteren gewidmet. In der vorliegenden zweiten Auflage ist durch Ausscheidung aller für das Verständniss des Schiesswesens minder wichtigen Theorien und durch Einschaltung der neuesten auf dem Gebiete des Waffen- und Schiesswesens gewonnenen Erfahrungen den Bedürfnissen der Praxis wie der Schule mehr entsprochen worden als in der ersten Auflage. Der Vortheil dieses Lehrbuches beruht vornehmlich darin, dass es sofort in die neuere Zeit eintritt und die historische Entwickelung des Waffenwesens ganz unberücksichtigt lässt; andernfalls hätte das Werk eine Ausdehnung erhalten, die es unmöglich zu einem Lehrbuch für Schulzwecke wie für Selbststudium geeignet gemacht hätte. In der Einleitung wird eine Art von Nomenklatur nebst kurzer Erklärung aller im Waffenwesen vorkommenden Bezeichnungen gegeben, woran sich als erster Abschnitt die explosiven Präparate anschliessen. Hierbei hätten zweckmässig auch das Ballistit und Cordit Erwähnung finden sollen, da diese beiden brisanten Pulversorten im englischen Heere eingeführt sind; dasselbe ist mit dem französischen Melinit der Fall. Bemerkenswerth in diesem Abschnitt sind die Angaben zur Bestimmung der Geschoss-Anfangsgeschwindigkeit, welche einen der wichtigsten Faktoren auf dem Gebiete der Ballistik bildet. Der zweite Abschnitt behandelt die Geschosse sowohl für Handfeuerwaffen als auch für Geschütze. Bei ersteren mussten die Bleispitzengeschosse (Dum-Dum-Geschosse) erwähnt werden, da dieselben im Vordergrund des waffentechnischen Interesses und zu der weiteren Verkleinerung des Kalibers in unmittelbarer Beziehung stehen. (Es sei hier beiläufig bemerkt, dass die neuesten Versuche des Professors Dr. Bruns über Schussverletzungen mit solchen Geschossen nicht ganz einwandfrei erscheinen, weil ihm keine englischen Original-Dum-Dum-Geschosse zur Verfügung standen.) In ausserordentlicher Vollständigkeit und Klarheit im Ausdruck sind die artilleristischen Geschosse beschrieben; der Text wird hier, wie auch sonst, durch ganz vortreffliche

Abbildungen unterstützt. Der die Rohre der Feuerwaffen besprechende dritte Abschnitt enthält nach eingehenden Erörterungen über die Materialien, Metallstärken und künstliche Metallkonstruktionen Angaben über die Stahlbronzerohre, Gussstahlrohre, den Kruppschen Rohrbau und die Stahldraht-Konstruktion, die wir neuerdings bei den englischen Schiffsgeschützen ausschliesslich angewendet sehen, wobei eine Art von Stahldrahtband um ein Kernrohr mit Maschinen gewickelt wird. In diesem Abschnitt werden auch alle inneren und äusseren Einrichtungen der Rohre einschl. der Verschlüsse und Abfeuerungsvorrichtungen durchgesprochen. Interessant ist der vierte Abschnitt, welcher die Gestelle der Feuerwaffen umfasst, also Gewehrschäfte und Laffeten. Bei den letzteren wird den Rücklauf-Hemmvorrichtungen besondere Aufmerksamkeit zugewendet, ebenso wird die Einrichtung der Laffeten als Fuhrwerke erörtert. Im fünften Abschnitt, Wirkung der Feuerwaffen, finden wir umfassende Angaben der inneren und äusseren Ballistik mit zahlreichen Berechnungen, welche für den strebsamen Artillerieoffizier und Waffenkonstrukteur nicht zu entbehren sind. Dieser Abschnitt ist der umfangreichste; er umfasst beinahe die Hälfte des ganzen ersten Bandes, welcher einer der bedeutendsten Erscheinungen auf dem litterarischen Gebiet der Waffentechnik genannt werden muss. Der an sich berechtigte Wunsch, dass darin die neuesten Waffen, also Maschinengewehre und zerlegbare Geschütze, wie sie im Chitral als auch am Athara und bei Omdurman von den Engländern mit Erfolg benutzt wurden, Berücksichtigung gefunden hätten, kann jedoch den Werth des Werkes nicht beeinträchtigen; auch ist hierbei zu berücksichtigen, dass für diese Waffen bisher noch keine einwandfreien Angaben veröffentlicht worden sind. Ueber die Maxim-Gewehre sind solche im vorigen Jahrgang unserer Zeitschrift erschienen; über die neuesten 75 mm Nordenfelt-Schnellfeuergeschütze sowie über 37 mm Maxim-Maschinengeschütze wird die laufende Jahrgang der Kriegstechnischen Zeitschrift Näheres bringen. Das Marschnersche Werk kann namentlich solchen Offizieren empfohlen werden, welche sich zur Aufnahmeprüfung für die Kriegsakademie vorbereiten.

Gedruckt in der Königlichen Hofbuchdruckerei von E. S. Mittler & Sohn, Berlin SW., Kochstrasse 68—71.

Betrachtungen über das Infanteriegewehr von heute und morgen.

Mit zwei Abbildungen.

In unserem Gewehr 88 besitzt die Armee eine Waffe, welche denjenigen der anderen europäischen Grossmächte im Allgemeinen noch ebenbürtig ist.

Dieser Umstand ist besonders auffällig, da Deutschland als einer der ersten Staaten sich entschloss, zum kleinen Kaliber überzugeben.

Unser Gewehr 88 ist im Vergleich zu den früher oder später gebauten Waffen anderer Staaten bei Weitem das einfachste; Mechanismus und Handhabung sind deshalb selbst von ungeübten Leuten leicht zu verstehen.

Es ist ein grosses Verdienst unserer damaligen Konstrukteure, dass sie bei der kurzen Zeit, die ihnen zum Bau und zur Erprobung der Waffe gegeben war, bei den ganz neuen Verhältnissen, die das rauchschwache Pulver, das kleine Kaliber, der starke Drall, das empfindliche Laufinnere und das lange Mantelgeschoss bedingten, verhältnissmässig so geringe Fehler gemacht haben.

Diese Fehler sind bekanntlich folgende:

1. Das Laufinnere ist durch das gewählte Zugprofil schwer zu reinigen und daher leicht Verrostungen und Vernickelungen ausgesetzt.

2. Der Verschluss ist nicht immer genügend gasdicht, denn bei Hülsenreissern können kleine Messingtheilchen aus demselben herausdringen und das Auge des Schützen, besonders wenn mit hohen Visirstellungen geschossen wird, verletzen.

3. Der Schuss kann abgefeuert werden, ohne dass der Verschlusskopf auf die Kammer aufgesetzt ist, wodurch schon viele Verletzungen vorgekommen sind.

4. Es ist ferner möglich, mit der Kammer eine Patrone aus dem Magazin vorzuschieben, wenn sich bereits eine solche im Patronenlager befindet. Die Geschossspitze der zweiten Patrone stösst dann auf das Zündhütchen der davorliegenden und führt ebenfalls explosionsartige Erscheinungen mit meist schweren Nachtheilen für den Schützen herbei.

5. Der Schlösschenstand ist nicht absolut sicher, denn bei sehr kräftigem Zurückführen der Kammer kann das Schlösschen mit seinem dreieckigen Ansatz aus der Kammerrast herausspringen und dadurch, vielleicht gerade im Augenblick der Gefahr, eine Ladehemmung verursachen.

6. Der Druckpunkt ist bei vielen Gewehren nicht beständig, weil der hintere Theil der Kammerbahn sich häufig auseinanderbiegt.

7. Das Kastenmagazin ist unten offen, wodurch fremde Körper eindringen und Ladehemmungen verursachen können.

8. Der Patronenrahmen muss mit in den Kasten eingeführt werden und ist deshalb zuweilen nicht ganz leicht zu beseitigen.
9. Das Magazin ragt aus dem Schaft nach unten heraus, die Handhabung der ganzen Waffe ist deshalb erschwert. .
10. Das Visir gestattet dem Schützen nicht genügende Sicht auf das Ziel, auch ist seine Einstellung vom Vorgesetzten schwer zu kontroliren.
11. Der Laufmantel erschwert den Zusammenbau des Gewehres und schwächt den Vorderschaft.
12. Das Aufpflanzen des Seitengewehrs beeinflusst den Schuss in ungünstiger Weise.
13. Ein Stoss oder Hieb mit aufgepflanztem Seitengewehr führt zu Verbiegungen der Waffe.

Nachdem durch längeren Truppengebrauch nach und nach die Bedeutung aller dieser Fehler erkannt war, sind die Konstrukteure energisch an die Beseitigung derselben herangegangen.

Fast vollkommene Abhülfe hat der Altmeister der Waffentechnik, Mauser, durch seine neuesten Konstruktionen geschaffen, ferner aber auch ein bisher weniger genannter Konstrukteur, der Königliche Ober-Büchsenmacher Louis Schlegelmilch in Spandau. Die Gewehre beider Konstrukteure müssen als die zur Zeit besten Infanteriewaffen angesehen werden.

Es dürfte deshalb nicht uninteressant sein, die verschiedenen Mittel zu betrachten, durch welche Mauser und Schlegelmilch die voraufgeführten, dem Gewehr 88 noch anhaftenden Mängel beseitigen.

Eine Zeichnung der neueren Mauser-Konstruktionen, welche bereits in vielen Zeitschriften erschienen sind, noch einmal zu bringen, erscheint nicht angebracht, dagegen wird vielleicht eine Skizzirung des Schlegelmilchschen Gewehres interessiren, welches trotz einer Fülle von Originalität leider sehr wenig bekannt geworden ist.

Es ist dem Schlegelmilch-Gewehr, welches durch die D. R. P. Nr. 75 559, 76 257, 76 650 und 78 545 geschützt ist und dessen Beschreibung und Abbildung am Ende angeschlossen sind, so ergangen wie vielen Erfindungen und Konstruktionen von Offizieren und königlichen Beamten; es wurde wenig bekannt, weil die unbegrenzte Reklame, die dem Privatmann ohne Weiteres zur Verfügung steht, naturgemäss wegfallen musste.

Wir wollen nun zuerst der Laufeinrichtung moderner Gewehre nähertreten. Die Kaliberfrage streifen wir jedoch nur, da derselben zur Zeit nicht mehr so absolute Wichtigkeit beigemessen zu werden scheint, wie noch vor Kurzem.

Es dürfte dies seine Ursache darin haben, dass Geschosse unter 8 mm Durchmesser zu geringe Verwundungsfähigkeit und Stabilität dem Winde gegenüber besitzen.[*]) Ferner scheint man aber auch neuerdings die Zweckmässigkeit allzu rasanter Handwaffen in Frage zu stellen.[**])

Trotzdem ist aber doch wohl mit Bestimmtheit anzunehmen, dass man sich auch bei uns über kurz oder lang entschliesst, eine kleinkalibrige Waffe einzuführen, besonders wenn es gelingt, mit kleinkalibrigen Geschossen die gewünschte Geschosswirkung hervorzubringen.

Man wird in diesem Falle nicht weit fehlgehen, anzunehmen, dass der Lauf dann im Wesentlichen die innere Einrichtung des amerikanischen Krag-Jörgensen-Gewehrs aufweisen wird.

---

[*]) Vergl. Artikel »Englische Dum-Dum-Geschosse« in Heft 6, 1898, dies. Zeitschr.
[**]) Vergl. Artikel »Gedanken über das Gewehr der Zukunft« in Heft 4, 1898, S. 145 dieser Zeitschrift.

Demnach wird das Kaliber als Minimum 6 mm betragen, da Versuche mit Kalibern unter 6 mm sowohl in England, Amerika und dem Vernehmen nach auch bei uns greifbare Resultate nicht ergeben haben.

Das Geschoss wird schwerlich die Länge von 5 Kalibern weit überragen und wird dementsprechend durch einen Drall, welcher sich auf etwa 160 bis 170 mm Lauflänge einmal um die Seelenachse herumdreht, Stabilität im Fluge erhalten müssen; die Mündungsgeschwindigkeit des 6 mm Geschosses dürfte auf etwa 800 m in der Sekunde zu schätzen sein. Zweifellos werden jedoch bei Verwendung stärkerer Ladungen oder kräftigerer Pulversorten, wenn man höhere Gasdrücke in den Kauf nehmen will, noch grössere Leistungen erzielt werden können. Hierfür ist aber vorläufig noch nicht viel Aussicht vorhanden. Nicht etwa, weil der Lauf dem erhöhten Druck nicht genügenden Widerstand entgegensetzen würde, sondern vielmehr, weil die Patronenhülse, besonders im Boden, der durch die Nute für den Auszieher und die Zündglocke wesentlich geschwächt ist, nicht genügende Festigkeit besitzt.

Bei Gasdrücken in bestimmter Höhe staucht sich nämlich der Patronenboden, die Zündglocke wird zu weit, das Zündhütchen fällt heraus und verursacht leicht Ladehemmungen, indem es sich in den Stützflächen für die Kammerwarzen im Hülsenkopf festsetzt. Ferner wird durch zu grossen Druck die Patronenhülse derart im Patronenlager, besonders wenn dasselbe etwas angerostet ist, festgeklemmt, dass sie nur schwer oder gar nicht durch den Auszieher ausgezogen werden kann. Durch Verwendung widerstandsfähigerer Messinglegirungen, sowie durch Verstärkung des Bodens und der hinteren Wände der Patrone wird man deshalb in Zukunft Hülsenreissern und Patronenboden-Stauchungen vorbeugen müssen.

Sehr beachtenswerth ist in dieser Beziehung ein Vorschlag des Schweizer Obersten Rubin, welcher, um dem Patronenboden grössere Festigkeit zu geben, das Einpressen statt des Eindrehens der Nute für den Auszieher empfiehlt.

Der Fabrikation würde durch dies Verfahren jedoch eine grosse Schwierigkeit erwachsen, da dasselbe ein Pressen mit getheilten Matrizen nothwendig macht.

Sollten diese eben erwähnten Mittel zur Erhöhung der Haltbarkeit des Patronenbodens nicht ausreichen, so ist man vielleicht gezwungen, unter Weglassung der den Patronenboden schwächenden Zündglocke zu einer Stiftzündung mit im Innern der Patrone angebrachter Zündkapsel zu schreiten.

Auch liegt es nicht ausser Möglichkeit, dass wir eines Tages eine einfache elektrische Zündung haben werden — Reibungselektrizität, erzeugt durch den Rückstoss der Waffe —, wodurch dann der Schlossmechanismus auf die denkbar einfachsten Formen zurückgeführt werden würde.

Das Laufinnere wird voraussichtlich fernerhin mit 6 Rundzügen von 0,1 bis 0,15 mm Tiefe versehen werden, wodurch ausser günstiger Geschossführung eine Erleichterung der Reinigung herbeigeführt wird.

Die Rundzüge haben den Vortheil, dass sich in dieselben die Wischpolster, welche besonders bei Gewehren unter 8 mm Kaliber wegen ihres geringen Durchmessers sehr wenig elastisch sind, besser einpressen als in eckige Züge. Eine Ablagerung von säurehaltigen Pulverrückständen, welche Rostbildung und dadurch Nickelansatz herbeiführt, wird deshalb nicht begünstigt.

Die äussere Form des Laufes, sowie die Befestigung desselben in der Hülse ist bei allen bekannteren Gewehren fast dieselbe. Das Schlegel-

milch-Gewehr allein bricht mit diesem altherkömmlichen Prinzip, indem es
folgende, gar nicht genug hervorzuhebende Neuerung zeigt.

Der Lauf ist in seinem hinteren Theile stark verdickt und um die
Länge des Hülsenkopfes verlängert. Lauf und Hülsenkopf mit den Stützflächen für die Kammerwarzen sind also ein Theil. Hierdurch wird erreicht,
dass die Stützflächen für die Kammerwarzen, die auf der Drehbank leicht mit
Genauigkeit eingefertigt werden können, vollkommen senkrecht zur Seelenachse stehen. Die absolut senkrechte Stellung dieser Stützflächen zur
Seelenachse ist jedoch Bedingung für die gute Schiessleistung einer Waffe.
Dieser Punkt ist für die Massenfabrikation von Gewehren äusserst wichtig,
denn jeder Büchsenmacher wird bezeugen können, mit welcher ungeheuren
Schwierigkeit es verknüpft ist, einen Gewehrlauf in das Muttergewinde
der Hülse derart einzupassen, dass die Achse der Hülse genau die Verlängerung der Laufachse bildet. Selbst wenn es gelungen ist, dieses
mechanische Kunststück auszuführen, ist dasselbe meist nicht von dauern-
dem Bestande, denn Lauf- und Hülsengewinde geben unter dem Druck der
Pulvergase oft nach, und es entsteht dann der bekannte Fehler »Verschlusskopfabstand zu gross«, welcher ein Nachziehen des Laufes in der Hülse
bedingt, wodurch dann die senkrechte Stellung der Stützflächen zur Seelenachse wiederum in Frage gestellt ist.

Wenn nun schon bei unserem bisherigen Gewehr mit Laufmantel
dieser Fehler sehr ins Gewicht fällt, so wird bei Einführung eines Gewehrs
ohne Laufmantel derselbe noch viel schwerwiegender werden, denn bei
jeder Reparatur »Verschlusskopfabstand zu gross« würde durch Nach-
schrauben des Laufes in der Hülse das zeitraubende und umfangreiche
Leeren erfordernde Umlöthen der Visirung auf dem Lauf, sowie eine
Erneuerung der Deckungsmittel nothwendig werden.*)

Wenn man sich dagegen entschliesst, den Lauf der Schlegelmilch-
Konstruktion — sei es in Verbindung mit Mauser- oder Schlegelmilch-
Schloss — einzuführen, so werden nicht nur alle diese komplizirten Reparaturen fortfallen, sondern man wird noch den ungeheuren Vortheil haben,
dass bei vorkommenden Fehlern am Laufe, z. B. Kalibererweiterungen u. s. w.,
das kostspielige Einschicken der Gewehre zur Gewehrfabrik in Fortfall
kommen kann.

Dass die Lieferung von angeschossenen Schlegelmilch-Läufen mit voller
Visirung bei dem heutigen Stande der Waffentechnik erreicht werden kann,
ist nicht zweifelhaft; haben doch bereits seit vielen Jahren die Fertiger
amerikanischer Präzisionsmaschinen derartig genau gearbeitet, dass ein
Auswechseln nachgelieferter Theile ohne Weiteres eintreten konnte.

Selbst wenn nach Einstellung eines nachgelieferten Schlegelmilch-
Laufes mit Visirung einmal eine genügende Präzision nicht sofort erzielt
werden sollte, wird dieselbe auf alle Fälle durch die dem Truppenbüchsen-
macher zu Gebote stehenden Mittel »Korntreiben bezw. Einstellen eines
höheren oder niedrigeren Korns« erreicht werden können.

Da man zur Zeit zur Genüge eingesehen haben dürfte, dass das
Laufinnere moderner Handfeuerwaffen selbst bei bester Behandlung einer
verhältnissmässig schnellen Abnutzung unterworfen ist, wird man diesen
Punkt, der für Krieg und Frieden von so ungeheurer Bedeutung ist, an
maassgebender Stelle ganz besonders in Erwägung zu ziehen haben.

Höchst eigenartig und zweckmässig ist noch am Schlegelmilch-Gewehr
die Anordnung des Zapfens und des Zapfenlagers. Während beim Gewehr 88

---

*) Neuerdings scheint man gänzlich auf den Laufmantel verzichtet zu haben.

und den neueren Mauser-Gewehren ein Zapfen unterhalb der Hülse die Kraft des Rückstosses von Kreuz- und Verbindungsschraube ablenkt, hat Schlegelmilch seinen Lauf wie beim alten Feldgeschütz mit zwei Schildzapfen versehen, wodurch er ein vollkommen centrales Auffangen des Rückstosses und eine für den Schuss günstige Vibration des Laufes erzielt.

Um zu verhindern, dass bei Hülsenreissern kleine Messingtheile das Auge des Schützen treffen, sucht Mauser in seinen neueren Konstruktionen sich dadurch zu helfen, dass er einerseits einen Abzugskanal in der linken Hülsenwand schafft, andererseits am Schlösschen eine schirmförmige, Verstärkung anbringt, die etwa so wirkt wie der Schirm an der Schlagbolzenmutter des Gewehrs 88.

Die Schlegelmilch-Konstruktion schafft für diesen Uebelstand eine noch wirksamere Abhülfe, indem sie die aus dem Patronenlager herausdringenden Hülsentheilchen gleich direkt beim Heraustreten dadurch abfängt, dass das Verschlussgehäuse sich bei vorgeführtem Verschluss an die hülsenkopfartige Verstärkung des Laufes anlegt.

Das nachtheilige Schiessen ohne Verschlusskopf, wie es beim Gewehr 88 vorkommen kann, verhindert Mauser, indem er Verschlusskopf und Kammer zu einem Theil vereinigt, während Schlegelmilch mit der Kammer einen Verschlusskopf undrehbar verbindet, welcher, wie der des französischen Lebel-Gewehrs, die Verschlusswarzen trägt. Ohne Verschlusskopf ist dadurch ein Schliessen des Verschlusses und damit auch das Abfeuern eines Schusses unmöglich.

Das gefährliche Vorschieben einer Patrone mittelst der Kammer, wenn sich bereits eine solche im Patronenlager befindet, stellen beide Konstruktionen durch dasselbe einfache Mittel ab: Die Widerlagefläche der Kammer bezw. des Verschlusskopfes für den Patronenboden, welche beim Gewehr 88 einen geschlossenen hervorstehenden Rand besitzt, zeigt nur einen halben, unten offenen Rand. Hierdurch wird bewirkt, dass ein ganz geringes Vorschieben der Kammer genügt, um die Patrone mit dem Auszieher zu erfassen, und dass es nicht nöthig ist, wie beim Gewehr 88, die Kammer vorzuschieben und nach rechts um 90° herumzudrehen, um die Auszieherkralle über die Nute der Patronenhülse hinweggleiten zu lassen. Eine bereits in das Patronenlager vorgeschobene Patrone wird deshalb unfehlbar beim Zurückziehen der Kammer ausgeworfen und dadurch Platz für die zweite Patrone geschaffen.

Einen sicheren Schlösschenstand erreicht Mauser dadurch, dass er das Spannen des Schlosses nicht wie beim Gewehr 88 beim Oeffnen des Verschlusses durch schiefe Flächen an Kammer und Schlösschen bewirkt, sondern erst beim Vorschieben des Schlosses durch Anhaken des Schlösschens hinter den Abzugsstollen. Schlegelmilch, der das bisherige Prinzip des Schlossspannens beibehält, sichert den Schlösschenstand ganz einwandfrei, indem er das Schlösschen sowie die anderen Schlosstheile in einem besonderen Schlossgehäuse, welches, wie schon erwähnt, den gasdichten Abschluss am Laufe herbeiführt, lagert. Die Anordnung des Schlossgehäuses ermöglicht ferner beim Schlegelmilch-Gewehr ein beispiellos einfaches Auseinandernehmen des Schlosses und einen äusserst leichten Schlossgang, da das Schlossgehäuse auf der Gleitschiene schlittenartig geführt wird.

Einen regelmässigen Druckpunkt erreicht Mauser durch seine vor dem Kreuztheil vollkommen geschlossene Hülse. Ein Weiterwerden der Schlossbahn und Höherkommen des Schlösschens durch den Druck des Zubringers, wodurch beim Gewehr 88 zu leichter Druckpunkt bewirkt wird, ist deshalb ausgeschlossen.

Schlegelmilch erreicht dasselbe dadurch, dass sein Schlossgehäuse sich auf der Gleitschiene in Nuthenführung bewegt, wodurch ebenfalls ein Abheben des Schlösschens unmöglich wird.

Das Kastenmagazin ist bei beiden Konstruktionen dasselbe, es ist unten geschlossen und ragt nicht aus dem Schafte heraus. Es nimmt fünf Patronen auf, welche, wie beim englischen Lee-Metford- und dem schweizerischen Schmidt-Gewehr, staffelartig über- und nebeneinander liegen.

Das Laden geschieht bei beiden Konstruktionen mittelst des bekannten Mauserschen Ladestreifens, dessen Handhabung und Einrichtung wohl allseitig bekannt sein dürfte.

Die Entleerung der Magazine geschieht einerseits durch mehrmaliges Vor- und Zurückschieben der Kammer, wobei die Patronen ausgeworfen werden, andererseits dadurch, dass die Kastenmagazine nach unten geöffnet werden.

Das Oeffnen des Kastenmagazins wird beim Mauser-Gewehr sinnreich durch den Druck mit der Spitze einer Patrone auf einen Sperrstift bewirkt, beim Schlegelmilch-Gewehr durch Zurückschiebung eines Riegels am hinteren, unteren Theile des Kastens mittelst eines Patronenbodens.

Beachtenswerth ist noch beim Schlegelmilch-Gewehr der Umstand, dass es ohne jedes Werkzeug auseinander zu nehmen ist, da Verbindungs- und Kreuzschraube in Wegfall kommen und durch eine einfache Haken- und Einschnappvorrichtung ersetzt sind.

Die Visirfrage scheint sich neuerdings sehr geklärt zu haben. Die neuesten Waffen zeigen fast ausschliesslich ein dem französischen Lebel-Gewehr ähnliches Treppenvisir, welches bei grösster Einfachheit auf nahe und mittlere Entfernungen freie Uebersicht auf das Ziel und weithin erkennbare, für den Vorgesetzten leicht kontrolirbare Entfernungsmarken zeigt. Auch soll neuerdings ein Quadrantenvisir besonderer Konstruktion ganz Vorzügliches leisten.

Den Laufmantel lassen neuere Gewehre jetzt gänzlich fallen; so haben auch Mauser und Schlegelmilch auf denselben verzichtet und zur besseren Handhabung bei Erhitzung der Waffe nur einen einfachen, durch Visir und Unterring gehaltenen, hölzernen Handschutz verwendet. Durch den Fortfall des dicken Laufmantels erhält man einen kräftigeren Schaft, der behufs solider Befestigung des Seitengewehrs absolut erforderlich ist.

Die Befestigung des Seitengewehrs wie beim Gewehr 88 direkt am Laufmantel bezw. an dem mit dem Lauf oder Laufmantel gekuppelten Oberringe ist als verfehlt zu betrachten, da bei aufgepflanztem Seitengewehr die Vibration des Laufes ungünstig beeinflusst und beim Stoss oder Schlag mit aufgepflanztem Seitengewehr unfehlbar Verbiegungen der ganzen Waffe eintreten müssen.

Neuerdings versucht man daher, unabhängig von Laufmantel oder Lauf das Seitengewehr allein am Schaft zu befestigen. Auch Mauser und Schlegelmilch haben ähnliche derartige Konstruktionen gewählt.

Während es, wie aus Vorstehendem hervorgeht, gelungen ist, die Fehler des Gewehrs 88 und der älteren Gewehre fast vollkommen abzustellen, ist die letzt erörterte Frage der Seitengewehrbefestigung noch nicht als mustergültig gelöst zu betrachten; denn der dünne Vorderschaft moderner Infanteriegewehre ist nicht widerstandsfähig genug, um kräftig geführten Stössen oder Paraden derartigen Widerstand entgegenzusetzen, dass die Waffe als solche keinen Schaden erleidet.

Giebt es nun in dieser Frage keine befriedigendere Lösung? Hierüber vielleicht später einmal.

Schlegelmilch-Gewehr (Schaft ist fortgelassen).

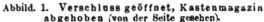

Abbild. 1. Verschluss geöffnet, Kastenmagazin abgehoben (von der Seite gesehen).

a Lauf um die Länge des Hülsenkopf-s verlängert und derart verstärkt, dass er zur Aufnahme der Verschlusswarzen der Kammer geeignet ist.

a¹ schildzapfenartige Warzen zum Auffangen des Rückstosses.

a² schwalbenschwanzartiger Ansatz des Laufes, durch welchen derselbe an der Gleitschiene (b) befestigt wird.

b Gleitschiene — Ersatz für die Hülse anderer Gewehre —.

b¹ Führungsleisten, auf denen das Schlossgehäuse schlittenartig Führung gewinnt.

b² an der Gleitschiene befestigter Ladebügel.

b³ an der Gleitschiene befestigte Abzugsvorrichtung.

c Schlossgehäuse — nimmt sämmtliche Schlosstheile auf.

c¹ Kammer.

c² Schlösschen.

c³ Sicherung.

c⁴ Verschlusskopf mit Verschlussbolzen. Schlagbolzen und Schlagbolzenfeder sind aus der Abbildung nicht ersichtlich.

d Kastenmagazin und Abzugsbügel.

d¹ federnder Auswerfer.

d² Haken zum Einhaken des Kastenmagazins in die Gleitschiene.

d³ Einschnappvorrichtung für den die Kreuzschraube ersetzenden Kreuzstift.

e Ladestreifen mit fünf Patronen.

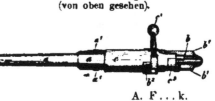

Abbild. 2. Verschluss geschlossen (von oben gesehen).

A. F . . . k.

Befehlgebung auf dem Gebiete der Feldbefestigung.

Die Bedeutung der Feldbefestigung gegenüber der ausserordentlich gesteigerten Wirkung moderner Schusswaffen und bei der hierdurch bedingten, dem Gelände aufs Innigste angepassten Fechtweise der Jetztzeit bedarf heute eines Nachweises nicht mehr.

Es giebt eine ganze Reihe taktischer Lagen, nicht nur in der Vertheidigung, sondern auch im Angriff und hier nicht bloss gegenüber starken befestigten Stellungen, sondern auch im weiteren Verlaufe eines Begegnungsgefechts oder eines überraschenden Zusammenstosses (III. Korps am 16. August), in welchen es heute einen grossen Fehler bedeuten würde, die Feldbefestigung ausser Anwendung zu lassen.

Der Nutzen der Feldbefestigung wird aber nur dann voll in die Erscheinung treten, wenn sie am rechten Ort, zur rechten Zeit und in richtigem Umfange angewendet wird. Die Frage »Wo?« und »Wann?« ist in der Vertheidigung vielfach besonders schwierig, weil die Angriffsrichtung meist erst spät erkannt werden kann. Die gruppenweise Befestigung — d. h. die Befestigung räumlich mehr oder minder getrennter Punkte, welche aller möglichen Berechnung nach wenigstens theilweise Ziele des Angriffes werden müssen, die Schaffung von Stützpunkten, in deren Rahmen bei geringer Kräfteverausgabung von vornherein die Masse der verfügbaren Truppen hier oder dort leicht eingefügt werden kann — wird daher häufig die beste Lösung sein. Zu viel befestigen ist jedenfalls fast immer noch schädlicher als zu wenig befestigen, weil ein Zuviel die Bewegungs- und auch die Entschlussfreiheit wesentlich beeinträchtigt und die Kräfte der Truppe zumeist unnöthig verbraucht.

Die Anwendung der Feldbefestigung muss daher in erster Linie aus-schliesslich auf taktischen Erwägungen beruhen und folglich dem Truppen-führer zufallen. Die geordnete einheitliche Durchführung von Gelände-verstärkungen bleibt durch Befehle der Truppenführung sicherzustellen.

Diese Grundsätze sind in der Feldbefestigungsvorschrift für das deutsche Heer klar niedergelegt, wie diese Vorschrift überhaupt das Gebiet der Feldbefestigung nach Formen und Anwendung in knappster Weise mustergültig behandelt.

Wie es jedoch eines langen, durch praktische Anschauung und Er-fahrung vielfach unterstützten Studiums bedarf, um den reichen Inhalt der Exerzirreglements für die drei Waffen sowie der Felddienstordnung zum freien geistigen Eigenthum zu machen, ist auch tieferes Nachdenken und eine entsprechende Schulung erforderlich, um zu der Fähigkeit zu gelangen, die Formen und vor Allem die Gedanken der Feldbefestigungs-vorschrift praktisch zu verwerthen.

Nun ist aber die Erscheinung nicht zu leugnen, dass die Feld-befestigungsvorschrift bei Weitem nicht in dem gleichen Maasse wie die übrigen Dienstlehrbücher zum Gegenstand geistiger Verarbeitung und praktischer Durchführung gemacht wird. Die Formen der Feldbefestigungen an sich sind ja wohl Allen bekannt. Sie werden schon auf den grund-legenden Militärschulen eingehend gelehrt und auch späterhin alljährlich den Offizieren aller Waffen wie auch der Truppe selbst in mehr oder minder malerischer Gruppirung und theilweise künstlerischer Vollendung auf den Pionierübungsplätzen vor Augen geführt. Anders verhält es sich schon mit der Anwendung der Formen der Feldbefestigung nach der Karte oder im Gelände. Sie wird in weiteren Kreisen zwar auch gelehrt und geübt, aber doch zumeist nur von der rein technischen Seite, selten auf Grund einer bestimmten taktischen Lage und im Rahmen eines bestimmten taktischen Verbandes. Noch seltener aber wird die Befehlgebung auf pioniertechnischem Gebiete im engsten Anschlusse an die Forderungen einer gegebenen taktischen Lage und im Zusammenhange mit den erforder-lichen taktischen Befehlen dem Verständniss breiterer Schichten der Infanterietruppe nähergerückt. Gerade diese Befehlgebung auf dem Gebiete der Feldbefestigung ist jedoch keineswegs leicht, da sie neben einem geübten und raschen Blick für die Eigenart des Geländes und dessen natürliche Stärken und Schwächen eine genaue Kenntniss der den taktischen Ver-bänden jeweils zur Verfügung stehenden Kräfte und Mittel, sowie eine sichere Beurtheilung für die in jedem Einzelfall nothwendigen und möglichen Arbeitsleistungen fordert.

Kriegsspiele, Uebungsritte und Uebungsreisen haben bei der Infanterie und Kavallerie in der weit überwiegenden Mehrzahl lediglich die Taktik im Auge; nur ausnahmsweise wird hier die Forderung gestellt, in Ver-bindung mit den taktischen Befehlen auch Anordnungen zu treffen, welche die geordnete und zusammenhängende Durchführung durch die Lage be-dingter Geländeverstärkungen zu gewährleisten geeignet sind. Derartige Forderungen werden im Allgemeinen nur an den höheren militärischen Lehranstalten, wie selbstverständlich auch bei der Pioniertruppe, gestellt, wie überhaupt eine gründliche pioniertechnische Durchbildung vom Standpunkte und im Sinne der höheren Truppenführung im Ganzen ein Vorrecht der zur Kriegsakademie zugelassenen Offiziere bildet. Eine derartige Beschrän-kung des Wissens und Könnens erscheint aber gerade auf diesem Gebiete nachtheilig, da es nicht nur darauf ankommt, dass Einzelne die Aus-führung technischer Maassnahmen richtig zu befehlen verstehen, sondern auch darauf, dass alle Unterführer diese Befehle mit vollem Verständniss weiterzugeben und durchzuführen im Stande sind.

Der junge Offizier, welcher zum ersten Male an eine praktische Aufgabe aus der Feldbefestigung herantritt, pflegt derselben auch bei sehr guten Kenntnissen ziemlich rathlos gegenüberzustehen. Und auch nach einiger Vorbereitung und Uebung bereitet eine solche Aufgabe bei der Aufnahmeprüfung in die Kriegsakademie noch immer grosse und ungeahnte Schwierigkeiten, während die Lösung einer rein taktischen Frage verhältnissmässig spielend herbeigeführt wird — ein Beweis, dass dem Truppenoffizier ungeachtet einer meist schon eine Reihe von Jahren umfassenden praktischen Dienstlaufbahn die Anwendung der Feldbefestigung und eine diesbezügliche Befehlgebung völlig fremd geblieben sind.

Der Grund dieser Erscheinung ist ein vielfacher. Er liegt in geringerem Grade in einer gewissen Scheu, sich mit Dingen zu befassen, welche dem Angehörigen einer der drei Hauptwaffen ferner zu liegen scheinen, in höherem Grade schon in einer Art von Geringschätzung, welche Viele der Feldbefestigung als einem den stolzen Geist des Angriffs lähmenden Element noch immer entgegenbringen. Diese Missachtung ist aber heute durchaus unbegründet; denn die heutige Taktik ist doch nahezu ausschliesslich eine Feuertaktik, der Stoss krönt nur den durch Feuer vorbereiteten Erfolg. Im Feuer entscheidet indessen nach der besseren Schiessleistung die bessere Deckung, die bessere Verwerthung und technische Verstärkung des Geländes. Die Hauptursache aber der mangelhaften Vertrautheit mit der Feldbefestigung in ihrer Anwendung und befehlsmässigen Anordnung dürfte darin zu suchen sein, dass dem jungen Offizier diese Wissenschaft weder in der theoretischen Lehre noch in der praktischen Durchführung bei der Truppe in genügender Verbindung mit der Taktik in einer das Interesse fesselnden Weise vor Augen geführt wird. In der That ist ja auch die Feldbefestigung an sich etwas Todtes, sie gewinnt erst Leben durch ihre taktische Verwerthung.

In dieser Beziehung könnte auch für die kriegsgemässe Ausbildung der Führer und der Truppe selbst eine grosse Förderung herbeigeführt werden, wenn es sich ermöglichen liesse, bei den Herbstübungen oder bei anderen grösseren Uebungen gemischter Waffen Verstärkungen des Geländes im Rahmen grösserer Truppenverbände auf Grund diesbezüglicher Befehle der Truppenführer aller Grade innerhalb einer gewissen Zeit und mit den im Ernstfalle thatsächlich vorhandenen Mitteln im Sinne der Feldbefestigungsvorschrift häufiger auszuführen, wie dies schon bei den jährlichen Schiessübungen der Fussartillerie im Gelände der Fall ist. Es würden durch solche Uebungen nicht bloss die Eingangs erwähnten Grundsätze und die Thatsache zur allgemeinen Würdigung gebracht werden, dass Geländeverstärkungen im Felde nur zum geringsten Theil durch die Pioniere, vielmehr in der Hauptsache durch die Truppen aller Waffen selbständig zu bethätigen sind, sondern auch gelernt werden, die bei solchen Anlässen sich ergebenden besonderen Schwierigkeiten, Reibungen und Missverständnisse schon im Frieden zu überwinden bezw. herabzumindern. Uebungen dieser Art würden auch die beste Vorbereitung für die schwierigen und theilweise wenig geklärten Aufgaben des Festungsangriffes sein, welcher neben dem taktischen Vorschreiten eine beständige Anwendung und befehlsmässige Durchführung von Feldbefestigungen in verstärktem Maasse fordert.

Wenn solche taktisch-technische Uebungen in grösserem Umfange einerseits mit Rücksicht auf wichtigere Zweige der Ausbildung, andererseits wegen der hohen Kosten nur selten vorgenommen werden können,

so werden sie doch in kleinerem Umfange bei richtiger Wahl der Jahres-
zeit fast in jedem Standorte mit geringen Mitteln ausführbar sein. Mit
der Schaffung der grösseren Truppenübungsplätze werden diese Uebungen
auch in weiterem Rahmen häufiger auf dem Plane erscheinen können.[*])

Die Feldgeschütze des Generals Kitchener im Sudan-Feldzuge 1898.

Mit vier Tafeln und neun Abbildungen im Text.

Die vollständige Niederwerfung der Mahdisten durch die englisch-
ägyptischen Truppen unter General Sir Herbert Kitchener hat die allgemeine Aufmerksamkeit wiederum dem Sudan zugelenkt. Die Beschwich-
tigung des daselbst im Jahre 1883 ausgebrochenen Aufruhrs war dem im
Januar 1884 dorthin entsandten General Gordon nicht gelungen; er hoffte,
dies auf gütlichem Wege und durch sein Ansehen zu erreichen, worin er sich
indess täuschte. Er wurde in Chartum durch den Mahdi eingeschlossen, die
zu seiner Unterstützung entsandten Engländer drangen bis in die Nähe der
Stadt vor, diese war jedoch am 26. Januar 1885 durch den Mahdi genommen und General Sir Charles George Gordon Pascha ermordet worden.
— Das die Entscheidung einleitende Vorspiel zur Vernichtung der Mahdisten
war die Schlacht am Atbara am 8. April 1898, worauf die Einnahme von
Omdurman am 5. September 1898 der Herrschaft des Mahdi im Sudan
ein für alle Male ein Ende bereitete, so dass die feige Ermordung von
Gordon Pascha endlich nach 14 Jahren gerächt war. Dieser Erfolg war
nächst der zähen Ausdauer und der grossen Tapferkeit der englisch-
ägyptischen Truppen unter dem Sirdar Kitchener Pascha, dem dafür die
Pairswürde verliehen wurde, insbesondere der vortrefflichen Bewaffnung
seines Heeres, zu verdanken. Bei dieser spielte nicht nur das Maxim-
Maschinengewehr als leicht beweglicher Ersatz für Infanterie eine grosse
Rolle, sondern auch die Artillerie trug wesentlich zu dem erzielten Erfolge
mit dem 75 mm Gebirgs- und Landungsgeschütz, System Maxim-
Nordenfelt, bei, welches ebenso wie das Maschinengewehr ein Erzeugniss
der Firma Vickers, Sons and Maxim Limited in London SW., Victoria
Street 32, ist. Nicht nur die eingehende Besichtigung dieses Geschützes
in der Geschützfabrik der genannten Firma zu Erith (Kent) war mir
gelegentlich einer Studienreise im Juni v. Js. nach England ermöglicht
worden, sondern ich hatte auch Gelegenheit, auf dem Vickersschen Schiessplatze zu Eynsford die vortrefflichen Eigenschaften des Geschützes beim
Schiessen kennen zu lernen, wobei die Treffgenauigkeit beim Verfeuern
von Granaten und Schrapnels eine ganz ausgezeichnete war. In Nachstehendem soll zunächst eine nähere Beschreibung dieses Geschützes
gegeben werden.

1. Beschreibung des Verschlusses. Der Mechanismus des Verschlusses besteht aus zehn Theilen: Verschlusskolben (1), Verschlussthür (2),

---

[*]) Die vorstehenden Ausführungen geben uns Veranlassung, die Offiziere aller
Waffen auf eine demnächst im Verlage der Königlichen Hofbuchhandlung von
E. S. Mittler & Sohn in Berlin erscheinende Schrift »Feldbefestigung. Drei taktische
Aufgaben für deren Anwendung, mit Bearbeitung und Besprechung« aufmerksam zu
machen, welche den Zweck verfolgt, das allgemeine Interesse für die Feldbefestigung
zu wecken, und einen Versuch darstellt, Geländeverstärkungen im Rahmen grösserer
Truppenkörper vom Standpunkt der Truppenführung aus zu disponiren.

Handhebel (3), Schlagbolzen (4), Schlagbolzenfeder (5), Führungsplatte (6), Auszieher (7), Sperrbolzen (8), Abzugsvorrichtung (9), Sicherung (10).*) — Der Verschlusskolben ist an seinem hinteren, schmaleren Ende mit einem durchgehenden Schraubengewinde versehen, womit er fest in die Verschlussthür eingeschraubt ist. Der übrige, aus der Verschlussthür herausragende Theil des Kolbens hat unterbrochene Schraubengewinde und ist konisch geformt, wobei der grössere Durchmesser vorn ist. Der Kolben ist axial mit einer Ausbohrung für den Schlagbolzen versehen, an deren Ende sich zwei schiefe Flächen (13 in Abbild. 4) befinden, gegen welche sich die am Schlagbolzen befindlichen Warzen (14 in Abbild. 5) legen und den Bolzen festhalten, wenn der Kolben nach links gedreht ist. An der hinteren Seite ist ein gezahnter runder Ausschnitt (11 in Abbild. 2 und 4) vorhanden, in welchen die Zahnung (12 in Abbild. 2 und 3) des Handhebels eingreift. Auf dieser Seite sind auch zwei konzentrische Nuthen angebracht (15 und 16 in Abbild. 2 und 4). In diesen Nuthen läuft der Zapfenansatz (17 in Abbild. 4) am Ende des Sicherungsflügels der Abzugsvorrichtung. Die zwischen beiden Nuthen stehengebliebene Wand ist an zwei Stellen durchbrochen, um dem Zapfenansatz das Eintreten aus einer Nuthe in die andere zu gestatten.

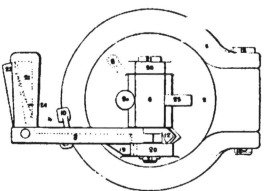

An der hinteren Seite des Kolbens ist eine Aussparung, in welche der Sperrbolzen eintritt, sobald der Schlagstift hinter die vordere Verschlussfläche des Verschlusskolbens zurückgezogen ist; hierdurch wird ein Drehen des Bolzens während der Bewegung der Verschlussthür beim Oeffnen und Schliessen des Geschützes verhindert. — Die Verschlussthür,

Abbild. 1. Hintere Ansicht des Verschlusses (geschlossen).

in welche der Verschlusskolben eingeschraubt ist, dreht sich nach rechts um einen Scharnierbolzen (18 in Abbild. 1, 2 und 3). An ihrer inwendigen Seite sind Gewinde eingeschnitten, in welche die durchgehenden Schraubengänge am hinteren Ende des Verschlusskolbens eingreifen. Ein Ausschnitt in ihrer inneren (vorderen) Seite nimmt den Sperrbolzen nebst Feder auf, während ein anderer Ausschnitt an der unteren Seite die Sperrklinke (19 in Abbild. 1) enthält, welche den Handhebel feststellt, wenn der Verschluss geschlossen ist. An der hinteren Seite sind zwei Oesen (20 in Abbild. 1) angebracht, durch welche der Scharnierbolzen des Handhebels (21 in Abbild. 1 und 2) hindurchgeht. Zwischen diesen beiden Oesen liegen zwei Ausschnitte, deren linker die am hinteren Theile des Abzugsbolzens befindliche Warze aufnimmt, während durch den rechtsseitigen die Spannvorrichtung für den Schlagbolzen hindurchgeht. — Der Handhebel der Verschlussthür dreht sich um einen Scharnierbolzen (21 in Abbild. 1 und 2). In dem Griff ist eine Nuthe zur Aufnahme eines kleineren Hebels (23 in Abbild. 1) angebracht, der sich um einen Bolzen am Ende des langen Theiles (3 in

*) Die im Text angeführten Ziffern beziehen sich auf die Abbildungen 1 bis 5.

Abbild. 1 und 2) des Handhebels dreht. Dieser kleinere Hebel setzt die Sperrklinke (19 in Abbild. 1) in Bewegung, wenn man ihn mit der Hand in die Nuthe drückt, um den Verschluss zu öffnen. Ist dieser geschlossen, so wirkt eine Feder (24 in Abbild. 1) gegen den kleineren Hebel und hält dadurch die Sperrklinke (19 in Abbild. 1) in ihrer Lage fest. An dem anderen Ende des Handhebels befindet sich ein Zahngetriebe (12 in Abbild. 1, 2, 3 und 4), welches in einen gezahnten Ausschnitt (11 in Abbild. 2 und 4) eingreift. An diesem Getriebe sitzt ein Anschlag (22 in Abbild. 3), welcher gegen die untere Seite des Verschlusskolbens drückt, wenn dieser ganz geöffnet ist. Ausserdem verhindert dieser Anschlag die zu weite Auf- drehung des Verschlusses und hält den Schliessriegel in dem Ausschnitt des Verschlusskolbens fest, sobald dieser geöffnet ist. — Der Schlag- bolzen hat eine zentrale Bohrung und an jeder Seite eine Warze (14 in Abbild. 5). An ihm befindet sich der Abzug (25 in Abbild. 2 und 5), welcher durch die Verschlussthür und den Führungsansatz (6 in Abbild. 2) hindurchgeht und vermittelst seiner vierkantigen Form den Schlagbolzen am Drehen verhindert, wenn man den Verschlusskolben beim Oeffnen dreht. Auch kann auf diese Weise das Schloss gespannt werden, ohne den Verschluss zu öffnen. An seinem hinteren Ende ist der Schlagbolzen mit einem Anschlagring (26 in Abbild. 5) versehen. — Die Schlagbolzen- feder ist eine Spiralfeder, welche in die Bohrung des Schlagbolzens hineinpasst und von dem Führungs- ansatz gehalten wird. — Der Aus- zieher dreht sich an dem Scharnier der Verschlussthür um einen Schar- nierbolzen (27 in Abbild. 2 und 3). Am Ende der Auszieherarme sind Krallen angebracht, welche den Rand des Patronenbodens fassen. Der Aus- zieher wird bethätigt, sobald die

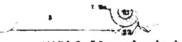

Abbild. 2. Längendurchschnitt durch den Verschluss (geschlossen).

Verschlussthür gegen dessen kurzen Arm (28 in Abbild. 2 und 3) anschlägt, kurz bevor der Verschluss ganz geöffnet ist. — Der Sperrbolzen (8 in Abbild. 1 und 3) sitzt in einem Ausschnitt an der inneren Seite der Ver- schlussthür. Wenn der Verschlusskolben vollständig herumgedreht ist, um ihn ganz herausziehen zu können, so tritt ein in ihm befindlicher Ausschnitt gegenüber diesem Bolzen, welcher durch eine Feder nach vorwärts gedrückt wird und den Verschlusskolben festhält, so dass er sich in der Verschlussthür nicht weiter drehen kann (vergl. Abbild. 7). — Die Abzugsvorrichtung dreht sich in der Verschlussthür mittelst eines Bolzenknopfes (9 a in Abbild. 1, 2, 4 und 5), welcher in einer Ausbohrung der Verschlussthür sitzt und hier durch die Führungsplatte (6 in Abbild. 1 und 2) festgehalten wird. Der rechts seitwärts des Bolzens sitzende Theil (9 b in Abbild. 4 und 5) hat an seiner Innenfläche einen Ansatz, der mit der Verstärkung am hinteren Theile des Schlagbolzens verbunden ist. Die Sicherung während des Ladens wird durch den oberen Arm (9 c in Abbild. 4) bewirkt, welcher an seinem oberen Ende einen Zapfen (17 in Abbild. 4) trägt; dieser greift während der Verschlussbewegung des Kolbens in die äussere Führungs- nuthe (15 in Abbild. 2 und 4) ein. Solange nun dieser Zapfen in dieser Nuthe ist, legt sich der Anschlagring des Schlagbolzens (26 in Abbild. 5) mit der Innenfläche an den Ansatz des Abzuges, so dass der Schlagbolzen in seiner zurückgezogenen Lage festgehalten wird und nicht durch den Druck der Spiralfeder nach vorn geschnellt werden, mithin auch das Zündhütchen nicht treffen kann. Der Abzug hat noch einen zweiten, unteren Arm (9d in Abbild. 2 und 4), dessen festes Ende über dem oberen Arm des Abzugshebels liegt, wenn der Verschluss geschlossen ist. Am unteren Arm ist eine Feder befestigt, welche den Ansatz des Abzuges nöthigt, den Absatz an der hinteren Verstärkung des Schlagbolzens in die Spannstellung zu bringen. — Der Abzugshebel ist am Verschluss des Geschützes angebracht. Der Aussenarm endigt in eine Oese, in welche eine Abzugsschnur geknüpft wird. Wenn an dieser Schnur gezogen wird, so dreht sich der Abzugs- hebel derart, dass er den einen Arm (9c in Abbild. 4) mit seinem inneren Ende auf den anderen Arm

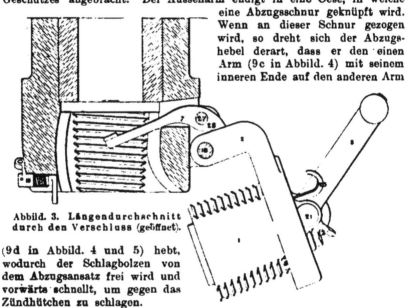

Abbild. 3. Längendurchschnitt durch den Verschluss (geöffnet).

(9d in Abbild. 4 und 5) hebt, wodurch der Schlagbolzen von dem Abzugsansatz frei wird und vorwärts schnellt, um gegen das Zündhütchen zu schlagen.

2. Das Zusammenwirken des Verschlusses. Das Geschütz ist ab- gefeuert. Man erfasst den Griff des Handhebels (3 in Abbild. 1, 2 und 3) mit der rechten Hand und drückt den kurzen Hebel (23 in Abbild. 1 und 2) in die Nuthe des Griffs hinein. Dadurch wird die Sperrklinke (19 in Abbild. 1) vermittelst des langen Hebelarmes, der im Handhebel gelegen ist, aus dem Ausschnitt in der Verschlussthür herausgezogen, so dass der Handhebel sich drehen lässt. Indem man sodann mit dem Griff eine Kreisbewegung nach rechts ausführt, bewirkt die Zahnung am Handhebel (12 in Abbild. 2 und 3) die Drehung des Verschlusskolbens (1 in Abbild. 2 und 3). Diese Drehung bringt beim Oeffnen die Warzen (14 in Abbild. 4) an dem Anschlagring des Schlagbolzens an die schiefen Flächen (13 in Abbild. 4) des Verschlusskolbens und drückt dadurch die Spiralfeder des Schlagbolzens zusammen. Wenn dann der Schlagbolzen in die Spann- stellung tritt, so wird der Ansatz des Abzuges durch die Kraft der Feder (9e in Abbild. 4) gezwungen, den Absatz an der hinteren Verstärkung des Schlagbolzens zu erfassen. Zu gleicher Zeit wird der Zapfen (17 in

Abbild. 4) des Armes (9c in Abbild. 4), welcher sich in der inneren
Führungsnuthe (16 in Abbild. 4) entlang bewegt hat, nach auswärts gegenüber dem Einschnitt der äusseren Nuthe (15 in Abbild. 4) gedrückt. Alsdann greifen die Schraubengänge des Verschlusskolbens nicht mehr in die
Gewindeeinschnitte an der inneren Wandung am Bodentheil des Geschützes
ein, sondern sie sind aus denselben herausgedreht, und in diesem Augenblick tritt der Anschlag (22 in Abbild. 2) an dem Handhebel gegen die
hintere Fläche der Verschlussthür; der Schliessriegel (8 in Abbild. 1) be-

wegt sich nach vorwärts, der Verschlusskolben wird
dadurch am weiteren Drehen verhindert und an die
Verschlussthür angedrückt, so dass die weitergeführte
kreisförmige Bewegung des Handhebels Kolben und
Thür zwingt, die Bewegung mitzumachen. Wenn der
Verschluss um den Scharnierbolzen (18 in Abbild. 1, 2
und 3) nach rechts herumgeschwungen ist, stösst die
Verschlussthür an den kurzen Arm (28 in Abbild. 2
und 3) des Ausziehers (7 in Abbild. 2 und 3), welcher

Abbild. 4. Hintere Ansicht des
Verschlussblocks mit der
Sicherung.

die abgeschossene Patronenhülse nach rückwärts
herauswirft. Nun wird eine neue Patrone mit der
Hand eingesetzt. Durch eine kreisförmige Drehung des Handhebels nach
links tritt der Verschlusskolben, welcher vorläufig noch unbeweglich in der
Verschlussthür sitzt, in den Bodentheil des Geschützes ein und schiebt
die Patrone in den Laderaum des Rohres hinein. Sobald die Verschlussthür an die hintere Wand des Bodentheils des Rohres anstösst, wird der
Sperrbolzen eingedrückt, so dass der Verschlusskolben von der Verschlussthür frei wird. Die fortgesetzte Bewegung des Handhebels nöthigt alsdann den Verschlussblock, sich mittelst des Zahngetriebes (12 in Abbild. 2
und 3) zu drehen, wodurch der Verschluss fest verschlossen wird. Sobald
der Handhebel nach beendetem Verschlusse zum Stillstand kommt und
der Griff losgelassen wird, drückt die Feder (24 in Abbild. 1) die Sperrklinke (19 in Abbild. 1) in den entsprechenden Ausschnitt der Verschlussthür. Das äussere Ende des Abzugsarmes (9d in Abbild. 2, 4 und 5) befindet sich nun über dem inneren Ende des Abzugshebels, so dass beim

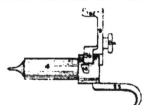

starken Anziehen der Abzugsleine der Arm (9d)
in die Höhe gehoben und der Schlagbolzen von
dem Abzugsansatz losgelassen wird. Die Spiralfeder des Schlagbolzens dehnt sich aus, schnellt
diesen vorwärts und bringt die Ladung zur Entzündung. Tritt ein Versager ein, so lässt sich
das Schloss ohne Oeffnen des Verschlusses wieder
spannen, indem man die Schlaufe der Abzugs-

Abbild. 5. Schlagbolzen und Sicherung
in Spannstellung.

schnur über den Abzugshaken (25 in Abbild. 2,
3 und 5) des Schlagbolzens streift und diesen
so weit zurückzieht, dass der Ansatz des Abzuges vor den Anschlagring des
Schlagbolzens tritt und letzteren festhält. Es ist besonders hervorzuheben,
dass nur bei völlig geschlossenem Verschluss abgezogen werden kann.

3. Auseinandernehmen und Zusammensetzen des Verschlusses. Das
Auseinandernehmen geschieht in folgender Weise: 1. Der Verschluss
ist zu schliessen, der Abzug abzuziehen. 2. Man drücke gegen die Führungsplatte und nehme den Achsbolzen des Handhebels heraus. 3. Die
Führungsplatte, die Spiralfeder des Schlagbolzens und der Schlagbolzen
werden abgenommen. 4. Der Handhebel ist abzunehmen. 5. Durch einen
Druck auf den Schliessriegel wird der Verschlusskolben gelöst, welcher

Abbild. 6. Verschluss geschlossen.

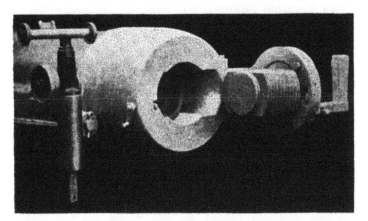

Abbild. 7. Verschluss geöffnet.

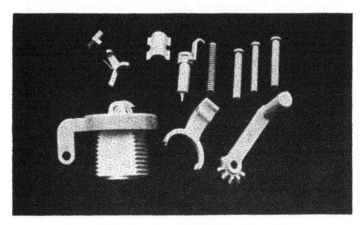

Abbild. 8. Die einzelnen Theile des Verschlusses.

nun aus·der Verschlussthür herausgeschraubt wird. 6. Die Sicherung
(10 in Abbild. 2 und 3) nebst Bolzen und Feder werden abgenommen.
7. Der Achsbolzen der Verschlussthür ist herauszuziehen und die Verschlussthür abzunehmen. 8. Der Achsbolzen des Ausziehers wird herausgezogen, der Auszieher herausgenommen. Die einzelnen Theile des Verschlusses sowie der verschlossene und der geöffnete Verschluss sind in
den Abbild. 6, 7 und 8 besonders zur Darstellung gebracht. — Das Zusammensetzen des Verschlusses geschieht in umgekehrter Reihenfolge
wie das Auseinandernehmen. Hierbei ist Folgendes zu bemerken: Beim
Einsetzen des Blocks in die Verschlussthür muss dieser derart gegen die
innere Fläche der Thür angesetzt werden, dass sich der Ausschnitt für den
Schliessriegel genau unter dem Ausschnitt für die Sicherung in der
Verschlussthür befindet, bevor man mit dem Einschrauben des Verschlussblocks beginnt. Der Schlagbolzen mit der Spiralfeder lässt sich ohne ein
Auseinandernehmen des Verschlusses in 20 Sekunden auswechseln.

4. Die Gebirgs- und Landungs-Laffete. Die Laffete des Geschützes
(Tafel I) besteht aus vier Haupttheilen. Diese sind: 1. das Tragrohr
mit dem Geschützrohr; 2. das Laffetengestell mit Achse; 3. die Richtmaschine; 4. die Räder.

A. Das Tragrohr (Mantel) mit dem Geschützrohr. Der Haupttheil des Tragrohres stellt sich als ein cylinderförmiger Mantel aus
Bronze-Hartguss dar, welcher das Geschützrohr mit dem Verschluss bis
auf einige Centimeter der Mündung aufnimmt. Auf jeder Seite dieses
Tragrohres ist ein hydraulisches Bremsrohr angeordnet. Die Kolbenstangen
dieser Bremsrohre wirken nach rückwärts und sind mittelst unterbrochener
Schrauben in Schlitzen an dem Geschütz festgemacht. Ueber dem Ende
jeder Kolbenstange ist eine Sperrklinke mit Feder angebracht, um jene
am Drehen zu verhindern. Die Bremskolben sind an ihren unteren Seiten
mit konischen Rinnen versehen, damit die Flüssigkeit von der hinteren
Seite des Kolbens nach der vorderen hindurchtreten kann, sobald die Kraft
des Rückstosses die Kolbenstangen und mit diesen den Kolben nach rückwärts bewegt. Die Weite dieser Rinnen ist verschieden, um auf diese
Weise einen gleichmässigen Druck während der ganzen Länge des 35 cm
betragenden Rückstosses zu erzielen. Beim Rückstoss werden die Spiralfedern, welche um die Kolbenstangen angebracht sind, zusammengedrückt.
Beim Aufhören desselben dehnen sie sich wieder aus und führen das
Geschützrohr im Tragrohr (Mantel) in die Feuerstellung zurück. Das
Geschützrohr ist aus Vickersschem Nickelstahl angefertigt; die Angaben
über verschiedene Einzelheiten desselben sind in der Ziffer 9 auf Seite 67
enthalten. An Stelle der Schildzapfen sind an der unteren Seite des
Tragrohres zwei Oesen angesetzt, durch welche der Achsbolzen des Tragrohres hindurchgeht; dieser Achsbolzen geht ebenfalls durch die entsprechenden Tragösen am Laffetengestell vor dessen Achse und hält das
Tragrohr mit dem Geschützrohr auf der Laffete fest. Korn und Visir sind
in Stützen am Tragrohr angebracht; nur das Visir ist abnehmbar.

B. Das Laffetengestell mit Achse. Das Laffetengestell besteht aus zwei Laffetenwänden von Stahl, welche durch einen Schuh und
drei Querriegel miteinander verbunden sind. Der Schuh ist an seiner
unteren Seite mit einem Spaten versehen, welcher den Rücklauf des Geschützes zu hemmen bestimmt ist. Er trägt eine Tülle, in welche der
Richtbaum zum Nehmen der horizontalen Richtung oder eine Gabeldeichsel
aus Stahlrohr eingesetzt werden kann. Der vordere Querriegel enthält die
beiden Tragstützen, welche oben nicht vollständig geschlossen sind. Durch
sie geht der Achsbolzen des Tragrohres hindurch, wenn dieses mit seinen

Geschütz in Feuerstellung.

Bespanntes Geschütz.

Batterie zum Abladen bereit.

Zusammenstellen des Geschützes.

Tafel II.

Bespanntes Geschütz.

Batterie zum Abladen bereit.

Zusammenstellen des Geschützes.

Abbild. 4) des Armes (9c in Ab
Führungsnuthe (16 in Abbild. 4) er
über dem Einschnitt der äusseren
dann greifen die Schraubengänge d
Gewindeeinschnitte an der inneren
ein, sondern sie sind aus denselbe
blick tritt der Anschlag (22 in Al
hintere Fläche der Verschlussthür;

wegt sich ne
dadurch am
Verschlusstht
kreisförmige
Thür zwingt,
Verschluss ur
und 3) nach
Verschlusstht
und 3) des A
die abgesch
herauswirft.

Abbild. 4. Hintere Ansicht des
Verschlussblocks mit der
Sicherung.

Hand eingesetzt. Durch eine kreis
links tritt der Verschlusskolben, we
Verschlussthür sitzt, in den Bode
die Patrone in den Laderaum des
thür an die hintere Wand des Bod
Sperrbolzen eingedrückt, so dass d
thür frei wird. Die fortgesetzte F
dann den Verschlussblock, sich mit
und 3) zu drehen, wodurch der Ver
der Handhebel nach beendetem V
der Griff losgelassen wird, drückt
klinke (19 in Abbild. 1) in den ent
thür. Das äussere Ende des Abzug
findet sich nun über dem inneren

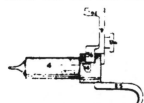

starken
in die H
dem Ab
feder de
diesen v
zündung
das Schl
spannen

Abbild. 5. Schlagbolzen und Sicherung
in Spannstellung.

schnur
3 und 5

so weit zurückzieht, dass der Ansatz
Schlagbolzens tritt und letzteren fes
dass nur bei völlig geschlossenem

3. Auseinandernehmen und Zu

Auseinandernehmen geschieht in
ist zu schliessen, der Abzug abzuzie
rungsplatte und nehme den Achsbe
Führungsplatte, die Spiralfeder des
werden abgenommen. 4. Der Hand
Druck auf den Schliessriegel wird

Oesen an der unteren Seite zwischen den Tragstützen eingesetzt ist. Der Bolzen ist cylindrisch und ist auf zwei gegenüberliegenden Seiten abgeplattet, so dass er in die Oesen und Tragstützen nur in einer bestimmten Lage eingeführt werden kann; dann wird der Achsbolzen um 90° herumgedreht, wodurch das Tragrohr mit dem Geschützrohr festgestellt wird, wenn es sich in Feuerstellung befindet. — Die Achse für die Räder weist ähnliche abgeplattete Stellen auf.

Abbild. 9.

Sie wird in ihren Lagern in den Laffetenwänden durch zwei Bolzen mit Schliessgriffen festgelegt und kann durch einfaches Drehen dieser Griffe leicht entfernt werden.

C. Die Richtmaschine. Die Richtmaschine gestattet 27° Erhöhung (Elevation) und 10° Senkung (Depression). Sie besteht aus einem Handrade, zwei Zahnrädern, einer Schraubenspindel und einem gezahnten Quadranten. Die Hand- und Zahnräder sind am vorderen Querriegel befestigt. Das untere Ende der Schraubenspindel steckt in einem mit Schildzapfen versehenen Schuh, der in den Schliessgriffen dieses Querriegels drehbar ruht. Der Kopf des Quadranten ist in einem Schuh am hinteren Ende des Tragrohrs angebracht und wird hier durch einen Scharnierstift gehalten. Am anderen Ende des Quadranten befindet sich ein Arm mit einem Achslager, durch welches der Achsbolzen des Tragrohres hindurchgeht. Um diesen Quadranten in einer zentralen Lage zu erhalten, ist an jedem Ende eine kleine quer durchgehende Strebe angeordnet, woran eine Spiralfeder befestigt ist. Diese Spiralfedern sind mit ihren äusseren Enden an dem vorderen Querriegel angebracht. Beim Auseinandernehmen des Geschützes verbleibt die ganze Richtmaschine an dem Laffetengestell.

D. Die Räder. Die Räder haben 91,44 cm Durchmesser, die Spurweite beträgt 81,28 cm. Beim Feuern werden die Räder an der Laffete mit einem Tau festgebunden, um den Rücklauf im Verein mit dem Spaten aufzufangen bezw. einzuschränken.

5. Verfahren beim Auseinandernehmen. Um das Geschützrohr herauszunehmen, entfernt man das Visir aus seinem Schuh und steckt es in die seitwärts am Tragrohre befindliche Hülse. Dann dreht man die beiden Griffe am hinteren Ende der Kolbenstangen der Bremsrohre gleichzeitig nach aufwärts, so weit dieses möglich ist. Das Geschützrohr ist nun frei und kann zurückgezogen werden, indem man am Verschluss angreift und das Rohr nach rückwärts aus dem Tragrohr (Mantel) herauszieht. — Um das Tragrohr abzunehmen, bringe man es durch Drehen des Handrades der Richtmaschine in die höchstmögliche Erhöhung (Elevation), drücke alsdann auf die Sperrfeder an dem Handgriff des Achsbolzens des Tragrohres und drehe den Griff um 90° = ¼ Kreisbogen nach hinten. Darauf ziehe man den Scharnierstift der Richtmaschine heraus, und das Tragrohr kann nun vom Laffetengestell abgehoben werden. — Wenn es erforderlich wird, die Kolben aus den Bremsrohren herauszunehmen, so wird zunächst das Geschützrohr in der beschriebenen Weise herausgezogen. Sodann wird das Tragrohr um etwa 5° nach vorn gesenkt, der Füllverschluss abgeschraubt und die Stopfen herausgezogen, um das Oel herauslaufen lassen zu können. Hierauf wird der zum Zubehör gehörige Bremsrohrschlüssel in die Füllöffnung eingesetzt, um der Spiralfeder der Kolbenstangen das Gegengewicht zu halten, die vordere Aufsatzkappe abgeschraubt und die Lederliderung herausgenommen. Hierauf nimmt man die Schlussschraube von dem Kolbenkopf ab und schraubt diesen von der Kolbenstange los. Nun wird mit dem ausgehöhlten Ende des Richtbaumes die Spiralfeder der Kolbenstangen so weit zusammengedrückt, dass man

den Bremsrohrschlüssel entfernen kann; dann nehme man die Spiralfeder ab und ziehe die Kolbenstange nach rückwärts heraus.

6. Verfahren beim Zusammensetzen. Man führt die Kolbenstangen von rückwärts in die Bremsrohre ein, nachdem man Liderungen und Stopfbuchsen aufgesetzt hat. Dann schiebt man die Spiralfeder vom Mündungsende des Tragrohres aus auf die Kolbenstange, drückt mit dem hohlen Ende des Richtbaumes die Spiralfeder so weit zusammen, dass man mit dem Bremsrohrschlüssel durch die Füllöffnung den vorletzten Gang der Spiralfeder erfasst. Nun nimmt man den Richtbaum fort, schraubt den Schraubenkopf an und befestigt ihn in seiner Stellung mit der Schlussschraube. Schliesslich setzt man die Lederliderung ein, schraubt die Aufsatzkappe fest auf, fügt den Auslassstopfen ein, füllt die Bremsrohre mit 3,78 Liter (6,75 Pinten) Oel und bringt die Füllstopfen auf. Man überzeuge sich alsdann davon, dass die Richtmaschine auf die höchstmögliche Erhöhung (Elevation) gestellt ist, und lege das Tragrohr in die Tragstützen des vorderen Querriegels. Hierauf drehe man den Achsgriff nach vorwärts, bis er durch die Sperrfeder geschlossen wird, lasse das hintere Ende des Tragrohres auf den Kopf des Richtquadranten sinken und stelle es durch den Scharnierstift der Richtmaschine fest. Das Tragrohr wird sodann in die wagerechte Lage gebracht, wobei die Griffe der Kolbenstangen senkrecht stehen müssen. Man setzt darauf die Mündung des Geschützes auf die Stützbrücke am hinteren Ende des Tragrohres und schiebt das Geschützrohr vollständig in das Tragrohr hinein, bis es mit seiner Mündung vorn einige Centimeter hervorsteht. Die Enden der Kolbenstangen werden dann in die Oesen des Geschützes eintreten, so dass sie beim gleichzeitigen Aufwärtsdrehen um 90° fest verschlossen sind, worauf das Geschütz zum Feuern fertig ist.

7. Die Munition. Das für diese Geschütze verwendete Pulver ist entweder **Ballistit** oder **Cordit**. Die Patronenhülse ist aus Messing massiv gezogen, Boden und Röhre bilden ein einziges Stück. Ihre Form ist etwas konisch, um ein bequemes Herausziehen durch den Auszieher zu sichern. Es giebt drei Arten von Geschossen für diese Geschütze, nämlich: Schrapnels, Granaten, Kartätschen. Das **Schrapnel** ist mit Zeit- und Aufschlagzünder, die **Granate** mit einem Aufschlagzünder versehen. Die **Kartätsche** enthält Hartbleikugeln im Einzelgewicht von 10 bis 13 g. Die Kartätschbüchse ist aus massivem Messing gezogen und inwendig mit Stahlsegmenten versehen. Der Boden ist von Messing und bildet mit der Büchse ein Stück. — Die näheren Angaben über die Munition sind aus Ziffer 9 auf Seite 67 zu ersehen.

8. Beförderung des Geschützes. Zur Beförderung des Geschützes, welches auf Tafel I in Feuerstellung dargestellt ist, muss dasselbe auseinandergenommen werden, wenn es nicht als einspänniges Fahrzeug (Tafel II) zur Verwendung gelangt. Als Gebirgsgeschütz werden die einzelnen Theile auf Tragthiere verladen, während sie als Landungsgeschütz oder im Buschkriege von Lastträgern getragen oder auf schlittenartigen Schleifen in beliebig einfacher und feldmässiger Herstellung befördert werden. Die Tragthiere sind mit einem Tragsattel ausgerüstet, welcher mit Vorder- und Hinterzeug versehen ist. Wenn das Tragthier in die Gabeldeichsel eingespannt wird, so behält es den Tragsattel ebenfalls aufgelegt. Das Geschützrohr wird nebst den beiden Traghebeln auf dem Tragsattel festgeschnallt. Der Verschluss wird durch eine Lederkappe gegen Staub ~~~~~~~~~~~~~~schmutz geschützt. Das Tragrohr wird ebenfalls auf dem ober~~~~~~~~~~~Tragsattels festgeschnallt und die Gabeldeichsel darüberg~~~~~~~~~~~~t mit der Laffete der Fall; auf diesem Tragsattel werden auch die Werkzeugtaschen angebracht. Die Räder werden zu beiden Seiten des Tragsattels aufgeschnallt, die Achse in der Längsrichtung dazwischengeschnallt. Die Munition wird ebenfalls auf den Tragsätteln der Tragthiere befördert. Die einzelnen Patronen werden in Blechröhren gesteckt, welche in Blechrahmen sitzen. Jeder Rahmen enthält drei Röhren, auf jeder Seite des Sattels liegen zwei Rahmen, mithin hat jedes Tragthier 12 Schuss zu tragen. Das Abladen der einzelnen Theile von den Pferden und das Zusammensetzen des Geschützes nimmt 1½ Minuten in Anspruch, wenn die Bedienungsmannschaft ungeübt ist. Mit eingeübter Mannschaft erfordert das Zusammensetzen nur 40 bis 50 Sekunden; hierbei müssen aber die einzelnen Theile bequem zur Hand liegen.

9. Einzelangaben über Geschütz, Munition und Laffete.

A. Geschütz.

Gewicht des Geschützrohres mit Verschluss . . . . . . 107 kg
Kaliber des Geschützrohres mit Verschluss . . . . . . 75 mm
Länge der Bohrung einschl. Patronenlager . . . . . . 803 »
Länge des gezogenen Theiles . 618 »
» des ganzen Rohres . . 911 »
Gezogener Theil, Zahl der Züge 30
» Breite » » 5,84 mm
» Höhe » » 0,684 »
Drall: gleichbleibend (konstant), 1 Umdrehung auf 25 L.

B. Munition.

Anfangsgeschwindigkeit . . . 280 m
Geschosshülse, Länge . . . . 213 mm
» Gewicht . . 0,680 kg
Granate, Länge . . . . . . 266 mm
» in Kalibern . . 3,55

Granate, Gewicht, geladen . . 5,67 kg
» Sprengladung . . . 0,227 »
Schrapnel, Länge . . . . . . 244 mm
» Gewicht, geladen . . 5,67 »
» Sprengladung . . 0,075 »
Kartätsche, Gewicht . . . . . 6,8 »
» Zahl der Füllkugeln 355
» Zahl der Füllkugeln
auf 1 Pfd. engl. . 28—36
» Gewicht der Füllkugeln 10—13 g
Gewicht der Ballistit-Ladung
für Granaten } Würfel von } 0,155 kg
» Kartätschen } 2 mm Seite }

C. Gebirgs- und Landungslaffete.

Gewicht des ganzen Tragrohres mit den hydraulischen Bremsrohren . 88,2 kg
Gewicht der Laffete mit Richtmaschine und Achse . . . 120,2 »
Gewicht der Räder . . . . . 64,4 »

10. Schusstafel des 75 mm Schnellfeuer-Gebirgs- und Landungsgeschützes. (Anfangsgeschwindigkeit = 280 m.)

Entfernungen m	Abgangswinkel Grad Min.	Einfallwinkel Grad Min.	Flugzeit Sek.	Endgeschwindigkeit m	Entfernungen m	Abgangswinkel Grad Min.	Einfallwinkel Grad Min.	Flugzeit Sek.	Endgeschwindigkeit m
100	0—09	0—11	0,34	277	2100	8—20	11—35	8,17	232
200	0—20	0—26	0,68	274	2200	8—51	12—15	8,60	230
300	0—38	0—53	1,03	271	2300	9—22	12—55	9,03	228
400	0—59	1—23	1,39	268	2400	9—53	13—36	9,47	226
500	1—21	1—55	1,75	266	2500	10—24	14—17	9,91	225
600	1—44	2—28	2,12	264	2600	10—55	14 58	10,35	223
700	2—07	3—01	2,50	261	2700	11—26	15—39	10,79	222
800	2—31	3—35	2,88	259	2800	11—57	16—20	11,24	220
900	2—55	4—10	3,27	256	2900	12—28	17—02	11,69	219
1000	3—19	4—45	3,66	254	3000	12—59	17—44	12,14	214
1100	3—43	5—20	4,05	252	3100	13—30	18—26	12,60	216
1200	4—08	5—56	4,45	250	3200	14—01	19—08	13,06	214
1300	4—33	6—32	4,85	247	3300	14—32	19—50	13,52	213
1400	4—58	7—08	5,25	245	3400	15—03	20—32	13,99	212
1500	5—24	7—45	5,66	243	3500	15—34	21—15	14,46	211
1600	5—51	8—22	6,07	241	3600	16 06	21 58	14,93	209
1700	6—19	8—59	6,48	239	3700	16—39	22—41	15,40	208
1800	6—48	9—37	6,90	237	3800	17—15	23—25	15,87	207
1900	7—18	10—16	7,32	235	3900	17—53	24—10	16,35	206
2000	7—49	10—55	7,74	233	4000	18—33	24—57	16,83	205

Bei einem Schiessen auf dem Schiessplatze zu Eynsford, welchem ich am 29. Juni 1898 beiwohnte, wurde mit dem 75 mm Gebirgs- und Landungsgeschütz eine Feuergeschwindigkeit von 7 Schuss bei gezieltem und von 10 Schuss bei ungezieltem Schnellfeuer in der Minute erreicht. — Der Spaten am Schuh der Laffete bewährte sich insofern vollständig, als er im Verein mit den um die Räder gelegten Bremstauen den Rücklauf des Geschützes zwar verhinderte, jedoch machte dieses beim Eintreten des Geschosses in die Züge die bekannten Sprünge zur Seite, weshalb es für jeden neuen Schuss wieder in die richtige Stellung gebracht werden musste, was für das Laden, Zielen und Abfeuern einen vermehrten Zeitaufwand erforderte.

Der bei diesem Schiessen anwesende englische Artilleriekapitän, welcher die 2. Batterie in der Schlacht am Atbara befehligte, theilte dabei mit, dass diese geringen Seitwärtssprünge kaum einen nennenswerthen Aufenthalt in der Feuergeschwindigkeit verursacht hätten, zumal diese nicht übertrieben werden dürfe, weil dadurch leicht eine Beeinträchtigung der Wirkung einträte und die Munition im entscheidenden Falle doch zu kostbar sei. Ueber die Leistungen des Geschützes sprach sich dieser Offizier in durchaus anerkennender Weise aus, wobei er noch besonders auf den Vortheil des für den Gegner verhältnissmässig kleinen Zieles hinwies.

Auf dem Schiessplatze zu Eynsford führte ein Vertreter der Firma Vickers Sons and Maxim Limited das 75 mm Maxim-Nordenfelt Gebirgs- und Landungsgeschütz vor; er war zur Beobachtung der Wirkung dieser Geschütze von der Firma nach dem Sudan entsandt worden, wo er der Schlacht am Atbara bei der 2. Batterie beizuwohnen Gelegenheit hatte. Hierbei nahm er einige Photogramme auf, welche er in liebenswürdiger Weise zur Verfügung stellte und die auf den Tafeln III und IV wiedergegeben sind.   E. Hartmann.

Ein neuer Militär-Distanzmesser.
Mit drei Abbildungen.

Wenn auch berechtigte Bedenken gegen Distanzmesser mit kleiner Basis hinsichtlich ihrer Verwendbarkeit bei der Feldartillerie und Infanterie bestehen mögen, so zählt es doch zu den vornehmsten Aufgaben, alle die mit mühevollster Geistesarbeit angestrebten derartigen Verbesserungen auf das Gewissenhafteste zu prüfen und wirklich Gutem praktisch näher zu treten, um uns nicht von Anderen in dem unanfechtbar richtigen Satz überflügeln zu lassen: »Nicht so sehr den ersten Schuss als den ersten Treffer zu haben, bringt Gewinn.«

Das Neueste auf diesem Gebiete betrifft eine Erfindung des Grossherzoglichen Bauassessors Burkhardt Kaibel zu Mainz, Kaiserstrasse 22, auf welche am 25. Februar v. Js. die beiden Patente D. R. P. Nr. 97 317 und 97 321 ertheilt worden sind. Bei diesem Instrument ist das seither übliche Prinzip, der Winkelausschlag, oder überhaupt jede andere Messung der Bewegungstheilchen eines drehbaren Fernrohres gegen ein festes behufs Bestimmung weiter Distanzen verlassen. Alle wünschenswerthen Distanzen zwischen 50 m und 6000 m sind aus einer der Bewegung der Instrumenttheile beim Gebrauch entsprechenden linearen Gleichung in das Instrument gelegt und werden in jedem praktischen Fall durch die mit der erwähnten Gleichung übereinstimmende jeweilige Konstellation der Instrumenttheile aufs Ziel rückwärts als fertige Resultate nur einfach wieder herausgegeben.

Im Abstande von 90 cm von einander (Abbild. 1, Fig. 1) ist das feste (rechte) Fernrohr F_t und bewegliche (linke) Fernrohr F_s angeordnet, welch' beide zu Beginn der Operation parallel zu einander (auf Ziel ∞) stehen. Ein mit dem beweglichen (linken) Fernrohr fest und rechtwinklig verbundener steifer Arm beschreibt dann bei der Drehung an seiner freien (rechten) Spitze auf der Rückwärtsverlängerung der Visirlinie des festen Fernrohres sehr kleine geradlinige oder praktisch davon nicht unterschiedene kreisförmige Abschnittchen aC'' (Abbild. 1, Fig. 2), die zu der Operationsbasis Aa und der Zielweite aP in folgendem linearen Zusammenhang stehen: $\dfrac{aC''}{Aa} = \dfrac{Aa}{aP}$ oder $Aa' = aC'' \times aP$, d. h. die konstante Drehungsarmlänge Aa bildet die mittlere Proportionale zwischen den unbekannten Werthen aC'' und den unbekannten Distanzen aP. Von diesen beiden Unbekannten eliminirt man eine, indem man alle praktisch

Abbild. 1.

Fig. 1: Übersichtliche Darstellung des Instruments

Fig. 2: Das geometrische Princip.

wünschenswerthen Distanzintervalle zwischen 50 m und 6000 m in die Gleichung einsetzt und danach das jedesmal zugehörige aC'' daraus berechnet. Diese von der rechten (freien) Drehungsarmspitze a bezw. C'' zurückgelegten aC''-Wege werden nun mittelst Zahnangriffs Z (Abbild. 2) auf ein Uhrwerk u und von da in vielhundertfacher Vergrösserung durch zwei Zeiger auf ein Zifferblatt sehr leicht auffindbar übertragen. Das Zifferblatt (Abbild. 2 und 3) ist nämlich in ebensoviele konzentrische Ringe — hier zum Beispiel 1, 2, 3 ... 8 — getheilt, als es Sektoren, I, II, III ... VIII, enthält, so dass jedem Stand des kleinen Zeigers in irgend einem Sektor ein Stand des grossen Zeigers in dem zahlenentsprechenden konzen-

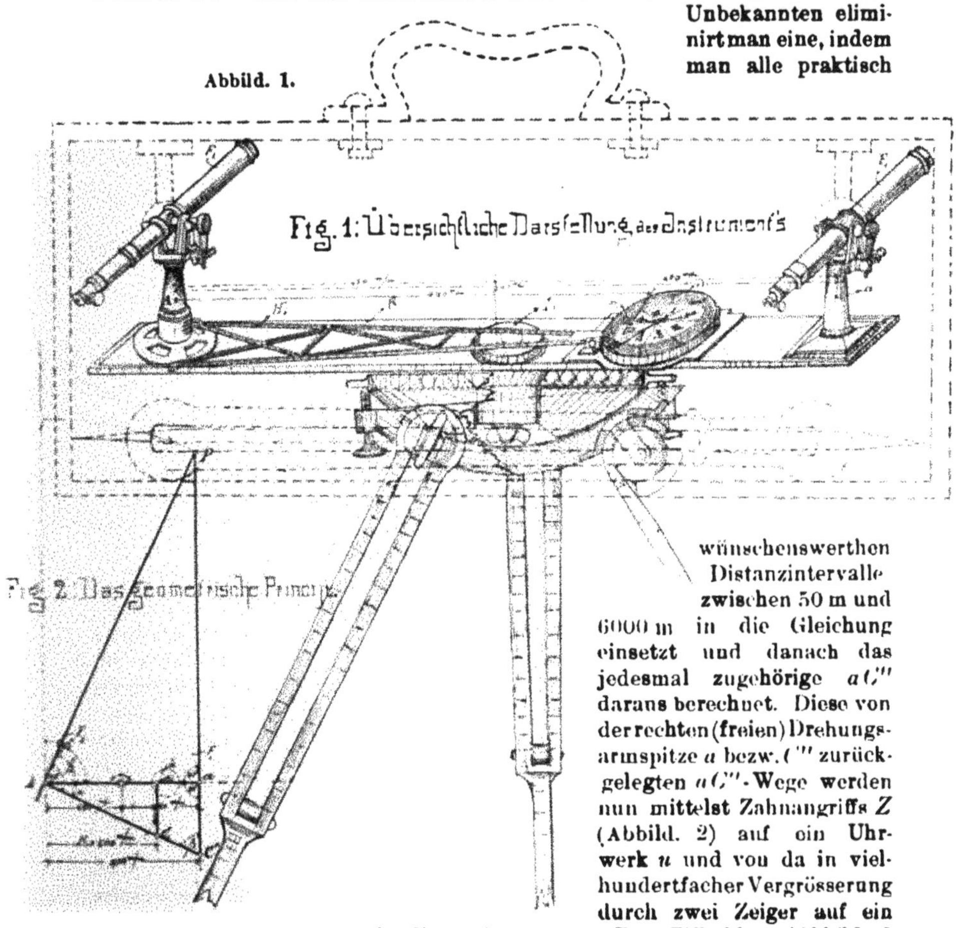

trischen Ringe zukommt. (Diese Theilung könnte natürlich ebenso gut auf
I bis X, 1 bis 10 oder auf I bis XII, 1 bis 12 u. s. w. normirt werden.)
Die sämmtlichen aus der Gleichung berechneten und in der Vergrösserungswirkung des Uhrwerks vervielfachten aC''-Werthe sind nun von vornherein
beim Bau des Instrumentes von bestimmtem, mit der parallelen Fernrohr-
anfangstellung (Ziel ∞) korrespondirendem Zifferblatt-Scheitelpunkt (radiale
Trennungslinie von Sektor VIII und I) im Sinne der Uhrzeigerdrehung
(nach rechts hin) auf dem grössten Kreis des Zifferblattes — d. i. alleinigem
Ort der Vergrösserung der aC''-Werthe an der grossen Zeigerspitze — auf-
gewickelt; der Endpunkt dieser Strecken ist nun im ersten konzentrischen
Ringe markirt, wenn die Länge derselben $< 1 \times 2r\pi$ ist, jedoch in den
zweiten, dritten ... achten konzentrischen Ring vom ersten Ringe aus radial
übertragen, je nachdem diese Strecken $> 1 \times 2r\pi$ und $< 2 \times 2r\pi$,
$> 2 \times 2r\pi$ und $< 3 \times 2r\pi$ ... $> 7 \times 2r\pi$ und $< 8 \times 2r\pi$ des grössten
Zifferblattkreises sind. $2r\pi$ ist hier $= 64$ cm gross gewählt. Statt dieser

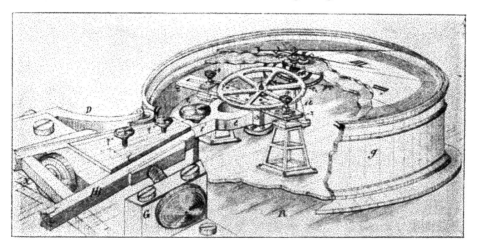

Abbild. 2. Perspektivische Ansicht des Getriebes.

vervielfachten aC''-Werthe sind denn gleich die ihnen nach der Gleichung
entsprechenden Distanzen hingeschrieben. Steht also dann nach erfolgter
Visur beider Rohre auf ein Ziel der kleine Zeiger beispielweise im
VI. Sektor, so ist die gesuchte Distanz im 6. Ringe am grossen Zeiger zu
finden u. s. f., d. h. der grosse Zeiger hat in diesem Fall bei der Kon-
vergenz beider Rohre auf dies gemeinsame Ziel fünf ganze Peripherien
und noch einen aliquoten Theil der 6. Kreisumdrehung zurückgelegt; diese
Weglänge, dividirt durch die Vergrösserungswirkung des Uhrwerks, ergiebt
dann den währenddessen von der Drehungsarmspitze (Zahngestänge Z)
zurückgelegten äusserst kleinen Weg aC''', welcher in Verbindung mit der
Operationsbasis Aa, ferner den Visirstrahlen der beiden Rohre aufs Ziel
und mit dem zum gedrehten Rohr senkrechten Arm jene charakteristische
ähnliche Dreiecksgruppe $AaP \backsim AaC''$ darbietet (siehe Abbild. 2), aus
welcher mit Hülfe der Proportion $Aa' = aC''' \times aP$ der betreffende Werth
für aC'' nach vorheriger Einsetzung aller, so also auch dieses Distanz-
intervalles rechnerisch ermittelt und im Vergrösserungsmaassstab der Uhr
auf deren Zifferblatt vervielfacht — wie oben dargelegt — aufgetragen

worden war, jedoch gleich direkt als die diesem aC'''-Werthe entsprechende **Distanzzahl**.

Da nun aber die Uhr (Anzeigevorrichtung) nicht gleichzeitig am Ort des festen (rechtsseitigen) Fernrohres (F_I) sitzen kann, so ist sie um ein bestimmtes. Maass $Aa - Aa_I$, hier $= 90 - 60 = 30$ cm, nach links hin verschoben, weshalb dann aber die fraglichen aC'''-Werthe vor ihrer Ver-

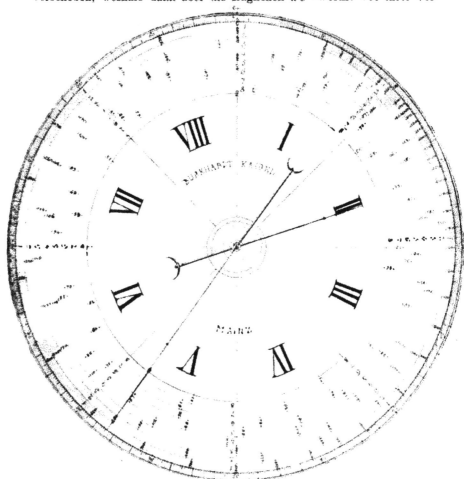

Abbild. 3. Das Zifferblatt.

vielfältigung und Auftragung auf das Zifferblatt zunächst noch nach der Hülfsgleichung $\dfrac{aC_I''}{aC'''} = \dfrac{Aa_I}{Aa}$ oder $aC_I'' = aC'''\left(\dfrac{Aa_I}{Aa}\right)$, hier $= aC''' \times \dfrac{0{,}60}{0{,}90}$ (siehe Abbild. 2) zu reduciren sind. Die einzelnen Distanzintervalle auf dem Zifferblatt sind so bemessen, dass hinreichend genau die Zwischen-werthe mit dem Augenmaass interpolirt werden; bei 3000 m Entfernung werden noch 30 m, d. h. 1 pCt., mit dem Augenmaass interpolirt, was etwa einem Zeigerspitzenweg von ungefähr ¹/₂ mm gleichkommt. Durch

eine im Uhrwerk passend angebrachte Gegenzugfeder *gzp* (siehe Abbild. 3)
ist jeder todte Gang der Zahnrädchen ausgeschlossen, die denkbar grösste
Genauigkeit an den wasserwaagartig pendelnden Zeigern vorhanden, und zeigen
dieselben so genau die Entfernung direkt ohne Messung an, als man deren End-
ziel mit den Fernrohr-Fadenkreuzen genau einzustellen vermag. (Hierüber
siehe weiter unten.) — Das Königliche Kriegsministerium bezeigte dem ihm
durch detaillirte Zeichnungen veranschaulichten Gegenstand Vertrauen und
liess das provisorische Modell dieser Erfindung durch eine hierfür ein-
gesetzte Artilleriekommission auf Fort Bingen der Festung Mainz einer
praktischen zweitägigen Prüfung unterziehen. Die Entfernungen deutlich
begrenzter Ziele, wie Kirchthurmspitzen u. s. w., z. B. des Bretzenheimer
Kirchthurms und des Mainzer Domes, zeigte das Instrument fast absolut
genau, wie aus Koordinaten berechnet, mit 1250 bezw. 2260 m auch ziemlich
schnell an; weniger scharf markirte Ziele, wie weit entfernte Baumkronen,
Heuhaufen u. s. w., gelangen weniger genau, desgleichen horizontale
Schützengräben und horizontal gespannte Tücher in etwa 3000 bis
4000 m Entfernung; diese Ziele wurden mit 100 bis 200 m Differenz
gegenüber dem Abgreifen auf einer Karte in 1:12 500 am Instrument
abgelesen. Die fragliche Kommission glaubte deshalb, das »äusserst sinnreich erdachte Instrument« wohl warm für die Zwecke der Königlichen
Landesaufnahme empfehlen zu sollen, für die Zwecke des Feldartillerie-
Schiessens eigne es sich noch nicht, hierfür müsse: 1) das Fadenkreuz
absolut genau auch auf unscharf begrenzte und besonders auch auf horizontal
liegende, sehr ferne Feldziele eingestellt und dementsprechend an der Uhr
bis auf 50 m genau abgelesen werden können; 2) das Instrument im
Winde nicht zittern, sondern unbedingt starr und stabil bleiben; 3) das
Ganze schneller und einfacher bedient werden; 4) der Apparat noch
kleiner verpackbar und transportirbar; 5) endlich das Fernrohrbild ein
aufrechtstehendes sein.

Die kurze Zeit nach dieser Prüfung in Darmstadt getagte XXI. Haupt-
versammlung des deutschen Geometervereins in Verbindung mit einer
grossartigen Instrumentenausstellung gab dem Erfinder Gelegenheit, den
besten deutschen Instrumentenfabrikanten und Feinmechanikern sein Instrument vorzuzeigen und zu erläutern, sowie die Bedenken der Artilleriekommission zum Gegenstand einer fachwissenschaftlichen Diskussion zu
machen. Nachdem die Vorschläge des Erfinders zur möglichen Verbesserung
der heute noch allen kleinen Basis-Distanzmessern anhaftenden Mängel
Anklang gefunden hatten, vereinigte sich Erfinder mit einem tüchtigen
Feinmechaniker zum praktischen Weiterverfolg seiner Sache, d. h. zum
Ausbau eines zweiten Modells nach den vorstehend angeführten Bean-
standungen der Kommission in folgender Weise: Zu Punkt 1: Das un-
scharfe, zwischen 5000 und 6000 m Zielweite nicht mehr unterscheiden
könnende Fadenkreuzeinstellen durch mathematisch genaue Koïncidenz
zweier durch Prismen oder Spiegel gehenden Bilder zu ersetzen. Zu
Punkt 2 bis 4: Das Instrument anstatt mit der früher gewählten doppelten Basis nun mit einfacher Basis herzustellen, Fernrohre und Uhr
direkt auf diese zu setzen, Alles fest und unveränderlich gegeneinander
zu arretiren und unabnehmbar in einmal richtiger Stellung zu belassen; das
Instrument etwas kleiner zu halten und besonders im Stativ (wie Abbild. 1
zeigt) derart zu konstruiren, dass die im Kasten liegenden Füsse nur
gestreckt und angezogen zu werden brauchen, um das Instrument festzustellen oder auch die Füsse nach Belieben wegzulassen und dafür die
Stativplatte entweder auf die Radfelgen der Protze zu schnallen oder direkt

aufs Gelände (aufgeworfene Schützengräben u. s. w.) zu legen, ferner die Fernrohre bezw. Prismen, Spiegel u. s. w. ohne jedes Lager direkt auf der Basis zu befestigen, um so die Fehler beim Durchschlagen der Rohre auf höher- oder tiefergelegene Ziele zu vermeiden; demnach dann die erforderlich werdende Querneigung der ganzen Basis nebst Fernrohren, Uhr u. s. w. um eine Horizontalachse und das gleichfalls erforderliche Drehen derselben um die Vertikalachse vermittelst einer Kugellagerung der Basis oder auch mittelst zweier dieselbe ersetzenden getrennten Bewegungsleitern um Horizontal- und Vertikalachse — wie in Skizze gezeigt — zu erreichen. Zu Punkt 5: Dass es sich empfehlen wird, astronomische Rohre, weil viel weittragender als terrestrische, beizubehalten. — Der Bau dieses endgültigen Instrumentes schreitet nun seitens des Erfinders und des mit ihm vereinigten Feinmechanikers so rüstig weiter, dass ein voller Erfolg zu erhoffen steht, welcher in seinem ganzen Umfange von unserem Heere ausgenutzt werden möge.

Weiteres über die Zuverlässigkeit des Einschiessens.

Von Callenberg, Oberstleutnant a. D.

(Schluss.)

e) Die theoretischen Ergebnisse. 1. Auf Grund der Annahme einer konstanten mittleren Längenstreuung von 50 m und eines konstanten Verhältnisses von 9 richtigen zu 1 falschen Beobachtung sowie der einfachen Magnonschen Theorie erzielt Exzellenz Rohne:

29,3 pCt. falsche 200 m-Gabeln, 47,6 pCt. falsche 100 m-Gabeln und 20,6 pCt. verfehltes Bz.-Schiessen.

2. Wählt man dieselbe konstante mittlere Längenstreuung und dieselbe Theorie, aber das — gleichfalls als konstant angenommene — Verhältniss von 19 richtigen auf 1 falsche Beobachtung, so erhält man:

22,7 pCt. falsche 200 m-Gabeln, 38,0 pCt. falsche 100 m-Gabeln und 15,3 pCt. verfehltes Bz.-Schiessen,

d. h. man erhält Werthe, die bereits die Mitte halten zwischen den obigen Ergebnissen und den Angaben der Statistik, welche bekanntlich:

16,2 pCt. falsche 200 m-Gabeln, 27,5 pCt.*) falsche 100 m-Gabeln und 9,5 pCt. verfehltes Bz.-Schiessen

aufweist.

---

*) Die in meiner Studie Seite 36, Tabelle 19 angegebenen 20,7 pCt. falscher 100 m-Gabeln entsprechen den auf Seite 11, Tabelle 2, aufgeführten 229 überhaupt falsch gebildeten 100 m-Gabeln. Das Mehr von 6,8 pCt. (27,5—20,7) entspricht 76 weiteren falschen Gabeln, die die Zahl der überhaupt falsch gebildeten Gabeln auf 305 erhöhen würde. Diese 76 neu hinzutretenden falschen Gabeln sind das Ergebniss einer mir leider erst nach der Drucklegung zugegangenen, von der meinigen (die sich mit der von Exzellenz Rohne deckt) abweichenden Erklärung des Begriffes einer falschen bezw. richtigen 100 m-Gabel seitens der Feldartillerie-Schiessschule. Diese von letzterer aus praktischen Gründen aufgestellte Begriffserklärung ist folgende: Als richtig sind alle 100 m-Gabeln betrachtet, trotzdem der mittlere Treffpunkt hinter dem Ziele liegt, wenn die Az.-Schüsse wechselnde Vorzeichen ergaben und die Prüfung der Sprengweiten günstige Sprengpunktlagen zeigte. Waren diese ungünstig, so wurde die Gabel als falsch angesehen. Hiernach würden noch 85 Gabeln als nach unserer Definition falsch gebildet hinzutreten. Als falsch angesehen sind diejenigen Gabeln, deren mittlerer Treffpunkt zwischen ± 0 und -100 lag, wenn falsche Beobachtung vorlag, wenn kein einziger Plus-Schuss auf der kurzen Gabelentfernung erzielt wurde (mittlerer Treffpunkt — 81 bis — 100). Hiernach würden noch 9 Gabeln als nach

· 3. Verwendet man dieselbe konstante mittlere Längenstreuung und
dieselbe Theorie, berücksichtigt aber die Thatsache, dass die Güte der
Beobachtung sich ändert mit der Lage und Entfernung der Aufschläge
vom Ziele, wobei man die aus Tabelle 4 meiner Studie (Seite 14) abge-
leitete Tabelle B (Seite 5) benutzt und hieraus nur die Naturwidrigkeit
herausschafft (mittels einer vernunftsgemäss gelegten Kurve), dass ein
Schuss, der weiter als 200 m vom Ziele entfernt liegt, schwerer richtig
zu beobachten sei als ein solcher, der näher am Ziele aufschlägt, so
erhält man Folgendes:

> 19,3 pCt. falsche 200 m-Gabeln, 32,5 pCt. falsche 100 m-Gabeln
> und 9,4 pCt. verfehlte Bz.-Schiessen,*)

d. h. die Einführung einer mit der Lage und Entfernung der Aufschläge
vom Ziele sich ändernden Güte der Beobachtung nähert die Ergebnisse
den Angaben der Statistik wieder um rund 6 pCt.

4. Wählt man schliesslich, wie ich in meiner Studie gethan habe, eine
mit der Entfernung sich ändernde mittlere Längenstreuung und eine Güte
der Beobachtung, welche sich sowohl mit der Entfernung des Zieles von
der feuernden Batterie als auch mit der Lage und Entfernung der Aufschläge vom Ziele ändert, so erhält man:

> 17,0 pCt. falsche 200 m-Gabeln, 30,3 pCt. falsche 100 m-Gabeln
> und 8,8 pCt. verfehlte Bz.-Schiessen,

d. h. Werthe, die sich von den Angaben der Statistik kaum noch unterscheiden und welche von den unter 3 gegebenen Werthen nur noch
um knapp 2 pCt. im Gabelschiessen und um noch nicht ganz 1 pCt. im
Bz.-Schiessen abweichen.

Um die für diese letztere Methode erforderlichen Ausgangszahlen zu
erlangen, hatte ich einen Ausgleich der statistischen Angaben vorgenommen,
welcher einen grossen Theil des Buches umfasst, und der von Exzellenz
Rohne angegriffen worden ist.

Der Zweck dieses »grossen Apparates« bestand indessen nicht darin,
den Archiv-Artikel zu widerlegen und dadurch der bestehenden Schiessvorschrift, wie in den »Jahrbüchern« zu lesen, eine »Ehrenrettung« zu

---

unserer Definition richtig gebildet hinzutreten, so dass also im Ganzen 85 — 9 = 76
falsche Gabeln nach unserer Begriffserklärung als falsch gebildet hinzukämen. Hierdurch ändert sich, wie oben zugegeben, die Prozentzahl 20,7 in 27,5 um, oder, falls
man die Zahl 20,7 der Statistik als aus praktischen Gründen zu Recht bestehend beibehält, die von mir errechnete Zahl 30,3 in 23,5 pCt. Auf die Güte des Bz.-Schiessens
hat übrigens, das sei noch erwähnt, diese Aenderung nachweisbar keinen Einfluss
gehabt. Die obige Ziffer 9,5 bleibt also nach wie vor dieselbe. Der Unterschied von
6,8 pCt. zwischen den beiden Gabelzahlen ist wohl hiermit aufgeklärt, und wenn es
auch schade ist, dass die Feststellung der Begriffserklärung einer richtigen 100 m-Gabel
nicht vor der Drucklegung meiner Studie erfolgt ist, da dann die Uebereinstimmung
von Theorie und Praxis noch besser geworden wäre, so dürfte dieses Uebersehen wohl
ebenso entschuldbar sein wie die Thatsache, dass Exzellenz Rohne sich vor der
Drucklegung seines Archiv-Artikels nicht bei der Schiessschule vergewissert hat, ob
die seinen Rechnungen zu Grunde gelegten Annahmen (Streuung und Beobachtungs-
ziele) noch im Jahre 1897 zuträfen.

*) Die Zahlen dieser Reihe sind übrigens auf Grund der in Tabelle 14 meiner
Studie (Seite 29) gemachten Angaben über den Bereich der überhaupt möglichen Fälle
berechnet worden, eine Angabe, deren Berechtigung in der Kriegstechnischen Zeit-
schrift bekanntlich bestritten wird, für welche ich aber hinreichende Gründe in
Ziffer 73 angeführt zu haben glaubte. Ich steife mich indessen keineswegs auf diese
Grenzbestimmung, überlasse dieselbe vielmehr dem sachlichen Urtheile der Herren
Leser, doch möchte ich nicht unerwähnt lassen, dass, wenn man bei obiger Berechnung
die Rohneschen Grenzen benutzt, das Mittel der zu erwartenden falschen 100 m-Gabeln
nur um ganze 2 pCt. gedrückt wird (es wird nämlich 34 statt 32 pCt.), was für den
Kern der Frage ohne Belang ist.

Theil werden zu lassen (deren bedurfte es nicht), dieser Zweck war vielmehr der für die Beantwortung der Kernfrage ganz nebensächliche, zu zeigen, dass statistische Angaben nicht ohne Weiteres verwendet werden dürfen, dass vielmehr die darin enthaltenen Lücken und Gesetzwidrigkeiten erst durch einen »Ausgleich« (das ist ein mathematischer Ausdruck!), nicht durch eine Art »Aptirung« beseitigt werden müssten, und weiterhin sollte er zeigen, wie ein solcher Ausgleich bewirkt werden könnte, wenn die Statistik die erforderlichen Angaben nicht liefert, um denselben mittels der Methode der kleinsten Quadrate vorzunehmen. Ich war mir der wissenschaftlichen Minderwerthigkeit dieses Verfahrens sehr wohl bewusst und habe in meiner Studie auch mehrfach betont, dass dasselbe mathematisch nicht zu rechtfertigen sei; ich habe aber dennoch nicht darauf verzichtet, weil gerade dieser heikle Ausgleich die Nothwendigkeit eines weiteren Ausbaues der Statistik am schlagendsten bewies und weil er die Richtungen blosslegte, in denen dieser Ausbau erfolgen müsse.

Die Gesammtergebnisse der Statistik werden durch Ausführung oder Vernachlässigung dieses Ausgleiches nicht nennenswerth berührt, aber in Zukunft werden die Mittel geliefert werden, welche es überflüssig machen, zu einem solchen, das gebe ich gern zu, auf thönernen Füssen stehenden Ausgleich die Zuflucht nehmen zu müssen. Also streiten liess sich über die dieserhalb von mir gemachten Annahmen und Manipulationen sehr wohl, aber natürlich nur sachlich. Da dieser Streit sich jedoch, wie oben gezeigt, nur auf nebensächliche Dinge bezieht, so versage ich mir weitere Erörterungen hierüber aus Raummangel, stehe aber später nach dieser Richtung hin gern zur Verfügung.

In Betreff der Annahmen, welche ich bei Behandlung des Wirkungs-schiessens im Bz.-Feuer gemacht habe, das übrigens im Theil I nur flüchtig behandelt ist, weil dasselbe eigentlich erst an den Schluss des II. Theiles gehört, muss ich einige Worte sagen, da in der Kriegstechnischen Zeitschrift, Seite 411, die Angabe des Grundes vermisst wird, weshalb ich bei dieser Untersuchung vom Bz.-Feuer ausgehe, und weil daselbst das Recht bezweifelt wird, »die Beobachtung der von Bz.-Schüssen herrührenden Sprengpunkte für ebenso zuverlässig anzusehen wie diejenigen der Az.-Schüsse«. Ich stelle daher dem Folgendes gegenüber: Um zunächst den letzteren, kürzer zu erledigenden Punkt abzuthun, verweise ich die Herren Leser auf Ziffer 101 und 95 meiner Studie (Seite 38 bis 40), in welchen ich die Gründe angeführt habe, weshalb keine Statistik über die Güte der Beobachtung von Sprengpunkten bisher vorliege und dass man daher, wenn man diese Frage gegenwärtig überhaupt behandeln wolle, vorbehaltlich besserer Information sich mit den für Az.-Treffpunkte zur Verfügung stehenden Angaben begnügen müsse; im Archiv-Artikel würde ja »die für Az.-Feuer aufgestellte Tabelle sogar ohne Weiteres für das Bz.-Feuer verwendet, was jedenfalls noch roher sei«. Von einem Rechte, das ich mir angemaasst hätte, ist also wohl keine Rede; vielmehr bin ich mir voll und ganz des verhältnissmässig geringen Grades der Zulässigkeit dieser Annahmen bewusst gewesen und habe sie nur gemacht, um Ergebnisse zu erzielen, welche ich mit denen des Archiv-Artikels (die meiner Ansicht nach auf noch schwankenderen Füssen stehen) und den Ergebnissen der Statistik vergleichen konnte.

Was den ersten Punkt betrifft, der von prinzipieller Bedeutung ist, so möchte ich mir folgende Gegenfrage erlauben: Wenn ich im Az.-Feuer die Gabel gebildet zu haben glaube und auf den beiden Gabelgrenzen im Bz. streue und ich will nun untersuchen, wie gross die Wahrscheinlich-

keit dafür ist, dass ich wirkungsvolle Bz.-Schüsse erhalte, was geht es
mich dann an, wie die Aufschläge im Az.-Feuer auf einer gewissen
Strecke liegen? Die Frage stellt sich doch dann, meiner Ansicht nach,
so: Im Az.-Feuer sind etwa 30 pCt. falsche 100 m-Gabeln zu erwarten.
Liefert nun das Bz.-Feuer ebenfalls 30 pCt. verfehlte Wirkungsschiessen, liefert es mehr oder liefert es weniger? Um aber dieses
zu ermitteln, muss man doch das Bz.-Feuer für sich betrachten und
feststellen, wie gross die Wahrscheinlichkeit ist, dass die zu erwartenden
Sprengpunktlagen für die Wirkung günstig sind, d. h. dass sie sich in
dem Raume von $G_k - 25$ m bis $G_k + 175$ m befinden ($G_k =$ kurze Gabelentfernung), während der Bereich der überhaupt möglichen Sprengpunktlagen sich von $G_k - 240$ (bis 270) m bis $G_k + 240$ (bis 270) m erstreckt.
Für diese Untersuchung braucht man aber die mittlere Längenstreuung und
die Beobachtungsfähigkeit der Bz.-Geschosse, und da ich letztere nicht
kenne, so nehme ich, wie oben ausgeführt, »vorbehaltlich besserer Information«
die Angaben für Az.-Geschosse. Wie geschieht nun diese Untersuchung
im Archiv? Dort wird die Wahrscheinlichkeit 0,794 der wirkungsvollen
Bz.-Schiessen aus dem Bruche $\frac{3243}{4083}$ errechnet, worin der Zähler die nach
Zusammenstellung 5 (Seite 186) gefundene Zahl der für das Az.-Feuer.
günstigen Fälle (zwischen 2270 und 2480 m) und der Nenner die nach
derselben Zusammenstellung gefundene Zahl der gleichfalls im Az.-Feuer
überhaupt möglichen Fälle (zwischen 2000 und 2600 m) darstellt, d. h.
für eine Feuerart, die mit der Ermittelung der Wahrscheinlichkeit der
wirkungsvollen Sprengpunktlagen gar nichts zu thun hat. Es ist also
hier entweder stillschweigend angenommen, dass Sprengpunkte und Aufschläge gleiche Längenstreuungen und gleiche Beobachtungsgüte haben, oder
aber die dortige Untersuchung für das Bz.-Feuer ist auf die Angaben einer
unbetheiligten Feuerart aufgebaut. Ich halte daher das schroffe Urtheil,
dass in dieser Beziehung meine »ganze Methode verfehlt sei« u. s. w.
(Seite 411 der Kriegstechnischen Zeitschrift) doch für etwas gewagt.

    d) Die praktischen Vergleichswerthe. Ebensowenig wie die der
theoretischen Behandlung der Kernfrage zu Grunde gelegten Annahmen
über die Streuungen und die Güte der Beobachtung dem Ernstfalle entstammen, sondern den auf den Friedensschiessplätzen erzielten Leistungen,
ebensowenig können wir mit den so erzielten Ergebnissen der Theorie die
im Ernstfalle erreichten Resultate vergleichen und daraus Folgerungen
ziehen; denn einmal liegen Ergebnisse des Ernstfalles mit Feldschrapnels
C/91 und der Schiessvorschrift vom Jahre 1893 nicht vor, und dann würde
dies ja auch eine falsche Vergleichsbasis sein, da die grundlegenden
Annahmen aus Friedensübungen gewählt werden mussten. Wir können
daher zum Vergleiche ebenfalls nur Friedensergebnisse heranziehen und
dann mit der nöthigen Vorsicht das im Ernstfalle voraussichtlich zu
erwartende Ergebniss daraus ableiten.

    Zu diesem Vergleiche dürfen aber begreiflicherweise nur die Ergeb-
nisse von Uebungen herangezogen werden, welche unter Verhältnissen
abgehalten sind, die sich denen des Ernstfalles möglichst nähern und
welche, das möchte ich hier besonders hervorheben, mittels der Schiessvorschrift vom Jahre 1893 nebst ihren bisherigen Abänderungen
und Zusätzen, sowie mit dem Feldschrapnel C/91 und Geschützblättchenpulver erschossen worden sind.

    Die im Archiv-Artikel zum Vergleiche benutzten Werthe stammen
aus 231 Schiessen, welche die 8. Feldartillerie-Brigade im Jahre 1893
theils bei Friedrichsfeld, theils bei Elsenborn abgehalten hat.

Die von mir benutzten Werthe sind das Ergebniss von 1111 Schiessen, welche auf der Feldartillerie-Schiessschule in den Jahren 1893 bis 1898 bei Jüterbog ausgeführt worden sind. (5 mal so viele Schiessen in etwa 40 mal so langer Zeit von etwa 40- bis 50 mal so viel Offizieren!)

Untersuchen wir nun einmal den Vergleichswerth dieser beiden Versuchsreihen, da nicht nur Herr Generalleutnant Rohne, sondern auch eine Anzahl der Herren Kritiker den Werth der ersteren als »Truppenübungs-Ergebnisse« gegenüber den letzteren als »Friedens-Glanzleistungen« besonders hoch schätzt, und deshalb den theoretischen Ergebnissen des Archiv-Artikels vielfach der höhere Werth zugesprochen wird, weil sich die theoretischen Ergebnisse jenen Truppenübungs-Ergebnissen sehr nähern.

Ich bin in der Lage, die 231 Schiessen der 8. Feldartillerie-Brigade vom Jahre 1893 auf ihren Werth als »Truppenübungs-Ergebniss« und ihre Bedeutung für den vorliegenden Fall prüfen zu können, da ich zu jener Zeit Abtheilungskommandeur in der 8. Brigade war und die betreffende Schiessübung (bei Friedrichsfeld) persönlich mitgemacht habe, nachdem ich unmittelbar vorher (bis 1. 6. 93) auf dem Stabsoffizier-Kursus der Feldartillerie-Schiessschule zum ersten Male das Feldschrapnel C/91 gesehen und zum ersten Male nach der Schiessvorschrift vom Jahre 1893 geschossen hatte (die damals noch gar nicht einmal gedruckt war). Ich erinnere mich daher, dass die neue Schiessvorschrift, die vom 22. 5. 93 datirt, erst während der vom 27. 5. bis 12. 6. 93 dauernden Schiessübung des Regiments Nr. 23 eintraf, dass aber dem Regimente Feldschrapnels C/91 nicht überwiesen worden waren, sondern, abgesehen von Sprenggranaten und Kartätschen, nur Granaten älterer Art sowie Granaten und Schrapnels C 82. Vom Regiment von Holtzendorff (Nr. 8) schossen darauf zwei Abtheilungen bei Friedrichsfeld, die beiden anderen hielten im August Gelände-Schiessübungen ab auf dem zufälligerweise von mir selbst für das VIII. Armeekorps ausgesuchten Truppenübungsplatze bei Elsenborn, einem Platze, von dem mir der damalige Brigadekommandeur sagte, dass er zwar sehr lehrreich sei, aber derartige Schwierigkeiten darböte, dass bei jenem Geländeschiessen selbst die gewandtesten Batterieführer gescheitert wären. Regiment von Holtzendorff hat nun zwar die neue Schiessvorschrift noch vor der Schiessübung erhalten (wenn auch nicht viel früher), allein mit Schrapnels C/91 hat, meines Wissens, auch dieses Regiment im Jahre 1893 nicht geschossen, und die bei Elsenborn gewesenen Batterien haben das Mittel dieses Regiments sicherlich nicht gehoben.

Der Leser wird nach Obigem selbst beurtheilen können, ob sich diese Verhältnisse zum Vergleiche eignen oder nicht. Ich persönlich bin der Ueberzeugung, dass dieselben ein ausnahmsweise ungünstiges Ergebniss liefern mussten, welches weder als Durchschnittsleistung der Brigade, noch viel weniger aber als solches der ganzen Feldartillerie betrachtet werden kann; auch als Annäherung an den Ernstfall kann dasselbe kaum aufgefasst werden, da man wohl schwerlich mit einer neuen Schiessvorschrift, aber mit alter Munition in den Krieg zieht, d. h. mit einer Munition, für welche dieselbe eigentlich gar nicht geschrieben ist (vergl. Fussnote auf Seite 3 der Schiessvorschrift).

Für die Ermittelung der Entfernung hat die Abwesenheit des Feldschrapnels C/91 in der Ausrüstung der Brigade vielleicht noch den geringsten Einfluss, da die Granate C 82 mindestens ebenso gut beobachtungsfähig war, wie das Schrapnel C/91 Az., obgleich doch nicht geleugnet werden darf, dass, wenn das Heranziehen des Ergebnisses einer Truppenübung zum Vergleich wirklich Werth für die Zukunft haben soll,

dasselbe mit derjenigen Munition erschossen sein muss, für welche die
benutzte Schiessvorschrift eigentlich geschrieben worden ist.

Für das Wirkungsschiessen andererseits musste das Schiessen der
8. Feldartillerie-Brigade Ungünstigeres liefern, weil die Einheitlichkeit der
Flugbahn und die bessere Beobachtungsfähigkeit der Sprengpunkte des
Feldschrapnels C/91 fehlte.

Wichtiger als das Fehlen dieser Geschossart ist aber die Unge-
wohntheit der neuen Schiessvorschrift, welche, wie oben erwähnt,
zum Theil erst während der Schiessübung auf dem Schiessplatze ausgegeben wurde und welche tief einschneidende, prinzipielle Aenderungen im Ermitteln der Entfernung und im Durchführen des
Wirkungsschiessens enthält. Ich erinnere nur daran, dass die Schiessvorschrift von 1890 die Bestimmung besass (Ziffer 46), »dass unsicher
beobachtete Schüsse einer Korrektur niemals zu Grunde gelegt werden
sollten, dieselben sollten vielmehr als nicht abgegeben betrachtet werden«,
dass aber dem gegenüber die Schiessvorschrift von 1893 in Ziffer 54
bestimmt, dass fragliche Beobachtungen während der Gabelbildung je nach den Umständen zu verschiedenen Maassnahmen führen
sollten (diese Umstände werden dann dort angeführt), und ferner, dass die
Schiessvorschrift von 1890 in Ziffer 58 angiebt: »Eine vorher bekannte
Unstimmigkeit zwischen Erhöhung und Brennlänge gleicht der Batterieführer vor dem Einschiessen durch Unterlegen oder Fortnehmen einer entsprechenden Zahl von Aufsatzplatten aus. Eine Unstimmigkeit zwischen
Erhöhung und Brennlänge ist nur dann als bekannt anzunehmen, wenn
sie an demselben Tage hervorgetreten ist«, während die Schiessvorschrift
von 1893 in Ziffer 87 Folgendes anordnet: »Eine zu erwartende Unstimmigkeit zwischen Erhöhung und Brennlänge (vergl. Nr. 36) sucht man
durch Unterlegen oder Fortnehmen von Aufsatzplatten vor Beginn des
Schiessens mit Az. auszugleichen«, und in der oben angezogenen Ziffer 36
werden die Gründe für diese Unstimmigkeit auseinandergesetzt, aus denen
hervorgeht, dass für die Beseitigung der letzteren vor dem Beginne des
Az.-Schiessens nicht Tageseinflüsse, sondern Jahreszeiteneinflüsse
maassgebend sind. Auch dies dürfte ein wichtiger, prinzipieller Unterschied sein. Die seligen »Fuchsberge« auf dem Tegeler Schiessplatze
hatten ja zwar schon vor 1890 die Anfänge solcher »Erfahrungen«
gezeigt, aber reglementarisch sind sie erst auf Grund der Erfahrungen
der Feldartillerie-Schiessschule auf dem Jüterboger Schiessplatz geworden,
und der Truppe sind sie erst durch die Schiessvorschrift vom Jahre 1893
bekannt gegeben.

Dass aber solche tief einschneidenden, prinzipiellen Unterschiede nicht
sofort erkannt und das Alte dieserhalb nicht ohne Weiteres über Bord
geworfen wird, das kann sich Jeder selbst sagen, der einmal den Wechsel
einer Dienstvorschrift durchgemacht hat; um so weniger geschieht dies
aber, wenn die neue Vorschrift zwei so bequeme Regeln beseitigt, wie
die obigen es waren. Ich bin daher der festen Ueberzeugung, und zum
Theil weiss ich mich dessen sogar noch zu erinnern, dass in jener Schiessübung der 8. Feldartillerie-Brigade die alten Batterieführer noch mehrfach
nach den Bestimmungen 46 und 58 der Schiessvorschrift von 1890 verfahren
sind, anstatt nach den Ziffern 54, 87 und 36 der ihnen unmittelbar oder
sehr kurz vor dem praktischen Schiessen übergebenen Schiessvorschrift
vom Jahre 1893.

Aus diesen Gründen kann ich den zum Vergleiche herangezogenen
Schiessergebnissen der 8. Feldartillerie-Brigade nicht den Werth zubilligen,

welchen Exzellenz Rohne ihnen zuschreibt, und glaube auch, dass dies nach Obigem von den auf gegnerischer Seite stehenden Herren Kritikern nicht mehr aufrecht erhalten wird.

Und nun zu den sogenannten »Friedensglanzleistungen« der Feld-artillerie-Schiessschule. Auch hierüber sind recht irrige Anschauungen im Umlauf.

Dass das Unterpersonal der Schiessschule, abgesehen von schnellerem Schiessen, nur auf die Grösse der Streuungen Einfluss haben kann und dass diese letzteren nur wenig besser sind als diejenigen, welche für die Truppe in Anspruch genommen werden, haben wir schon gesehen. Dies bewirkt also jedenfalls nicht, dass auf Feldartillerie-Schiessschule (in den Kursusschiessen) wesentlich bessere Ergebnisse wie bei der Truppe erzielt werden. Etwas Anderes ist es mit dem Ein-flusse des Lehrerpersonals. Die sachgemässe Anleitung seitens des gut geschulten und vielgeübten Lehrerpersonals der Feldartillerie-Schiessschule muss naturgemäss einen vortheilhaften Einfluss auf die Schiessergebnisse haben, da den Schülern vornehmlich während der Schulschiessen praktisch vorgeführt wird, weshalb man so und nicht anders schiesst, wo die Schwierigkeiten liegen, wie man das Ziel erkundet, wie man die Schüsse beobachten muss, und dergleichen mehr, so dass den Schülern allmählich durch Hunderte von Beispielen klar gemacht wird, dass die Schiesskunst eine recht schwere Kunst ist, deren Erlernung wirklich ernst genommen werden muss. Wird somit auf der einen Seite der segensreiche Einfluss einer guten Schiessanleitung zugegeben, die sich übrigens naturgemäss auch auf die Truppe überträgt, in welche die Schüler nach Ablauf ihres Kommandos, die Lehrer nach längerer oder kürzerer Zeit wieder zurücktreten, so muss doch auf der anderen Seite betont werden, dass die schiessenden Offiziere, welche in den Kursus-schiessen sämmtlich Truppenoffiziere sind, bei den kriegsmässigen Schiessen vollkommen selbständig handeln. Nicht unerwähnt soll hierbei gelassen werden, dass auch die Aenderung der Organisation der Schiessschule auf die Vielseitigkeit der Anlage, die Feldkriegsmässigkeit der Durchführung und die Sachgemässheit der Beurtheilung der Schiess-aufgaben einen sehr vortheilhaften Einfluss gehabt haben muss. Waren früher nur 2 Lehrer und 4 Batterieoffiziere vorhanden, welch letztere die Geschütze in Stellung brachten, so umfasst die Feldartillerie-Schiess-schule jetzt ausser dem eigentlichen Stabe (Kommandeur und Adjutanten) 2 etatsmässige Stabsoffiziere und 16 Lehrer sowie 2 Lehrabtheilungen mit 6 Batterien, deren Offiziere mit dem Instellungbringen der Geschütze nichts mehr zu thun haben. Stab, Stabsoffiziere, Lehrer und Batterieoffiziere werden aber in mehr oder minder rascher Folge zwischen Schiessschule und Truppe hin- und hergesetzt, so dass das frische Blut der Truppe stets in den Adern des Schiessschul-Personals pulsirt und so jede Stockung und Einseitigkeit verhindert.

Um auch die Frage zu streifen, wie sich die zum Vergleich benutzten 1111 Schiessen auf die verschiedenen Kategorien der Offiziere ver-theilen, was gleichfalls ein nicht zu unterschätzendes Licht auf den Werth der Ergebnisse wirft, sei angeführt, dass von jenen Schiessen 390 von den älteren Offizieren, 372 von den Leutnants, 188 von Reserveoffizieren und 161 von den Offizieren der Lehrbatterien ausgeführt worden sind, wobei von den letzteren zum grossen Theile Oberleutnants und Leutnants als Batterieführer verwendet wurden. Demgegenüber sind die 231 Schiessen der 8. Feldartillerie-Brigade vorwiegend von alten, aktiven Batterieführern

durchgeführt worden; beim Regiment 23 ist ein Abtheilungsschiessen
(= 3 Batterieführer und 9 Zugführer) nur von Reserveoffizieren und Mannschaften des Beurlaubtenstandes ausgeführt worden; ob eine ähnliche
Uebung beim Regiment von Holtzendorff stattgefunden hat, kann ich nicht
angeben.

Wenden wir uns nun von den persönlichen zu den sachlichen Einflüssen.

1. Das Gelände des Jüterboger Schiessplatzes ist weit vielgestaltiger
als dasjenige der alten Truppenschiessplätze. Erst die seit einigen Jahren
eingeführten, aber noch nicht für alle Armeekorps vorhandenen grossen
Truppenübungsplätze liefern auch für die Truppen ähnliche Verhältnisse,
deren günstiger Einfluss auf die Schiessausbildung sich aber erst allmählich
geltend machen wird. Die alten Truppenschiessplätze (Schiessplatz Tegel
mit eingeschlossen), von denen hauptsächlich die früheren Erfahrungen über
Streuungen, Beobachtung, Gabelbildungen und Wirkungsschiessen stammen,
waren im grossen Ganzen unausgesprochene Heidegelände ohne nennenswerthe Höhenunterschiede und Falten. Der Jüterboger Schiessplatz besitzt
in seinem alten Theile (dem früheren Truppenschiessplatze) diesen Charakter
gleichfalls, in seinem neuen, weit grösseren Theile dagegen zeigt er Höhenunterschiede bis zu 20 m und Geländefalten, Schluchten u. s. w. bis zu
23 m Tiefe sowie eine sehr mannigfaltige Bedeckung. Dazu ist er erheblich breiter und länger als die meisten Truppenschiessplätze, gestattet
also eine viel sachgemässere Anlage und Durchführung von Aufgaben
artillerietaktischer und schiesstechnischer Art als dies auf letzteren möglich
ist. Der Friedrichsfelder Schiessplatz ist in dieser Hinsicht ganz besonders
mangelhaft. Schon die kriegsgemässe Entwickelung einer Abtheilung
gegen das stabile Zielfeld macht dort nicht unerhebliche Schwierigkeiten.
Wie anders der Jüterboger Schiessplatz! Welche Mannigfaltigkeit der
Richtungen, nach denen eine Entwickelung und ein Scharfschiessen möglich
ist! Schiesst man doch seit einigen Jahren, um noch grössere Viel-
gestaltigkeit zu erzielen, sogar vom eigentlichen Zielfelde her auf das
Kasernement der Schiessschule zu, d. h. gerade in umgekehrter Richtung!

2. Die Folge dieser Gunst der Geländeverhältnisse ist naturgemäss
die, dass nicht nur die Anlage der Aufgaben, die Entwickelung und Aufstellung der Batterien, sowie die artilleristische Leitung und schiesstechnische Durchführung der Schiessen weit feldkriegsähnlicher vor sich
gehen kann als auf den alten Truppenschiessplätzen, sondern dass auch
die Zielaufstellung und Zielbewegung den thatsächlichen Verhältnissen des Ernstfalles sehr viel mehr genähert werden kann als auf letzteren.
Dazu kommt, dass die Feldartillerie-Schiessschule gerade hierfür über
wesentlich mehr Geldmittel und ein besser geschultes und reichgeübtes
Personal sowie über grossartigere Maschinerien u. s. w. verfügt wie die
Brigaden.

Die geradezu mustergültige Zielaufstellung und Zielbewegung seitens
der Feldartillerie-Schiessschule wird auch bedingungslos von Jedem zugegeben, der daselbst jemals einem kriegsmässigen Schiessen beigewohnt
hat, und ohne Grund würde wohl auch kaum die Truppe ihr scheiben-
hauendes Feuerwerkspersonal zur Information nach Jüterbog entsenden.

3. Weiterhin gestattet die reiche Ausrüstung der schiessenden
Batterien seitens der Feldartillerie-Schiessschule mit Munition den
Batterieführern, die ihnen überwiesenen Ziele feldkriegsmässig zu behandeln,
d. h. nach Wunsch oder Bedarf auch wirklich Wirkungsschiessen durchzuführen, welche bei der Truppe oft doch nur angedeutet werden können.

4. Endlich spricht auch die Witterung, bei welcher geschossen wird, ein gewichtiges Wort in der Bestimmung des Ergebnisses mit. Während die Schiessübungen der Truppe im Allgemeinen in die Monate Mai bis August fallen, wird seitens der Feldartillerie-Schiessschule vom 1. Oktober bis 1. Juni ununterbrochen Kursusschiessen abgehalten, und in der Zeit vom Juni bis August schliessen sich, abgesehen von Versuchsschiessen, die Schiessübungen der Lehrbatterien an, welche zwischen die Schiessen der gleichfalls auf dem Jüterboger Platz schiessenden Regimenter (Garde-, III. und IV. Armeekorps) eingeschoben werden. So dehnt sich die Erfahrung der Feldartillerie-Schiessschule fast über das ganze Jahr aus, es wird also bei jeder Witterung geschossen. Ich persönlich habe dort zwischen 30 Grad Wärme und 22 Grad Kälte wohl bei jeder Temperatur und jeder Witterung selbst geschossen bezw. schiessen lassen. Ich sollte meinen, dass dies allein schon den Ergebnissen der enorm grossen Versuchsreihen den Stempel der Feldkriegsmässigkeit aufdrücken dürfte. Ich hoffe, dass die vorstehenden Schilderungen und Angaben, von deren Richtigkeit sich übrigens Jeder persönlich überführen kann, dazu beitragen werden, die Anschauungen über die Handhabung des Dienstbetriebes auf der Feldartillerie-Schiessschule zu klären und zu bewirken, dass sich das Urtheil darüber, welchem von beiden praktischen Vergleichswerthen das Prädikat der »Feldkriegsähnlichkeit« zuzuerkennen sei, auf die Seite der Ergebnisse der Feldartillerie-Schiessschule neigt. Dass das Ergebniss der 231 Schiessen der 8. Feldartillerie-Brigade sich dem Rechenergebniss von Exzellenz Rohne so sehr nähert, darf aus dem Grunde nicht Wunder nehmen, weil diese 231 Schiessen thatsächlich unter Verhältnissen abgehalten worden sind, denen die Annahmen für die Rechnung ihr Dasein verdanken (alte Munition und zum Theil alte Schiessvorschrift). Was man daraus folgern könnte, wäre also vielleicht die Güte der Rechenmethode (in dieser Hinsicht möchte ich aber aus den früher entwickelten Gründen zur Vorsicht mahnen), nicht aber die Mangelhaftigkeit oder Lückenhaftigkeit unseres gegenwärtigen Schiessverfahrens, das, wie ausgeführt, auf ganz anderen Grundlagen fusst.

e. Die Folgerungen. Im Archiv ist aus der durch eine Truppenübung bestätigten theoretischen Untersuchung der grosse Nutzen, um nicht zu sagen, die Nothwendigkeit einer Kontrole der Gabelgrenzen abgeleitet und nachgewiesen worden, dass hierdurch die Zuverlässigkeit des Einschiessens nicht unerheblich gesteigert würde.

Demgegenüber hatte ich ausgeführt, dass in den 68, besser 70 Fällen richtiger Az.-Gabelbildung das Streuverfahren im Bz. gute Wirkung ergeben müsse, dass dasselbe aber auch in noch weiteren 20 falschen Az.-Gabelbildungen genügende Wirkung verspräche, da die grosse Wirkungstiefe des Schrapnels weit über den Bereich der richtigen Az.-Gabel hinausreiche. Theorie und Praxis (der Feldartillerie-Schiessschule) hätten gezeigt, dass im Mittel nur 9 bis 10 Prozent wirkungsloser Bz.-Schiessen zu erwarten seien. Hieraus sowie aus den ernsten Bedenken, welche aus praktischen und moralischen Gründen gegen eine Kontrole der Gabelgrenzen in der Feldschlacht erhoben werden müssten, war ich zu dem Schlusse gekommen, dass unser Schiessverfahren einer Aenderung in diesem Sinne nicht bedürfe. Wenn ich weiterhin den an sich von der Kontrole der Gabelgrenzen unabhängigen Fall, das Bz.-Feuer auf einer Entfernung der kontrolirten Az.-Gabel aufzusetzen, mit der Untersuchung der Bedeutung der Kontrole der Gabelgrenzen zusammenfasste, so war dies vielleicht nicht ganz zweckmässig, indessen geschah es, um die unter Umständen äusserste Konsequenz dieser Kontrole zu

ziehen, da die letztere doch eigentlich erst dann von besonderem
Werth zu werden versprach, wenn sie das Streuverfahren überflüssig machte. Dass eine solche Auffassung sehr wohl möglich war,
erhellt aus der Stelle des Archiv-Artikels Seite 194: »Feuert man auf einer
Entfernung, so ist die Wirkung natürlich doppelt bezw. dreimal so gross,
als wenn man abwechselnd auf zwei Entfernungen schiesst, da in diesem
Falle die Hälfte bezw. zwei Drittel aller Schüsse ungünstige Sprengweiten
haben müssen«, oder sollte hiermit dem oben geäusserten Gedanken
»nicht das Wort geredet« werden? Die Anschauung, dass hierdurch ein
»Vorschlag« beabsichtigt war, wird übrigens auch von einer Anzahl von
Kritikern getheilt, welche den Rohneschen Ansichten über diesen Punkt
sehr entschieden zuneigen, insofern als sie Staaten angehören, deren
Artillerie ein Kontrolverfahren besitzt. Ich bedauere daher, auf meine
bisherige Ansicht über den feldkriegsmässigen Werth des Kontrolverfahrens
nicht verzichten zu können, und füge nur noch hinzu, dass ich einen
»praktischen Versuch auf breitester Grundlage« in dem Falle allerdings für
angezeigt halten würde, wenn gegründete Aussicht vorhanden wäre, dass
diese Kontrole der Az.-Gabel das Streuverfahren im Bz.-Feuer überflüssig
machen würde. Bis dahin halte ich, wie ich dies auch am Schlusse der
Ziffer 117 ausgeführt habe, die Bestimmungen über Rest-Az.-Schüsse
für völlig ausreichend.

4. Schlussbemerkungen.

In Vorstehendem habe ich versucht, die beiderseitigen Grundlagen
der Behandlung der Kernfrage gegeneinander abzuwägen, sowie die
Ergebnisse der theoretischen Untersuchung, ihre Bestätigung durch die
Resultate praktischer Friedensübungen und die in Betreff einer eventuellen
Aenderung unserer Schiessvorschrift daraus zu ziehenden Folgerungen zu
beleuchten. Und die Folgerungen für den Ernstfall? Natürlich
werden im Ernstfalle eine Anzahl Prozente richtiger Gabelbildungen und
wirkungsvoller Bz.-Schiessen gegen die Ergebnisse der Theorie sowohl als
auch gegen diejenigen der Friedensübungen in Fortfall kommen; allein
wieviel? Wer wäre vermessen genug, diese Frage beantworten zu wollen?
Deshalb aber, wie einer der Herren Kritiker sagt, anzunehmen, dass »nicht
sonderlich viel von der Statistik zu erwarten sei und man daher gut
thäte, sich an die viel geschmähte graue Theorie zu halten«, das dürfte
doch ein etwas gewagter Schluss, ja sogar ein arger Trugschluss sein;
denn da möchte ich doch fragen: Welche Zahlenwerthe gedenkt denn der
Herr in die theoretisch entwickelten Formeln einzusetzen? Sollten dies
nicht gerade die dieser bemängelten Statistik entlehnten Werthe sein?
Natürlich kann keine Friedensübungs-Statistik die Kriegsstatistik ersetzen;
darum können wir uns aber der ersteren doch nicht entschlagen, sondern
müssen sie benutzen, um schon vor dem Kriege unsere Schiessvorschrift
so vollkommen wie möglich zu gestalten; wir müssen aber in den Krieg
ziehen, ohne die Erfahrungen eben dieses Krieges schon vorher für unsere
Schiessvorschrift nutzbar gemacht zu haben. Daraus dürfen wir jedoch
nicht den Schluss ziehen, dass wir die Statistik überhaupt fallen lassen
können, sondern wir müssen daraus die Lehre ziehen, die Statistik so
vollkommen wie möglich zu gestalten. Ich bin daher dem Herrn
Kritiker dankbar dafür, dass er einen Gedanken, den ich zwar schon bei
meinen ersten Forschungen auf diesem Gebiete hegte, der mir aber leider
wieder entschwunden war, von Neuem in mir geweckt und gefestigt hat
und welchen ich nun zum Schlusse dieser wider Willen etwas lang gewordenen Erörterung noch zum Ausdruck bringen möchte.

Die Sicherheit der grundlegenden Annahmen für die Theorie, welche durch die Statistik geliefert werden müssen, wird nicht nur durch einen weiteren sorgfältigen Ausbau dieser Statistik nach gewissen Gesichtspunkten gewinnen, sondern vornehmlich auch durch eine Vergrösserung der Versuchsreihen sowie durch die Annäherung der Verhältnisse, unter denen diese Versuchsreihen gebildet werden, an den Ernstfall.

Ich würde mir daher erlauben vorzuschlagen, einmal eine grossartige Schiessstatistik der gesammten deutschen Artillerie anzulegen, indem sämmtliche Schiesslisten der kriegsgemässen Schiessen aller Batterien des Deutschen Heeres einheitlich eingefordert und ihre Ergebnisse registrirt würden, unter Angabe aller Umstände und Verhältnisse, welche dabei mitgewirkt hätten, dann aber auch die Schiessen in unbekanntem Gelände nach Möglichkeit zu vermehren, um dem Ernstfall ähnlichere Verhältnisse zu erzielen. Die grossen Truppenübungsplätze der Armeekorps mit ihren vielen verschiedenen Schussrichtungen und ihrem vielgestaltigen Charakter werden hierzu fürs Erste auf längere Zeit ausreichen. Natürlich müsste die Nutzbarmachung der Schiesslisten für andere als für schiessstatistische Zwecke völlig ausgeschlossen sein.

Wäre eine solche Massenstatistik mit dem jährlichen Ergebnisse von etwa 10 000 Schiessen bisher geführt worden, so würden wir jetzt über ein Material von mehr als 50 000 Schiessen mit rund einer halben Million Schüssen verfügen.

Hierdurch würden aber der Theorie für ihre Formeln Konstanten zugeführt werden können, welche viel eher die Berechtigung auf Sicherheit verdienen als die den Rechnungen bisher zu Grunde gelegten Zahlenwerthe. Der zwingenden Sprache einer solchen enormen Versuchsreihe gegenüber verschwindet die Beredsamkeit der im vorliegenden Streite benutzten 1111 oder gar diejenige der 231 Schiessen, und wir würden sonder Mühe die Schwächen und Schäden der Theorie wie auch diejenigen der Praxis erkennen.

Ich erlaube mir daher den Vorschlag, bis zum Spruche dieser, ich möchte sagen »höchsten Entscheidungsinstanz« die Waffen ruhen zu lassen.

Ueber das Schiessen mit Sprenggranaten muss ich mir die Entgegnung heute versagen, da mir kein Raum mehr zur Verfügung steht; ich gedenke indessen später darauf zurückzukommen. Für heute möchte ich nur nochmals betonen, dass ich auch jetzt an dem Standpunkt festhalte, dass die einfache Magnonsche Theorie zur Behandlung des Problems des feldkriegsmässigen genauen Einschiessens nicht ausreicht, einem Standpunkte, auf welchem zu beharren ich durch Rücksprache mit Mathematikern und Ballistikern von Fach bestärkt worden bin.

Erklärung.

In dem Artikel »Weiteres über die Zuverlässigkeit des Einschiessens« hatte ich auf Seite 29 der Kriegstechnischen Zeitschrift, II. Jahrgang, 1. Heft, gesagt, dass ich fürchtete, die Anwendung der Pochhammerschen Formel auf den vorliegenden Fall sei »eine pia traus«.

Ich sehe mich zu der Erklärung veranlasst, dass ich diesen Ausdruck nur in dem Sinne »einer Selbsttäuschung« habe gebrauchen wollen; jede andere Deutung, welche man ihm unterlegen könnte, hat mir durchaus fern gelegen.

Callenberg, Oberstlt. a. D.

Ueber das Kartenwesen der Vereinigten Staaten Amerikas.

Die grosse Bedeutung, welche gute Karten für jeden Staat haben, der auf Kultur Anspruch macht, ist allmählich auch von den praktischen Amerikanern erkannt worden. Gab es schon in Europa am Anfange noch unseres Jahrhunderts keine einheitliche Vermessungswissenschaft, so war das in einem Lande, das der Welt eigentlich noch keine beherrschende Idee geschenkt, vielmehr in geistiger Abhängigkeit von den alten Kontinenten lebt, erst recht nicht der Fall. Wir hören daher auch erst seit etwa 1841 von amerikanischen Vermessungen im modernen Sinne, und erst Ende der 60er Jahre wurden von der Regierung in Washington Behörden eingesetzt und Expeditionen ausgerüstet, welche aus geschultem Personal bestanden, um auf wissenschaftlicher Grundlage topographische und geologische Aufnahmen zu machen. Bei dem Mangel an Centralisation und der riesigen Ausdehnung des Landes arbeiteten freilich diese verschiedenen Behörden gänzlich unabhängig von einander, gaben viel Geld aus und vermochten doch kein einheitliches Kartenwerk zu schaffen. Für die westliche Hälfte des Landes war Ende der 70er Jahre eigentlich nur der »Topographical Atlas, projected to illustrate explications and surveys west of the 100th meridian of longitude, Washington 1874« maassgebend, ein von der unter dem Kriegsministerium arbeitenden United States Geographical Survey west of the hundreth meridian verfasstes Kartenwerk von 94 Blättern im Maassstabe von 1 inch to 8 miles (1 : 506 880). Die Seele dieser Aufnahme war Major Wheeler, welcher dabei als Material von dem gleichen Institut von 1869—1872 aufgenommene Kartenblätter in den Maassstäben 1 inch = 8, 4, 2, 1, $^2/_3$ m benutzte (33 Landklassifikations-, 11 geologische und 7 verschiedene = 164 Blätter).

Für die östliche Landeshälfte fehlte überhaupt ein zusammenhängendes Werk. Da war man auf die vom Topographischen Bureau des Post-Departements aufgenommenen, recht guten und für den Postdienst wohl geeigneten, aber für die übrigen Bedürfnisse in den dichter bevölkerten östlichen Staaten nicht ausreichenden Postkarten angewiesen. Dieselben enthalten die Verkehrslinien (Strassen und Eisenbahnen), die Ortschaften und Postämter (mit Angabe der Entfernungen zwischen letzteren) und sind in Kupferstich ausgeführt. (Die Thätigkeit der dem Kriegsministerium unterstellten Militär-Departements sowie der Kommission für Flussvermessung erstreckte sich lediglich auf rein militärische Aufnahmen; das United States coast and geodetic Survey, welches dem Schatz-Departement [Finanzministerium] untergeordnet ist, beschäftigte sich nur mit der berühmten Küstenvermessung und der Landes-Triangulation im Innern. Die United States Exploration of the fortieth Parallel topographirte nur einen Landstreifen längs des 40. Breitengrades von der Sierra Nevada bis zum Felsengebirge, worüber 1876 ein Atlas von 11 Karten erschien. Das Staats-Departement gab 1878 sechs Blatt seiner Grenzaufnahme zwischen der Union und Kanada heraus. Endlich wurde 1881 die vom Ingenieurkorps gemachte Survey of the Northern and Northwestern Lakes (53 Karten) beendet — alles Aufnahmen, die Spezialzwecken dienen.)

So war also das Bedürfniss nach einer einheitlichen Karte ein sehr grosses und es daher ein dankenswerthes Beginnen, dass 1879 die einheitliche Landesaufnahme nach umfassendem Plan einer grossen Landesanstalt übertragen wurde; der neu gegründeten, unter Leitung von J. W. Powell stehenden »United States Geological Survey«, die gleichzeitig auch geologische Messungen damit verbinden sollte. Energisch und praktisch, wie die Amerikaner sind, wurde das Unternehmen gleich mit aller Kraft in Angriff genommen in einer Weise, dass mindestens in Bezug auf den Umfang wohl kein Staat der Erde damit wetteifern kann.

Das gewaltige Land wurde in acht grosse Aufnahmebezirke getheilt: 1. Abtheilung des Felsengebirges: Colorado, New-Mexico, Wyoming, Montana, Theil von Dakota; 2. Abtheilung des Coloradoflusses: Plateauregionen; 3. Abtheilung des Great Basin; 4. Abtheilung des pacifischen Küstenlandes: Washington, das westliche Oregon, Californien; 5. Abtheilung des nordappalachischen Systems: Maryland, Delaware, Pennsylvanien, New-Jersey, New-York, Neu-England-Staaten; 6. Abtheilung des südappalachischen Systems: West-Virginien, Virginia, Nord- und Süd-Carolina, Georgia, Florida, Alabama, Tenessee, Kentucky; 7. Abtheilung des nördlichen, 8. Abtheilung des südlichen Mississippibeckens.

Die vier letzten Abtheilungen, welche durch den Meridian 101° w. von Greenwich begrenzt sind, werden zuletzt in Angriff genommen.

Bis 1874 dienten neun Grundlinien als Basis für die Vermessungen. 1876 wurde ein neuer Basisapparat von Repsold in Hamburg beschafft, der aus einer Messstange besteht, deren Enden zwischen festen Mikroskopen abgelesen werden (Strichmaass). Die Messstange besteht aus der Verbindung von Zink und Stahl und ist in eine von Stativen getragene 4 m lange Röhre von 12,5 cm Durchmesser eingeschlossen. An den Enden ragt die Stange heraus, und die feinen Theilungen daselbst angebrachter Platinplättchen können von den auf eigenen Stativen isolirt aufgestellten Mikroskopen abgelesen werden. Um die Röhre bezw. Stange in die gewollte Richtung zu bringen, befindet sich auf dem vorderen Ende der ersteren ein durchschlagbares, mit der Röhre paralleles Richtfernrohr; zum Horizontalstellen des Apparates dient eine Libelle am hinteren Ende der Röhre. Mit diesem Basisapparat, dessen Bedienung 73 Mann erfordert, wurden unter Leitung des Obersten Comstock vom Ingenieurkorps (brevetirten Brigadier-Generals) zunächst drei Grundlinien gemessen und zwar:

1877: Chicago Basis.` 7509 m lang in acht Strecken. Die mittlere Messung in einem Tage war 292 m, die grösste Tagesleistung betrug 500 m, der mittlere Fehler $+$ 1,12 mm auf den Kilometer.

1878: Sandusky Basis. 6227 m in sechs Strecken. Täglich durchschnittlich bei der Hinmessung 88 Röhren = 352 m, bei der Rückmessung 100 Röhren = 400 m. Mittlerer Fehler 1,19 mm.

1879: Olney Basis. 6589 m in sechs Strecken. Die mittlere Röhrenzahl in einem Tage war 105 = 420 m, die grösste Zahl 168 = 672 m. Gemessen wurde an 32 Tagen. Der mittlere Fehler war 0,79 m.

Wir sehen also mittlere Basislängen, ähnlich wie bei den neuesten deutschen Netzen; wir bemerken auch ein Wachsen der Tagesleistungen mit den Uebungsjahren. Bei einer Tageslänge von sechs Stunden ergaben sich 420 m durchschnittlich oder eine Geschwindigkeit des Fortschreitens in einer Stunde von 70 m — eine erhebliche Leistung. Ausserdem:

1881. Yolo-Country Basis in Californien. 17,5 km lang, theils zwei-, theils dreifach gemessen. Aus den 18 Differenzen-Vergleichungen zwischen der ersten und zweiten Messung ergab sich ein mittlerer Fehler von $\pm$ 2,03 mm für 1 km.

Zur internationalen Erdmessung hat Nordamerika fünf Basen von 49 km. Gesammt-, 9,8 km Durchschnittslänge einer Grundlinie angemeldet.

Zur Anzielung der Hauptdreieckspunkte ist ein besonderes Helioskop konstruirt, das aus einem Fernrohr mit aufgesetztem Spiegel und zwei Ringen besteht. Der Spiegel soll sein Licht in der Achse der beiden Ringe fortsenden, und dabei muss der Schatten des dem Spiegel zunächst stehenden Ringes den anderen Ring decken. Ob das Ganze richtig wirkt, wird durch Leuchten nach einem nahen Zielpunkt untersucht, indem beobachtet wird, ob der Punkt richtig Licht erhält. Besonders für Erkundungszwecke ist das Instrument geeignet.

Den Karten, welche sich auf die geodätischen Arbeiten der Coast Survey stützen, ist die preussische Polyeder-Projektion zu Grunde gelegt. Es sind also rechtwinklige konforme Koordinaten, und die Projektion ist eine doppelte, nämlich erst des Ellipsoids auf die Kugel und dann der Kugel auf die Ebene, so dass also das ganze Land aus ebenen Trapezen zusammengesetzt gedacht ist. So erhält man eigentlich eine Projektion auf das Polyeder, welches von den durch sämmtliche Netzschnittpunkte gelegten Ebenen begrenzt ist, daher der Name der Projektion.*) Die Gradkarten sind $18^1/_2''$ lang und 13 bis $15''$ hoch und erscheinen für die dichtbevölkertsten nordöstlichen Staaten in 1 : 62 500 als Viertelgradblätter, für die Südstaaten und die am Mississippi in 1 : 125 000 als Halbgradblätter, für die wenig angebauten Theile der Rocky Mountains in 1 : 250 000 als Eingradblätter. Die Originalaufnahme geschieht meist mit dem Messtisch. Die Kartenausführung erfolgt in Kupferstich und ist technisch vollendet. Das Gelände ist in braunen Niveaulinien, deren Abstand je nach dem Maassstab und der Erhebung 10, 20, 40, 100 oder 200′ beträgt. Die Höhenangaben beruhen theils auf den Präzisions-Nivellements der Eisenbahnen, theils auf davon abgeleiteten Nivellements, barometrischen und trigonometrischen Messungen. Die Genauigkeit europäischer Aufnahmen wird nicht erreicht, aber auch nicht angestrebt. Das Flussnetz ist blau, die Situation und Schrift sind schwarz. Es sind unter Redaktion von H. Gannett etwa 300 Blätter erschienen.   W. Stavenhagen.

Ueber die Zerstörung und Wiederherstellung einiger französischer Eisenbahn-Kunstbauten 1870/71.

Von Hauptmann Rothamel im Stabe des Königl. Bayerischen Eisenbahn-Bataillons.

(Fortsetzung.)

Mit drei Abbildungen.

3. Eisenbahn Blainville—Epinal—Vesoul.

Die grösstentheils eingleisige Bahn bildete die erste Querverbindung zwischen den Linien Strassburg—Paris und Mühlhausen—Paris und war daher für die deutschen Heerestheile auf dem südöstlichen Kriegsschauplatz von um so grösserer Bedeutung, als die Sprengungen am Viadukt von Dammerkirchen die Eisenbahn in der Senke von Belfort sperrten. Die Anfang

---

*) Die Küstenvermessungskommission benutzt dagegen die sog. polykonische Projektion, eine Abänderung der gewöhnlichen Kegelprojektionen, die wegen der grossen Ausdehnung des Landes von Norden nach Süden vortheilhaft ist. Die Verzerrung, welche bei der gewöhnlichen Kegelprojektion die äusseren Parallelkreise trifft, fällt hier auf die von der Mitte entfernteren Meridiane.

Oktober in Strassburg aufgestellte Feldeisenbahn-Abtheilung Nr. 5 unter Oberingenieur Krohn war bestimmt, dem Korps des Generals v. Werder, welches nach der Einnahme von Strassburg durch die Vogesen und dann nach Süden vorgehen sollte, Eisenbahnverbindungen zu schaffen, und erhielt dazu am 11. Oktober von der Exekutivkommission für Eisenbahntransporte Auftrag, die Strecke Blainville—Epinal zu erkunden.

Da die Wichtigkeit der Linie auch seitens der Franzosen erkannt war, hatten die Ingenieure der Ostbahn Mitte Oktober alle grösseren Bauten, so bei Bayon, Langley, Bertraménil, Xertigny und Aillevillers gesprengt. Weil aber die Instandsetzung der Brücken sehr geraume Zeit beansprucht hätte, nahm General v. Werder die Ausnutzung der nächsten Querverbindung, Blesme—Chaumont, in Aussicht. Auch die Exekutivkommission verhehlte sich die Schwierigkeiten der Arbeiten keineswegs, da es sich um die Ausführung sehr bedeutender Holzbauwerke im Winter handelte, und behielt sich die weiteren Anordnungen zunächst vor. Alle Vorerhebungen, wie Aufnahme der Bauwerke, Aufstellung von Entwürfen, Erhebungen über Materialbeschaffungen u. s. w., sollten aber fortgesetzt und vollendet werden.

Nach Instandsetzung der kleinen Brücke bei Bayon und Einrichtung des Bahnhofes Charmes konnte am 27. Oktober der Verkehr bis zu dem letzteren Ort eröffnet werden. Am 28. traf der Befehl des Generals v. Moltke ein, die Strecke Charmes—Vesoul betriebsfähig zu machen. Bis zum 13. Dezember gelang es, den Betrieb bis Dounoux (62 km von Blainville) und auf der 28 km langen Strecke Epinal—Remiremont mit zwei Lokomotiven ,zu eröffnen, wobei die Abtheilung selbst täglich einen Zug für Personen, Post und Güter in jeder Richtung beförderte, während Proviant- und Munitionszüge mit besonderen Maschinen gefahren wurden.

Da die Wiederherstellung des Viaduktes von Xertigny ausserordentliche Schwierigkeiten bot, die Eröffnung des Personenverkehrs von Xertigny bis Vesoul aber sehr dringlich war, sollten auf der Staatsstrasse zwei Lokomotiven und zwölf Personenwagen vom Bahnhof Dounoux nach Station Xertigny gebracht werden, was infolge tiefen Schnees, Glatteises u. s. w. bis Mitte Januar dauerte.

Zu dieser Zeit sollte infolge des Vordringens der Armee Bourbakis das Fahrmaterial unbrauchbar gemacht, der fast vollendete Viadukt von Aillevillers neuerdings zerstört werden. Am 22. Januar konnten die Deutschen wieder nach Süden vorgehen, aber die Feldeisenbahn-Abtheilung erhielt gleichzeitig Befehl, die von einer französischen Freischaar zerstörte Mosel-Brücke bei Fontenoy wiederherzustellen.

Indess konnte ein Trupp der Abtheilung bereits am 27. Januar die 80 km lange Strecke Xertigny—Vesoul in Betrieb setzen, wobei die an dem letzteren Orte vorgefundenen zwei Lokomotiven und 100 Wagen eine sehr erwünschte Beute waren. Am 4. Februar kehrte der grösste Theil der Abtheilung von Fontenoy zurück, um die begonnenen Arbeiten zu vollenden; am 25. — also erst nach dem Beginn der Friedensunterhandlungen — wurde der Betrieb von Blainville bis Vesoul aufgenommen.

3a) Die Euren-Brücke *) bei Bayon, 12 km nördlich Charmes (Abbild. 3).

Die steinerne Brücke der eingleisigen Strecke lag in einem 11 m hohen Damme und bestand aus einem Halbkreisbogen von etwa 14 m Durchmesser.

---

*) Die vorkommende Bezeichnung des Bauwerkes als »Mosel-Brücke« beruht auf Irrthum; die Mosel bei Bayon erfordert Brücken von über 100 m Länge.

Als Mitte August 1870 die Dritte deutsche Armee an der Mosel ankam, war die Brücke von den Franzosen durch erfolgreiche Sprengung eines Landauflagers zerstört und damit eine Unterbrechung von 18 m geschaffen.

Am 13. Oktober fand die erste Erkundung durch die Feldeisenbahn-Abtheilung Nr. 5 statt, wobei der Bauentwurf festgestellt wurde. Die Sprengöffnung sollte durch eine Gerüstbrücke geschlossen werden, welche aus sieben Böcken mit zahlreichen Verschwertungen und aus starken Längsbalken bestand. Am 14. begann die Materialbeischaffung, wobei dicke Pappelbäume der nächsten Strasse zu den Böcken gefällt wurden. Vom 23. Oktober an konnten einzelne Wagen über die fast vollendete Brücke geschoben werden, die Fertigstellung erforderte aber noch einige Tage, so dass erst am 27. der Betrieb auf der Strecke Blainville—Charmes zunächst durch die Feldeisenbahn-Abtheilung selbst eröffnet wurde.

Abbild. 3.   Euron-Brücke bei Bayon.

Mitte Dezember war die Brücke durch Hochwasser gefährdet, welches den auf Sprengtrümmern im Bache stehenden Bock unterwaschen hatte. Von demselben wurden daher behufs Vergrösserung der Durchflussöffnung die unteren Theile beseitigt und die oberen mit besonderen sprengwerkartigen Abstützungen versehen, welche das beigegebene Bild zeigt.

3b) Die Mosel-Brücke bei Langley, 3 km südöstlich Charmes (Abbild. 4).

Die eingleisige Brücke bestand aus sieben flachen Bogen von 16,3 m Spannung und war insgesammt 128,5 m lang; Schienenoberkante lag 9,5 m über Mittelwasser.

Am 13. Oktober sprengten die Franzosen das südliche Endauflager, wobei die ganze Brücke infolge des Gewölbeschubes wie ein Kartenhaus einstürzte, so dass die Steintrümmer in der ganzen Breite des Flusses ein fast 2 m hohes Wehr bildeten, über welches die gestauten Wassermassen herabstürzten.

Vom 1. bis 10. November hatte ein Theil der Feldeisenbahn-Abtheilung Nr. 5 unter Premierlieutnant Walter, Lieutenant Jahr, Baumeister Skalweit und Bauführer Ruoff mit einigen hundert Franzosen das Flussbett aufgeräumt, Stege gebaut und den Wasserspiegel der Stauung um 1,5 m gesenkt, so dass die Zerstörung beurtheilt werden konnte. Alle Brückenpfeiler waren auf der unter Niederwasser liegenden Sockelschichte glatt abgebrochen und lagen fast im vollen Zusammenhang — ein Beweis der ausserordentlichen Bindekraft des Mörtels — unter 45 bis 50° geneigt mit den Drehkanten auf ihren Grundmauern. Eine Beseitigung dieser Pfeilerreste behufs Freilegung der Fundamente für neue Unterstützungen hätte sehr viel Zeit beansprucht, so dass der Beschluss gefasst wurde, die umgestürzten Pfeiler gut zu unterfangen und oben lagenhaft abzutreppen, um darauf mauern zu können. Nach Ablauf der Hochfluth und Eintritt sehr niedrigen Wasserstandes gelang es, sogar zwei Pfeiler mittelst Lokomotiv-

Abbild. 4. Mosel-Brücke bei Langley.

winden auf den Grundmauern hochzurichten, während die übrigen unter Wasser mit Cementbeton unterstopft, darüber vermauert und mit grossen Steinblöcken derart umpackt wurden, dass eine Unterspülung nicht mehr denkbar erschien.

Da bei Beginn der Maurerarbeiten mit 28 Maurern aus Nancy ein plötzlich eintretendes Hochwasser sämmtliche Laufbrücken (zum zweiten Male) zerstörte, konnten Bausteine nicht mehr aus den Trümmern im Flussbett entnommen werden; es wurden daher die Brüstungs- u. s. w. Mauern der Bauwerke an der Strecke nach Epinal abgebrochen, die Steine auf Eisenbahnwagen bis an die Mosel und von da mittelst Kähnen an die Pfeiler geschafft und diese etwa 4 m hoch aufgeführt.

Infolge des Eintritts starken Frostes ergab sich die Nothwendigkeit, die Mauersteine zu erwärmen und das Wasser zur Mörtelbereitung zu kochen, so dass behufs Verminderung des Mauerwerks eine Senkung des Planums um 3 m beschlossen wurde und zwar trotz der Schwierigkeiten der Erdarbeiten, welche auf der Nordseite ein Einschnitt und ein Uebergang der Strasse von Langley bereiteten.

Von den sieben Oeffnungen wurden sechs mit 18 m langen und 2,10 m

hohen Fachwerksträgern überspannt, da Holzjoche auf dem mit Steintrümmern bedeckten Untergrund oder gemauerte Zwischenpfeiler in dem
wasserführenden Theile des Flussbettes nicht hergestellt werden konnten.
Die siebente Oeffnung lag bei sehr niedrigem Wasserstande trocken, so
dass dort zwei Pfeiler aufgebaut wurden, welche zur Aufstellung von
Böcken Verwendung fanden; zur Ueberbrückung dienten hier zwei niedrige
Metzer Gitterträger aus den Vorräthen von Feldeisenbahn-Material aller
Art, welche von den Franzosen in Metz für den Einfall in Deutschland
bereitgestellt und nach Uebergabe dieser Festung unversehrt in die Hände
der Deutschen gefallen waren.

Besondere Schwierigkeiten bot die Beschaffung der 48 Gurtbalken von
18 m Länge bei $^{30}/_{35}$ cm Stärke; 19 Stück wurden den Metzer Beständen
entnommen oder in Nancy und Remiremont aufgefunden, 29 mussten aber
in den Staatswaldungen bei Rambervillers, 20 km östlich Langley, gefällt
werden. Ein Unternehmer in Charmes übernahm die Lieferung auf den
Zimmerplatz um 35 Frcs. für den Kubikmeter. Zu den Gitterstreben
wurden 2500 m Eisenbahnschwellen verbraucht, ein Theil der Zugbänder
und Bolzen den Wagenuntergestellen eines in Remiremont von den Franzosen verbrannten Eisenbahnzuges entnommen, der Rest des Eisens musste
in Karlsruhe bestellt werden.

Die Fachwerksträger wurden in dem Güterschuppen des Bahnhofes
Charmes durch Pioniere und 50 badische Zimmerleute, theilweise sogar
bei Nacht hergestellt. Bei der Aufstellung des ersten Trägers trat wieder
Hochwasser ein, welches die Bockunterstützungen der Behelfsbrücke fort-
riss, so dass auf dieser die schweren Gurtbalken nicht mehr vorgebracht
werden konnten. Es wurden daher diese langen Hölzer oberhalb der
Brückenstelle in den Fluss gebracht, mittelst langer Taue an die betreffende
Oeffnung geflösst und auf die Pfeiler gezogen. Leider prallten hierbei
zwei dieser schwer zu ersetzenden Balken derart an das Mauerwerk an,
dass sie zerbrachen. Diese Arbeiten und die Aufstellung der Träger
war so gefährlich, dass stets mehrere Rettungsnachen besetzt sein
mussten.

Da Ende November und Anfang Dezember Franktireure in der Gegend
auftraten, wurde die Brückenwache verstärkt und die Pioniere u. s. w.
in Charmes statt unmittelbar an der Baustelle untergebracht, so dass zu
deren Beförderung der Zug der Abtheilung benöthigt war. Die Verpflegung
erfolgte an der Brücke mit getrennten Einrichtungen für Deutsche und
Franzosen.

Am 13. Dezember fand die Probefahrt über die Brücke statt, das
Bauwerk war also in der angenommenen Zeit von sechs Wochen trotz
denkbar ungünstigster Witterungsverhältnisse und dreimaliger Arbeits-
störungen durch Hochwasser vollendet.

Da eine Aufwölbung der Träger nicht stattgefunden hatte, zeigten
jene, welche bei der Aufstellung durck Böcke unterstützt gewesen waren,
eine bleibende Durchbiegung von 4 bis 5 cm, jene aber, welche zur Zeit
der Hochwasser freiliegend eingebaut werden mussten, eine solche bis zu
8 cm; die vorübergehende, elastische Einsenkung während des Verkehrs
der Züge betrug nur 2 bis 3 cm. Je nach der bleibenden Durchbiegung
war ein Heben der Schwellen mittelst verschiedener Unterlagen nothwendig,
um eine gleichmässige Lage der Schienen zu erzielen.

Am 14. Dezember konnte der Betrieb bis Epinal eröffnet werden,
womit diese Stadt Etappenhauptort der Südarmee wurde.

3c. Der Viadukt bei Bertraménil, 4 km südlich Epinal (Abbild. 5).

Der eingleisige Viadukt von 140 m Länge bei 24 m grösster Höhe über der Thalsohle bestand aus neun Halbkreisbogen von je 15 m lichter Weite und enthielt zwei starke Gruppenpfeiler, welche das Bauwerk in drei Abschnitte von je drei Gewölben zerlegten. Zweck der Gruppenpfeiler ist, das Ein- und Ausschalen von nur einer Gruppe zu ermöglichen, ausserdem sollen sie aber den Gewölbeschub aufnehmen, damit bei Zerstörung u. s. w. eines schlanken Zwischenpfeilers oder eines Gewölbes nicht sämmtliche Bogen (wie es im Kriege 1870/71 bei den Brücken von Charmes an der Mosel und von Vernon an der Seine nördlich Paris der Fall war), sondern nur eine Gruppe einstürzen kann.

Die Franzosen hatten den Viadukt am 14. Oktober gesprengt, nachdem der letzte Militärzug von Epinal nach Remiremont vor den Deutschen

Abbild 5. Viadukt bei Bertraménil.

gerettet war. Die Zerstörung war aber nicht vollständig gelungen, da infolge Versagens einer Mine nur die Hälfte eines Pfeilers — des zweiten vom südlichen Endauflager, also nicht des höchsten — mit den davon gestützten Gewölbetheilen eingestürzt war, die verbliebenen Gewölbehälften aber noch genügende Tragfähigkeit für einzelne Eisenbahnwagen besassen, nachdem das Gleis entsprechend seitlich verrückt war.

Am 4. November erfolgte die genaue Untersuchung der Brücke, wobei sich indess eine Ausnützung des verschobenen Gleises für den regelmässigen Bahnverkehr als unthunlich erwies, so dass behufs Beseitigung der beschädigten Brückentheile eine Sprengung des Pfeilerstückes beschlossen wurde.

Bauführer Kräuter berechnete die erforderliche Ladung und verwendete nur vier von den zehn in der Minenkammer vorgefundenen Pulverfässern (zu je einem Centner). Da mangels eines Bickford-Zünders eine Zündschnur aus Baumwollfaden, Spiritus und Pulvermehl hergestellt werden musste, konnte erst am Abend die Sprengung erfolgen, welche eine Sprenglücke von 26 m ergab.

Zur Instandsetzung des Viaduktes wurden aus den Mauertrümmern zwei möglichst hohe Trockenpackungen hergestellt und darauf zwei Gerüstpfeiler errichtet. Diese erhielten etwa 9 und 11 m Höhe und trugen die Metzer Gitterträger, welche fast 8 m freilagen.

Zur Arbeit standen nur 1 Unteroffizier und 12 Pioniere zur Verfügung, so dass auch hier Civilarbeiter in grosser Zahl herangezogen werden mussten; trotzdem gelang es, die Brücke bis zum 2. Dezember fertigzustellen.   (Schluss folgt.)

—————❦ Kleine Mittheilungen. ❦—————

Gewehr-Abzieh-Kontrolapparat. Nach der Einstellung der Rekruten muss dem Infanteristen sofort das Gewehr in die Hand gegeben werden, und es ist für die Ausbildung im Schiessen von grosser Wichtigkeit, dass auch sogleich Uebungen im Zielen und im Abziehen vorgenommen werden, um dem Rekruten bei letzterem das Krümmen des Fingers und das Nehmen des Druckpunktes beizubringen. So wird man in den meisten Fällen dem Fehler des Durchreissens beim Abziehen vorbeugen können, ein Fehler, der, wenn er sich erst einmal festgesetzt hat, schwer wieder herauszubringen ist. Für den unterrichtenden Lehrer bedarf es schon einer grossen Uebung, wenn er beim Abziehen den Fehler des Durchreissens, ganz besonders aber das übermässig rasche Krümmen des Zeigefingers bemerken will, besonders wenn bei den Ziel- und Anschlagsübungen nur die Exerzirpatrone im Laufe steckt. Hierbei gewährt nun der Gewehr-Abzieh-Kontrolapparat der Firma Wilh. Bayer und Frz. Wilhelm zu Stuttgart eine willkommene Abhülfe. Der in der Abbildung veranschaulichte Apparat erklärt sich von selbst. Sobald der Abzug durch das Abkrümmen des Zeigers zurückgezogen wird, berührt die Abzugsstange einen Hebel, welcher den Zeiger eines Uhrwerks in Bewegung setzt. Dadurch, dass der Zeiger auf den leisesten, dem Auge sonst nicht sichtbaren Druck des Zeigefingers nachgiebt, ermöglicht diese Vorrichtung dem Schiesslehrer eine genaue Kontrole, ob der Schütze unausgesetzt, allmählich und gleichmässig abkrümmt, und weckt andererseits beim Schützen durch Anschauung sofort das Verständniss für die richtige Funktion und das zu derselben erforderliche feine Gefühl des Zeigefingers beim Abziehen. Zugleich lässt sich vermittelst des Apparates genau feststellen, ob ein Gewehr einen zu kurzen oder zu langen Abzugsgang hat. Leicht und schnell am Kasten des Gewehrs zu befestigen und von diesem wieder abzunehmen, verliert die sinnreiche Vorrichtung selbst bei sehr starkem Gebrauch doch nicht an Sicherheit; sie wird zum Preise von 6 Mark von der genannten Firma postfrei geliefert.

—————◆—————

Mittel zur Gewehrreinigung. Die richtige und sachgemässe Reinigung der Gewehre ist nicht nur für die Erhaltung der Brauchbarkeit der Schusswaffe, sondern auch für die Treffgenauigkeit derselben von höchster Bedeutung. Die

Infanterie muss daher auf diese Seite der Unterhaltung der Waffen ein besonderes Gewicht legen, wie dies auch in den dienstlichen Vorschriften für die Reinigung des Gewehrs zum Ausdruck gebracht ist. Nach diesen Vorschriften erstreckt sich die Reinigung lediglich auf das Beseitigen von Pulverrückständen, Staub, Schmutz, altem Oel, Nässe und Rost behufs Erhaltung des Laufs, der guten Gangbarkeit des Schlosses und der Ladeeinrichtung, sowie auf das Einölen der Waffe zum Schutz gegen Witterungseinflüsse. Die Reinigung muss aber stets eine sachgemässe sein, und deshalb erfolgt die Reinigung des Laufinnern ausschliesslich unter Benutzung geölter Wischpolster, in der Garnison mit Wischstock und Mündungsschoner, ausserhalb der Garnison mit Wischstrick und Mündungsschoner. Die Reinigung der Läufe im Innern hat in der Garnison stets, ausserhalb der Garnison an den Ruhetagen unter Aufsicht eines Unteroffiziers oder Unteroffizierdienstthuers zu erfolgen. Im Uebrigen kann die Reinigung des Gewehrs ohne Aufsicht stattfinden. Um in der Garnison ein selbständiges Reinigen der Läufe seitens der Mannschaften völlig auszuschliessen, sind die Wischstöcke, Wischstricke und Mündungsschoner unter Verschluss zu halten. Diese letztere Bestimmung ist mit Rücksicht darauf getroffen worden, dass ein zu häufig wiederholtes Durchwischen durch den Lauf die Züge und das Kaliber, mithin auch die Präzision des Schusses ausserordentlich schädigt. Wollte man aber dem Infanteristen innerhalb der Kaserne die Wischstöcke, Wischstricke und Mündungsschoner zum beliebigen Gebrauch überlassen, so würden die sogenannten Putzfanatiker das Laufinnere ihres Gewehres wohl in kürzester Frist spiegelblank gefummelt und das Gewehr damit ruinirt haben. Selbstverständlich darf Rost im Laufinnern nicht geduldet werden. Diesbezüglich besagt denn auch die Vorschrift: Rost im Laufinnern wird durch reichliches Einölen, thunlichst mit warmem Oel, zunächst gelöst und nach einiger Zeit durch Nachwischen mit neuen, geölten Polstern beseitigt. Dieser Zweck ist erreicht, sobald das Polster nicht mehr geröthet wird. Auch an einer anderen Stelle ist von warmem, ja sogar von heissem Oel die Rede, wo es heisst: Angerostete Stellen, mit Ausnahme solcher im Laufinnern, sind trocken zu wischen, behufs Lösung des Rostes mit heissem Oel oder mit Vulkanöl gut einzuölen und einige Zeit darauf von Neuem abzuwischen. Dieses Verfahren wird so oft wiederholt, bis der eigentliche, roth aussehende Rost verschwunden und nur noch die stets darunter befindliche schwarze Haut sichtbar ist. Die Verwendung von heissem Oel zur Reinigung des Laufinnern ist denn auch thatsächlich das Vortheilhafteste, weil es die Nothwendigkeit des wiederholten Durchwischens durch den Lauf auf das denkbar geringste Maass beschränkt. Die beste Reinigung des Laufinnern nach dem Schiessen erfolgt naturgemäss unmittelbar im Anschluss an dasselbe und, wenn irgend möglich, auf dem Schiessstande selbst. Aber wo soll hier der Soldat warmes oder gar heisses Oel herbekommen, das er sich mitunter in der Kaserne oder im Quartier nur mit Mühe beschaffen kann? Das Oel muss sich gefahrlos, schnell und billig überall da erwärmen lassen, wo das Gewehr in Gebrauch genommen worden war, sei es nun auf dem Schiessstande oder bei Herbstübungen oder sonstigen Uebungen ausserhalb der Garnison, oder in der Kaserne, der Ortsunterkunft, auf Truppenübungsplätzen, im Lager und im Biwak. Dies lässt sich aber nur mit Zuhülfenahme einer besonderen Vorrichtung ermöglichen, welche geringen Umfang und kleines Gewicht mit einfacher Benutzungsweise verbindet, wie dies bei der Oelerwärmungsmaschine der Fall ist, welche von der Firma Wilh. Mayer und Frz. Wilhelm in Stuttgart für das Reinigen von Handfeuerwaffen hergestellt ist und von vielen Truppentheilen des deutschen Heeres nach vielfachen Prüfungen mit ausserordentlichem Erfolge benutzt wird. Die in der Abbildung dargestellte Maschine, welche im deutschen Reiche patentirt ist und von der obengenannten Firma in Probeexemplaren zu 5 Mark, einzelne Maschinen zu 6 Mark und von zwei Stück ab zu 5 Mark postfrei jeder Garnison zu beziehen ist, gewährt folgende Vortheile: 1. gefahrloses Erhitzen des Oels, 2. Möglichkeit einer viel gründlicheren Reinigung der Läufe, 3. Zeitersparniss bei der Reinigung trotz grösserer Gründlichkeit, 4. sehr bedeutende Schonung des Laufinnern, 5. geringer Verbrauch von Oel und Spiritus, daher billige Reinigungsweise, 6. bequeme Transportfähigkeit des Apparates. Diese Vor-

theile haben sich bei der Anwendung der Oelerwärmungs-maschine bei einem württembergischen Regiment in vollstem Umfange bethätigt; dem Bericht eines Kompagniechefs über die damit erzielten Erfolge entnehmen wir das Nachstehende: »Die Konstruktion des Oelbehälters ermöglicht ein schnelles Erhitzen des Oels durch eine Spiritusflamme; in zwei bis drei Minuten ist das Oel heiss. Durch die Durchlochung des Deckels kann ein unmittelbares Einführen des mit Werg umwickelten Wischstockendes in das siedende Oel auf praktische Weise stattfinden, so dass der Stock aus dem heissen Oel heraus unmittelbar in den Lauf eingeführt wird, was wegen der Erwärmung des Laufs von entscheidender Bedeutung für das Reinigen ist. Am Rande der Deckel-durchlochung lässt sich das im Werg vielleicht zu viel hängengebliebene Oel leicht abstreifen. Das Durchziehen des Wischstocks durch den Lauf hat ziemlich langsam zu geschehen. Ein Lauf, aus dem geschossen worden ist, bedarf zu seiner Reinigung, falls letztere sofort erfolgt, nur ein zweimaliges Durchziehen eines mit heissem Oel getränkten, wergumgebenen Wischerendes, dem nur ein zweimaliges Durchführen eines trockenen Wergpolsters zu folgen hat. Ist ein mit Oel getränktes Wergpolster durch einen Lauf, aus dem geschossen worden, hindurchgeführt, so darf dieses Polster nicht mehr in das heisse Oel getaucht, sondern muss durch ein neues ersetzt werden. Das Hineintauchen des alten Polsters würde den Pulverschleim in das Oelgefäss tragen. Ist ein Lauf nach dem Schiessen längere Zeit ungereinigt geblieben, so ge-schieht die gründliche Reinigung unter grösster Schonung des Laufinnern mit Hülfe der Maschine auf folgende Weise: Es werden drei Wischstöcke mit Wergpolstern in siedendes Oel getaucht und unmittelbar hintereinander langsam durch den Lauf ge-führt, worauf trockene Wergpolster folgen. Dadurch, dass das heisse Oel die Pulver-rückstände gründlich und schnell auflöst und den Nickelansatz lockert, ist ein weniger häufiges Durchwischen durch den Lauf nöthig. Es werden daher bei dieser Reini-gungsart die Züge so sehr geschont, dass ein Ausputzen des Laufes nur äusserst selten und dann erst nach langer Zeit stattfinden kann. Im Zusammenhang damit steht, dass das Reinigen infolge des weniger häufigen Durchwischens sich sehr beschleunigt. Zum Wischen eines Laufes unmittelbar nach dem Schiessen ist nur $1/144$ Liter Knochenöl erforderlich, was etwa 0,44 Pf. kostet. Zum Erhitzen des Oels in dieser Maschine wird eine verhältnissmässig sehr geringe Menge Spiritus verbraucht. Die genaue Kon-struktion der ganzen Maschine und das dazu zweckmässig gewählte Material macht die Erhitzung des Oels gefahrlos. Die Grösse des cylindrisch geformten Oelbehälters entspricht dem Bedarf an Oel zum Reinigen von fünf Gewehren, so dass allemal, wenn fünf Mann auf dem Schiessstand abgeschossen haben, dieselben miteinander reinigen können.« Auch bei vielen anderen Truppentheilen hat sich diese Oel-erwärmungsmaschine bewährt, mit deren Hülfe die Kompagnie jeden Augenblick eine beliebige Anzahl von Gewehren mit heissem Oel zu reinigen vermag. Zur Reinigung von fünf Gewehren ist der Cylinder der Maschine ganz mit Oel zu füllen, während für eine grössere Anzahl als fünf Gewehre immer wieder Oel nachzugiessen ist. Auch fertigt die oben genannte Firma ein kleines Maass an, womit man die zum Reinigen eines Gewehrs (nach dem Schiessen) erforderliche Oelmenge genau abmessen kann. Es liegt somit wesentlich im Interesse der guten Erhaltung der Treffgenauigkeit der Gewehre sowie auch der Ausbildung des Schützen, dass der Oelerwärmungsmaschine und dem durch sie ermöglichten Reinigungsverfahren die weiteste Verbreitung ver-schafft wird, zumal die Vorschrift besagt, wie es zur Erhaltung der Waffe erforderlich ist, dass die Reinigung derselben grundsätzlich sofort nach dem Gebrauche vorgenommen wird. Schon bei der Ausbildung der Rekruten in der Gewehrreinigung müsste überall die Oelerwärmungsmaschine in Benutzung genommen werden, da sie die sachgemässe Behandlung des Gewehrs in hohem Grade gewährleistet. Das Gewehr ist für den Infanteristen etwa dasselbe, wie das Pferd für den Kavalleristen; taugt das Pferd nichts, so ist der Reitersmann auch nicht viel werth. Die Nutzanwendung vom schlechten, durch unsachgemässe Behandlung verdorbenen Gewehr auf den Infanteristen ergiebt sich von selbst.

———◇◆◇———

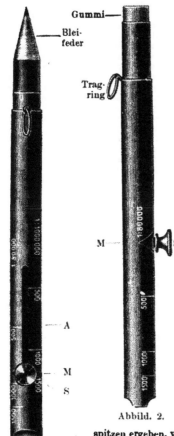

Gummi——

Blei-
feder

Trag·
ring

M

S

A

M

S

Z

1500

Abbild. 1.

Abbild. 2.

Armee-Maassstab-Zirkel. Unter den verschiedenen Instrumenten zum Abgreifen der Entfernungen auf Karten nimmt der vom Oberleutnant Hartmann im Infanterie-Regiment No. 159 erfundene Armee-Maassstab-Zirkel (D. R. J. M. No. 86712) wegen seiner ausserordentlichen Handlichkeit und praktischen Verwendbarkeit eine erste Stelle ein. Die äussere Form des Zirkels ist in den Abbildungen 1 und 2, welche in natürlicher Grösse wiedergegeben sind, dargestellt; Abbildung 1 zeigt den Zirkel fertig zum Gebrauch zum Abgreifen mit 1500 m zwischen den Zirkelspitzen, Abbildung 2 dagegen die Zirkelspitzen in der Hülse zurückgezogen. Bleifeder und Gummi befinden sich an einer herausnehmbaren Hülse. Die Handhabung des Zirkels, dessen Preis 2,50 Mark beträgt, ist folgende: Man dreht Schraube S ein wenig nach links, schiebt sie im Ausschnitt A vor, stellt Marke b auf die Skala des Maassstabes, in welchem man messen will, ein und dreht Schraube S wieder etwas nach rechts. Durch die beim Vorschieben der Schraube S aus der Hülse tretenden, absolut feststehenden Zirkelspitzen Z erhält man das auf der Skala angegebene Maass von 500, 1000 oder 1500 m der Maassstäbe 1 : 100 000 (Generalstabskarte von Deutschland), 1 : 80 000 (Generalstabskarte von Frankreich), 1 : 126 000 (Generalstabskarte von Russland) zwischen den Zirkelspitzen und kann nun durch Ueberschlagen beliebige Entfernungen abmessen. Ist man Karten in grösseren Maassstäben, so muss das Maass, welches die Zirkelspitzen ergeben, verdoppelt, verdrei- oder vervierfacht u. s. w. werden. Z. B. sind 1000 m in 1 : 8000 10 mal grösser als 1000 m in 1 : 80 000, und 1000 m in 1 : 25 000 4 mal grösser als 1000 m in 1 : 100 000 u. s. w. Auf diese Weise ist es also möglich, den Zirkel für jeden Maassstab der gebräuchlichsten Kartenwerke zu benutzen. Um die Skala nicht undeutlich zu machen, sind nicht mehr Eintheilungen vorgenommen, als unbedingt erforderlich war. Beim Nichtgebrauch werden die Zirkelspitzen in die Hülse zurückgezogen und durch die Schraube festgestellt (Abbild. 2). Die durch die Konstruktion erreichte Verbindung des Zirkels mit Bleifeder und Radirgummi lässt die praktische Verwendbarkeit ohne Weiteres erkennen und macht ihn zu einem brauchbaren Handwerkszeug eines jeden Soldaten, das besonders gern von Generalstabsoffizieren und Adjutanten benutzt wird.

Bücherschau.

In und vor Verdun während der Belagerung der Festung im Jahre 1870. Von Hans Klaeber, Oberstlt. a. D. Dresden, Verlag und Druck von C. Heinrich. 1898.

Die Schrift stützt sich auf deutsche und französische Quellen und zeichnet in anschaulicher Weise die Verhältnisse in und vor der Festung. Der Darstellung kommt es zu gute, dass der Verfasser mit den örtlichen Verhältnissen durch eigene Anschauung vollkommen vertraut ist. Wenngleich hier nur eine kleine Episode des grossen Krieges betrachtet ist, so enthält sie doch gerade sehr viel Lehrreiches und Bemerkenswerthes. Sie zeigt einerseits, wie anfangs unzureichende Mittel bei einer thatkräftigen Leitung der Vertheidigung allmählich erstarken können, und andererseits, wie Festungsangriffe, die mit zu schwachen Kräften und besonders ohne die nöthige Stärke an Artillerie und Munition unternommen werden, nicht zum Ziele führen. Verdun ist nicht durch den Zwang eines mächtigen Angriffs gefallen, sondern nur deshalb übergeben worden, weil die politischen Verhältnisse, die durch die Kapitulation von Metz eingetreten waren, eine weitere Fortsetzung des Widerstandes unnütz erscheinen liessen. Die Schrift legt dies in klarer, anregender Weise dar und kann daher nur angelegentlichst zum Studium empfohlen werden.

Die elektrischen Starkströme, ihre Erzeugung und Anwendung. In leicht fasslicher Weise dargestellt von H. Pfitzner, Kaiserl. Postinspektor in Danzig. Dritte, vollständig umgearbeitete Auflage. Verlag von Theodor Jentsch, Dresden-Altstadt. 1898.

Die Schrift ist hauptsächlich für Laien bestimmt und schildert demgemäss die betreffenden Verhältnisse in allgemein verständlicher Weise, ohne durch weitläufige theoretische und rechnerische Auseinandersetzungen zu ermüden. Sie berücksichtigt aber die neuesten Fortschritte der Starkstromtechnik nicht in ausreichender Weise, was bei einer vollständigen Umarbeitung zu erwarten gewesen wäre. Der Verfasser hätte dabei einen Fachingenieur zuziehen sollen. Es würden dann unrichtige Angaben wie die nachstehenden vermieden worden sein. Seite 74. Die Anwendung von Deckleisten bei elektrischen Beleuchtungsanlagen ist nach den Polizeivorschriften nicht mehr gestattet. S. 75. Luftleitungen bis 8 mm Stärke sind nicht selten. Oelisolatoren haben sich nicht bewährt und werden nie mehr angewendet. S. 84 heisst es: »Die Spannung in einem Stromkreise sinkt vom positiven Pole des Schliessungskreises bis zum negativen Pole.« Dies ist unrichtig. Die Spannung ist am positiven und negativen Pole gleich und in dem Punkte der Leitung, der von beiden Polen am entferntesten ist, am geringsten. S. 85. Den Querschnitt der Mittelleiter kann man nicht nur auf die Hälfte, sondern bis auf ein Siebentel verringern. Eine Verbindung des Mittelleiters mit den eisernen Schutzmänteln der Aussenleiter wird niemals hergestellt. S. 87. Die Benutzung der Wasserkräfte stellt sich keineswegs immer so günstig, wie der Verfasser annimmt. Die Turbinenanlagen sind meist viel theurer wie entsprechende Dampfmaschinen und verursachen trotz der billigen Betriebskraft sehr viel Ausgaben durch Reparaturen und Verschlämmungen. Auch für grössere Gebiete wird Gleichstrom mit Vortheil angewendet. Alle neueren Centralen geben Gleichströme von 220 Volt für jede Hauptleitung. Wechselströme werden in der Stärke bis 15 000 Volt jetzt unmittelbar erzeugt. Es ist demnach unrichtig, dass in den Hochspannungsleitungen in der Regel 2000 Volt, in den Niederspannungsleitungen 100 Volt herrschen. S. 88. Bei dreiphasigem Wechselstrom werden die Lampen nicht beliebig, sondern gleichmässig vertheilt. Für elektrische Beleuchtung eignet sich Drehstrom sehr gut, nicht weniger gut. S. 91. Der Bügel hat keine grössere Haltbarkeit wie die Rolle. S. 95. Die unterirdische Stromzuführung ist nicht nur in Budapest und Brüssel, sondern auch in Berlin bei zwei Linien angewendet.

Gedruckt in der Königlichen Hofbuchdruckerei von E. S. Mittler & Sohn, Berlin SW., Kochstrasse 68—71.

Die Wirkung der Bleispitzen- und Hohlspitzengeschosse.

Mit vierundzwanzig Abbildungen.

Die »Kriegstechnische Zeitschrift« hatte im 6. Heft des Jahrganges 1898 zum ersten Male in ausführlicher Weise auf die Wirkung der Dum-Dum-Geschosse der Engländer bei ihren kolonialen Unternehmungen hingewiesen und dadurch das lebhafteste Interesse für diese Angelegenheit hervorgerufen. Wenn dieses für den Soldaten wie für den Waffenkonstrukteur etwas ganz Selbstverständliches war, so musste davon indessen auch der Sanitätsoffizier und vor Allem der Chirurg berührt werden, für welchen die durch diese Geschosse hervorgerufenen Schussverletzungen von Bedeutung wurden. Dass über die Schwere und den Umfang solcher Verletzungen von englischer Seite keine erschöpfenden Sanitätsberichte aus dem Feldzuge im Sudan an die Oeffentlichkeit gelangen würden, war ebenso vorherzusehen, wie es erklärlich war, dass die Engländer sich zu der Verwendung derartiger, bis dahin ungebräuchlicher Gewehrgeschosse bewogen gefühlt hatten, um ihrem Lee-Metford-Gewehr den erforderlichen Erfolg sicherzustellen.

Um nun wenigstens einige Erfahrungen über Schussverletzungen auf Grund der Praxis zu sammeln, blieb nur die Anstellung von Schiessversuchen übrig, welche der auf diesem Gebiete bereits bekannte Generalarzt Professor Dr. v. Bruns, Generalarzt à la suite des Königl. Württembergischen Sanitätskorps, in umfassender Weise angestellt hat. Schon im 3. Heft des I. Jahrganges war Gelegenheit genommen worden, auf derartige Schiessversuche des Professors v. Bruns mit dem Stahlmantelgeschoss der Mauser-Selbstladepistole hinzuweisen, und in ähnlicher Weise hat er auch die neusten Versuche ausgeführt, über welche er eingehende Berichte bei H. Laupp in Tübingen herausgegeben hat.

Professor Dr. v. Bruns nennt die in der Jägersprache auch als »Weichnasen« bezeichneten Dum-Dum-Geschosse »Bleispitzengeschosse«, womit das Charakteristische dieser Geschosse zweckmässig wiedergegeben ist. Bei den Schiessversuchen stand bedauerlicher Weise weder ein englisches Lee-Metford-Gewehr (Kaliber 7,69 mm, Anfangsgeschwindigkeit 610 m), noch Original-Dum-Dum-Patronen zur Verfügung, so dass er sich in ersterer Beziehung mit einem deutschen Infanteriegewehr und in letzterer Beziehung mit einer besonders angefertigten Patrone begnügen musste. Ausser mit dem deutschen Gewehr 88 wurde auch noch die Mausersche Selbstladepistole zu den Schiessversuchen benutzt und dabei nur mit voller Ladung geschossen, was für die einwandfreie Beurtheilung des Ergebnisses unerlässlich ist. Die von der Karlsruher Metallpatronenfabrik

angefertigten Patronen enthielten Mantelgeschosse mit kurzer, nicht abge-
flachter, 5 mm langer Bleispitze, wie sie die Abbild. 1 in natürlicher
Grösse wiedergiebt.

Diese Patrone dürfte dem Original indessen nicht in vollem Umfange
entsprechen, und wenn uns für diese Behauptung auch nur eine englische
Original-Platzpatrone zur Verfügung steht, so entspricht dieselbe doch
nach eingezogenen Erkundigungen in der äusseren Form vollständig der scharfen Patrone und hat als einziges sichtbares
und auch fühlbares Unterscheidungzeichen am Patronenboden
das Wort »Dummy« eingegraben. Die Abbild. 2 zeigt diese
Patrone in ²/₃ natürlicher Grösse, und es sei besonders auf die
verhältnissmässig nur geringe Blosslegung der Bleispitze hingewiesen, welche doch wesentlich hinter der 5 mm freien Spitze
des zu den Versuchen benutzten Geschosses zurückbleibt. In
Abbild. 3 ist der Patronenboden der Platzpatrone ersichtlich
gemacht.

Aus der v. Brunsschen Schrift begnügen wir uns mit
Entnahme einiger Angaben über die Schiessversuche mit dem
deutschen Infanteriegewehr 88. Auf den Schiessständen der
Garnison Tübingen wurde dabei auf die Entfernung von 25 bis
50, 200, 400 und 600 m geschossen. Die grosse Mehrzahl der
Schusspräparate wurde beim Beschuss auf die nahe Entfernung
gewonnen, da eben auf grössere Entfernungen bei beschränktem
Material an Leichentheilen viel weniger Treffer zu erzielen sind,
und füglich konnten die Schiessversuche doch zunächst nur
gegen Leichentheile ausgeführt werden. Von diesen wurden
fast ausschliesslich die Extremitäten beschossen, da die Schuss-

Abbild. 1.*)

verletzungen derselben den geeigneten Maassstab zur Vergleichung mit der Wirkung anderer Geschosse, speziell der Vollmantelgeschosse, abgeben.

Auf die chirurgischen Ergebnisse dieser Versuche brauchen wir aus
naheliegenden Gründen nicht näher einzugehen, nur sei erwähnt, dass die
Zerstörungen der Weichtheile und Knochen viel schwerer sind als
bei der Verwendung von Vollmantelgeschossen; dagegen müssen
die v. Brunsschen Schlussfolgerungen eingehender ins Auge gefasst
werden.

Wenn auch die Schiessversuche mit den Bleispitzengeschossen,
namentlich auf weite Entfernungen, lange nicht zahlreich genug
waren, um über alle sich aufdrängenden Fragen Aufschluss zu
geben, so liefern sie doch eine Reihe von Ergebnissen, welche in
theoretischer und praktischer Beziehung von besonderem Interesse sind.

Als das wichtigste Ergebniss ist die Thatsache anzusehen,
dass die aus kleinkalibrigen Gewehren verfeuerten Bleispitzengeschosse bei Nahschüssen bis auf 200 m Entfernung
Verletzungen hervorrufen, die schwerer sind als alle
bisherigen Gewehrschusswunden.

(²/₃ natürl. Grösse)

Abbild. 2. Abbild. 3.

Diese Thatsache beruht auf dem Zusammenwirken
der hochgesteigerten lebendigen Kraft und der Deformirung der Bleispitzengeschosse. Bei den früheren
Bleigeschossen war die Anfangsgeschwindigkeit viel zu gering, als dass
ähnliche Vorgänge hätten in die Erscheinung treten können, aber schon

*) Die Abbildungen 1 und 4 bis 22 stellte die H. Laupp'sche Buchhandlung in Tübingen zur Verfügung.

das Chassepot-Gewehr mit seinen 420 m Anfangsgeschwindigkeit erzeugte jene anfangs unerklärliche Sprengwirkung, welche man zuerst durch Explosivgeschosse erklären zu müssen glaubte. Nun ist aber die Anfangsgeschwindigkeit bis 640 m gesteigert, und die »Explosivwirkung« der Geschosse konnte nur durch ein Mantelgeschoss verhindert werden, das der Deformirung nicht in dem Maasse ausgesetzt war wie das gewöhnliche Vollbleigeschoss ohne Mantel.

Die einfache Entfernung der Mantelspitze eines modernen Gewehrgeschosses erzeugt aber schon eine gewaltige Wirkung, die sich augenfällig als eine furchtbare Sprengwirkung in den harten und ganz besonders in den weichen Körpertheilen zu erkennen giebt. · Dies liegt zweifellos an der Deformirung und Zertheilung der Bleispitzengeschosse. Schon beim Durchschlagen der Muskeln staucht sich das Geschoss in der in Abbild. 4 dargestellten Weise; alsdann sprengt die Stauchung der Spitze den Mantel von vorn nach hinten in 2 bis 3 mm breite Streifen, welche sich nach hinten umbiegen, aber am hinteren Ende, also an dem umbörtelten Geschossboden in Zusammenhang bleiben, wie Abbild. 5 zeigt.

Trifft dagegen das Geschoss auf harte Knochen, so zerspritzt das Blei und zerschellt den Mantel in kleine und kleinste Bruchstücke, die man im Röntgenbilde in die ganze Wunde eingesprengt sieht. Dementsprechend ist es erklärlich, dass die Durchschlagskraft der Bleispitzengeschosse weit geringer ist, als die der Vollmantelgeschosse,

Abbild. 4.   Abbild. 5.

was man durch Schiessen gegen Holzklötze einwandfrei nachgewiesen hat.

Die v. Brunsschen Schiessversuche haben ergeben, dass die Bleispitzengeschosse auf nahe Entfernungen eine übermässig grausame, auf weite Entfernungen aber weniger wirksame Waffe sind als die Vollmantelgeschosse. Aus diesem Grunde wird denn auch die Wirksamkeit der Pistole, welche eine Waffe für den Nahkampf ist, wesentlich gesteigert und ihre Bedeutung als Vertheidigungswaffe erhöht.

Die Entrüstung, welche ob der Verwendung der Dum-Dum-Geschosse durch die ganze civilisirte Welt und in erster Reihe durch das europäische Festland hindurchging, mochte nun die Engländer wohl veranlasst haben, von der weiteren Verwendung der Bleispitzengeschosse Abstand zu nehmen und auf einen geeigneten Ersatz zu sinnen. Denn von rein militärischem Standpunkte liess sich schwerlich etwas dagegen einwenden, dass sie für ihre Infanterie Geschosse haben wollten, welche eine zweifellos vollkommene Wirkung hervorbringen. So hatte denn nach einem Bericht der »Times« aus Woolwich vom 28. Juni 1898 das Kriegsministerium ein neues Infanteriegeschoss, »A new service bullet«, angenommen, welches noch bei der Schlusskatastrophe der Khartum-Expedition im Sudan zur Verwendung gelangte und in der Entscheidungsschlacht von Omdurman seine Schuldigkeit that, wie es das Dum-Dum-Geschoss zu thun vielleicht nicht besser vermocht hätte.

Wie war nun aber die Wirkung dieser neuen englischen Armeegeschosse in Bezug auf die Schwere der dadurch erzeugten Schussverletzungen?

Von englischer Seite waren darüber Mittheilungen nicht gemacht worden, was in der Natur der Sache liegt, und die Mahdisten — ja, die

7*

waren nicht mehr vorhanden, so dass auf irgend welche einwandfreien
Berichte unter keinen Umständen zu rechnen war. Es blieben also wieder
nur Schiessversuche für den übrig, der sich in dieser hochwichtigen Angelegenheit näher unterrichten wollte, und wiederum war es Professor
Dr. v. Bruns, der diese Schiessversuche in möglichst ausgedehnter Weise
ausführte. Hierbei standen ihm aber diesmal Originalwaffen und -Munition
zur Verfügung, so dass die Versuche und ihre Ergebnisse in jeder Hinsicht als zuverlässig angesehen werden können.

Das nach dem v. Brunsschen Bericht durch eine Londoner Waffenfabrik bezogene Lee-Metford-Gewehr hat ähnliche ballistische Eigenschaften

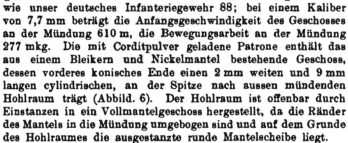

wie unser deutsches Infanteriegewehr 88; bei einem Kaliber
von 7,7 mm beträgt die Anfangsgeschwindigkeit des Geschosses
an der Mündung 610 m, die Bewegungsarbeit an der Mündung
277 mkg. Die mit Corditpulver geladene Patrone enthält das
aus einem Bleikern und Nickelmantel bestehende Geschoss,
dessen vorderes konisches Ende einen 2 mm weiten und 9 mm
langen cylindrischen, an der Spitze nach aussen mündenden
Hohlraum trägt (Abbild. 6). Der Hohlraum ist offenbar durch
Einstanzen in ein Vollmantelgeschoss hergestellt, da die Ränder
des Mantels in die Mündung umgebogen sind und auf dem Grunde
des Hohlraumes die ausgestanzte runde Mantelscheibe liegt.

Abbild. 6.

Für dieses Geschoss lagen Angaben über die ballistischen Eigenschaften desselben nicht vor, so dass auch in dieser Beziehung
Prof. v. Bruns entsprechende Versuche anstellen liess und die Schusstafeln in
seiner Schrift »Ueber die Wirkung der neuesten englischen Armeegeschosse (Hohlspitzengeschosse)« im Verlage der H. Lauppschen
Buchhandlung in Tübingen veröffentlichte. Für uns genügt das Ergebniss,
dass diese neuesten englischen Geschosse annähernd dieselbe ballistische
Leistung aufzuweisen haben, wie unser Infanteriegewehr mit Vollmantelgeschoss. Es trifft also die Vermuthung nicht zu, dass die Höhlung in
der Geschossspitze den Luftwiderstand erheblich vermehrt; allerdings
standen zur genauen Aufklärung dieser Frage für die Schiessversuche
keine englischen Vollmantelgeschosse zur Verfügung. Im Uebrigen lässt
aber die Vergleichung der Beschussprotokolle dieser Versuche nur einen
kleinen Unterschied zu Ungunsten der Hohlspitzengeschosse erkennen,
nämlich eine etwas grössere Streuung von 900 m Entfernung ab. Letztere
lässt sich nach Professor Dr. C. Cranz an der technischen Hochschule in
Stuttgart aus einer grösseren Amplitude der Nutationspendelungen erklären,
da der Abstand zwischen Schwerpunkt und Angriffspunkt der Luft-
widerstands-Resultanten auf der Achse etwas grösser ist als beim Voll-
spitzengeschoss.

Die Versuche wurden aber noch weiter ausgedehnt und schliesslich
durch verschiedene exakte Untersuchungsmethoden die ballistisch interessante Thatsache festgestellt, dass die Höhlung in der Geschossspitze
den Luftwiderstand nicht vermehrt, dass also in der ballistischen
Leistung des Hohl- und Vollspitzengeschosses kein Unterschied
besteht. Diese Thatsache erscheint um so überraschender, als beim Eindringen des Geschosses in flüssige und halbflüssige Körper ein gewaltiger
Unterschied in der Wirkung der beiden Geschossarten bei den Versuchen
zu Tage tritt.

Die Versuche des Professors Dr. v. Bruns fanden nun gegen ein
lebendes Pferd, welches an einer galgenartigen Vorrichtung mittelst Flaschen-
zuges an Gurten aufgehängt war, und wiederum gegen menschliche Leichen-

theile statt. Den ersten Schuss erhielt das Pferd aus 25 m Entfernung in die Herzgegend, wodurch es augenblicklich getödtet wurde; dann wurde der Kadaver aus 25—30 m Entfernung weiter beschossen. Auf die einzelnen Verwundungen braucht hier nicht näher eingegangen zu werden; nur sei soviel bemerkt, dass bei der Herzwunde der Einschuss rundlich, mit etwas zerfetzten Rändern, kaum für den Kleinfinger durchlässig war, also dem Einschuss eines Vollmantelgeschosses durchaus entsprach. Der Ausschuss aber hatte die Form einer ungeheuren Platzwunde; die ganze Herzgegend war vollständig zerrissen, so dass eine klaffende Wunde von 23 cm Länge und 19 cm Breite bestand. Die Wundränder waren vielfach eingerissen und zerfetzt und allenthalben mit feinsten Geschosstheilchen bedeckt. Hier hatte also das Hohlspitzengeschoss die gleiche Zerstörung angerichtet, wie sie bisher nur von den Bleispitzengeschossen oder Weichnasen bekannt gewesen war.

Auf die Wirkungen der einzelnen Schüsse gegen menschliche Leichentheile näher einzugehen, erscheint nicht angezeigt, weil dies mehr in das medizinische als in das technische Fach schlägt. In den Vordergrund der technischen Erörterung tritt eigentlich nur der Vergleich zwischen Vollmantelgeschoss, Bleispitzengeschoss und Hohlspitzengeschoss.

Abbild. 7.   Abbild. 8.   Abbild. 9.   Abbild. 10.   Abbild. 11.

Bei einem Vergleich der Wirkung dieser drei Geschossarten muss man sich vergegenwärtigen, dass die Bedingungen, unter denen sie verfeuert werden, eigentlich dieselben sind; dasselbe Gewehr, dieselbe Patrone, also auch dieselbe Anfangsgeschwindigkeit, dasselbe Kaliber und dasselbe Gewicht. Was aber nicht gleich ist, das ist die Deformirbarkeit des Geschosses, da die Festigkeit gegen Zerreissen durch die Durchbohrung der Mantelspitze und Aushöhlung des Bleikerns vermindert ist. Nach Professor v. Bruns ist also die Wirkung des Hohlspitzengeschosses jedenfalls dieselbe wie des Vollmantelgeschosses, sobald es sich im Ziele nicht deformirt; dann ist die Durchschlagskraft und die Form des Schusskanals dieselbe.

Die v. Brunsschen Versuche ergeben aber, dass das Hohlspitzengeschoss sich bei Nahschüssen ausserordentlich leicht deformirt, also auch in Zielen, in denen das Vollmantelgeschoss keine Spur von Formveränderung erleidet. In den nachstehenden Abbildungen, welche der v. Brunsschen Schrift entnommen worden sind, ist diese verschiedene Deformirbarkeit zur Darstellung gebracht, wobei Abbildung 7 ein unbeschädigtes Hohlspitzengeschoss in Ansicht zeigt.

Beim Eindringen in Tannenholz bleibt das Vollmantelgeschoss unverändert, das Hohlspitzengeschoss staucht sich in der Spitze, und seine Länge verkürzt sich. Die Spitze ist abgestumpft, die Höhlung nebst ihrer

Mündung etwas erweitert, und dem Grunde derselben entsprechend zeigt sich eine spindelförmige Auftreibung des Geschosses (Abbild. 8 bis 11). Im Buchenholz verhält sich das Vollmantelgeschoss ebenfalls unverändert; beim Hohlspitzengeschoss zerreisst der Mantel und trennt sich mehr oder weniger von dem Bleikern, der in einzelne kleinste Theilchen zerschellt.

Die Deformirung geht in solchen festen, trockenen Körpern bei normalem Auftreffen in regelmässiger Weise vor sich. Die Spitze wird gestaucht, die Höhlung erweitert sich, der Mantel reisst vorne auf; nun tritt der Bleikern, pilzförmig verbreitert, nach vorne hervor, während der hintere Theil des Mantels sich leer findet (Abbild. 12 bis 15).

Abbild. 12.   Abbild. 13.   Abbild. 14.   Abbild. 15.

Bei höheren Graden der Deformirung reisst der Mantel von vorn nach hinten in mehrfachen Längsrissen auf; zugleich wird er in der Art nach rückwärts umgebogen, dass die innere Fläche nach aussen kommt. Die Umstülpung geht zuweilen so weit, dass der vorderste Theil des Mantels fast um die ganze Länge des Geschosses über dessen Basis nach hinten zurückreicht (Abbild. 16 bis 19). Der Bleikern ist dann theils zerspritzt, theils mit den Mantelfetzen verbacken.

In Abbild. 20 und 21 hat sich der Bleikern ganz losgelöst und in kleinste Theile aufgelöst, während der Mantel noch in einigem Zusammenhalt verblieben ist. Da

Abbild. 16.   Abbild. 17.

die v. Brunssche Schrift für diese beiden Darstellungen keine besonderen Angaben macht, so nehmen wir an, dass auch diese Wirkung von dem Beschusse gegen einen festen, trockenen Körper herrührt.

Abbild. 18.   Abbild. 19.

Die grösste Deformirbarkeit erleidet das Hohlspitzengeschoss aber bei Schüssen in feuchte und flüssige Stoffe, in denen wiederum das Vollmantelgeschoss gar keine Veränderung erfährt. Bei sämmtlichen Versuchen des Professors Dr. v. Bruns mit Schüssen in feuchten Thon sowie in Wasser ist das ganze Geschoss, Mantel und Kern, in kleine und kleinste Bruchstücke zertrümmert —, selbst dann, wenn das Geschoss vorher, behufs Abschwächung der Geschwindigkeit, durch zwei, drei und vier Säcke mit Sägemehl hindurchgegangen war. Diese ausserordentlich heftige Wirkung ist wohl daraus zu erklären, sagt Professor Dr. v. Bruns; dass im Moment des Auftreffens die in der Höhlung abgesperrte Luftsäule und das eindringende Wasser einem so ausserordentlich hohen Druck ausgesetzt werden, dass das Geschoss explodirt. Wir möchten die Wirkung damit vergleichen, als wenn sich ein Selbstmörder mittelst eines mit Wasser geladenen Gewehres in den Mund schiesst, wobei der Wasserdruck auch den Kopf unfehlbar zu zersprengen pflegt.

Oefters findet man auch das Geschoss in seinem vorderen Theile quer durchtrennt; die Stelle entspricht dem blinden Ende der Höhlung (Abbild. 22). Dann ist regelmässig die Höhlung des Bleikernes trichterförmig gegen ihr Blindende hin erweitert, und zwar in dem Grade, dass daselbst die Wand bis zu einem scharfen Rande sich verdünnt. Offenbar ist die Durchtrennung in der Art zu Stande gekommen, dass von der Höhlung aus die Wand ringsum ausgedehnt und aufgeplatzt ist.

Die Geschossdeformirung macht sich nun nach zweierlei Richtung

Abbild. 20.   Abbild. 21.   Abbild. 22.

geltend: die Tiefenwirkung wird vermindert — also geringere Durchschlagsleistung; die Seitenwirkung wird vermehrt — also grössere Zerstörung im Ziele.

Bei einem Vergleich der angegebenen Wirkungen der Hohlspitzen- mit denen der Bleispitzengeschosse tritt mithin der Unterschied hervor, dass die Hohlspitzengeschosse in festen Stoffen eine geringere, dagegen in Flüssigkeiten eine ungleich stärkere Deformirung erleiden als die Bleispitzengeschosse.

Das entgegengesetzte Verhalten zeigen die beiden Geschosse bei Schüssen in flüssige und flüssigkeitsreiche Körper. Die Hohlspitze wird in feuchtem Thon und Wasser vollständig zersprengt, so dass Mantel und Kern in kleinste Bruchstücke zersplittert werden, während die Bleispitze sehr stark gestaucht wird, aber grösstentheils im Zusammenhang bleibt. (Der Bleikern wird von 30 bis auf 6 mm gestaucht, der Mantel reisst in Streifen ein und wird nach rückwärts umgebogen). Der Vollmantel bleibt dagegen unverändert.

Ganz anders gestaltet sich das Verhältniss dieser drei Geschosse bei Nahschüssen gegen sehr widerstandsfähige Ziele, wie Stahlplatten, in denen sich auch die Vollmäntel vollständig deformiren. Die Durchschlagskraft ist nämlich bei allen drei Arten ziemlich gleich; beim Beschuss von Stahlplatten von 14 mm Stärke entsteht ein 6 bis 7 mm tiefer Eindruck und auf der Rückseite ein vorspringender Buckel (Beule), bei Stahlplatten von 12 mm zeigt die Beule bisweilen Risse und ist geplatzt. Hier beruht also die Wirkung lediglich in der lebendigen Kraft des Geschosses, womit dieses auftrifft.

Von höchstem Interesse sind naturgemäss für sämmtliche zeitgemäss ausgerüsteten Heere die Schlussfolgerungen, welche man aus den umfangreichen v. Brunsschen Versuchen zu ziehen hat. Im letzten Jahrzehnt, wo das Kleinkaliber bei fast allen Heeren eingeführt wurde, war der Vollmantel als das einzig richtige Geschoss für die neue Waffe erachtet worden. Da trat beim Gebrauch desselben im Ernstfalle die überraschende Erscheinung zu Tage, dass der Vollmantel so zu sagen nicht todt genug schoss, d. h. zu geringe Verwundungen erzeugte. Diese Erfahrung machten zuerst die Engländer in ihren Kolonialkriegen, wodurch die Geschossfrage als neueste Frage in der Technik der Handfeuerwaffen gebieterisch in den Vordergrund trat. Sie zu lösen, hatten zunächst die Engländer das grösste Interesse, weil sie nicht länger mit der vollständigen Niederwerfung des Mahdi und seiner Derwische zögern durften. Daher kamen sie auf die Herstellung von leichter deformirbaren Geschossen, welche besonders auf die nahen Entfernungen schwerere Verletzungen herbeiführen, und so entstand zunächst die Bleispitze, welche in der englischen Gewehrfabrik zu Dum-Dum bei Kalkutta hergestellt wurde. Sie erzeugten im menschlichen Körper Verletzungen, fast wie durch grobes Geschütz. Namentlich sind auch die einzelnen Weichtheilwunden unerhört schwer und ausgedehnt, weil sich bei der grossen Anfangsgeschwindigkeit das Blei schon in den Muskeln deformirt. Allein gerade in der Weichheit des Bleies liegt auch die geringe Durchschlagskraft der Bleispitzen begründet, die in der Nähe 4 bis 5 fach geringer ist als beim Vollmantel. Auch in ballistischer Beziehung steht die Bleispitze dem Vollmantel nach.

Die Hohlspitze steht indessen trotz der Höhlung den anderen 8 mm-Geschossen in ballistischer Hinsicht nicht nach. Durch die eingepresste Höhlung wird sie leichter deformirt als der Vollmantel, aber die Versteifung der Spitze durch den Mantel lässt sie wieder weniger deformiren als die Bleispitze. Daher sind alle Verletzungen aus der Nähe viel schwerer als durch Vollmäntel; unerhört schwer sind sie bei Schüssen in flüssigkeiterfüllte Hohlorgane.

Wir möchten uns hierbei einzuschalten erlauben, dass die englischen Original-Bleispitzen, also die echten Dum-Dum-Geschosse, an der Spitze durch den Mantel auch eine grössere Versteifung haben, als sie bei der Bleispitze des Professors v. Bruns vorhanden ist. Hieraus könnte man vielleicht den nicht unrichtigen, jedenfalls aber doch wahrscheinlichen Schluss ziehen, dass die ballistischen Eigenschaften einer echt englischen Bleispitze auch dem Vollmantel nicht nachstehen. Auch wird vielleicht letztere Bleispitze weniger schwere Verletzungen erzeugen als die Versuchsbleispitze; jedoch ist dies lediglich Vermuthung.

Nach den angestellten Versuchen ergaben sich für die drei Geschossarten folgende Eindringungstiefen, und zwar jedesmal bei Schüssen aus 25 m Entfernung:

in trockenem Tannenholz Vollmantel, nicht deformirt 100 bis 110 cm tief,
»   »   »   Hohlspitze, leicht   »   84 »   »
                         Bleispitze, stark   »   20 »
»   »   Buchenholz Vollmantel, nicht   »   54 »
                 »   Hohlspitze, stark   »   14 »
»   »   Beispitze,   »   »   12 »   »

Der Gewinn an Seitenwirkung wird also immer aufgewogen durch den entsprechenden Verlust an Tiefenwirkung. Die Hohlspitze bewirkt aus der Nähe grausamere Verletzungen, aber sie vermag nicht, 4 bis 5 Gegner hintereinander sowie starke Deckungen zu durchschlagen. Diese verminderte Tiefenwirkung muss daher von einem ausserordentlichen Einfluss auf die Verhältnisse der Feldbefestigung sein, bei der sich alle jetzt ermittelten Grundzahlen für die Stärke der Deckungen ändern würden, so dass schliesslich jedes 15 cm starke Bäumchen eine sichere Deckung darbieten würde.

Solche Geschosse, meint Professor Dr. v. Bruns, mögen in Kriegen gegen wilde Völkerschaften von grösserer Wirkung sein, in einem Kriege gegen eine europäische Armee würden sie sich als minderwerthig erweisen. Denn hier wird das Feuergefecht, das auf 1000 bis 1500 m eröffnet wird, auf 500 m in der Hauptsache schon die Entscheidung bringen — also auf eine Entfernung, in welcher die spezifische Wirkung der Hohlspitzengeschosse nicht mehr zur Geltung kommt.

Unsere Taktiker werden sich bezüglich der Erledigung des Feuergefechtes vielleicht nicht ganz einverstanden erklären mit dieser Auffassung des Herrn Professors, denn auf 1000 bis 1500 m hat das Treffen für den Infanteristen seine nicht zu unterschätzenden Schwierigkeiten; im Frieden wird auf solche Entfernungen höchst selten geschossen — vielleicht im Belehrungsschiessen im Gelände, wo man derartige Entfernungen sich schaffen kann —, mithin sind auch die Mannschaften im Anschlag auf solche Entfernungen, wo der Kolben etwa an der Hüfte anfliegen würde, gar nicht eingeübt und gewöhnt. Zweifelsohne wird die Infanterie auf solche weiten Entfernungen das Feuer nicht ganz unterdrücken können, aber das Bestreben wird immer zunächst bestehen bleiben, so nahe als möglich, ohne Schuss zu geben, an den Gegner heranzukommen, und da dürfte sich das Feuergefecht namentlich gegen einen in verstärkter Stellung befindlichen Gegner doch auch noch auf nähere Entfernung als 500 m herantragen lassen. Hierüber jedoch können Entscheidungen im Frieden nicht gefällt werden, diese kann allein der Krieg zeitigen; aber jedenfalls wird man sich darüber klar sein müssen, dass vor dem letzten Sturmlauf in der Schlacht, sei es gegen eine verstärkte Stellung, sei es gegen eine Ortschaft oder auch nur gegen den erwählten Einbruchspunkt der feindlichen Linie — so lange diese noch nicht verlassen bezw. aufgegeben sind — das Feuer näher als auf 500 m, also sogar wohl auf 200 m und darunter herangetragen werden muss, zumal es wichtig ist, die Geländestrecke für den Sturmlauf so viel als nur möglich abzukürzen.

Professor Dr. von Bruns weist in seinen Schlussbemerkungen darauf hin, dass in letzter Zeit einige Geschossmodelle konstruirt worden seien, welche im lebenden Ziele zwar eine Deformirung, trotzdem aber keine vollständige Zerreissung und Zertrümmerung erleiden und dabei eine gute Durchschlagskraft besitzen sollen. Er führt dabei ein ganz bestimmtes Geschoss an, welches nach der Beschreibung mit dem im I. Jahrgang dieser Zeitschrift auf S. 244 und 245 dargestellten ›A. F . . . kschen Infanterie-Mantelgeschoss mit Bleihaube zur Vergrösserung der Geschosswirkung aus Infanteriegewehren von 7 mm Kaliber und zur Verhinderung zu grausamer Verletzungen‹ übereinzustimmen scheint. Der Vollständigkeit halber und für unsere neu hinzugetretenen Leser geben wir dieses Geschoss in den Abbildungen 23 und 24 (in $^2/_1$ natürlicher Grösse) nochmals wieder.

Dieses F . . . ksche Geschoss besteht aus dem Geschosskern (a), dem ihn umgebenden Mantel (b) und der aus Hart- bezw. Weichblei bestehenden Haube oder Kappe (c). Diese Haube (c) gewinnt Halt auf dem eigentlichen Geschoss (a b) durch die in dieses an der Spitze eingepresste Nute (d). Die Herstellung der Haube kann durch Aufpressen oder Anschmelzen erfolgen.

Der Erfinder dieses Geschosses verspricht sich von demselben folgende Eigenschaften: 1. keine Beeinträchtigung der Geschossgeschwindigkeit; 2. kein vollständiges Deformiren beim Einschlagen in lebende Ziele, wie bei Bleispitzen und Hohlspitzen, sondern nur eine pilzartige Anstauchung der Spitze beim Aufschlagen, dann aber glattes Durchschlagen wie beim Vollmantel, so dass die Haubenspitze an Seitenwirkung nicht zu- und an Durchschlagskraft nicht abnimmt, weil nach dem Auftreffen und Plattdrücken der Haube die hinter dieser befindliche Spitze scharf durchdringt; 3. die Möglichkeit, die Haube nach Belieben stark oder schwach zu machen und dadurch die Regulirung der Verwundungsfähigkeit in der Hand zu behalten.

Abbild. 23.   Abbild. 24.

Es erscheint jedenfalls wünschenswerth, mit diesen vorgeschlagenen Haubenspitzen eingehende Versuche anzustellen, um die vorstehenden, wohl zunächst nur theoretisch festgestellten Eigenschaften durch praktische Versuche einer einwandfreien Untersuchung zu unterziehen. Immerhin wird die Geschossfrage bei einer weiteren Herabsetzung des Gewehrkalibers eine bedeutendere Rolle spielen, als man bisher anzunehmen berechtigt war. Wie die Lösung dieser Frage sich auch gestalten wird, unter allen Umständen wird man daran festzuhalten haben, dass eine kriegsbrauchbare Handfeuerwaffe den getroffenen Gegner sofort ausser Gefecht setzt. Ist dann eine schwerere Verletzung damit unabänderlich verbunden, so muss das eben mit in den Kauf genommen werden; die Hauptaufgabe im Kriege bleibt die möglichst rasche und vollständige Vernichtung des Gegners, und wenn der Arzt die humanitäre Seite in der Kriegführung stets in den Vordergrund zu stellen berufen sein wird, so darf der Soldat sich von sentimentalen Anwandlungen nicht bethören lassen, sondern muss unerbittlich auf vollkommenen und wirksamen Waffen bestehen, denn der Krieg ist nun eben einmal keine Lebensversicherung.

Ueber den jetzigen Stand der Luftschifffahrt.
Mit einer Abbildung.

Seit Erfindung der Luftschifffahrt hat man den Aufenthalt und die Fortbewegung des Menschen im Lufträume auf zweifache Weise zu erreichen gesucht: 1. durch den Bau von Flugmaschinen, welche schwerer als die umgebende Luft, eine möglichst geschickte Nachahmung des natürlichen Vogelfluges darstellen, und 2. durch den Bau von Luftfahrzeugen, Luftschiffen, welche auf dem Grundsatze beruhen, dass der Haupttheil, der Ballon, mit einem viel leichteren Gase als die umgebende Luft gefüllt wird, und die ähnlich den Dampfschiffen durch Steuer, Flügel, Räder, Schaufeln, Schrauben oder Segel gelenkt werden können.

So sinnreich auch die Maschinen ersterer Art ausgedacht worden sind, so haben die Flugmaschinen doch bisher noch zu keinem nennenswerthen praktischen Erfolge geführt, da, abgesehen von anderen Schwierigkeiten, welche ihrer Anwendung entgegenstehen, ein· Haupthinderniss das Inbewegungsetzen und der völlige Mangel an Erfahrung in der Kunst bildet, derartige Maschinen im Gleichgewicht zu erhalten und zu lenken, eine Kunst, welche nur auf praktischem Wege — sonst wohl kaum — erlernt werden kann. Auch die neuesten Erscheinungen auf diesem Gebiete, wie das Aërodrom von Professor Langley, das Aëroplan der Franzosen Tatin und Richet, Professor Wellners Segelradflieger, Stentzels Flugmaschine, Maxims Drachenflieger, Regierungsrath Hoffmanns Drachenflieger, Fallschirmapparat des Bergsekretärs Butterstedt, die Adersche Flugmaschine u. a. m., bezeichnen noch keinen Wendepunkt in der Technik der Luftschifffahrt und bieten noch so viele Hemmnisse in der Lenkung, dass sich ein Mensch ohne grosse Wagehalsigkeit nicht einem solchen Fahrzeuge anvertrauen kann.

Auch mit der Lenkbarkeit des Luftballons hat man wenig günstige Erfahrungen gemacht, und es ist deutlich bemerkbar, dass die Erfinder der letzten Jahre mehr dazu geneigt sind, die Sache anders anzufassen. Man will sich nicht mehr auf die selbstthätig wirkende Triebkraft eines Gasballons verlassen, sondern man will an ihre Stelle Maschinen setzen, deren Kraft man in jedem Augenblick regeln und nach bestimmter Richtung lenken kann. Die grosse Schwierigkeit bei der Anwendung von Maschinen in der Luftschifffahrt besteht nun darin, dass dieselben im Verhältniss zu der von ihnen erzeugten Kraft ein zu grosses Gewicht besitzen, um sich selbst, den nöthigen Brennstoff und ausserdem noch die zu befördernde Last in die Höhe heben zu können. Dennoch muss man als erste Anforderung an ein brauchbares Luftschiff die Anwendung eines verhältnissmässig leichten, dabei sehr wirksamen Motors, als zweite den Gebrauch einer leichten, dabei festen und dauerhaften Ballonhülle stellen. Als dritte Anforderung käme noch eine derartige Steuer- und Lenkbarkeit, dass man sowohl die Höhe oder Tiefe des Aufstieges, als auch die seitliche Fortbewegung und die Wendung vor dem Winde leicht regeln kann.

Diese Anforderungen sind bisher insgesammt noch von keinem Luftschiffe — ausgenommen vielleicht das vor über Jahresfrist erprobte Schwarzsche Luftschiff — erfüllt .worden, im Einzelnen haben manche der neueren Konstruktionen diese Bedingungen erfüllt.

Mit besonderer Hoffnung wenden sich daher jetzt die Blicke vieler Luftschiffer auf das Aluminium als dasjenige Metall, welches wegen seiner Leichtigkeit und doch bedeutenden Festigkeit sich zum Bau von Luftschiffen besonders eignen würde. Wenn nun noch die bereits angekündigte Erfindung von Aluminiumstahl gemacht werden würde, so dass man die Maschinen selbst aus diesem Metall verfertigen könnte, so würde wahrscheinlich das lenkbare Luftschiff in bedeutender Vollkommenheit geschaffen werden können. (In Amerika haben vor Kurzem Versuche mit Aluminiumstahl stattgefunden zur Verwendung zur Geschützgiesserei, welche vortrefflich gelungen waren.) Aber auch ·jetzt schon werden die Pläne zum Bau von grossen Aluminiumluftschiffen mit Maschinenbetrieb immer häufiger. Professor Langleys Aërodrom bestand aus diesem Metall, erhob sich, von Schrauben getrieben, in die Luft und kehrte nach einem sanften Schwebeflug zur Erde zurück. Vor wenigen Wochen gelangte aus San Francisco die Nachricht hierher, dass der dortige Luftschifferverein ein grosses Luftschiff aus Aluminium in Bau gegeben hätte, und so haben in neuester Zeit ähnliche Konstruktionen stattgefunden. Ehe ich auf einige neuere Modelle eingehe, muss ich mit einigen Worten noch des Schwarzschen Luftschiffes gedenken, welches als der günstige Wendepunkt in der Technik der Luftschifffahrt erscheint und den Fingerzeig dafür abgiebt, auf welche Punkte neuere Erfinder ihr Augenmerk zu richten haben werden, um das Problem der lenkbaren Luftschifffahrt seiner hoffentlich baldigen Lösung entgegenzuführen.

Das Schwarzsche Luftschiff wurde bekanntlich am 3. November 1897 auf dem Tempelhofer Felde bei Berlin einem Probeversuche unter dem Ingenieur Jagels unterworfen, wobei der Treibriemen des Motors versehentlich von der Riemenscheibe während des Fluges abglitt, so dass alsbald die Schrauben ihre Thätigkeit einstellten und das Luftschiff beim Aufprall auf den Boden solche Beschädigungen erlitt, dass ein zweiter Aufstieg unmöglich gemacht wurde.

Trotz dieses Missgeschicks hat der Versuch mit dem Schwarzschen Luftschiffe sehr günstige Ergebnisse geliefert. Zunächst ist darauf hinzuweisen, dass die Füllung dieses Riesenkörpers sich in dem sehr kurzen Zeitraume von drei Stunden vollzog, und dass die von Schwarz geheimgehaltene Füllmethode sich vollauf bewährte. Die sorgfältigen Versuche, welche Jahre hindurch angestellt wurden, hatten das Ergebniss, dass das Aluminium in seinen angewandten Legirungen gegen Gase undurchlässig ist, und die Füllung des Ballons hat ergeben, dass auch der Letztere vollkommen dicht war und keinen unbeabsichtigten Gasverlust zuliess, so dass sich der Ballon lange Zeit hätte schwebend in der Luft erhalten lassen können. Ebenso hat sich gezeigt, dass der Ballon nicht nur den Daimler-Benzinmotor und die Maschinen, sondern ausser dem Luftschiffer noch über 700 kg an Ballast zu tragen vermochte. Ferner ist es als gelungen zu betrachten, das Schiff, nachdem es eine Zeit lang der Windrichtung gefolgt war, wieder gegen den Wind zu lenken, mit dem Ballon die Windstärke von 6 m pro Sekunde mit Erfolg zu überwinden und das Fahrzeug überhaupt nach dem Willen seines Führers zu lenken und die Fahrtrichtung danach zu regeln. Der Erfinder Schwarz hatte bekanntlich berechnet, dass das Schiff einer Windstärke von 10 bis 11 m in der Sekunde sich gewachsen zeigen würde, was wohl auch anzunehmen ist, wenn Schwarz nicht durch sein Ableben verhindert worden wäre, den Versuch selbst vorzunehmen.

Es scheint demnach das Schwarzsche Luftschiff thatsächlich ein lenkbares Luftschiff darzustellen, mit dem man bei nicht allzu ungünstigen Witterungsverhältnissen nach allen Himmelsrichtungen fahren kann. Das schliessliche Scheitern des Versuchs kann man keineswegs dem Prinzip der Konstruktion beimessen, welches sich entschieden bewährt hat.

Ein anderes Modell rührt von dem Professor Giampetro an der Universität Pavia her, welcher einen kühnen Plan für ein Aluminium-Luftschiff entworfen hat. In seinem Haupttheile gleicht es einer Riesenspindel, deren Länge von einer Spitze zur anderen fünfmal grösser sein wird als ihr Durchmesser in der Mitte. Wieviel Meter lang dieses Luftschiff werden soll, steht vorläufig noch nicht fest (wahrscheinlich einige 30 m). Unten an dieser Spindel hängt eine Gondel zur Aufnahme der Fahrgäste und von dieser führt mitten durch den Körper der Spindel hindurch ein Aufzug bis zu einer kleinen Gondel, die oben auf dem Körper des Luftschiffes angebracht ist. Diese Letztere ist dazu nöthig, einem Manne Platz zu gewähren, der die grossen, oben auf der Aluminiumspindel an drei Masten

angebrachten Segel zu bedienen hat. Ausserdem befinden sich an den
Seiten der Spindel zwei langgestreckte Segel, den Seitenflossen eines Fisches
vergleichbar, deren Bewegung ein Auf- und Absteigen des Luftschiffes
ohne Anwendung von Ballast ermöglichen soll. Innerhalb der Riesenspindel ist noch ein mit Gas gefüllter Ballon angebracht, um den Auftrieb
zu erhöhen. Zwei an den Seiten angebrachte Schrauben dienen theils zur
Veränderung der Fahrtrichtung, theils zu anderen Manövern. Die treibende
Maschine befindet sich ebenfalls im Inneren des Aluminiumkörpers; sie soll
eine Kraft von sechs Pferdestärken entwickeln und einschliesslich des
Brennmaterials aus Kohlenstaub für eine fünfstündige Fahrzeit nicht mehr
als 120 kg wiegen. Ausserdem sind im Inneren noch Anker, Haltetaue
und Ballast untergebracht. Das Gewicht des ganzen Luftschiffes wird auf
1100 kg angegeben, der Preis soll sich auf 64 000 Mk. belaufen.

Ein weiteres Modell, welches im Frühjahr 1899 zum Versuche gelangen
soll, ist Graf Zeppelins Luftschiff. Es besteht aus mehreren für sich selbständigen, aber aneinandergekuppelten Ballonkörpern, deren Zwischenräume, um Luftwiderstand zu vermeiden, mit cylindrischen Stoffmuffen
umhüllt sind, so dass der ganze Zug als ein einziges, sehr lang gestrecktes,
vorn und hinten kugelförmig abgerundetes Luftschiff erscheint. Der
vorderste Ballon stellt das Zugfahrzeug vor und ist nicht, wie bei früheren
lenkbaren Luftschiffen, mit einem, sondern mit mehreren Motoren versehen,
die je zwei Schraubenpropeller in Drehung setzen. Alle Ballonkörper
bestehen aus einem festen Gerippe von Röhren, Drahtseilen und Draht-
geflechten und sind durch Zwischenwände in Kammern eingetheilt. Dieses
Gerippe ist aussen von einer Stoffhülle umgeben. Eine Neuerung ist auch
die an der Spitze des vordersten Ballons oben und unten angebrachte
Seitensteuervorrichtung. Die inneren Gashüllen sind, um der Ausdehnung
durch geringeren Luftdruck und grössere Wärme Raum zu gewähren, nicht
völlig mit Wasserstoff gefüllt. Bei der starren äusseren Form hat dies
kein Bedenken. Um bei Gewichtsveränderungen, wie sie bei längerer Fahrt
durch Verbrauch des Betriebsmaterials erfolgen, die Ballons in gleicher
Höhenlage zu erhalten, muss eine entsprechende Menge Gas ausgelassen
werden. Bei so zahlreichen Gasbehältern ist es nicht rathsam und kaum
durchführbar, aus allen ein solches Raummaass von Gas auszulassen, dass
in Summe der Gasauslass dem Gewichtsverluste entspricht und die Gleichgewichtslage erhalten bleibt. Graf Zeppelin hat daher auf die Gesammt-
länge des Zuges Manövrirhüllen vertheilt, die, solange sie mit Gas gefüllt
sind, die Kammern einzelner Traggashüllen zum Theil einnehmen. Unter
der ganzen Länge des Fahrzeuges befindet sich ein Laufgang, von dem
aus man auf Strickleitern nach allen Theilen des Luftschiffes gelangen
kann. Entsprechend vertheilt sind die Gondeln, welche Bemannung, Fahrgäste, Betriebsvorräthe, Lasten und Wasser aufnehmen. Das Wasser dient
als Ballast, besonders zur Herstellung des Gleichgewichts zwischen den
Fahrzeugen untereinander, was durch Pumpen und ein Rohrleitungssystem
herbeigeführt wird. Die Luftfahrzeuge sind ferner mit Laufgewichten
versehen, um den Luftfahrzug in eine wagerechte oder geneigte Lage zu
bringen. Die Laufgewichte hängen an Flaschenzügen und sind ausserdem
mit zwei an den Enden des Luftfahrzeuges laufenden Drahtseilen befestigt.
Bei Verschiebungen des Laufgewichtes auf einer unter dem Fahrzeuge befindlichen Laufkatze winden diese Drahtseile sich auf Schnecken auf oder
ab, deren Windungen so berechnet sind, dass die Drahtseile immer gespannt
bleiben. — Es ist sehr richtig, dass Graf Zeppelins Luftschiff sofort in
Dimensionen verwirklicht wird, die dessen praktische Verwerthbarkeit

ermöglichen. Freilich darf man sich über die Schwierigkeiten, mit solchem luftigen Koloss zu· manövriren, nicht täuschen, denn wir entbehren in dieser Beziehung jeder Erfahrung. Mit der Erfindung eines Luftschiffes oder einer Flugmaschine ist das Problem noch immer nicht vollkommen gelöst. Die weitere Erfindung bezieht sich auf den Lehrkursus, wie man diese Fahrzeuge am schnellsten und gefahrlosesten gebrauchen lernt. In neuerer Zeit sind alle Forscher darin einig, dass aëronautische Versuche an oder über einer Wasserfläche stattfinden müssen. Deshalb wird in nächster Zeit bei der Domäne Manzell in der Nähe von Friedrichshafen am Bodensee ein grosser schwimmender Schuppen hergestellt werden. In diesem Schuppen soll unter Leitung eines Stuttgarter Maschinentechnikers Graf Zeppelins lenkbares Luftschiff hergestellt werden.

Ein neues Modell ist die Erfindung eines Pariser Fachmannes, des Herrn de Santos-Dumont, welcher am 20. September v. Js. mit derselben im Jardin d'acclimatation an die Oeffentlichkeit getreten ist.

Das Luftschiff, ein an beiden Enden zugespitzter Cylinder, wurde durch Herrn Lachambre, einen Konstrukteur von Militärballons, hergestellt. Der Gasballon ist 82 Fuss lang, 11,8 Fuss im Durchmesser, hat einen Rauminhalt von 6569 Kubikfuss und ist hergestellt aus leichter japanischer Seide, welche mittelst eines besonders hergestellten Firnisses wasserdicht gemacht worden ist. Dieser Gasballon ist mit einem kleinen Kompensationsballon versehen, mit einem Rauminhalt von 883 Kubikfuss und mit zwei automatischen Aluminium-Sicherheitsventilen, von denen eines den Zufluss von Gas, das andere den der atmosphärischen Luft regelt.

Auf jeder Seite des Ballons und in entsprechender Höhe ist an dem Material ein Horizontalzwickel, $53^1/_2$ Fuss lang, befestigt, in welchem kleine Holzstäbe oder Ruthen aufbewahrt werden. An dem Mitteltheil jeder dieser Ruthen sind dünne Stricke befestigt, an welchen das Tauwerk angebracht worden ist. Mittelst desselben wird die Gondel in der Schwebe erhalten; es vertheilt sich auf die ganze untere Fläche des Ballons. Das Tauwerk besteht aus festen Seilen, welche durch Anken aus Buchsbaumholz laufen, wodurch das Gewicht verringert und das Aufblähen des Ballons erleichtert wird. Zur weiteren Sicherheit bilden die in die Hülle eingenähten, die Oberfläche des Ballons bedeckenden Stricke und Seile ein Netzwerk, welches die beiden Zwickel vereinigt, mittelst deren die Gondel in der Schwebe erhalten wird.

Die Gondel ist aus indianischem Rohr und Weidengeflecht mit einem Gerippe von Kastanienholz hergestellt und an dem Tauwerk durch eine stählerne Trapezstange befestigt. Das Gewicht des ganzen Ballons einschliesslich der Maschinen und der ganzen Ausrüstung beträgt nur 114 Pfund (englisch). Der Motor des Luftschiffes ist von der Art, wie sie gewöhnlich an automobilen Dreirädern gebraucht werden, jedoch mit zwei übereinandergesetzten Cylindern versehen. Man sagt, es sei das erste Mal, dass Motore dieser Art bei den Luftschiffen Anwendung fänden. Der Motor ist sehr stark an der Gondel befestigt und in einer Entfernung von 33 Fuss vom Ballon gehalten. Er treibt eine 32 Zoll im Durchmesser haltende Aluminiumschraube mit der Geschwindigkeit von 1000 bis 1200 Umdrehungen in der Minute. Der Motor entwickelt eine Kraft von 3 bis $3^1/_2$ Pferdestärken und wiegt mit dem Zubehör und der Schraube 154 Pfund. Nachdem der Ballon freigelassen worden war, stieg er sehr schnell. Während seines Fluges umkreiste er mehrere Male einen Fessel-ballon, welcher am Boden befestigt war. Schliesslich nahm das Luftschiff in einer Höhe von 650 Fuss die Richtung nach den Bois de Boulogne. Herr de Santos-Dumont wurde jedoch gezwungen, seinen Versuch aufzugeben wegen einer schadhaften Luftpumpe, welche dem kleinen Kompensationsballon Luft zuführte. Dadurch verlor der Gasballon seine starre, gespannte Form und fiel in sich zusammen.

Während der Luftschiffer sich auf einer Höhe von 1200 Fuss über dem Erdboden befand, öffnete er das Ventil, um seinen Abstieg zu beschleunigen und um zu vermeiden, dass er in die Seine fiele, in welche Richtung ihn die niederen Luftströmungen zu treiben anfingen. Die Landung auf freiem Felde geschah ohne Schwierigkeiten und Unfall.

Von neueren Modellen wären noch zu erwähnen: Künzels Luftschiff, welches so gebaut worden ist, dass es sowohl der Fortbewegung in der Luft, als im Wasser als Boot oder als Fahrzeug auf festem Boden dienen soll, bisher aber noch wenig günstige Erfolge aufzuweisen hat. Es besteht aus einem ovalgeformten, in Fächer getheilten Ballon, 45 m lang und 12 m breit, welcher ein gasdichtes und festes Aluminiumboot trägt. Die Hebekraft des Ballons und des Motors reichen — Zeitungsnachrichten zufolge — hin, um bei einem Gesammtgewicht von 500 kg dem Fahrzeuge eine mittlere Luftgeschwindigkeit von 10 m in der Sekunde bei nicht stürmischer Witterung zu geben. Dazu kann die Geschwindigkeit noch mittelst Flügelschrauben beschleunigt werden, welche an der Spitze des Schiffes oben beweglich angebracht sind. Diese Schrauben bewegen sich in entgegengesetzter Richtung gegeneinander auf sehr langen Gewinden, welche durcheinander gehen und eine fast gleich grosse Kraft besitzen wie der Ballon selbst, um das ganze Schiff in die Luft zu heben. Bei einem Versuche, welchen Herr Künzel im Laufe des Sommers 1898 unternommen hat, gebrauchte er auch an den Seiten des Schiffes kurze Segel, um das Fahrzeug zu befähigen, besser gegen den Wind vorwärts zu kommen. Im Allgemeinen leistete das Fahrzeug das, was sein Erfinder sich bezüglich der Fortbewegung in der Luft versprochen hatte. Das Luftschiff erhob sich schnell und ohne Anstand bei ruhigem Wetter, hatte während des mehr als einstündigen Aufenthaltes in der Luft eine Durchschnittsgeschwindigkeit von $9\frac{1}{2}$ m in der Sekunde, erhob sich auf 720 m in der Luft und kam ruhig in der Nähe von St. Louis (der Aufstieg erfolgte von Washington aus) auf freiem Felde ohne Unfall zum Landen. — Dem Erfinder scheinen aber Zweifel angekommen zu sein, ob sich dieses Fahrzeug auch im Wasser und zu Lande (als Fuhrwerk) gebrauchen lasse, jedenfalls hat er dazu den Versuch nicht unternommen. Auch soll Herr Künzel daran denken, das Luftschiff leichter zu bauen, da die Lenkung des ganzen schwerfälligen Baues mit Schwierigkeiten verknüpft gewesen sein soll. Bemerkenswerth ist bei dem Künzelschen Luftschiffe, dass demselben zwei auf dem Boden befindliche Gasmotore die nöthige Triebkraft geben; das Feuerungsmaterial bestand aus einer Mischung von Naphta und aus Kohlen gewonnenem Oel, das nach einem vom Erfinder geheimgehaltenen Verfahren zubereitet wurde.

Dann das in der Herstellung begriffene Modell Graffigny, zu dessen Motor der Erfinder in flüssigen Zustand übergeführte Kohlensäure als treibende Kraft benutzen will. Mit dem Graffignyschen Motor ist, gleichwie bei dem Künzelschen Modell, ein Gasakkumulator verbunden, welcher einen sparsamen Verbrauch bei ununterbrochener Leistungsfähigkeit gewährleistet. Die Steigkraft des Ballons soll für ein Gewicht bis 220 kg ausreichen, die Fahrgeschwindigkeit auf 11 m pro Sekunde bei nicht zu stürmischer Witterung betragen. Am Hintertheil des Graffignyschen

Luftschiffes befinden sich eine Schraube mit langen Schraubgängen, ein breites Steuerruder für die horizontale Lenkung und zwei bewegliche schiefe Ebenen mit veränderlicher Oberfläche für die Lenkung in vertikaler Richtung.

Endlich das Modell des berühmten Luftschiffers Gabriel Yon. Bei diesem Modell hat Yon das Netz des Ballons durch einen leichten, aber festen seidenen Ueberzug ersetzt. Der Ballon hat eine ovale Form und ist mit einem Luftsack versehen. Der Motor besteht aus einer Gasmaschine, welche gleichzeitig zur Speisung des Ballons dient. Das überflüssige Gas wird in einem besonderen Kondensator mit grosser Oberfläche in den flüssigen Zustand zurückversetzt, so dass dasselbe beständig von Neuem wieder verwendet werden kann. Die Eigengeschwindigkeit des Ballons ist auf 10 m in der Sekunde berechnet worden. Auch dieses Modell ist noch nicht erprobt worden.

In der Herstellung begriffen ist ferner ein eigenartiges Luftschiff des Landwirths G. Weissenrieder in Weildorf in Baden. Der Ballon des Weissenrieder'schen Luftschiffes hat die Form eines Fisches oder Schiffskörpers, ist 16 m lang, 4 m breit und 8 m hoch. Sein Hohlraum umfasst gegen 300 kbm. Im Inneren befindet sich ein Holzgerüst, welches von zusammengenieteten und verkitteten Aluminiumtafeln umhüllt ist. Drei eigens konstruirte Lampen im untersten Theil des Hohlraumes sollen dem Luftschiff die erwärmte und somit verdünnte Luft verschaffen, um das ganze Gewicht, welches mit Einschluss von zwei Luftschiffern auf 1000 kg berechnet ist, in die Höhe zu heben. Rechts und links sind ausserhalb des Schiffskörpers je zwei windmühlenartige Flügel von je 2 qm Fläche angebracht, welche vom Führerraum aus mit Handbetrieb beliebig in Bewegung gesetzt werden können. Diese Schraubenflügel sollen zusammen mit dem Steuer am hinteren Schiffsrande dem Ballon eine beliebige Wendung zu geben vermögen. Durch eine oben angebrachte Klappe kann man in beliebiger Menge kalte Luft einströmen lassen und damit ein Senken des Ballons bewerkstelligen. Der interessante Bau ist ziemlich fertiggestellt, und will Herr Weissenrieder bald den Aufstieg wagen.

In jüngster Zeit hat ein gelungener Versuch, mit einem lenkbaren Ballon die Ueberfahrt über den Aermelkanal zu bewerkstelligen, berechtigtes Aufsehen in Fachkreisen erregt. Es wird darüber aus London geschrieben unter dem 21. Dezember 1898: In der Gondel des vom Eigenthümer des »Daily Chronicle« ausgerüsteten Luftschiffes befanden sich der berühmte Luftschiffer Spencer und Swinburne, ein Redakteur des genannten Blattes. Der Ballon war mit einem nach dem Vorbilde des Andree'schen Ballons ausgerüsteten Segel und einem 500 Fuss langen, 100 Pfund schweren Schleppseil versehen, das als Steuer mit dem Segel zugleich gebraucht werden sollte. Die Abfahrt vom Krystallpalast fand mit günstigem Nordwind um 11 Uhr 38 Minuten statt. Um 1 Uhr 24 Minuten war der Ballon über Beachy Head bei Eastbourne und über Fecamp um 4 Uhr; 35 Minuten später ging der Ballon bei St. Romain, zwölf englische Meilen von Havre, nieder. Der einzige bemerkenswerthe Zwischenfall war das Niedersinken des Ballons auf die Meeresoberfläche bei der französischen Küste, wobei die Insassen der Gondel durchnässt wurden.

Ueberall nun, wo ungünstige Wind- und Witterungsverhältnisse vorliegen, und hauptsächlich für militärische Zwecke wendet man jetzt allgemein den Drachenballon an. Er hat eine längliche, einer Cigarre vergleichbare Form und soll in der Luft eine schräg aufgerichtete Stellung einnehmen. Hinten unterhalb ist ein gebogener, länglicher, wulstförmiger Ansatz, einem

Krebsschwanze an Aussehen ähnlich, der sogenannte Kragen, angebracht. Ein kleiner, rundlicher Ballon, die Rose, dient, an einem Seil befestigt, als Steuerung, nicht unähnlich dem Schwanz am Drachen. Der Korb ist unter der Mitte des Ballons, das Haltekabel mehr nach vorn befestigt. Diese sinnreiche Form, welche den gemeinsamen Bestrebungen des jetzt der Luftschiffer-Abtheilung angehörigen Oberleutnants v. Siegsfeld und des königlich bayerischen Hauptmanns v. Parseval zu verdanken ist, gewährt für die Beobachtungen grosse Sicherheit gegen Schwankungen.

Der eigentliche Ballon, welcher in der Mitte einen Cylinder, an den Enden Kugelabschnitte bildet, enthält in seinem unteren Theile einen besonderen Behälter, der die durch einen Trichter einströmende Luft aufnimmt und von dem das Gas aufnehmenden Haupttheil durch eine aus gefaltetem Zeug bestehende Scheidewand getrennt ist. Letztere gestattet dem Gas, bei geringem Einströmen der Luft in den unteren Behälter sich nach diesem hin auszudehnen oder umgekehrt. Diese Anordnung bewirkt die Erhaltung der cylindrischen Form. Der Kragen oder Windsack, welcher mit Luft gefüllt ist, trägt wesentlich zur Verminderung der Schwankungen in der Luft bei, welche die starken Windströmungen sonst hervorbringen. Die Rose hat ringförmige Gestalt mit einer mittleren Oeffnung von 10 cm. Das Seil ist 150 m lang. Die Rose hat unterhalb noch einen langen Schwanz, bestehend aus kleinen Kegeln, welche auf einen Strick gereiht sind. Die Anordnung gewährt eine bedeutende Widerstandsfähigkeit gegen die Einwirkung des Windes und erhöht die Stetigkeit des Ganzen. Bei den Kaisermanövern der letzten Jahre sind nur Drachenballons seitens der Luftschiffer-Abtheilung benutzt worden, welche dabei ihre Brauchbarkeit in jeder Hinsicht bewährt haben.

Im Sommer v. Js. haben in England Versuche mit Drachenballons auf See stattgefunden, wobei die Ballons bis auf 1000 m stiegen; das Kabel war an einem Torpedoboot befestigt, welches 18 Knoten per Stunde lief.

Der bei der Wiener Jubiläumsausstellung zur Verwendung gekommene Drachenballon des Augsburger Fabrikanten A. Riedinger hat auch dort seine Ueberlegenheit über den bisherigen kugelförmigen Fesselballon bewiesen. Derselbe war in Walzenform mit halbkugelartig abgerundeten Ecken und einem Kragen hergestellt, hatte eine Länge von 28 m, in seinem walzenförmigen Theil einen Durchmesser von 7,3 m, fasste etwa 1000 cbm Kohlengas und konnte drei Personen in die Lüfte tragen. Das 750 m lange, dünne Drahtkabel war auf 3000 kg geprüft. Der Riedingersche Ballon war wie die Papierdrachen mit einem den Auftrieb durch den Wind steigernden »Schwanz« ausgestattet, der durch hintereinander an eine Leine gereihte, im Winde sich aufblähende »Tuten« (Schirme) gebildet wurde. In ihm ist der Aufstieg und der Verbleib in der Höhe selbst bei einer Windstärke von 21 m in der Sekunde möglich gewesen, während gefesselte Kugelballons schon von einer Windstärke von 10 m in der Sekunde niedergedrückt wurden.

Als ein weiteres Moment für die Begünstigung der Lösung des Problems der lenkbaren Luftballonschifffahrt ist die schon bei den Neukonstruktionen erwähnte Anwendung flüssig gemachter Gase anzusehen. Jeder kann sich selbst leicht sagen, dass die Mitführung von verflüssigten Gasen, welche ein verhältnissmässig geringes Gewicht besitzen, in einem Ballon die Tragfähigkeit desselben ganz ausserordentlich steigern und die Mitführung von Ballast in Verbindung mit Aluminiumkonstruktionen überflüssig machen würde. Wenn die Möglichkeit der Herstellung flüssiger Gase in grossen Mengen gegeben sein wird (was in einzelnen Fällen schon

jetzt erreicht worden ist, z. B. vom Professor Linde in München), werden
auch Luftreisen von mehreren Tagen und vielleicht Wochen Länge nicht
mehr zu den Hirngespinnsten gehören. Der belgische Forscher Errera
macht z. B. in der »Revue Scientifique« darauf aufmerksam, dass man
durch den Gebrauch von flüssigem Wasserstoffgas auch die Lenkbarkeit
des Ballons in gewisser Hinsicht beeinflussen könnte. Er schlägt vor, den
Ballon mit einem Ringe von Stoff zu umgeben, der ja nach Belieben in
Verbindung mit den Gefässen voll flüssigen Wasserstoffes gesetzt werden
kann. Dreht man einen Hahn auf, so entweicht der Wasserstoff in Gas-
form aus diesen Gefässen, füllt den Ring und erhöht die Steigkraft des
Luftschiffes. Will der Luftschiffer den Ballon wieder mehr senken, so
lässt er das Gas wieder aus dem Ringe ausströmen, um es nach Bedarf
nochmals durch neues zu ersetzen. Dieses Verfahren kann so lange fortgesetzt werden, als der Vorrath von flüssigem Wasserstoff reicht.

Schlussbetrachtung. Aus dem Gesagten erhellt Folgendes: 1. Die
Möglichkeit der Verwendung des Aluminiums und seiner Legirungen und
die in Zukunft mögliche Anwendung der Verflüssigung und Kondensirung
der Gase bei der Ballonluftschifffahrt wirkt mächtig auf die Vervollkommnung derselben ein, so dass wir wohl nicht zu fern der Zeit der
Lösung der Flugfrage stehen. 2. Mit der Verbesserung der Ballonluftschifffahrt sinkt der Werth der Flugmaschinen, Drachenflieger, Fall-
schirme u. s. f. 3. Die jetzigen und zukünftigen Konstrukteure von Luftschiffen werden ausser den bis jetzt gewonnenen Erfahrungen noch auf
folgende Punkte Werth legen müssen: a) die Anwendung eines möglichst
nicht feuergefährlichen Brennstoffs für die Motore, die subtile Herstellung
aller einzelnen auch minder wichtigen Theile des Luftschiffs, wie Treibriemen, Wellen, Räder, Taue, Ventile u. s. w.; b) die Erleichterung des
Abstieges für die Luftschiffer durch die zweckentsprechende Wahl einer
passenden Ballonhülle (aus Seide oder Aluminiumlegirung); c) der Umfang
und die Grösse des Luftschiffes müssen genau im Verhältniss zu der Tragfähigkeit desselben stehen. Es wird sich empfehlen, in Rücksicht auf die
Lenkbarkeit lieber relativ kleine Luftschiffe für höchstens zwei Personen
Tragfähigkeit herzustellen. Dabei muss die Konstruktion nicht komplizirt,
sondern möglichst einfach sein; d) die Anwendung von Segeln und Seilen
nach Andreeschem Vorbilde kann sich empfehlen.   H. v. Sch.

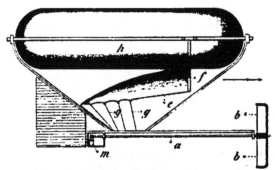

(Es sei an dieser
Stelle auf eine Schrift des
Ingenieurs Max Lochner
über die »Grundlagen
der Lufttechnik« [Ver-
lag von W. H. Kühl,
Berlin] verwiesen, welche
gemeinverständliche Ab-
handlungen über eine
neue Theorie zur Lösung
der Flugfrage und des
Problems des lenkbaren
Luftschiffes enthält. Der
Verfasser lehnt alle Nachahmungen von Schrauben, Rudern u. s. w. in Anlehnung an die Wasserschifffahrt rundweg ab und stellt sich auf die
Seite des Vogelfluges unter Anwendung schirmartiger Segel. Er giebt
seinem Luftschiff die in der Abbildung dargestellte Form. Unter dem

Ballon h befindet sich ein Tragschirm e mit der Versteifung f und den Zugschnüren g. Ein Motor m treibt durch die Achsstange a die Treibflügel b, die ähnlich den Flügeln holländischer Windmühlen gestaltet sind.

D. Red.)

Mein letztes Wort über die Zuverlässigkeit der Gabelbildung.

Die in den beiden ersten Heften des Jahrganges 1899 dieser Zeitschrift enthaltenen Ausführungen des Oberstleutnant Callenberg in dem Aufsatze » Weiteres über die Zuverlässigkeit des Einschiessens« nöthigen mich sehr wider meinen Willen zu einer Entgegnung. Ich werde mich so kurz wie möglich fassen und erkläre zugleich, dass ich für meine Person auf eine weitere Fortsetzung des Kampfes verzichte. Ich beschränke mich auf Folgendes:

1. Den Vorwurf, meinen Gegnern die »bona fides« nicht zugebilligt zu haben, weise ich entschieden zurück. Der Kampf ist mir aufgezwungen worden, nicht allein durch Oberstleutnant Callenberg, sondern weit mehr noch durch den mir unbekannt gebliebenen Verfasser des Aufsatzes »Zur rechten Zeit« (Militär-Wochenblatt Nr. 76/1898). Dieser noch vor Herausgabe des Callenbergschen Buches erschienene Aufsatz enthielt eine förmliche Kriegserklärung an mich. Unter solchen Umständen musste ich den Kampf mit voller Schärfe führen, jede mir dargebotene Blösse ausnützen. Ich habe aber dabei jeden Ausdruck scharf abgewogen und kann jedes Wort auch jetzt noch unbedingt aufrecht erhalten. Die vom Oberstleutnant Callenberg beanstandeten Urtheile sollen seine Gesinnung nicht antasten; sie sind vielmehr nur der Ausdruck meiner wissenschaftlichen Ueberzeugung, die ich nicht eher aufgeben kann, bis der Beweis erbracht ist, dass die von mir angefochtenen Annahmen sich wissenschaftlich rechtfertigen lassen.

2. Auf eine sachliche Widerlegung der Callenbergschen Ausführungen verzichte ich, weil ich glaube, alles Nöthige bereits gesagt zu haben, um dem artilleristisch bezw. mathematisch gebildeten Leser das Urtheil anheimgeben zu können. Nur auf einen Punkt muss ich eingehen, da hier eine Aeusserung von mir geradezu gefordert wird.

Wenn sich Oberstleutnant Callenberg der Hoffnung hingiebt, dass ich nach seinen Ausführungen meine Zweifel an der Statistik der Schiessschule nicht mehr aufrecht erhalten werde, so muss ich bemerken, dass ich in seinen Ausführungen thatsächlich nichts gefunden habe, das mich bewegen könnte, die in dem »Nachtrag« meiner Entgegnung ausgesprochene Ansicht im Geringsten zu verändern. Die eigenen Rechnungen des Oberstleutnant Callenberg beweisen in Uebereinstimmung mit der Formel des Geheimen Regierungsraths und Professors der Mathematik an der Universität Kiel Dr. Pochhammer, dass die zu erwartende Prozentzahl der falsch gebildeten 100 m-Gabeln auf den beiden kleinsten Entfernungsgruppen (1600 bis 2000 und 2000 bis 2400 m) unter Annahme von nur richtigen Beobachtungen und mittleren Streuungen von 38 bezw. 39,5 m, wie sie nach dem Callenbergschen Buche bei der Schiessschule beobachtet sind, 22,4 bezw. 23,3 beträgt. Beim gefechtsmässigen Schiessen muss die Zahl falsch gebildeter Gabeln unbedingt höher sein, da zu der ersten Fehlerursache eine zweite (unsichere Beobachtung) tritt, die für sich allein

8*

wirkend, schon eine gewisse Zahl falscher Gabelbildungen hervorrufen würde. Nach den eigenen Ausführungen des Oberstleutnant Callenberg (S. 31) sind aber bei der Schiessschule nur 16 bezw. 18 pCt. falsch gebildeter 100 m-Gabeln beobachtet. Der von mir behauptete Widerspruch zwischen dem Ergebniss der Rechnung und der Statistik ist also noch nicht gehoben. Das Ergebniss der Rechnung kann ich prüfen, ich habe keinen Fehler darin gefunden; kein Wunder, dass ich mich dafür entscheide.

Ich beklage es im allgemeinen Interesse auf das Tiefste, dass die Statistik der Schiessschule überhaupt in die Erörterung hineingezogen ist. Von Anfang an habe ich erklärt, dass ich dieses Hereinziehen der Schiessschulstatistik für verfehlt erachten müsste, da die Ergebnisse meiner Untersuchungen lediglich an den Leistungen der Truppe, aber nicht an denen 'der Schiessschule geprüft werden dürften. Nachdem mir aber diese Zahlen als beweiskräftig entgegengehalten worden sind, habe ich keinen Anstand genommen, meiner wohl begründeten, wissenschaftlichen Ueberzeugung von dem Werthe derselben Ausdruck zu geben.

3. Zum Schluss möchte ich noch einmal kurz meinen Standpunkt zu der ganzen Frage klarlegen.

Wenn meine aus der Erfahrung geschöpften, mit der Rechnung übereinstimmenden Angaben über die Zahl von falschen Gabeln u. s. w. in der That Veranlassung zu ernster Beunruhigung waren, so lag ja nichts näher, es wäre aber auch nichts nothwendiger gewesen, als sie auf ihre Richtigkeit hin zu prüfen. Zu diesem Zweck brauchte man nur sämmtliche Schiesslisten eines Jahres von mehreren auf verschiedenen Plätzen schiessenden Brigaden einzufordern und eine Zusammenstellung nach nachstehendem Muster anzufertigen. Das wäre die Arbeit von wenigen Tagen gewesen.

Lfde. Nr.	Batterie	Datum	Wahrscheinliche Zielentfernung m	Untere Grenze der Gabel von		200 m-Gabel		100 m-Gabel		Bz.-Schiessen versprach gute schlechte Wirkung	
				200 m	100 m	richtig	falsch	richtig	falsch	gute	schlechte
1	1/1	3/7	1980	1800	1900	1	—	1	—	1	—
2	»	4/7	2130	2000	2000	1	—	—	1	1	—
3	»	6/7	3380	3400	3400	—	1	—	1	1	—
4	»	7/7	2690	2400	2500	—	1	—	1	—	1
5	»	8/7	2521	2400	2500	1	—	1	—	1	—
6	»	9/7	2710	2600	2700	1	—	1	—	1	—

Sehr wichtig ist die richtige Berechnung der »wahrscheinlichen Zielentfernung«. Darum ist die Abweichung der zur Berechnung herangezogenen Schüsse auf die durch den Fusspunkt des Ziels gedachte wagerechte Ebene (richtiger noch auf die Visirlinie) zu übertragen, nicht nur, wenn das Ziel auf einer Anhöhe steht, für welchen Fall dies durch Ziffer 315, Absatz 5 der Schiessvorschrift angeordnet ist, sondern auch dann, wenn das Ziel auf einem sanften Hange steht, oder wenn man von der Höhe nach ... schiesst. Wird in solchen Fällen die Uebertragung unterlass... die Abweichung des mittleren Treffpunktes der zur Berec... ...tfernung dienenden Schüsse meist zu klein ermittelt, und dadurch kann eine thatsächlich falsch gebildete Gabel als richtig gebildet erscheinen.

Denkt man sich ein Ziel Z auf einem sanft nach vorn zu abfallenden Hang (siehe Abbildung), so wird die Flugbahn eines Schusses, der am Ziel 50 m davor beobachtet ist, thatsächlich nicht 50 m, sondern um mehr zu kurz liegen. Nicht die beobachtete Abweichung sz, sondern die auf der Visirlinie gemessene $s_1 z$ ist in Rechnung zu stellen.

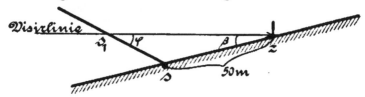

Ist der Fallwinkel der Flugbahn φ, der Winkel, den die Visirlinie mit dem Boden in der Nähe des Ziels bildet (im Allgemeinen der Böschungswinkel) β, so folgt unmittelbar aus der Abbildung:

$$sz : s_1 z = \sin \varphi : \sin [180° - (\varphi + \beta)], \text{ also}$$

$$sz = s_1 z \, \frac{\sin [180° - (\varphi + \beta)]}{\sin \varphi}, \text{ und da}$$

$\sin [180° - (\varphi + \beta)] = \sin (\varphi + \beta)$ und ferner die Winkel φ und β meist

klein sein werden: $sz = s_1 z \, \dfrac{\varphi + \beta}{\varphi} = s_1 z \left(1 + \dfrac{\beta}{\varphi}\right).$

Hieraus folgt, dass der Unterschied zwischen sz und $s_1 z$ um so grösser, je grösser β, d. h. je steiler der Hang,
  je kleiner φ, d. h. je kleiner die Schussweite.

Nachstehende Zusammenstellung giebt an, um wie viel Prozent $s_1 z$ grösser als sz wird bei verschiedenen Böschungs- und Fallwinkeln.

Fallwinkel φ	Böschungswinkel β					
	1°	2°	3°	4°	5°	6°
4°	25	50	75	100	125	150
5°	20	40	60	80	100	120
6°	17	33	50	67	83	100
7°	14	29	43	57	71	86
8°	12,5	25	37,5	50	62,5	75
9°	11	22	33	44	56	67

Ist z. B. die Gabel 1600/1700 gebildet, ist der Schuss mit 1700 Er-höhung auf + 10 richtig beobachtet, liegt ferner nach den Aufnahmen am Ziel der mittlere Treffpunkt der mit Erhöhung 1600 abgegebenen Rest-Az.-Schüsse auf — 80 m, so errechnet sich die wahrscheinliche Ziel-entfernung auf 1680 m, und die Gabel 1600/1700 gilt als richtig gebildet.

Ist das Gelände am Ziel nur um 1½ ° ansteigend, dann stellt sich die wahre Abweichung des mittleren Treffpunkts, gemessen auf der Visir-linie, um 0,33 · 80 m höher, da der Fallwinkel auf 1600 m 4½ ° beträgt. Der mittlere Treffpunkt liegt also in Wahrheit auf — 107; die Zielentfernung errechnet sich also auf 1707, und die Gabel ist falsch gebildet und zwar, weil infolge der Streuung der Schuss mit Erhöhung 1700 hinter statt vor dem Ziel aufschlug.

Der Höhenunterschied zwischen dem mittleren Treffpunkt und dem Fuss des Ziels beträgt in diesem Fall 2 m, ist also nur als sehr geringfügig zu bezeichnen.

Da der Schiessplatz bei Jüterbog nach der Aeusserung des Oberstleutnants Callenberg grosse Höhenunterschiede zeigt, also wahrscheinlich auch häufig Ziele auf solchen Hängen beschossen worden sind, so scheint es nicht ausgeschlossen, dass ein grosser Theil der Gabeln als richtig gebildet ermittelt worden ist, die thatsächlich falsch gebildet waren.

Lässt man diese Erklärung zu, so vermehrt sich die Zahl der falsch gebildeten Gabeln ganz besonders auf den beiden kleinen Entfernungsgruppen (1600 bis 2400 m), und der Widerspruch zwischen Wissenschaft und Erfahrung ist gehoben.

Da der Schiessplatz bei Friedrichsfelde, welchem meine Angaben über die 231 Schiessen der 8. Feldartillerie-Brigade entstammen, fast völlig eben war, so wurde der hier erwähnte Fehler so gut wie ganz vermieden.

Der Unterschied zwischen meinem Vorschlage und dem, den Oberstleutnant Callenberg am Schluss seiner Betrachtung macht, liegt darin, dass er der Länge der Versuchsreihe einen so hohen Werth beilegt, während ich der Zuverlässigkeit der einzelnen Zahlen, welche die Versuchsreihe bilden, die höhere Bedeutung zuerkenne.

Zum Schluss noch einige thatsächliche Berichtigungen!

1. Es ist unmöglich, dass bei den von Oberstleutnant Callenberg herangezogenen 1111 Schiessen 40 bis 50 mal so viel Offiziere betheiligt gewesen sind als bei den 231 Schiessen der 8. Feldartillerie-Brigade, da hier nicht nur die Batteriechefs, sondern sämmtliche Offiziere, einschliesslich solcher des Beurlaubtenstandes, also etwa 50 bis 60 Offiziere betheiligt waren. Danach hätten an den 1111 Schiessen der Schiessschule mindestens 2000 Offiziere als Batterieführer betheiligt sein müssen.

2. Das Regiment von Holtzendorff hat in seiner ganzen Stärke auf dem Friedrichsfelder Platz geschossen; bei Elsenborn haben zwei Abtheilungen eine eintägige Gelände-Schiessübung abgehalten; dadurch können die Ergebnisse um so weniger ungünstig beeinflusst worden sein, als bei mehreren dieser Schiessen die Beobachtungen am Ziel so unsicher waren, dass sie keine Berücksichtigung finden konnten. Schiessen im Abtheilungsverbande konnten überhaupt nur ganz ausnahmsweise verwerthet werden.

3. Die Verhältnisse, unter denen die 8. Feldartillerie-Brigade im Jahre 1893 schoss, waren keineswegs besonders ungünstig. Ich glaube darüber ein einigermaassen kompetenter Beurtheiler zu sein.

4. Die Schiessvorschrift von 1893 kann auf das Ergebniss der Gabelbildung keinen Einfluss gehabt haben, ebenso wenig auf die Zahl der von mir in Rechnung gestellten »wirkungslosen« Bz.-Schiessen. Nach der Schiessvorschrift von 1890 wurde die Gabel im Az.-Feuer genau so gebildet wie nach der von 1893. Dass nach der älteren Schiessvorschrift die Gabel noch bis auf 50 m verengt wurde, kann auf die Zuverlässigkeit, mit der die 200 m- oder die 100 m-Gabel gebildet wurde, auch nicht den geringsten Einfluss ausgeübt haben. Dagegen wurde dadurch die »wahrscheinliche Zielentfernung« in den meisten Fällen mit grösserer Sicherheit ermittelt.　　　　　　　　　　　　　　　　　　　　H. Rohne.

Die Einführung des elektrischen Betriebes bei den Hauptbahnen und ihre Bedeutung für die Kriegführung.

Von F. H. Buchholtz, Oberstleutnant a. D.

Die Einführung des elektrischen Betriebes auf Vollbahnen rückt, trotz mancherlei dagegen geltend gemachter Bedenken, von Jahr zu Jahr näher, in Nordamerika sind schon kürzere Strecken in Betrieb, in England sind mit der Hochbahn in Liverpool sowie mit der Londoner Untergrundbahn so gute Erfolge erzielt worden, dass die Einführung elektrischer Lokomotiven auf den Hauptbahnen ernstlich erwogen wird; auch bei uns steht ein Versuch dieser Art auf der Wannsee-Bahn bevor.

Das Bedürfniss nach rascheren Verkehrsmitteln, als die heutigen Schnell- und selbst Blitzzüge uns bieten, wird ein immer dringenderes, und die Einführung von schneller verkehrenden Zügen eine Frage der nächsten Zeit. Eine weitere Steigerung der Fahrgeschwindigkeit bei den heutigen Lokomotivbahnen ist aber fast ausgeschlossen oder doch nur mit grossen Gefahren für den Betrieb möglich. Die hin- und hergehenden Theile der schweren Eilzugmaschinen veranlassen die bekannten gefährlichen Pendelbewegungen und die damit verbundene starke Inanspruchnahme des Oberbaues und der Betriebsmittel; deshalb ist man eben beim Dampfbetrieb an die Einhaltung einer gewissen maximalen Geschwindigkeit gebunden. Während die höchste mit Lokomotiven zu erreichende Fahrgeschwindigkeit mit 90 km in der Stunde angenommen wird, hofft man bei elektrischem Betrieb 120 bis 140 km zu erreichen; bei einer von der Firma Ganz & Comp. im Jahre 1891 zwischen Wien und Budapest projektirten Bahn wollte man sogar eine Geschwindigkeit von 250 km in der Stunde ermöglichen.

Man wird mit Recht die Frage aufwerfen: »Worin liegt denn diese grosse Ueberlegenheit der elektrischen Lokomotiven gegenüber den mit Dampf betriebenen?« — Ein Fachmann auf diesem Gebiete, der Ingenieur Schiemann, erklärt diese Ueberlegenheit, wie folgt[*]): »Beim elektrischen Betriebe giebt es keine hin- und hergehenden Maschinentheile, die Hauptursache der pendelnden Bewegung fällt fort, und man kann daher die Geschwindigkeit steigern, ohne den Oberbau und die Betriebsmittel mehr in Anspruch zu nehmen; die elektrische Lokomotive braucht keine Kohle, kein Wasser, keinen Tender, keinen Generator für die Triebkraft, nur den Motor, dessen rotirender Theil direkt auf der Triebkraft sitzt.«

Nun hat man vielfach bezweifelt, dass elektrische Lokomotiven mit hohen Leistungen auf langen Strecken würden verwendet werden können, weil die Anwendung einer Spannung von 500 bis 700 Volt ein grosses Ausdehnungsgebiet wegen der Kostspieligkeit der Zuleitungen nicht gestatten würde. Auf einer Strecke von 5 km verwendet man allerdings auf der Baltimore—Ohio-Eisenbahn elektrische Lokomotiven, welche bei einer Betriebsspannung von 600 bis 700 Volt 1440 Pferdestärken leisten und schwere Güterzüge fortbewegen. Eine ausgedehntere Verwendung finden wir aber in der Schweiz bei der Normalbahn Burgdorf—Thun. Diese Bahn soll durch ein Elektrizitätswerk an der Kander betrieben werden, dessen Drehstrom von 15 000 Volt Spannung (bei einer Leistung von etwa 3000 Pferdestärken an Transformatoren-Stationen) an die ganze

---

[*]) Elektrische Fernschnellbahnen der Zukunft. Von Max Schiemann, S. 22.

40 km lange Bahn abgegeben wird und dort eine Spannung von 750 Volt erhält; die elektrischen Lokomotiven würden eine Zugkraft von 200 bis 300 Pferdestärken repräsentiren.

Es unterliegt bei der mehr und mehr ausgedehnten Zuführung starker Ströme wohl keinem Zweifel mehr, dass man heute schon in der Lage sein würde, selbst auf den grossen Verkehrslinien den elektrischen Betrieb einzuführen, es sind nur noch Bedenken anderer Art zu beseitigen, ehe man sich entschliessen kann, zu einer solchen Umwälzung im Verkehrswesen überzugehen. Die hierzu nothwendige Herstellung einer Stromzuführung ist in der Praxis bereits mehrfach in zufriedenstellender Weise ausgeführt worden und keineswegs so kostspielig, als man früher angenommen hat. So hat neuerdings in Amerika ein Ingenieur T. Child ein Projekt aufgestellt, mit welchem er auf den neun Vorortlinien von Philadelphia mit zusammen 256 km Gleislänge den elektrischen Betrieb — unter gleichzeitiger Benutzung derselben Gleise durch Fernschnellzüge mit Dampfbetrieb — einführen will. Child stellt bei Ausführung seiner Vorschläge neben manchen sonstigen Annehmlichkeiten noch einen sparsameren Betrieb in Aussicht, eine Behauptung, die allerdings erst durch die Praxis bewiesen werden müsste. Die Rentabilität des elektrischen Betriebes ist unzweifelhaft eine Hauptbedingung für seine Einführung in grösserem Umfange, und fehlen hierfür noch ausreichende praktische Erfahrungen.

Wie schon vorher erwähnt, ist zuvörderst die Anlage der elektrischen Stromzuführung erforderlich. Nun hat man bei Vollbahnen von der bei Strassenbahnen üblichen Zuführung durch eine oberirdische Drahtleitung Abstand genommen, da dies System sich für einen Verkehr mit grosser Fahrgeschwindigkeit nicht eignet. Man verwendet statt dessen eine dritte Schiene, welche entweder zwischen oder neben den Fahrschienen gelagert ist; von ihnen entnehmen die elektrischen Lokomotiven mittels Rollen den Strom. Die Anlage ist viel einfacher als jene mit oberirdischer Stromzuführung und hat sich in Amerika und England durchaus bewährt. Auf die einzelnen Details dieser Konstruktion näher einzugehen, muss ich mir des beschränkten Raumes wegen versagen, möchte nur bemerken, dass man neuerdings den seitlich gelagerten Zuführungsschienen den Vorzug giebt, da sie höher gelegt werden können, als dies zwischen den Fahrschienen statthaft, und damit eine bessere Isolirung ermöglicht ist.

Verhältnissmässig grosse Anlagekapitalien erfordert die Einrichtung der Centralen, in welchen der elektrische Strom für grössere Linien erzeugt werden muss, weil überall da, wo nicht bedeutende Wasserkräfte verfügbar sind, zum Betrieb der Dynamomaschinen grosse Dampfmaschinen-Anlagen erforderlich sind. Endlich würde eine recht beträchtliche Zahl elektrischer Lokomotiven beschafft werden müssen, während die vorhandenen Dampflokomotiven fast werthlos würden. Es liegt deshalb auf der Hand, dass die Einführung des elektrischen Betriebes auf den Hauptbahnen nur nach und nach, in einem Zeitraum von Jahrzehnten zur Ausführung wird gelangen können. Schiemann, einer der Hauptvorkämpfer, sagt: »Wir verfolgen einen Weg, der es uns ermöglichen soll, auf den bestehenden grossen Strecken langsam den elektrischen Betrieb einzurichten, unter theilweiser Beibehaltung des heutigen Systems für einen Theil des Betriebes. Es ist natürlich nicht zu erwarten, dass bei einem kombinirten Betriebe zwischen Dampf und Elektrizität die höchsten wirthschaftlichen Erfolge erzielt werden, wenn nur durch die Neuerung nicht Vertheuerungen eintreten.« — Ich glaube aber nicht — bei der Internationalität der Verkehrseinrichtungen auf dem Kontinent —, dass einer der europäischen Staaten allein mit einer derartigen Neuerung vorgehen kann und wird. Der elektrische Betrieb wird deshalb wohl vorläufig nur bei kurzen, viel befahrenen Strecken z. B. bei den Vorortbahnen grosser Städte, in Betracht gezogen werden, da er hierfür grosse wirthschaftliche und betriebstechnische Vortheile bietet. Je geringer das Zuggewicht, um so kleiner die Elektromotoren, um so geringer der Strombedarf für den Zug, um so einfacher, sicherer und billiger die Stromzuleitung. Je kleinere Einheiten man in den Verkehr setzt, desto sicherer und wirthschaftlicher ist auch der Betrieb, weil man die Schwankungen des Verkehrsbedürfnisses innerhalb eines Tages berücksichtigen und sich diesen Schwankungen anschmiegen und ein günstigeres Verhältniss zwischen todter und Nutzlast erhalten kann.

Für grosse Linien wird eine solche Art des Betriebes sich aber kaum ermöglichen lassen, da wird man wohl längere Züge beibehalten müssen, und gehen damit die vorerwähnten Vortheile verloren. Doch hat man sich hierfür in anderer Weise zu helfen gesucht, und zwar durch Konstruktion einer elektrischen Lokomotive, die selbst den nöthigen Strom erzeugt und deshalb keine besondere Anlage für die Stromerzeugung und seine Zuführung bedarf. Bei dieser Maschine, welche nach ihrem Erfinder »die Heilmannsche Lokomotive«, auch »Fusée Electrique«, genannt wird, befinden sich Dampfmaschinen und Dynamos auf einen gemeinsamen achtachsigen Wagen gestellt; die Dampfmaschine betreibt die Dynamos und diese bewegen die Achsen des Maschinenwagens. Eine solche Lokomotive kann ohne besondere Vorkehrungen auf jeder Vollbahn verwendet werden und ist versuchsweise auf der französischen Westbahn im Gebrauch. Sie soll eine Zugkraft von 1350 Pferdestärken besitzen, hat aber auch ein Gewicht von 120 t (2400 Ctr.) und scheint bei den Probefahrten nur eine Geschwindigkeit von 50 km in der Stunde erreicht zu haben; es ist dies eine Leistung, die wohl nicht ausreichen dürfte, die Dampflokomotive zu verdrängen, wenn die Konstruktion auch noch verbesserungsfähig ist.

Aus diesen Angaben über den augenblicklichen Stand der Elektrotechnik in Bezug auf den Eisenbahnbetrieb wird man erkennen, dass eine umfassende Einführung des elektrischen Betriebes auf den Hauptbahnen noch im weiten Felde steht, und es vorläufig nur einen akademischen Werth hat, ihre Bedeutung für die Kriegführung in Betracht zu ziehen, trotzdem glaube ich, dass eine derartige Betrachtung in militärischen Kreisen ein gewisses Interesse finden wird.

Der wesentliche Antheil, welchen die Eisenbahnen an den kriegerischen Operationen im Feldzuge von 1870/71 gehabt haben, lassen deutlich erkennen, welche Vortheile leistungsfähige Bahnlinien der Heeresleitung bieten, und andererseits, welche Behinderung in der Bewegung durch eine nachhaltige Zerstörung einer wichtigen Bahnstrecke bewirkt werden kann. Aus diesem Grunde muss die Heeresleitung einen grossen Werth darauf legen, dass die Bahnanlagen möglichst so beschaffen sind, dass ihre Verwendbarkeit nicht allzu leicht durch zufällige oder absichtliche Störungen beeinträchtigt werden kann. Nun werden aber selbst die eifrigsten Verehrer des elektrischen Betriebes kaum in Abrede stellen können, dass durch die weitere Anlage elektrischer Stromzuführung nicht ein neues, Störungen ausgesetztes Glied hinzukommen würde, ganz abgesehen davon, dass die Centralen, die eigentlichen Kraftquellen, eines ganz besonderen Schutzes bedürfen. Man würde auch bei einem Rückblick auf den deutsch-französischen Krieg die Frage aufwerfen müssen: »wie würden sich die Verhältnisse gestalten, wenn bei einem solchen Kriege die Bahnen des einen Staates mit elektrischen und die des anderen mit Dampflokomotiven betrieben würden?« Der letztere würde dann mit seinen Betriebsmitteln anstandslos die Bahnlinien des Gegners benutzen können, während der erstere sie erst dazu herrichten müsste. Trotzdem werden mit der unaufhaltsam fortschreitenden Zeit auch die Uebelstände besiegt und die Bedenken beseitigt werden.

Oberstlentnant Gerding äussert sich darüber bei gelegentlicher Behandlung dieser Frage sehr zutreffend, wie folgt: »Der Betrieb mit dauernder Stromzuführung hat allerdings vom militärischen Gesichtspunkt aus den Nachtheil der Abhängigkeit von den Centralen, und es bieten bei demselben erstens die Stromzuleitungen überraschenden feindlichen Unternehmungen eine verwundbare Stelle, und zweitens werden die Kraftstationen selbst, wenn sie auch nur vorübergehend in feindlichen Besitz gerathen, leicht derartig zu zerstören sein, dass die Wiederherstellung des Betriebes grosse Schwierigkeiten machen und viel Zeit erfordern wird. Unsere Linien und namentlich die Centralen werden also aus diesen Gründen vielleicht eines sorgfältigeren Schutzes bedürfen als bisher.«

»Andererseits sind aber Zerstörungen der Leitungen nicht sehr nachwirkend, sondern leicht wieder herzustellen. Bei der Anlage und Vertheilung der Centralen dagegen wird auf eine militärisch möglichst gesicherte Lage zu rücksichtigen sein. Vor allen Dingen aber dürfte es im Interesse der Landesvertheidigung zu empfehlen sein, nicht zu grosse Systeme von einem Punkt abhängig zu machen, da mit dem Verlust dieses Punktes das ganze System brachgelegt wird. Jedenfalls sind die Bedenken nicht derartig schwerwiegend, dass sie den Betrieb mit dauernder Stromzuführung auszuschliessen vermöchten, wenn derselbe uns die anderweitig erhofften Vortheile sichert. Denn nach wie vor werden die verwundbarsten Stellen unserer Bahnlinien die grossen Strom- und Flussübergänge sowie die Tunnels sein, mögen·diese Linien nun elektrisch oder mit Dampf betrieben werden.«

Die grossen Vorzüge des elektrischen Betriebes gegen den Betrieb mit Dampflokomotiven werden wohl mit der Einführung und weiteren Ausbreitung elektrisch betriebener Strassenbahnen vom Publikum immer mehr erkannt werden, und damit die Forderung nach Einführung auf den Vollbahnen immer dringender hervortreten. Neben dem Fortfallen des oft so lästigen, alle Wagentheile mit Russ überziehenden Rauches, wird der viel ruhigere Gang des Wagens, die so vollkommene elektrische Beleuchtung und endlich die voraussichtlich bedeutend vermehrte Betriebssicherheit der Einführung des elektrischen Betriebes wohl sehr vernehmlich das Wort reden. Beim Dampfbetrieb sind häufig sehr verhängnissvolle Zusammenstösse auf Bahnhöfen dadurch herbeigeführt worden, dass die Deckungssignale nicht eingestellt oder vom Maschinenführer nicht beachtet worden waren. Bei dem elektrischen Betriebe würde man die Stromzuführungen für die Strecke von der für die Bahnhofsgleise trennen und durch Abstellen der letzteren den Bahnhof gegen jedes unbefugte Einfahren eines Zuges sichern können; man würde sogar mit Leichtigkeit eine vollkommen automatische Signalisirung und Blockirung der Züge einrichten und sich damit von der durch die menschliche Schwäche bedingten Unsicherheit in der Bedienung dieser wichtigen Betriebsmittel befreien können.

Hat man erst durch den Betrieb kürzerer Strecken — wie auf der

Wannsee-Bahn — die Möglichkeit, diese theoretischen Voraussetzungen praktisch auszuführen und auf ihre Zuverlässigkeit zu erproben bezw. zu vervollkommnen, so wird auch die Bahnverwaltung nicht zögern, die weiteren Schritte zu thun und sich dem Drängen der öffentlichen Meinung fügen. Die Heeresverwaltung wird aber dann kaum in der Lage oder gewillt sein, diesem Impulse der allerneuesten Zeit sich hindernd in den Weg zu stellen. — »Denn«, so äusserte sich der frühere Chef des Ingenieurkorps, General der Infanterie v. Golz, gelegentlich bei Besprechung dieser Frage, »wenn der elektrische Betrieb technisch und wirthschaftlich den Dampfbetrieb überwindet, kann und wird die Militärverwaltung seiner Entwickelung kein Hinderniss in den Weg legen.«

Die weitere Entwickelung der Telegraphie ohne Draht.*)

Mit einer Abbildung.

Die Telegraphie ohne Drahtverbindung, auch Hertzsche Wellentelegraphie und Marconis Telegraphensystem ohne Draht genannt, ist das Erzeugniss einer Reihe wissenschaftlicher Errungenschaften neuerer Naturphilosophen und nicht zum mindesten auch ein Sieg der heutigen Präzisionsmechanik. Das Prinzip ist folgendes: Die Gebestation G besteht aus einem nach Dr. Hertz und Prof. Righi angegebenen Funkeninduktorium hoher Spannungen J, in dessen Primärspule mit Kontaktunterbrecher ein Morse-Taster T und eine Batterie JB eingeschaltet ist, während sich in der Sekundärspule ein Funken-Kugeloscillator F befindet. Die beiden massiven, grossen Metallkugeln sind zur Hälfte in einem mit Vaselinöl gefüllten Cylinder eingeschlossen, wodurch die Strahlungsintensität der Funken bedeutend erhöht wird. Hinter dem Funkenoscillator kann ein Hertzscher Metallreflektor aufgestellt werden, um das Strahlenbündel in eine bestimmte Richtung zu senden.

Beim Niederdrücken des Tasters T oscilliren zwischen den Polkugeln Funken, deren Frequenz bis 1000 Millionen in der Sekunde beträgt, und diese Funken senden nach allen Richtungen elektrische Strahlen, oder richtiger gesagt, Hertzsche Wellen, durch den Aether in die Ferne, die indess durch das menschliche Auge nicht wahrgenommen werden. Mittelst des Tasters T ist es möglich, diese unsichtbaren Wellenimpulse nach rhythmischen Morse-Zeichen zu gruppiren. Der englische Physiker Maxwell hatte zuerst theoretisch und der deutsche Dr. Hertz praktisch dargelegt, dass diese elektrischen Wellenstrahlen allen Gesetzen der Lichtstrahlen folgen, mithin auch mittelst Reflektoren in bestimmte Richtung gesandt werden können. Hiermit war das Grundprinzip festgestellt, mittelst Hertzscher Aetherwellen Signale in die Ferne zu senden; das Empfangen dieser Wellenimpulse hing von der Voraussetzung ab, Empfangsapparate zu erdenken, welche in einer für die menschlichen Sinne wahrnehmbaren Weise auf jene Wellenimpulse reagiren.

Der erste hierfür von Dr. Hertz erdachte Empfangsapparat entsprach nur sehr kurzen Entfernungen zwischen Gebe- und Empfangsstation. Dank indess dem schon im Jahre 1890 von dem französischen Physiker

---

*) Wenn auch im I. Jahrgang ein Aufsatz über diesen Gegenstand erschienen ist, so glauben wir doch, bei der Wichtigkeit dieser neuesten Erfindung auf dem Gebiete der Telegraphie den aus sachkundiger Feder stammenden Aufsatz unseren Lesern nicht vorenthalten zu dürfen. D. Red.

Branly erfundenen sogenannten elektrischen Auge, welches selbst aus weiter Entfernung die vom Funkeninduktor oder auch infolge atmosphärischer Entladungen ausstrahlenden elektrischen Aetherwellen wahrnimmt und sie dem menschlichen Auge sichtbar zu machen im Stande ist, gelang es, die Strahlentelegraphie bedeutend zu fördern. Branlys elektrisches Auge, von ihm »Radio-Konduktor« genannt, ist ein überaus einfaches kleines Instrumentchen, das aber dennoch die Seele der Empfangsstation bildet. Es besteht aus einem 4 cm langen und 2,5 mm weiten Glasröhrchen, das von zwei Silberelektroden-Plättchen so geschlossen ist, dass es einen inneren leeren Raum von $1/2$ mm bildet, der mit einem Gemisch aus Silber- und Nickelfeilspänen gefüllt ist. Die physikalische Grundlage dieses Radio-Konduktors und somit auch die der Strahlentelegraphie beruht nun darauf, dass der an und für sich unendlich hohe elektrische Leitungswiderstand eines solchen Röhrchens ganz plötzlich bis auf ungefähr 5 Ohm herabsinkt, sobald die Feilspäne auch nur von einem geringen Bruchtheil der unsichtbaren Aetherwellen des Funkeninduktors erreicht werden.

In nachstehender Figur stellt E die Empfangsstation dar. A ist das elektrische Auge, das von den aus der Ferne kommenden elektrischen Strahlen der Gebestation G berührt wird. Um die im Röhrchen A hervorgerufenen unsichtbaren Widerstandsänderungen in sichtbare Zeichen umzuwandeln, so dass die von dem elektrischen Auge wahrgenommenen Strahlenimpulse auch dem menschlichen Auge zugänglich werden, hatte zuerst im Jahre 1895 der russische Professor Popoff für Zwecke

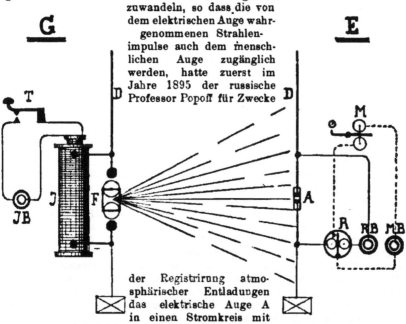

der Registrirung atmosphärischer Entladungen das elektrische Auge A in einen Stromkreis mit Relais R und Relaisbatterie RB eingeschaltet. Das Relais wird hierbei derartig eingestellt, dass es nur dann einschlägt, wenn sich der elektrische Widerstand im Auge A vermindert oder, in anderen Worten, wenn A von elektrischen Impulsen atmosphärischer Entladungen erreicht wird. Der Italiener Marconi erweiterte Popoffs Kombination, indem er dieselbe auch für die mittelst des Tasters T und des Funkeninduktors F telegraphirten rhythmischen Strahlenimpulse anpasste. Damit war die Empfangsstation der Telegraphie ohne Drahtverbindung im Prinzip festgestellt, wobei das

Relais in telegraphischer Weise in seinem Lokalkreise einen Morse-Schreiber M
und Lokalbatterie M B in Thätigkeit setzt, so dass nun die von der Gebestation G aus telegraphirten Zeichen als Punkte und Striche auf dem
Morse-Streifen der Empfangsstation E erscheinen.

Es ist noch zu erwähnen, dass, sobald der elektrische Leitungswiderstand der Branlyschen Röhrchen infolge der elektrischen Bestrahlung
sinkt, dasselbe jedesmal eine Erschütterung erfordert, um wieder seinen
ursprünglichen sehr hohen Widerstand anzunehmen und weiter funktioniren
zu können. Dies erreichte Prof. Popoff dadurch, dass er das Branlysche
Röhrchen von einem im Relaisstromkreise eingeschalteten elektromagnetischen Hämmerchen nach jeder Widerstandsverringerung sanft erschüttern
liess. Neuerdings fällt dieses Hämmerchen fort, und es wird das Röhrchen
direkt von der Farbenwalze des Morse-Schreibers mittels einer Schnur-
scheibe in Umdrehung versetzt, wodurch den Feilspänen im Röhrchen die
zum Funktioniren erforderlichen Erschütterungen mitgetheilt werden.

Es ist Marconis Verdienst, die von Hertz, Righi, Branly und Popoff
zur Strahlentelegraphie entdeckten Apparate und Stromläufe durch praktische Versuche auf ihre gegenseitige Kapazität studirt und proportionirt
zu haben. Auch die Sprechentfernung vermehrte Marconi dadurch, dass
er, wie Popoff, vertikal nach oben geführte lange Drähte D D an hohen
Masten anbrachte; diese auf der Hebestation mit der einen Funkenkugel,
und auf der Empfangsstation mit der einen Elektrode des Branlyschen
Röhrchens verband, während die zweite Funkenkugel und das andere
Rohrende zur Erde geleitet sind.

Marconi führte zuerst 1896 in England und 1897 in Italien praktische
Versuche in der Telegraphie ohne Drahtverbindung aus; insbesondere
auch zwischen dem Festlande und fahrenden Schiffen, wobei Verständigung
bis auf 16 km Entfernung erzielt wurde und die Länge der am Lande
sowohl als an Bord der Schiffe vertikal emporgeführten Sammeldrähte
34 m betrug. Dr. Slaby in Berlin befestigte diese vertikalen Drähte an
Luftballons, die 300 m stiegen, und telegraphirte so auf 21 km Entfernung.
Inzwischen hat sich in England die »Wireless Telegraph and Signal Co.«,
mit einem Kapital von 4 Millionen Mark gebildet und unter Marconis
Leitung mehrere Stationen in Entfernungen bis zu 54 km errichtet. Es
wurde auch zwischen Alam Bay und einem kreuzenden Dampfer in Entfernungen von 29 km und zwischen der Residenz der Königin in Osborne-
house und der Yacht des Prinzen von Wales telegraphirt u. s. w.

Dass ein unschätzbarer Werth daraus erwachsen würde, wenn die oft
ganz unzugänglichen Leuchtthürme und Leuchtschiffe der englischen Küste
durch Marconische Apparate mit dem Festlande in Depeschenverkehr gesetzt werden könnten, darüber gab es keinen Zweifel, am wenigsten bei
der Behörde des »Trinity house«, welcher der Seeschutz der Küste obliegt.
Seit Jahrzehnten waren die »Elder Brethren of the Trinity house« eifrig
bemüht, solche Leuchtschiffe, die wiederholt hülflose Augenzeugen gräss-
licher Schiffsunglücke sein mussten, durch elektrische Seekabel mit der
Küste zu verbinden, aber immer wieder scheiterten derartige Versuche
infolge der Unhaltbarkeit, selbst der stärksten Seekabel, an denjenigen
Stellen, wo diese mit den Leuchtschiffen verbunden und ganz unberechen-
baren Stössen und Drehungen ausgesetzt sind, denen kein Kabel für die
Dauer zu widerstehen im Stande ist. Die Trinity-house-Behörde gestattete
nun am 10. Dezember des verflossenen Jahres der »Wireless Telegraph
Company«, ihre Apparate auf einem der drei Leuchtschiffe: »East-Goodwin«,
»Gulf-Stream«, oder »South-Sandhead« aufzustellen, während die Land-

station auf dem »South-Foreland« Leuchtthurme zu errichten sei. Die
Company wählte das am entferntesten gelegene Landschiff »East-Goodwin«,
das sich 19 km von dem »South-Foreland«-Leuchtthurm befindet. Schon
am Weihnachtsabend wurde das Leuchtschiff mit dem Thurm in telegraphische Uebermittelung gebracht und Depeschen wurden noch am selben
Abend zwischen den Wachtleuten des Schiffes und ihren Familien ge-
wechselt. Seitdem ist nicht die geringste Störung in der Beförderung
der Telegramme eingetreten, und trotzdem das Wetter im Monat Januar
ausnahmsweise stürmisch und die See oft sehr bewegt war, so sind die
Telegraphen-Apparate hiervon nicht im Geringsten beeinflusst worden.
Dasselbe lässt sich allerdings kaum von dem auf dem Schaukelschiff
stationirten Elektrotechniker des Herrn Marconi behaupten, der dem Einfluss des »mal-de-mar« schwerlich entgehen konnte. Um so ehrenwerther
aber ist es, dass dieser Märtyrer der Wissenschaft und Humanität es
dennoch ermöglichte, in der überaus schweren Prüfungszeit einen der
Leuchtschiff-Matrosen in der Handhabung der Stations-Apparate anzulernen,
so dass Letzterer ohne vorhergegangene Kenntnisse in der Telegraphie
es bald erlernte, die Apparate zu ajustiren, Depeschen zu empfangen und
solche zu telegraphiren. Die »Times« berichteten hierüber in der letzten
Januarwoche, dass »die beiden Telegraphenstationen täglich in Thätigkeit
seien und aussergewöhnlich gute und schnelle Resultate erzielt werden.«
Die Thatsache indess, dass eine Leuchtschiff-Telegraphenstation durch
einen Matrosen mit Erfolg, selbst unter den schwierigsten Witterungsverhältnissen bedient werden kann, ist ein praktischer Beweis zu
Gunsten der Ausführbarkeit dieser Anwendung der Telegraphie ohne
Drahtverbindung.

Der Umstand jedoch, dass die Strahlentelegraphie auch von atmosphärischen Entladungen und von den Wellenimpulsen benachbarter
Strahlen-Stationen störend beeinflusst wird, sowie dass dazwischentretende
hohe Bäume, Häuser, Berge u. s. w. auf die Sprechentfernung verkürzend
einwirken, wird dieser Telegraphen-Methode eine bestimmte Grenze vorschreiben, innerhalb welcher sie in Zukunft neben den bereits vorhandenen Kommunikationsmitteln einen wichtigen Platz einzunehmen bestimmt ist.*)   R. v. F.-T.

Die Anwendung von Minenbohrern im Festungskriege.**)

In jetziger Zeit ist durch die Arbeiten vieler Militärschriftsteller, sowohl russischer wie auch nichtrussischer, sozusagen der militärische
Scharfblick des Grafen Totleben im Bereiche der Fortifikation klar gelegt.
Seiner Aufmerksamkeit entging auch nicht die Zukunft der Minen. Gleichsam in der Voraussicht ihrer Bedeutung in der Zukunft wandte der Graf
Totleben den Uebungen im Minenkriege die ernsteste Aufmerksamkeit zu,
er prüfte selbst die Berichte der Sappeur-Brigaden und machte Bemerkungen, die in den Kodex der Minenkunst aufgenommen wurden. Er

*) Es sei hierbei auf eine im Verlage der Königlichen Hofbuchhandlung von
E. S. Mittler & Sohn erschienene Schrift aufmerksam gemacht: Die Entwickelung
der asymptotischen Telegraphie, der sog. elektrischen »Telegraphie ohne Draht«,
in allgemein, verständlicher Darstellung sachlich und historisch erläutert von
Dr. Rudolf Blochmann. 1898. Mit 17 Skizzen.

**) Unter dieser Ueberschrift ist in dem russischen Militärjournal »Wajennyi
Sbornik« kürzlich ein Aufsatz erschienen, dessen wesentlichsten Ausführungen hier
gefolgt wird.

erkannte auch die Wichtigkeit des Hülfsmittels der Bohrer im Minenkriege, eines Hülfsmittels, von welchem sich persönlich zu überzeugen er Gelegenheit hatte, indem er die Versuche über das Röhrensystem der Kontreminen leitete, das von dem Generaladjutanten Schilder vorgeschlagen wurde. Bis zum Jahre 1844 wurden vielfache Versuche mit diesem System angestellt, welche augenscheinlich die Zukunft dieser Idee bewiesen; die Ausarbeitung der Einzelheiten der Wirkung der Kontreminen fiel dem Grafen Totleben, damals noch Leutnant des Lehr-Sappeur-Bataillons, zu.

Die Versuche wurden in den Jahren 1844 bis 1845 in Kiew angestellt und zwar mit grossem Geschick und grosser Beharrlichkeit, die dem verstorbenen russischen Ingenieur innewohnten.

Das Wesen des Röhren-Kontreminen-Systems besteht darin, dass an den äussersten Teten der Minenhauptgänge Nischen, sogenannte unterirdische Batterien, gebaut werden, aus denen mit dem Bohrer des Generals Schilder fächerartig 8 bis 10 Sashen*) lange Röhren in einer Tiefe von 6 bis 12 Fuss gebohrt werden; ein Theil der Röhren wurde frühzeitig geladen, während die übrigen je nach dem Bedarf nach dem Gange des Krieges gebohrt und geladen wurden. Aus diesen Röhren wirkte man durch Sprengungen von Ladungen, die 20 Pfund bis 2 Pud**) Pulver enthielten, auf die unter- und oberirdischen Arbeiten des Angreifers. Allerdings wurden dabei die Röhren auf einer Länge von $1^1/_2$ bis $2^1/_2$ Sashen zerstört, aber ihre Wiederherstellung dauerte nur $1^1/_2$ bis 3 Stunden. Mit dem Bohrer wurde der Pulverkasten des Gegners berührt, und nach 20 Minuten würde man ihn vernichtet haben können; man gestattete aber dem Angreifer, eine stark geladene Mine zu sprengen. Trotzdem dass die Röhren der Vertheidigung durch diese Sprengung zerstört waren und der Angreifer den Trichter krönte und eine Blendung mit einem Theile des Minenganges (Gallerie) baute, um den Angriff fortzusetzen, erneuerte der Vertheidiger nicht nur seine alten Röhren, sondern es gelang ihm auch, vier neue zu bohren; alle Versuche des Angreifers, aus dem Trichter vorzugehen, wurden glänzend abgeschlagen. Das Bohren einer 10 Fuss langen Röhre dauerte im Anfang 1 Stunde, in der Folge aber, als die Arbeiter sich daran gewöhnt hatten, waren für eine 10 Sashen lange Röhre im Ganzen $4^1/_2$ Stunden in einem mit Sand vermischten, festen, thonigen Boden erforderlich.

Aus diesen Versuchen ergab sich die mächtige Vertheidigungskraft des Minensystems des Generals Schilder und der vollständige Misserfolg der ganzen, sowohl der unter- wie auch der oberirdischen, Thätigkeit des Angreifers, der es mit solchen Kontreminen zu thun hatte. Dem Vertheidiger gelang es, bis zur Annäherung des Angreifers an das Glacis alle nöthigen Arbeiten zur Entwickelung des Systems der Röhren-Kontreminen auszuführen und dem Gegner auf 18 Sashen von der vordersten Nische entgegenzutreten. Der unterirdische Angriff war beseitigt; mit der Sappe und den Angriffsbrunnen, welche ständig zerstört wurden, kam der Angreifer in siebenmal 24 Stunden etwa 10 Sashen von der Halbparallele bis zum Fusse des Glacis vorwärts und hatte die Aussicht, mit den aus den Halbnischen gebohrten Röhren einen neuen Kampf zu bestehen. Wenn man bedenkt, dass bei einer wirklichen Belagerung zu allem Ungemach noch das Feuer der Festungswerke und das jetzt so verderbliche indirekte Feuer kommt, so würde wahrscheinlich die Annäherung endgültig eingestellt werden.

---

*) 1 Sashe = 2,134 m; 1 Fuss = 0,305 m. 1 Werschok = 4,445 cm, 1 Zoll = 2,540 cm.
**) 1 Pud = 16,38 kg; 1 Pfund = 0,409 kg.

In dieser Erfindung besteht jetzt die Antwort für die Autoren, welche die Kontreminen bei dem Angriff von Festungen nur deshalb gering achten, weil man sie nirgends baute. Man muss auch eingedenk sein, dass der jetzige Bohrer und die Bohrer vom Jahre 1844 voneinander verschieden sind, dass die Länge der Röhren jetzt fast willkürlich sein kann und nicht nur 10 Sashen zu betragen braucht; wenn die Schnellig-. keit des Bohrens einer Röhre früher 5 bis 10 mal grösser war als der Bau der Minengänge mit holländischen Rahmen bei den geschicktesten Mineuren, so ist sie jetzt noch bedeutender gewachsen. Der grosse Durchmesser der Bohrer ermöglicht es, in grosser Tiefe zu wirken und mit ein und denselben Ladungen die ober- und unterirdischen Bauten des Angriffs zu sprengen.

Die Bequemlichkeit des Horchens (ohne Zurückgabe) und die Schnellig-keit des Hinausschiebens des Röhren-Kontreminen-Systems im Verhältniss zu den Minengängen (Gallerien), die Möglichkeit, mit den Röhren einen beliebigen Punkt einer unterirdischen Strecke, unter einer beliebigen Arbeit des Angreifenden innerhalb des Nahangriffs, und offenbar einen um so entfernteren Punkt zu erreichen, je mehr die Kontreminen vor dem Zusammenstoss mit dem Angriff entwickelt sind, die Möglichkeit, die Sprengungen an ein und derselben Stelle in einer unbedeutenden Zwischenzeit (2 bis 3 Stunden) zu wiederholen — alles das spricht für eine grosse Zukunft der Minen bei der Vertheidigung, aber allerdings bei ihrer Anwendung in vervollkommneter und abgeänderter Form, was auch nicht wunderbar ist, weil auch alle Mittel des Festungskrieges seit der Zeit Vaubans sich geändert haben.

In Betreff der Möglichkeit, ein mächtiges Kontreminen-System selbst bei dem Fehlen von massiven Minengängen allerdings unter der Bedingung herzustellen, dass der Boden wenigstens bis zu einer Tiefe von 14 Fuss geeignet ist, ist das vom General Schilder gegebene Muster als Beweis angeführt. Aber die Kontreminen können auch sehr gut in geschickten Händen bei einer bedeutenden Höhe des Niveaus des Grundwassers oder überhaupt bei einer unbedeutenden Tiefe des geeigneten Bodens, die ge-ringer als die theoretischen 18 Fuss ist, angewendet werden. Als be-merkenswerthes geschichtliches Beispiel dient die Vertheidigung der Festung Graz im Jahre 1674 durch die Franzosen mit dem Kommandanten, dem Marquis Chamilly, an der Spitze. Daran denkend, dass nichts so auf die Einbildung der Soldaten einwirkt wie Minen und nichts die Infanterie so niederdrückt, befahl Chamilly, Kontreminen bei einer Erdstärke von 4 bis 5 Fuss zu bauen. Und das trotzdem, dass das dortige Niveau des Grund-wassers hoch war und in der Festung Wassergräben sich befanden; mit einem Worte, die Verhältnisse waren vollständig andere wie die, unter welchen man gewöhnlich Minen anwendet, und dennoch hatten sie einen so glänzenden Erfolg, was klar zeigt, dass ein Mann, der die Bedeutung der Kontreminen eingesehen hat, sie auch benutzt.

Die Kontreminen des Generals Schilder werden bei einer unbedeutenden Tiefe der Erde, die für die Minen geeignet ist, unvergleichlich leichter gebaut, und infolgedessen können sie öfter angewendet werden als die Minengänge.

Die künstlichen Hindernisse werden in den künftigen Festungskriegen (zum Theil auch in den Feldkriegen) unzweifelhaft eine sehr grosse Rolle spielen, was am besten daraus hervorgeht, dass deren Herstellung und Ueberwindung in allen europäischen Armeen ernstlich geübt werden. Die Flatterminen sind eins von den wirksamsten künstlichen Hindernissen; indem sie unmittelbar bedeutende Verluste in den Reihen des Angreifers herbeiführen, sind sie durch ihren natürlichen Eindruck noch weit mächtiger. Die öfter sogar frühzeitig gesprengten Flatterminen haben dazu geführt, . dass der Angreifer in dieser Richtung schon keinen Sturm unternahm. Es genügt, auf ein solches lehrreiches Beispiel hinzuweisen, wie die Sprengung von Flatterminen seitens der Russen bei der Vertheidigung der Schipka-Höhe, welche, wenn sie auch den Türken keinen Schaden zufügten, ihnen doch die Lust nahm, die russischen Stellungen von Süden anzugreifen, während die grossen Verluste durch das russische Gewehrfeuer sie nicht hinderten, wiederholt zu stürmen. In demselben Kriege griffen, nach der Einnahme der ersten Griviza-Redoute, die Rumänier allmählich die zweite Redoute an; der Angriff wurde so lange mit ziemlichem Erfolg ausgeführt, bis sich das Gerücht verbreitete, dass die Redoute unterminirt sei. Und das gegen eine Feldbefestigung! Bei der Vertheidigung von Kandia, am 19./31. Juli 1669, wurden 5000 Franzosen ausgeschifft, welche nach 6 Tagen einen Ausfall machten, die Türken aus den Laufgräben vertrieben, aber nach dem Auffliegen einiger kleiner Pulvertonnen in einer der türkischen Batterien ganz seitwärts von ihnen, in Unordnung zurückgingen. Die Panik war durch die noch früher entstandene erschreckende Einbildung veranlasst, dass Minen und Flatterminen gesprengt werden würden, die auf beiden Seiten in grosser Menge angewandt wurden, wodurch auch die lange Dauer der Belagerung sich erklärt. Sogar eine einzige Hindeutung auf das Bestehen von Flatterminen kann den Angreifer veranlassen, von Unternehmungen in dieser Richtung abzustehen. Bei der Belagerung von Richmond wurden die Pittsburger Linien einige Wochen auf zwei Kilometer nur durch Flaggen, ohne Flatterminen, und einige Kompagnien gehalten. Man kann eine Menge von Beispielen anführen, wo Flatterminen zum Abschlagen des Sturmes beitrugen, indem sie unter der Bresche oder in dem Graben angelegt waren.

Von allen Hülfsmitteln zur Anlegung von Flatterminen in den Festungen sind am zweckmässigsten Röhren, die mit Bohrern ausgebohrt werden, wie dies von dem Oberstleutnant Engman, Lehrer an der Nikolaus-Ingenieur-Akademie und -Schule, vorgeschlagen ist. Nach diesem Entwurf werden die Facen der Forts mit Flatterminen umgeben, die an den Teten der Röhren angelegt sind, welche aus der Kontreescarpe, perpendikulär zu ihr, ausgebohrt sind. Der hauptsächlichste, unzweifelhafte Werth dieses Mittels besteht darin, dass die Leitungen und die Flatterminen so tief gelegt werden können, dass sie für die feindlichen Geschosse unverletzlich werden. Der Angreifer kann die Leitungen nicht auffinden und nicht zerstören. Die Arbeit bei der Legung der Flatterminen erfolgt unvergleichlich schneller als bei der gewöhnlichen Art, Brunnen und Gräben für die Leitungen anfzugraben. Die Arbeiter sind unverletzbar, und folglich kann die Anlage von Flatterminen auch dann unternommen werden, wenn das betreffende Fort schon angegriffen ist oder die Vertheidigung keine Mittel hat, Kontreminen zu bauen, oder dies aus irgendwelchem Grunde unbequem ist. Die Flatterminen können über die Kontreescarpe so weit hinausgeschoben werden, wie man bohren kann, und nicht auf 15 bis 20 Sashen, sondern darüber hinaus. Folglich bieten auch in dem betreffenden Falle die Bohrer der Vertheidigung einen unschätzbaren Dienst bei der Abschlagung des Sturmes. Bedenkt man, dass Pulver oder Schiesswolle immer in einer Festung vorhanden ist und sein kann, dass andere Materialien für künstliche Hindernisse nicht zur Verfügung stehen, so muss man wiederum auf die Nothwendigkeit von der umfassendsten Anwendung von Bohrern hinweisen und ebenso darauf, dass die Festungen mit ihnen reichlich versorgt werden müssen.

Die Zwischen-Infanteriestellung zwischen den Forts kann auch mit solchen Flatterminen gesichert werden. Die vollständige Unbekanntschaft des Angreifers mit der Lage der Flatterminen, ihre schnelle Erneuerung und die Möglichkeit, in einer Röhre mehrere Flatterminen anzubringen, was ihre Sprengung bei einer Wiederholung des Sturmes ermöglicht, alles das bringt den Angreifer in eine schwierige Lage in Betreff der Wahl der Mittel zu einem Nahangriff. Augenscheinlich können solche Flatterminen auch nur durch Sprengungen vernichtet werden, so dass der Angreifer seine Zuflucht auch zu unterirdischen Arbeiten nehmen muss. Allerdings wohnen alle diese guten Eigenschaften im höheren Maasse den Flatterminen inne, die aus dem Kontreminen-System des Generals Schilder angelegt sind, weil sie von der Kontreeskarpe weiter hinausgeschoben werden, es mehr Punkte für ihre Anlage giebt, das ganze System biegsamer und leichter zu erneuern ist. Die bestehenden Kontreminen können bei einer ganz unbedeutenden Umarbeitung eine umfassende Anwendung der Röhrenminen herbeiführen. Man muss deshalb die Kontreminen möglichst reichlich mit Nischen versehen, die so geräumig sind, dass man Bohrer in ihnen aufstellen und mit diesen arbeiten kann.

Ueberblickt man die Vertheidigungsmittel, so fragt man unwillkürlich: wie kann der Angreifer diese Mittel vernichten, um den Schluss der Belagerung — den Sturm zu erreichen?

Der Bau der Laufgräben mit der Erdwalze (man kann die flüchtige Sappe und das Selbsteingraben nicht anwenden, weil der Gegner in einer solchen Nähe immer die Arbeit zerstören kann), sogar auch bei dem Fehlen von Kontreminen und Flatterminen, ist ein langsames Hülfsmittel und schwerlich am Tage bei dem jetzigen Wurf- und Schnellfeuer auszuführen, welches der Vertheidiger bis zum Ende der Belagerung immer unterhalten kann. Noch weniger ist dies Hülfsmittel bei dem Vorhandensein von Kontreminen anzuwenden. Der Angriff mit Angriffsbrunnen hat keine siegreiche Geschichte; der Erfolg des Angriffs mit ihnen war zweifelhaft oder äusserst langsam und unbedeutend, und jetzt kann man noch weniger diesen Brunnen vertrauen. Ihr Bau ist unter dem Feuer, besonders unter dem Wurffeuer, bei der elektrischen Beleuchtung des Geländes schwerlich ausführbar. Der in den Röhren horchende Vertheidiger wird ihrem Bau immer zuvorkommen. Es folgt daraus, dass dem Angreifer nur das eine Mittel, der Minenangriff, übrig bleibt. Und das ist auch begreiflich, die Zerstörung von oben ist gewachsen, man muss unter die Erde gehen, um sich gegen jene zu decken.

Die Antwort auf alle Zweifel in Betreff der Hülfsmittel des Nahangriffs muss der Satz sein: Der Angreifer muss mit dem Kontremineur mit gleicher Waffe kämpfen, d. i. mit der Hülfe von Bohrern, und zu diesem Zweck müssen in den Belagerungsparks Bohrer von grossem Durchmesser und grosser Länge in möglichst grosser Menge vorhanden sein. Ohne sie ist wenigstens ein schneller Nahangriff undenkbar. Es giebt noch ein schnelles Hülfsmittel, das von deutschen Schriftstellern gewählt ist; es ist das der Sturm von 200 bis 300 m ab, dessen ganzer Erfolg auf der Zerstörung der flankirenden Bauten, der Hindernisse auf den Kontreeskarpen und Eskarpen mittelst Sprengkommandos unmittelbar vor dem Sturm beruht. Für den Erfolg des Kommandos ist Dunkelheit und eine »taktische Erstarrung« des Vertheidigers unter dem Einfluss der Ueberschüttung der Forts mit Brisanzgranaten und Schrapnels erforderlich. Ohne in die Erörterung eines solchen Verfahrens einzugehen, dessen Schwierigkeit von vielen Militärschriftstellern oft auseinandergesetzt ist, ist anzunehmen, dass der Angreifer einen blutigen Sturm aus der Ferne nicht wagt und zum Nahangriff seine Zuflucht nimmt.

In der Konferenz der Nikolaus-Ingenieur-Akademie und -Schule wurde am 12./24. Februar 1897 ein Vortrag über den Nahangriff von Festungen gehalten, worin auf alle Vortheile der Anwendung von Bohrern sowohl bei der Vertheidigung wie beim Angriff aufmerksam gemacht wurde.

Die Bohrer können von dem Angreifer auf zweierlei Art angewendet werden, nämlich: sowohl als Hülfsmittel bei dem Minenangriff mit stark geladenen Minen als auch als selbständige Waffe zur Zerstörung der Kontreminen und Flatterminen, die vor den betreffenden Festungswerken angelegt sind, und zum Bau von Laufgräben, Zugängen und Logements sogar in dem Falle, wenn bei dem Vertheidiger keine Kontreminen und Flatterminen vorhanden sind.

Der Angreifer geht aus dem Laufgraben, der als Anfang des Minenangriffs dient, mit den Minengängen soweit vor, wie ihm der Kontremineur gestattet, und sprengt, ohne dass er sich zuvorkommen lässt, gleichzeitig mehrere Minen (was fast immer gelingt). Um den Angriff fortzusetzen, muss er die unterirdische Strecke säubern, die von der Vertheidigung eingenommen ist, sowie er unter der Erde mit den Kontreminen in Berührung gekommen ist; nur dann kann der Angreifer aus den Trichtern, wenn auch nur in der Länge einer verkürzten Verdämmung, vorgehen und eine neue Reihe von stark geladenen Minen anlegen. Die Kriegsgeschichte zeigt (das naheliegendste Beispiel ist der Minenangriff gegen die 4. Bastion bei Sewastopol) und die Friedenspraxis bestätigt, dass nach der Sprengung der ersten Serie von stark geladenen Minen, einer in der Hand eines geschickten Mineurs immer ungehindert ausführbaren Operation, versucht werden wird, den Angreifer zu überlisten; ein energischer Mineur kommt dem Angriff zuvor und wird, nachdem er die Trichter mit Minengängen umfasst hat, ihre Böschungen einwerfen und den Boden sprengen. Hat der Vertheidiger Bohrer, so wird er dem Angriff noch schneller mit unzweifelhaftem Erfolg zuvorkommen können, und der Angreifer, der keine Bohrer hat, wird immer unterliegen. Das beweisen auch die Versuche, die der Graf Totleben in Kiew 1844—45 ausgeführt hat. Als selbständiges Mittel müssen Bohrer von grossem Durchmesser und grosser Länge von dem Angreifer von dem Augenblick ab angewendet werden, bevor die ersten stark geladenen Minen gesprengt werden. Um seine Trichter mit den dahinter gelegenen Laufgräben zu verbinden, muss der Angreifer eins von den folgenden, durch die Theorie empfohlenen Mitteln zum Bau von Kommunikationen benutzen: er muss entweder sie gleichzeitig mit der Krönung der Trichter mit Hülfe der flüchtigen Sappe graben oder sie rechtzeitig mit der Erdwalze herstellen oder zu diesem Zweck einfache Zwischen- und Flankenminen sprengen. Der Bau von Kommunikationen von dem Trichter ab ist eine der schwierigsten Operationen. Die Franzosen sprengten die ersten stark geladenen Minen vor der 4. Bastion am 3., 15. April, und erst nach fünfmal 24 Stunden vereinigten sie die Trichter mit der 3. Parallele, weil das Feuer und die Ausfälle den Bau der flüchtigen Sappe die ganze Zeit hindurch störten. Die frühzeitige Herstellung von Gängen zeigt die Absicht des Angriffs auch bei dem jetzigen Feuer, die etwa in der Nacht auszuführen ist. Die Sprengung der einfachen Minen aus den Flankengängen ist nur bei unbedeutenden Entfernungen der Trichter von der Parallele anwendbar, und danach wird die Verbindung gebrochen und in der Länge bestreichbar sein. Weit einfacher ist es, unter Benutzung von Bohrern, die unter leichten Blendungen in dem Laufgraben aufgestellt sind, von hier aus unter der Stelle, wo die Kommunikationswege entstehen sollen, Röhren in einer Tiefe von 10—12 Fuss zu bohren, die eine solche Richtung erhalten, dass man von der Sprengung einfacher Minen, die in der Länge und an den Enden der Linien vertheilt sind, verbundene Trichter erhält. Man kann die Röhren und Ladungen immer so anlegen, dass der Gang des Trichters, 6—7 Fuss tief, gegen das Längsfeuer defilirt ist. (Schluss folgt.)

Ueber die Zerstörung und Wiederherstellung einiger französischer Eisenbahn-Kunstbauten 1870/71.

Von Hauptmann Rothamel beim Stabe des Königl. Bayerischen Eisenbahn-Bataillons.

(Schluss. Mit drei Abbildungen.)

3d) Der Viadukt bei Xertigny über die Cone, 16 km südlich Epinal. (Abbild. 6.)

Dieser eingleisige Viadukt ist einer der schönsten und höchsten Frankreichs, liegt in einer scharfen Kurve und hat eine Länge von 142 m bei 37,5 m grösster Höhe über der Thalsohle; er besteht aus Hausteinmauerwerk und enthält 9 Halbkreisbogen von je 12 m Spannweite mit 2 kräftigen Gruppenpfeilern.

Die Franzosen sprengten am 14. Oktober einen der mittleren Zwischenpfeiler mittelst Kammerminen auf der Thalsohle; der Erfolg war ein vollständiger, der Pfeiler war mit den anschliessenden 2 Gewölben eingestürzt, der dritte Bogen der Gruppe hatte sehr bedenkliche Risse und fiel Ende Oktober herab. In der damit 38 m langen Oeffnung stand der unbeschädigte, 37 m hohe, in Kämpferhöhe 3 m starke Zwischenpfeiler mit den 3 m nach jeder Seite überhängenden Gewölbeansätzen. Eigenthümlicherweise enthielten alle Gewölbe viele Spalten, insbesondere aber jene zu den Endwiderlagern, so dass dort besondere Abstützungen und Verstrebungen hergestellt werden mussten, ein Beweis dafür, dass die hohen Gruppenpfeiler in Schwingungen gerathen, also nicht stark genug waren, den Gewölbeschub bei der Sprengung vollständig aufzunehmen.

In der ursprünglich nur 25 m langen Sprengöffnung schwebte bei der ersten Erkundung am 16. Oktober das in vollem Zusammenhang verbliebene Schienengestänge in einem flachen Bogen. Auf dieser, nur durch die Schienenlaschen zusammengehaltenen Hängebrücke brachten die Pioniere mittelst eines Bahnmeisterwagens den Telegraphendraht über die Oeffnung.

Im November bereits begannen die Wiederherstellungsarbeiten, für welche aber erst Anfang Dezember entsprechende Arbeitskräfte verfügbar wurden. Da wegen der bedenklichen Risse in allen Gewölben der Einsturz des Bauwerkes befürchtet werden musste, begann man behufs dessen Entlastung zunächst mit der Beseitigung des gesammten Oberbaues, also der Schienen und Schwellen, sowie des Bettungsmaterials.

Trotz der Schwierigkeiten, bei dem starken Frost Mauerwerk auszuführen, wurde zur Verminderung allzu hoher Holzgerüste der Pfeiler 3×6 m stark und 13 m hoch aus den Steintrümmern mit Cement aufgebaut, wobei indess häufig trotz Erwärmung der Steine und Verwendung von heissem Wasser zur Mörtelbereitung die Masse in den Händen der Maurer erstarrte, so dass bei Eintritt einer Kälte von 10—14° die Arbeit tagelang eingestellt werden musste. Um den Zusammenhang des Mauerwerks zu sichern, erhielt der Pfeiler drei kräftige Holzgürtel, welche ein Zusammentreiben mittelst keilartiger Eichenhölzer ermöglichten.

Auf den Mauerpfeiler wurden drei Böcke, unten 4,8 m, oben 3,8 m breit und 15 m hoch, also bis zur Kämpferhöhe der Gewölbe reichend, gesetzt; jeder Bock bestand aus vier starken Kiefernbalken, von welchen die zwei mittleren bei 1,5 m Abstand senkrecht, die beiden äusseren geneigt standen. Kräftige Zangen und Verschwertungen sicherten einen

Abbild. 6. Viadukt bei Nertigny.

guten Verband dieses unteren Theiles des Holzgerüstes, welches durch stark verstrebte Spannbalken gegen die Mauerpfeiler abgestützt wurde. Auch in der dritten Oeffnung der Mittelgruppe wurde diese Verspannung angebracht.

Es ist hier noch der starken, aus dem Bilde nicht ersichtlichen Einrüstungen zur Aufstellung der Böcke zu gedenken, welche in fertigem Zustand aufgerichtet werden mussten. Den oberen Theil des Holzpfeilers bildeten zwei kleinere, nur 7 m hohe Böcke von der bereits erörterten Bauart. Damit war die Zwischenunterstützung für einen langen hölzernen Gitterträger von 1,5 m Höhe gewonnen, welcher sowohl die grosse wie die kleine Sprengöffnung überspannte.

Wegen der zahllosen Gewölberisse wurde eine Belastung der Bogen möglichst vermieden und deshalb auf den Pfeilern ruhende Längsbalken als Träger für die Eisenbahnschwellen angeordnet.

Anfang Dezember waren Oberleutnant Walter, Baumeister Wiebe, Bauführer Kräuter und 24 Pioniere, der badische Zimmermeister Hübscher mit 27 Zimmerleuten, 25 Maurer aus Nancy und französische Arbeiter nach Bedarf beschäftigt. Die Verzimmerung der Hölzer erfolgte in dem grossen Güterschuppen des Bahnhofes Epinal, musste aber zeitweise unterbrochen werden, da die Anfuhr der langen Stämme aus den Waldungen bei Plombières auf 20 km Entfernung und infolge zunehmender Unsicherheit grosse Schwierigkeiten bereitete.

Vom 10.—20. Januar musste wegen des Vorstosses der Bourbakischen Armee die Arbeit eingestellt, der an der Brückenstelle befindliche Holzvorrath zurückgeschafft werden. So vertrauensselig waren die Franzosen in dieser Zeit, dass die Ostbahn-Gesellschaft bereits mit einem Schweizer Bauunternehmer in Verhandlungen wegen der Wiederherstellung des Viaduktes trat.

Eine weitere Verzögerung des Baues entstand dann dadurch, dass die Feldeisenbahn-Abtheilung am 22. Januar behufs Instandsetzung der an diesem Tage gesprengten Eisenbahnbrücke bei Fontenoy s./M. beordert wurde und mit ihren Hauptkräften dorthin abging. Anfang Februar zurückgekehrt, erfolgte die Aufnahme der Arbeiten in vollem Umfange; bereits am 20. Februar konnten einzelne Wagen über die Brücke geschoben werden, am 24. erfolgte die Probefahrt mit einem Eisenbahnzug, am 25. begann der Betrieb. Einige Nacharbeiten, wie Verstärkung der Horizontalverspannungen u. s. w. wurden am 5. März vorgenommen.

Die Witterungsverhältnisse waren fast während der ganzen Bauzeit die denkbar ungünstigsten, grosse Kälte und starker Schneefall erschwerten den Dienst ausserordentlich und waren leider auch Ursache, dass bei den äusserst schwierigen Arbeiten in meist schwindelnder Höhe von 30 m verschiedene Unfälle vorkamen.

Zur Verpflegung der Leute waren dieselben Einrichtungen getroffen, welche sich bei dem Bau der Moselbrücke von Langley bewährt hatten.

3e) Der Viadukt in Aillevillers über die Argonne, 30 km südlich Xertigny. (Abbild. 7.)

Der Viadukt bestand aus 2 gewölbten Oeffnungen, war 60 m lang, 14 m hoch und trotz der Lage innerhalb des Dorfes vollständig zerstört.

Am 15. November erfolgte die erste Besichtigung. Um für die Holzpfeiler geringere Höhenausmaasse zu erhalten, wurde angeordnet, die Schienenlage um 2 m zu senken. Mit den Abtragsmassen aus den anschliessenden Dämmen von etwa 1200 cbm konnten 17 m der Sprenglücke eingefüllt werden, für 27 m Länge standen noch Fachwerksträger, welche bei der Uebergabe von Metz vorgefunden waren, zur Verfügung, so dass nur für 16 m einfache Balken verwendet werden mussten. Für diese Träger waren zwei Endauflager aus Mauerwerk und sechs Gerüstböcke nothwendig, wozu aus den Trümmermassen trocken gepackte, aussen aber vermauerte Steinsockel aufgesetzt wurden.

Abbild. 7. Viadukt bei Aillevillers.

    Abgesehen von der umständlichen Beschaffung und Anfuhr der Hölzer auf schlechten, verschneiten Waldwegen und trotz des Arbeitermangels bot die Ausführung keine erheblichen Schwierigkeiten.

Die Leitung oblag dem Bauführer Wichmann, welchem zunächst 15, von Ende November ab noch 38 Pioniere unter Leutnant Klein zugewiesen waren, so das stets viele französische Arbeiter beigezogen werden mussten. 50 württembergische Landwehrleute bildeten die Bedeckung der Arbeiten in Aillevillers. Am 10. Januar wurde wegen des Vordringens der Bourbakischen Armee vom Generalgouvernement Lothringen angeordnet, die fast vollendete Holzbrücke zu zerstören, der Befehl aber auf Vorstellungen der Feldeisenbahn-Abtheilung Nr. 5 zurückgenommen, nach welchen an dem Viadukt von Xertigny auf alle Fälle die Benutzung der Bahn durch die Franzosen verhindert werden könne.

Am 22. Januar ergab die Erkundung in Aillevillers, dass die Franzosen die Brücke nicht zerstört, sondern bei dem eiligen Rückzug nur versucht hatten, einige eichene Bockbeine abzuhauen.

Baumeister Skalweit vollendete die Brücke und beseitigte andere kleine Hindernisse auf der Strecke, so dass am 27. Januar der Betrieb auf der Theilstrecke Xertigny—Vesoul von 80 km Länge aufgenommen werden konnte.

4. Strecke Vesoul—Belfort.

Um eine zweite, günstigere Eisenbahnverbindung für das Belagerungskorps von Belfort zu schaffen — von Osten her sperrte der zerstörte Viadukt von Dammerkirchen den Verkehr — sollte unter Benutzung der Linie Blainville—Vesoul die nach Osten führende, nur theilweise zweigleisige Eisenbahn Vesoul—Belfort von 62 km Länge in Betrieb gesetzt werden.

Der Befehl dazu erging Ende Dezember von der Exekutivkommission für Eisenbahn-Transporte an die Feldeisenbahn-Abtheilung Nr. 5, konnte aber wegen des Vordringens Bourbakis im Januar erst Anfang Februar ausgeführt werden. Bis zum 18. Februar waren die gesprengte Eisenbahnbrücke bei Lure und alle sonstigen Gleiseunterbrechungen wieder hergestellt, so dass am 18. bei der Besetzung Belforts durch die Deutschen die Feldeisenbahn-Abtheilung ihren Einzug in den Bahnhof dieser Festung halten konnte.

4a) Die Ognon-Brücke bei Lure. (Abbild. 8.)

Die zweigleisige Brücke bestand aus 3 Halbkreisbogen von 7 m Spannweite, war 40 m lang und etwa 10 m hoch. Die Sprengung von Minen im westlichen Endauflager, welche am 18. Oktober bei dem Vordringen des Generals v. Werder von der 2. Badischen Brigade vorgenommen worden war, ergab zwar eine Lücke in der Bahn von 16 m Länge, aber eine Flügelmauer mit dem zugehörigen Stück des Widerlagers und des Bogenanfanges blieb unbeschädigt.

Die Vorbereitungen der französischen Ingenieure, welche bei dem Vordringen der Bourbakischen Armee im Januar die Brücke für ein Gleis wieder herstellen wollten, waren äusserst umständlich und nichts weniger als feldmässig. In einer fein hergerichteten, geräumigen Baubude fanden sich als Beweis dafür, dass der Rückzug in grösster Eile erfolgt war, die vollständigen Einrichtungen zum Zeichnen und Messgeräthe aller Art, aber ausserdem die sehr sorgfältig ausgeführte Bauzeichnung im Maassstab 1:50. Ferner lagen sämmtliche Brückenhölzer am Bauplatz und waren nicht nur vollkantig geschnitten, sondern auch allseits gehobelt und theilweise bereits abgebunden.

Baumeister Skalweit übernahm die Leitung der Arbeiten, welche Pioniere nach dem französischen Plane mit den vorgefundenen Holzbeständen vom 7. bis 17. Februar ausführten. Aus dem Bild ist die gewählte Konstruktion genau ersichtlich, ohne dass der Grund für die Wahl der sprengwerkartigen Unterstützung der verdübelten Träger zu erkennen ist; auch der Zweck der zu flach liegenden Andreaskreuze hätte vielleicht mit einfacheren Mitteln erreicht werden können.*)

Abbild. 8. Ognon-Brücke bei Lure.

5. Witterungsverhältnisse.

Mehrfach ist bereits der ungünstigen Witterungsverhältnisse gedacht worden, welche die Arbeiten ausserordentlich erschwerten. Leider sind hierüber trotz vieler Bemühungen weder von meteorologischen Stationen, noch aus den einschlägigen Veröffentlichungen bestimmte Aufschlüsse über Temperaturen, Barometerstände, Niederschläge u. s. w. zu erhalten, da Beobachtungsergebnisse aus den Gegenden des südöstlichen Kriegsschauplatzes fast vollständig fehlen.

Nur im Allgemeinen ist bekannt, dass sich in Mitteleuropa der andauernd strenge Winter von 1870/71 den ungewöhnlich kalten Jahren von 1845, 1855 und 1865 anreiht und als ungewöhnliche Erscheinung in der Witterungskunde verzeichnet ist. Die andauernde Winterkälte zerfiel in zwei getrennte Theile. Der Vorwinter hatte gegen Weihnachten den Höchstbetrag der Kälte erreicht, der Nachwinter Mitte Februar; aber auch im Januar herrschte im Elsass und Burgund sehr grosse Kälte, hervorgerufen wahrscheinlich durch die grossen Schneemassen, welche den Wasgenwald, die Sichelberge u. s. w. bedeckten und Abkühlungspunkte für ihre Umgebung bildeten.

6. Schluss.

Die vorgeführten Bilder und Schilderungen entrollen nur einige Bilder von den grossartigen Leistungen der Feldeisenbahn-Abtheilungen, ins-

*) Schon vor Jahren hat Herr Hauptmann a. D. Günther mit unendlichem Fleisse eine Studie über Eisenbahnzerstörungen auf dem französischen Kriegsschauplatz verfasst, für deren Mitbenutzung zu danken hier nicht verfehlt wird.

besondere der 5. unter ihrem bewährten Oberingenieur Krohn, und erregen
wohl allgemeines Erstaunen, vielleicht sogar allseitige Bewunderung nicht
nur in Anbetracht der kühnen Bauwerke, sondern auch wegen der zahllosen Schwierigkeiten, welche bei der Bauausführung zu überwinden waren.

Da es sich vielfach um die Ueberbrückung von Flüssen handelte, bei
welchen wegen der Steintrümmer auf dem Flussgrund, wegen der rasch
wechselnden Wasserstände und des drohenden Eisganges die Anwendung
einfacher Brückenformen mit einer grösseren Zahl von Mittelunterstützungen
oder mit vielen Jochen und starken Streckbalken ausgeschlossen war,
mussten weittragende Gitterwände aus Holzbalken mit grossem Zeitaufwand gezimmert und aufgestellt werden.

Nur bei den Viadukten wären Einrüstungen möglich gewesen, wie bei
einigen im nordamerikanischen Bürgerkriege 1861—1865 zerstörten Brücken,
welche als trestle works von einer grossen Arbeiterzahl mit reichen
Holzvorräthen in wenigen Tagen wiederhergestellt werden konnten.

Wenn aber diese Bauten der nordamerikanischen Eisenbahntruppen
als besondere Leistungen mit Recht in der Kriegsgeschichte erwähnt
werden, so gebührt eine solche Aufzeichnung sicherlich auch den hier
erörterten Bauwerken. Deren Bilder beweisen an sich schon die aussergewöhnliche Thätigkeit der Deutschen in diesem neuen Zweige der Kriegstechnik, welcher die höchsten Anforderungen der obersten Heeresleitung
erfüllte und neben Strategie und Taktik einen berechtigten Theil an den
grossen und glänzenden Erfolgen des Feldzuges für sich beanspruchen
darf. Bildeten doch die Eisenbahnen die wichtigsten Lebensadern der
Armeen, wäre doch ohne diese Schienenwege die Abwickelung der riesigen
Militärtransporte 1870/71 unmöglich gewesen.

In dieser Beziehung stand also schon der Feldzug 1870/71 nach
unseres Kaisers Wort: »Unter dem Zeichen des Verkehrs.«

Kleine Mittheilungen.

Zur Frage der Wirkungen kleinkalibriger Gewehre. Wäre die Verwundungsfähigkeit kleinkalibriger Gewehrgeschosse unter 8 mm auch nicht experimentell und
wissenschaftlich erwiesen, wie es ein Artikel im 6. Heft des I. Jahrgangs dieser Zeitschrift
darlegt, so würden praktische Erfahrungen bei den galizischen Bauernunruhen
in Oesterreich, in weiterem Maassstab aber solche bei der italienischen Revolution in Mailand jede in dieser Beziehung etwa auftauchende Sorge vollkommen
beseitigen. Die Wirkungen des italienischen 6,5 mm Gewehrs, um darauf näher
einzugehen, bei den Strassenkämpfen sind nach übereinstimmenden Berichten furchtbare gewesen. Das lange, dünne, aus mehreren Theilen bestehende Ballistitgeschoss
durchschlägt mit kleinem Einschussloch Fleischtheile und Muskeln, zerreisst aber
die Gewebe in weiter Ausdehnung und tritt in breitem Schusskanal wieder
heraus. Trifft es auf Knochen, so zerplatzt es und wirkt wie ein Sprenggeschoss.
Treffer im oberen Theil des Körpers und besonders Kopftreffer ergeben besonders
grausige Verheerungen. Wo die Kugel ein kräftiges Hinderniss findet, wie die Gehirnmasse es ist, theilt sie ihre Bewegung, in Molekularbewegung umgewandelt, dem
hindernden Gegenstande mit. Die Gehirnmasse sucht gewaltsam nach allen Seiten
zu entweichen und zersprengt ihr Gefäss. So erklärt es sich, dass bei allen am
Kopfe Getroffenen die gesammte obere Schädeldecke wie der Deckel einer Schachtel
abgehoben und die Gehirnmasse herausgeschleudert ist. Eine wissenschaftliche Erklärung finden diese Erscheinungen in Untersuchungen des Professors für Kriegsheil-
kunde in Berlin Dr. R. Köhler. Schiesst man auf ein im Wasser befindliches nicht
allzutief unter dessen Oberfläche liegendes Brett mit einer Pistole, deren Geschoss

geringe lebendige Kraft hat, so durchfliegt das Geschoss das Wasser und durchbohrt das Brett; die Wassertheilchen haben Zeit auszuweichen. Vergrössert man die lebendige Kraft des Geschosses, z. B. durch Vermehrung der Pulverladung, so dringt das Geschoss zwar in das Wasser ein, durchschlägt aber das Brett nicht mehr; bei allergrösster Geschwindigkeit zersplittert es schon beim Auftreffen. Bei Zunahme der Geschwindigkeit kommt also die Labilität, das Ausweichevermögen der Wassertheilchen weniger zur Entfaltung und zwar aus Mangel an Zeit. Das Wasser verhält sich in dem letzteren Falle ganz wie ein fester Körper, an dem sich das Geschoss zersplittert, und dieselbe Theorie lässt sich natürlich auch auf den Schädel anwenden, welcher einem mit Flüssigkeit gefüllten, allseitig geschlossenen Gefäss gleicht. Die Köhlerschen Experimente werden durch Beobachtungen ergänzt, welche der italienische Oberst und Artillerie-Direktor in Bassaua in der „Rivista di Art. e Genio" mittheilt. Für den Zweck der Abnahme von 6,5 mm Gewehren, welche kleinen Reparaturen unterworfen gewesen waren, schoss er eine grössere Anzahl Schüsse gegen einen aus Erde und Holzkasten errichteten Kugelfang, der mit der Rückseite gegen das Meer stand. Eines Tages als in einem Winkel von 45° gegen die Meeresoberfläche geschossen wurde, sah er einen Fisch wie todt auf dem flachen Meeresgrunde liegen. Er glaubte ihn getroffen, liess ihn herausfischen und fand ihn betäubt aber vollkommen unverletzt. Er wiederholte das Experiment an anderen Stellen, wo Fische zu sehen waren, nahm aber absichtlich niemals einen einzelnen Fisch aufs Korn. Der Erfolg war derselbe; nicht getroffene Fische waren betäubt oder sogar todt. Die Wirkungen des neuen Geschosses bei Schüssen ins Wasser sind also denjenigen von Dynamitpatronen vergleichbar. Der blosse hydraulische Druck vermag Fische zu betäuben resp. zu tödten und zwar nach den Beobachtungen Marianis im Umkreise von 60 bis 70 cm von der Einschussstelle. Der empirische Schluss wird übrigens dadurch bekräftigt, dass bei Schüssen mit dem 10,35 mm Vetterli-Gewehr die beobachtete Erscheinung sich nicht wiederholte.

Ein neuer Sicherheits-Steigbügel, von einem Herrn Steenken angegeben und in Italien patentirt, wird in der Riv. di Art. e Genio beschrieben. Derselbe ist 7 cm hoch, eine Höhe, welche ein zu tiefes Einschieben des Fusses verhindert. Die Stützfläche (Sohle) *A* ist drehbar, so dass der Fuss diejenige Stellung annehmen kann, welche ihm bequem ist. An der Sohle ist eine Gabel *C* angebracht, von hinreichender Länge, um dem Fuss die nöthige Stütze zu geben, ohne dass er sich aber zu weit vorschieben kann. Die Gabel ist beweglich und der Bügel so konstruirt, dass der Fuss in demselben beim Abstürzen vom Pferde nicht hängen bleiben kann. Die Sohle *A* ist nämlich nach Art  eines beweglichen Trittes um eine Achse drehbar, welche mit Schrauben *a* in den beiden Seitentheilen des Bügels befestigt ist. Unter der Sohle befinden sich zwei hervorstehende durchlöcherte Backen, durch welche die Seitenarme der Gabel geschoben sind. Dieselben können der Länge des Fusses entsprechend verschoben und mittelst Schrauben in dieser Länge festgehalten werden. Ein bestimmter Preis ist nicht angegeben. Derselbe soll aber mässig sein.

Die Zeitmessung in Pferderennen.*) Die weltbekannte Firma F. L. Löbner, Berlin W., Potsdamerstrasse 23, hat kürzlich in Hoppegarten die elektrische Uhr zur Durchführung von Zeitmessungen in Flachrennen aufgestellt. Diese Uhr steht, soweit die Uhrmachertechnik in Betracht kommt, ganz auf der Höhe der Situation. Ver-

---

*) Diese nicht nur für Sportsleute, sondern auch für die Kavallerie wichtige Frage hat zweifellos ihre technische Seite, aber sie ist auch für die Kriegstechnik von mittelbarem Interesse. Die Pferderennen dienen in erster Linie dem Interesse der Landespferdezucht und diese wiederum vor Allem der Armee. Hier gilt mehr wie anderswo der alte Satz: Pro patria est dum ludere videmur. D. Red.

besserungsfähig erscheint nur das „Wie" ihrer Verwendung. Nimmt man den wissenschaftlichen Erfahrungssatz als Basis, dass das menschliche Auge nur Lichteindrücke
bis zu $1/8$ Sekunde aufnehmen kann, kleinere Zeittheile aber nicht oder falsch aufgenommen werden, so folgt daraus, dass zur Durchführung einer sachlichen Zeitmessung für das erste Pferd der Mensch nicht in Funktion treten darf. In den im
Ziel in Erscheinung tretenden Schnelligkeiten der Pferde finden wir häufig 16 m und
mehr in der Sekunde. Die Schnelligkeit im Ziel steigert sich in progressivem Verhältniss
zu der Zeit während der Durchführung des Rennens, welche auf Schonung der Kräfte
verbraucht wurde, d. h. war das ganze Rennen ein langsames für die gegebene
Distanz, so waren Kräfte erübrigt, welche 300—400 m vom Ziel ab zum Schluss ein
scharfes Rennen ermöglichen. In diesem Falle gehen die Pferde aber mit 16 und
mehr Meter in der Sekunde durchs Ziel. Bei der heutigen Einrichtung wird vom Richterhause aus die Uhr sowohl elektrisch in Bewegung gesetzt wie auch angehalten, sobald das erste Pferd durchs Ziel gegangen ist. Wenn man erwägt, was der Richter
im Richterhause Alles zu thun hat, bis er auf den elektrischen Knopf drücken kann,
wodurch die Uhr funktionirt, so wird Einem klar, dass diese Form für eine sachliche
Messung nicht genügt. Beim Ablauf gehen die Pferde ab, der Starter sieht dies,
dies Bild giebt im Gehirn seinen Armmuskeln den Befehl, die Flagge zu senken,
jetzt nimmt der Richter im Richterhaus das Bild des Flagge-Senkens auf und überträgt diese Erkenntniss aus seinem Gehirn durch den Arm auf den elektrischen
Knopf, und die Uhr fängt an zu gehen. In Russland hat man diese langsame Funktion durch den Menschen in den Trab-Rennen, wo geringere Schnelligkeiten zum
Ausdruck gelangen, vermieden. 1895 theilt der „Sporn", die älteste Rennzeitung
Deutschlands, Seite 31 und 32 mit, dass die startenden Pferde und der Erste am
Ziel mit der Brust je einen quer über die Bahn gespannten Faden zerreissen, wo-
durch die Uhr in Bewegung gesetzt und angehalten wird. Schon 1890 habe ich das
Zerreissen einer quer über die Bahn gespannten Leitung durch die Pferde selbst in
meiner Arbeit »Deutschlands Trab-Rennen« empfohlen, um den Menschen bei der
Messung ausschalten zu können. Nehmen wir nun für die Beurtheilung des zweiten
Pferdes folgende Abmessungen an: 1 Länge = 3 m, $3/4$ Längen = $2^1/4$ m, $1/2$ Länge =
$1^1/2$ m, 1 Hals = 1 m (Kopf und Hals), 1 Kopf = $1/2$ m. Der halbe Meter, die Kopf-
länge, ist diejenige Abmessung, welche in Minimo den Ersten vom Zweiten trennen
muss, wenn ein erster und zweiter Preis gezahlt werden soll. Der Richter muss also
mit seinem elektrischen Knopf $1/2$ m bei einer Schnelligkeit von z. B. 16 m in der
Sekunde ausdrücken können. Bei dieser Schnelligkeit ist $1/2$ m oder 1 Kopf = $1/32$ Sekunde, er besitzt aber als Mensch nur die Fähigkeit, $1/8$ Sekunde und länger dauernde
Lichteindrücke richtig wahrnehmen zu können. Es ist daher ein Irrthum, zu glauben,
dass die Zeiten für das zweite Pferd mit Hilfe des elektrischen Knopfes vom Richterhause aus sachgemäss festgelegt werden können. Der im Waage-Raum aufgestellte
Apparat, der mit der elektrischen Uhr zugleich in Bewegung tritt, rollt einen Papier-
streifen ab, auf welchem sich die Sekunden durch schwarze Striche registriren. Diese
Striche nehmen den Raum von 20 mm auf dem Streifen ein, und es soll daher leicht
sein, die Zeit auf $1/10$ Sekunde anzugeben. Damit ist nichts gewonnen, denn die
Kopfdifferenz für das zweite Pferd fordert die Möglichkeit, $1/32$ Sekunde bei 16 m,
$1/30$ Sekunde bei 15 m in Flachrennen festzustellen. Bei den oben genannten $1/10$ Sekunden, welche mit Hülfe des Papierstreifens zu fixiren sind, wäre die Schnelligkeit
im Ziel auf 5 m herabzusetzen, um $1/2$ m Kopflängen elektrisch fixiren zu können.
Für die Schnelligkeiten in Flachrennen bleibt nichts Anderes übrig, als für das erste
Pferd wie oben erwähnt, unter Ausschaltung des Menschen die Zeit zu messen. Die
zweiten und dritten u. s. w. Pferde müssen in ihrem Abstand zum ersten vom Richter
taxirt werden wie bisher oder besser nach Metern. Will man durchaus Zeitnotizen
für das zweite u. s. w. haben, dann müssen sie errechnet werden. Wurde z. B. das
zweite einen Kopf hinter dem ersten und das dritte $1/2$ Länge hinter dem zweiten
bei 16 m Durchschnittsschnelligkeit für die gegebene Distanz gesehen, so war der

Zeitaufwand z. B. 3 Min. 2 Sek. für das erste, 3 Min. 2¹/₂₂ Sek. für das zweite, 3 Min. 2¹/₈ Sek. für das dritte. Technisch könnte in Bezug auf die Leitung quer über die Bahn eingewendet werden, dass sie nie gerade, sondern stets im Bogen hängend durchzuführen sei; das mag zugegeben werden, aber dieser Fehler hat den Vortheil, überall konstant zu sein, während die Auffassungsfähigkeit des Richters individuell verschieden ist. Henning, Major a. D.

Neuer Katalog der Aktiengesellschaft Mix & Genest, Telephon-, Telegraphen- und Blitzableiterfabrik, Berlin W., Bülowstrasse 7. Wiederum ist eine neue, die 13., Auflage dieses Kataloges erschienen, welcher als Massstab für den Fortschritt der Industrie auf diesem Gebiet der Schwachstromtechnik betrachtet werden kann. Derselbe enthält eine bedeutende Anzahl neuer Apparate, welche die im letzten Jahre vorgenommenen Erweiterungsbauten der Fabrikanlage begründet erscheinen lassen. Von besonderem Interesse sind die neuen wasserdichten Wecker, Kontakte und Telephonstationen für Bergwerke u. s. w., ferner der Kassensicherungs-Apparat »Argus« und ein lautsprechendes Kohlenkörper-Mikrophon mit pendelndem Kohlenkörper. — Dem Wunsche der Postverwaltung entsprechend, wurden auch neue Tisch-Telephonstationen mit Magnetinduktoren konstruirt, wie überhaupt die Stationen für Induktorbetrieb bedeutend vermehrt worden sind. Ausserdem finden sich in dem Katalog auch Magnetinduktions-Maschinchen für Minenzündung, Registrirapparate für Wasserstands-Fernmelder und ein neues galvanisches Element. Die 290 Quartseiten starke Preisliste ist elegant ausgestattet und enthält nicht weniger als 600 gute Abbildungen, worunter 6 Kunstdrucke und 90 Schaltungsskizzen. Der Text, welcher die Eigenschaften der einzelnen Apparate, sowie den Verwendungszweck derselben erläutert, ist mit Rücksicht auf die von derselben Firma herausgegebene »Anleitung zum Bau elektrischer Haustelegraphen-, Telephon- und Blitzableiter-Anlagen u. s. w.« kurz, aber ausreichend, abgefasst und macht das Werk in Verbindung mit den am Schlusse hinzugefügten Beispielen für Kostenanschläge und Fragebogen zu einem werthvollen Rathgeber für Installeure und alle sonstigen Interessenten.

Neueste Erfindungen und Entdeckungen.

1. Geschütze, Geschosse, Artilleriewesen. Hauptmann Rossetti hat einen Libellenquadranten mit Mikrometerschraube für Belagerungsgeschütze konstruirt, der in derselben Zeit sicherer arbeiten soll als die bestehenden Libellenquadranten. (Näheres mit Figuren in »Riv. di Art. e Gen.«, Juli-August, S. 84). Das gesammte Schnellfeuer-Feldartillerie-Material 75 mm, System Hotchkiss wird, mit Tafeln, beschrieben ebendaselbst S. 114. Die automatische Mitrailleuse Nordenfelt M/1897 ist, mit grossen Figurentafeln, genau beschrieben ebendaselbst, S. 120. Die Redaktion der »Riv. di Art. e Gen.« sagt, dass dieses Geschütz grosse Aehnlichkeit mit der Maxim-Mitrailleuse habe, was sich allerdings schon aus der Betrachtung der Tafeln ergiebt.

Die Vereinigten Staaten wollen ein pneumatisches Feldgeschütz Sims-Dudley einführen, welches Dynamitgeschosse von 7 cm Kaliber auf 1500 m schiessen soll und ein Totalgewicht von 300 kg hat. Die Aufständischen auf Kuba sollen guten Gebrauch davon gemacht haben. (»Riv. di Art. e Gen.«, 1898, Juli-August, S. 136.) — Wenn das Geschütz nicht weiter als 1500 m schiesst, so wird es nicht schwer sein, dasselbe durch die jetzige Feldartillerie in kürzester Frist unschädlich zu machen, ja selbst unsere Infanterie wird in der Lage sein, noch auf diese Entfernung die Bedienungsmannschaft erheblich zu schädigen, Fälle, die allerdings in dem Kriege auf Kuba schwerlich zur Geltung kommen konnten bei der mangelhaften soldatischen Ausbildung der Gegner.

Oesterreich hat neue Patronen und Kartuschen für das Blindfeuern der Infanterie und Artillerie eingeführt. Beide sind mit rauchschwachem Pulver gefüllt und die ersteren mit einem durch Stearin imprägnirten Pfropfen geschlossen, welcher durch die Pulverflamme und den Stoss bei der Entzündung ganz zerstört, in Staub aufgelöst werden soll, um Unglücksfälle zu vermeiden. Dagegen wird behauptet, dass die Hülle der Kartuschen sich leicht entzünde, dann durch die herumfliegenden Fetzen feuergefährlich sei und die Mannschaften durch Rauch und Staub belästige. (»Revue d'Art«, 1898, November, S. 175.)

Die Carpenter Steel Company in North Reading, Penns., Ver. Staaten, fertigt Voll- und Hohlgeschosse von 4-, 5-, 6-, 8-, 10-, 12- und 14 zölligem Kaliber, welche alle fremden Geschosse in Durchschlagskraft gegen Stahlpanzern übertreffen sollen. Sie sind zur Verwendung für Küsten- und Schiffsgeschütze bestimmt. Die 8 zölligen Schiffsgeschütz-Granaten sind 24 Zoll lang, während die gleichkalibrigen Küsten-geschütz-Granaten eine Länge von 28 bis 35 Zoll haben. Sie sollen Panzerplatten von der Stärke des Geschosskalibers durchschlagen, ein 13 zölliges Geschoss müsste demnach einen 13 Zoll dicken Panzer durchschlagen. — Damit wäre wiederum der alte, schon bei den ersten Versuchen von Armstrong und Whitworth in den 60 er Jahren zur Geltung gekommene Satz bewiesen, dass man eine Platte nicht mit einem Geschoss durchschiessen könne, dessen Durchmesser geringer sei als die Dicke der Platte. Ich habe diesen Satz bereits in meinem Buche »Schiesspulver und Feuer-waffen«, Leipzig, Spamer 1870, angeführt. — Versuche in England und Russland mit diesen Carpenter-Geschossen sollen gleichfalls deren Ueberlegenheit bewiesen haben. (»Army and Navy Journal«, Juni 1898, S. 834.)

Eine Beschreibung des leichten und des schweren Schnellfeuer-Gebirgs-geschütz-Materials System Nordenfelt (Paris), desgleichen des Schnellfeuer-Gebirgsgeschütz-Materials System Schneider M/1895, sämmtlich vom Kaliber 75 mm auf Stauchlaffete, ferner des 47 mm Gebirgsgeschütz-Materials Nordenfelt, des italienischen 42 mm Gebirgsgeschütz-Materials System Maxim-Nordenfelt (London) findet sich mit guter Figurentafel S. 712 der »Mittheil. über Gegenst. des Art.- u. Geniew.«, 1898, Oktober.

2. Kleine Feuerwaffen, deren Munition und Gebrauch. Herr Th. Berg-mann von den Gaggenauer Werken in Baden hat nach Angabe des »Internationalen Technischen Couriers« von 1898 eine als Einzel- und als Selbstlader ver-wendbare Feuerwaffe patentiren lassen.

England hat neue Geschosse für das Lee-Metford-Gewehr für die Expedition nach Chartum eingeführt. Bei gleicher Länge und gleichem Gewicht wie seither passt das neue Geschoss für alle britischen Gewehre und Mitrailleusen. Der Geschosskern ist von Blei, der Mantel von Nickel, das ogivale vordere Ende ist cylindrisch ausgehöhlt. Die Gewehrladung ist Cordit. Die Geschosse öffnen sich beim Auftreffen seitwärts und bleiben im getroffenen Körper. Die Eindringungstiefe ist durch diese Konstruktion verringert, die Stosswirkung vergrössert. Das neue Geschoss heisst deshalb »Männer tödtend«, das frühere »Männer durchschlagend«. Die Anfertigung erfolgt im Arsenal von Woolwich, woselbst wöchentlich zwei Millionen Patronen fertiggestellt werden. Ausserdem hat man mit Privatfabriken noch Verträge auf Lieferung von 20 Millionen Patronen abgeschlossen. (»Mittheil. über Gegenst. des Art.- und Geniew.«, 1898, Oktober, S. 719.)

3. Explosivstoffe, Zünder. England hat ausgedehnte Versuche gemacht mit dem Verhalten der neueren Sprengstoffe und ihrer Wirkung gegen Panzerschiffe. Als Ziel diente der alte Panzer »Resistance«. Als beste Spreng-mittel erkannte man Schiesswolle und Liddit, sowohl in Bezug auf Wirkung als auf Gefahrlosigkeit bei Aufbewahrung, Transport und Gebrauch. Alte Panzer wie »Resistance« würden durch diese neuen Geschosse binnen 15 Minuten in einen Trümmerhaufen verwandelt sein. (»Riv. di Art. e Gen.«, 1898, Juli-August, S. 132.)

4. Beleuchtungs- und Signalwesen, Telephonie, Telegraphie, Elektrizität. In Plumanach (Côtes du Nord) hat man gelungene Versuche gemacht, die Wasser-

bewegung durch Ebbe und Fluth auszunutzen zum Treiben von Maschinen zur Eisbereitung und zur Erzeugung von Elektrizität. (›Riv. di Art. e Gen.‹, 1898, Juli-August, S. 138.) — H. J. Pain in Newyork hat ein Verfahren zum Signalgeben durch Feuerwerkskörper, welche mit Fallschirmen versehen sind, patentiren lassen. (›Internationaler Technischer Courier‹ von 1898.)

In Amerika und in England hat man wohlgelungene Versuche gemacht in Verwendung von Elektromagneten zur Hebung von Lasten. Der Magnet besitzt die bekannte Form ∏ und besteht aus einem Stück. In Chester in England erzielte man z. B. mit elektromagnetischen Krahnen durch drei Leute in 15 Minuten dieselbe Leistung, zu welcher man sonst sechs Arbeiter ein bis zwei Stunden lang nöthig hatte. (›Mittheil. über Gegenst. des Art.- u. Geniew.‹, 1898, November, S. 810.)

5. Entfernungsmesser, Orientirungsinstrumente, Geländeaufnahme. Hauptmann E. Pierucci beschreibt in ›Riv. di Art. e Gen.‹, 1898, Juli-August, S. 76, einen von ihm erfundenen Telegoniometer — Entfernungs- und Winkelmesser — unter Beifügung von Figuren. Derselbe soll nach der Behauptung des Erfinders die Mängel des Entfernungsmessers Gauthier vermeiden. Das Instrument, das eine etwas komplizirte Konstruktion zeigt, dabei aber eine handliche Grösse hat, ermittelt die Entfernungen durch Anvisiren des Zieles oder eines Hülfszieles mittelst zweier Spiegel auf Grund eines Satzes von der Aehnlichkeit der Dreiecke. — Hauptmann Morelle von der französischen Artillerie schlägt vor, die Länge des Armes und die Breite dreier auseinandergehaltener Finger (Zeige-, Mittel- und Ringfinger) zu 65 cm bezw. 65 mm angenommen, durch Vorhalten des ausgestreckten Armes und der Hand mit auseinandergespreizten Fingern, bei annähernder Kenntniss der Entfernung die Breite des Ziels und bei Kenntniss der Breite des Ziels (etwa durch Abzählen der Geschütze des Feindes) die Entfernung des Ziels zu ermitteln. Näheres ›Revue d'Art.‹, 1898, Oktober, S. 78.) Diese Art der Entfernungsmessung erscheint recht unsicher. Die Ermittelung der Breite des Ziels hat oft keinen Zweck. Messen auf der Karte, wenn man die feindliche Stellung irgendwie in Beziehung zur Karte bringen kann, oder Anvisiren des Ziels von beiden Enden einer Basis von bekannter Länge und dann Abgreifen mit dem Zirkel erscheint weit sicherer.

6. Ausrüstung von Mann und Pferd. Verpflegung. Friedrich Schindler in Wien hat nach Angabe des ›Internationalen Technischen Couriers‹ von 1898 eine Vorrichtung zum Erwärmen von Konservenbüchsen patentiren lassen, worüber Näheres bei C. H. Knoop in Dresden zu erfahren.

7. Militärbauten zu Befestigungs- und Unterbringungszwecken. In Frankreich hat man metallische Rahmen eingeführt, die leicht zerlegbar und auf verschiedene Art zusammensetzbar sind. Man kann auf diese Weise in wenig Stunden Baracken für Lazarethe oder zur Unterbringung von Truppen herstellen. (Näheres mit Figuren in ›Rev. du Génie mil.‹, 1898, Juli, S. 31.) — Zu Demi-Lune bei Lyon fertigt man einen Glasstein, welcher, bei hoher Temperatur hergestellt, einem Druck von mehr als 2000 kg auf den Quadratcentimeter widersteht und 22 Schläge mit einer 4,2 kg schweren, 1 m hoch herunterfallenden Ramme aushält. Er eignet sich zu Pflasterungen aller Art, auch zum Strassenpflaster. (Ebendaselbst, Septbr., S. 249.)

8. Angriffs- und Vertheidigungsmittel im Kampfe in befestigten Stellungen und gegen dieselben. —

9. Luftschifffahrt. Brieftauben. Ueber die neuesten Arbeiten auf dem Gebiete der Luftschifffahrt siehe S. 106 ff. dieses Heftes.

10. Transportwesen im Kriege. Train. Die Direktion der Transkaspischen Eisenbahn stellt Versuche an im Anpflanzen von Bäumen und Hecken, welche die Bahngeleise vor Ueberschüttung mit Sand in den von der Bahn zu durchschneidenden Wüsten bewahren sollen. (Näheres mit Figuren ›Revue du Génie mil.‹, 1898, Dezember, S. 551.)   .   C. v. H.

——— ❄ Bücherschau. ❄ ———

Theoretische und experimentelle Untersuchungen über die Kreiselbewegungen der rotirenden Langgeschosse während ihres Fluges. Von Professor Dr. Carl Cranz in Stuttgart. Mit Figuren im Texte. Dresden, G. B. Teubner.

Die vorliegende Schrift stellt sich als ein Sonderabdruck aus dem 3. und 4. Hefte des 43. Jahrgangs aus der Zeitschrift für Mathematik und Physik dar, in welcher die Geschosspendelungen auf Grund umfassender Versuche eingehend erörtert werden. Die von Magnus nach der Kreiseltheorie aufgestellte und durch zahlreiche Versuche unterstützte Erklärung für die nicht unbeträchtliche regelmässige Rechts- bezw. Linksabweichung von Langgeschossen, die aus Gewehren oder Geschützen mit rechts- bezw. linksgewundenen Zügen verfeuert werden, ist nahezu allgemein angenommen, obschon auch abweichende Meinungsäusserungen verlautbart sind. Die Erklärung von Magnus ist kurz die folgende: Da das Langgeschoss rasch rotirt und die Resultante der Luftwiderstände bei der üblichen Form der Geschosse nicht im Schwerpunkt, sondern vor demselben auf der Achse angreift, so ist Anlass zu einer Präzessionsbewegung der Achse um den Schwerpunkt gegeben; die Achse beschreibt einen Kegel um die Richtung des Luftwiderstandes herum; also hebt sich anfangs die Geschossspitze und wendet sich nach rechts. Folglich wirkt der Luftwiderstand mehr gegen die linke Seite des Geschosses, wie gegen ein schiefgehaltenes Brett oder ein Segel und drückt das Geschoss aus der anfänglichen Schussebene nach rechts heraus. Die Meinungsverschiedenheiten bestehen nun darüber, nach welchen Gesetzen die mitunter mit dem blossen Auge wahrzunehmenden Kreiselbewegungen der Geschossachse vor sich gehen, welcher Art diese Bewegungen sind, und welche Wirkungen sie zur Folge haben. Diese Gesetze sucht nun Professor Cranz in seiner wissenschaftlichen Erörterung festzustellen, und der Ballistiker wird aus derselben nicht nur Belehrung, sondern auch Anregung empfangen, wie sie auch für den Waffenkonstrukteur von grosser Bedeutung ist.

Ueber die Bedeutung der Röntgen-Strahlen für die Kriegschirurgie. Nach Erfahrungen im griechisch-türkischen Kriege 1897 von Dr. H. Küttner, Privatdozent für Chirurgie und Assistenzarzt in Tübingen. Daselbst, H. Lauppsche Buchhandlung. Ohne Preisangabe.

Der jüngste griechisch-türkische Krieg bot die erste Gelegenheit, ein Urtheil über die Verwendbarkeit der Röntgen-Photographie im Kriege zu bekommen, und so wurde der nach der Türkei gesandten deutschen Expedition des Rothen Kreuzes, welcher der Verfasser als zweiter Arzt beigegeben war, vom Centralkomitee ein Röntgen-Apparat zur Verfügung gestellt, welcher sich in jeder Hinsicht bewährt hat. Die Frage, ob das Röntgensche Verfahren im Kriege so grosse Dienste zu leisten vermag, dass es in einem zukünftigen Kriege als chirurgisches Hülfsmittel nothwendig fungiren muss, wird von dem Verfasser bejaht. Er stellt auf Grund seiner Kriegserfahrungen die Behauptung auf, dass wir in den Röntgen-Strahlen ein neues Hülfsmittel besitzen, welches für gewisse Fälle im Kriege so werthvolle Dienste zu leisten vermag, dass die Verwundeten ein unbedingtes Recht auf seine Verwendung haben. In diesem Sinne ist das Verfahren für die Reservelazarethe als unentbehrlich zu bezeichnen. Vielleicht wird die Bedeutung der Röntgen-Strahlen für die Kriegschirurgie in Zukunft eine noch grössere werden, wenn bei der stetigen Verbesserung der Apparate die Schwierigkeiten des Verfahrens sich vermindert, die Indikationen für die Anwendung der Röntgen-Photographie sich aber stetig erweitert haben werden.

Soeben erschienen im Verlage der Königlichen Hofbuchhandlung von Ernst Siegfried Mittler und Sohn in Berlin SW., Kochstrasse 68—71:

Das gefechtsmässige Abtheilungsschiessen der Infanterie. Welche Wirkung hat es, und wie werden die Aufgaben dafür gestellt? Von H. Rohne, Generallieutnant und Gouverneur von Thorn. Dritte, gänzlich umgearbeitete Auflage. Mit sieben Abbildungen. Preis 1,50 Mk.

Das Feldartillerie-Material C/96. Nachtrag zum Handbuch für die Einjährig-Freiwilligen sowie für die Reserve- und Landwehroffiziere der Feldartillerie. Bearbeitet von Wernigk, Hauptmann und Batteriechef im 2. Badischen Feldartillerie-Regiment Nr. 30. Mit zahlreichen Abbildungen im Text. Preis 1,60 Mk.

Gedruckt in der Königlichen Hofbuchdruckerei von E. S. Mittler & Sohn, Berlin SW., Kochstrasse 68—71.

Die Ausbildung der Truppe mit dem Schanzzeug.

Mit einer Abbildung.

Erfreulicherweise bricht sich die Ueberzeugung bei uns mehr und mehr Bahn, dass die systematische Erziehung unserer Armee zu Initiative und Offensive durchaus nicht im Widerspruch steht mit einer richtigen Würdigung und Anwendung moderner Schutzmittel; die Uebungen im Kampf um befestigte Stellungen fördern allenthalben das Verständniss dafür, dass diese Schutzmittel zwar nach wie vor in erster Linie der Vertheidigung zu Gute kommen, dass aber auch der Angriff sich ihrer dann und wann bedienen muss. Ist somit die Zeit nicht fern, wo jeder Truppenführer ein sicheres Urtheil darüber haben wird, wo und wie er im Angriff und in der Vertheidigung Befehle zur Geländeverstärkung zu geben hat, so erscheint die Frage zeitgemäss, ob die technische Ausbildung der Truppe zur Zeit derart ist, dass solche Befehle der Truppenführung stets richtiges Verständniss und zweckmässige Ausführung finden.

Um Antwort auf diese Frage zu erhalten, sei ein Blick auf die technische Ausbildung einer Infanterie-Kompagnie gestattet.

Die Zeit der grösseren Truppenübungen rückt näher und näher; da erscheint eines Tages der Kompagniebefehl: »Heute Nachmittag 2½ Uhr Abmarsch auf den kleinen Exerzirplatz zum Ausheben von Schützengräben.« Um 3 Uhr steht die Kompagnie auf dem durch Regimentsbefehl für solche Zwecke freigegebenen kleinen Theil des Exerzirplatzes. Der Kompagniechef erklärt den Zweck eines Schützengrabens, besonders aber die Art und Weise, wie dieser ordnungsmässig entsteht; »der Schützengraben« wird abgesteckt, der »Arbeitertrupp« gebildet, angestellt, und die Arbeit beginnt. Nach einer Stunde etwa ist sie beendet: »der Schützengraben« ist im Allgemeinen fertig. Die Unteroffiziere legen nun noch einige veredelnde Spatenstiche an und klopfen mit liebender Sorgfalt unebene Stellen glatt. Dann besetzt die Kompagnie den Graben, verfeuert einige Platzpatronen, wirft sodann ihr Werk wieder ein, ebnet Alles säuberlich und rückt im Bewusstsein, nun auch ihre technische Vorbildung für den Krieg genossen zu haben, ein oder geht zu anderen Uebungen über.

Im Interesse der Sache ist zu wünschen, dass diese Schilderung der technischen Ausbildung bei recht vielen Abtheilungen als eine starke Uebertreibung und eine unberechtigte Verallgemeinerung empfunden werde. Nur die eigenen Diensterfahrungen haben den Verfasser veranlasst, anzunehmen, dass im Allgemeinen der geschilderte Vorgang die Art und Weise darstellt, wie die Infanterie Bekanntschaft mit ihrem Spaten anknüpft. Dass diese Bekanntschaft aber bei den meisten Abtheilungen eine sehr kühle bleibt, dass der Spaten stets mehr als ein unangenehmes Bei-

werk und nicht als vollwerthiges Ausrüstungs-, ja Bewaffnungsstück gilt,
ist leider auch im Allgemeinen nicht zu leugnen.

Angenommen nun, dass bei vielen Abtheilungen die gemachte Schilderung nicht zutrifft, dass sie bei ihrer technischen Ausbildung sinn-
gemässer verfahren und ihr einen grösseren Raum in der Gesammtausbildung
zuweisen, so bleibt als Endergebniss doch nur die Ausbildung innerhalb
der geschlossenen Kompagnie und nur hinsichtlich des »normalen Verfahrens«, d. h. der Möglichkeit, sich zur Aushebung von Schützengräben
mit Musse vorbereiten und sie ohne Einwirkung und Störung vollenden
zu können. Wenn wir »normal« das nennen, was im Kriege die Regel,
die Mehrzahl der Fälle darstellt, so müssen wir sogar leugnen, dass das
oben als »normal« bezeichnete Verfahren wirklich das normale ist. Normal
kann dies Verfahren nur in der Vertheidigung sein und auch hier nur in
befestigten Stellungen, die angegriffen werden müssen (Brückenköpfe und
dergleichen, wo man Alles von langer Hand vorbereiten kann). Bei allen
Stellungen im Bewegungskriege soll man sich aber vor frühzeitiger Verstärkung des Geländes hüten, sich zunächst mit der Herstellung einzelner
Stützpunkte begnügen, um erst dann, wenn die Angriffsrichtung erkannt
ist, die betreffende Front zu besetzen und zu verstärken. Der grösste
Theil der Truppe wird sich daher nicht in den von langer Hand vorbereiteten Stützpunkten, sondern in den Zwischenlinien schlagen; diese
aber können wohl in der Regel nur angesichts des Feindes und daher nur
unter Einwirkung und Störung durch ihn befestigt werden. Da derselbe
Fall bei allen Verstärkungsarbeiten des Angreifers im Kampf um befestigte
Stellungen und Festungen eintritt, so kann man »normal« eher jenes Verfahren nennen, bei welchem ohne grosse Vorbereitung die Truppe sich in
jener Stellung eingräbt, zu deren Besetzung sie befohlen ist. Für diese
Art der Geländeverstärkung ist unsere Infanterie im Allgemeinen
nicht ausgebildet.

Soll das anders werden, so müssen neue Wege eingeschlagen werden,
um zu einer richtigen Schätzung des Spatens — wir fassen unter diesem
Sammelnamen alle technischen Arbeiten auf dem Schlachtfeld zusammen —
als Waffe und zu seiner häufigeren richtigen und selbständigen Verwendung
zu gelangen. Diese Wege müssen, wenn sie von der Truppe gern betreten
werden und vor Allem nicht irreführen sollen, von dem Punkt ausgehen
und an dem Punkt enden, wo unsere ganze kriegerische Vorbildung beginnt
und endet: bei der Gewöhnung des Soldaten an die Verhältnisse des Ernstfalles, insbesondere an diejenigen, in welchen er mit dem Gewehr in der
Hand dem Feinde entgegentritt.

Den materiellen Theil dieser Ausbildung bilden das Marschiren, der
Felddienst und der Gebrauch der Schusswaffe; gleichzeitig mit letzterem
sollte auch der Gebrauch des Spatens gelehrt werden; mit dem Gewehr
sollte der Rekrut auch sein Schanzzeug in die Hand bekommen, und wo
mit jenem ausgerückt wird, sollte dieses nie fehlen. Diese Forderung darf
nicht dahin verstanden werden, dass der Rekrut schon in dieser Periode
lernen soll, Schützengräben auszuheben oder ähnliche Verstärkungen auszuführen; nein, auch auf dem Gebiet der Feldbefestigung muss vom Einfachen und Leichten zum Schweren und Komplizirten fortgeschritten werden.

Der Rekrut bekommt sein Gewehr zum ersten Mal bei den Zielübungen
zu Gesicht; es liegt hierbei auf einem Sandsack. Warum auf einem Sandsack, wozu dient derselbe? fragt sich der Rekrut. Der abrichtende Unteroffizier erklärt, der Sandsack biete eine weiche Auflage für das Gewehr
und deshalb eine grosse Erleichterung für sicheres Zielen und gutes Treffen.

Es sei daher zweckmässig, beim Schiessen sich stets eine dem Sandsack ähnliche Auflage für das Gewehr zu suchen oder zu schaffen; im Felde leiste ein gerollter Mantel, ein Tornister, der Körper eines Gefallenen dieselben Dienste; auch könne man ein paar Rasenstücke ausheben und vor sich aufschichten oder einen kleinen Erdhaufen aufwerfen: zu solchen Arbeiten habe man das Schanzzeug.

Damit sind wir schon mitten in dem Gebiet, das wir zu betreten wünschten. Denn ob ein einzelner Schütze mit dem Spaten ein paar Rasenstücke aushebt, oder ob eine ganze Armee sich mit allen Mitteln der Technik verschanzt, ist ganz gleichgültig: beide Male handelt es sich um Verstärkung des Geländes, um Feldbefestigung. Wer das bezüglich der Thätigkeit des einzelnen Schützen nicht zugeben und in dem Herstellen einer Gewehrauflage mehr eine Handlung der Schiessausbildung sehen will, der soll um so eher Recht haben, als er damit nur beweist, was bewiesen werden sollte: dass Taktik und Technik von demselben Punkte auslaufen können und sollen.

Der erste Begriff, den der Rekrut somit von der Verstärkung des Geländes, vom Gebrauch des Schanzzeugs zur Erhöhung der Schussleistung, in sich aufgenommen hat, sollte nun mit aller Sorgfalt weitergebildet werden. Der Mann muss dazu erzogen werden, bei allen gefechtsmässigen Anschlagübungen sich nach einer guten Gewehrauflage umzusehen und eine solche sich eventuell zu schaffen. Nicht genug kann hierbei beim Schiessen im Liegen geschehen, für welche Anschlagsart die Vorschriften bekanntlich den Werth der Gewehrauflage besonders betonen. Da es aber nicht möglich ist, immer und überall mit dem Schanzzeug den Boden aufzuwühlen, so »markire« man den Gebrauch des Schanzzeugs und lege neben dem Stand des Schützen einige Sandsäcke bereit, welche dieser — als das Ergebniss der markirten Arbeit — vor sich aufschichten darf. Man »markirt« ja bei uns so Vieles, um den Soldaten mechanisch an gewisse stets wiederkehrende Thätigkeiten zu gewöhnen; warum nicht auch einmal etwas Technisches?

Unbedingt zu fordern aber wäre die wirkliche Aushebung der Gewehrauflage bei den Vorübungen zum Gefechtsschiessen, bei diesem selbst sowie bei den Felddienstübungen. Was hierdurch an Zeit zu Verlust geht, wird sich durch bessere Treffergebnisse mit Zinsen heimzahlen.

Bei den Uebungen, bei denen der Rekrut die Grenzen der Wirkung des Einzelschusses kennen lernt, fände zweckmässig die Belehrung über jene technischen Arbeiten und deren gelegentliche praktische Ausführung Platz, welche zum Freimachen des Schussfeldes sowie zur Eintheilung desselben in die wichtigsten Feuerzonen dienen.

Hat man in der angegebenen Weise dem Rekruten durch häufige, womöglich tägliche Uebung das sichere Verständniss dafür beigebracht, dass das Schanzzeug vor Allem den Zweck habe, stets die günstigsten Bedingungen für den Gebrauch des Gewehrs zu schaffen, so gehe man einen Schritt weiter.

Gelegentlich seiner Ausbildung zum Schützen lernt der Rekrut den Begriff der »Deckung« kennen; der Abrichter lehrt ihn, dass er sich derselben zur Annäherung an den Feind stets, zur Abgabe seines Feuers dann bedienen darf, wenn sie diese gestattet. Im letzteren Fall wird der im Sinne der obenstehenden Ausführungen erzogene Mann nicht zögern, sich in gewohnter Weise mit dem Spaten die günstigsten Anschlagsverhältnisse zu verschaffen; zunächst hätte er hierbei etwas wesentlich Neues nicht zu lernen. Nun lehre man ihn aber weiter, dass eine Deckung gegen feindliches Feuer um so besser ist, je steiler diejenige Böschung ist, an welche der Schütze sich anschmiegt, und dass dieser in gewissen Fällen genöthigt und berechtigt ist, zur Verbesserung der sich darbietenden natürlichen Deckung in diesem Sinne das Schanzzeug zu gebrauchen.

Von dem Verbessern einer natürlichen Deckung zur Herstellung einer künstlichen in jenem Fall, wo eine natürliche fehlt oder nicht benutzt werden kann, ist wieder nur ein kleiner Schritt. Bei dem Ausheben einer künstlichen Deckung muss der Mann dazu erzogen werden: 1) sich den besten Platz zur Lösung seiner taktischen Aufgabe — als Posten, Patrouille und dergleichen — zu wählen; hierauf 2) sich hier die besten Bedingungen für Abgabe seines Feuers zu schaffen und erst dann 3) sich eine Deckung auszuheben.

So entsteht, wenn die taktische Grundlage (Kampf um befestigte Stellungen und Festungen) gegeben und die nöthige Zeit vorhanden ist, das »Schützenloch« für den einzelnen Mann oder die Rotte. Zu bemerken ist hierbei, dass unsere Vorschriften wohl diesen Namen nicht mehr, wohl aber noch den Begriff, der sich darin ausdrückt, kennen, wie aus Felddienst-Ordnung 215,³ zu ersehen ist.

Das »Schützenloch« wird in der Regel die Stärke eines Schützengrabens für knieende Schützen erhalten; für ein tieferes Eingraben liegen keine günstigen Verhältnisse, aber auch gar keine Nothwendigkeit vor. Betreffs der technischen Ausführung der genannten Deckung ist unbedingt zu fordern, dass der Mann in liegender, höchstens kauernder Stellung die ganze Arbeit verrichten lerne.

Wird nun dem Rekruten noch praktisch gezeigt, dass alles von der natürlichen Umgebung sich scharf Abhebende dem Gegner das Zielen erleichtert, die feindliche Waffenwirkung also erhöht, dass demnach die Spuren vorgenommener technischer Arbeiten möglichst zu verwischen sind; hat er die hierfür bestimmten einfachen Mittel kennen und sich ihrer gelegentlich zu bedienen gelernt, so scheint die »technische Einzelausbildung« des Mannes einen völlig genügenden Umfang erreicht zu haben.

Diesen Umfang sollte sie aber auch unbedingt gewinnen. Denn wie der Soldat erzogen wird, taktisch richtig zu handeln, vor Allem seine Schusswaffe nach bestimmten Grundsätzen zu gebrauchen, wenn er allein verwendet ist oder wenn im langdauernden Feuergefecht die Leitung und Beaufsichtigung durch die Führer aufgehört hat, ebenso sollte er auch gelernt haben, seinen Spaten richtig zu gebrauchen, wenn der Zuruf: »Eingraben!« an sein Ohr schlägt.

Da es sich bei den vorliegenden Ausführungen keineswegs um eine blinde Reklame für die Feldbefestigung handelt, so sei nun auch auf die Gefahr hingewiesen, welche eine in der geschilderten Weise durchgeführte Einzelausbildung heraufbeschwören kann. Diese Gefahr besteht darin, dass der Soldat im Bestreben, sich Deckung zu verschaffen, etwas unendlich Wichtigeres versäumt, nämlich Zeit und Gelegenheit zum Handeln, und dass damit unsere Infanterie in eine »Maulwurfstaktik« verfällt, welche ihren bisherigen frischen Angriffsgeist zu Grunde richtet. Hier scheinen also die Wege der Taktik und der Technik scharf auseinandergehen zu wollen. Es giebt zwei einfache Mittel, den drohenden Zwiespalt nicht aufkommen zu lassen.

Das erste besteht darin, dass man dem Rekruten von Anfang an einschärft, dass ihn nur der Befehl eines Vorgesetzten berechtigt, sein Schanzzeug zur Herstellung einer Deckung zu verwenden (das

Schaffen einer Gewehrauflage dürfte nicht unter diese Bestimmung fallen).
Damit wäre wohl auch dem Sinne der Feldbefestigungs-Vorschrift Rechnung
getragen, welche im Absatz 2 der »Allgemeinen Gesichtspunkte« deutlich
ausspricht, dass »die Truppenführung die Anwendung der Feldbefestigung
bestimmt«.

Ein zweites Mittel ist, dass man allen jenen Uebungen, bei welchen
der Schütze und die Rotte sich eingraben sollen, diejenigen taktischen
Verhältnisse zu Grunde legt, welche die Infanterie zu der Maulwurfstaktik
verurtheilen: den Kampf um befestigte Stellungen und den Festungskrieg.
Es wird wahrlich kein Nachtheil für die Armee sein, wenn auch der
gemeine Mann einen Begriff von dem grundsätzlichen Unterschied bekommt,
der zwischen dem Kampf im freien Feld und vor starken feindlichen Verschanzungen besteht.*)

Hat man den Umfang der technischen Einzelausbildung bestimmt,
so sind auch die Grenzen für das technische Können des jungen Unteroffiziers leicht festzulegen. Dieser muss die dem Rekruten beizubringenden
Kenntnisse und Fertigkeiten in dem Maasse beherrschen, dass er als Lehrer
und Vorbild des Mannes auch auf diesem Gebiet dienen kann. Darüber,
was er über diese sichere Grundlage hinaus in der Feldbefestigung können
muss, giebt ein Blick auf seine taktische Verwendung als Führer einer
Handvoll Leute — einer Gruppe, einer Patrouille, eines Unteroffiziers-
postens — den sichersten Aufschluss. Allein verwendet, muss er seine
Leute so aufzustellen und zu gruppiren wissen, dass sie zunächst ihre
taktische Aufgabe am besten lösen können, dass sie aber andererseits für
die Verstärkung ihrer Stellung stets die einfachsten und besten Verhältnisse finden; die zweckmässigste Art der Geländeverstärkung muss er
hierbei anordnen können. Aber auch dann, wenn er mit seiner Gruppe
innerhalb seines Zuges, seiner Kompagnie zur Besetzung und Verstärkung
einer Stellung befohlen ist, wird oft eine selbständige und selbstthätige
Anordnung der besten Verstärkungsart von ihm verlangt werden. Folgende
Skizze soll das erklären.

Eine Kompagnie ist zur Besetzung und Verstärkung des Weges mit
Front nach Norden befohlen (siehe Abbild.). Während nun der grösste Theil
derselben in gewohnter Weise sich in einem Schützengraben eingräbt, hätten
die Führer der Gruppen *a*, *b* und *c* selbständig besondere Maassnahmen zu
ergreifen: *a* wird
sich hinter den
Mauerresten, *b* an
der Böschung der

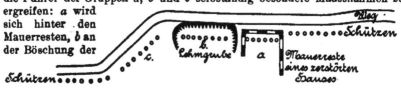

lehmgrube einrichten, während *c* mit Rücksicht auf mögliches Seitenfeuer
vielleicht bei der Biegung des Weges eine Schulterwehr stehen liesse. Die
Führung und Feuerleitung durch den Kompagniechef und die Zugführer
kann durch eine solche technische Selbständigkeit und Selbstthätigkeit der

---

*) Auch auf eine Schwierigkeit sei hier hingewiesen, welche sich der kriegs-
mässigen Anwendung des Schanzzeugs entgegenstellt: es ist dies seine umständliche
— um nicht zu sagen, pedantische — Tragweise. Das Schanzzeug ist schwer aus
seinem Futteral zu befreien, noch schwerer in demselben wieder zu versorgen: eine
im Eingraben befindliche Schützenlinie wird, wenn sie plötzlich eine Vorwärts- oder
Rückwärtsbewegung ausführen soll, sicher ihr Schanzzeug liegen lassen. Eine kriegsmässige Tragweise müsste die einfachste, rascheste Lösung und Versorgung sowie
das mühelose und sichere Mitführen des Schanzzeugs in der Bewegung gestatten.

Unteroffiziere nur gewinnen: sie fühlt sich von Anordnung technischer Einzelheiten entlastet und kann sich ganz den taktischen Dingen zuwenden.

Eine besondere taktische Aufgabe fällt dem Unteroffizier im Kampf um Ortschaften (Etappen-, Festungskrieg; kleiner Krieg) zu; hier ist er, mit einer kleinen Anzahl von Leuten in einem Hause, einem Gehöft eingeschlossen, geradezu der Träger des Vertheidigungskampfes und von seinem technischen Geschick, jedes einzelne Haus zu einer kleinen Feste zu machen, hängt die Zähigkeit des Widerstandes ab. Demnach wäre also der Unteroffizier besonders in der Vertheidigungseinrichtung von Häusern, in der Anlage von beweglichen und unbeweglichen Sperren und ähnlichen Arbeiten auszubilden. Eine solche Ausbildung ist freilich im Frieden sehr schwer durchzuführen; allein wo man in unserer Armee einen Dienstzweig für kriegerisch wichtig erkannt hat, hat man stets auch Mittel gesucht und gefunden, ihn zu fördern. Jene Behelfsanlagen jedoch, welche bisher die Ausbildung des Soldaten auf diesem Gebiet vermitteln sollten, die sogenannten »Schiessgärten«, richten mehr Schaden an, als sie nützen. Eine halbbacksteinstarke Mauer und einige kahle Baumstümpfe von geringer Stärke, das sind die Gegenstände, welche dem Soldaten nicht nur den Begriff des gefechtsmässigen Anschlags, sondern auch der zu benutzenden Deckungen beibringen sollen. Und dabei lehrt man, dass gegen ein modernes Infanteriegeschoss nur eine Mauer von 50 cm und Baumstämme von 60 bis 100 cm Stärke schützen, und dass es zur Abschwächung der Splitterwirkung stets nöthig sei, die Mauerkrone mit Rasen u. s. w. abzudecken!

Hier sollte unbedingt mehr geschehen: eine gründliche Ausbildung des Unteroffiziers im Sinne der Ziffern 76 bis einschl. 88 der Feldbefestigungs-Vorschrift müsste mit allen Mitteln angestrebt werden, denn hier handelt es sich doch in erster Linie um einen sehr wichtigen Zweig der taktischen Ausbildung der Unteroffiziere. Man schlage die technische Begabung unserer Leute und ihr natürliches Geschick, sich in die Verhältnisse des Ernstfalles zu finden, nicht zu hoch an; man verlasse sich auch nicht zu sehr auf die Hülfe der Pioniere und derjenigen Leute, welche in den Pionierkursen eine eingehendere technische Ausbildung genossen haben: das kann Alles im wichtigsten Augenblick versagen und nur, was die Allgemeinheit im Frieden gelernt und geübt hat, steht der Truppe jederzeit als sicheres Besitzthum zur Verfügung.

Nun noch ein Wort über die älteren Unteroffiziere, in deren Hände der Ernstfall oft im entscheidensten Augenblick die Führung von Zügen, ja sogar Kompagnien legt. Ihre technische Ausbildung wird infolge des längeren Friedensdienstes sowie der Theilnahme an Pionierkursen jene der jungen Unteroffiziere an Ausdehnung und Gründlichkeit vielfach übertreffen. So müssten z. B. in das Ausbildungsprogramm des älteren Unteroffiziers aufgenommen werden: Bau von Eindeckungen in Schützengräben, Anlage von Deckungs- und Verbindungsgräben, Herstellung und Ueberwindung der einfachsten Hindernisse; Bau von einfachen Uebergangsmitteln über Gewässer und dergl. Diese Kenntnisse müssten in den Pionierkursen erworben und bei einzelnen Friedensübungen auch praktisch geübt werden.

Allein nicht der grössere Umfang des technischen Könnens soll die Ueberlegenheit des älteren Unteroffiziers über den jüngeren Kameraden ausmachen, sondern die durchdachtere und gewandtere Anwendung technischer Mittel innerhalb und zum Zweck des taktischen Handelns. Das lässt sich nur durch häufige Uebung erreichen; sie müsste das Urtheil des

Portepee-Unteroffiziers derart schärfen, dass er auf eigene Verantwortung unter Umständen den Befehl zur Anwendung der Feldbefestigung zu geben im Stande ist.

Damit sind wir beim Abschluss unserer Ausführungen angelangt. Denn wenn die Truppe in der geschilderten Weise herangebildet wird, dann ist auch dafür gesorgt, dass das technische Wissen der Offiziere zum sichern technischen Können wird. Man wird dann nach Gelegenheiten suchen, Felddienstübungen anzulegen, bei denen der Spaten kriegsmässig verwendet werden kann, und man wird solche finden. Denn in dieser Hinsicht dürfte die Umgebung mancher Garnisonstadt noch jungfräulicher Boden sein.

Eine vom Kleinen zum Grossen folgerichtig fortschreitende und dabei sich stets in engster Fühlung mit der Taktik haltende Ausbildung der Truppe mit dem Schanzzeug, deren Grundzüge die vorstehenden Ausführungen zu zeichnen versuchten, wird die Truppe zu einem äusserst verwendbaren Werkzeug in der Hand der höheren Truppenführung machen und sie befähigen, auch in den Verhältnissen des Kampfes um befestigte Stellungen und des Festungskrieges sich rasch zurechtzufinden.

Die Telegraphie mit ultravioletten Strahlen.
Mit zwei Abbildungen.

Wenn wir einen Regenbogen oder ein Spektrum des Sonnenlichtes betrachten, so stellen sich unserm Auge nur die sieben bekannten Regenbogenfarben dar, nämlich Roth, Rothgelb, Gelb, Grün, Blau, Indigo, Violett. Photographiren wir jedoch das Spektrum, so zeigen sich über diese sieben Farben hinaus noch zwei Farben, die als Ultraroth und Ultraviolett bezeichnet worden sind. Wir können im Allgemeinen diese Farben mit dem Auge gar nicht oder nur als schwachen Schein wahrnehmen. Wahrscheinlich ist die im Auge befindliche Linse dafür undurchlässig, während die Netzhaut dafür empfänglich zu sein scheint. Es hat sich nämlich ergeben, dass einzelne Personen, die durch Staaroperation die Linse verloren haben, diese ultravioletten Strahlen sehen. So erscheint z. B. für solche Personen ein sogenanntes Aluminiumfensterchen beleuchtet, durch welches ultraviolette Strahlen in einen dunklen Raum fallen. Mit normalem Auge sieht man ein solches Fensterchen, wovon später die Rede sein soll, nicht. Auch einzelne Thiere, besonders Insekten, scheinen die ultravioletten Strahlen wahrzunehmen. Lubbok berichtet wenigstens über einen sehr bemerkenswerthen Versuch, der dahin deutet. Um zu erproben, wie sich Ameisen verschiedenfarbigem Licht gegenüber verhielten, brachte er solche in einen Kasten und bedeckte dessen obere Oeffnung mit verschiedenfarbigen Glasplatten. Er stellte zunächst fest, dass diese Thiere stets von einem helleren in den dunkleren Raum flüchteten, wenn sie beunruhigt wurden. Nachdem er nun auf diese Weise allmählich gefunden hatte, welche Farben den Ameisen am dunkelsten erschienen, und z. B. gesehen hatte, dass sie von den Stellen, die er durch Auflegen von Glasplatten blau beleuchtete, unter solche flüchteten, die er mit rothen Platten bedeckt hatte, versuchte er auch ultraviolettes Licht. Gewisse Flüssigkeiten, z. B. Lösungen von Chininsalzen, die für uns farblos erscheinen, lassen nämlich hauptsächlich ultraviolettes Licht durch, wie durch das Spektrum nachgewiesen werden kann. Wurde der Kasten mit den Ameisen nun zum Theil mit weissen Gläsern, zwischen welche solche Lösungen gebracht waren, zum Theil mit rothen

Gläsern bedeckt, so flüchteten die Ameisen von den rothen unter die ultravioletten Gläser, trotzdem für den Beobachter erstere ganz durchsichtig,
letztere ziemlich undurchsichtig erschienen. Die Ameisen hatten also
offenbar den entgegengesetzten Eindruck wie wir und empfanden das rothe
Licht als heller wie das ultraviolette.

Dieses ultraviolette Licht hat aber nicht nur die Eigenschaft, für uns
unsichtbar zu sein, sondern es zeigt mannigfaltige Wirkungen, die dem
sonstigen farbigen Licht nicht zukommen. Zunächst wirkt es ungemein
stark chemisch und dient daher bei der Photographie neben dem blauen
Licht hauptsächlich dazu, die Bilder hervorzurufen. Photographische Objektive
sind daher so herzurichten, dass nicht nur die farbigen, sondern auch die
ultravioletten Strahlen bei Ausgleichung der Focusdifferenz berücksichtigt
werden.

Fernerhin zeigen die ultravioletten Strahlen eine grosse Aehnlichkeit
mit den Röntgen-Strahlen dadurch, dass sie verschiedene Körper durchdringen, die wir für undurchsichtig halten. Unter diese Körper gehört
auch das Aluminium, wenn es zu dünnen Platten gewalzt ist. Setzt man
in einen Kasten ein Fensterchen aus Aluminiumblech, und bringt man in
diesen Kasten eine photographische Platte, so entsteht ein Bild des Fen-
sterchens auf der Platte, wenn man ultraviolette Strahlen auf dasselbe
fallen lässt. Uebrigens ist auch die Durchsichtigkeit anderer Körper
wesentlich verschieden von ihrer Durchsichtigkeit bei gewöhnlichem Licht.
Glas ist z. B. ziemlich undurchsichtig, Bergkrystall dagegen sehr durchsichtig für ultraviolette Strahlen.

Endlich übt das ultraviolette Licht einen Einfluss auf elektrische
Entladungen aus. Der Funkensprung in dem sekundären Stromkreise eines
Funkengebers verstärkt sich nämlich erheblich, wenn man die negative
Elektrode mit ultravioletten Strahlen beleuchtet. Ein Fernsprecher, der in
die Leitung eingeschaltet wird, giebt während der Beleuchtung einen reinen
Ton, während man nur ein Geräusch vernimmt, wenn die ultravioletten
Strahlen abgeblendet werden.

Diese Erscheinungen führten Professor Dr. Zickler in Brünn auf den
Gedanken, das ultraviolette Licht zu einer Telegraphie auszunutzen. Er
versprach sich hiervon gegenüber der Marconischen Funkentelegraphie den
Vortheil, dass es nicht möglich sein würde, die telegraphischen Zeichen
an anderen Stellen als in der Richtung des Lichtstrahls aufzunehmen,
besonders da die Zeichengebung bei ultraviolettem Licht, auch wenn sie
mittelst Scheinwerfers geschieht, unsichtbar bleibt. Zur Abblendung der
ultravioletten Strahlen kann man
nämlich Glasplatten benutzen.
Eine Veränderung des Lichtes
des Scheinwerfers stellt sich
dann für einen aussenstehenden
Beobachter nicht dar, gleichviel,
ob die Glasscheibe vorgeschoben
wird oder nicht.

Demnach benutzt Zickler als
Geber einen elektrischen Scheinwerfer, der vorn durch Glas-
lamellen geschlossen oder geöffnet

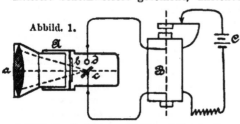

Abbild. 1.

A Zicklerscher Empfänger: *a* Quarzlinse, *b* Quarzfenster,
c negative Elektrode. *d* positive Elektrode. *B* Funkengeber. *C* Batterie.

werden kann, als Empfänger eine Röhre von Glas, in deren einem Ende zum
Durchlassen der ultravioletten Strahlen eine Linse von Bergkrystall von 4 cm
Durchmesser und 15 cm Brennweite eingesetzt ist. In diese Röhre (Abbild. 1)

sind seitlich zwei einander gegenüberstehende Elektroden aus Platin eingeführt, von denen die positive als Kugel, die negative als kreisförmige Scheibe geformt ist. Letztere ist unter 45° zur Mittellinie der Röhre gestellt. Die Luft in der Röhre kann verdünnt werden. Nach den bisherigen Versuchen scheint die Verdünnung bei einem Druck einer Quecksilbersäule von 20 bis 30 mm am günstigsten zu sein. Bei einem Druck von unter 5,8 mm hört eine Veränderung des Funkensprunges auf und erlischt auch, sobald Kathodenstrahlen auftreten. Die Elektroden sind in den sekundären Stromkreis eines gewöhnlichen Funkengebers eingeschaltet und so weit von einander entfernt, dass an sich kein Funkensprung stattfindet, sondern erst eintritt, wenn ultraviolette Strahlen die negative Elektrode treffen. Zickler hat seine Versuche bisher mit Hülfe der Elektrizitäts-Aktiengesellschaft vormals Schuckert & Co. in Nürnberg angestellt. Von dieser Gesellschaft wurde ein Scheinwerfer von 800 mm Durchmesser mit parabolischem Metallspiegel von 200 mm Brennweite zur Verfügung gestellt. Die zum Scheinwerfer gehörige selbstregelnde Bogenlampe für 60 Ampère und 47 Volt hatte wagerecht in der Spiegelachse stehende Kohlenstäbe, so dass nur die vom Spiegel zurückgeworfenen Strahlen wirksam waren.

Der Scheinwerfer wurde auf dem bei der Fabrik befindlichen Scheinwerferthurm aufgestellt. Da es sich vorläufig nur um Versuche handelte, so war von einer Einrichtung zur Abblendung des Scheinwerfers durch Glasplatten abgesehen. Die Abblendung der ultravioletten Strahlen erfolgte vielmehr vor dem Empfänger durch eine Glasscheibe. Der erste Versuch ergab auf eine Entfernung von 450 m bei einem Luftdruck von 340 mm Quecksilbersäule im Empfänger eine vollständig sichere Funkenauslösung. Es entstand ein dauernder Funkenstrom, sobald die Glasplatte fortgezogen wurde. Bei einem zweiten Versuch wurde der Luftdruck im Empfänger bis auf 200 mm vermindert. Die Zeichengebung gelang bis auf 1300 m Entfernung.

Diese Ergebnisse sind bis jetzt nicht gross. Wenn man aber in Betracht zieht, dass die verwendeten Apparate noch nicht sehr vollkommen und zum Theil sogar, wie der Scheinwerfer, zu ganz anderen Zwecken konstruirt waren, so muss man sie immerhin als nicht zu unterschätzende bezeichnen. Weitere Versuche müssten sich zunächst darauf richten, welche Metalllegirungen die ultravioletten Strahlen am besten zurückwerfen, um die Parabolspiegel aus solchen Legirungen herzustellen. Glasspiegel sind selbstverständlich wegen der Undurchlässigkeit des Glases für ultraviolette Strahlen nicht anwendbar. Fernerhin wäre festzustellen, ob nicht eine andere Stellung der Kohlenstäbe, bei der nicht nur der Krater der positiven Kohle, sondern der Lichtbogen selbst gespiegelt würde, günstiger wäre. Des Weiteren wäre zu erproben, ob nicht eine wesentliche Vermehrung der ultravioletten Strahlen eintritt, wenn die Spannung und die Auseinanderstellung der Kohlenspitzen vergrössert wird. Endlich könnte auch ein Zusatz von anderen Stoffen zu den Lichtkohlen die Wirkung erhöhen.

Ergiebt sich dann eine wesentliche Vergrösserung der Entfernung für diese neue Telegraphie, so würde dieselbe im Festungskriege beim Vertheidiger und im Seekriege zur Verbindung mit der Küste gute Dienste leisten, besonders da ein Mitlesen Aussenstehender ausgeschlossen ist.

Die Zeichen lassen sich unmittelbar am Empfänger durch Beobachtung des Funkensprunges oder mit dem Gehör durch ein in den sekundären Stromkreis eingeschaltetes Telephon wahrnehmen oder durch die Verbindung eines Zicklerschen mit einem Marconischen Empfänger an einem Telegraphenapparat in Morse-Schrift aufnehmen. Letztere Verbindung hat Dr. Spiess in der Berliner Urania hergestellt und vorgeführt. Er schaltet dazu zwischen dem Zicklerschen und dem Marconischen Empfänger einen Transformator einfachster Art ein, indem er (siehe Abbild. 2) die Drahtleitungen beider Empfänger in mehreren Windungen um eine walzenförmige Glasglocke führt. Tritt in der Zicklerschen Röhre ein Funkenstrom

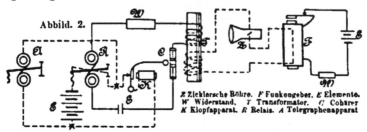

Abbild. 2.

Z Zicklersche Röhre. F Funkengeber. E Elemente.
W Widerstand, T Transformator. C Cohärer
K Klopfapparat. R Relais. A Telegraphenapparat

ein, so entsteht in den zugehörigen Drahtwindungen des Transformators ein hochgespannter Wechselstrom, der in den Wickelungen des Transformators, die mit dem Marconischen Empfänger verbunden sind, einen ebensolchen Induktionsstrom hervorruft. Dadurch wird auf das Frittröhrchen (Cohärer) dieselbe Einwirkung hervorgebracht, als wenn es unmittelbar von elektrischen Wellen getroffen würde. Das Nickelpulver in dem Röhrchen gruppirt sich zu besserer Leitungsfähigkeit, das Relais und mit ihm der Telegraphenapparat schlagen an, wie das Nähere aus dem Aufsatze dieser Zeitschrift (Heft 1, 1898) über die Telegraphie ohne Draht und aus der Schaltungsskizze Abbild. 2 ersehen werden kann. C. A.

Ein Blick auf die Entwickelung der Acetylenindustrie mit Berücksichtigung neuer Anwendungen auf kriegstechnischem Gebiete.

Von Dr. Christian Göttig, etatsmässigem Professor der Königlichen Vereinigten Artillerie- und Ingenieurschule.

Mit drei Abbildungen.

Ein Jahr ist verflossen, seitdem die erste Acetylen-Fachausstellung in Berlin tagte und Zeugniss ablegte von der grossen und vielseitigen Arbeitsleistung auf dem Gebiet der Verwerthung des Acetylens.

Allein die überschwänglichen Hoffnungen, welche auch im Hinblick auf den glänzenden äusseren Erfolg erwähnter Ausstellung vielfach auf die weitere Entwickelung der Acetylenindustrie gesetzt wurden, harren bis jetzt noch ihrer endgültigen Erfüllung.

Als Grund für die scheinbar eingetretene Stauung in der Weiterentwickelung unserer neuesten Beleuchtungsindustrie sehe ich in erster Linie die Thatsache, dass die Bauanstalten für Acetylengas-Anlagen, deren Zahl allein in Deutschland auf nahezu 200 gestiegen sein dürfte, bezw. die Erfinder auf diesem Spezialgebiet oft Apparate in den Handel bringen oder gebracht haben, welche nicht als praktisch und absolut ungefährlich bezeichnet werden dürfen. Die hauptsächlichen Einwände, welche ich hier im Auge habe, beziehen sich zunächst auf die Bauart, deren komplizirter Charakter vielfach gegenüber dem einfachen Vorgange der Acetylendarstellung einen grellen Kontrast bildet, und bei welcher nicht selten sowohl mangelndes Verständniss für die Berechnung der Querschnitte als auch für die Auswahl des Materials und — was sehr wichtig — für die Reinigungsfrage beobachtet wird.

Vielfach waren die gelieferten Apparate und Brenner auch nachlässig gearbeitet, wodurch den Abnehmern Betriebsstörungen bereitet wurden.

Eine andere Ursache für die relative Geringfügigkeit des Fortschritts der Acetylenindustrie dürfte in der durch Spekulation hervorgerufenen Höhe der Carbidpreise und der zum Theil mangelhaften Qualität, besonders der aus Amerika eingeführten Waare, zu suchen sein.

Dass aber durch Beseitigung dieser erwähnten Missstände die in Rede stehende Lichtkategorie ihre natürlichen Rechte und ihre angemessene Stellung unter den Beleuchtungsmitteln mit der Zeit einnehmen wird, darüber hege ich keinen Zweifel, wenngleich vielleicht manches Unternehmen, das sich den gegenwärtigen Verhältnissen nicht gewachsen zeigt, die vorhandene, bezw. in Aussicht stehende Krise nicht überdauern wird.

Trotz der im Vorstehenden skizzirten Lage der Acetylenindustrie ist man immer noch rastlos bemüht, derselben neue Verwendungsgebiete zu eröffnen, wovon die zahlreichen Anträge beim Kaiserlichen Patentamt auf Ertheilung von Patenten und Musterschutz-Verleihungen beredtes Zeugniss ablegen.

Zu diesen Neuerungen, welche vielleicht Aussicht auf erfolgreiche Anwendung geniessen, gehört ein vom Herrn Oberleutnant v. Kries konstruirter Scheinwerfer nebst zugehörigem Entwickler und einer Operationslampe, von welcher Vorrichtung einzelne Theile gesetzlich geschützt sind.

Der Apparat, welcher in erster Linie zur Auffindung Verwundeter auf dem Schlachtfelde und zur Beleuchtung bei Operationen dienen soll, besteht aus zwei Hauptkomponenten, dem Acetylenentwickler und dem eigentlichen Scheinwerfer bezw. Operationslampe, welche Bestandtheile durch einen Schlauch verbunden sind.

Abbild. 1.

Der Entwickler ist ein Cylinder von etwa 30 cm Höhe und 15 cm Durchmesser, welcher Raum durch eine Metallplatte in zwei gleiche Cylinder getheilt ist, die mit einander in Verbindung stehen entsprechend nebenstehender Querschnittszeichnung (Abbild. 1).

In dem unteren Behälter befindet sich das cylindrische, mit der Gasableitungsröhre a zusammenhängende Carbidgefäss, welches von einem Wassermantel umgeben ist, der durch die Röhre d mit dem oberen, Wasser enthaltenden Cylinder in Verbindung steht.

Dieser obere Raum des Entwicklers dient als Wasserbehälter und ist von einer acht- bis zehnfachen schlangenförmigen Röhrenwindung durchzogen, welche bei b im Hauptrohre, bei c im Wassermantel mündet. An demselben befindet sich oben eine Füllschraube mit Sicherheitslöchern und eine durch den ganzen Wasserbehälter hindurchgehende Ventilschraube, welche ein im Boden über dem Carbidbehälter befindliches Tropfventil regulirt. Beim

Oeffnen dieser Ventilschraube tropft Wasser in den Carbidbehälter, wodurch nach der Gleichung $CaC_2 + 2H_2O = C_2H_2 + CaH_2O_2$ Acetylengas entsteht, das durch die Hauptröhre a an den Ort seiner Bestimmung geht. Wenn hierbei eine zu starke Entwickelung eintritt, so geht das überschüssige Gas in die Schlangenröhre b, wobei das im Mantel befindliche Wasser durch das Rohr nach oben gedrückt wird und durch die Sicherheitsöffnungen der Füllschraube entweicht. Wird die Gasentwickelung geringer, tritt das Wasser wieder in den Kühlmantel zurück u. s. w., so dass grössere Druckschwankungen vermieden werden.

Der Scheinwerfer besteht aus zwei kombinirten Hohlspiegeln, welche aus Nickelblech gefertigt sind und deren einer als Oeffnungsklappe eingerichtet ist zum Zweck der Reinigung und des Anzündens, während der vordere parabolische Hohlspiegel in seinem Brennpunkt einen Brenner hält, zu welchem in praktischer Anordnung durch den Handgriff das nöthige Gas strömt. Der Scheinwerfer kann vermöge eines in senkrechter Richtung beweglichen Zapfens, der in ein aus drei Theilen zusammenschraubbares Mannesmann-Rohr gesteckt wird, auch seitlich gedreht werden und gestattet nach Angabe des Herrn Erfinders bei einer Lichtstärke von etwa 50 Normalkerzen die Auffindung eines Verwundeten in Entfernungen von 80 bis 100 m.

Abbild. 2.

Nebenstehende Abbildung (Abbild. 2) erläutert die Handhabung des v. Kriesschen Acetylen-Scheinwerfers.

Vergleichen wir diesen Apparat mit den bisher für dieselben Zwecke gebräuchlichen Beleuchtungsmitteln, so ergiebt sich, dass diese den zu stellenden Anforderungen in Bezug auf Leichtigkeit beim Transport, Einfachheit der Bedienung und Stärke der Leuchtkraft nicht hinreichend genügten. Die bisher den Sanitätsdetachements zur Verfügung stehenden Krankenträger-Laternen zum Absuchen des Schlachtfeldes haben eine zu geringe Lichtstärke.

Hinsichtlich der vorgeschlagenen elektrischen Beleuchtungswagen ist es fraglich, ob dieselben bei der grossen Gewichtigkeit überall im Gelände nachfolgen können, abgesehen von anderen Bedenken, die gegen deren Verwendung ausgesprochen wurden. Die tragbaren Akkumulatoren in Verbindung mit Scheinwerfern haben den Nachtheil, dass ihre Ladung nicht überall möglich ist, und dass das erzeugte Licht sehr starke Schatten wirft, wodurch die Auffindung einzelner Verwundeter erschwert werden dürfte.

In Frankreich hatte man, wie mir berichtet wird, einen Scheinwerfer gebaut, dessen Konstruktion darauf beruhte, dass komprimirte, mit Benzindämpfen vermischte Luft in einen im Brennpunkt eines parabolischen Hohlspiegels befindlichen Platinkopf geleitet und hier angezündet wurde. Dieser Scheinwerfer soll sich, abgesehen von seiner komplizirten Einrichtung, nicht bewährt haben, weil es für den bedienenden Mann nicht immer möglich war, durch fortgesetztes Pumpen, wie es die Einrichtung des Apparats erheischte, sich die komprimirte Luft selbst zu erzeugen.

Hiernach wird der Acetylen-Scheinwerfer des v. Kriesschen Systems, welcher nach gerichtlichem Gutachten sowie Versuchsergebnissen der Technischen Hochschule mit ähnlich konstruirten Entwicklern explosionssicher arbeitet, den bisherigen, mir bekannten Vorrichtungen gleicher Bestimmung wahrscheinlich vorzuziehen sein. Derselbe scheint billigen Ansprüchen in Bezug auf Leichtigkeit der Bedienung und des Transports sowie der Leuchtkraft zu genügen und kann nach meiner Ansicht auch ohne Explosionsgefahr zunächst weiter funktioniren, wenn der den Entwickler auf dem Rücken tragende Mann hinfällt, da, obwohl zwar das Wasser aus dem Wassermantel in das Nebengasrohr dringt, ein Einfliessen in das Hauptrohr durch den Gegendruck des Gases ziemlich ausgeschlossen erscheint. Ich behalte mir aber zur Abgabe definitiven Urtheils eine genauere diesbezügliche Prüfung vor. Die kupferhaltigen Theile des Apparates sind zweckmässig und im Einklang mit der Polizeiverordnung vom 19. November 1897 durch solche von anderem geeigneten Material zu ersetzen.

Der v. Kriessche Entwickler dürfte sich ebenfalls in den Operationszelten der Sanitäts-Detachements und bei den Feldlazarethen in Verbindung mit erwähnter Operationslampe, deren Verwendungsart durch nachstehende Abbildung (Abbild. 3) erläutert wird, bewähren.

Abbild. 3.

Herr v. Kries schreibt über deren Konstruktion Folgendes: »Dieselbe besteht aus einem Messingreifen mit Rohrstutzen, der an einen auseinandernehmbaren Gasarm angeschraubt wird. An dem Rohrstutzen befindet sich das eigentliche Zuleitungsrohr mit dem Brenner. Zum Abblenden wird eine matte Glocke aus Glas in den Reifen gelegt und mit einem reflektirenden Deckel mit Schornstein geschlossen. Der Entwickler wird mit den zusammenschraubbaren Gasarmen in Verbindung gebracht. Der Vorzug der Lampe beruht in der leichten Zusammenlegbarkeit derselben und der Möglichkeit, sie in jeder Stube, im Operations- und Verbindezelt anzubringen.«

Diese Lampe, welche auch in meiner Gegenwart verschiedenen höheren Offizieren und den unter meiner Leitung praktisch übenden Herren vorgeführt wurde, schien dem hier in Betracht kommenden Zweck zu entsprechen.

Was die sonstige Verwendbarkeit des v. Kriesschen Acetylenapparats bezw. Scheinwerfers betrifft, so könnten dieselben vielleicht vortheilhaft bei der optischen Telegraphie, ferner als Ersatz für die bisherigen Patrouillenlampen, welche durch elektrische Akkumulatoren gespeist wurden, sowie für das Militär-Eisenbahnwesen, speziell für Lokomotiv-Laternen, Verwendung finden.

Inwieweit im Uebrigen die Acetylenbeleuchtung für militärische Zwecke benutzt werden kann, etwa bei der Feldpost, der Feldbäckerei, bei Fahrrädern, zur Beleuchtung von Feldmagazinen, Feld-Proviantämtern u. s. w. und, wie ich bereits in einem früheren Aufsatz ausführte,[*] für fortifikatorische Anlagen, müssen eingehende Versuche und Erfahrungen lehren. Abgesehen aber von solchen Spezial-Verwendungszwecken erscheint die Einführung dieser neuen Beleuchtungsart besonders an solchen Orten angemessen, wo man von der Einrichtung der Leuchtgasfabriken und Elektrizitätswerke Abstand nehmen muss.

Ueber die Verwendung der Motorwagen als Armeefahrzeuge.

Von Layriz, königl. bayer. Oberstleutnant z. D.

Mit zwei Abbildungen.

Der Motorwagen oder, wie ihn die Franzosen nennen, die Automobile hat sich noch nicht einmal für den lokalen Verkehr eingebürgert, und schon werden Stimmen laut, die dieses ultramoderne Fahrzeug für die Armee reklamiren. Unsere westlichen Nachbarn, deren sanguinisches Temperament sie rasch für technische Neuerungen in Enthusiasmus versetzt, haben den anderen Nationen einen Gefallen erwiesen, indem sie die undankbare Aufgabe auf sich nahmen, das neue Transportmittel auszuprobiren. Den Deutschen obliegt es nun, mit ihrer pedantischen Gründlichkeit und ihrem kritischen Talent an die mit der Menge verschiedenartiger, dem Sport, dem Luxus und der Reklame dienenden Motorwagen in Frankreich gemachten Erfahrungen anzubinden und für ernstere Zwecke entsprechende Typen zu schaffen.

Es giebt immer Leute, die, sobald eine neue Erfindung auftaucht, schnell bei der Hand sind, auszumalen, welche Veränderungen der Krieg durch solche Mittel erfahren könnte. In dem mittelst Benzin oder Petroleum bewegten Motor sehen sie nicht bloss für die Wagen, sondern auch für die Geschütze die Zugkraft der Zukunft — das mechanische Pferd.[**] Sie gehen so weit, mit Motorpflügen Laufgräben ausheben zu wollen, die Führer der Truppen in gepanzerten Automobilfahrzeugen zur Erkundung bis in die Zone des feindlichen Gewehrfeuers vordringen zu lassen u. s. w. Man lacht über solche Phantasten, bedenkt aber nicht, dass unsere Vor-

----

[*] Vergl. Jahrgang 1 dieser Zeitschrift, Heft 8, S. 372 ff.
[**] Ueber die verdeutschte Benennung ist man noch nicht einig. Selbstfahrer ist eine wörtliche Uebersetzung des französischen Automobile, die noch nicht allgemeine Anerkennung gefunden hat. So gut sich das Wort Lokomotive statt Dampfwagen in der deutschen Sprache eingebürgert hat, verdienen die mit Motor zusammengesetzten Wörter Motorwagen, Motorrad, Motorballon gleiche Aufnahme.

fahren denjenigen, der das Schiessen mit Geschützen auf 8 bis 10 km oder für Gewehre und Pistolen die Abgabe von 50 Schuss in der Minute vorausgesagt hätte, für verrückt erklärt haben würden.

Man sei daher vorsichtig und halte heutzutage nichts für unmöglich. Bei der rasch vorschreitenden Technik erlebt man vielleicht schon in einigen Jahren, was man voreilig als Hirngespinnst erklärt hat. Selbstverständlich wird aber nur das Nächstliegende, der zur Zeit mögliche Fortschritt für werth erachtet, einer ernsteren Betrachtung unterzogen zu werden.

Für militärische Verwendung technischer Neuerungen ist die Bedürfnissfrage entscheidend. Wenn sie bejaht werden kann, ist weder die Komplizirtheit noch der hohe Preis einer neuen Erfindung ein Hinderniss für ihre Einführung. Es war allerdings einmal eine Zeit, wo Einfachheit und Billigkeit die Hauptanforderungen waren, die man an Alles stellte, was für die Armee Verwendung finden sollte. Der Schulmeister von Königgrätz, wie die Franzosen den Urheber der preussischen Siege nennen, d. h. die verbesserte Volksbildung, lässt davon absehen, dass wie früher die Einfachheit des Schiessprügels das Ideal für eine Armeebewaffnung ist. Obwohl die modernen Repetirgewehre sich nicht zum Einschlagen von Hausthüren und Menschenschädeln eignen, sind sie überall eingeführt. Nachdem Kriegserfolge den Werth einer gut gerüsteten Armee haben erkennen lassen, spielt auch die Preisfrage nicht mehr die entscheidende Rolle wie früher. Die neuen Feldgeschütze, von denen jedes mit einem einzigen Schrapnelschuss ungefähr 30 Mark verknallt, sind gewiss nicht billig zu nennen.*)

Der Motorwagen kommt der modernen Kriegführung sozusagen wie gerufen für Lebensmittelnachschub und für Munitionsersatz, welche beide die wichtigsten Lebensinteressen der Armeen berühren.

Für einen künftigen Krieg muss man mit noch grösseren Armeen als 1870 rechnen. Damit wächst die Menge aller Lebensbedürfnisse, welche nachzubringen sind, gegen damals. Die Beitreibung ist nur in einer nicht zu dünn bevölkerten Gegend und da oft nur für die Truppen der vordersten Linie im Stande, das unbedingt Nöthige zu liefern. Sie funktionirt nur bei raschem Vordringen und versagt, wenn die Operationen aus strategischen Gründen, z. B. vor Armeefestungen, einen Stillstand erfahren.

Bis im feindlichen Land die Bahnen, zerstörten Brücken und Tunnels hergestellt oder durch Feldbahnen ergänzt, bis die sperrenden Festungen gefallen sind, vergeht oft lange Zeit. Die Armeen sind dann auf ihre Verpflegungsreserven angewiesen, die Proviant- und Fuhrparkskolonnen, die ihnen folgen und mit ihren geleerten Fahrzeugen die Verbindung mit den Endstationen der Eisenbahnen oder angelegten Magazinen aufzunehmen haben. Je grössere Märsche sie zurücklegen können, um so rascher und glatter vollzieht sich der Ersatz, um so weniger haben die Truppen an Abgängen durch Entkräftung zu leiden.

Im Jahre 1870 hatten einzelne Kolonnen in einem Tagmarsch und ihm folgenden Nachtmarsch 80 bis 100 km zu machen, während der Durchschnittsmarsch für Pferde nur 30 bis 40 km beträgt. Solche Kraftleistungen führen zu Ueberanstrengungen der Pferde und sind nur einmal

---

*) Noch 1865 wurde dem Verfasser in der Waffenlehre erklärt, dass das preussische Zündnadelgewehr zwölf Nachtheile habe, wegen der sich seine Einführung in der Armee nicht empfehle. Die wichtigsten waren natürlich: es sei zu komplizirt und zu theuer.

möglich. Motorfahrzeuge dagegen können bei 10 km*) Fahrgeschwindigkeit in 10 Stunden leicht 100 km zurücklegen und sind nach Ablösung der Wagenführer sehr bald zu gleicher Marschleistung bereit.

Für den Munitionstransport ist die geringe Länge der Motorfahrzeuge — etwa 4 bis 5 m gegenüber 15 m beim sechsspännigen, 10 m beim vierspännigen Fahrzeug — von grossem Vortheil. Ein Armeekorps hat mit seinen Kolonnen und Trains eine Tiefe von 56 km, ohne sie von 32 km, wenn die Truppen mit gefechtsmässiger Gliederung und Abständen marschiren. Diese Ausdehnung ist eine so grosse, dass man angesichts des durch die neue Bewaffnung mit Schnellfeuergeschützen und Repetirgewehren sicher grösser werdenden Munitionsbedarfs, der noch mehr Fahrzeuge erfordert und daher die Kolonnen verlängert, vor einer Kalamität steht. Für die Verkürzung der Kolonnen ist daher der Armee jedes Mittel willkommen.

Von einer Abschaffung der Pferde für die Bespannung aller Munitionswagen in den Kolonnen kann nie die Rede sein, da sie ein Reservoir für den Ersatz der gefallenen Pferde der Geschützbespannung zu bilden haben. Aber Theile dieser Kolonnen können unbespannt sein, und so wird es möglich, bei bisheriger Länge der ganzen Marschkolonne eines Armeekorps oder einer selbständigen Division mehr Munition nachzuführen. Handelt es sich dann bei eingetretenem Stillstand der Bewegungen nach grossen Schlachten darum, den Munitionsabgang durch Verbindung mit den Endstationen der Bahnen, an denen Reserve-Munitionsdepots durch Nachschaffung aus der Heimath gebildet sind, zu ersetzen, so ist ein so bewegliches Bindeglied wie eine aus Motorwagen bestehende Munitionskolonne von ausserordentlichem Werth.

Für militärische Zwecke ist der Motorwagen bei den Manövern in verschiedenen Armeen versuchsweise verwendet worden. In der deutschen Armee hat bei den Kaisermanövern 1898 nur ein einzelner Motorwagen für Proviantransport Verwendung gefunden, der nach dem »Militär-Wochenblatt«**) nicht entsprochen haben soll.

Die Fabriken, welche Motorwagen erzeugen, handeln gegen ihr Interesse, wenn sie zu früh ihre Fabrikate bei Truppenübungen der öffentlichen Prüfung aussetzen. Es bildet sich so leicht eine Voreingenommenheit, die die Einführung in grösserem Stil auf Jahre hinaus verzögert. Man sollte sich vor Allem klar machen, unter welchen Verhältnissen der Motorwagen im Kriege verwendet werden muss.

Die Anforderungen der Marschtechnik sollten bei einem Volk in Waffen jedem Konstrukteur, der sich mit dem Bau von Kriegsfahrzeugen befasst, geläufig sein.

Die Motorwagen fahren im Krieg nicht allein, sondern in den Kolonnen mit anderen Wagen zusammen. Daraus ergiebt sich besonders bei Nachtmärschen eine Anzahl Reibungen, die überwunden werden müssen. Das Fahrzeug soll aber durch seine Konstruktion diese Ueberwindung erleichtern. Dazu ist die sichere Beherrschung der Geschwindigkeit des Fahrens durch gute, auch bei starkem Gefälle sicher wirkende Bremsen sowie die Einrichtung für Rückwärtsfahren nöthig, so dass die Abstände von Fahrzeug zu Fahrzeug klein sein können; anderenfalls ginge der vom Motorwagen erwartete Vortheil der Kolonnenverkürzung verloren. Ebenso unbedingt

---

*) Die Fahrgeschwindigkeiten, welche von den Fabrikanten für die Motorwagen genannt werden, schwanken zwischen 30 und 40 km per Stunde. In der Kolonne wird aber keine grössere Geschwindigkeit als 10 km ausgenutzt werden können.

**) »Militär-Wochenblatt« 1898, S. 2231.

nöthig sind Einrichtungen für die Sicherung aller empfindlichen Theile, von deren Reinhaltung, wie z. B. bei Zahngetrieben, die Fahrbarkeit abhängt, gegen Schmutz, damit für kurze Strecken die Strasse verlassen werden kann.

Diese Forderungen erfüllt das Motorfahrzeug, wie es die Technik jetzt bietet, noch nicht. Ihr Hauptziel war bisher, sich Abnehmer durch Erfüllung der Bedürfnisse des Sportes zu erwerben. Die in neuerer Zeit konstruirten Motorwagen für Beförderung grösserer Lasten sind eher geeignet, als Ausgangsmodelle für Kriegsfahrzeuge zu dienen. Beim Suchen nach einem passenden Typus für ein solches muss man aber die schlechtesten Strassen und die ungünstigsten Tage nach Regen und Schneewetter für Fahrversuche wählen.

In Frankreich sind nicht bloss Luxusfahrzeuge mit Motorbetrieb in Gebrauch, sondern seit einigen Jahren auch Lastfuhrwerke und grössere Wagen für Personenbeförderung. Es ist eben in diesem Lande die Anlage von Lokalbahnen nicht so vorgeschritten wie in Deutschland, und man will daher dort an ihrer Stelle Motoromnibusse einführen, deren Verwendung durch die vorzüglichen Strassen begünstigt wird.

Auch in Deutschland hat man in neuester Zeit in kleinerem Maassstabe die Motorfahrzeuge versuchsweise für solche Zwecke in Gebrauch genommen.*) In München ist seit fast einem Jahre ein regelmässiger Verkehr von Motoromnibussen an der Peripherie der Stadt mit den etwa 5 km entfernten Vororten Milbertshofen, Riesenfeld, Schwabing und Neufreimann durchgeführt, der sich bei normalen Witterungs- und Wegverhältnissen ganz gut bewährt hat.

Die von Daimler in Cannstadt gelieferten Wagen sind 2900 kg schwer und nehmen 16 Personen einschl. Führer auf. Der Motor beansprucht 4 kg Benzin pro Stunde bei einer Leistung von 8 Pferdestärken. Die Uebertragung der Rotation der Triebachse auf die Radachse geschieht nicht mittelst Kette, sondern mittelst Zahngetriebes und lässt vier Geschwindigkeiten zu. Die Wagen sind lenksam und mittelst einer Fuss- und einer Handbremse absolut sicher auf 1 bis 2 m zu bremsen. Für gewöhnlich sind hier die Wegverhältnisse günstig, indem die Wagen nur auf Holz- und Steinpflaster gehen und keine Steigung zu überwinden haben. Bei einem am 25. Januar d. Js. stattgefundenen Schneefall trat aber ein vollständiges Versagen dieser Motorwagen ein, indem sich die vom Motor angetriebenen Räder ohne Vorwärtsbewegung um die Achse drehten. Der Schneefall war damals ein abnorm grosser, und sowohl die von Pferden gezogenen Trambahnwagen wie die Stadtomnibusse (Tramcars) hatten vorübergehend Störungen im Betrieb, der nur durch Anwendung von Bespannungsergänzung aufrecht erhalten werden konnte.

Interessant ist im Vergleich dazu das Verhalten eines mittelst Benzinmotor bewegten Lastwagens der Kunstmühle Tivoli bei München. Derselbe ist gleichfalls von Daimler geliefert, wiegt leer 65 Ctr., beladen 100 Ctr. und hat per Tag etwa 4 bis 5 Fahrten zu dem 4 km entfernten Güterbahnhof mit 12 km Geschwindigkeit zurückzulegen, wobei eine Steigung von 3,5 pCt. zu überwinden ist. Dank einer besonderen Räderkonstruktion wurde der Gütertransport auch bei Schnee ohne Störung durchgeführt.

Auch eine in Amerika gemachte Erfahrung soll hier Erwähnung finden. Die Zeitschrift »Scientific american« versichert, dass während des Schnee-

---

*) In Berlin hat sich im vorigen Jahre eine Gesellschaft für den Bau von Motorwagen aufgethan, und in München ist erst vor Kurzem eine Gesellschaft unter dem Namen »Motor« ins Leben getreten, die sich die Verwendung der Motorwagen für den Verkehr im Grossen als Ziel gesetzt hat.

sturmes vom 28. November 1898 die elektrischen Automobilfahrzeuge in Newyork sich ausgezeichnet bewährt hätten. Die 'Schneedecke auf der Strasse habe 10 Zoll (225 mm) Dicke im Durchschnitt gehabt, so dass aller Wagenverkehr in den Strassen stockte, nur die elektrischen Cabs hätten den Fahrdienst zwar langsamer und mit mehr Kraftaufwand, aber ohne Stocken fortgesetzt. Dieser Erfolg wäre hauptsächlich den 5″ (127 mm) im Durchmesser messenden Pneumatikreifen zu verdanken.

Ein Aufsatz in diesen Blättern*), der gleichfalls über die Motorwagenverwendung für militärische Zwecke berichtet, erhebt gegen dieselbe zwei Einwände, indem er folgende Fragen aufstellt:

1. Wie soll der Heizstoff (Benzin) beschafft werden?
2. Wie soll es möglich sein, so viel Mechaniker aufzutreiben, als zur Führung der Wagen nöthig wären?

Der erste Vorwurf berührt die Lebensfrage der Militär-Automobile. Es muss die Forderung an ein solches Fahrzeug gestellt werden, dass sein Motor keine Stoffe beansprucht, die nicht weit verbreitet und leicht zu beschaffen sind. Bis jetzt kommen für Motorfahrzeuge als Heizstoffe in Betracht: Naphtha, Petroleum, Benzin, Spiritus und Acetylen.

Naphtha oder das Erdöl, wie es als Rohprodukt gewonnen wird, ist schon für Motoren verwendet worden, russt aber zu stark und entwickelt einen belästigenden Geruch. Petroleum, d. h. das Destillat des Erdöls, wie es zur Beleuchtung in Lampen verwendet wird, russt und riecht weniger als Erdöl. Die Anwendung des Motorfahrzeuges für Luxuszwecke ist erst durch die Anwendung des reinlicheren Benzins, das auch einen grösseren Heizeffekt als Petroleum erzielen lässt, möglich geworden. Aber Benzin hat infolge seiner Verflüchtigung durch Verdunstung bei gewöhnlicher Lufttemperatur die fatale Eigenschaft grosser Feuergefährlichkeit.

Für Luxusfahrzeuge mit besonders verlässigen, gut bezahlten Heizern lässt es sich vielleicht ohne grosses Risiko verwenden, für andere Zwecke ist Petroleum vorzuziehen.

Die Erdölgewinnung beschränkt sich, soweit sie im Grossen betrieben werden kann, auf Nordamerika und Russland.**)

Für den ersten Blick erscheint es bedenklich, für Kriegsfahrzeuge einen Motor einzuführen, dessen Heizstoff vielleicht im Kriegsfall nicht sicher in genügender Menge beschafft werden kann. Jedenfalls würde die Anwendung des Spiritus den grossen Vortheil bieten, dass dieser im Lande selbst erzeugt wird und von der Monopolisirung des Petroleumhandels unabhängig macht. Vorläufig produzirt aber die Landwirthschaft für solche Zwecke noch zu theuer.***)

Ueber die Verwendung des Acetylens als Motortriebkraft ist noch zu wenig bekannt geworden, um es mit in Rechnung zu ziehen. Fraglich ist es vorläufig noch, ob es transportbeständig und ob es nicht bei der Aufbewahrung der Zersetzung ausgesetzt ist.

Petroleum ist also der Heizstoff, der für Militär-Motorfahrzeuge zur Zeit in Betracht kommt. Der Vortheil seiner schweren Entzündbarkeit

---

*) Kriegstechnische Zeitschrift 1898, II. Jahrgang, 1. Heft: Die Automobilen im Militärdienst.

**) 1893 war die gesammte Ausbeute an Petroleum 84 Millionen Barrel (178 Mill. Liter); etwas mehr als die Hälfte, nämlich 48 Mill. Barrel, trafen auf die Vereinigten Staaten, 33 Mill. auf Russland, 3 Mill. auf andere Staaten. Dinglers »Polytechnisches Journal«, Band 295, S. 141.

***) In Frankreich konkurrirt gegenwärtig der Spiritus mit Benzin als Triebmittel für Automobilen, weil hier das Benzin durch Besteuerung einen fast ebenso hohen Preis hat, das in Deutschland um die Hälfte billiger ist.

ist auch sein Nachtheil, indem das Gasgemisch nicht sicher durch den elektrischen Funken entzündet werden kann, sondern die Glührohrzündung Anwendung finden muss, die voraussetzt, dass dem ersten Ingangsetzen ein einige Minuten dauerndes Anwärmen des Vergasungsraumes vorhergeht. Dieser Nachtheil ist aber nur ein scheinbarer, da die elektrische Zündung Akkumulatoren oder Trockenbatterien voraussetzen würde, deren Bedienung und Ersatz nicht den Anforderungen an Kriegsmässigkeit entspricht, daher trotz ihrer sonstigen Zweckmässigkeit hier nicht verwendbar wäre.

Ein Motor von etwa 6 Pferdekräften wird annähernd 30 kg Petroleum pro 100 km bedürfen. Ausser den für den Munitions- und Lebensmitteltransport bestimmten Motorwagen müssten demnach noch eigene Motorwagen für den Transport von Petroleum bei jeder Kolonneneinheit mitgeführt werden, und es wäre nöthig, im eigenen wie im feindlichen Lande Depots von Petroleum an der Etappenstrasse anzulegen.

Von der Einführung von Motorwagen für die Armee kann erst die Rede sein, wenn sie im Lande allgemeine Verwendung gefunden haben, was in nicht ferner Zeit der Fall sein wird. Dann fehlt es nirgends án Benzin-, Petroleum- oder Spiritus-Vorräthen, die wie andere Armeebedürfnisse durch Beitreibung beschafft werden müssen. Ideal wäre natürlich eine Motorkonstruktion, welche jedes der Heizmittel Benzin, Petroleum und Spiritus verwenden lässt.

Die englische Zeitschrift »Industry and Iron« vom 3. Februar 1899 beschreibt ein solches vom Franzosen Henriod konstruirtes Motorfahrzeug, das gleich gut bei Anwendung von Petroleum wie von Spiritus funktioniren soll.

Auf das Eintreten besonderer Verhältnisse, welche die Ausnützung des Motors unmöglich machen, sei es infolge von Mangel an Heizstoff oder bei besonderer Ungunst der Strassen, muss man jedenfalls gefasst sein und für solchen Nothfall die Anwendung von thierischen Zugkräften vorsehen. Wäre dies nicht der Fall, so könnte man für den Bau eines kriegsbrauchbaren Motorfahrzeuges einen besonderen von dem der bisherigen Fahrzeuge abweichenden Typus aufstellen. Vor Allem könnte das Fassungsvermögen der einzelnen Wagen gesteigert werden, bis die mit Rücksicht auf die Kriegsbrücken gebotene Gewichtsgrenze erreicht wäre. So ist für die Bestimmung des Maximums des beladenen Fahrzeuges das Gewicht für Fortbewegung im Schritt durch ein Viergespann von etwa 1500 bis 2000 kg maassgebend. Die Höhe der Räder und andere Einrichtungen, z. B. eine Deichsel in Reserve, sind durch die Möglichkeit des Falles, dass eine Bespannung nöthig wird, gegeben.[*]

Dem ersten Einwand musste eine Berechtigung zuerkannt werden, der zweite dagegen ist nicht so ernst zu nehmen. Die Motoreinrichtungen werden immer bis zu einem gewissen Grade komplizirt sein. Wenn auch das Schmieren der im Triebapparat bewegten Theile automatisch geschieht, so wird doch bei den Rasten die Reinigung durch eine sachkundige Hand nicht zu entbehren sein. Die Behandlung der hier gebrauchten Maschinen ist aber nicht so schwer, dass nicht ein Soldat von durchschnittlicher Begabung sie in kurzer Zeit erlernen könnte. Deutschland ist kein Agrikulturstaat mehr. Eine Menge der im Mobilmachungsfall einberufenen Heerespflichtigen hatte bei seinem Lebenserwerb im Frieden mit Maschinen umzugehen und diese in Stand zu

---

[*] Solche Fahrzeuge werden zur Zeit in Charlottenburg für die Kaiserliche Post gebaut. System Kühlstein-Vollmer (siehe Abbild. S. 164).

halten. Wenn die Einführung des Motorfahrzeuges in grösserem Maassstabe für die Armee erst erfolgt, nachdem dasselbe ausser der Armee
grosse Verbreitung .gefunden hat, kann es bei der Mobilmachung an
geschultem Führerpersonal für die Motorwagen nicht fehlen.

Für Reparaturen wird nach Analogie der Feldschmieden für grössere
Kolonneneinheiten eine fahrbare Reparaturwerkstätte mit Ersatztheilen
unentbehrlich sein, und wie die Waffenmeister der Feldartillerie sind
einige gute Mechaniker für die Instandsetzungsarbeiten nöthig.

Der mit einem Gasgemisch von Luft und Benzin-, Petroleum- oder
Spiritus-Dämpfen betriebene Motor hat sich für Sportzwecke und für den
Lastentransport mittelst Privatfahrzeugen bewährt, ist aber für die Verwendung in der Armee, wo nicht das Fahren des einzelnen Wagens, sondern
das einer grossen Anzahl eng aufgeschlossener Wagen in Betracht kommt,
noch nicht erprobt. Es ergiebt sich hier noch eine Anzahl anderer Bedenken.

Reichspost-Kariol Nr. 5.   (Automobil-Vorspann System Kühlstein-Vollmer).

Die Hauptschwierigkeit liegt in der Lösung der Frage, wie die Räder
zu konstruiren sind. Während die Motor-Luxuswagen wie die Fahrräder
Pneumatikreifen aus Gummi verwenden, hat man bei den Lastwagen die
bisherige Radkonstruktion mit glattem, eisernem Reif beibehalten. Diese
hat aber den grossen Nachtheil, dass die Stösse bei der Fortbewegung
des Fahrzeuges auf unebener Strasse ungemildert auf die feineren Theile
des Bewegungsmechanismus übertragen werden. Alle Dimensionen müssen
daher übermässig stark gemacht werden, wodurch das Eigengewicht des
unbeladenen Fahrzeuges sehr gross wird. In neuester Zeit hat man zwar
Pneumatikreifen hergestellt, deren Wände so stark sind, dass die Verletzung durch spitzige Gegenstände ausgeschlossen sein soll. Die Räder
werden dann natürlich entsprechend theurer*) und sind vor der Hand
noch nicht unter ungünstigen Verhältnissen erprobt. Eine weitere
Schwierigkeit ergiebt sich gleichfalls auf dem Gebiete der Radkonstruktion
durch die Forderung, dass das Fahren auch auf durchweichtem Boden
und im Schnee möglich sein muss. Man macht sich selten die richtige
Vorstellung davon, wie selbst die besten Strassen im Kriege aussehen,
wenn ein oder zwei Armeekorps, gefolgt von ihren Trains, darauf marschirt

---

*) Das Paar kostet 500 Mark.

sind. Es bleibt noch abzuwarten, ob die Automobile unter solchen Verhältnissen überhaupt verwendbar wird.

Wie schon erwähnt, hat der für den Stellwagenverkehr in München verwendete Motorwagen bei Schneefall versagt, während ein für eine Kunstmühle verwendeter Lastwagen unter ungünstigeren Verhältnissen ohne Anstand die Fahrten gemacht hat, für die er bestimmt war.

Während der erstere Wagen glatte Radreifen hatte, war der zweite mit vorstehenden, unterbrochenen, sich gegenseitig übergreifenden Rippen versehen. Da solche Räder bei den häufigeren günstigen Fahrverhältnissen die Reibung unnütz vermehren und sich bald abnutzen müssten, so wäre man gezwungen, eine zweite Garnitur Räder mit ins Feld zu führen und in oft sehr ungelegenen Momenten eine Auswechselung vorzunehmen.

Besser würden sich, wie die Erfahrungen in Amerika lehren, Gummiräder eignen. Ihr Anschaffungspreis ist bei den in Betracht kommenden Abmessungen zur Zeit ein sehr hoher und auch die Abnützung eine grosse. Die Wissenschaft, der es gelungen ist, Farben und Parfums auf chemischem Wege billiger zu fabriziren, als sich die Naturprodukte beschaffen lassen, hat sich als Ziel gesetzt, auch für den in der Natur vorkommenden Gummi Ersatz zu schaffen. Nach Zeitungsnachrichten soll es bereits gelungen sein, aus Fiber und oxydirten Oelen ein dem Gummi erfolgreich Konkurrenz machendes Fabrikat herzustellen, dem man den Namen Oxylin gegeben hat.

Ein weiterer Uebelstand bei den grösseren Motoren — von 6 Pferdekräften und darüber — ist der, dass sie eine ziemlich grosse Menge Kühlwasser beanspruchen.

Die Einrichtung des Daimler-Motors wird als bekannt vorausgesetzt. Wie bei allen Maschinen, wo ein Kolben durch Expansion von Dampf- oder Gasgemischen saugend in einem Stahlcylinder in Bewegung gesetzt wird, spielt das Schmieren eine wichtige Rolle. Da die Cylinderwandungen und der Kolben sehr bald nach Beginn der Arbeitsleistung einen der geleisteten Arbeit äquivalenten Hitzgrad erreichen, so werden die Schmiermittel, die selbst Oele sind, deren Verflüchtigungstemperatur nicht sehr hoch liegt, verdunsten; es bilden sich dann Rauch und Russ im Cylinder, so dass der Motor schwerer arbeitet oder schliesslich versagt.

Ausser dem Abhülfemittel, solche Oele zu verwenden, die einem hohen Hitzgrad widerstehen, giebt es nur noch das der Abkühlung des Cylinders durch Wasser. Wenn auch Einrichtungen getroffen sind, dasselbe Wasser wiederholt zur Abkühlung zu verwenden, so nimmt doch die Menge desselben fortgesetzt durch Verdunstung ab, so dass von Zeit zu Zeit Erneuerung stattfinden muss. Der Bedarf an Wasser von Seiten der Truppen längs einer Heerstrasse ist nun an und für sich ein so grosser, dass es oft daran fehlt. Jedenfalls bedeutet der Kühlwassertransport eine Vermehrung des todten Gewichts*), so dass bei gegebenem Maximalgewicht des Fahrzeuges für das nutzbare Beladungsgewicht ein beträchtlicher Ausfall entsteht.

Ausser den Wagen für Transport grosser Lasten (bis zu 100 Ctr.) und von Omnibussen für Beförderung von etwa 20 Personen kommt noch eine andere Gattung von Motorwagen für militärische Zwecke in Betracht, die bestimmt sind, kleinere Lasten oder nur ein bis zwei Menschen fortzuschaffen. Sie unterscheiden sich von den bisherigen Luxuswagen für den Sport dadurch, dass sie nicht für grosse Geschwindigkeiten konstruirt sind. Bei den in Frankreich schon vielfach vorgenommenen Wettfahrten der-

---

*) Etwa 100 kg für 6 pferdigen Motor und 12 Stunden Fahrzeit.

artiger Gefährte kamen Geschwindigkeiten von 40 bis 70 km pro Stunde vor,
während für den Gütertransport in Städten höchstens 15 km gestattet werden.

Eine solche Geschwindigkeit genügt als Durchschnittsleistung für
militärische Fuhrwerke, da sie dem Reisetrab entspricht, wenn mit berittenen Truppen zusammen marschirt wird.

Diese Geschwindigkeit wird. bei den eigentlichen Fahrrädern der
Motorwagen durch Umsetzen der Umdrehungsgeschwindigkeit des Trieb-
rades ins Langsame erzielt. Die Achse des Letzteren muss für die Ueberwindung von Steigungen und schwierigen Passagen immer eine gewisse
Minimalgeschwindigkeit haben, die eine relativ recht hohe ist (600 bis 800
Umdrehungen in der Minute). Bei den für den Rennsport gebauten
Wagen, sogenannten Schnellläufern, sind die Geschwindigkeiten so grosse
(1200 bis 1800 Umdrehungen), dass die Erschütterungen der Maschine
trotz der Gummiräder recht bedeutende sind, während für die kleinen
Gepäcktransportwagen infolge der geringen Geschwindigkeiten die Stösse,
welche der Wagen erfährt, bedeutend gemildert werden. Man kann daher
die letzteren Fahrzeuge sehr leicht bauen.

Für den Sport hat man bisher meistens Drei- oder Zweiräder gebaut.
Das Dreirad lässt sich in Städten und auf ganz guten Landstrassen verwenden. In der französischen Armee wurden bei den Manövern des
3. und 6. Armeekorps 1898, wie die Zeitschrift »Le vélo illustré« berichtet, Motordreiräder verwendet, die sich auf den guten Strassen Frankreichs bewährt haben sollen. Man muss aber auch mit so schlechten
rechnen, wie man sie z. B. auf der bayerischen Hochebene um München
findet. In Deutschland ist die Art der Beschotterung der Verwendung des
Dreirades sehr ungünstig. Das hier meist vorn angebrachte Lenkrad geht
da auf dem Schotter, wenn die anderen Räder das Geleise einhalten.
Die Abnützung ist daher eine grosse und das Fahrzeug für Dauerleistungen nicht sehr geeignet.

In neuester Zeit werden viele Zweiräder gebaut, welche gemischten
Betrieb — durch Motoranwendung und gleichzeitiges Treten des Fahrers —
ermöglichen. Es kann natürlich bei geringerer Anstrengung des Fahrers
hier dasselbe geleistet werden wie beim gewöhnlichen Zweirad, bei
ebenso grosser Anstrengung mehr. Sollten daher Radfahrtruppen zusammengestellt werden, so können einzelne solche Räder für Offiziere
und Aerzte Anwendung finden. Für die Mannschaft selbst eignen sich
solche Räder nicht, da sie immer schwerer sind als das bisherige Zweirad,
das im Nothfall auf längere Strecken getragen werden kann und dem
auch der Vortheil der grösseren Einfachheit zukommt.

Mehr Aussicht auf Verwendung für militärische Zwecke hat das
leichte Automobilfahrzeug mit vier Rädern, wie es für den Transport von
Waaren und Gepäckstücken in den grossen Städten Englands und Amerikas
schon seit längerer Zeit verwendet ist und das auch in Deutschland bald
die allein durch Treten fortbewegten Gepäckfahrzeuge verdrängen wird.

Aus diesen niedrigen, leichten Wagen können sich Militärfahrzeuge
entwickeln, die für Verwundeten- und für Munitionstransport bis an die
Gefechtslinie heran verwendbar sind.

Die Beweglichkeit querfeldein ist natürlich Vorbedingung für die
Verwendbarkeit. Unter Umständen werden solche Fahrzeuge eine Strecke
weit durch Menschen gezogen oder geschoben werden müssen, bis sie
genügend festen Untergrund haben, um den Motor anzuwenden.

Es ist dies alles Zukunftsmusik. Aber das Eine lässt sich schon mit
Bestimmtheit vorhersagen, dass solche Fahrzeuge die Zusammenstellung

von Radfahrerabtheilungen begünstigen, die schon so oft vorgeschlagen wurden. Es können solche Abtheilungen mittelst leichter Motorfahrzeuge Munition, Verbandzeug und Ersatztheile, wie die allernöthigsten Lebensbedürfnisse mitführen, so dass sie eine genügende Selbständigkeit erhalten, um als Truppe auftreten zu können. Unabhängigkeit vom Benzinvorrath muss aber vorgesehen werden. Es eignen sich also nur solche Fahrzeuge hierzu, bei denen wie für einen bei der Berliner Feuerwehr eingeführten Wagen Einrichtungen zum Fortbewegen durch Treten vorhanden sind. Eine derartig ausgestattete Radfahrtruppe ist für Zwecke des kleinen Krieges verwendbar; besonders eignet sie sich zur Verbindung der weit vorgeschobenen Kavallerie-Abtheilungen mit den nachfolgenden Truppen, zur Sicherung der Engwege, Bahnen, Telegraphen u. s. w. Deswegen, weil hier und da, bei Ungunst der Witterungs- und Wegverhältnisse, eine solche Truppe versagen könnte, darf man sich nicht abhalten lassen, ihre Verwendung im Kriege vorzusehen. Wenn sie nur in einigen Fällen gute Dienste leistet, so ist ihre Einführung gerechtfertigt; in anderen Fällen müssen die bisherigen Hülfsmittel, die im Personal der berittenen Waffengattungen zur Verfügung stehen, herhalten.

Die Fahrzeuge, von denen hier die Rede ist, müssen, um leicht sein zu können, niedrige Räder haben. Es lassen sich dann ohne zu grosse Kosten Pneumatikräder anwenden, bei denen die Erschütterungen geringer sind, so dass alle Dimensionen kleiner gehalten werden können. Ausser der dadurch bedingten Erleichterung ergiebt sich eine weitere durch die Anwendbarkeit von Aluminium für eine grosse Anzahl der Fahrzeugtheile. Der Hauptvortheil, der dieser Gattung leichter Motorfahrzeuge gegenüber den zuerst besprochenen schweren Lastwagen zukommt, ist der, dass bei den hier verwendbaren Motoren von zwei bis drei Pferdestärken das bei grösseren Motoren zum Unschädlichmachen der durch die Arbeit des Kolbens erzeugten Erwärmung nöthige Kühlwasser entbehrlich ist. Es genügen hier einfache Anordnungen, welche ermöglichen, dass die rippenförmig gestalteten relativ grossen Oberflächen der den Arbeitscylinder umgebenden Wandungen die Wärme direkt an die sich infolge der raschen Bewegung abkühlende Luft abgeben.

In neuester Zeit scheint es gelungen zu sein, bei dem in Frankreich konstruirten Henriodschen Motor das Kühlwasser auch für stärkere Motore entbehrlich zu machen, indem hier das Prinzip der Windkühlung durch Anordnung von zwei Cylindern mit Kühlrippen bei Motoren bis zu sechs Pferdestärken durchgeführt ist.

Es ist so möglich, sehr schnell laufende vierrädrige Wagen zu konstruiren, die zwei Passagiere tragen.

Der französische Oberst Gremion bespricht die militärische Verwendung der Automobile in der »France militaire« vom 28. Januar 1898 und 15. April 1898 und erwartet besonders viel von der Anwendung zum Courierdienst. Von diesem Gesichtspunkte aus zieht er Schlüsse aus einer Wettfahrt vom 6. und 7. März 1898 zwischen Marseille und Nizza, welche um so lehrreicher sei, als an einem Tage bei schönem Wetter die Strassen gut waren, während am andern aufgeweichte Wege die Fahrleistungen beeinflussten.

Als Durchschnittsgeschwindigkeit, die auch bei schlechtem Boden zu erwarten steht, ermittelt er für Automobilfahrzeuge mit vier Rädern 25 bis 30 km per Stunde, für Motorcycles (Drei- und Zweiräder) bloss 20 km. Dieses Ergebniss überrascht, weil man geneigt ist, den leichteren Motorfahrrädern grössere Fahrgeschwindigkeiten zuzutrauen. Es erklärt sich aber leicht, wenn man sich vorstellt, dass bei schlüpfrigem Boden die Zwei- und Dreiräder grosse Vorsicht und langsameres Fahren verlangen, damit nicht ein Unfall eine grössere Verzögerung verursacht.

In derselben Zeitschrift bezieht sich der französische General Tricoche auf eine Broschüre des Kommandanten Caillot: Rôle du cheval, de la bicyclette et des voitures automobiles à la guerre. Wenn man nach diesen beiden Stimmen schliessen wollte, müsste man annehmen, dass die französische Armee weitgehende Hoffnungen auf das Selbstfahrer-Fahrzeug setzt. So lange dieses nicht fähig ist, die Strasse zu verlassen, ist es auch nicht für die Verwendung in den Marschkolonnen im Bewegungskriege geeignet. Erst wenn die Vorwärtsbewegung aufhört, insbesondere in und vor Festungen, kann von den mechanischen Zugmitteln zum Ersatz für thierische Zugkräfte als Vorspann vor Geschützen und Wagen ausgiebiger Gebrauch gemacht werden.

Einer raschen Verbreitung des Motorfahrzeuges stehen die Kosten entgegen, die so beträchtliche sind, dass die bisherigen Wagenbesitzer die Beschaffung eines neuen Wagens scheuen.

Wenn sich aber einmal die Wirthschaftlichkeit des mechanischen Vorspanns herausgestellt hat, wird man an die Aptirung der bisherigen für Pferdebespannung gebauten Wagen gehen. Die Gattung solcher für beide Arten von Zug konstruirten Fahrzeuge steht dann der Armee im Kriegsfall für die Zusammenstellung von Fuhrparkskolonnen zur Verfügung. Die Armee hat jedenfalls ein Interesse daran, die Entwickelung der neuen Industrie nicht bloss aufmerksam zu verfolgen, sondern sich an der Aufstellung von neuen, ihren Zwecken passenden Typen durch Versuche, die sie unter kriegsmässigen Verhältnissen anstellt, zu betheiligen.

Flüssige Luft.
Mit acht Abbildungen.

Vor Jahren betrachtete man gewisse Gase als unveränderlich in ihrer luftförmigen Gestalt. Dahin gehörten Acetylengas, Stickstoff, Sauerstoff und Kohlensäure. Dem Physiker Cailletet gelang es im Jahre 1877, diese Gase und sogar die Luft in tropfbar flüssigem Zustande herzustellen. Weitere Fortschritte machten die Physiker Wroblewski, Olszewski und endlich 1884 James Dewar in London. Zehn Jahre später gelang es dem Professor Linde in München, die flüssige Luft auf ziemlich einfache Weise herzustellen, sie in Flaschen zu füllen und zu industriellen Zwecken auf dem Gebiete der Chemie und Metallurgie zu verwenden. Lindes Verfahren ist ein ziemlich billiges und schloss sich an das von Cailletet an. Er verwendet das Ausdehnungsbestreben des Gases als Abkühlungsmittel. Sein ganzer Apparat beschränkt sich wesentlich auf eine Pumpe, welche mittelst Stempel die Luft in einen serpentinartig gestalteten Abkühler einpresst. Durch die Zirkulation von frischem Wasser nimmt er der Luft die ihr durch die Zusammenpressung ertheilte Wärme. Diese Luft gelangt bei hohem Druck in das innere Rohr einer doppelten Serpentine, in welcher sich ein Wechsel der Temperatur dadurch vollzieht, dass die Luft sich ausbreitet, abkühlt und aus einem Hahn heraustritt. Sie kehrt dann wieder durch das äussere Serpentinrohr in die Druckpumpe zurück. Die Abkühlung, welche durch die Ausdehnung hervorgebracht wurde, dient zur Herabminderung der Temperatur der Luft, welche in dem erwähnten Hahn ankommt, so dass die Temperatur an diesem Punkt nach und nach niedriger wird, bis die Luft flüssig in dem Gefäss niederfällt, an dessen Deckel die Enden der Serpentine angelöthet sind. Ein anderer Hahn dient dazu, die flüssige Luft aus dem Gefäss ausfliessen zu lassen. Eine Hülfs-pumpe besorgt die Ausgleichung des Gasabflusses und den Ersatz des-jenigen Theiles der Luft, welche flüssig geworden ist. Linde hat später noch eine einfachere Maschine zur Herstellung flüssiger Luft konstruirt.*)

Ein in der Wissenschaft bekannter Amerikaner, Herr Charles E. Tripler,**) hat mit tropfbar flüssiger Luft Versuche angestellt, deren Ergebnisse zur Ergänzung der Lindeschen und Pictetschen Forschungen bemerkenswerth erscheinen. Tripler nimmt die Priorität seiner Erfindung in Anspruch, die er vor etwa fünf Jahren in London hat patentiren lassen. Herr Tripler gewinnt 1 Kubikfuss flüssiger Luft, indem er 800 Kubikfuss Luft durch einen Druck von 1000 Pfund zusammenpresst. Die fertige Flüssigkeit blieb trotzdem ruhig auf dem Boden eines unbedeckten Zinngefässes und äusserte keinen seitlichen Druck, so dass ein Anlegen von Reifen zum Zusammenhalten der Kanne nicht erforderlich war. Die Farbe der Flüssig-keit war kaum zu erkennen und hatte allenfalls den Schein des Himmels an einem völlig wolkenlosen Tage.

Wunderbar war indessen, zu sehen, wie diese harmlos aussehende Flüssigkeit sich sofort in ein mächtiges Kraftmittel verwandelte, sobald man sie in einer Stahlkammer völlig verschloss. Diese Erscheinungen, welche sich einander zu widersprechen scheinen, wurden aber noch übertroffen, sobald Herr Tripler einen aus Eis, welches durch die Einwirkung der flüssigen Luft, wie weiter unten erklärt, entstanden war, angefertigten Becher nahm, in denselben flüssige Luft mit einer Temperatur von einigen Hundert Grad unter Null goss und in diese Flüssigkeit einen Stahlstab eintauchte. Sobald man nun an diesen Stab ein brennendes gewöhnliches Zündhölzchen brachte, fing derselbe an weich zu werden, zu brennen und zu schmelzen, während Stahl doch in einem gewöhnlichen Schmelztiegel mehrere Hundert Grad Hitze braucht, um flüssig zu werden (Abbild. 1).

Abbild. 1.

Tripler behauptet ferner, dass alles Wasser auf der Erde zweifellos einst in Gestalt von Dampf vorhanden war. In der Voraussetzung, welche viele Physiker hegen, dass die Strahlen der Sonne schliess-lich ihre Gewalt verlieren und die Erde sich bis zu dem Grade von dem absoluten Null der Theorie, welches sich bis jetzt als praktisch unerreichbar erwiesen hat, wirklich abkühlte, würde alles Wasser auf der Erdoberfläche wie ein trockenes, zer-brechliches Mineral erscheinen, ähnlich dem Quarz, während die Atmosphäre beginnen würde, flüssig zu werden und herunterzufallen wie Thau oder Regen, um neue Seen und Meere zu bilden. Um ein Bild dieses Vor-ganges zu geben, hat Tripler flüssige Luft aus einem Becher auf den Fuss-boden gegossen, und sogleich entstand eine Art von Wasserfall, den er den

---

*) Ueber das Verfahren des Professors Linde zur Erzeugung flüssiger Luft siehe auch ›Zeitschrift des Vereins deutscher Ingenieure‹, Jahrgang 1897, Seite 261.

**) Vergl. seinen Aufsatz in ›Pearson's Magazine‹, September 1898.

kleinen Niagara nennt, indem sich wie dort schäumende Flüssigkeit und wellenförmige Nebelwolken bildeten (Abbild. 2).

Flüssige Luft ist einfach die Luft, welche wir einathmen, aus welcher man die ihr von der Sonne innewohnende Hitze entfernt hat. Herr Tripler sagt, dass er diese Entziehung der Hitze auf sehr leichte und billige Art durch Anwendung mechanischer Mittel bewirke. Nach 15 Minuten Dauer des Verfahrens beginnt die eisgrau gefärbte Flüssigkeit aus einem etwa einen Zoll im Durchmesser haltenden Rohr niederzufliessen und ein untergestelltes Gefäss rasch zu füllen. Das Ausdehnungsvermögen der in den gasförmigen Zustand zurückkehrenden Flüssigkeit stellt eine Kraft von höchster Wirksamkeit dar, welche leicht zu kontroliren ist und sofort in Gebrauch genommen und ausgenutzt werden kann. Die Temperatur derselben ist etwa 312° F. unter Null. Wahrscheinlich verfährt Tripler ähnlich wie Professor Linde.

Wird ein Becher mit der Flüssigkeit gefüllt, so beginnt diese sofort zu kochen, indem sie einen Theil der umgebenden Luft verzehrt. Nach Verlauf einer halben Stunde ist sie vollständig verschwunden, ununterscheidbar gemischt mit der umgebenden Luft, höchstens eine grössere Reinheit zeigend. Der Becher ist mittlerweile dick mit Eis bekleidet. Giesst man aber die Flüssigkeit in eine Glasflasche, welche in eine andere grössere Glasflasche so eingesetzt ist, dass ein halbzölliger, luftleer gemachter Zwischenraum zwischen beiden Flaschen entsteht, so wird die Flüssigkeit durch diesen luftleeren Mantel derart geschützt, dass sie nur langsam verdampft und eine Anzahl von Stunden in ihrem Zustande bleibt. Abbild. 3 zeigt eine Einzelflasche, gefüllt mit flüssiger Luft und sofort mit Eis bedeckt, während die beiden Doppelflaschen keinerlei Anzeichen von Kälte blicken lassen. In dem eben erwähnten ruhigen Zustande in der Doppelflasche hat die flüssige Luft das Ansehen von reinem Wasser, nur

Abbild. 2.

zeigt sich eine blassblaue Farbe, welche mit der Zunahme der Verdampfung sichtbarer wird. In der That hat man es mit zwei verschiedenen flüssigen Stoffen zu thun, nämlich flüssigem Stickstoff und flüssigem Sauerstoff. Dem letzteren ist die blaue Farbe zu danken, während der erstere völlig klar und farblos ist.

Zum Transport — bis jetzt nur zum Experimentiren — thut Tripler die flüssige Luft in eine Zinnkanne oder in einen Cylinder, welcher etwa drei bis sechs Gallonen fasst. Dieses Gefäss wird in eine Filzdecke eingeschlagen und zum Schutz gegen Stösse u. s. w. in ein etwas grösseres Gefäss derselben Art hineingesetzt. Oben darauf legt man ein Filzkissen, welches die Hitze abhält, ohne den freien Abzug der nach Ausdehnung strebenden Ver

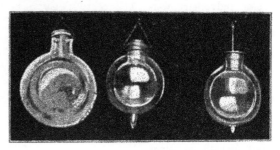

Abbild. 3.

dampfungsgase zu hindern. Auf diese Weise hielt sich die Flüssigkeit 46 Stunden bei einem Transport zu Schiff von New-York nach Washington. Es ist keine Gefahr bei der Behandlung flüssiger Luft, vorausgesetzt, dass man vernünftige Vorsicht anwendet und den Gasen immer freien Abzug lässt.. Die flüssige Luft kann wie gewöhnliches Wasser mit einem Zinnbecher oder Löffel ausgeschöpft und in irgend ein anderes Gefäss eingefüllt werden. Lässt man aber den Becher fallen, so zerbricht er wie Glas; es ist eine bemerkenswerthe Thatsache, dass diese intensive Kälte selbst Eisen und Stahl ganz ausserordentlich brüchig macht (Abbild. 4). Kupfer, Gold, Silber, Aluminium, Platina und die meisten anderen Metalle sind dagegen nicht so empfindlich. Auch Leder widersteht glücklicherweise besser, und man hat damit ein Mittel, Ventile zu belegen, da Gummi in dem gleichen Falle durch die Kälte so zerreiblich wird wie Terracotta.

Ebenso wie man in flüssiges Metall die feuchte Hand für einen Augenblick gefahrlos eintauchen kann, weil die verdampfende Feuchtigkeit gewissermaassen einen schützenden Handschuh herstellt, so kann man auch in die flüssige Luft auf ganz kurze Zeit die Hand eintauchen. In diesem letzteren Falle aber muss die Hand ganz trocken sein, weil sonst eine gefährliche Verwundung entsteht, indem die Flüssigkeit wohl an der feuchten, nicht aber an der trockenen Hand sich ansetzt. Beide Vorgänge beruhen also auf derselben Grundlage. — Schüttet man etwas flüssige Luft auf seinen Rock, so wird der Rock nicht nass,

Abbild. 4.

wohl aber sofort mit weissem Reif bedeckt. Eine Auster, welche man nur einen Augenblick in ein Gefäss mit flüssiger Luft eintaucht, wird so kalt, als ob sie stundenlang in einem Kühler gelegen hätte. Lässt man sie aber zu lange in der Flüssigkeit, so wird sie so hart wie die Muschel selbst. Rohes Rindfleisch — Beefsteak — kann man so hart gefrieren lassen, dass es klingt wie Glockenmetall, wenn man es anschlägt, und dass es sich mit einem

Hammer zerschlagen und pulverisiren lässt. Butter lässt sich durch flüssige Luft in einen feinen trockenen Staub verwandeln. Früchte und Eier können in gleicher Weise pulverisirt werden. Quecksilber, welches doch bei allen gewöhnlichen Temperaturen flüssig bleibt, selbst auf etwa 40° unter Null, in dem Maasse von einer halben Pinte in eine Papier-Patronenhülse eingefüllt und mit flüssiger Luft begossen, gefriert alsbald zu einer

Abbild. 5.

Abbild. 6.

festen, einem Zinnblock ähnlichen Stange, deren Kälte beim Anfassen sofort die Hand verletzen würde.

Wenn man einen Theekessel mit flüssiger Luft füllt, so fängt diese alsbald an, zu sieden; wenn aber das Metall des Kessels abgekühlt wird, so erscheint das Sieden ruhig. Setzt man jetzt den Kessel auf einen Bunsen-Brenner, so wird das Sieden alsbald stärker, jedoch ohne Heftigkeit. Gleichzeitig bildet sich am Boden im Kessel direkt über der Flamme eine Eisplatte. Wirft man jetzt in den Kessel ein kleines Stück Eis, so wird das Sieden beschleunigt und zwar weit mehr als durch den Bunsen-Brenner. Es ist, als wenn man einen heissen Stein hineingeworfen hätte. Tropft man aber nur wenige Unzen Wasser hinein, so fängt der Kessel an, zu gurgeln, und kocht über, indem er aus der Ausgussöffnung einen langen Streifen Dampf, vermischt mit Schaum von herumspritzenden Tropfen, ausstösst. Das Wasser selbst ist fest gefroren, und wenn man den Kessel umdreht, so fallen Eisklumpen heraus, welche sich kalt und so trocken wie Kreide anfühlen (Abbild. 5).

Füllt man in eine grosse, etwa neun Zoll lange Versuchsröhre flüssige Luft, schliesst die Röhre mit einem Kork und schiebt durch diesen Kork hindurch eine feine Glasröhre, die an beiden Enden offen ist, bis auf die Flüssigkeit, senkt dann die Versuchsröhre in Wasser, so wird durch die Wärme des die Röhre umgebenden Wassers der Druck des in der Versuchsröhre entstehenden Luftdampfes so stark, dass der Kork nur mit Mühe auf der Röhre festgehalten werden kann. Die flüssige Luft strömt dann mit Gewalt durch die dünne Röhre aus bis zu einer Höhe von

mehreren Fuss in Wolken von Dampf und fällt in sprühendem Tropfen-
regen nieder. Dasselbe Ergebniss erreicht man, wenn man die Versuchsröhre in die Hand nimmt. Die Wärme der Hand wirkt dann wie oben
das Wasser. Man muss aber die Röhre nicht
zu lange in der Hand behalten, weil die Hand
sonst durch die Kälte sehr leiden würde (Abbild. 6). Herr Tripler nennt diesen Versuch
den »kleinen Geiser«.

Während des Gebrauchs der flüssigen Luft
zu den Versuchen kocht dieselbe nach und nach
ein. Die Flüssigkeit erscheint beim Ausgiessen
ganz blau. Der Stickstoff nämlich verflüchtigt sich
und lässt den Sauerstoff in einem Betrage von
etwa 75 pCt. flüssig zurück. Zur Darstellung
dieses Vorganges giesst Tripler in eine fast
bis zum Halse mit Wasser gefüllte grosse Glasflasche etwa eine Unze flüssige Luft (Abbild. 7).
Zuerst schwimmt die flüssige Luft oben auf
dem Wasser, da der Stickstoff etwas leichter ist
als das Wasser. Da der Stickstoff aber schnell
verdampft, so zeigt der Sauerstoff alsbald ein
Bestreben, zu sinken. Er erscheint in grossen
azurblauen Tropfen, gestaltet wie umgekehrte
offene Ballons, und so dick wie kleine Marmor-
kugeln, welche abwärts baumeln, aber schnell
wegsieden. Da das Wasser jedoch kälter wird,
so tauchen sie tiefer und tiefer unter, in Regenbogenfarben glänzend. Schliesslich erreichen
einige von ihnen den Boden, bevor sie gänzlich
verschwinden.

Man weiss, dass Wolle unter gewöhnlichen
Verhältnissen nicht in Flamme brennt, sondern
nur glimmt unter Ausströmung übler Gerüche.
Sättigt man aber eine Handvoll Wolle mit
flüssiger Luft und hält ein brennendes Zünd-

Abbild. 7.

holz daran, so flammt sie auf wie Schiesspulver und ist sofort völlig aufgezehrt. Filz, in derselben Weise behandelt, brennt mehr in der Art wie
angefeuchtetes Schiesspulver mit sprühenden Blitzen und ist ebenfalls bald
völlig aufgezehrt (Abbild. 8).

Abbild. 8.

Flüssige Luft entwickelt auch, wie
bereits oben erwähnt, eine ganz bedeutende Explosionskraft. Füllt man
z. B. in eine kräftige, etwa ein Fuss
lange Kupferröhre, welche unten geschlossen ist, wenige Tropfen flüssiger
Luft und schlägt dann in die obere
Oeffnung einen gut schliessenden Holz-
pfropf, so hat man kaum Zeit, bei
Seite zu treten, da fliegt dieser Pfropf
bereits gegen die Stubendecke mit
grosser Gewalt. Tripler behauptet, er
habe den Pfropf schon an 300 Fuss
hoch fliegen sehen. Die eingeschlossene

flüssige Luft wirkt also, wie Wasser wirken würde, wenn es in eine weissglühend gemachte Röhre eingeschlossen wäre.

Linde hat die Eigenschaft der flüssigen Luft, durch Verdampfen ihren Sauerstoffgehalt zu erhöhen, so dass der Rest der Flüssigkeit nach einer Verdampfung von 95 pCt. an Sauerstoff $^9/_{10}$ und an Stickstoff nur noch $^1/_{10}$ enthält, also eigentlich reiner Sauerstoff ist, zu Herstellung von Explosivstoffen benutzt. Eine Mischung von solch flüssiger Luft mit Kohlenpulver bis zur Erreichung eines Gehaltes von 40 bis 50 pCt. Sauerstoff ergiebt einen dem Dynamit ganz ähnlichen Explosivstoff, der allerdings vorerst noch theuer sein soll. Indessen ist die Verwendung solcher mit Baumwolle hergestellten Sprengpatronen verhältnissmässig gefahrlos, da sie nach etwa zehn Minuten ihre Explosionsfähigkeit verlieren, eine nachglimmende Zündschnur den an die Sprengstelle nach einiger Zeit hintretenden Arbeiter durch verspätetes Explodiren der Patrone also nicht gefährden kann.

Tripler, welcher seine Arbeiten mit flüssiger Luft im Jahre 1890 angefangen hat, behauptet, jetzt so weit gediehen zu sein, dass er nur noch eine Stufe weiter zu erreichen habe, um einen, wie er sich ausdrückt, kommerziellen Erfolg zu erzielen. Bis jetzt kann er durch seine Einrichtungen schon in zehn Stunden 30 bis 40 Gallonen flüssige Luft herstellen. Er giebt indessen bereits eine allgemeine Andeutung, in welcher Weise er flüssige Luft im Grossen herstellen wird, und sagt, dass man dieselbe schon jetzt nicht mehr als eine blosse Merkwürdigkeit des Laboratoriums oder des Lehrsaales anzusehen habe. Tripler glaubt, die flüssige Luft verwenden zu können: als treibende Kraft für Maschinen aller Art, als Mittel, die Zimmer im Sommer zu kühlen, die Luft zu verbessern und als Heil- und Desinfektionsmittel in Spitälern u. s. w. Ebenso wenig hält er die Verwendung flüssiger Luft im Heeresdienst für ausgeschlossen, wie denn schon jetzt militärische Autoritäten Versuche damit machten, sie zur Abkühlung von Geschützen während des Feuerns zu benutzen. Er glaubt auch an ihren Gebrauch für die Luftschifffahrt, weil es mit ihr möglich sei, einen kräftigen Motor von hinreichend leichtem Gewicht herzustellen, woran es bis jetzt immer fehlte. Endlich glaubt Tripler, dass die flüssige Luft als Kräfteerzeuger eine völlige Umwälzung hervorbringen werde, indem uns befähige, den ausserordentlichen Verlust von 90 pCt. der theoretisch berechneten Kraft, welcher nach seiner Angabe bei der Verwendung von Kohlen entsteht, zu vermeiden. — In Deutschland wird flüssige Luft nach dem Verfahren des Professors Linde-München bereits vielfach zu industriellen Zwecken hergestellt und besonders dazu benutzt, um reinen Sauerstoff auf billige Art zu gewinnen. Wie in dieser Beziehung aus Frankfurt a. M. berichtet wird, beabsichtigt die Firma Sulzer & Co. in Winterthur das vom Professor Linde erfundene Verfahren zur Herstellung flüssiger Luft mittelst Ausscheidung des Sauerstoffs bei den Bauarbeiten des Simplon-Tunnels anzuwenden; die flüssige Luft soll dem Dynamit an Sprengkraft gleichkommen. C. v. Herget.

Brennzünderschiessen.

Mit zwei Abbildungen.

Mit dem erfolgten Ausscheiden der Feldkanone C/73/91 aus den Beständen der Feldartillerie hat für die seit 25 Jahren unabhängig voneinander sich gestaltende Entwickelung der Schiesstechnik der Feld- und Fussartillerie die gemeinsame Grundlage, wie sie bisher in der schweren

9 cm Kanone und Feldkanone C/73/91 gegeben war, zu bestehen aufgehört. Was liegt näher, als jetzt nach dem Abschluss dieser beiderseitigen
Entwickelung Umschau zu halten? In der daraus sich ergebenden Anregung möchten wir uns jedoch auf das Brennzünderschiessen beschränken
und zwar in der Art, dass versucht werden möge, auf die Zuständigkeit
der verschiedenen Korrekturverfahren einzugehen. Da für diesen Zweck
die Meterzahlen sich ungleich besser eignen als die Mischung von Graden
(Erhöhung) und Sekunden (Brennlänge), so kommt in den folgenden Beispielen ganz ausschliesslich die Metereintheilung zur Anwendung.

Für das Brennzünderschiessen kommen dreierlei Korrekturverfahren
in Betracht:

a) **Aenderung der Erhöhung allein** (siehe Anleitung 123, 168) in
Metern, Graden oder mittelst Aufsatzplatten.

Erstes Beispiel.

1) 2800 — 2) 3200 + 3) 3000 + 4) 2900 — 5) 2900 + 6) 2900 — 7) 2900 — 8) 2900 +
9) $\underline{2900}$ —/A 10) $\underline{2900}$ —/A 11) $\underline{\underset{2900}{3000}}$?/8 12) $\underset{2900}{3000}$?/4 13) $\underset{2900}{3000}$?/10 14) $\underset{2900}{3000}$?/3
15) $\underset{2900}{3000}$?/8 u. s. w.

mit Schuss 11 wird um 100 m an Erhöhung zugelegt, und da die Spreng-
höhen richtig sind, die Zusammensetzung von Erhöhung und Brennlänge
nicht mehr geändert.

b) **Aenderung der Brennlänge allein — unmittelbare Brennlängen-Korrektur** (Anleitung 123).

Zweites Beispiel.

1) 2800 — 2) 3200 + 3) 3000 + 4) 2900 — 5) 2900 + 6) 2900 + 7) 2900 —
8) 2900 + 9) 2900 — 10) 2900 + 11) 2900 — 12) 2900 + 13) 2900 —
14) $\underline{2900}$ —/A 15) $\underline{2900}$ —/A 16) $\underline{2900}$?/A 17) $\underline{2900}$?/6 18) $\underline{2900}$ +/A 19) $\underline{2900}$ —/1
20) $\underset{2800}{2900}$?/8 u. s. w.

mit Schuss 20 wird, »lagenweises Laden« vorausgesetzt, um 100 m an
Brennlänge abgebrochen; beim »Durchladen« würde die neue Brennlänge 2800 mit Schuss 21 beginnen.

c) **Aenderung der Erhöhung mit nachfolgender Uebertragung
des Maasses dieser Aenderung auf die Brennlänge unter
Rückkehr auf die Ausgangserhöhung (bei Aenderung der
Erhöhung in Metern oder Graden) bezw. Aenderung der Erhöhung mit nachfolgender Uebertragung des Maasses
dieser Aenderung auf die Brennlänge (bei Aenderung der
Erhöhung mittelst Aufsatzplatten) — mittelbare Brennlängen-
korrektur.**

Drittes Beispiel (Aenderung der Erhöhung in Metern).

1) 2800 — 2) 3200 + 3) 3000 + 4) 2900 — 5) 2900 + 6) 2900 — 7) 2900 — 8) 2900 +
9) $\underline{2900}$ —/A 10) $\underline{2900}$ —/A 11) $\underset{2900}{3000}$?/6 12) $\underset{2900}{3000}$?/8 13) $\underset{2900}{3000}$?/10 14) $\underset{2900}{3000}$?/4
15) $\underset{2800}{2900}$?/8 u. s. w.

mit Schuss 11 wird um 100 m an Erhöhung zugelegt und mit Schuss 15
zur Ausgangserhöhung 2900 zurückgekehrt unter gleichzeitigem Abbrechen
an Brennlänge um 100 m von 2900 auf 2800, d. i. um das Maass, um
welches vorher die Erhöhung vermehrt worden war.

Viertes Beispiel (Plattenverfahren).

1) 2800 — 2) 3200 + 3) 3000 + 4) 2900 — 5) 2900 + 6) 2900 — 7) 2900 — 8) 2900 +
9) 2900 —/A 10) 2900 —/A 11) 2900 ?/3 12) 2900 ?/A 13) 2900 ?/8, 14) 2900 ?/6
$$\qquad\qquad\qquad\qquad\qquad\qquad\qquad\qquad\qquad\qquad\qquad\quad \overline{2}\qquad\qquad\qquad \overline{2}$$

15) 2800 ?/8 u. s. w. 21) 2850 ?/6 u. s. w. 27) 2900 ?/8 u. s. w.
$$\ \overline{2}\qquad\qquad\qquad\ \overline{2}\qquad\qquad\qquad\ \ \overline{2}$$

Wie ersichtlich, bietet das Plattenverfahren den Vortheil, dass nur
eine Meterzahl in der Aufschreibung erscheint; die Frage, ob zuerst die
Erhöhung und dann die Brennlänge zu kommandiren ist oder umgekehrt,
ist damit von selbst erledigt; mit Schuss 11 wird eine Aufsatzplatte untergelegt, was in der Aufschreibung der Feldartillerie durch den Strich unter
der Zahl 2900 zum Ausdruck kommt; da Schuss 12 noch einen Aufschlag
ergiebt, wird mit Schuss 13 eine zweite Aufsatzplatte untergelegt, daher
unter dem Strich die Zahl 2; mit Schuss 15 wird sovielmal um 50 m
an Brennlänge, hier um 2 mal 50 = 100 m von 2900 auf 2800, zurückgegangen, als zuvor Platten untergelegt worden sind; bezüglich der Fortsetzung des Schiessens mit Bz. bestimmt Ziffer 92 der Schiessvorschrift
der Feldartillerie, dass auf den beiden Gabelentfernungen (2800 und 2900)
so lange abwechselnd gefeuert wird, bis ein sicherer Anhalt für eine
Korrektur gewonnen ist; demgegenüber wird auch der Standpunkt vertreten, dass zur Fortsetzung des Schiessens mit Bz. die Gabelmitte 2850
besser geeignet sei. In dem gewählten Beispiel sind die drei Entfernungen
2800, 2850, 2900 aufgenommen. Es wird dabei von der Ansicht aus-
gegangen, dass auf eine Beobachtung des Bz.-Schiessens wegen der grossen,
namentlich bei dem jetzt gebräuchlichen Massenfeuer damit verbundenen
Schwierigkeiten gewöhnlich zu verzichten und die Wirkung, wenn nicht
Anhalt für das Zutreffende einer bestimmten Meterstufe gegeben ist, im
Streuen innerhalb der erschossenen Gabel zu suchen ist. Dies wird auch
für das gewählte Beispiel als einschlägig angesehen, da durch das mit
der mittelbaren Brennlängen-Korrektur im Zusammenhang stehende Springen
nach rückwärts beim Beseitigen von Aufschlägen die an sich näherliegende
Stimmigkeit der Gabelmitte nicht unwesentlich beeinträchtigt erscheint.

Fünftes Beispiel (Plattenverfahren). ·

1) 2700 — 2) 3100 + 3) 2900 + 4) 2800 — 5) 2800 + 6) 2800 — 7) 2800 + 8) 2800 —
$$\overline{2}\qquad\quad \overline{2}\qquad\quad \overline{2}\qquad\quad \overline{2}\qquad\quad \overline{2}\qquad\quad \overline{2}\qquad\quad \overline{2}\qquad\quad \overline{2}$$

9) 2850 ?/8 u. s. w.
$$\ \overline{2}$$

Wenn, wie hier, die Unstimmigkeit zwischen Erhöhung und Brennlänge bekannt ist und daher schon in Az. zwei Platten untergelegt sind,
so setzt mit Schuss 9 die richtige Brennlänge (Gabelmitte) ein, sechs
Schüsse früher als in den vorausgegangenen Beispielen; das Springen nach
rückwärts, wie es im vierten Beispiel nothwendig wurde, fällt weg; es
treten die Vorzüge des Plattenverfahrens in Kommando und Korrektur
besonders scharf hervor im Gegensatz zum ersten Beispiel, das, wie wir
sehen werden, eine nicht für alle Fälle gültige Korrektur darstellt, und
noch mehr zum dritten Beispiel, das zweierlei Meterzahlen aufweist.

Ehe wir die Zuständigkeit des einzelnen Korrekturverfahrens besprechen,
wollen wir uns der Begründung der mittelbaren Brennlängen-Korrektur
zuwenden; dieselbe kommt in Betracht:

A. beim Beseitigen von Aufschlägen;
B. beim Senken des Sprengpunkts.

Zu A. Beseitigen von Aufschlägen. (Abbild. 1.)

Liegt in *A* der Aufschlag mit Erhöhung und Brennlänge 2900, so ist
der zu dem um etwa 150 m zu lange brennenden Zünder gehörige Spreng-

punkt *B* in der verlängert gedachten Flugbahn 2900 anzunehmen; wird nun die Erhöhung um 150 m vermehrt — auf 3050 — so geht *B* nach *C*, welcher Punkt, wie aus Schiesslisten zu entnehmen ist, ungefähr um $^1/_5$ bis $^1/_3$ des Maasses, um das die Erhöhung vermehrt wurde, von dem senkrecht über *B* liegenden *C₁* zurückgeschoben ist; man erhält demnach einen Weit-sprengpunkt oder einen Sprengpunkt mit nicht ge-nügender Sprengweite, falls nicht *A* entsprechend weit vor dem Ziel liegt. Es muss daher *C* nach *D* geschoben werden, was dadurch geschieht, dass man zur Erhöhung 2900 zurückkehrt und an Brennlänge so viel abbricht, als man vorher an Erhöhung zugegeben hat, oder kürzer beim Plattenverfahren: man geht an Brennlänge um so viel zurück, als man vorher Platten untergelegt hat.

Abbild. 1 (vergl. Wernigk, Taschenbuch f. d. Feldart.).

Es wäre nun zunächst der Erwägung nachzugehen, auf Grund deren gleichwohl die mittelbare Brennlängen-Korrektur als nicht durchaus bin-dend erscheint.

Gegen Ziele ohne Deckung, die wir der Kürze halber *f*-Ziele nennen wollen, genügt bekanntermaassen in Az. eine Gabel von 100 m, ehe zum Brennzünder übergegangen wird. Unter dieser Voraussetzung kann die einseitige Aenderung der Erhöhung richtig sein in nachstehenden Fällen:

a) wenn die weite Gabelgrenze mit der zutreffenden Entfernung zusammenfällt oder nahe an dieser liegt und die Erhöhung um nicht mehr wie 100 m = 2 Platten vermehrt wird;

b) wenn die zutreffende Entfernung in oder nahe der Mitte der 100 m-Gabel liegt und die Erhöhung um nicht mehr als 50 m vermehrt wird.

Unstimmig wird dieses Verfahren, wenn unter a) mehr wie 100 m, unter b) mehr wie 50 m an Erhöhung zugelegt wird oder aber, wenn die zutreffende Entfernung nahe der kurzen Gabelgrenze oder gar unterhalb derselben liegt. ·

Ehe man sich darüber entscheidet, ob denjenigen Fällen, in denen die einseitige Aenderung der Erhöhung nicht zutrifft, die Bedeutung zuzu-erkennen ist, dass auf dieses Verfahren verzichtet werden soll, ist der Vortheil ins Auge zu fassen, der mit dem letzteren verbunden ist. Man erzielt damit nach zwei Richtungen eine Vereinfachung:

a) das Springen fällt weg;

b) man erspart sich nach der Beseitigung von Aufschlägen theilweise das Streuen nach vorwärts, da wie aus Abbildung 1 hervorgeht, der Sprengpunkt an sich schon feindwärts geschoben wird.

Auf diese doppelte Vereinfachung im Verfahren wird man nur Ver-zicht leisten, wenn ganz zwingende Gründe dafür sprechen; dies wäre dann der Fall, wenn Aenderungen der Erhöhung zur Beseitigung von Aufschlägen die Zahl von 100 m überschreiten; die Aenderung der Erhöhung von 50 bis 100 m zu diesem Zweck wird seltener Weitsprengpunkte zur Folge haben, so dass darüber für die Praxis hinweggesehen werden kann. Hält man demnach an dem Aenderungsmaass von 100 m als zulässiger Grenze für das abgekürzte Verfahren fest, so finden wir, dass man in Jüterbog bei einer Meereshöhe von 86,869 m mit 100 m Aenderung an Erhöhung bis über 3000 m ausreicht zur Beseitigung von Aufschlägen, ja dass in sehr vielen Fällen nur Sprengpunkte oder überwiegend Sprengpunkte und nur vereinzelte Aufschläge gezählt werden, so dass von einer Beseitigung von Aufschlägen gar nicht die Rede ist, sondern nur von einem Heben des Sprengpunkts, wofür selbstredend die mittelbare Brennlängen-Korrektur gar nicht in Betracht kommen kann. Wie in Jüterbog, so liegen die Verhältnisse auch bei den übrigen mitteldeutschen Schiessplätzen; die Praxis wird hier kaum die Nothwendigkeit der mittelbaren Brennlängen-Korrektur hervortreten lassen. Stellt sich nun die Theorie noch auf Seite der Praxis, wie es in der Anleitung Ziffer 98, Absatz 3 geschieht, so ist die richtige Folge davon, dass die Nothwendigkeit der mittelbaren Brennlängen-Korrektur beim Beseitigen von Aufschlägen nicht anerkannt und die einseitige Aenderung der Erhöhung als zutreffend erachtet wird.

Der betreffende Absatz 3 der Anleitung lautet: »Dementsprechend werden bei höherem Luftgewicht Sprengweiten und -höhen kleiner, oder es ergeben sich Aufschläge.« Daraus wäre zu folgern, dass wenn in Jüterbog sich kaum Aufschläge zeigen, auf dem Schiessplatz Lechfeld mit 500 m Meereshöhe nicht nur keine Aufschläge zu erwarten sind, sondern die Zünder zu kurz brennen und die Sprengpunkte gedrückt werden müssen.

Dieser Folgerung wird nun aber von den Thatsachen widersprochen; auf dem Lechfelde brennen die Zünder nicht kürzer, sondern ungleich länger als in Jüterbog. Das Wort »dementsprechend« der Anleitung baut auf dem Vordersatz auf, dass bei geringerem Luftgewicht zur Erzielung derselben Schussweite weniger Erhöhung erforderlich ist, dass demnach auch durch Anwendung der entsprechend kleineren Brennlänge Sprengweiten und -höhen wachsen, z. B. auf dem Lechfeld wird man mit einer schusstafelmässigen Erhöhung von 3800 eine Schussweite von 4000 erzielen; hat man dann den Brennzünder 3800, so ist ein hoher Sprengpunkt mit grosser Sprengweite zu erwarten. Thatsächlich ist auch auf dem Schiessplatz Lechfeld festgestellt worden, dass die lange 15 cm Kanone mit Erhöhung 4500 eine Schussweite von 4600, die 15 cm Ringkanone mit Erhöhung 4800 eine solche von 5000 ergeben hat; wenn nun trotz dieser eine hohe Sprengpunktslage begünstigenden Erscheinung bei der langen 15 cm Kanone auf 4500 um 300, bei der 15 cm Ringkanone und schweren 12 cm Kanone auf 4800 um 350 m an Brennlänge abgebrochen werden muss, so liegt hier offenbar ein physikalischer Vorgang dazwischen, der die aus der Erzielung der grösseren Schussweite zu folgernde Neigung zu hohen Sprengpunkten nicht nur aufhebt, sondern darüber hinaus ein derartig verlangsamtes Brennen der Zünder verursacht, dass noch um grosse Zahlen an Brennlänge abgebrochen werden muss. Bestimmt begründende Angaben für diese Erscheinung wurden bisher nicht bekannt. Es wird zum Theil daraus zu erklären gesucht, dass bei Zunahme der Meereshöhe eines Platzes und dementsprechender Abnahme des Luftdrucks der Druck auf das Brandloch des Zünders sich vermindert, so dass die Gase des brennenden Satzstückes leichter durch dasselbe ausströmen können; es nimmt also die Spannung ab, wodurch die Verbrennungstemperatur niedriger und die Verbrennung selbst langsamer wird. Für unsere Abhandlung ist zu folgern, dass die einseitige Aenderung der Erhöhung nur zutreffend ist bei 100 m Meereshöhe und darunter, dass dagegen bei Meereshöhe von über 100 m die mittelbare Brennlängen-Korrektur beim Beseitigen von Aufschlägen Platz zu greifen hat. Wollte man dennoch die mittelbare Brennlängen-Korrektur vermeiden, so könnte dies nur dadurch erreicht werden, dass es gelänge, die Unstimmigkeit zwischen Erhöhung und Brennlänge auf 50 bis 100 m genau festzustellen; wie das fünfte Beispiel zeigt, liesse sich dann mit den Aufsatzplatten bezw. der Ausschaltung am Quadranten das denkbar Einfachste in Schiessverfahren und Aufschreibung erreichen. Die Abnahmevorschriften der Zünder lassen nun erkennen, dass das langsamere oder raschere Brennen der Zünder sich in strengem Gesetz nach dem geringeren oder grösseren Luftdruck richtet, unter dem die Verbrennung stattfindet. Die Tageseinflüsse (Feuchtigkeitsgehalt, Temperatur u. s. w.) sind dagegen von untergeordneter Bedeutung; durch dieselben wird eine durchschnittliche Differenz von ± 5 bis 7 mm vom barometrischen Mittel in der Regel nicht überschritten, und es wurde des Weiteren beobachtet, dass Abweichungen von ± 10 mm zu den Seltenheiten gehören.

Daraus ist zu erklären, dass auf demselben Schiessplatz ziemlich geringe Schwankungen im Verhalten der Zünder sich bemerkbar machen; so hat man für die s. 9 cm K. feststehende Zahlen zur Beseitigung der Unstimmigkeit zwischen Erhöhung und Brennlänge, die nahezu immer stimmen, mag die Witterung regnerisch oder trocken, warm oder kalt sein. Halten wir uns demnach an den Einfluss der Höhenlage, so finden wir, dass 100 m Höhendifferenz 9,5 mm Barometerdifferenz entsprechen; bei 500 m Meereshöhe, Schiessplatz Lechfeld, nimmt demnach der Luftdruck schon um 47,5 mm ab; wir haben dort einen Barometerstand von 710 mm; wenn die Normalbrennzeit für einen Zünder dort 13,75″ beträgt und bei 760 mm, dem auf dem Niveau des Meeres herrschenden Normaldruck, 13,05″, so ergiebt sich ein Längerbrennen des Zünders um $^7/_{10}$″ oder $^6/_8$″, was sich auf die verschiedenen Entfernungen in Meter übertragen lässt.

Es lässt sich demnach eine Tabelle aufstellen, aus welcher für jede Meereshöhe, von 100 zu 100 m Unterschied, das Längerbrennen der Zünder auf den verschiedenen Entfernungen ersichtlich ist, so dass die Unstimmigkeit zwischen Erhöhung und Brennlänge von Anfang an ausgeschaltet werden kann. Würde diese Tabelle durch die Beobachtungen bezüglich des Verhaltens der Zünder auf den Schiessplätzen von verschiedener Meereshöhe überprüft, so ist wohl anzunehmen, dass man für die meisten Fälle völlig zutreffende Angaben erhält und etwaige Fehler unterhalb der Zahl von 100 m sich bewegen würden. Damit wäre immerhin ein ganz wesentliches Hülfsmittel für das Brennzünderschiessen gewonnen.

Meereshöhe in Metern	Barometer- stand in Millimetern	Normale Gesammt- Brennlänge	Es brennen die Zünder länger auf							Bemer- kungen
			1000 m um		2000 m um		3000 m um		3750 m um		5000 m um	6000 m um	
			Sek.	m	Sek.	m	Sek.	m	Sek.	m	Sek.	m	Sek.	m	
0	760	26,25	— (—)	—	($^1/_8$)		($^1/_8$)		($^2/_8$)					
100	750,5	26,51	0,06	10	0,11	20	0,18	22	0,26	16					Jüterbog
			($^1/_8$)		($^2/_8$)		($^3/_8$)		($^4/_8$)						
200	741	26,77	0,11	20	0,22	40	0,35	44	0,52	32					
			($^1/_4$)		($^3/_8$)		($^4/_8$)		($^6/_8$)						
300	731,5	27,03	0,17	30	0,34	60	0,53	66	0,78	48					
			($^1/_4$)		($^4/_8$)		($^5/_8$)		($^8/_8$)						
400	722	27,30	0,22	40	0,45	80	0,71	88	1,05	64					
			($^2/_8$)		($^5/_8$)		($^7/_8$)		($^{10}/_8$)						
500	712,5	27,56	0,28	50	0,56	100	0,89	110	1,31	80					Lechfeld
			($^3/_8$)		($^6/_8$)		($^8/_8$)		($^{13}/_8$)						
600	703	27,82	0,34	60	0,67	120	1,06	132	1,57	96					
			($^3/_8$)		($^6/_8$)		($^9/_8$)		($^{15}/_8$)						
700	693,5	28,00	0,39	70	0,79	140	1,24	154	1,83	112					
			($^4/_8$)		($^7/_8$)		($^{11}/_8$)		($^{17}/_8$)						
800	684	28,35	0,45	80	0,90	160	1,42	166	2,10	128					

Es ist wohl nicht nöthig, auch noch die reglementäre Seite in der
Beantwortung der Frage, ob Plattenverfahren, ob Kommando in Metern,
zu behandeln; der Vorzug der Aufsatzplatten ist so in die Augen springend
für ein kurzes, jedes Missverständniss ausschliessendes Kommando, dass
dagegen sogar die unmittelbare Brennlängen-Korrektur, so vortheilhaft sie
in anderer Richtung ist, wenigstens gegen *f*-Ziele zurücktreten muss und
zwar, weil bei ihr für Aufsatz und Brennlänge zwei verschiedene Kommandos nothwendig sind.

Zu B. Senken von Sprengpunkten. (Abbild. 2.)

Beispiel 5a.

1) 2800 —   2) 3200 +   3) 3000 +   4) 2900 +   5) 2800 —   6) 2800 —   7) 2800 +
8) 2800 —   9) 2800 +

10) $\dfrac{2800\ ?/18}{,}$ 11) $\dfrac{2800\ ?/20}{,}$ 12) $\dfrac{2750\ ?/9}{2800}$ 13) $\dfrac{2750\ ?/10}{2800}$ 14) $\dfrac{2750\ ?/4}{2800}$ 15) $\dfrac{2750\ ?/6}{2800}$

16) $\dfrac{2800\ ?/9}{2850}$ 17) $\dfrac{2800\ ?/4}{2850}$ 18) $\dfrac{2800\ ?/8}{2850}$ 19) $\dfrac{2800\ ?/10}{2850}$ 20) $\dfrac{2800\ ?/4}{2850}$ 21) $\dfrac{2800\ ?/6}{2850}$

22) $\dfrac{2850\ ?/10}{2900}$ 23) $\dfrac{2850\ ?/5}{2900}$ 24) $\dfrac{2850\ ?/8}{2900}$ 25) $\dfrac{2850\ ?/6}{2900}$ 26) $\dfrac{2850\ ?/4}{2900}$ 27) $\dfrac{2850\ ?/3}{2900}$

Der Sprengpunkt 11 wird durch Verminderung der Erhöhung von
2800 auf 2750 um 10 m nach vorwärts und um 9 m nach abwärts nach 12
geschoben; während für den Sprengpunkt 11 bei 18 m Sprenghöhe die
Flugweite 115 m und die Sprengweite 135 m betragen, beläuft
sich die Flugweite für den Sprengpunkt 12 nur mehr auf
57 m, die Sprengweite dagegen immer noch auf
125 m, d. h. weder der untere noch der obere
Kegelmantel können wirksam werden;
es ist daher ein gleichlaufendes
Vorgehen um 50 m geboten,
das ist nun das Maass,
um welches vorher
an Erhöhung
zurückgegangen
wurde (mittel-
bare Brennlän-
gen-Korrektur);
da für den
Sprengpunkt 16
die Sprengweite

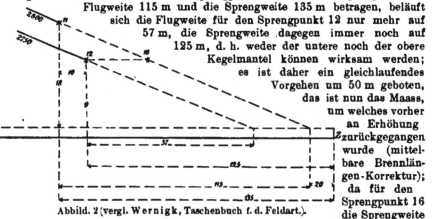

Abbild. 2 (vergl. Wernigk, Taschenbuch f. d. Feldart.).

immer noch 77 m beträgt, ist ein weiteres Vorgehen um nochmals 50 m
berechtigt. Es steht demnach fest, dass beim Senken des Sprengpunkts
die mittelbare Brennlängen-Korrektur nicht zu umgehen ist. Durch diese
Thatsache wird man im Ausschalten der Unstimmigkeit zwischen Erhöhung
und Brennlänge scharf begrenzt, d. h. wenn man, um die mittelbare Brennlängen-Korrektur beim Beseitigen von Aufschlägen zu vermeiden, von
Anfang an zuviel an Brennlänge abbricht, so gelangt man zu hohen Sprengpunkten und damit wiederum zur mittelbaren Brennlängen-Korrektur, nur mit
dem Unterschied, dass das Springen nach vorwärts anstatt nach rückwärts
stattzufinden hat. Diese Art mittelbare Brennlängen-Korrektur wird vielfach übersehen und manches Brennzünderschiessen dadurch zu einem ver-
fehlten. In richtigem Sinne vorbeugend wäre auch hier eine Tabelle,
welche für jede Höhenlage die Unstimmigkeit zwischen Erhöhung und Brennlänge ausweist.   (Schluss folgt.)

Freiwillige und staatliche Sanitätskolonnen.

Die Fürsorge für die Verwundeten des nächsten Krieges wird in den maassgebenden Kreisen immer Gegenstand ernster Erwägungen sein, wird aber bei anhaltender Verbesserung der Feuerwaffen immer schwieriger werden und wird immer grössere Anforderungen an das Sanitätswesen stellen. Dasselbe muss eben mit den Fortschritten der Kriegstechnik gleichen Schritt halten.

Welches Loos trotz unserer hochentwickelten Civilisation der Verwundeten wartet bei ungenügend eingerichtetem Sanitätswesen und mangelhafter Vorbereitung, haben die Zustände während des griechisch-türkischen, noch mehr aber während des spanisch-amerikanischen Krieges dargethan. So wenig nun derartige Verhältnisse, wie die Berichte sie uns gemeldet, bei unserer vorzüglichen Organisation, welche 1866 und 1870/71 so grossartige Erfolge erzielte, wie bei keiner Nation zuvor, in einem zukünftigen Kriege für unsere Verwundeten eintreten können, so wenig Sorge dieserhalb wir uns im Allgemeinen um unsere Verwundeten zu machen nöthig haben, so steht doch fest, dass ohne private Organisationen auch unser Sanitätswesen nicht auskommen wird, dass es allein nicht die Arbeit wird bewältigen können, die seiner harren wird. So segenbringend und unentbehrlich nun diese nichtstaatlichen Einrichtungen sein werden, so können dieselben doch nicht auf eine Stufe mit den staatlichen gestellt werden; es fehlt den Mannschaften doch vielfach die nöthige Disziplin und der militärische Geist. Es fehlt aber auch der Anspruch auf staatliche Versorgung ihrer Hinterbliebenen. Daher dürfte es sehr wünschenswerth sein, das zur Versorgung der Verwundeten bestimmte staatliche Personal zu vermehren.

Zu den privaten Einrichtungen gehören unter Anderem nun auch die »freiwilligen« Sanitätskolonnen. Solche bestehen heute fast in jeder grösseren Stadt und in vielen kleineren Orten unseres Vaterlandes, sei es in Feuerwehr- oder Turnvereinen, sei es in den Kriegervereinen. Dieselben sind ausgebildet in der ersten Hülfeleistung bei Unglücksfällen und im Transport Verwundeter und Kranker. Die Mannschaften sind theils Veteranen, theils Reservisten und Landwehrleute, theils aber auch Nichtdienstpflichtige und Dienstuntaugliche. Immer weitere Kreise zieht das Samariterwesen und wird mit der Zeit unser Vaterland mit einem Heer wohlausgebildeter Samariter versehen, so dass in Zukunft wohl selten bei einem Unglücksfall baldige »erste Hülfe« fehlen wird. Welch ein Vortheil dies in nationalökonomischer und sozialer Beziehung für unser ganzes Volk sein wird, ja bereits schon ist, liegt auf der Hand. Mit Recht erfreuen sich darum alle diese Sanitätskolonnen der wohlwollenden Unterstützung der Behörden. Während der Friedenszeit hat sich ja auch der Segen dieser Einrichtung schon in unzähligen Fällen gezeigt.

Für einen zukünftigen Krieg erwartet man aber ganz besondere Vortheile von diesen freiwilligen Sanitätskolonnen. In gewisser Beziehung dürfte dies ja auch zutreffen, in anderer Beziehung jedoch möchte diese Hoffnung vielleicht nicht in Erfüllung gehen.

Ein gewisser Prozentsatz aller Samariter muss im Falle eines Krieges zur Fahne. Es sollen ja eigentlich nur solche, die nicht militärpflichtig sind, aufgenommen werden, doch wird in vielen Fällen eine Ausnahme gemacht. Diese werden dadurch den Sanitätskolonnen entzogen. Allerdings können dieselben im Felde ihre Kenntnisse und Fertigkeiten zum Nutzen der Kameraden verwenden, wie ich dies in früheren Aufsätzen im

»Militär-Wochenblatt« unter »Erste Hülfe in der Gefechtslinie« empfahl,
wo ich den Vorschlag machte, die ganze Armee mit den Grundzügen der
ersten Hülfeleistung bekannt zu machen und jeden Soldaten mit einem
elastischen Gurt zur Blutstillung zu versehen, damit die Soldaten sich
untereinander helfen können.

Die Zahl der Veteranen schrumpft immer mehr zusammen. Dadurch
werden ebenfalls die Sanitätskolonnen geschwächt. Als Männer, die den
Krieg kennen, würden sie wohl gern während der Schlacht den verwundeten
Soldaten helfen, wenn dies bei der verheerenden Wirkung unserer heutigen
Geschosse möglich wäre und wenn sie das Bewusstsein hätten, dass für
ihre Hinterbliebenen im Falle ihres Todes der Staat sorgen würde. Aber
dafür besteht meines Wissens noch kein Gesetz.

Die Dienstuntauglichen und Nichtmilitärpflichtigen sollen zwar, so
lauten die Aufnahmebedingungen, in ihren bürgerlichen Verhältnissen gut
abkömmlich sein, sie treten auch bei ihrer Einreihung in den Dienst der
freiwilligen Krankenpflege in ein militärisches Subordinationsverhältniss
und sind den Kriegsgesetzen, wie überhaupt der Militärgerichtsbarkeit
unterworfen, doch kann bei ihnen die Disziplin nicht eine solche sein,
wie sie vorm Feind nöthig ist. Ausserdem sind dieselben als Familien-
väter mit Rücksicht auf die Versorgung ihrer Familie, deren Ernährer sie
waren, zum grossen Theile nicht in der Lage, sich im Falle eines Krieges
zur Verwendung ausserhalb ihres Wohnortes zur Verfügung zu stellen.
Die wenigsten Mannschaften der freiwilligen Sanitätskolonnen werden also
in der Schlacht den Soldaten die Hülfe leisten können und wollen, welche
sie im Frieden zu jeder Zeit, an jedem Orte ihren Mitmenschen zu bringen
bereit sind.

Es ist ja freilich beabsichtigt, nur in Ausnahmefällen diese Sanitätskolonnen im Bereiche der operirenden Armee zu verwenden. Sollten diese
Fälle aber öfter eintreten — und dies wäre leicht möglich — dann dürften
die im Frieden an Mannschaften so starken Kolonnen vielleicht recht
schwach vertreten sein.

Hingegen für den Transport in der Heimath von den Bahnhöfen und
Schiffsstationen zu den Lazarethen, im Bereiche der Besatzungsarmee und
der Etappenbehörden als Transport- und Begleitpersonal, Lazareth- und
Depotpersonal, ferner für die Erfrischungs- und Verbandstationen werden
die Mannschaften der freiwilligen Sanitätskolonnen freudig und opferwillig
bereit sein, Dienste zu leisten.

Im Gefecht also werden dieselben voraussichtlich nicht zur Verwendung
kommen können. Daher erreichen auch grosse Uebungen der Sanitätskolonnen, wie solche in letzter Zeit öfter abgehalten wurden (wie z. B. am
14. August d. Js. in Neuss von etwa 200 Mitgliedern), unter Betheiligung
von aktiven Soldaten, welche ein Gefecht in Scene setzten und im Verlauf
desselben als markirt Verwundete hinfielen, um von den Mitgliedern der
Sanitätskolonnen mitten im Gefecht verbunden und transportirt zu werden,
nicht ganz ihren Zweck. Auf der anderen Seite kann freilich auch deren
Nutzen nicht geleugnet werden, da dieselben die Begeisterung für diese
schöne Sache und das Populärwerden der Sanitätskolonnen sehr befördern,
auch das kameradschaftliche Verhältniss heben und durch Wetteifern der
einzelnen Kolonnen einen Sporn zu möglichst exakter Arbeit geben. Auch
erweitern sie durch ihre Verbindung mit einer Ausstellung aller Arten
fertiger und improvisirter Verband- und Transportmittel die Kenntnisse
der einzelnen Mitglieder.

Zweckmässiger im Hinblick auf wirkliche Verwendung während des

Krieges dürften wohl solche Uebungen sein, bei welchen es sich darum
handelt, aus Schiffen und Eisenbahnwaggons möglichst viel Verwundete
in kürzester Zeit behutsam in Lazarethe oder Baracken oder umgekehrt
aus Lazarethen in Schiffe und Eisenbahnen zu transportiren, und wo es
darauf ankommt, Möbelwagen, Leiterwagen, wie überhaupt alle möglichen
Fahrzeuge zu Transportzwecken einzurichten [und ausserdem sich Transportmittel, wie Tragbahren, Tragsitze u. s. w., aus dem verschiedensten
Material zu improvisiren.

An solchen Uebungen müssten sich nicht allein die zum Rothen
Kreuz gehörigen Sanitätskolonnen der Kriegervereine betheiligen, sondern
auch die Sanitätskolonnen des Samariterbundes, welche in Feuerwehr-,
Turnvereinen oder sonstigen Nicht-Kriegervereinen bestehen, damit im
Kriege ein einheitliches Arbeiten nach bestimmtem Plane stattfinden
könnte. Derartige Uebungen könnten z. B. innerhalb jeden Kreises oder
Bezirkskommandos in jedem Jahre stattfinden unter der Leitung von
solchen Aerzten oder sachverständigen [Personen, welche nicht mit ins
Feld rücken und deshalb auch während des Krieges die Oberleitung behalten können.

Für diese kombinirten Sanitätskolonnen giebt es im Falle eines
Krieges hinreichend Arbeit in der Heimath. Die Verwundeten aber
werden es als eine Wohlthat empfinden, bei ihrer Ausladung von gut
ausgebildeten Leuten bedient zu werden. Viel wird es ja darauf ankommen, dass nach jeder Schlacht die transportfähigen Verwundeten rasch
in die Eisenbahnen oder Schiffe verladen werden, um einer Ueberfüllung
der Verbandplätze und Feldlazarethe vorzubeugen, und dann wird es ein
grosser Gewinn sein, wenn die mit dieser Aufgabe betrauten Leute sich
ausschliesslich damit befassen können und nicht bald hier bald dort abkommandirt werden müssen.

Die bei den Sanitätsdetachements befindlichen Krankenträger und die
Hülfskrankenträger bei der Truppe, die zu gleichem Zweck ausgebildeten
Musiker und Ersatzreservisten haben schon alle Hände voll, um vom
Truppenverbandplatze zum Hauptverbandplatze und den Feldlazarethen die
Unzahl von Verwundeten zu transportiren, denn die Entfernungen werden
in Zukunft so beträchtlich sein, dass diese Krankenträger ihre Wege von
und zu den Verbandplätzen nicht so oft wiederholen können wie in früheren
Kriegen.

Zur Hülfeleistung während des Gefechts in der Gefechtslinie und
zum Transport der Verwundeten aus derselben werden sie wahrscheinlich
nicht ausreichen. Da nun für diese Arbeit auf die freiwilligen Sanitätskolonnen aus obigen Gründen erst recht nicht zu zählen ist, halte ich
eine Neubildung von Krankenträgerkolonnen im Interesse der Verwundeten
für sehr wünschenswerth. Dieselben hätten im Gegensatz zu den »freiwilligen Sanitätskolonnen« als staatliche oder Feld-Sanitätskolonnen nur
ihren Dienst zwischen Gefechtslinie und Truppenverbandplatz bezw. einem
in der Nähe liegenden »Noth-Truppenverbandplatze« mit künstlichen
Schutzwänden, wie ich dieselben in der »Kriegstechnischen Zeitschrift«,
Heft 6, 1898, in dem Aufsatze: »Selbsthülfe der Kriegsverwundeten« vorgeschlagen, auszuführen. Diese wären dann, ebenfalls im Gegensatz zu
den freiwilligen Sanitätskolonnen, zu bilden ,aus Mannschaften, die an
militärische Disziplin gewöhnt und den Kriegsgesetzen unterworfen wären,
dabei gesetzmässigen Anspruch auf Pension bezw. Invalidenrente und
Versorgung ihrer Hinterbliebenen im Falle ihres Todes haben müssten. Zugleich mit den Truppen müssten sie ins Gefecht rücken und sich hinter

denselben zu je zweien aufhalten. Für jede Kompagnie reichten etwa
8 Mann aus, so dass etwa 100 Mann auf jedes Regiment kämen. Ausgerüstet mit all den zu ihrem Berufe nothwendigen Geräthschaften,
Verbandmitteln, Schienen, zusammenlegbaren Tragbahren, Lebensmitteln
und vertheilt in gleichen Abständen hinter der ganzen Front des Regimentes,
unter dem Befehl geeigneter Führer, würden diese Sanitätskolonnen, ohne
der Beweglichkeit der Truppe zu schaden, ausserordentlich gute Dienste
leisten können. In dringenden Fällen könnten die Mannschaften derselben
mithelfen, Nothverbände anlegen, wenn es den Truppen nicht möglich
sein sollte, dies unter sich zu thun, wie dies schon früher auch in diesem
Blatte ·von mir empfohlen. Im Allgemeinen aber hätten sie zur Aufgabe,
ebenso wie die Hülfskrankenträger, dass sie jede Gelegenheit benützten,
um Verwundete aus dem Bereiche der Geschosse zu transportiren und an
die Truppenverbandplätze zu bringen. (Diese 100 Mann würden für jedes
Regiment freilich ein grosser Ballast ausserhalb der Gefechtstage sein,
welche in jedem Kriege die Minderzahl bilden. D. Red.)

Um die nöthige Anzahl Leute für diese Neuformation zu erhalten,
ohne die Armee zu schwächen, möchte ich mir den Vorschlag erlauben,
jährlich einen gewissen Theil der Mannschaften, welche bei der Aushebung
übrig bleiben und nicht der Ersatzreserve überwiesen werden, und zwar
die besten, für diesen Zweck zu bestimmen. Diese müssten dann jedes
Jahr während der Zeit, in welcher die Truppen auf den Uebungsplätzen
oder im Manöver sich befinden, einberufen, von Aerzten unterrichtet und
von Truppenführern militärisch erzogen werden. Die übrigen Leute, welche
wegen kleinerer oder grösserer Körperfehler nicht ausgehoben werden,
könnten dann für die zur Einrichtung solcher Feld-Sanitätskolonnen
nöthigen Geldmittel durch einmalige Entrichtung einer bestimmten, den
Vermögensverhältnissen des Einzelnen entsprechenden Summe entweder
ganz oder zu einem grossen Theil sorgen.

Es wäre dies eine Art »Wehrsteuer«, welche den Verwundeten und
dadurch indirekt dem Vaterlande entrichtet wird. Die Einen können ihren
Patriotismus durch aktiven Samariterdienst bethätigen, die Anderen durch
pekuniäre Aufwendungen denselben ermöglichen und auf diese Weise ihrer
Vaterlandsliebe und Nächstenliebe Ausdruck geben. Eine derartige Lösung
der heute so viel besprochenen Wehrsteuer wäre für die Verwundeten des
nächsten Krieges von grossem Segen, zugleich eine ausgiebige und meines
Erachtens auch nothwendige Entlastung der Krankenträger und Hülfskrankenträger. Sie würde aber auch, glaube ich annehmen zu dürfen, im
Allgemeinen viel Anklang finden.

Bei der Uniformirung der Mannschaften käme es darauf an, ob dieselben wie Krankenträger gekleidet und auch der Genfer Konvention unter-
stellt oder ob sie in dieser Beziehung den Hülfskrankenträgern gleichgestellt
werden sollten. Im letzteren Falle wäre zu überlegen, ob sie dann nicht
auch die Munitionsversorgung der Truppen mitübernehmen könnten.

Ihren ständigen Aufenthalt würden sie wohl am zweckmässigsten bei
der Kompagnie nehmen, ebenso wie die Hülfskrankenträger, deren Unter-
gebene sie dann sein könnten.

Für solche Feld-Sanitätskolonnen wären dann Uebungen, wie anfangs
erwähnt, sehr praktisch, müssten aber in grossem Maassstabe ausgeführt
werden und könnten vielleicht jährlich an letzten Manövertage stattfinden
in der Weise, dass die Truppen sich untereinander verbinden, sobald sie
als verwundet markirt worden, von den Mannschaften der Feld-Sanitätskolonnen und den Hülfskrankenträgern zu den Truppen-Verbandplätzen,

von dort durch die Krankenträger zu den Haupt-Verbandplätzen und Lazarethen transportirt werden. Sollten die Manöver nicht dazu dienen können, sich auch in dieser Beziehung auf den Krieg vorzubereiten?

Für die Verwundeten und Kranken des nächsten Krieges mit seinen wohl in jeder Beziehung grossen Dimensionen kann nach meinem Dafürhalten nicht umfassend und ausgiebig genug Vorsorge getroffen werden. Ein »Zuviel« dürfte es hier nicht leicht geben können. Bei der Schnelligkeit, mit der sich wahrscheinlich bald nach der Mobilmachung die Kämpfe abspielen werden, bei der voraussichtlich enormen Anzahl von Verwundeten, die vermuthlich auf wenigen Punkten zusammengedrängt sich befinden werden, muss auch die Versorgung der Verwundeten möglichst schnell und gründlich vor sich gehen. Schnelle Hülfe ist die beste Hülfe. Dies gilt ganz besonders für die Verwundeten in der Gefechtslinie. Dazu ist aber viel Personal nöthig, das militärischen Geistes und mit hinreichenden Kenntnissen und Fertigkeiten ausgerüstet sein muss, dabei aber gewohnt ist, sich gegenseitig in die Hände zu arbeiten, wie dies nach meinem Vorschlage die »Feld-Sanitätskolonnen« und Hülfskrankenträger den Krankenträgern und diese den »freiwilligen Sanitätskolonnen« thun sollen.

Kleine Mittheilungen.

Kunstgewerbe in der Kriegstechnik. Die Waffensammlungen der Museen und Zeughäuser geben Kunde davon, in wie hohem Maasse das Kunstgewerbe in früheren Jahrhunderten, insbesondere im sechzehnten, an der Herstellung der Feuerwaffen betheiligt war. Zahlreiche alte Gewehre und Pistolen aus dieser Zeit weisen Verzierungen auf, die zu dem Prächtigsten gehören, was das Renaissance-Kunstgewerbe uns überliefert hat. In der Artillerie waren es besonders die Geschützrohre, deren Bronzematerial sich vortrefflich zur Wiedergabe künstlerischen Schmuckes eignete. Wappen, bildliche Darstellungen und Sinnsprüche wurden oft in herrlicher, eigenartiger, oft auch in überladener und uns heute seltsam anmuthender Weise auf den Rohren angebracht. In dem Maasse indess, in dem die Herstellung der Waffen von der handwerkszunftmässigen zur fabrikmässigen überging, verschwanden diese Verzierungen mehr und mehr, und da dieser Uebergang bei den Handfeuerwaffen, wenigstens soweit sie Kriegswaffen waren, naturgemäss früher eintrat als bei den verhältnissmässig nur geringer Zahl anzufertigenden Geschützen, so hat sich der Brauch, Verzierungen anzubringen, bei diesen länger erhalten; ja, er hat wenigstens in Preussen bei den Feldkanonen nie ganz aufgehört. — Bekannt sind die (mit dem preussischen Wappen in keinem Zusammenhange stehenden) Sinnsprüche Pro gloria et patria und Ultima ratio regis, welch letzterer zuerst im Spanischen als Ultima razon de Reyes vorkommend, um die Mitte des 17. Jahrhunderts in der Form Ultima ratio regum von Ludwig XIV. als Inschrift für die französischen Geschütze angenommen wurde, die sie bis 1796 führten. In Preussen tritt sie unter Friedrich dem Grossen 1742 gleichfalls als Kanoneninschrift auf, als welche sie ununterbrochen beibehalten und auf den Feldkanonen C/96 wieder angebracht wurde. Ueber die gesammten Verzierungen der preussischen Feldgeschützrohre C/96, ebenso wie über diejenigen des gleichen Materials der drei übrigen deutschen Königreiche, sind die nachstehenden Ausführungen und Zeichnungen einem vom preussischen Rittmeister a. D. Grafen K. E. zu Leiningen-Westerburg in München verfassten, auf offiziellen Unterlagen beruhenden Aufsatz »Die Hoheitszeichen auf den neuen deutschen Feldkanonen« entnommen, der im achten Heft des laufenden Jahrgangs des Deutschen Herold*)

*) Monatlich erscheinende, auch in Offizierkreisen gern gelesene »Zeitschrift für Wappen-, Siegel- und Familienkunde«, herausgegeben vom Verein Herold in Berlin.

erschienen ist. — Vorweg sei bemerkt, dass das bayerische Hoheitszeichen eingeätzt ist, während die anderen drei ciselirt sind.

    A. Preussen. Zeichnung von Professor E. Döpler d. J. in Berlin. Zwischen den zwei Inschriftbändern mit »Pro gloria et patria« und »Ultima ratio regis« befindet sich der gekrönte preussische Adler mit Namenszug, Scepter und Reichsapfel —

Die Hoheitszeichen auf den neuen deutschen Feldkanonen.

auf dem vorderen Rohrtheil, dem langen Feld —, sowie der Namenszug W(ilhelmus) R(ex) II. unter der preussischen Königskrone zwischen Lorbeerzweigen — auf dem Rohrmantelstück. Von den drei mit abgebildeten, um die Rundung des Rohres herumlaufenden Friesbändern befinden sich das Blattornament am vorderen Theil des Mantelstücks, das Lorbeermotiv und das der kleineren Blätter nahe der Mündung und zwar das zuletzt genannte auf der Mundfriese.

B. Bayern. Zeichnung von Professor Rud. Seitz in München. Auf dem Rohrmantelstück in Barockumrahmung Königl. bayerisches Wappenschild unter der bayerischen Königskrone zwischen bayerischen Lorbeer und Eichenzweig und dem bayerischen Wahlspruch ›In Treue fest‹.

C. Sachsen. Zeichnung von Professor E. Döpler d. J. in Berlin. Auf dem langen Feld des Rohres befindet sich der sächsische Hausordensstern mit dem kleinen sächsischen Wappen darin; auf dem Mantelstück über dem sächsischen Wahlspruch ›Providentiae memor‹ der Namenszug A(lbertus) R(ex) unter der sächsischen Königskrone, zwischen Lorbeerzweigen, die nach oben ebenso verlaufen, wie auf den preussischen Feldkanonen. Die drei Friesbänder, Schnörkel-Lorbeer- und kleines Blattmotiv, sind die gleichen, wie bei den preussischen Geschützen und sitzen an denselben Stellen.

D. Württemberg. Zeichnung von verschiedenen Künstlern. Auf dem vorderen Rohrtheil über zwei Lorbeerzweigen und dem Band mit dem württembergischen Wahlspruch ›Furchtlos und treu‹: Schild (gespalten von Württemberg und Schwaben), Helm mit Königskrone und Helmdecken. Auf dem Mantelstück befindet sich ein W, der Anfangsbuchstabe des Namens des Königs Wilhelm II. von Württemberg, unter Königskrone, umgeben von Lorbeerzweigen, die nach oben ähnlich enden, wie bei den preussischen und sächsischen Kanonen. Das an der Mündung befindliche Friesband ist das gleiche wie bei Preussen und Sachsen, die anderen beiden sind etwas abweichend gehalten.

Die Militarisirung des Verkehrspersonals in Italien. Kurz vor Schluss der italienischen, Parlamentstagung ist in beiden Häusern des Parlaments ein Gesetz angenommen worden, das im Rahmen weiterer als dringlich bezeichneten Bestimmungen für die Sicherung des inneren Friedens und der öffentlichen Ordnung eine Militarisirung des Eisenbahn-, Post- und Telegraphen-Personals verfügt. In den leitenden Kreisen war man im Mai 1898 bei Ausbruch der Revolution der Meinung, dass man dicht vor dem Massenstreik stände, und die Verhandlungen der Militärgerichte haben durch Verurtheilungen von Eisenbahn-Unterbeamten wegen Aufreizung zum Streik thatsächlich Belege geboten, dass man nicht zu schwarz sah. So griff man, da die höchste Gewalt an den bedrohten Orten auf die Militärbehörden übergegangen war, im Kriegsministerium zu einer durchgreifenden Maassregel. Alle als Depotaufseher, Maschinisten, Lokomotivführer, Heizer, Weichensteller, Zugführer, Bremser, Rangirer und Depotarbeiter auf fünf für Norditalien besonders in Frage kommenden Bahnstrecken wurden, gleichviel ob sie dem stehenden Heer, der Mobil- oder Territorialmiliz angehörten, zum 12. bezw. 13. Mai zum aktiven Dienst einberufen, jedoch dergestalt, dass sie ihre bürgerliche Dienststelle nicht zu verlassen hatten, sondern an Ort und Stelle eingekleidet und unter die Militärgesetze gestellt wurden. Auf die Depotstationen und solche, welche Gestellungsorte für Militärpflichtige bilden, wurde ein dauerndes, von einem Offizier befehligtes Kommando entsendet. Der Offizier hatte dem Stationspersonal den Einberufungsbefehl zu übermitteln, die Dienstuniformstücke an sie auszugeben und den Sicherungsdienst der Station zu übernehmen. Demnächst hatte er dieselben Maassregeln auf den Stationen der Strecke und auf dieser selbst zu treffen, so dass der Verkehrsdienst keinerlei Unterbrechung erlitt. Die betreffenden Offiziere und ihre Hilfsorgane hatten dann weiter die Uebermittelung von Befehlen an die Einberufenen zu besorgen und im Einverständniss mit den oberen Beamten den gesammten Eisenbahn- und Sicherheitsdienst zu regeln. Die Einberufenen erhielten nur die Drillichhose, den Kapottmantel und die Dienstmütze mit Gradabzeichen, keine Waffen. Zur Schonung der Uniformen wurde verfügt, dass sie nur ausserhalb des Eisenbahndienstes zu tragen seien, im Dienst aber die Bahnuniform jedoch mit den Kragensternen (stellette) als Zeichen des aktiven Militärdienstes. In und ausser Dienst war eine blaue resp. rothe Armbinde (je nach der Zugehörigkeit zu den einzelnen Bahnstrecken) zu tragen. Das Gehalt der Einberufenen wurde wie bisher von den Eisenbahngesellschaft gezahlt. Auf diese Weise wurden etwa 4000 Mann (nach Berechnung des »Eserc.«) von 19 verschiedenen Jahresklassen ohne Belastung des Heereshaushalts in Dienst gestellt. Da die Anordnungen des Kriegsministers überall prompte Durchführung fanden, wurde die Sicherheit des Bahnverkehrs überall aufrecht erhalten, die schnelle Verschiebung von Truppen, nach bedrohten Punkten, so z. B. von Piacenza und Alessandria nach Mailand ermöglicht und dem Nationalwohlstand, dem Handel und den Bahngesellschaften der Verlust von Millionen erspart. Der Militarisirungs-Gesetzentwurf wurde unter Ausdehnung auf das Personal der Flotte mit 185 gegen 27 Stimmen genehmigt. Er hat folgenden Wortlaut: „Die dem Heer oder der Flotte angehörigen im Eisenbahn-, Post- oder Telegraphendienst. stehenden Militärpersonen können nach Ermessen der Regierung für bestimmte Zeit zum Militärdienst eingezogen werden, indem sie gleichzeitig in Ausübung ihrer Funktionen und Verpflichtungen bleiben. Die Einberufenen erhalten ihr Gehalt weiter; irgend ein Anspruch auf das Heeresbudget kann aus der Einberufung nicht abgeleitet werden. Die Einberufenen unterliegen der militärischen Rechtsprechung, sind aber andererseits auch zu allen den Dienstleistungen verpflichtet, welche die Dienstvorschriften der betreffenden Bahnverwaltungen vorschreiben. Die vorstehenden Bestimmungen behalten gesetzliche Gültigkeit bis zum 30. Juni 1899." Das Thema der Sicherung von Bahnstrecken und von Militärtransporten gegen Störungen jedweder Art hat inzwischen durch eine eigenartige französische Uebung eine neue Beleuchtung erfahren. Auf der sowohl für die Vertheidigung der französischen Südküste wie bei einem ;etwaigen Krieg gegen Italien äusserst wichtigen Bahnlinie Marseille—Toulon—Nizza hat in den Tagen vom 5. bis 7. Juli 1898 ein Mobilmachungsversuch stattgefunden. In Bezug auf die Unterordnung der gesammten Uebung unter einen strategischen Gedanken, die Verbindung der Linie durch Telegraph, optische Signale, Fanale und Feuerzeichen mit dem Golf von Lyon und den Häfen, in denen eine feindliche Landung befürchtet werden muss, die Sicherung der weiteren Umgebung der Bahn durch das 111. Regiment, ging die Uebung weit über den Charakter der italienischen Maassregeln hinaus, die sich ja auf ganz andere Voraussetzungen gründeten. Aber in Bezug auf die Ausübung des Eisenbahndienstes und unmittelbare Sicherung der Bahnlinie durch Angehörige der Landwehr und des Landsturms der Provence, auf deren Ausrüstung nur mit Armbinden und Käppis, auf das Bestreben, das Zusammenarbeiten von Soldaten, Offizieren und Beamten sicher zu stellen, hat das italienische Beispiel zweifellos Anregungen geboten. Der „Progrès militaire", der ausdrücklich darauf hinweist, bezeichnet in dem umfangreichen Programm von dringlichen Reformen, welches er dem neuen Kriegsminister widmet, als wichtigsten Punkt die Militarisirung des französischen Eisenbahnpersonals.

Neueste Erfindungen und Entdeckungen.

1. Geschütze, Geschosse, Artilleriewesen. Die 13 cm Feldhaubitze der englischen Artillerie soll zwar bei Omdurman grosse Wirkungen gehabt haben, ist aber so schwer — 2465 kg mit aufgesessener Mannschaft —, dass man auf ihre Verwendung als Feldhaubitze verzichten muss. Die meisten Stimmen sind für 10 bis 11 cm Haubitzen. (»Revue de l'armée belge«, 1898, Novbr.-Dezbr.)

Die Maxim-Kompagnie hat ein Dreirad-Tandem konstruirt, welches zwei Geschützrohre und zwei Bedienungskanoniere trägt und ein Gesammtgewicht von 145 kg hat. Das Gewicht scheint zu gross für die Verwendung der Maschine ausserhalb guter Wege. Auch musste der Erleichterung wegen das Abkühlungsrohr wegfallen, wodurch nun ein anhaltendes Schnellfeuer beeinträchtigt wird. Die hier beigesetzten, einer Mittheilung der »Revue d'art.« vom Juli 1898 entnommenen beiden Zeichnungen stellen das Geschütz im Feuer und auf dem Marsche dar.

Die englische Feldartillerie hat im Jahre 1898 ein neues Schrapnel von 6 kg (14 livre) oder 1,5 livre schwerer als das bestehende eingeführt. Dasselbe hat Bodenkammerladung. Die Geschützladung besteht aus Cor-
dit. Die Granate wird ganz
abgeschafft, nachdem auch
Versuche mit einer solchen
aus Schmiedeeisen keine be-
friedigenden Ergebnisse liefer-
ten. (»Revue de l'armée belge«,
1898, Novbr.-Dezbr.)

Eine lehrreiche allgemeine
Betrachtung über die Eigenschaften des Stahls in verschiedenen Zusammensetzungen auf Grund
neuester wissenschaftlicher Werke und
Versuche findet sich in »Revue d'art.«,
Oktober, Novbr., Dezbr. 1898 u. Febr. 1899.

Ein Vorhänge-Schnappschloss
für Feldfahrzeuge wird in »Riv. di Art.
e Gen.« (1898, Septbr.) vorgeschlagen. Es
besteht — siehe Abbild. — aus einem
Messingkasten A, in welchen
ein drehbarer Bügel B eingelassen ist, dessen kürzerer
Arm in einer Vertiefung E
durch einen Stift mit Platte D
vermöge des Gegendrucks einer
Feder C festgehalten und
durch einen Schlüssel mittelst
Schraube geöffnet und ge-
schlossen werden kann.

Dreirad-Tandem
der
Maxim-Kompagnie.

2. Kleine Feuerwaffen, deren Munition und Gebrauch. In Frankreich hat man mit dem Gewehr Daudeteau, welches wahrscheinlich das Lebel-Gewehr ersetzen soll, Versuche gegen Thon und gegen Pferde als Ziel bis auf Entfernungen von 2500 m gemacht. Das Kaliber des Gewehrs beträgt 6,48 mm, die Anfangsgeschwindigkeit 770 m. Die Ergebnisse waren durchweg gut und bewiesen neben den Vortheilen der Treffsicherheit, Rasanz der Bahn und des geringen Munitionsgewichts eine vollständig hinreichende Wirkung auf dem Schlachtfelde. (»Riv. di Art. e Gen.«, 1898, Septbr.) — Eine Beschreibung der kleinen Feuerwaffen des italienischen Heeres, insbesondere derjenigen vom Kaliber 6,5 mm, findet sich mit vielen Abbildungen in der »Revue d'art.«, 1898, Juli.

3. Explosivstoffe, Zünder. In der »Zeitschrift des österreichischen Ingenieur- und Architekten-Vereins« sowie in »Riv. di Art. e Gen.« (1898, Septbr.) wird ein neuer Explosivstoff

Vorhänge-Schnappschloss
für Feldfahrzeuge.

unter dem Namen Petroclastit beschrieben. Er soll bestehen aus 69 Theilen salpetersaurem Chlornatrum, 5 salpetersaurem Kalium, 10 Schwefel, 1 doppeltchromsaurem Kalium und 15 Steinkohlentheer. Nimmt man die Kraft des gewöhnlichen Schiesspulvers als 1, so beträgt die Kraft des Petroclastit 5 bis 7, diejenige von Nitroglycerin aber 9, so dass die Wirkung von Petroclastit zwischen dem alten Schiesspulver und dem Nitroglycerin steht.

4. **Militärbauten zu Befestigungs- und Unterbringungszwecken.** In Asien (Persien, Kaukasien, Afghanistan, Beludschistan, China) baut man Galerien mittelst ovaler Terracotta-Ringe, welche 1,06 m hoch, 0,64 m breit sind und einen 0,18 m breiten Umfassungsrand haben, der ein festes Aneinanderschieben der Ringe gestattet. Diese Galerien sollen das in der Erde befindliche Wasser sammeln und nach bestimmten Richtungen leiten. Man gewinnt damit ein natürlich filtrirtes Wasser zum Trinken und zu sonstigem Gebrauch. Die Russen nutzen dieses Verfahren bei ihren Eisen-bahnbauten mit Vortheil aus. (»Revue du génie mil.«, 1899, Febr.)

Versuche, welche Considère, Ingenieur en chef des ponts et chaussées, in Frank-reich angestellt hat, beweisen, dass kaltgeschmiedetes Eisen, harter Stahl, gute Schienen, deren Elastizitätsgrenze nahe an 40 kg liegt, mit Mörtel oder Beton um-geben, bis zu dieser Grenze in Anspruch genommen werden können, ohne dass Mörtel oder Beton, mit welchem sie umgeben sind, Veränderungen ausgesetzt ist, bezw. Noth leidet. Es ergiebt sich daraus eine wesentliche Verstärkung von Mörtel- und Beton-konstruktionen. Ebenso geht daraus hervor, dass Eisen, mit Mörtel u. s. w. umgeben, besser hält, als wenn es freiliegend bei Bauten angebracht wird, da dann seine Elastizitätsgrenze nur bis 20 kg auf den Quadratmillimeter reicht. (Näheres ebendas.)

Ein neuer praktischer Feuermelder: Er beruht auf der Ausdehnung einer Kupferscheibe durch die Wärme bei auftretender Feuersbrunst. Die Kupferscheibe, welche eine cylindrische gusseiserne Dose deckt, drückt den an ihr befestigten Silber-stift auf eine Feder, die ihrerseits das Läutewerk in Bewegung setzt. (»Riv. di Art. e Gen.«, 1898, Septbr.)

5. **Transportwesen im Kriege. Train.** Eine automatische Befestigung der Eisenbahnwagen aneinander, also automatische Koppelung, wird beschrieben mit Abbildungen in »Riv. di Art. e Gen.« (1898, Septbr.). Dieselbe soll in Deutschland erfunden sein und würde, wenn sie sich bewährt, manche Gefahren für die Beamten und Arbeiter verhüten.　　　　　　　　　　　　　　　　　　　　　　　C. v. H.

Aus dem Inhalte von Zeitschriften.

Marine-Rundschau. 10. Jahrg. Heft 1: Die moderne Blockade. — Die Stärke-verhältnisse der Kriegsflotten. — Jüngste Fortschritte und Neuerungen der Leucht-feuertechnik. — Ueber Wechselwirkungen elektromagnetischer Resonatoren. — Skizzen vom spanisch-nordamerikanischen Krieg. — Moderne Rohrverschlüsse für Schnelllade-kanonen. — Heft 2: Die Fahrt S. M. Yacht »Hohenzollern« nach dem heiligen Lande. — Der spanisch-nordamerikanische Krieg und seine Lehren. — Die Verwen-dung der Elektrizität auf Kriegsschiffen. — Korrektionen der Unter- und Aussen-Weser. — Eine Flotte der Jetztzeit. — Heft 3: Die Kriegsmarinen im Jahre 1898. — Einige Kapitel der Theorie der modernen Schiffsmaschine. — Ueber Akkumulatoren.

Jahrbücher für die deutsche Armee und Marine. 1899. Februar: Der englisch-ägyptische Sudan-Feldzug 1896—98. — Kritische Betrachtungen über die Vorgänge zur See während des spanisch-amerikanischen Krieges. — Munitionsverbrauch der Feldartillerie nach Einführung von Schnellfeuergeschützen und Folgerungen daraus. — Die Königlich Hannoversche Armee. — Natürliche Grenzen. — Der Offizier als Gerichtsherr.

Illustrirte aeronautische Mittheilungen. 1899. Nr. 1: Versuche mit neuen Registrirdrachen. — Der automatische Flug vermittelst des Kress-Fliegers. — Die Militär-Luftschifffahrt in England. — Einige Erfahrungen aus den Freifahrten des Jahres 1898. — Die Ballonfahrt über die Alpen.

Deutsche Armee- und Marine-Zeitung. 1899. Nr. 7: Die Militär-Telegraphie im Kriege. — Uebungen von Flussübergängen.

Militär-Zeitung. 1899. Nr. 13: Abänderungen zu dem Entwurf der Schiess-vorschrift für die Feldartillerie. — Die Beförderung der Truppen mit der Eisenbahn.

Der praktische Maschinen-Konstrukteur. 1899. Nr. 6: Elektrisch angetriebene Shapingmaschine von C. & E. Fein, Stuttgart. — Automatische Schrauben-Schneidmaschine, System Spencer. — Pneumatischer Bohrapparat. — Revolverkopf von Fay & Scott, Dexter. — Neues über Kugellager.

Die Umschau. 1899. Nr. 13: Der Zusammenhang von Kultur und Kunst im 19. Jahrhundert. — Rudyard Kipling. — Licht und Vegetation. — Geographie. — Medizin.

Organ der militärwissenschaftlichen Vereine. 1899. LVIII. Band. 2. Heft: Das abgeänderte 9 cm Feldgeschütz M/75 und die Neuorganisation der Feldartillerie. - Die Entwickelung des Beleuchtungswesens in den letzten Decennien.

Mittheilungen über Gegenstände des Artillerie- und Geniewesens. 1899. Heft 2 u. 3: Eine Theorie der hydraulischen Geschützbremsen. — Ein Apparat zur Veranschaulichung des Fehlergesetzes. — Festungen und Festungsbahnen.

Revue d'artillerie. 1899. Februar: Le matériel d'artillerie de campagne de l'usine Krupp (1892 à 1897). — L'artillerie à la bataille d'Omdourman. — Designation et répartition des objectifs de l'artillerie. — März: Étude tactique sur la carte. — Mobilité du matériel d'artillerie pendant les guerres de la Révolution et de l'Empire. — Étude sur la navigation aérienne. — Matériel de l'artillerie de forteresse autrichienne.

Rivista di Artiglieria e Genio. 1899. Februar: Alfredo Krupp. — Pistole a rotazione o pistole automatiche. — La sordità dei cannonieri. — L'assedio di Strassburg nel 1870. — Alcune applicazioni del calcolo della probabilità al tiro di una batteria.

Memorial de Ingenieros del Ejército. 1899. Februar: La Escuela Prática del 4° Regimento de Zapadores-Minadores en 1897—98. — Locales abovedados en las baterías de costa. — Telegrafía óptica.

Journal of the United States Artillery. 1898. Novbr.-Decbr.: Applying corrections when ranging by the fork system. — A horizontal-base range and position finder for coast artillery. — English light artillery. — Instructions for repulsing attempts at landing by North American expedition on the coasts of Cuba. — The new field artillery.

Army and Navy Journal. 1899. Nr. 27: The new army bill. — To reform our staff system. — San Juan. — A just rebuke. — The beef inquiry. — Nr. 28: Seacoast fortifications. — Krupp process armor. — Army reorganization plan.

Scientific american. 1899. Nr. 9: Flashless rapide-fire guns. — Rails and tie-plates. — The comstock mines and their drainage. — New machine shop for the New York navy yard. — The building of a watch. — A simple pipe cutting and threading tool. — A variable bicycle driving gear. — Nr. 10: An American canal at Panama. — Cost of electric light. — A new double acting pump. — A nouvel method of conveying freight. — A pneumatic baggage handler. — Nr. 11: Ancient locomotive engines. — Thirteen-inch gun for the »Kearsage«. — An electrical matling. — A water-heater for steam-boilers. — An improvement in picks.

De Militaire Spectator. 1899. März: Twee nieuwe snelvurende veldkanonen. — Het overbrengen van berichten langs electrischen weg.

——— ❋ Bücherschau. ❋ ———

Kriegschirurgische Erfahrungen aus dem griechisch-türkischen Kriege 1897. Von Dr. Korsch (Oberstabsarzt), unter Mitwirkung von Dr. Velde (Stabsarzt). Berlin, E. S. Mittler & Sohn. Mk. 1,50.

Das kleine Werk enthält den Bericht der beiden im Jahre 1897 nach Griechenland entsandten Sanitätsoffiziere, des Oberstabsarztes Dr. Korsch und des Stabsarztes Dr. Velde; in demselben haben die beiden Herren die kriegschirurgischen Erfahrungen niedergelegt, die sie im griechisch-türkischen Kriege 1897 an Ort und Stelle gemacht haben. Das Zentralkomitee der deutschen Vereine vom Rothen Kreuz, unter dem Vorsitz des Barons v. dem Knesebeck, hatte schon bei Beginn der kriegerischen Verwickelungen zwischen der Türkei und Griechenland im März 1897 vorbereitende Schritte zu einer internationalen Hülfeleistung gethan. Es lag in der Absicht der Vereine, je eine Abordnung nach Griechenland und der Türkei zu entsenden und die bei diesen Gelegenheiten gemachten kriegschirurgischen Erfahrungen nicht nur den Militär-, sondern auch den Zivilärzten zugänglich zu machen. Die nach Griechenland entsandte Abordnung bestand ausser den beiden genannten Militärärzten aus fünf Schwestern vom Viktoriahause in Berlin. Die Thätigkeit der Abordnung in Griechenland war nur eine sehr kurze, trotzdem war sie insofern von ganz besonderem Werth, als in der zweiten Hälfte des Feldzuges auf dem thessalischen Kriegsschauplatze ausser der deutschen keine auch nur einigermaassen den Ansprüchen gewachsene Lazarethanlage vorhanden war; dies wurde auch von griechischer Seite ausnahmslos auf das Dankbarste anerkannt. — Im ersten Theil des Werkes erhält der Leser eine Uebersicht über die Thätigkeit der nach Griechenland entsandten Abordnung. Dieser Theil ist hauptsächlich aus dem Bericht des Stabsarztes Dr. Velde an das Zentralkomitee der deutschen Vereine vom Rothen Kreuz entnommen. Der Abordnung war so viel Material beigegeben worden, dass hundert Verwundete eine sachgemässe Behandlung erhalten konnten. Hierzu wurden aus den mitgeführten Beständen aufgestellt: ein Krankenzelt für Schwerverwundete, enthaltend 40 bis 50 Betten, eine transportable, im Freien einzugrabende Feldküche zum Kochen für 200 Personen, ein Apparat zum Reinigen der Wäsche mit allen dazu gehörigen Nebeneinrichtungen, eine Badeeinrichtung und endlich ein Apparat zur Desinfektion mit strömendem Dampf. Ausserdem waren wechselnd in Benutzung zwei bis vier runde Krankenzelte, welche die griechische Militärbehörde zur Verfügung gestellt hatte. — Im zweiten Theil der Arbeit sind sodann die kriegschirurgischen Erfahrungen besprochen worden; der dritte Theil schildert die Verhältnisse in der Verwaltung, und der letzte endlich giebt uns noch einen Ueberblick über das griechische Sanitätswesen im Kriege 1897. — Wenn nun auch die nach Griechenland entsandten Aerzte der Lösung der Frage über die Wirkung der kleinkalibrigen Geschosse nicht nähertreten konnten, da die für die türkische Armee schon vor dem Kriege angekauften modernen Gewehre wunderbarerweise nicht ausgegeben waren, sondern friedlich in einer alten Moschee im alten Serail in Konstantinopel lagerten, so wird doch die kleine Schrift für die ärztlichen Kreise und für die Vereine vom Rothen Kreuz viel lehrreiches Material darbieten.

Militär-geographische Skizzen von den Kriegsschauplätzen Europas. Von W. Stavenhagen. Berlin 1898. Verlag von Hermann Peters. Gr. 8°. 178 S. Preis 3,60 Mk.

Der Schauplatz — die Oertlichkeit das Gelände — beeinflusst das kriegsgemässe Handeln. Durch die Oertlichkeit gegebene Vorteile zu erkennen und zu benutzen, im Gelände liegende Erschwernisse nicht zu übersehen, sondern vielmehr durch die eigenen Anordnungen zu überwinden oder zu umgehen, die dem Gegner im Terrain sich darbietende Hülfe zu würdigen, ohne dieselbe zu überschätzen, diese Hülfe für ihn abzuschwächen zu suchen, das fordert tägliche Sorge und Aufmerksamkeit der Führer und Truppen im Kriege. Wie sich in den unteren Instanzen der Truppenführung das Augenmerk besonders auf die Erkundung einzelner Oertlichkeiten mit begrenzter Umgebung für bestimmte, unmittelbare Zwecke der Truppe richtet, so handelt es sich für die höhere Heeresleitung um die genaue Kenntniss grösserer Gebiete in militär-geographischer Beziehung. Mit dem vorliegenden Buche hat der Verfasser den ersten Schritt thun wollen, die Lücke, die das Fehlen eines Lehrbuchs der Militärgeographie in unserer Litteratur bisher noch gelassen, auszufüllen. Wenn auch diese Skizzen, wie der Herr Verfasser auch selbst sagt, kein systematisches und erschöpfendes Lehrbuch bieten, so regen sie doch zu eingehenderem Studium der Militärgeographie an. Sie geben einzelne gemeinverständliche Grundlehren dieser Wissenschaft an praktischen Beispielen erläutert. Um das Interesse zu steigern, sind dabei die Anwendungen der Theorie auf einige wahrscheinliche Kriegsschauplätze Europas verlegt und frühere Kriegsereignisse sind angezogen worden. Der Verfasser hat auch stellenweise den Versuch gemacht, und zwar ohne sich in Phantasien zu verlieren, kurze Andeutungen über künftige kriegerische Entwickelungen zu geben, wobei selbstverständlich nur die erste Aufstellung in Betracht kommen kann. Auf den lehrreichen Inhalt des Buches, der sich in ein Vorwort und elf Abschnitte gliedert, an dieser Stelle näher einzugehen, ist nicht möglich und muss dem Einzelnen durch eigenes Studium der Skizzen überlassen bleiben. Jedenfalls gebührt dem Verfasser das grosse Verdienst, dass er durch seine Schrift die energische Anregung gegeben und auch den Weg schon theilweise geebnet hat, ein kurz zusammenfassendes Lehrbuch der Militärgeographie, das systematisch erschöpfend ist, zu schaffen. Wenn der Verfasser am Schlusse seines Vorwortes sagt: „Ihm" (dem Bedürfniss nach einem Lehrbuch) „in vollendeter Weise zu genügen, wäre die Aufgabe einer ersten Feder und ein Verdienst um die Armee", so pflichten wir dieser Ansicht völlig bei, möchten nur hinzufügen, dass wir die Feder des Verfassers selbst zu diesem Zweck für ausserordentlich berufen halten.

Gedruckt in der Königlichen Hofbuchdruckerei von E. S. Mittler & Sohn, Berlin SW., Kochstrasse 68—71.

Die Radfahrtruppe der Zukunft.

Von Julius Burckart,
Major im Königlich Bayerischen 3. Feldartillerie-Regiment »Königin Mutter«.

Mit fünf Tafeln.

Zur Einführung.

»Wenn Er denn zum Teufel fahren will, so fahre Er!« —
Nach langem Widerstreben und erst auf Verwendung Gneisenaus entliess
mit diesen Worten Blücher bald nach dem unglücklichen Tage von Gross-
Görschen den Rittmeister v. Colomb zu seinem bekannten, wohlgelungenen
und erfolgreichen Streifzug in das Rückengebiet der Napoleonischen Armee.
Jene Blücherschen Worte kamen mir wiederholt in den Sinn, wenn ich
die Bestrebungen der Parteigänger des Fahrrades in den verschiedenen
Heeren verfolgte.

Mit Wort und That, in zahlreichen Aufsätzen und Schriften sind in
den letzten Jahren Offiziere fast aller grösseren Heere für eine ausgiebigere
Verwendung des Fahrrades zu kriegerischen Zwecken und insbesondere
für Aufstellung und feste Organisation von Radfahrertruppen eingetreten.
Wie einst v. Colomb, sind auch sie vom Glauben an die Ausführbarkeit
und den Erfolg ihrer Ideen durchdrungen; wie jener es war, so sind nun
auch sie bestrebt, die maassgebenden Stellen von der Richtigkeit und
Nothwendigkeit ihrer Vorschläge zu überzeugen. Aber noch fand sich kein
Gneisenau, der mit der Macht seiner Persönlichkeit und der Autorität
seiner Stellung ihre Sache vertreten hätte. Noch sprach kein Blücher das
erlösende Wort.

Ein nennenswerther Fortschritt — im Sinne der Ideen und Ziele
jener Vorkämpfer — dürfte bis jetzt allerdings noch nicht festzustellen
sein. Die Manöverversuche mit Kapitän Gérards Abtheilung auf Klapp-
rädern haben die französische Heeresleitung trotz des von der Fachlitteratur
angestimmten Lobeshymnus zu keinen weiteren Maassnahmen veranlasst.
Auch die Ergebnisse mit einer Radfahrer-Abtheilung bei den russischen
grossen Manövern von Bielostok im Jahre 1897 scheinen keineswegs zu
erweiterten Versuchen im darauffolgenden Jahre ermuntert zu haben. Die
in Oesterreich seit vier Jahren in Graz und Przemysl übenden, der Initiative dortiger jüngerer Offiziere ihr Dasein verdankenden Radfahrkurse
ringen noch heute danach, etwas mehr als »geduldet« zu werden und in
weiteren Kreisen des Heeres Beachtung zu finden. In Italien wurde zwar
im Jahre 1898 die Errichtung von zehn Bersaglieri-Kompagnien zu Rade
im Prinzip beschlossen, mit deren Aufstellung auch bereits begonnen. Zu
diesem Schritte dürfte jedoch mehr die dort bestehende Schwierigkeit der
Pferdebeschaffung hingedrängt haben; also die Hoffnung, die Kavallerie
in gewissen Fällen ersetzen und ihr einen Theil ihrer Aufgaben abnehmen
zu können, als die Absicht, eine völlig neuartige Truppe zu ganz
bestimmten kriegerischen Sonderzwecken zu schaffen. In den

kleineren Heeren sieht man abwartend nach den grossen Vorbildern hin, und in dem englischen dient, wie schon seit Jahren, auch heute noch das Militärradfahren mehr sportlichen als kriegerischen Zwecken. Die daselbst im Jahre 1898 angeordneten Trainirübungen von Infanterie-Radfahrer-Abtheilungen unter Oberstleutnant Alderson, ferner die im gleichen Jahre vom Herzog von Connaught im Lager von Aldershot über 500 Militärradfahrer abgehaltene »glänzende« Parade mögen diese Behauptung von Neuem bestätigen.

Im deutschen Heere waren in den letzten Jahren bei verschiedenen Armeekorps, insbesondere bei jenen, die an den Kaisermanövern theilgenommen hatten, Radfahrer-Abtheilungen versuchsweise gebildet worden. Diese Versuche dürften jedoch noch nicht als abgeschlossen gelten. Ihre Ergebnisse erfuhren ausserdem im Heere die verschiedentlichste Beurtheilung. Es darf daher nicht Wunder nehmen, wenn zur Zeit die vielfach erhoffte Aufstellung von Radfahrtruppen in die Ferne gerückt, wenn nicht fraglich erscheint. Und doch ist bei uns ein Vorwärts in der Radfahrerfrage insofern zu verzeichnen, als die Radfahrerverwendung den ihr durch die Fahrradvorschrift und die Felddienstordnung gesteckten Rahmen in der Praxis schon jetzt erheblich überschritten hat, als die Truppentheile reicher als früher mit Armeefahrrädern ausgestattet wurden und der Pneumatikreifen als alleinig kriegsbrauchbar erkannt und angenommen wurde.

Neuerungen auf dem Gebiete des Heerwesens gehen nur langsamen Schritt. Sie müssen es, sollen sie nicht Rückschläge zeitigen. Und das Fahrrad hat doch eigentlich erst seit vier Jahren seinen Einzug in die Heere gefeiert. Es ist in die Welt, die Waffen trägt, von aussen hereingekommen; es ist nicht auf ihrem Boden gewachsen und ausgereift, wie etwa die Feuerwaffe oder manch anderes Kriegsgeräth, das Jedermann, ob alt, ob jung, vertraut und bekannt ist. Viele in dieser waffentragenden Welt und zum Theil gerade jene, die das entscheidende Wort zu sprechen haben, kennen das glitzernde, schwirrende Ding nur vom Sehen. Wer wollte es da nicht begreiflich finden, dass Manchem der Glaube daran schwer fällt?

Diese in den Verhältnissen begründeten Widerstände möchten nun bald ihre Kraft verlieren, wenn es gelänge, — nicht durch theoretische Betrachtungen — sondern durch ausgedehnte praktische Versuche augenfällig und unanfechtbar nachzuweisen, dass in dem Fahrrade wirklich eine so werthvolle Bereicherung der Kampfmittel erblickt werden muss, dass eine Vernachlässigung dieses neuen Elements einer Versäumniss in der Ausgestaltung und Vervollkommnung der Heereseinrichtungen gleichkäme. Hierin ruht meines Erachtens der Schwerpunkt der Frage. Hierin liegt aber auch ihre Schwierigkeit.

Dass der Wille bestand, Versuche zur Klärung in der Frage nach radfahrenden Truppen zu unternehmen, das beweisen zur Genüge die in allen grösseren Heeren bei den Manövern der letzten Jahre verwendeten Radfahrer-Abtheilungen. Es unterliegt aber wohl keinem Zweifel, dass Versuche, sollen sie beweiskräftige Ergebnisse liefern, auch noch von anderen Bedingungen abhängig sind. Hierher gehören vor Allem die Erwägungen, nach welchen Richtungen hin derartige Versuche auszuführen seien und welche Vorbereitungen den eigentlichen Versuchen vorauszugehen hätten, sollen diese den Keim ihres Misslingens nicht in sich selbst tragen. Hierher gehört ferner der Vorsatz, bei Fehlschlägen nicht ohne Weiteres über das Rad den Stab zu brechen, sondern nachzuforschen, ob der Grund dazu nicht in anderen Faktoren zu suchen sei.

Bei der völligen Neuheit des Gegenstandes, bei dem Mangel jeglicher

Feldzugserfahrung erscheint es erklärlich, wenn die ersten Schritte zur Erkennung des Wie und Wohinaus eine gewisse Unsicherheit, etwas Tastendes zur Schau trugen, und wenn die ersten Erfahrungen aus den Anfangsversuchen viel zu sehr individuelles und lokales Gepräge aufwiesen, als dass man sich daraus ohne Weiteres ein klares Bild von der Sache hätte machen können. Dass dem so ist, darüber liegen allerdings keine amtlichen Kundgebungen vor. Man wird sich dieser Einsicht jedoch kaum verschliessen können, wenn man sieht, mit welcher Reserve die Radfahrfrage in den neueren militärwissenschaftlichen Werken von Bedeutung behandelt wird. Ich nenne z. B. nur Balcks »Taktik«, v. Schlichtings »Grundsätze« und Keims »Infanterietaktik« (in v. Löbells Jahresberichten).

Um nun· die Radfahrfrage aus dieser Sphäre der Unsicherheit und des Tastens herauszurücken und auf ein sichereres Fundament zu stellen, scheint mir eine Trennung der Versuche in drei Stadien unerlässlich. Nach meiner Ansicht gälte es zunächst, die äussersten Grenzen der Leistungsfähigkeit des Fahrrades sowohl als auch der Radfahrer zu bestimmen. Hierzu wäre eine grössere Anzahl von Radfahrkursen zu errichten, die zu gleichen Zeiten, und zwar eine Gruppe während der Sommer-, eine andere Gruppe während der Winterperiode zu üben hätten. Für die einzelnen Kurse würden als Uebungsräume die topographisch unterschiedlichsten Landstriche auszuwählen, ihnen im Uebrigen aufzutragen sein, strengstens nach einem vorher festgesetzten einheitlichen, persönlichen Neigungen keinerlei Spielraum gewährenden Plane zu verfahren. Die einzufordernden Berichte müssten sich lediglich auf die knappe Beantwortung einer Reihe wohlerwogener und scharf umrissener Fragen beschränken.

Das zweite Stadium würde sich am grünen Tisch abspielen. Hier gälte es, das Fazit jener Statistiken zu ziehen und das Ergebniss theoretisch auf die Verhältnisse des Krieges anzuwenden. Die Betrachtung müsste sich hier in alle Gebiete der kriegerischen Handlung vertiefen und nicht nur die uns bekannten Erscheinungen verflossener, sondern auch die vermuthlich neuen Gestaltungen zukünftiger Kriege ins Auge fassen. Hieran schlösse sich die eingehendste Untersuchung, ob überhaupt und, wenn ja, nach welchen Richtungen die durch die Kurse festgestellten Leistungsgrenzen des Fahrrades und der Fahrer dem kriegerischen Zwecke nutzbar gemacht werden könnten. Die Ergebnisse dieser Betrachtungen würden vortheilhaft in angewandter Weise an bestimmten der Kriegsgeschichte entnommenen Fällen, sowie an Kriegsspielen operativen Charakters zu prüfen und das zweite Stadium hiermit abzuschliessen sein.

Als drittes Stadium kämen die Versuche bei den grossen Manövern, die praktische Prüfung des theoretisch als erreichbar Erkannten.· Dabei dürfte nicht ausser Acht gelassen werden, dass selbst die grössten Manöver nur ein schwaches Abbild des Krieges zu geben vermögen und weite Gebiete kriegerischer Thätigkeit, ja vielleicht gerade jene, die die theoretische Betrachtung des zweiten Stadiums dem Fahrrad ganz besonders als Feld der Thätigkeit hätte zuweisen wollen, im Frieden überhaupt nicht zur Darstellung gelangen können. Ich nenne beispielsweise nur den Eisenbahnaufmarsch, die Aufklärung im grossen Stil, die Perioden des Stillstandes zwischen den grossen Operationen, die Thätigkeit im Rückengebiet der Heere, den kleinen Krieg.

Jenes zweite Stadium nun wäre es, das der Militärlitteratur — mag sie nun für oder gegen das Rad Stellung nehmen — die Ge-

legenheit böte, ihre Schwingen zu entfalten. Hic Rhodus! Ihre
Erzeugnisse müssten zweifellos als eine Bereicherung der von mir oben
gezeichneten theoretischen Betrachtung angesehen werden, sobald sie sich
ebenfalls nur auf die Ergebnisse jener Kurse stützten.

Dies war nun bis jetzt nicht möglich, da — abgesehen von einigen
Vorbereitungskursen für Manöverzwecke — derartige nach einheitlichem
Plan durchgeführte und ausschliesslich zur Feststellung der Leistungsgrenzen des Fahrrades berufene Kurse bis zur Stunde überhaupt noch
nicht ins Leben traten. An diesem Umstand kranken nun mehr oder
minder wohl alle bisherigen sich mit der Militärradfahrfrage beschäftigenden
litterarischen Erscheinungen. Mögen sie nun von Parteigängern der Frage,
mögen sie von fanatischen Gegnern herrühren, mögen sie logisch entwickelt
sein oder mögen sie intuitiv das Richtige getroffen haben; der objek-
tiven Beurtheilung gegenüber mangelt ihnen die Beweiskraft,
da sie nicht oder zu wenig mit Thatsachen aufzuwarten vermögen.

Dieses Moment der Schwäche, dieser wunde Punkt, mag nun vielen
— den Anhängern jedenfalls mehr als den Gegnern — zum Bewusstsein
gekommen sein und sie veranlasst haben, auf Abhülfe zu sinnen. Hierin
sehe ich die Erklärung für die Erscheinung, dass sich ein grosser Theil
davon mit Eifer der Nachrichten bemächtigte, die die französische Fachpresse über die Leistungen von Kapitän Gérards Radfahrtruppe brachte
und hier sowie in dessen Studie »Infanterie cycliste en campagne« den
Ariadnefaden aus dem Wirrwarr der Meinungen gefunden zu haben wähnte.
Endlich, so sagte man, hat einer den richtigen Griff gethan und einen
Eingang zu dem noch unerforschten Gebiete entdeckt. Mit Eifer drängte
man ihm nach in die offene Spalte. Nun hatte man doch etwas Greifbares.
Die von einem Kameraden Gérards geschriebene Vorrede zu seiner Studie
schliesst mit folgenden Sätzen: »Après avoir lu l'étude du capitaine
Gérard, on sera convaincu de l'utilité de l'infanterie cycliste. Cette idée
nouvelle ne tardera pas à germer en Allemagne. Dieu veuille que les
officiers de France ne voient pas leur intelligence et leurs
travaux uniquement profiter au roi de Prusse!«

Einem Theil der deutschen Militär-Radfahrlitteratur nach zu schliessen,
scheint nun allerdings dieser Stossseufzer einer gewissen Berechtigung
nicht zu entbehren. Ich erinnere aber daran, dass jene »infanterie
cycliste«, wie sie Gérard vorschwebt, eine Infanterietruppe sein soll, die
in gewissen Fällen, hauptsächlich aber im Gefecht, statt des Tornisters
ein Klapprad am Rücken trägt. Ob man sich an maassgebender Stelle
bei uns für diese »idée nouvelle« ebenso erwärmen wird wie jener Theil
der Fachpresse, erscheint mir mehr als zweifelhaft. Vielleicht möchten
die Befürchtungen des Freundes Gérards nur insofern zutreffen, als wir
aus des letzteren Studie die Lehre ziehen, es anders machen zu
müssen. Doch davon später.

Ich will diese Betrachtungen über die Stellung der Militärlitteratur
der Radfahrfrage gegenüber nicht abschliessen, ohne noch einer litterarischen Erscheinung des vergangenen Jahres zu gedenken, von der eine
kritische Stimme sagte, sie sei »der seit langem benöthigte kalte Wasserstrahl auf die überhitzten Gemüther der militärischen Fahrradfanatiker«.
Ich meine v. Boguslawskis kleine Schrift: »Das Fahrrad im bürgerlichen
und militärischen Leben«. v. Boguslawski hält nicht viel vom Fahrrade
als Kriegsmittel. Gegen die Errichtung von Radfahrer-Spezialtruppen
spricht er sich vorerst direkt aus.

Es liegt mir durchaus fern, in vorliegender Arbeit etwa eine Erwiderung der v. Boguslawskischen Schrift versuchen oder überhaupt irgend einem anderen litterarischen Kämpfer für oder gegen das Fahrrad entgegentreten zu wollen. Ich erachte es vielmehr im Interesse der Sache, wenn sie von den entgegengesetztesten Seiten beleuchtet und untersucht und des Lesers Urtheil nicht durch Replik und Duplik beeinflusst wird. Wenn ich dennoch im weiteren Verlauf auf einzelne Punkte vorerwähnter Schrift und anderer schriftstellerischer Auslassungen zurückkommen werde, so geschieht es nur, um meine eigenen Erfahrungen in den zu berührenden Richtungen der vergleichenden Kritik des Lesers zu unterstellen.

Ich bekenne mich nun rückhaltlos als Parteigänger des Fahrrades, dieses modernsten Kriegsmittels, selbst auf die Gefahr hin, von jenem ›kalten Wasserstrahl‹ auch mein Theil abzubekommen.

Wie schon der Titel meiner Studie andeutet, glaube ich fest an die Zukunft des Fahrrades, seine Brauchbarkeit und an die Entwickelung seiner Ausnutzung bis zur Schaffung von Spezialtruppen. Diese Ueberzeugung ist keineswegs das Ergebniss müssiger Spekulation oder persönlicher Liebhaberei. Sie ist nicht am grünen Tisch ausgeheckt, sondern wie es der Verfasser eines sich mit dem gleichen Stoffe beschäftigenden Aufsatzes*) verlangt, ›im Sattel geboren‹. Ich glaube die Erfüllung dieser Forderung deshalb für mich in Anspruch nehmen zu dürfen, weil ich seit dem Jahre 1894 zu praktischen Versuchen mit Armeefahrrädern und Militärradfahrern herangezogen wurde und das Glück hatte, die von da an auf Befehl des I. bayerischen Armeekorps alljährlich in München errichteten Radfahrkurse bis zum Vorjahre leiten zu dürfen.

Wenn ich mich hier auf die bayerischen Kurse berufe und weiter vorne gesagt habe, dass bisher überhaupt noch keine nach einheitlichem Plane durchgeführten und zur Feststellung der Leistungsgrenzen des Fahrrades bestimmten Kurse ins Leben traten, so darf ich wohl darauf hinweisen, dass hierin kein Widerspruch liegt. Die bayerischen Kurse waren in der That eine Sache für sich und verdankten ihr Dasein lediglich der Initiative des kommandirenden Generals. Es bestanden anderwärts keine Parallelkurse, die nach einheitlichem Plane gleichzeitig mit ihnen geübt hätten. Sie hatten auch nicht die Aufgabe, die Leistungsgrenzen des Fahrrades festzustellen, sondern anfänglich nur den Zweck, eine einheitliche Ausbildung der Radfahrer des Armeekorps in der Kenntniss und Behandlung der Räder, im Auftreten im Gelände und in den, den Radfahrern durch die Fahrradvorschrift und die Felddienstordnung vorgezeichneten Aufgaben zu fördern. Erst im weiteren Verlaufe traten die Uebungen der Kurse aus diesem Rahmen hinaus, indem sie nun auch als Vorschule für die in den Manövern aufzustellenden Radfahrer-Abtheilungen zu dienen hatten. Trotzdem aber dürften diese Kurse, was Zeit ihrer Entstehung, Zeitdauer, Stärke und Art ihrer Uebungen anlangt, unter allen ähnlichen Einrichtungen, bei uns und anderwärts, in erster Linie zu nennen sein und schon heute eine beträchtliche Summe werthvoller Erfahrungen auf dem berührten Gebiet gezeitigt haben. Da sich meine Ansichten fast ausschliesslich auf die Ergebnisse dieser Kurse stützen, will ich mich auch zuerst und bevor ich zu meinem eigentlichen Thema komme, zu ihnen und hier wieder insbesondere zu jenem des Jahres 1897 wenden.

I. Der bayrische Militär-Radfahrkurs 1897.

Die in Bayern zur Klärung der Militär-Radfahrfrage unternommenen Schritte grösseren Stils datiren aus dem Jahre 1895. Sie begannen mit

*) Militär-Wochenblatt 1898 Nr. 26, Seite 755.

einer im Mai stattgehabten Relaisfahrt über 1000 km, die zur Erprobung
von Fahrrädern veranstaltet und in Tag und Nacht fortgesetzter, nur durch
den Wechsel der Fahrer unterbrochener Fahrt durchgeführt wurde. Im
November des gleichen Jahres fand auf Anordnung des Generalkommandos
I. Armeekorps der erste Radfahrkurs für 12 Off., 24 Uoffz., ferner für
eine Anzahl Büchsenmacher und Waffenmeister statt. Der Kursus dauerte
vier Wochen. Er diente in erster Linie dem Zweck, tüchtiges und einheitlich geschultes Lehrpersonal für die Truppentheile heranzubilden und befasste sich daher vorzüglich mit der Ausbildung in der Behandlung der
Räder und in den durch die Fahrradvorschrift und Felddienstordnung vorgezeichneten Aufgaben. Unter den Uebungen des Kurses sind hervorzuheben: zwei Relaisfahrten über 52 km rund um München; davon eine bei
Tag, die andere bei Nacht und gefrorenem Boden; eine dritte über 165 km
auf der Strecke München—Landsberg—Augsburg—Bruck und zurück nach
München, bei starkem Weststurm und Schneewehen, sämmtliche auf Grund
einer gegebenen Kriegslage.

Im Jahre 1896 fand kurz vor den Herbstübungen der zweite Radfahrkurs ebenfalls wieder in der Dauer von vier Wochen statt. Es nahmen
daran 4 Off., 54 Uoffz. und Mannschaften, 1 Arzt und 1 Sanitäts-Uoffz.
Theil. Der Kurs hatte als Vorschule zu dienen für eine bei den Manövern
aufzustellende Radfahrer-Abtheilung und befasste sich daher hauptsächlich
mit den dabei zu erwartenden Anforderungen und Aufgaben. In den
Jahren 1897 und 1898 fanden der 3. und 4. Kurs statt. Beide Kurse
übten je sechs Wochen, doch nahmen an ersterem 10 Off., 105 Uoffz. und
Mannsch., 1 Arzt und 1 Sanitäts-Uoffz., an letzterem nur 3 Off. und
50 Mann Theil.

Die Aufgabe des Kurses 1897 war, einmal eine Radfahrer-
Abtheilung auszubilden, die während der grossen Manöver bei
Homburg v. d. Höhe dem Generalkommando unmittelbar unter-
stellt sein und ausschliesslich dessen Zwecken dienen sollte.
Als solcher Zweck war insbesondere bezeichnet worden, über die bisher
ungelöste Schwierigkeit der durchaus gesicherten Befehlsverbindung der
höchsten Truppenführer untereinander und in ihrem Befehlsbereich, in Verbindung mit den Feldtelegraphen-Formationen, hinwegzuhelfen. Die fernere Aufgabe war, eine versuchsweise zu taktischer Verwendung als fechtende Truppe bestimmte Radfahrer-Abtheilung
vorzuüben. Diese Abtheilung sollte nach Beendigung des Kurses zu den,
den grossen Manövern vorangehenden Kavallerie-Divisionsexerzitien herangezogen werden. Ihre Eintheilung während der grossen Manöver selbst
behielt sich das Oberkommando vor. Endgültig blieb die Abtheilung jedoch
bis zum Schlusse der Manöver der Kavallerie-Division zugetheilt.

Ausser mir waren sämmtliche zum Kurse kommandirten Offiziere
und Mannschaften aus den Infanterie-Truppentheilen des I. Armeekorps
ausgewählt. Die Kommandirten mussten ausgesucht gute Fahrer sein.
Diese Forderung traf auch vollkommen zu: unter den Unteroffizieren und
Mannschaften waren fast nur Leute, die schon vor ihrem Diensteintritt
Rad fuhren. Sämmtliche Offiziere und Mannschaften hatten sich freiwillig
gemeldet. Unter den Unteroffizieren und Mannschaften befanden sich
1 Feldwebel, 1 Hornist und 1 Sanitäts-Uoffz.; ausserdem waren 3 Leute
ausgebildete Fahrradmechaniker.

Die im Kurse verwendeten Fahrräder waren ausschliesslich Pneumatikräder neuester Konstruktion. Ein Viertel davon war der Garnitur A der
Kriegsfahrräder der Truppentheile entnommen; die übrigen waren neu
empfangen oder von Münchener Fahrradfirmen dem Kurse und den

Manöver-Abtheilungen unentgeltlich zur Verfügung gestellt worden. Unter den Letzteren befanden sich zwei Tandems (Zweisitzer). Die Offiziere fuhren eigene Räder.

Der theoretische Unterricht hatte sich zunächst mit dem 1. und 2. Theil der Fahrradvorschrift (Beschreibung und Behandlung des Fahrrades) zu befassen. Als sehr werthvolles und ergänzendes Instruktionsbuch diente hier ferner eine von dem österreichischen Leutnant Smutny, dem verdienstvollen Leiter der Grazer Militär-Radfahrkurse verfasste Anleitung.*) Weitere Gegenstände des theoretischen Unterrichts waren Kartenlesen, Abfassung von Krokis und Meldungen, Verhalten der Einzelnfahrer als Relaisposten, Patrouilleure und Aufklärer, Felddienst und Anderes mehr.

Die praktischen Uebungen begannen mit der Unterweisung in einem gleichmässigen, militärischen, die höchste Leistung bei möglichst geringem Kraftaufwand verbürgenden Sitz zu Rade. Zunächst galt es, jenen üblen Angewohnheiten, jenem von einem Theil der Fahrer aus dem bürgerlichen Leben mitgebrachten Katzenbuckelsitz, von dem v. Boguslawski sagt, man müsse sich an seinen Anblick gewöhnen, wie der Krebs ans Kochen, energisch zu Leibe zu gehen. Hier war jedoch bald gründliche Abhülfe geschaffen, nachdem für jeden einzelnen Fahrer die Maschine seiner Körpergrösse entsprechend gestellt, insbesondere die Lenkstangengriffe in Höhe des Sattels und dieser möglichst senkrecht über die Tretkurbellager (also möglichst nahe zur Lenkstange) herangebracht, und nachdem die Fahrer ferner angewiesen worden waren, ihr Augenmerk stets weit nach vorwärts zu richten.

Der Oberkörper des Fahrers kann nicht vollkommen senkrecht sein, wie der des Reiters; schon deshalb nicht, weil der Fahrer nicht nur sitzt, sondern sich auch mit den Armen stützt. Der Reiter lässt sich tragen, der Fahrer bewegt sich durch eigene Kraft fort. Der Reiter setzt sich bei Hindernissen erst recht in den Sattel, der Fahrer muss sich dazu aus dem Sattel heben und das Körpergewicht ganz auf die Pedale übertragen. Bei schwierigem Boden lässt der Fahrer unwillkürlich sein Körpergewicht auf die Pedale mitwirken, was er nur kann, wenn er eben nicht sitzt. Radfahren ist ein ander Ding wie Reiten. Wer wollte vom Bergsteiger, vom Schlittschuhläufer oder von einem Manne im Laufschritt verlangen, dass sie bei dieser Thätigkeit den Oberkörper lothrecht tragen? Und doch hat das Radfahren mit diesen Fortbewegungsarten viel mehr verwandte Seiten als mit dem Reiten. Das Radfahren und Reiten haben überhaupt nichts gemein, als dass man sich bei beiden eines Sattels bedient.

Aus diesen Gründen wurde der Sitz insofern etwas abweichend von dem in der Fahrradvorschrift beschriebenen angewiesen, als die Fahrer gehalten waren, zwar die Schultern tief zu nehmen und das Kreuz anzuspannen, aber den Oberkörper etwas vorzuneigen und zwar so weit, dass die Schultern lothrecht über der Tretkurbelachse lagen. Die Arme selbst mussten gestreckt auf die Lenkstangengriffe gestützt sein, da dies das einzige Mittel ist, die Maschine unter allen Umständen zu beherrschen und, wo nöthig, in schnellster Fahrt zu stoppen und abzuspringen. Nachdem der richtige Sitz aller Fahrer gesichert war, wurden Fahrübungen unter schwierigen Verhältnissen vorgenommen. Es wurde das nahe aneinander Vorbeifahren geübt, das Fahren über Steinhaufen, Geröll, Baumwurzeln, durch grossen Strassenverkehr, über Steilhänge herab, durch Wälder, auf Eisenbahndämmen, das Uebergeben von Schriftstücken von

---

*) Anleitung zur Behandlung des Fahrrades von Franz Smutny. 2. Auflage. Graz 1897.

Mann zu Mann während schnellster Fahrt, als Vorübung für den Relaisdienst.

Das Ergebniss dieser Uebungen und des systematischen Trainings
war, dass der in der Fahrradvorschrift (Ziff. 74) als zufriedenstellende
Leistung bezeichnete Ausbildungsgrad selbst unter den ungünstigsten Verhältnissen nicht nur weit übertroffen wurde, sondern auch die Sicherheit
in der Beherrschung des Rades schliesslich eine derartige Höhe erreichte,
dass das Hinabfahren eines Steilhanges von 2 bis 3 m Höhe in zwei-
gliedriger Linie, das Durcheilen von Unterholz freien Waldungen in auf-
gelöster Ordnung, das Fahren zwischen Eisenbahnschienen oder seitwärts
dieser, das Durchqueren schräg abgestochener Chausseegräben — und
waren sie auch mit Wasser gefüllt — den Fahrern die Idee einer besonderen Leistung gar nicht mehr aufkommen liess.

Diese Uebungen waren nicht Selbstzweck, sondern nur Mittel zum
Zweck: nämlich zu erreichen, dass den Fahrern das Fahren auf gebahnten Wegen keinerlei Ueberraschungen und Schwierigkeiten mehr bot, sie
sich vielmehr hier in ihrem ureigensten Element fühlten. Abgesehen
hiervon haben jedoch diese Uebungen bewiesen, dass ein wohlgeübter,
trainirter und findiger Radfahrer auch im Gelände vorwärts kommen
kann, wenn ihm die Verhältnisse das Betreten der Wege verbieten. Auf
das Fahren auf Bahndämmen werde ich noch zurückkommen.

An das Einzeln- und Hindernissfahren schloss sich die Ausbildung
im Fahren im geschlossenen Trupp.

Die Vorwärtsbewegung einer Radfahrtruppe erfordert eine ganz ausserordentliche Marschzucht. Ein vorzügliches Mittel, sie zu erreichen, besteht
allerdings auch darin, dass fast jeder Fahrer, der sich dagegen verfehlt,
durch Sturz am eigenen Leibe bestraft wird. Das Charakteristische dieser
Vorwärtsbewegung besteht nicht nur in der Schnelligkeit und Lautlosigkeit, sondern auch — und hierin liegt die Hauptschwierigkeit — in der
Abhängigkeit der Fahrer voneinander: jede Verkürzung des Tempos oder
Stockung an der Spitze muss sich blitzartig bis zum letzten Mann zurück
übertragen; jeder unerwartete Halt vorne muss die Fahrer wie selbstthätig
aus dem Sattel schnellen; jeder Sturz eines Fahrers erfordert das rascheste
Ausbiegen aller Nachfolgenden, wobei es bisweilen nothwendig wird, rück-
sichtslos vom Wege abzubiegen, durch den Strassengraben ins freie Feld
hinein und auf dieselbe Art wieder auf die Strasse zurückzufahren. Diesen
Forderungen kann nur dann genügt werden, wenn bei ausserordentlicher
Fahrsicherheit und Beherrschung des Rades unausgesetzt die gespannteste
Aufmerksamkeit nach vorne herrscht.

Nach vielen Stürzen und nicht unerheblichen Radschäden gelang es
endlich aber, in nahezu dicht aufgeschlossener Marschkolonne
(0,5 m Abstand von Rad zu Rad) selbst im dichtesten Strassenstaub oder
im Dunkel der Nacht, ohne Unfall und sonstige Störungen Geschwindigkeiten von 20 km in der Stunde und darüber zu fahren. Es hat sich
gezeigt, dass es nöthig ist, bei längeren Märschen mit den Spitzenfahrern
zu wechseln. Diese ermüden rascher wie die anderen, da sie die grösste
Summe des Luftwiderstandes zu überwinden und nicht wie alle Anderen
in der Kolonne einen Vordermann haben, der ihnen gewissermaassen als
Schrittmacher dient.

Als normale Marschkolonne wurde die zu zweien angewendet.
Diese Formation ergiebt sich ganz naturgemäss aus der Breite und Durch-
schnittsbeschaffenheit unserer Strassen und der für Truppenbewegungen
meist in Betracht kommenden Wege. Waren die Strassen genügend breit
und gestattete es deren Zustand, so wurde zu dreien, auch zu vieren auf-

marschirt, um die Marschkolonne thunlichst zu verkürzen. Dafür konnte im Gelände, wo es galt, sich auf Fusswegen, Waldpfaden, Bahndämmen fortzuschaffen, meist nur in Reihenkolonne (zu Einem) gefahren werden.

Wenn es auch gelang, mit Abständen von 0,5 m zu fahren, wie auf Tafel 1 Abbild. 1 darstellt, so musste doch als Durchschnittsabstand des einzelnen Fahrers von seinem Vordermann 1 bis 1,5 m gerechnet werden. Grössere Abstände zu nehmen, war nur in sehr seltenen Ausnahmefällen nöthig. Bei der Länge unserer Fahrräder von 1,80 m muss man also nach diesen Erfahrungen für den einzelnen Fahrer mit dem rückwärtigen Abstand eine Tiefe von rund 3 bis 3,5 m und daher für eine Abtheilung z. B. von 400 Fahrern (200 Paare) eine solche von 600 bis 700 m in Ansatz bringen.*)

Rechnen wir einmal mit einer uns näher liegenden Truppenstärke. Die Marschtiefe einer kriegstarken Kompagnie zu Rade (250 Mann oder 125 Paare) würde schwanken zwischen 375 und 437,5 m, also rund 400 m betragen.

Unter mittleren Verhältnissen ist sonach die Marschkolonne einer Radfahrtruppe vier Mal so lang als jene einer gleich starken Infanterie-Abtheilung.**)

Die weiteren Uebungen dienten der Vorbereitung für das gefechtsmässige Auftreten: der geschlossenen Truppe sowohl als auch der Einzelfahrer. Hierher gehörten die Ausführung der Kriegsmärsche, die Gefechtsentwickelungen, der Relaisdienst, die Thätigkeit der Offizierspatrouille. Zu den Kriegsmärschen war der Kurs in vier — später in drei — Züge getheilt. Zur Sicherung diente beim Vormarsch lediglich eine Spitze, beim Rückmarsch eine Nachspitze. Diese bestanden aus 1 Off. und 10 bis 15 Fahrern (worunter meist die zwei Tandempaare). Die Spitze war etwa 2 km vorgetrieben und hatte die Verbindungsfahrer zur Hauptkolonne zu stellen. Die Nachspitze folgte gewöhnlich mit einigen hundert Metern Abstand. Die auf den Rücksitzen der Tandems befindlichen Fahrer wurden dahin ausgebildet, das Gelände vorwärts und seitwärts unausgesetzt im Auge zu behalten und nöthigenfalls dem Spitzenführer durch Zuruf zu melden. Die Mittheilungen zur Hauptkolonne erfolgten durch Zeichen, die durch die Verbindungsfahrer weiter zu leiten waren, oder durch mündliche (schriftliche) Mittheilung an den Führer durch zurückgeschickten Meldefahrer. Für die typischen Fälle (auf Feind gestossen, Kavallerie in der Flanke, Abtheilung soll rasch vorwärts und dergl.) waren Zeichen festgesetzt. Während der Märsche durften keine Kommandos gegeben werden. Für das Aufsitzen und Anfahren, für das Halten und Absitzen, für Veränderungen in der Breite der Marschkolonne und für Tempoveränderungen waren ebenfalls Zeichen angeordnet. Diese waren von den Zugführern abzunehmen und weiter zu leiten. Zu ihrer Ankündigung diente ein kurzer Pfiff mit der Schützenpfeife. Diese Maassregel verfolgte zwei Zwecke: die lautlose Vorwärtsbewegung einer Radfahrtruppe durch laute Rufe nicht illusorisch zu machen und die

---

*) Nach v. Boguslawski 1000 m (siehe S. 40 seiner Broschüre). Vermuthlich stützt sich diese Angabe auf Erfahrungen preussischer Kurse, die kürzere Uebungsdauer hatten. So liegt mir beispielsweise der Bericht über die Erfahrungen einer preussischen Radfahr-Abtheilung vom Jahre 1897 vor, worin es als nothwendig bezeichnet wird, bis zu 3 m Abstand zu halten. Diese Abtheilung hatte jedoch nur 8 Uebungstage, ehe sie zu den Manövern abrückte. Ferner fuhr ein Theil der Mannschaften eigene Maschinen; ein Umstand, der die Leute erfahrungsgemäss bestimmt, das Wohl und Wehe ihrer eigenen Fahrräder dem Uebungszweck voranzustellen.

**) Wir werden aus den folgenden Ausführungen ersehen, dass auch die Durchschnitts-Marschgeschwindigkeit und die tägliche Durchschnitts-Marschleistung einer Radfahrtruppe als viermal so gross in Ansatz gebracht werden dürfen wie jene der Infanterie.

Aufmerksamkeit der Fahrer nach vorwärts stets in Anspannung zu halten.
Nur bei überraschender Annäherung feindlicher Kavallerie wurde das
Signal »Achtung« geblasen.

Für die Einübung der Gefechtsentwickelungen gab zunächst die
Betrachtung der beabsichtigten Manöververwendungen die nöthigen Fingerzeige. Es wurde erkannt, dass hier die Ausbildung nach zwei
ganz wesentlich verschiedenen Richtungen hin erfolgen müsse
und zwar musste einerseits die Gefechtsentwickelung aus der Marschkolonne gegen überraschenden Angriff, anderseits jene aus vor-
hergegangener Versammlung heraus zur Darstellung und Einübung
gelangen.

Im ersten Falle galt es, jenes Schwächemoment zu überwinden, das
in der grossen Tiefe einer Radfahrtruppe (im Vergleich zu ihrer numerischen Stärke) besteht. Im zweiten Falle aber handelte es sich hauptsächlich darum, der Forderung zu genügen, sich rasch der Fahrräder zu
entledigen und nach gelöster oder misslungener Gefechtsaufgabe wieder
in deren Besitz zu gelangen.

Die Abwehr eines überraschenden Angriffs auf die in voller
Fahrt befindliche Abtheilung, also die Abwehr eines Angriffs, der bei
der voraussichtlichen Verwendung einer Radfahrtruppe wohl nur von Kavallerie zu befürchten steht, wurde folgendermaassen angewiesen und eingeübt: a) Angriff von vorne (oder von rückwärts) halten und abspringen!
— die Räder rechts und links des Weges niederlegen — Alle Mann im
Laufschritt nach vorne (hinten) und daselbst zu beiden Seiten der Strasse
zu 4 lockeren Gliedern auflaufen (2 kniend, 2 stehend)! — Feuereröffnung
je nach Umständen schon mit den zuerst ankommenden Mannschaften!

b) Angriff von der Flanke: halten und abspringen! — Die Räder
rechts und links des Weges niederlegen! — 10 bis 15 Schritte hinter die
Räder treten! — Lockere Schützenlinie! Zeitgerechte Feuereröffnung.

Zur Ausführung wurde lediglich das Signal »Achtung« gegeben und
die Annäherungsrichtung der feindlichen Kavallerie bezeichnet. Alle weiteren
Kommandos bis zur Feuereröffnung unterblieben.

Im Falle a) bedurfte es durchschnittlich 1 bis 2 Minuten, im Falle b)
10 bis 15 Sekunden, bis alle Gewehre in Thätigkeit treten konnten. Die
Veranlassung zu der Weisung, im zweiten Falle hinter die Räder zu
treten, gab die durch Versuche festgestellte Thatsache, dass die Pferde
auf dem Erdboden liegende Fahrräder aufs Aeusserste refüsiren.

Die für die Gefechtsentwickelungen aus einer Versammlung
heraus festzustellenden Normen ergaben sich aus der Betrachtung der
einer Radfahrer-Abtheilung voraussichtlich zufallenden Gefechtsaufgaben.
Es lag nahe, dass diese ähnlicher Natur sein würden wie jene,
die die Kavallerie durch das Fussgefecht zu lösen strebt, also:
besetzte Engwege zu öffnen oder zu sperren, dem Feinde bei rückgängigen
Bewegungen Aufenthalt zu bereiten, zurückgehende Kavallerie aufzunehmen,
Artillerie zu bedecken, bei der Verfolgung wichtige Punkte im Rücken des
Feindes zu sperren, den Feind zu alarmiren und zu täuschen, Ueberfälle
auszuführen und dergleichen mehr. Es sind dies lauter Aufgaben, bei
deren Durchführung eine Radfahrtruppe nur in den seltensten Fällen berufen oder gezwungen sein wird, den Kampf — coûte que coûte — bis
zur völligen Entscheidung durchzuführen, und wobei daher Angriff ebenso
wie Vertheidigung einen mehr demonstrativen Charakter an sich tragen
werden. Neben diesem einen charakteristischen Moment für das gefechtsmässige Auftreten einer Radfahrtruppe ist noch ein zweites ganz besonders
in Betracht zu ziehen: dass sich nämlich in der überwiegenden

Mehrzahl der aufgeführten Fälle die Gefechtsentwickelungen in nächster Nähe der Vormarschstrasse abspielen werden.

Auch bei diesen Uebungen waren zwei Fälle zu unterscheiden: ob das zu erreichende Objekt vom Feinde frei oder ob es von diesem besetzt war. **1. Fall.** Das zu erreichende, in Besitz zu nehmende Objekt wird vom Feinde frei gefunden. Die Radfahrtruppe fährt an dieses heran soweit es Weg- und Bodenverhältnisse erlauben, und nimmt die Besetzung den Umständen entsprechend vor. Die Fahrräder werden thunlichst an einem geschützten Platze zusammengestellt oder wenigstens durch Niederlegen feindlicher Feuerwirkung möglichst entzogen. Bei Auswahl dieses Platzes und der Anordnung der abgestellten Fahrräder ist darauf zu rücksichtigen, dass die Truppe jederzeit möglichst rasch wieder in den Sattel kommen und von feindlichem Feuer unbelästigt abziehen kann. Bei den Fahrrädern bleibt ein Bewachungskommando von 6 bis 10 Mann unter einem Unteroffizier.

2. Fall. Das zu erreichende Objekt wird vom Feinde besetzt vorgefunden. Der Führer beschliesst, es wegzunehmen. Die Radfahrtruppe fährt soweit heran, als es vom feindlichen Feuer unbehelligt geschehen kann, und als es die näheren Umstände, Wege und Bodenverhältnisse und das vom Angriff zu durchschreitende Gelände gestatten. Die Fahrräder werden, wie vorher erwähnt, abgestellt und der Angriff nunmehr nach den reglementären Bestimmungen für das Gefecht der Kompagnie angesetzt.

Erkennt der Führer nunmehr, dass die weitere Durchführung des Angriffs keinen Erfolg verspricht und beschliesst er daher, wieder davon abzustehen oder misslingt überhaupt der Angriff, so zieht sich die Truppe fechtend gegen den Räderabstellplatz zurück. Das Aufsitzen und Abziehen ist alsdann durch das Räderbewachungskommando, unter Umständen auch durch eine entsprechend starke Arrieregarde zu decken, die dann zeitgerecht folgt und durch rascheres Fahren den Anschluss wiedergewinnt.

Ist der Angriff dagegen gelungen und das Angriffsobjekt weggenommen; liegt es ferner in der Absicht des Führers, dieses länger zu halten und macht sich nach Sachlage der Dinge der Wunsch geltend, die Fahrräder wieder an sich heranzubringen, so ertheilt nunmehr der Führer hierzu die nöthigen Weisungen.

Ein gleichmässiges Verfahren für alle Fälle kann hier nicht platzgreifen. Der Führer muss vielmehr von Fall zu Fall, der Lage entsprechend seine Anordnungen treffen. Immerhin lassen sich zwei Hauptarten des Verfahrens unterscheiden: entweder die Leute des Räderbewachungskommandos bringen nach und nach die Fahrräder an der Hand vor oder die Hälfte der Truppe marschirt zu den Rädern zurück und bringt dann — jeder Fahrer ein lediges Rad an der Hand — sämmtliche Räder mit einem Male vor, indess die übrige Hälfte zur Besetzung vorne bleibt. (Siehe Abbild. 5, Tafel 3.)

Dieses Verfahren hat sich nicht nur bei den weiteren Gefechtsübungen des Kurses, sondern auch während der Manöver jederzeit als praktisch und durchführbar erwiesen. Ich werde in den noch folgenden Abschnitten wiederholt darauf zurückkommen.

Die im Kurs, ebenso wie in seinen Vorgängern, mit dem Legen von Relaisketten gemachten Erfahrungen haben ein Verfahren als vortheilhaft erkennen lassen, das ich an einem Beispiele erläutern will.

Aufgabe. Es soll zwischen dem Ausgangspunkt A und dem Endpunkt E (35 km Entfernung) eine Relaiskette gelegt werden. Es stehen zwölf Fahrer zur Verfügung. (Siehe umstehende Skizze.) Die ganze

Strecke wird in sieben Theilstrecken von rund 5 km zerlegt und der Karte
nach auf die Fahrer derart vertheilt, dass der Anfangs- und Endpunkt mit je
zwei, die Zwischenpunkte mit je einem Fahrer besetzt werden. Es bleiben
sonach zwei Fahrer übrig, die als besondere
Reserve am Ausgangspunkte zurückgehalten
werden. Eine von A abgehende Depesche wird
in doppelter Ausfertigung den dort postirten
Fahrern a_1 und a_2 übergeben, die miteinander ab-
fahren. Fahrer a_1 übergiebt bei Punkt m seine
Depesche an den dort postirten Fahrer und kehrt
nach A zurück. Fahrer a_2 begleitet den Fahrer m
nach n und kehrt jetzt erst nach A zurück. Der Fahrer von m
begleitet den von n nach o und kehrt dann nach m zurück.
Die weiteren Fahrer verfahren analog. Auf diese Weise wird
die doppelt ausgefertigte Depesche jeweils von zwei Fahrern
gleichzeitig befördert und hierdurch eine grosse Sicherheit der
Bestellung gewährleistet.

Die Posten hatten stets fahrbereit auf ihren Plätzen und
nach beiden Seiten hin aufmerksam zu sein. Sobald sie die
Annäherung eines Nachbarpostens gewahrten, hatten sie auf-
zusitzen und in der gleichen Fahrtrichtung wie der Ankommende anzufahren, dann das Tempo allmählich so zu
steigern, dass der Herankommende nicht zu pariren brauchte,
und von diesem in voller Fahrt die Depesche abzunehmen.
Auf diese Weise wurde eine Beförderungsgeschwindigkeit von
25 bis 30 km in der Stunde erreicht.

Zur besonderen Uebung gelangte das Verlegen schon
aufgestellter Relaislinien für den Fall, dass eine der verbundenen Stellen oder beide ihren Platz wechselten. Es hat
sich hier gezeigt, dass es meist praktischer ist, eine einmal
schon aufgestellte Relaislinie grossentheils stehen zu lassen und nur
entsprechend von ihr abzuzweigen, als den Versuch zu machen, alle Posten
auf die neue Verbindungslinie der korrespondirenden Stellen hinüber-
zuschieben.

Ueber das Auftreten von Offizierpatrouillen zu Rade konnten im
Kurs nur geringe Erfahrungen gesammelt werden, da für diesen Uebungs-
zweig die Verhältnisse des Ernstfalles nur ganz mangelhaft zur Darstellung
gebracht werden konnten. Die Uebungen hierin bezweckten also lediglich,
die Offiziere zu unterweisen, wie sie unter Umständen auch abseits der
grossen Strassen ein gestecktes Ziel erreichen könnten.

Auf die im Vorhergehenden geschilderten vorbereitenden Uebungen
folgten die eigentlichen Gefechtsübungen mit zwei Parteien gegeneinander oder mit markirten feindlichen Postirungen. Die Aufgaben, auf Grund einer Kriegslage aufgebaut, hielten sich im Allgemeinen
in dem weiter vorne bei Besprechung der Gefechtsentwickelungen gekennzeichneten Rahmen. Einmal fand eine Nachtübung (Hinterhalt) mit darauf-
folgendem Nachtmarsch statt.

Die Uebungen des Kurses schlossen mit einem fünftägigen
Uebungsmarsch. Dieser bezweckte eine Prüfung des Kurses auf seine
Leistungsfähigkeit vor dessen Abgang zu den Manövern. Er sollte ferner
dazu dienen, die Verwendung einer Radfahrtruppe in gebirgiger Gegend
zu erproben. Da beabsichtigt war, Gefechtsübungen einzuflechten, wurde
bei der Anlage darauf geachtet, die einzelnen Tagesmärsche nicht über
80 km auszudehnen. Für die Ausführung des Marsches war folgende

Marschtafel festgesetzt: 1. Tag München—Truppenübungsplatz Lechfeld 80 km, 2. Tag Lechfeld—Diessen am Ammersee 47 km, 3. Tag Diessen—Kochelsee 56 km, 4. Tag Kochelsee—Tegernsee 82 km, 5. Tag Tegernsee—München 60 km, im Ganzen 325 km.

Zu dem Marsche waren die Mannschaften nach der Fahrradvorschrift feldmarschmässig bekleidet und ausgerüstet und trugen das Gewehr über dem Rücken. Das Seitengewehr blieb umgeschnallt. Die Fahrräder waren feldmarschmässig bepackt. Der gerollte Mantel war unter dem Sattel befestigt und eine zusammengefaltete Zeltbahn unter der Lenkstange um das vordere Rahmenrohr herumgeschlungen und über dem oberen Rahmenrohr geknüpft. Die Lenkstange selbst war vom Gepäck vollständig frei. Die so ausgerüsteten Fahrräder wogen · 25 kg. Die drei als Mechaniker verwendeten Gemeinen hatten ausser ihrem Gepäck noch Werkzeuge und Radreservetheile mitzuführen, wodurch sich das Gewicht ihrer Fahrräder auf 40 kg erhöhte.

Mit derartig schwer bepackten Maschinen — ein gewöhnliches Tourenrad wiegt 12 bis 14 kg —, mit dem Gewehr über dem Rücken im Gebirge Tagesmärsche von 60 bis 80 km zurückzulegen, muss an und für sich schon als anstrengende Leistung bezeichnet werden. Es hatten jedoch die Launen der Witterung in ganz unerwarteter Weise dazu beigetragen, jene Anstrengungen auf das höchste Maass zu steigern: denn Wind und empfindliche Kälte, Gewitter und fast ununterbrochener, meist strömender Regen waren die steten Begleiter des Marsches von Anfang bis zu Ende.

Die Fahrt führte an den ersten drei und dem letzten Tage durch stark welliges Gelände, am vierten durch den zwischen Kochel, Wallgau und Tegernsee gelegenen Theil des bayerischen Hochgebirges. Die Strassen, grossentheils an und für sich von zweifelhafter Güte, waren alsbald mit Schlamm bedeckt, der sich zwischen die Pneumatiks und die Schutzbleche einklemmte und wie eine Bremse wirkte. Die Offiziere und Mannschaften hatten jedoch einen derartigen Grad von Training und Fahrsicherheit erreicht, dass selbst diese widrigsten Verhältnisse niemals dazu zwangen, aus dem Sattel zu steigen. So wurde auch ohne Unfall über all jene Berge hinabgefahren, die Tourenbücher und Warnungstafeln als unfahrbar bezeichnen; ich nenne z. B. die mit Kopfsteinpflaster versehene Bergstrasse von Landsberg am Lech.

Am 4. Tage stiess man zwischen Fall und Kaiserwache auf ein unvorhergesehenes Hinderniss. Südlich der Gais-Alpe war die Walchen, die dort die Grenze gegen Oesterreich bildet, über ihre Ufer getreten und hatte die neben ihr herführende Strasse auf eine Strecke von etwa 50 m vollständig überschwemmt. Wollte man heute noch das gesteckte Ziel, Tegernsee, erreichen, so blieben nur zwei Wege: entweder durchs Wasser oder über die Gais-Alpe, die steil zur Walchen abfällt. Der letztere erschien mir der gefahrvollere, ich befahl daher den ersteren. Ein Durchfahren war nicht mehr möglich, da die Strömung schon zu reissend und der Lauf der Strasse überhaupt nicht mehr zu erkennen war. Die Strecke musste daher durchwatet werden. Die Räder mussten dabei über dem Kopf getragen werden. Es zeigte sich jedoch sofort, dass diese Expedition nur mit grösster Vorsicht und Zeitaufwand zu bewerkstelligen war. Zwei Offiziere und mehrere Mannschaften verloren den Grund und mussten, bis zum Halse versunken, wieder herausgezogen werden. Hierbei stieg die Walchen so rapid, dass das Wasser den letzten Mannschaften bis zur Brust reichte.

Endlich war die Abtheilung glücklich gelandet. Es fehlten jedoch noch einige Leute, die wegen Radschäden in Fall zurückgeblieben waren. Diesen durfte nicht überlassen werden, sich aus der immer gefährlicher werdenden Lage nach eigenem Ermessen herauszuhelfen. Es erbot sich daher Leutnant Freiherr v. Lochner (3. Inf.-Regt.) freiwillig, zurückzubleiben und sie nachzubringen.

Der Kurs setzte hierauf, völlig durchnässt, seine Fahrt fort und erreichte nach einem Marsch von weiteren 25 km spät abends Tegernsee. Erst bei eingebrochener Nacht langten auch die bang erwarteten Nachzügler an. Sie hatten die überschwemmte Stelle nicht mehr passiren können. Der Offizier liess sie daher an dem Steilhang der Gais-Alpe entlang klettern. Es war dies nicht ohne bedeutende Schwierigkeiten und Gefahr auszuführen. Die Fahrräder mussten dabei von den mit dem Rücken an die Bergwand gelehnten, eine Kette bildenden Mannschaften von Hand zu Hand weitergereicht werden.

Mit der Rückkehr nach München war die Thätigkeit des Kurses beendet. Die für die Radfahr-Abtheilung des Generalkommandos bestimmten Offiziere und Mannschaften gingen zunächst zu Rade zu ihren Truppentheilen zurück; die für die Kavallerie-Division in Aussicht genommene Radfahr-Abtheilung rückte in vier Tagemärschen (300 km) über Ingolstadt, Nürnberg, Bamberg nach Schweinfurt ab. Wir werden diesen beiden Abtheilungen in dem letzten Abschnitt wieder begegnen.

Auf die bei den Uebungen des Kurses gemachten positiven Erfahrungen und die darauf begründeten Folgerungen werde ich auch erst in den folgenden Abschnitten näher eingehen.

Mögen Andere anderer Meinung sein. Meine Meinung ist die, dass eine fest organisirte Radfahrtruppe, die im Schiessen ebensowohl wie im Radfahren auf das Sorgfältigste ausgebildet wurde; die gelernt hat, Wind und Wetter zu trotzen und sich im Gelände, wenn es sein muss, auch abseits der grossen Strassen fortzubewegen; die zweckmässig ausgestattet mit einem wirklich kriegsbrauchbaren Rade und mit vielen anderen jetzt noch gar nicht zu übersehenden Dingen ausgerüstet ist, dass eine derartige Radfahrtruppe ein Kraftelement in sich birgt, das im Felde ausserordentliche Dienste leisten wird, wenn es nach jenen Richtungen hin nutzbar gemacht und auf jenen Gebieten entfesselt wird, die eben in erster Linie der Natur des Fahrrades und den Eigenthümlichkeiten einer solchen Truppe angepasst sind.

Es giebt und wird bei uns wie ausserhalb der deutschen Grenzpfähle wohl auch noch fernerhin gar Manche geben, die trotz aller Beweise des Gegentheils an Behauptungen festhalten, wie, der Radfahrer könne nur bei ganz günstigen Wege- und Witterungsverhältnissen vorwärts kommen und selbst dabei drohe ihm von Kilometer zu Kilometer ein Pneumatikdefekt, der ihn stundenlang lahm lege; jeder Stein am Wege, jede Strassenfurche bringe ihn zu Fall. Und erst gar Radfahr-Abtheilungen! Wenn da einer stürzt, so stürzen Alle; jeder geringfügige Bach, dessen Brücke abgebrochen ist, bereitet ihren Bewegungen ein jähes Ende u. s. w. Ich besitze einen Zeitungsausschnitt, da heisst es wörtlich: »Militär-Radfahrer-Abtheilungen sind eine Friedensspielerei. Von den Franzosen, die sich mit Begierde auf jede Neuerung stürzen, die ihnen einen Vortheil über die bösen Deutschen zu verschaffen verspricht, sind sie ausersonnen und von uns nachgemacht worden. Im Kriege werden sie hauptsächlich dazu dienen, die Strassengräben zu bevölkern.« Der Versuch, derartige »Skeptiker« aus dem Banne ihres Ideenkreises herauszureissen, liegt mir durchaus fern und soll weder der Zweck der vorstehenden, noch der kommenden Zeilen sein.

(Fortsetzung folgt.)

Ueber Signalisiren.

Mit einem Anhange: Feldsignaldienst ohne besondere Vorbereitung.

Mit sechs Abbildungen.

Die Berichte über unsere Manöver der letzten Jahre haben einer Meldeart Erwähnung gethan, die bis dahin bei uns in der Truppe noch wenig beachtet und bekannt geworden ist: nämlich durch Signalisiren und zwar durch Anwendung theils von Flaggen, theils von Apparaten, bei welchen die Strahlen entweder des Sonnenlichts oder von künstlichem Licht zur Signalgebung benutzt wurden. Mit der Erfindung des elektrischen Telegraphen verschwanden die Zeichenträger — Semaphore — der optischen Telegraphie, welche bis dahin die einzige Möglichkeit gewährt hatten, Nachrichten verhältnissmässig rasch über weite Entfernungen zu befördern, sehr bald; sie fanden dann nur noch Anwendung an den Küsten zur Herstellung der Verbindung mit den Schiffen und zur Küstenvertheidigung, zu welchen Zwecken auch heute noch unsere Marine sich ihrer bedient. Die Semaphore bestehen jetzt meist aus einem 3 m hohen Mast mit drei bis vier Signalarmen, welche mittelst eines Drehrades bewegt werden und deren verschiedenartige Stellungen zu einander die verabredeten Zeichen ergeben (nach einem Signalbuch). Nachts werden sie durch elektrische Glühlampen erleuchtet, oder sie werden durch einen elektrischen Signalapparat (Kaselowskyscher) ersetzt, der aus drei rothen und drei weissen, an einem Mast hängenden Glühlampen besteht, welche durch verschiedenartiges Aufleuchten 14 verschiedene Zeichenzusammenstellungen ergeben; das Aufleuchtenlassen wird durch eine den elektrischen Strom umschaltende und nach Art einer Schreibmaschine bediente Vorrichtung bewirkt. Für den Feldgebrauch ist die Semaphor-Signalgebung zu schwerfällig und wird daher nur in Ausnahmefällen Verwendung finden können, wie dies z. B. seitens der Oesterreicher in dem bosnischen Feldzuge auf folgende Art geschehen ist: An einem 3 m hohen Mast war ein grosses drehbares, gleichschenkliges Rahmendreieck und auf der Spitze noch eine runde Scheibe angebracht. Mittelst der zwölf verschiedenen Dreiecksstellungen wurden die zu telegraphirenden Buchstaben dargestellt; zum Signalisiren in der Nacht wurden an den Dreieckspunkten Lampen aufgehängt und die Scheibe auf der Spitze durch eine vierte Lampe ersetzt. Dieser Apparat war gegen 60 Pfund schwer, vier Mann waren zum Tragen nöthig, also eine ziemlich beschwerliche Sache, während doch für das Feld die einfachsten Einrichtungen immer die besten sind, namentlich wenn sie durch die Truppe selbst und nicht etwa nur bei einzelnen hohen Kommandostellen gehandhabt werden sollen.

Von diesem Gesichtspunkt aus kommen wir zunächst zur Besprechung der Flaggen-Signalgebung. Signale durch Flaggen zu geben und hierdurch mittelst verabredeter Zeichen Buchstaben darzustellen, ist jedenfalls bei Tage die einfachste Art der optischen Telegraphie, genügen doch unter Umständen auf geringe Entfernungen schon die Lanzenfähnchen hierzu. Im Allgemeinen dient als Flagge eine etwa 1 bis 2 m lange Stange mit einer 1 qm grossen Schwenkfläche, letztere entweder lose, wie z. B. bei uns und in England, oder in Rahmen, wie in Frankreich. Da die deutsche Signalgebung in den Fussstapfen der englischen wandelt, und letztere wohl als Muster hierfür gelten kann, so wollen wir sie an Hand der englischen kriegsministeriellen Vorschrift näher betrachten. Die Farbe der Schwenkfläche ist entweder weiss mit blauem Querstrich oder dunkelblau; die helle Farbe wird genommen, wenn der Hintergrund der Signalstation dunkel, die dunkle Farbe dagegen, wenn der Hintergrund hell

ist, damit auf diese Weise die Zeichengebung sich um so schärfer abhebt
oder erkennbar ist. Die Buchstaben werden nach dem Morse-Alphabet
mit Punkten und Strichen kenntlich gemacht, und zwar wird der Strich
durch ein Schwenken, der Punkt durch Senken der Flagge aus der Normalstellung dargestellt; die einzelnen Buchstaben geben dann die Worte, diese
wieder die Sätze; nach jedem Buchstaben, Wort, Satz treten bestimmte
Pausen ein. Natürlich können die Striche und Punkte noch auf andere
Arten bezeichnet werden, z. B. durch Hochheben oder Senken von nur
einer oder von gleichzeitig zwei Flaggen und dergl. — Die Signalstationen

Abbild. 1.

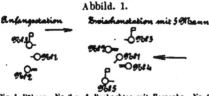

Nr. 1 Führer. Nr. 2 u. 4 Beobachter mit Fernrohr. Nr. 3
u. 5 bedienen den Signalapparat: Flagge, Lampe oder
Heliograph.

sind entweder Einzelstationen
als Anfangs- und Endstationen
oder Doppelstationen als Ueber-
mittelungs- (Zwischen-) Stationen
(Abbild. 1); die ersteren bestehen
aus drei Mann einschl. Führer, die
letzteren normal aus sechs Mann.
Nr. 1 ist der Führer und hat Buch
und Bleistift; er ruft die zu befördernde Meldung u. s. w. an Nr. 3,
welche die Zeichen giebt; Nr. 2 beobachtet die Nebenstation durch
ein Fernrohr, mit welchem jede gute Signalstation ausgerüstet
sein muss, um die Tragweite des Signals und die Sicherheit der Beobachtung möglichst ausgiebig gestalten zu können; ferner ruft Nr. 3 das
Gegensignal der Nebenstation an Nr. 1 zur Sicherheit, dass das Zeichen
richtig verstanden wurde. Bei der Doppelstation empfangen in derselben
Weise drei Mann die Depesche, die anderen drei Mann geben sie weiter. Bei
Mangel an Leuten können die Einzelstationen nur durch zwei Mann, die
Zwischenstationen durch fünf bis vier und ohne Fernrohr sogar nur durch
drei Mann versehen werden. Ein gut ausgebildetes und geübtes

Abbild. 2.

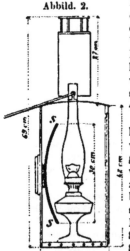

Personal — und dies ist die Grundbedingung für
eine erfolgreiche Verwendung jeder Art von
optischem Signalisiren — soll nach der englischen
Vorschrift mit den Flaggen als Mindestleistung in der
Minute neun Worte von Station zu Station weitergeben
können. — Bei jedem englischen Kavallerie-Regiment
werden 4 Offiziere, 8 Mann, also vier volle Einzelstationen, bei jedem Infanterie-Bataillon 2 Offiziere,
4 Mann, also zwei volle Einzelstationen, ausgebildet.

Signalgebung mit Lichtapparaten. A. Mit
künstlichem Licht. Als das einfachste bei der Truppe
verwendbare Signalmittel für die Nacht erweist sich die
gewöhnliche Petroleum-Handlaterne. Um die Tragweite des Lichtstrahls zu vergrössern und ihn so stark
zu machen, dass er selbst bei Tage als Signalmittel
benutzt werden kann, wird ein Glas- oder Metallspiegel so eingesetzt, dass die Lichtquelle sich in dessen
Brennpunkt befindet und so die Lichtstrahlen durch den
Spiegel reflektirt werden; Spiegel und Lampe werden zum
Schutz gegen Wind und Wetter in ein Gehäuse gesetzt
(Abbild. 2). Diese Art Laternen werden Reverbère-
oder Reflektorlaternen genannt. Einen recht guten Erfolg erzielt schon eine
Petroleumlampe mit einer Helligkeit von nur sechs Normalkerzen und einem
Spiegel von 30 cm. Bei umfassenden und sorgfältig ausgeführten Versuchen[*])

*) »Mittheilungen über Gegenstände des Artillerie- und Geniewesens.«

ging ihre Tragweite bei Sonnenlicht noch bis 8, bei günstigerer Beleuchtung bis 10—12 und bei Nacht mit Fernrohr bis über 40 km, für das freie Auge bis 15 km. Dieser Apparat ist sehr handlich und leicht tragbar, da er nur etwa 20 bis 90 cm breit und 60 bis 70 cm hoch ist. — Die Tragweite der Reverbère-Laternen ist natürlich um so grösser, je grösser der reflektirende Spiegel und je stärker die Lichtquelle ist, immerhin aber nur bis zu einer gewissen Grenze. Spiegel mit einem Durchmesser über 60 cm bewirken, dass die Abmessungen des Apparats schon recht bedeutend und dadurch auch die Gewichtsverhältnisse recht schwer werden, ohne dass eine entsprechende Mehrleistung erreicht wird; und was das Petroleumlicht anlangt, so beleuchtet zwar die grössere Flamme einen weiteren Raum, aber der einzelne Punkt in ihm ist darum nicht heller, bezw. weiter sichtbar, wie bei einer kleineren Flamme mit gleicher Flächenhelligkeit; die grossen Brenner erfordern auch eine sehr sorgfältige Behandlung und russen sehr leicht. An Stelle von Petroleum hat man daher stärker wirkende Lichtquellen in die Apparate eingesetzt, wie Magnesium, Kalklicht und elektrisches Licht. Obschon Magnesium, ein Metall, das in dünnen Bändern oder als Pulver verbrannt wird, ein sehr intensives Licht giebt, so hat es sich zum Signalisiren aus dem Grunde als ungeeignet erwiesen, weil es eine sehr unregelmässige Lichtstärke ergiebt und dadurch leicht Missverständnisse veranlasst.

Dagegen ist das sogenannte Drummondsche Kalklicht eine blendend hell wirkende und dabei gut verwendbare Lichtquelle. Seine Erzeugung erfolgt dadurch, dass ein Gemenge von Wasserstoffgas oder Leuchtgas oder Petroleumäther und Sauerstoffgas unter Druck als Stichflamme einen Kalkstift weissglühend macht, der dann helles Licht ausstrahlt. Der englische Apparat, mit welchem die Truppe ausgerüstet ist, besteht nach der englischen Signalvorschrift aus: 1) Lampengehäuse, 2) Verdunkelungsscheibe, 3) Spiritusgefäss, 4) Stifthalter, 5) Dreifuss, 6) Gas- und Druckbeutel für 12 bis 14 Pfund Sand und 7) Gasschlauch, welcher ³/₄ Kubikfuss Gas aufnehmen kann. Das Gasgemenge wird in kürzester Zeit in einer Retorte hergestellt. Ein derartiger Apparat soll im vorletzten Kaisermanöver beim Kaiserlichen Hauptquartier in Homburg mit Erfolg angewendet worden sein; es waren drei Stationen mit 10 km Entfernung von einander errichtet. Durch Einsetzung von Spiegeln wird die Tragweite auch hier bedeutend vergrössert, z. B. mit einem 60 cm Hohlspiegel (siehe umstehend Abbild. 3) sind die Signale bei Sonnenschein bis 15 km sehr gut, bei Nacht bis 50 km (bei Fernrohr-Beobachtung) sichtbar.

In der russischen Armee ist neuerdings ein ähnlicher Signalapparat (Miklaschewskischer) eingeführt worden, bei welchem aber nicht durch einen Kalkstift das Signallicht erzeugt wird, sondern dadurch, dass in die Spiritusflamme aus zwei Gummischläuchen mittelst Handdrucks ein Pulver geblasen wird, das blendend hell roth und grün aufleuchtet. Die Signale sollen ohne Spiegel bis 60 Werst (etwa 64 km), mit Spiegel bis 100 Werst (106 km) sichtbar, der Apparat ziemlich klein und nur 7 Pfund schwer sein.

Das elektrische Licht giebt den stärksten künstlichen Lichtstrahl. Schon der schwächste Strom erzeugt bei Tage eine Sichtweite bis 25 km und bei Nacht bis 50 km. Aber die Herstellung ist mit soviel Umständlichkeiten verknüpft, dass es zu Feldapparaten kaum Verwendung finden kann, dagegen wohl im Festungskrieg in Verbindung mit den elektrischen Scheinwerfern.

Als neue, ausgezeichnete Lichtquelle wird in wohl nicht zu ferner Zukunft das Acetylengas hinzutreten. Einstweilen muss indessen, da eine hinreichende Sicherheit und Gefahrlosigkeit bei Bereitung und Trans-

port noch nicht vorhanden ist, auf seine Verwendung als Signalmittel
verzichtet werden.

B. Signale mit Sonnenlicht, der Heliograph. Der Apparat,
der zur Signalgebung mit Sonnenlicht besonders konstruirt worden ist,
heisst Heliograph. Er ist aber eigentlich nur eine Verbesserung eines
Instrumentes, das schon 1821 zur Ausführung von Geländevermessungen
hergestellt und Heliotrop genannt worden ist. Beim Heliographen also
wirft ein in einem Rahmen beweglicher Spiegel die reflektirten Sonnenstrahlen von einer Station zur anderen; mittelst Schrauben kann der
Spiegel sowohl um seine senkrechte wie wagerechte Achse beliebig so
gedreht werden, dass man ihn dem Lauf der Sonne folgen lassen kann,
dass also hierdurch es mög-
lich ist, die Sonnenstrahlen
nach demselben Punkt, d. h.
nach der anderen Station,
ständig zu leiten. Nach der
letzteren wird der auf einem
dreifüssigen Stativ befestigte
Signalapparat durch eine
Fadenkreuz-Vorrichtung und
eine genau in der Mitte des
Spiegels befindliche Oeffnung
eingerichtet. Ist der Stand
der Sonne so, dass sie sich
hinter dem Signalisirenden
befindet, die Station also
zwischen der Sonne und der
nächsten Station liegt, so

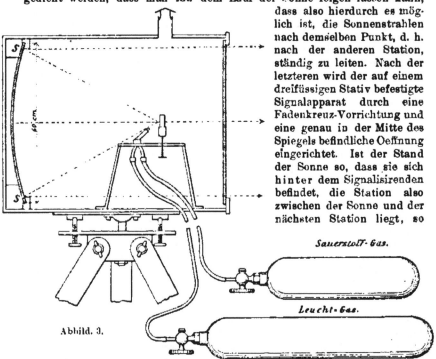

Sauerstoff-Gas.

Leucht-Gas.

Abbild. 3.

muss noch ein zweiter Spiegel zur Hülfe genommen werden, um die
Sonnenstrahlen richtig nach der anderen Station lenken zu können;
in diesem Fall befindet sich dann das Fadenkreuz in diesem zweiten
Spiegel. In den Abbild. 4 u. 5 sehen wir den einfachen und doppelten
englischen Heliographen; die entsprechenden Instrumente, wie sie neuerdings in den Vereinigten Staaten, bei welchen die Verwendung der
Heliographie zur Signalgebung in ausgedehntestem Maassstabe betrieben
wird, eingeführt sind, sind auf Seite 317 dieser Zeitschrift, Heft 7, 1898,
dargestellt. Für unsere, d. h. namentlich mitteleuropäische, Witterungsverhältnisse ist die Benutzbarkeit des Sonnenlicht-Apparates eine sehr
beschränkte, da eben wolkenloser Himmel mit vollem Sonnenlicht dazu
Vorbedingung ist, was bei uns nicht gar zu oft und dann meist
nicht sehr lange vorkommt. Und doch ist in den letzten Kaisermanövern auch ein Heliograph mehrfach erfolgreich zur Verwendung
gekommen, und da wir nun auch Kolonien in dem sonnenerfüllten Afrika
und Asien haben, so ist es doch lehrreich, uns die Leistungsfähigkeit des

Heliographen an Beispielen vor Augen zu führen. Ein merkwürdiges Zusammentreffen war es, dass die erste Anwendung dieses Instruments in Europa zusammenfiel mit derjenigen des Telegraphen und zwar des ersteren seitens der Russen, des letzteren seitens der Engländer während der Belagerung von Sebastopol. In allen Kolonialkriegen haben die Engländer den Heliographen ausgiebig benutzt; im Kriege gegen die Afghanen in Indien 1880 vermochte sich die eingeschlossene Besatzung von Kandahar über die Köpfe der Belagerer hinweg mit dem herbeieilenden Ersatzheer hierdurch ständig in Verbindung zu erhalten; im Kriege gegen die Zulus in Afrika waren gegen 30 Stationen errichtet, von denen die einzelnen bis zu 60 km von einander entfernt waren, und im Feldzuge in Tschitral 1895 über 100 Stationen, einzelne mit weit über 100 km Entfernung. Während der Tirah-Expedition*) wurde eine gewaltige Zahl von Meldungen vermittelst des Heliographen, Flaggensignalen und Blitzapparaten weitergegeben. Von Fort Lockhart bis Kohat (51 km) war auf diese Art eine ständige Verbindung eingerichtet. Beim Vormarsch gegen Omdurman wurde auf gleiche Weise Verbindung mit der aufklärenden Kavallerie erhalten. Ebenso meldete am Tage vor der Schlacht ein auf dem Dschebel Surgham aufgestellter Posten dem Sirdar fortlaufend alles Neue; er stand ferner in Verbindung mit der vorgesandten Kavallerie, mit den Kanonenbooten und mit den befreundeten Eingeborenen auf dem anderen Ufer des Nils. Im Lager am Atbara übernahmen die optischen Signalapparate den Meldedienst, als die Drahtleitung beschädigt wurde. — Die Amerikaner benutzten den Heliographen in den Indianerkriegen, im mexikanischen und im Kriege zwischen den Nord- und Südstaaten. Nach und nach hat das Signalkorps der Bundesarmee der Vereinigten Staaten ein auch jetzt noch fortwährend in der Vervollständigung begriffenes Signalnetz über das ganze Land errichtet, insbesondere auch längs den Küsten zur Verbindung mit der Flotte.**) — Ganz besonders nützlich erwies sich der Heliograph im Feldzug der Franzosen in Tonkin. Infolge der grossen Ueberschwemmungen und der zahlreichen feindlichen Streifzüge musste auf den Telegraphen verzichtet werden, dagegen wurden, von der Centralstation beim französischen Hauptquartier ausgehend, mehrere feste Signallinien und an diese wieder anschliessend bewegliche Linien errichtet; hierdurch wurde die Aufrechterhaltung der Verbindung sowohl der einzelnen Truppen-

Abbild. 4.

Abbild. 5.

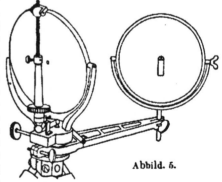

abtheilungen mit dem Hauptquartier wie unter einander auf den Märschen und selbst während der Gefechte ermöglicht. — Auf der Insel Kuba hatten die Spanier zahlreiche ständige Stationen zur Verbindung der

---

*) Siehe »Militär-Wochenblatt« 1899, Nr. 33.
**) Vergl. »Kriegstechnische Zeitschrift« 1898, Heft 7.

14*

einzelnen, weit auseinander liegenden Garnisonen errichtet, welche sowohl in den Kämpfen mit den Insurgenten, als auch im verflossenen spanisch-amerikanischen Kriege wichtige Dienste leisteten. Und aus dem jüngsten griechisch-türkischen Kriege ist bekannt, dass der griechische Befehlshaber auf der Insel Kreta sich über die Blockadeschiffe hinweg mit dem griechischen Festlande verständigt hat. — Auch von unseren Kolonialkämpfen unter den Gouverneuren Frhrn. v. Schele und Liebert wissen wir, dass die Sonnenlicht-Signalgebung mit Nutzen zur Anwendung gekommen ist.

Wie bei den Flaggen, so ist auch beim Heliographen und den Apparaten für künstliches Licht das Prinzip der Signalgebung dasselbe, indem wie beim elektrischen Telegraphen das Morse-Alphabet angewendet wird. Am bequemsten wird dies erreicht mittelst eines Tasters, welcher mit einer Klappe vor der Lichtöffnung des Laternengehäuses oder mit einer zwischen Spiegel und Lichtquelle zu schiebenden dunklen Scheibe oder wie beim Heliographen mit dem Spiegel in Verbindung steht. Durch längere oder kürzere Verdunkelung der Lichtquelle oder entsprechende Ablenkung des Spiegels beim Heliographen entstehen längere oder kürzere Lichtblitze und somit die Striche oder Punkte des telegraphischen Alphabets. In England sind die Stationen für sämmtliche Arten der Signalgebung — mit Flaggen, Lampe und Heliograph — in derselben Weise eingerichtet, wie wir es bei der Betrachtung der Flaggen-Signalgebung kennen gelernt haben.

Ein vielfach in Gebrauch befindlicher, vielseitiger Signalapparat ist

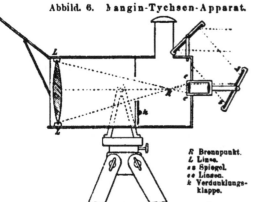

Abbild. 6. Mangin-Tychsen-Apparat.

R Brennpunkt.
L Linse.
s s Spiegel.
c c Linsen.
k Verdunklungsklappe.

der von Mangin konstruirte und von Tychsen erweiterte Apparat für alle Lichtquellen, also für Petroleum-, Kalk-, elektrisches und selbst für Sonnenlicht (Abbild. 6). An der vorderen Seite eines viereckigen Blechkastens befindet sich eine bikonvexe Linse, in deren Brennpunkt die Lichtquelle eingestellt ist; will man Sonnenlicht verwenden, so wird dieses durch Spiegel oder Linsen, die an der der vorgenannten Linse entgegengesetzten Seite zum Auffangen der Sonnenstrahlen angebracht werden, erreicht.

Der Vollständigkeit halber wollen wir noch die Versuche anführen, die mit Luftballons ausgeführt wurden. Es wurden kleine Fesselballons, die aus einem möglichst feinen, durchsichtigen Stoff hergestellt waren, in die Höhe gelassen; in ihrem Innern befanden sich eine oder mehrere elektrische Glühlampen, wodurch die Ballons als feurige Kugeln erschienen; auch hier wurden durch Lichtblitze und Verdunkelungen die Zeichen gegeben. Die dazu nöthige elektrische Batterie befand sich auf dem Erdboden, und der elektrische Strom wurde durch das Kabel in die Ballons geleitet. — Ein anderer Versuch bestand darin, einen aufgestiegenen Fesselballon durch einen elektrischen Scheinwerfer zu beleuchten, so dass er für die Gegenstation als eine grell beleuchtete Scheibe erschien. Natürlich sind diese Arten des Signalisirens äusserst umständlich und nur unter ganz bestimmten Verhältnissen überhaupt möglich. — Endlich sei noch der Versuch von zwei amerikanischen Offizieren erwähnt, welche mit Drachen verschiedenfarbige Lampen bis 150 m aufsteigen liessen und sich damit auf einige Kilometer Entfernung von einander verständigen konnten.

Vor- und Nachtheile der optischen Signalgebung. Abhängigkeit vom Wetter und Gelände, Unzuverlässigkeit, Schwerfälligkeit und Auffälligkeit für den Feind — dies sind im Allgemeinen die Vorwürfe, die man dem optischen Signalisiren machte. Was den ersten Punkt anlangt, so ist es allerdings richtig, dass auf weitere Entfernungen, etwa über 20 km, für unsere europäischen Kriegsschauplätze die ungleichmässige Durchlässigkeit der Atmosphäre nur eine ausnahmsweise Anwendung von Signalen zulassen wird. Dagegen sprechen zahlreiche Versuche dafür, dass bei kleineren Entfernungen auch bei uns nur unter ganz besonders ungünstigen Witterungsverhältnissen ein Signalisiren nicht mehr möglich ist. Und zwar können alle Licht-Signalapparate sicher bis zu 10 km, sehr oft aber, namentlich nachts, bedeutend weiter zur Geltung kommen, die einfachste Signalart, nämlich mit Flaggen, aber zwischen 4 und 10 km; den mehr oder weniger günstigen Witterungs- und Geländeverhältnissen entsprechend ist eben eine geringere oder grössere Anzahl von Stationen nöthig. Dazu gehört natürlich, dass eine genügende Anzahl von Mannschaften im Signalisiren gut ausgebildet ist, dann wird auch die Unzuverlässigkeit und Schwerfälligkeit der Signalgebung wesentlich verringert werden; erstere dürfte bei einem durchgeschulten Personal kaum grösser sein, wie auch beim Telegraphen oder Telephon, bei welchen Irrthümer ebenso wenig ausgeschlossen und welche überdies der zufälligen oder absichtlichen Zerstörung gar leicht ausgesetzt sind. Die Langsamkeit, welche mit der Errichtung der Stationen und Zeichengebung wohl verbunden ist, wird wieder meist dadurch ausgeglichen, dass durch die Signale rasch weite Strecken übersprungen werden. Die Flaggen-Signalgebung gewährt noch den besonderen Vortheil, dass nach einander viele kurze Meldungen über die Ereignisse beim Gegner erstattet werden können, wodurch ein anschauliches Bild davon gewonnen wird. In Betreff der Schnelligkeit der Zeichengebung wird es nach der englischen Dienstanweisung für eine befriedigende Leistung angesehen, wenn die Mannschaften mit den grossen Flaggen, wie schon bemerkt, in einer Minute neun, mit den Lampen und dem Heliographen zehn Worte weitergeben können. Was schliesslich die Auffälligkeit und hierdurch bedingte leichte Sichtbarkeit der Signale für den Feind anbelangt, so möchten wir geltend machen, dass Lichtsignale doch immerhin von der entgegengesetzten Seite ziemlich schwer zu entdecken sein, Flaggenstationen aber oft gedeckte Aufstellungen finden dürften; das Mitlesen der Meldungen seitens des Feindes ist wohl auch nicht so einfach, wenn er nicht gerade nahe genug und in der Richtungslinie der Stationen sich befindet; auch wird der Feind wohl meist noch aus anderen Zeichen die diesseitige Anwesenheit erfahren, unsere Melder können auch abgefangen werden; liegt aber die Sache so, dass die Signalgebung nicht angebracht ist, nun, so sucht man sich eben anders zu helfen. — Besondere Vortheile für das Signal-Meldewesen ergeben sich noch aus der Handlichkeit, Beweglichkeit und Billigkeit derjenigen Apparate, welche, wie wir gesehen, leicht bei der Truppe oder den Kommandostellen Verwendung finden können. Jedenfalls dürfen wir es als sicher bezeichnen, dass die optische Signalgebung in vielen Fällen eine sehr werthvolle Ergänzung der übrigen Meldearten bilden kann, namentlich da, wo Telegraph und Telephon zu legen nicht möglich ist, z. B. in den vordersten Linien, oder wenn der Feind im Zwischengelände sitzt.

Dass England und die Vereinigten Staaten, die ein besonderes Signal-korps errichtet haben, grosse Sorgfalt auf das Signalwesen verwenden, haben wir schon erfahren. Aber auch in Frankreich wird bei jedem

Infanterie- und Kavallerie-Regiment der Signaldienst durch besonders ausgewählte Mannschaften betrieben, und in Oesterreich werden bei jedem
Armeekorps Signalabtheilungen für den Kriegsfall vorgesehen und im
Frieden ausgebildet; in Dänemark wird die Flaggen-Signalgebung ganz
besonders gepflegt; schon seit Jahren wird sie bei den Manövern und
Felddienstübungen durch Mannschaften der Genietruppe, die zu diesem
Zweck den einzelnen Truppentheilen zugewiesen werden, mit überraschend
gutem Erfolg ausgeübt.*) — Bei uns werden die zu den einzelnen Lehr-
instituten, wie Unteroffizier-Telegraphenschule u. a. m., kommandirten Leute
auch im Signalisiren unterrichtet. Da eine Weiterübung bei der Truppe,
die zudem nicht mit den nöthigen Apparaten ausgerüstet ist, nicht stattfindet, so ist hierdurch für eine allgemeinere Anwendung der Signalgebung
als Meldemittel nichts gewonnen; die bei den Manövern ausgeführten,
schon erwähnten Versuche, welche indessen nur mit dem Kaiserlichen
Hauptquartier in Beziehung standen, wurden durch eine besonders von
Berlin zu diesem Zweck in das Manövergelände herangezogene Abtheilung
der Eisenbahntruppe ins Werk gesetzt.

Ein neuer Vorschlag,

wie Jedermann im Kriege oder sobald sich einmal die Nothwendigkeit einer
optisch-telegraphischen Verbindung fühlbar macht, ohne besondere Vorbereitung, Einübung und Hülfsmittel sich der optischen Signale erfolgreich bedienen kann, wird uns von Herrn Rudolf
Schmid von Schwarzenhorn zur Verfügung gestellt. Auf ein Stückchen Papier werden mit Bleistift
sechs wagerechte und ebenso viel senkrechte Linien
gezogen. In jedes der entstandenen Quadrate wird
ein Buchstabe des Alphabets (ausgeschlossen q) gesetzt. Die senkrechten und wagerechten Quadrat-
abtheilungen werden mit den Zahlen 1 bis 5 bezeichnet.
Hierdurch ist es möglich, jeden Buchstaben durch
zwei Zahlen zu bezeichnen, z. B. b = 12, v = 51.
Dies ist der im Heft 11, 1891, S. 708 des »Soldaten-

	1	2	3	4	5
1	a	f	k	p	v
2	b	g	l	r	w
3	c	h	m	s	x
4	d	n	—	t	y
5	e	j	o	u	z

q = k

freundes« erwähnte, über 2000 Jahre alte, schachbrettförmige Apparat des
Kleoxenes und Demokritos. — Der einfachste und natürlichste Zeichengeber
ist der Mensch selbst. Die folgenden sehr markirten Stellungen der Arme
geben die erforderlichen Zeichen, eine Verwechselung derselben mit einander
ist ausgeschlossen: 1. Zeichen: Ein Arm aufwärts gestreckt; 2. Zeichen:
Beide Arme aufwärts gestreckt; 3. Zeichen: Ein Arm seitwärts gestreckt;
4. Zeichen: Beide Arme seitwärts gestreckt; 5. Zeichen: Ein Arm aufwärts,
der andere Arm seitwärts gestreckt. — Zum Zeichengeben werden die Hände
entsprechend den Freiübungen zuerst nach der Brust geführt, und werden
dann beim zweiten Tempo die Arme auf- bezw. seitwärts gestreckt.

Als Hülfszeichen werden folgende Armschwenkungen benutzt: I. Zeichen:
Achtung — Schluss. Zwei- und mehrmaliges Heben und Senken beider
Arme vom Bein bis zum Kopf und zurück. II. Zeichen: Verstanden —
Schlusszeichen jedes Wortes. Zwei- und mehrmaliges Heben und Senken
eines Armes vom Bein bis zum Kopf und zurück. III. Zeichen: Nicht
verstanden — Wiederholen. Zwei- und mehrmaliges Heben und Senken
beider Arme vom Bein bis Schulterhöhe und zurück.

Die Zahlen der nachstehenden Tabelle werden durch diese Zeichen
wiedergegeben. 1) Zur Eröffnung des Zeichengebens erfolgt Signal I:
Achtung. Ist dasselbe von der Empfangsstelle aufgenommen, wird 2) die

---

*) Näheres in »Militaert Tidsskrift« 1896.

Mittheilung buchstabenweise gegeben. Jeder Buchstabe wird durch zwei aufeinanderfolgende Zeichen dargestellt. Als erstes Zeichen ist das über dem Buchstaben stehende, als zweites das seitwärts daneben stehende zu geben, z. B. l = erstes Zeichen ⟍₃, zweites Zeichen Y₂. Diese Zeichen werden sich dem Gedächtniss sehr bald einprägen, bis dies geschehen, wird ein flüchtig mit Blei jederzeit sofort anzufertigendes Täfelchen benutzt. 3) Am Ende jedes Wortes wird das Zeichen II gegeben; zum Zeichen des Ver-ständnisses wiederholt die Empfangsstelle Zeichen II oder, wenn nicht verstanden, Zeichen III; in diesem Falle wird das ganze Wort wiederholt. 4) Ist die Mittheilung beendet, wird das Schlusszeichen I gegeben und von der Empfangsstation wiederholt. 5) Der Buchstabe q wird durch k gegeben, qu durch kw oder ku je nach Vereinbarung.

	Y	⟍	T	⟍
	1	2	3	4	5
⟍ 1	a	f	k	p	v
Y 2	b	g	l	r	w
⟍ 3	c	h	m	s	x
T 4	d	i	n	t	y
⟍ 5	e	j	o	u	z

Auf weitere Entfernungen können zum Mar-kiren der Armstellungen viereckige oder runde Scheiben (40 cm im Quadrat bezw. Durchmesser, Drahtbügel mit Leinwand überzogen), Flaggen und Tücher an kurzen Stielen, Stangen, Gewehre, Seitengewehre, Mützen, Helme, Gegenstände jeder Art benutzt werden.

Zum Zeichengeben bei Nacht sind drei Laternen erforderlich. Eine derselben wird in Brusthöhe an einem Stock befestigt und ist dauernd sichtbar. Zum Zeichengeben tritt der betreffende Mann hinter diese Laterne und benutzt die beiden anderen Laternen zum Zeichengeben. Die Laternensignale entsprechen den Armstellungen.

Stehen Flaggenstangen, Fabrikschornsteine, Windmühlen, hohe Ge-bäude u. s. w. zur Verfügung, so kann auf die weitesten Entfernungen nach derselben Methode signalisirt werden. Erforderlich sind zwei Signal-körper, z. B. Körbe, ausgestopfte Beutel, Säcke, Kissen, Kessel, Infanterie-trommeln, im Nothfall sind Flaggen und Tücher verwendbar, bei Nacht Laternen. Bei dünnen Stangen wird die Spitze durch einen dritten Ball, bei Nacht durch eine Laterne markirt. Ausserdem ist eine Leine zum Hinaufziehen der Signalkörper erforderlich. Die Zeichen entsprechen den Armstellungen. 1. Zeichen: Ein Ball an der Spitze; 2. Zeichen: Zwei Bälle an der Spitze; 3. Zeichen: Ein Ball 1½ m unter der Spitze; 4. Zeichen: Zwei Bälle 1½ m unter der Spitze; 5. Zeichen: Ein Ball an der Spitze, der andere 1½ m tiefer. I. Zeichen: Achtung — Schluss. Zwei Bälle, dicht unter einander, mehrmals bis an die Spitze gezogen und gesenkt; II. Zeichen: Ende des Wortes — Verstanden. Ein Ball mehrmals bis an die Spitze gezogen und gesenkt; III. Zeichen: Nicht verstanden — Wieder-holung. Zwei Bälle mehrmals bis 1½ m von der Spitze entfernt hoch-gezogen und gesenkt.

Durch zweiarmige Semaphore der Eisenbahnen können in gleicher Weise die Armstellungen wiedergegeben und dieselben zum Signalisiren benutzt werden. Stehen Semaphore mit zwei Paar Armen zur Verfügung, so giebt die Stellung der oberen Arme die über dem Buchstaben stehende Zahl der Buchstabentafel, die Stellung der unteren Arme die seitwärts des Buchstabens stehende Zahl. Mehrfaches Auf- und Niederbewegen eines oder beider Arme entspricht den Armbewegungen und giebt die Hülfszeichen I, II, III.

Ein Reitsattel mit stellbaren Trachten.
Mit zwei Abbildungen.

Auf der 1897 stattgehabten Ausstellung in Brüssel war in der militärischen Abtheilung ein Reitsattel mit stellbaren Trachten ausgestellt, wie er bei der belgischen Feldartillerie im Gebrauch sein soll. Die Vorrichtung, durch welche die Stellbarkeit vermittelt wird, ist die denkbar einfachste, und der Sattel macht dabei den solidesten Eindruck, da alle Künstelei vermieden ist.

Das Streben nach einem stellbaren Sattel, nach einem — um an das deutsche »Stellkummt« anzulehnen — »Stellsattel«, um durch einen solchen, wie beim Kummt, die verschiedenen Grössennummern der Sättel entbehrlich zu machen oder wenigstens einzuschränken, ist nicht neu. Die bis jetzt von den verschiedensten Seiten gemachten dahingehenden Vorschläge hatten alle den Kardinalfehler gemeinsam, dass entweder die Stell-

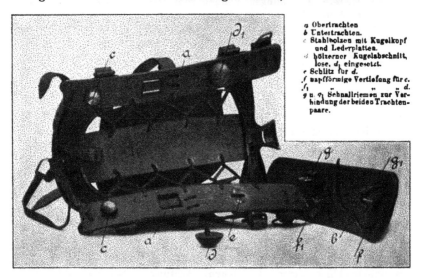

a Obertrachten
b Untertrachten.
c Stahlbolzen mit Kugelkopf und Lederplatten.
d hölzerner Kugelabschnitt, lose, d_1 eingesetzt.
e Schlitz für *d*.
f napfförmige Vertiefung für *c*.
f_1　„　„　„　*d*.
g u. g_1 Schnallriemen zur Verbindung der beiden Trachtenpaare.

einrichtung zu komplizirt war, oder dass der Sattel infolge dieser Einrichtung nicht haltbar genug hergestellt werden konnte, ohne das Gewicht des Ganzen unzulässig zu erhöhen. Diese Fehler machten derartige Vorschläge denn auch für Heereszwecke unverwendbar. Beim belgischen Sattel sind die berührten Fehler jedenfalls vermieden; damit soll nicht gesagt sein, dass er das Ideal eines Stellsattels ist.

Ein Stellsattel im eigentlichsten Sinne des Wortes, so wie das erwähnte Stellkummt ein richtiges »Stell«kummt ist, ist der hier in Rede stehende belgische Sattel allerdings nicht. Zum »Stellen« des Stellkummts, d. h. zum Anpassen desselben an ein Pferd, sind besondere »Griffe«, Handhabungen, nöthig, mittelst deren es je nach Bedarf vergrössert oder verkleinert, verbreitert oder verschmälert wird. Unser Sattel ist indessen so eingerichtet, dass er sich mit seinem einen Trachtenpaar von selbst dem jeweiligen Pferderücken anpasst, sich nach der Form desselben »einstellt«, indem dieses Trachtenpaar infolge besonderer Zwischenmittel sich in bestimmter Richtung bewegt, d. h. enger aneinander oder weiter auseinander rückt. Besondere »Griffe« sind hierzu nicht nöthig, ein Anpassen findet nicht statt, wie dies beim Stellkummt stattfindet. Selbstverständlich ist, dass man bei der Verwendung des Sattels ausnehmend grosse oder ausnehmend kleine Pferde auszuschliessen hat; denn die Einstellbarkeit der Trachten bewegt sich in gewissen Grenzen, welche durch die üblichen Grössenverhältnisse eines Sattels gegeben sind.

Dies vorausschickend, soll nachstehend die Einrichtung selbst beschrieben und erläutert werden. Der Sattel ist ein Bocksattel bekannter Art. Wie bereits angedeutet, sind zwei Trachtenpaare vorhanden: die Obertrachten, welche mit den Zwieseln und dem Sitzriemen ein Ganzes, den eigentlichen Sattel, bilden und zur Aufnahme der übrigen Bekleidung dienen, und die Untertrachten, welche mittelst kleiner Schnallriemen mit den Obertrachten verbunden werden und beweglich sind. Nahe am vorderen Ende der Obertrachten ist auf deren Unterseite ein stählerner Bolzen mit kugelförmigem Kopf befestigt, dem eine napfförmige Vertiefung auf der Oberseite der Untertrachten entspricht, in welche sich jener Bolzenkopf einlegt. Im hinteren Drittel der beiden Untertrachten befindet sich wiederum

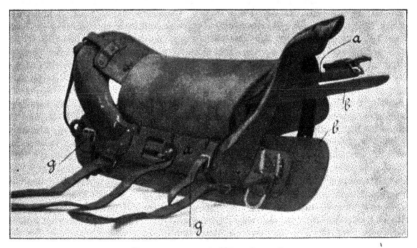

Zusammengestellter Sattel.

eine napfförmige Vertiefung, die bedeutend grösser als die ersterwähnte ist und die in der Längsachse der Untertracht liegt, während die vordere etwas nach aussen gerückt ist. Die beiden hinteren Vertiefungen dienen zur Aufnahme je eines losen Kugelabschnitts, aus Hartholz gefertigt, auf dessen Grundfläche ein länglicher Zapfen sitzt, welcher in einen entsprechenden Längsschlitz der Obertrachten eingeführt werden kann. Der erwähnte Zapfen sitzt einseitig auf der Grundfläche des Kugelabschnitts; zu welchem Zweck dies dient, werden wir weiter unten sehen. Die losen Untertrachten werden, wie bereits erwähnt, mittelst Schnallriemen angebracht, die durch Schlitze von unten nach oben durchgeführt werden und sich in entsprechende Falze auf der Unterseite der Untertrachten glatt und mit der Trachtenfläche sich vergleichend einlegen, die Riemen sind im Holze »versenkt«. Man erkennt, dass man es bei dieser Einrichtung mit einer kugelgelenkartigen Verbindung der beiden Trachtenpaare zu thun hat, welche die Untertrachten befähigt, um die Kugelflächen in den napfartigen Vertiefungen seitwärts zu schwingen, so dass die Untertrachten von selbst eine der Breite des Pferderückens entsprechende Stellung einnehmen, sobald der Sattel auf das Pferd aufgelegt wird. Die Obertrachten stehen, wie bei allen Sätteln, hinten etwas weiter als vorn, was sich selbstverständlich auf die beweglichen Untertrachten überträgt. Infolgedessen und da die vorn sitzenden Bolzenköpfe mit den zugehörigen Vertiefungen kleineren Umfang haben als die entsprechenden hinteren Theile, ist auch der Ausschlag der Untertrachten hinten stets grösser als vorn. Infolge ferner des oben erwähnten einseitigen Sitzes des Zapfens des hölzernen Kugelabschnitts ist die Möglichkeit gegeben, die hintere Auseinanderstellung der Untertrachten noch zu vergrössern, wenn es die Form des Pferderückens verlangen sollte. Diese Vergrösserung bewirkt dann ohne Weiteres noch einen etwas grösseren seitlichen Ausschlag der Untertrachten, und Beides wird dadurch erreicht, dass der Zapfen in den Schlitz der Obertracht so eingesteckt wird, dass der grössere Theil der Grundfläche des Kugelabschnitts nach aussen, also weiter von der Längsachse der Untertracht entfernt, liegt. Um diese doppelseitige Benutzung der besprochenen Kugelabschnitte zu erzielen, hat man dieselben als lose Theile angeordnet und dabei den kleinen Nachtheil der Möglichkeit des Verlorengehens mit in Kauf genommen. Diesen Nachtheil kann man wettmachen durch Mitführung von entsprechenden Vorrathsstücken, die bei ihrer Kleinheit keine Schwierigkeit der Unterbringung bereiten. Aus Holz sind sie des geringeren Gewichts wegen gemacht, während die vorderen Gegenstücke, fest am Sattel sitzend und den festen Punkt für die Schwingungen der Untertrachten bildend, aus Stahl gefertigt sind. Die Scheitelpunkte der vorderen und hinteren Kugelabschnitte liegen in derselben Horizontalebene. Um nun die vorderen Stücke nicht unnütz schwer zu machen, hat man diese nicht in ihrer vollen Höhe in der Stärke des Kugelkopfes ausgebildet, sondern man hat an den niedrigen Kugelkopf einen dünneren Schaft angesetzt und das so gesparte Metall durch Lederscheiben ersetzt, womit man gleichzeitig den Vortheil verband, dass die auf den Stahlbolzen einwirkenden Stösse gemildert werden. Infolge der Anordnung von Doppeltrachten wird der Sitz des Reiters allerdings etwas erhöht, aber es beträgt dieser Höhenunterschied gegen die in der Armee üblichen Sättel so wenig, dass aus ihm wohl kaum eine Verminderung der günstigsten Einwirkung des Reiters auf sein Pferd resultiren könnte. Doch das wollen wir dem Praktikus überlassen, ebenso die Lösung der Frage, ob die geschilderte Einrichtung des Sattels in Wirklichkeit und ohne Nachtheil für Ross und Reiter das erreicht, was er bezweckt: Verminderung der ›Nummern‹ von Sätteln, wie sie z. B. bei unserer Feldartillerie mit I—V zur Zeit vorhanden sind. Fast scheint es so, und vielleicht regt dieser Aufsatz zum Nachdenken in dieser Richtung an. Das war sein Zweck.

Die Anwendung von Minenbohrern im Festungskriege.*)
(Schluss.)

Nachdem der Angreifer die Trichter der stark geladenen Minen gekrönt hat, was bei dem Vorhandensein der Verbindungsgänge schnell ausgeführt ist, geht er aus den Trichtern heraus. Aber damit es möglich ist, den Minengang von einer entsprechenden Länge zu bauen, wird jeder von den Flanken mit Bohrlöchern gesichert, die jenseits der Grenzen des fortzuführenden Minenganges auf 3 bis 5 Sashen auszubohren sind, und die die Spitzen in einer Tiefe von 14 bis 16 Fuss haben; durch diese Röhren horcht der Mineur auf die Arbeiten des Gegners und sprengt solche durch

*) Vergl. S. 126 ff. des 3. Heftes dieses Jahrgangs.

die Röhrenladungen, sobald eine Gefahr für seine Gänge droht. Diese
Röhren erscheinen, so zu sagen, als »die Erkunder« des Mineurs. Indem
der Mineur mit einer dem Gegner gleichen Waffe von oben nach unten
und in freier Luft wirkt, wird er unzweifelhaft diesem zuvorkommen.
Ausserdem können auch die Ladungen der »Erkunder« die Grösse von
einfachen Minen erreichen, während es für den Vertheidiger nicht vortheilhaft ist, stärkere Ladungen als die der vorgetriebenen Minen anzuwenden.
Die Trichter, die man von den Sprengungen aus den Flankenröhren erhalten
hat, können für den Bau von Verbindungen mit den folgenden gesprengten
Trichtern des Angriffs oder zum Bohren von neuen Erkundungsröhren
von ihnen aus dienen. Bei einer solchen Kombinirung der Sprengungen
der stark geladenen Minen und der Röhrenladungen gelangt der Angreifer
sehr schnell (im Vergleich zu dem alten Verfahren des Angriffs) bis zu
der Kontreescarpe.

Aber trotz der Hülfe der Bohrer ist dies gute alte Verfahren bei dem
Angriff mit langen Minengängen und stark geladenen Minen dennoch
äusserst langsam bei dem jetzt verlangten möglichst schnellen Angriff.
Thatsächlich muss der Angreifer unter der Annahme, dass er stark geladene
Minen bei einer kürzesten Widerstandslinie, $W = 21$ Fuss, sprengen will,
mit dem Minengange nicht weniger als 13 Sashen vorgehen, um nicht die
eigenen Laufgräben zu zerstören. Dabei sitzt der Trichter, so zu sagen,
auf dem Laufgraben und die Krönung des vorderen Kammes wird von
dem letzteren ab im Ganzen auf $13 + 9 = 22$ Sashen hinausgeschoben.
Nach der durchschnittlichen Erfahrung sind zu dieser Operation mit der
Anlage der Niedergänge, der Kammern, dem Laden und dem Verdämmen
etwa 1 bis $1\frac{1}{2}$ Wochen und bald noch mehr erforderlich. Bedenkt man
noch alles Ungemach, das die Arbeiter in den Minen durch den Mangel
und die Unreinheit der Luft, die Feuchtigkeit, die Miasmen und das
Wasser zu erleiden haben, den grossen Aufwand von Arbeitern und die
Nothwendigkeit, sehr kaltblütige und erfahrene Leiter zu haben, so erscheint
es in dem Interesse der Schnelligkeit und Einfachheit des Angriffs zu
sein, sich auf die Anwendung von Sprengungen aus Bohrlöchern als vollständig selbständiges Mittel zum Kampf gegen die Kontreminen zu
beschränken.

Stellen wir uns vor, dass aus der zum Beginn des Minenangriffs
bestimmten Parallele die Mineure gleichzeitig eine ganze Serie von Bohrlöchern in der Länge von 15 bis 20 bis 25 Sashen bohren. Alle Bohrungen
sind untereinander parallel und zur Feuerlinie des Laufgrabens normirt.
Es wird ihnen eine solche Neigung zum Felde gegeben, dass die Spitzen
(Enden) der Oeffnungen 2 bis 3 Fuss höher als die Decke der feindlichen
Minengänge oder als das Niveau der Röhren-Quetschminen zu stehen
kommen, d. i. im Durchschnitt beträgt die Tiefe der Enden 14 bis 16 Fuss.
Die Röhren werden in einer gegenseitigen Entfernung von 21 bis 24 Fuss
so gebohrt, dass man, nachdem man sie als einfache Minen bei einer
geringsten Widerstandslinie, $W = 14$ bis 16 Fuss, geladen hat, Trichter
erhält, die sich auf $\frac{1}{2}$ W durchschneiden. Auf den Flanken dieser Reihe
von Röhren werden aus den Laufgräben andere gebohrt, in welchen
Ladungen untergebracht werden, deren Lage so kombinirt wird, dass man
nach ihrer Sprengung defilirte Verbindungsgänge zum zukünftigen allgemeinen
Trichter erhält, der von den Sprengungen aus den Frontalröhren entsteht.

Das Gewicht der Ladungen für alle Röhren wird, um einfache Trichter
zu erhalten, betragen: die Pulverladungen 7 bis 15 Pud, die Schiesswolle-
Ladungen $3\frac{1}{2}$ bis 7 Pud. Alle Ladungen werden gleichzeitig gezündet;
das Resultat der Sprengung wird ein allgemeiner Trichterlaufgraben sein,

der mit der dahinterliegenden Parallele verbunden ist. Die Tiefe dieses Trichters zusammen mit dem Kamm wird nicht weniger (0,33 + 0,15) als W sein, d. i. von 7 bis 8 Fuss, und da die Trichter auf 1$^1/_2$ W zusammen-gerückt sind, so bis 9 und 10 Fuss; folglich decken sie die Arbeiter gegen das sehr steile Feuer. Wenn nun auch die Ladungen in den Röhren sich auseinanderziehen (der Bohrer wird mit einem Durchmesser von 12 Zoll angenommen), so wird das bei einer gleichzeitigen Sprengung bei den Trichtern nicht fühlbar sein, weil die auseinandergezogenen Ladungen einander helfen; ausserdem sind die Röhren geneigt.

Unmittelbar nach der Sprengung wird der Laufgrabentrichter gekrönt, zum Schiessen eingerichtet, während die Mineure, nachdem sie hier leichte Blendungen aufgestellt haben, wiederum eine neue Serie von Oeffnungen von der nothwendigen Länge bohren und auf diese Weise den Angriff fortsetzen.

Bei der gewählten kürzesten Widerstandslinie werden alle feindlichen Minengänge und Röhren in die Zerstörungssphäre dieser gekoppelten Minen auf einer vertikalen Fläche fallen. Damit das auch im Grundriss statthat, muss man, nachdem man die Lage des Gegners durch Horchen festgestellt hat, die Röhren so bohren, dass die Spitzen der feindlichen Minengänge und Röhren in die Zerstörungssphäre des Angreifers auf einer möglichst grossen Länge fallen, man ihnen möglichst segar in den Rücken komme, was bei der lautlosen Arbeit des Bohrers vollständig möglich ist. Wenn aber ferner, infolge einer irrthümlichen Bestimmung der Lage der Kontre-minen, die gekoppelten Röhrenminen auch die feindlichen Minengänge oder Röhren-Quetschminen nicht zerstören würden, so ist das dennoch den Trichtern des Angreifers nicht sehr gefährlich; der Feind kann mit seinen Bohrern keine Trichter erlangen, weil die frühzeitig gebohrten Röhren schon die äusserste Länge haben, und es dem Angreifer Ernst ist, der Anlage von neuen zuvorzukommen, indem er den Vorzug hat, von oben nach unten zu arbeiten, nicht in einer engen Röhre, sondern in dem Lauf-graben und mit stärkeren Ladungen wirkt, als die Quetschminen und die schwach geladenen Minen haben. Endlich ist auch der Herd des Bohrens der Vertheidigung von dem Trichter entfernt, während es beim Angriff in dem Trichter stattfindet.

Das vorgeschlagene Mittel des Angriffs ist gleichsam ein Angriff mit Angriffsbrunnen, aber nicht mit vertikalen, sondern mit sehr flach geneigten. Aber die Bedingungen für die Arbeit sind ganz verschieden; die Ladung ist von der Arbeitsstelle entfernt, die unterirdische Fläche von bedeutender Breite wird mit einem Male erobert, die Arbeiter sind unter Blendungen gedeckt und können bei Tage und in der Nacht arbeiten, leicht horchen, das Ziel ist der Ladung näher, und folglich ist seine Zerstörung unzweifel-haft, eine unnütze Vergeudung des Sprengmaterials findet nicht statt, weil die Wirkung der Ladung ganz zur Zerstörung der feindlichen Anlagen benutzt wird, was bei dem Angriff mit Angriffsbrunnen nicht der Fall ist. Endlich erhält man einen gut defilirten Laufgraben.

Sowie der Angriff in den Bereich der massiven Kontreminen tritt, kann man, um solche zu vernichten, grosse Ladungen anwenden, indem man die Röhren paarweise in einer solchen Entfernung bohrt, dass der Zwischenraum zwischen ihnen nicht einstürzt, d. i. auf 3 bis 5 Fuss, so dass auf diese Weise die Ladungen konzentrirt werden; die Anwendung von Schiesswolle zu diesem Zweck ermöglicht es, das Gewicht der Ladungen zu vermindern; überhaupt ist ihre Wirkung auf massive Anlagen zuver-lässiger als Pulver. Ausserdem vergiftet sie mit Gasen die zusammen-gestürzten Minengänge, die Trichter werden etwas tiefer und erhalten steile Ränder.

Wenn der Vertheidiger sich zur unteren Etage der Kontreminen wenden sollte, so muss der Angreifer mit zwei Etagen der Röhrenladungen wirken, indem er eine Reihe mehr geneigter Röhren bohrt, um die untere Etage der Kontreminen zu sprengen, die als einfache Minen bei den kürzesten Widerstandslinien, $W = 14$ Fuss, wirken, d. i. in Bezug auf die Oberfläche der Erde als Quetschminen; gleichzeitig stellt der Angreifer Bohrlöcher in schachbrettartiger Ordnung zu den vorhergehenden her, um mit einfachen Minen bei $W = 14$ bis 16 Fuss auf die obere Etage der Kontreminen zu wirken und um Laufgräben zu bilden. Es versteht sich von selbst, dass die zur Wirkung auf die untere Etage bestimmten Röhren länger sein müssen als die oberen, damit die Laufgrabentrichter von unten gesichert sind. Die unteren Röhren müssen auch auf das Niveau von 2 bis 3 Fuss über die Decken der feindlichen Minengänge gesenkt werden.

Wenn die obere Bodenschicht zum Bohren nicht geeignet ist, so muss der Angreifer mit Brunnen in die zum Bohren geeignete Schicht hinabgehen, auf ihrem Boden Nischen zum Aufstellen der Bohrer anlegen und aus den Nischen fächerartige Oeffnungen ausbohren, um mit den benachbarten Brunnen in Berührung zu kommen. Wenn die Schicht des ungeeigneten Grundes dick ist, so sind auf 3 bis 5 Fuss paarweise gekoppelte Röhren herzustellen, um die Ladungen zu verstärken. Damit der Gegner der Anlage von Brunnen aus dem Trichterlaufgraben nicht zuvorkommt, kann man aus einigen Röhren, ausser den Spitzenröhren, noch eine Zwischenreihe von Ladungen sprengen, mehr an der letzten Parallele und aus dem Trichterlaufgraben Zwischenladungen mit Brunnen senken, indem man aus den vorderen Trichterlaufgräben den Vertheidiger durch unbedeutende Röhren-Quetschminen, die mit grösserer Neigung gebohrt sind, zurückwirft.

Wenn der Angreifer bis zum Kamm des Glacis gelangt, so zerstört er mittelst solcher Röhrensprengungen die Kontreescarpe und die hinter ihr angelegten Flankirungsbauten. Um die Ladungen zu verstärken und ihnen eine konzentrirte Form zu geben, muss man zu einem Punkte zwei oder drei Röhren bohren und ihre Ladungen gleichzeitig sprengen. Wünscht man endlich, sehr starke Ladungen in der Art von stark geladenen Minen anzuwenden und zwar verhältnissmässig schnell, so kann man bei dem Verbrauch von doppelt so viel Sprengmaterial aus den Trichterlaufgräben mit Brunnen niedergehen, auf ihrem Boden nur Kammern oder unbedeutende Minengänge mit Kammern bauen und aus ihnen starke Minen sprengen. Die Anlegung von Kammern und Brunnen ist die ganze Zeit durch eine Avantgarde von aus den Laufgräben gebohrten Röhren gegen Unternehmungen des Gegners zu decken.

Zum Bohren von Röhren mit einem Durchmesser von 12 Zoll sind für eine Sashe 45 Minuten bis 1 Stunde 45 Minuten, je nach dem Boden, nöthig. Zum Laden und Verdämmen der Röhren von einer Länge von 10 Sashen waren bei den Versuchen bei Kiew nicht mehr als 45 Minuten erforderlich. Folglich, um auf 22 Sasben vorzugehen, bedarf der Angreifer im Durchschnitt etwa 24 Stunden, d. i. diese Operation kann sieben- bis zehnmal schneller ausgeführt werden als mit Minen. Durch Röhren-Flatterminen kann der Angreifer die Belagerungsarbeiten gegen Ausfälle sicherstellen. Aber sogar in dem Falle, wenn bei der Vertheidigung keine Kontreminen vorhanden sind, sondern die Werke nur durch Flatterminen oder andere künstliche Hindernisse gesichert sind, oder es sogar gar keine Hindernisse giebt, ist auch dann die Anwendung von Bohrern für den Nahangriff das schnellste und mit unbedeutenden Verlusten verbundene Mittel, um die Krete des Glacis zu erreichen.

Das Verfahren des Angriffs ist dasselbe, wenn auch Kontreminen vorhanden sind, d. i. aus der Parallele werden Frontallöcher auf die dem Bohrer entsprechende Länge gebohrt; aber in Rücksicht auf das Fehlen von unterirdischen Bauten ist es genügend, die Enden der Oeffnungen 12 Fuss unter den Horizont zu senken, bei einem 21 Fuss langen Zwischenraum zwischen ihnen.

Die Ladungen werden als einfache Minen bei W = 12 Fuss berechnet und werden 4 bis 6 Pud Pulver je nach dem Boden (Sand, Thon) oder 2 bis 3 Pud Schiesswolle wiegen. Weil ein einzelner Trichter dabei eine Oeffnung zu 0,33 W + 0,45 W, d. i. etwa 6 Fuss, geben wird, so werden auf 3 Fuss gekoppelte eine Oeffnung von nicht weniger als 7 Fuss geben. Für die Verbindung mit der Parallele werden die Verbindungsgänge so hergestellt, wie oben bei der Beschreibung ihrer Anlage für die Vereinigung der Trichter der stark geladenen Minen mit der Parallele angegeben ist. Nach der gleichzeitigen Sprengung aller Ladungen bildet sich ein zusammenhängender Trichterlaufgraben mit fertigen Verbindungswegen, der den Mann in der ganzen Grösse deckt. Es ist klar, dass alle Flatterminen, die in die Wirkungssphäre der Minen kommen, zerstört werden, oder es werden ihre Leitungen durchrissen, wenn die Flatterminen im Rücken des Laufgrabentrichters verblieben; weil die Tiefe der Lage der Flatterminen 14 bis 16 Fuss beträgt, werden die vorn bleibenden Flatterminen durch die folgenden Sprengungen vernichtet. Ebenso kann man durch die Röhrenladung eine Bresche in einem beliebigen Hinderniss (das Wasser ausgenommen) herstellen.

Aus dem erhaltenen Laufgraben geht man weiter, nachdem man unter leichten Blendungen die Bohrer aufgestellt hat, und indem man Oeffnungen auf der erforderlichen Länge bohrt. Um einen Trichterlaufgraben auf 20 Sashen von der Parallele herzustellen, sind etwa 24 Stunden erforderlich, während, um nur bis zu diesem Punkte mit der doppelten Erdwalze zu gelangen, man (die Traversen eingerechnet, die die Länge des Zuganges um 33 pCt. erhöhen) bei einem mittleren Erfolg von 3 Fuss in einer Stunde $\frac{20 \times 7 \times 1,33}{3} = 62$ Stunden aufwenden muss. Ohne zu irren, kann man sagen, dass bei dem jetzigen Wurffeuer man mit der Erdwalze nur in der Nacht vorgehen kann, folglich ist die Zeit zu verdoppeln, d. i. es sind 124 Stunden anzunehmen, ja ebenso viel ist noch für den Bau der Laufgräben erforderlich, wenn man die Zugänge auf 50 bis 60 Sashen einer von dem andern entfernt annimmt.

Somit muss man, um eine Parallele zu 20 Sashen von der vorhergehenden zu bauen, auf die Erdwalze $\frac{124 \times 42}{2} = 10$ mal 24 Stunden verwenden, d. i. dieses Verfahren ist 10 mal langsamer als das vorgeschlagene Mittel zur Herstellung der Laufgräben durch Sprengungen. Allerdings erfordert dieses Mittel für jede 3 Sashen Laufgraben 4 bis 6 Pud Pulver oder 2 bis 3 Pud Schiesswolle. Aber wenn man diesen Verbrauch von Sprengmaterial mit der Menge vergleicht, welche die Artillerie während der Belagerung verausgabt, so bedeutet das nichts. In Sewastopol verbrauchte der Vertheidiger in dem Minenkriege im Ganzen $\frac{1}{2}$ pCt. der Pulvermenge, welche die Artillerie und Infanterie verschossen haben, und die ganze Verausgabung des Angreifers auf die Minen betrug 4148 Pud (679 442 kg) oder $1\frac{1}{2}$ pCt. von dem Verbrauch der Artillerie. Diese Verausgabung von Sprengmaterial für die Laufgräben wird hundertfach durch die Erhaltung von Hunderten von Menschen aufgewogen und spart Zeit; die Zeit und der Mann sind aber unvergleichlich theurer als Pulver und Schiesswolle, und somit ist es dem Angreifer möglich, geizig mit Blut und Schweiss zu sein.

Ueber russisches Kartenwesen.

Von W. Stavenhagen.

Ein nach heutigen Grundsätzen aufgebautes Kartenwesen giebt es in Russland erst seit dem ersten Viertel unseres Jahrhunderts. In ähnlicher Weise wie in den Vereinigten Staaten Amerikas erschwerten die ungeheuren Raumverhältnisse, die verhältnissmässige Jugend des wissenschaftlichen Kulturlebens und der daraus hervorgehende Mangel an geschulten Kräften die Bewältigung so grossartiger Aufgaben. Zwar fasste Peter der Grosse, auf den die Entstehung des russischen Generalstabes im Anfang des vorigen Jahrhunderts zurückzuführen ist,*) bereits den Plan, eine Karte von Russland zu schaffen, wie dies bei einem Monarchen, der einerseits grosse Kriege zu führen hatte, andererseits sein halbbarbarisches Reich den Kultur- und Handelsstaaten zuzuführen bestrebt war, wohl erklärlich erscheint. Er berief 1739 die Brüder de l'Isle aus Frankreich dazu. Aber erst 20 Jahre nach seinem Tode, 1745, wurde die von der Akademie der Wissenschaften bearbeitete Karte 1:428000 in 19 Blatt veröffentlicht. Unter der Regierung der Kaiserin Katharina II. wurden 1763 die Offiziere der Quartiermeister-Abtheilung aus den Stäben ausgeschieden und in einen Stab unter der Bezeichnung »Generalstab« vereinigt. Damit begann auch bald eine neue Landesvermessung, die besonders der aus fremden Diensten herangezogene General-Quartiermeister Baur dadurch förderte, dass er 60 Unteroffiziere im Topographiren ausbilden liess. Unter Kaiser Paul war es namentlich besonders der General-Quartiermeister Araktschew, welcher als eine Haupt-Friedensthätigkeit des »Gefolge Seiner Majestät für die Quartiermeister-Angelegenheiten« benannten Generalstabes das Aufnehmen des Landes betrachtete. Es wurde ein »Zeichensaal Seiner Majestät« eingerichtet und das »Höchsteigene Kartendepot Seiner Majestät« gegründet. Die unter der Regierung Alexander I. 1810 bei der Moskauer Universität gebildete mathematische Gesellschaft gab den Kolonnenführern (Aspiranten zu Generalstabsoffizieren) Gelegenheit, astronomische und geodätische Studien zu treiben und sich eine vertiefte wissenschaftliche Bildung anzueignen. In diesem Jahre erfolgte auch die Gründung mechanischer Werkstätten. 1812 wurde ein militärtopographisches Depot beim Kriegsministerium gebildet und ging 1816 auf den durch Ukas vom 12. Dec. 1815 ins Leben gerufenen »Hauptstab Seiner Majestät« über. Chef desselben war Fürst Wolkonski, dem zwei Gehülfen zur Seite standen. Unter dem einen derselben stand auch die topographische und Marschrouten-Abtheilung, unter dem anderen das Observatorium, die mechanische Werkstatt, die Druckerei und das erwähnte Depot. Dieser Centralverwaltung des Generalstabes wurden bis 1826 die geeigneten militärwissenschaftlichen Kräfte aus der obenerwähnten Kolonnenführer-Schule, die Graf Murawiew zu Moskau gegründet hatte, zugeführt. An ihre Stelle trat bis 1832 die schon 1820 eröffnete Offizierschule zu Mohilew, welche, wie vorweg bemerkt sei, dann unter Kaiser Nicolaus I. der von Jomini angeregten »Militärakademie« Platz machte. Wirklich zusammenhängende Landesvermessungen wurden aber erst möglich, als 1822 eine besondere Anstalt für Landesaufnahme und ein Militär-Topographenkorps unter dem General Schubert geschaffen wurden. Dasselbe zählte 1832 schon 50 Offiziere und 347 Unteroffiziere, und waren die Offiziere dem seit 1827 als »Generalstab« bezeichneten »Gefolge Seiner Majestät« im Range gleichgestellt.

---

*) 1701 wurde der erste General-Quartiermeister ernannt, 1720 bestand bereits ein Allgemeiner Generalstab der Armee von etwa 300 Mitgliedern, der Alles allerdings umfasste, was ausserhalb der Front Dienst that.

Als 1863 infolge der Einführung der Militärbezirke die bisherige Generalstabs-Abtheilung in eine dem Kriegsministerium unterstellte »Hauptverwaltung des Generalstabes« verwandelt wurde, gestaltete man die 1. Kompagnie des Topographenkorps in St. Petersburg zu einer militärtopographischen Abtheilung dieser (übrigens seit 1865 »Hauptstab« genannten) Hauptverwaltung um und·theilte ihr auch die geodätische Sektion, die kartographische Anstalt und die Topographenschule zu. Der Chef dieses Hauptstabes hat seit 1869 auch die Ausbildung der Militär-Topographenkorps zu überwachen und die Militär-Topographenschule zu beaufsichtigen. Das Korps der Militärtopographen, welches sowohl die trigonometrischen wie auch die topographischen Vermessungen und die kartographischen Arbeiten im Frieden wie im Kriege ausführt, besteht seit 1887 nur noch aus Offizieren (9 Generalen, 25 Obersten, 50 Oberstleutnants, 215 Kapitäns und Stabskapitäns, 155 Premier- und Sekondleutnants), während die früher etatsmässigen· Geodäten und Klassentopographen nur noch bis zu ihrem Dienstaustritt dem Korps angehören. Der Chef des Korps ist zugleich auch Chef der militärtopographischen Abtheilung des Hauptstabes, welche sich heute in eine geodätische Sektion (mit Instrumentenkabinet), in die kartographische Anstalt (mit Zeichen- und Koloriranstalt, Buchbinderei, Gravirdruck, Lithographie- und Photographieanstalt), die Kanzlei, das militärtopographische Depot und das Karten-Verkaufsmagazin gliedert. Die Aufstellung und Prüfung der geodätischen Vorschriften und die Leitung des Lehrganges der Militär-Topographenschule ist unter anderen Aufgaben die Pflicht des unter dem Chef des Hauptstabes stehenden militärwissenschaftlichen Komitees, zu dem auch Offiziere des Topographenkorps als Mitglieder gehören. Auf der Nikolaus-Generalstabs-Akademie ist für die Offiziere, welche sich der Landesvermessung widmen wollen, eine besondere geodätische Abtheilung mit 4¹/₄jährigem Lehrgang (gegen 2¹/₂ Jahre der übrigen Offiziere) eingerichtet. Es werden jährlich zehn Offiziere aufgenommen, welche ausser den mit den Anderen gemeinsamen Lehrgegenständen Geodäsie mit Kartographie, Aufnehmen und Zeichnen besonders betreiben und in den letzten 2¹/₄ Jahren praktische Uebungen abhalten. Sie werden am Schlusse ihres 4¹/₄jährigen Kommandos, wenn geeignet, unmittelbar in den Generalstab versetzt.

Ausser dem Hauptstabe sind noch Hülfstopographen-Abtheilungen im Kaukasus, Turkestan, Irkutsk, Omsk, Ostsibirien (Amur) und längs der sibirischen Bahn, sowie besonders ausgesandte Expeditionen zu militärtopographischen Aufnahmen thätig. Ferner führen geographische und Vermessungsarbeiten das hydrographische Amt des Marineministeriums, das Departement der kaiserlichen Domänen (Udelow), das Ministerium der Kommunikationen (Eisenbahnverwaltung, Departement der Chausseen und Wasserverbindungen, Kommissionen der Kommerzhäfen), das Ministerium der Reichsdomänen (Berg- und Walddepartements, geologisches Komitee), das Messamt des Justizministeriums ·und andere Behörden aus. Leider sind aber diese verschiedenen Arbeiten nicht miteinander in Zusammenhang gebracht und daher in geographischer Beziehung theils wenig nützlich, theils dem Kostenaufwande nicht entsprechend. Die Vereinigung zu einer Centralbehörde ähnlich unserem deutschen Centraldirektorium der Vermessungen wäre deshalb sehr wünschenswerth. — Die Privatkartographie ist sehr bescheiden und beschränkt sich eigentlich auf das Institut Jljin in St. Petersburg. — Wichtiges kartographisches Material liefern die »Sapiski« der militärtopographischen Abtheilung und die »Jeschegodnik« der kaiserlichen geographischen Gesellschaft. Auch die Bulletins der

Akademie der Wissenschaften, die »Archive« von Erman, »Beiträge« von v. Bär und Helmersen, die hydrographischen Werke von Stuckenberg, Wittenheim, die Schriften von Gmelin, Güldenstedt, Georgi, Pallas, Storch, Eichwaldt, Oldekop, Blasius verdienen Beachtung.

Nach diesem allgemeinen Ueberblick über die Geschichte der russischen Kartographie sei nun etwas näher auf das Aufnahmeverfahren eingegangen.

Die ersten russischen Gradmessungs- und Triangulationsarbeiten wurden seitens der Generale Schubert[*] und Tenner und des um die Kartographie Russlands besonders verdienten Staatsraths W. Struve ausgeführt und zwar in den Jahren 1817 bis 1827, fertig 1852. Sie erstrecken sich von Ismail an der Donau bis Fuglanäo bei Hammerfest und dehnen sich über 25° 20′ in der Breite aus. Zunächst führte Struve 1816 bis 1819 die Triangulation Livlands aus als Grundlage der 1839 erschienenen Karte dieser Provinz. 1822 bis 1827 fanden die grossartigen Breitengradmessungen in den Ostseeprovinzen statt. Es wurden drei Meridianbogen mit einem mittleren Fehler von je 11,5, 7,3 und 8,3 mm pro Kilometer gemessen. Diese Messung enthielt 32 in einer einfachen Kette aneinandergereihte Dreiecke mit einem mittleren Fehler von $\pm 0,60''$ des Dreieckswinkels. Seine Grundlinien maass er mit vier 12 Fuss langen, 15 Linien breiten und ebenso dicken Stangen von geschmiedetem Eisen, welche in hölzernen Kästen luftdicht eingeschlossen waren und deren Temperatur mit einem aus der Dichtung hervorragenden Quecksilberthermometer gemessen wurden. Die Zwischenräume zwischen je zwei Stangen wurden durch einen Fühlhebelapparat bestimmt. 1828 wurden diese Messungen durch zwei Dreiecke mit der vom General Tenner in den littauischen Gouvernements geleiteten in Verbindung gesetzt[**] und 1830 bis 1845 unter Struves Oberleitung durch Finnland bis Torneå, dann unter seiner Mitwirkung 1845 bis 1852 bis in die Nähe des Nordkaps fortgeführt. Da gleichzeitig Tenner seine Messung nach Süden bis zu dem südlichsten Punkte Podoliens ausdehnte (1845) und diese unter seiner und Struves Leitung bis an die Donau fortgesetzt wurde, so ist dieser russisch-skandinavische Meridianbogen von 25° 20′ der grösste bis jetzt gemessene. Unter Struves Leitung führten ferner Fuss, Sawitsch und Sabler 1836 und 1837 die Nivellements zwischen dem Schwarzen und Kaspischen Meere aus. Endlich ist als besonders grossartig W. Struves 1857 im Auftrage der russischen Regierung angefangene, von O. Struve, Baeyer und Argelander 1863 zur Vollendung gebrachte Längenmessung auf dem 52. Parallel zu erwähnen, die von Orsk jenseits des Ural bis nach Valentia an der Westküste Irlands geht und 69 Längengrade umfasst. Bei ihr sind die Messungen auf 16 Stationen mittelst des elektrischen Telegraphen erfolgt. (Beobachter die russischen Offiziere Forsch und Zylinski und der Preusse Dr. Tiele.) Bemerkenswerth ist noch, dass das mittlere Fortschreiten bei der Basismessung mit dem Struveschen Apparat 70 m, mit dem Tennerschen 82 m betrug, und dass Struve bei seinen Messungen im Kaukasus eine Dreiecksseite von 202 384 m (1° 49′ Bogenlänge) zwischen dem Ararat und Godarebi gemessen hat.

In neuerer Zeit hat sich Russland, dessen gewaltige Ausdehnung seiner Ländermassen wie geschaffen zur Bestimmung der wahren Erdgestalt ist, der von der preussischen Regierung nach einem Entwurfe des Generals

---

[*] Dieser machte auch den ersten Versuch, die Erde als ein dreiachsiges Ellipsoid darzustellen.

[**] Bessel unternahm es, die ihm von Tenner und Struve in gegenseitiger Unabhängigkeit eingesandten Messungsergebnisse zu prüfen und stellte sowohl in den Seiten- wie Winkelvergleichungen grösste Uebereinstimmung fest.

Baeyer 1861 in Vorschlag gebrachten mitteleuropäischen, später (1867) europäischen Grad-, jetzt (seit 1886) internationalen Erdmessung angeschlossen. Sie erstrebt bekanntlich durch Verbindung von Längen- und Breitengradmessungen und Ausgleich aller geodätischen Arbeiten, namentlich auch der Triangulirungen, die Bestimmung der wirklichen Erdkrümmungsverhältnisse, ferner die Ausführung umfassender Präzisions-Nivellements und dadurch ermöglichte nivellitische Verbindung der Pegelnullpunkte, die Ermittelung der relativen Meereshöhen u. s. w. Hier sind besonders zu erwähnen die telegraphischen Längenbestimmungen, namentlich auf dem 52. Parallel, ferner die zur Verfügungstellung von 19 Grundlinien mit 113,3 km Gesammt-, 6,0 km Durchschnittslänge, dann die Küstenvermessungen am Schwarzen Meere, die astronomischen Bestimmungen durch sogenannte Chronometerapparate, durch welche für zahlreiche Punkte in Sibirien, Transkaspien, Turkestan, im Ussuri-Gebiet und an den Küsten des Stillen Oceans beide Koordinaten bestimmt wurden. Dann sind im europäischen wie asiatischen Russland Triangulationen zweiter und dritter Ordnung von einer Genauigkeit zu erwähnen, welche die Schärfe erster Ordnung erreicht, und die besonders wichtig in Turkestan für die Gradmessung werden (zum Anschluss an die englischen Messungen). Die Präzisions-Nivellements für die internationale Erdmessung haben 8700 km Umfang. Im Ganzen aber sind 14 760 km projektirt, und ist das Netz an das österreichische bei Radzwilloff-Brody, an das preussische bei Nimmersatt angeschlossen. Ferner ist das von der geographischen Gesellschaft veranlasste Nivellement Westsibiriens von 3000 km Länge und das im Auftrage des Wegeministeriums vom General Tillo ausgeführte zu nennen. Im Kaukasus wurden, besonders durch Stebnitzki, wichtige Pendelbeobachtungen vorgenommen. Zwischen Preussen und Russland erfolgten vier Basisanschlüsse, davon in der Richtung Strehlen—Czenstochau von 150 km Entfernung der Basisanschluss durch elf verbindende Dreiecke mit + 0,5 mm auf den Kilometer mittlerem Fehler. Bei Dünaburg wurde ein selbstregistrirender Pegel (Mareograph) aufgestellt; die übrigen gewöhnlichen Pegel sind durch Nivellements mit einander verbunden.

Seinen Topographen stellt Russland folgende Grundlagen zur Verfügung: 1. Katalog der trigonometrischen Punkte (bis 1865) mit den zugehörigen Ergänzungen (Band 36 und 37 der Sapiski). Hier finden sich auch Höhenbestimmungen in beschränkter Zahl. — 2. Hypsometrische Daten des geologischen Komitees und der Beamten des Ministeriums der Kommunikationen bei Gelegenheit der Nivellements für Eisenbahnbauten. — 3. Genaue Beschreibung der Flüsse, zusammengestellt im zweiten Kataloge 1884 und 1892 vom General Tillo. Mit Profilen und Karten der Neigung von Flächen. (»Materialien zur Hypsometrie des europäischen Russlands.«) — 4. Messung des Parallels von 47,5° nördlicher Breite (Richmond—Astrachan) in Verbindung mit der schon erwähnten Messung des 52. Breitenparallels. — 5. Zusammenstellung der astronomischen und geodätischen Arbeiten und Organisation der Beobachtungen mit dem Repsoldschen Pendel sowie der Lothablenkungen in verschiedenen Gegenden Russlands. — 6. Provinzbeschreibungen, die schon im vorigen Jahrhundert begonnen, besonders aber seit den 60er Jahren dieses Jahrhunderts als »Materialien zur Geographie und Statistik Russlands mit allgemeiner Beschreibung des Gouvernements als Vorreden und Uebersichtskarten« vom Hauptstabe veröffentlicht wurden.

1895 erstreckte sich die Triangulation des Hauptstabes auf nicht weniger als 15 090 Quadratwerst an der Westgrenze (Gouvernements Wolhynien, Kijew, Petrokow, Radom, Wilna, Minsk, Grodno, Kowno,

Kjelzy, Warschau, Plozk), ferner eine grosse Anzahl von Punkten erster und zweiter Ordnung im Grossfürstenthum Finnland. Dann hatten die einzelnen Abtheilungen durch Klarheit der Luft begünstigte, durch Rauhheit des Gebirges erschwerte Triangulationen im Kaukasus (Beobachtungen bis auf 70 Werst mit dem Ertelschen 4 Sekunden-Theodolithen), solche in der Krim, astronomische Arbeiten in dem schwierigen, oft kaum zugänglichen Alpen-Gelände zwischen dem Fort Narynsk und dem Tuboli-Pass und nordwestlich von Issyk-Kul, genaue Nivellements längs der transkaspischen Bahn und den astronomischen Anschluss Turkestans an das europäische Russland (Längenbestimmungen auf chronometrischem Wege durch Oberstleutnant Saljeski), endlich Arbeiten längs der sibirischen Bahn auszuführen.

Bei den topographischen Aufnahmen sind folgende Methoden zu unterscheiden: 1. Topographische Aufnahmen auf Grund des trigonometrischen Netzes (4 bis 5 Punkte für jeden Messtisch) in 1 : 16 800 oder 1 : 21 000 ($^1/_2$ Werst = 1 Zoll). Sie geschehen mit der Kippregel. Die Original-Messtischblätter werden so ausgezeichnet, dass sie zur Vervielfältigung durch Heliographie geeignet sind. Da man aber die künftige topographische Karte auf 1 : 84 000 (statt 1 : 126 000) vergrössern will, was durch direkte Herstellung aus den Original-Messtischblättern undeutliche Bilder gäbe, so werden bei den Aufnahmen noch Original-Handzeichnungen 1 : 63 000 für die künftige topographische Karte hergestellt, welche dann daraus photographisch angefertigt wird. So z. B. in 16 800 Aufnahmen im Kreise Kuba des Gouvernements Baku. — 2. Topographische Aufnahmen auf Grund des trigonometrischen Netzes in 1 : 42 000 (1 Werst = 1 Zoll). Situation und Gelände auf Grundlage von Krokis. So im mittleren Hauptkamm des Kaukasus und in der Provinz Daghestan zum Beispiel. — 3. Halbinstrumentale Aufnahmen 1 : 42 000 oder 1 : 84 000 (2 Werst = 1 Zoll). Grenzen und Flüsse sowie grosse Strassen mit Instrumenten, alles Uebrige mittelst Krokis. So z. B. in Transkaspien 1 : 84 000, in Fergana desgleichen. — 4. Aufnahmen nach dem Augenmaass in 1 : 84 000, 1 : 126 000, 1 : 210 000. Nur die wichtigsten Punkte und Hauptlinien werden mit einfachen Instrumenten festgelegt. — 5. Rekognoszirowki (Erkundungen), d. h. Aufnahmen nach dem Augenmaass, aber in kleinem Maasstab 1 : 210 000 (5 Werst) bis 1 : 840 000 (20 Werst), so z. B. in schwach kultivirten Gegenden wie in der kirgisischen Steppe oder in Buchara von den nach Afghanistan führenden Wegen. — 6. Marschrouten-Aufnahmen, bei welchen nur bestimmte Linien festgelegt werden, alles Uebrige, namentlich das Seitengelände, aber nach dem Augenmaass bestimmt wird. So wurden von dem 560 Werst langen Wege von Ssemijarsk bis zum Hafen von Bertyskaja am Balchaschsee solche Aufnahmen in 1 : 84 000, andere an der russisch-chinesischen Grenze (Omsk) in 1 : 210 000 zum Beispiel ausgeführt.

Die ältesten Aufnahmen geschahen zur Herstellung der Schubertschen Spezialkarte auf Grundlage von 272 astronomischen Ortsbestimmungen, allmählich sich ausdehnenden Triangulationen und Erkundungen in Maassstäben 1 : 16 800, 1 : 21 000 und 1 : 42 000 auf Messtischblättern von 10 Werst Quadratgrösse. So wurden 1819 bis 1849 die Gouvernements Wilna, St. Petersburg, Grodno, Minsk, Pskow, Krim, Moskau, Wolhynien, Podolien, Bjelostock, Witebs und Kijew vermessen. 1848 wurde das preussische Gradabtheilungssystem (Müffling) eingeführt, wonach die Messtischblätter im Maassstabe 1 : 42 000 10 Breitenminuten und 15 bezw. nördlich des 56. Parallels 20 Längenminuten umfassen. Aufgenommen wurden Polen und die Gouvernements Cherson, Kaluga, Moskau, Jekaterinoslaw, Tula, Tschernigow, Taurien, Livland, Charkow, Esthland, Orel,

Kursk, Nowgorod, Perm, Woronesh, Ssaratow, Kasan und Kostroma. Da
Eile nöthig war, lief daneben eine halbtopographische Aufnahme, bei der
nur die wichtigsten Linien gemessen, das Uebrige krokirt war. Seit 1870
erfolgten neue Aufnahmen in 1 : 210 000 in Finland, Bessarabien, Kurland,
am Njemon, am Bobr, in Polen, Wolhynien und während der Kriegs-
jahre 1877/8 auf der Balkan-Halbinsel. 1895 waren 19 611 Quadratwerst
längs der projektirten sibirischen Eisenbahn (davon 19 524 im 2 Werst-,
75 Quadratwerst im 250 Sashen- und 12 Quadratwerst im 50 Sashen-
Maassstabe), ferner 900 Quadratwerst im $^1/_2$ Werst-Maassstabe längs der
transkaspischen Bahn aufgenommen, sowie vom Hauptstabe im $^1/_2$ Werst-
Maassstabe die Gouvernements Petersburg, Wyborg, Esthland, Grodno,
Minsk, Wilna, Wolhynien, Kowno, Radom, Kielzy und das Donetz-Kohlen-
revier.   (Schluss folgt.)

Brennzünderschiessen.

(Schluss.)

Als Schlussfolgerung aus dem bisher Erörterten wäre festzustellen,
dass dem Plattenverfahren in reglementärer wie schiesstechnischer Hinsicht der Vorzug gebührt vor der Aenderung der Erhöhung in Metern
oder Graden; eine zweite Frage nun wäre die, ob und wann die mittelbare oder unmittelbare Brennlängen-Korrektur als das Zutreffendere zu
erachten ist. Zu diesem Vergleich wollen wir folgende Fälle heranziehen:

1. Beseitigen von Aufschlägen,
2. Heben des Sprengpunktes,
3. Senken des Sprengpunktes.

Zu 1. a) Mittelbare Brennlängen-Korrektur (siehe viertes Beispiel). Vortheil: Nutzbarmachung der Schüsse 11 bis 14 für Wirkung.
Nachtheil: Springen nach rückwärts mit Schuss 15, Streuen nach vorwärts mit Schuss 21 und 27.

b) Unmittelbare Brennlängen-Korrektur (siehe zweites Beispiel). Vortheil: Festhalten der von Schuss 4 bis 13 erschossenen Az.-
Flugbahn; daher auch annähernder Schluss auf Sprengweite ermöglicht
aus Sprenghöhe und Fallwinkel des nicht krepirten Geschosses; das Springen
nach rückwärts fällt weg; das Streuen bleibt in engeren Grenzen als beim
Plattenverfahren. Nachtheil: Die Schüsse 16 bis 19 werden für die
Wirkung nicht nutzbar gemacht; dies ist als Nachtheil zu bezeichnen
gegen f-Ziele, deren leichtere Treffbarkeit mehr Spielraum in der Sprengpunktslage gestattet, obwohl auch hier dadurch, dass beim Beseitigen
von Aufschlägen durch Vermehrung der Erhöhung Neigung zu Weitspreng-
punkten entsteht, die Voraussetzung für eine etwaige Wirkung der Schüsse 16
bis 19 ziemlich eingeschränkt wird. Gegen gedeckte Ziele — g-Ziele —
ist für das Wirksamwerden des Schrapnels eine enger begrenzte günstigste
Lage des Sprengpunktes anzustreben, die sich wohl durch die Aenderung
der Brennlänge, kaum aber durch die Aenderung der Erhöhung erreichen
lässt; hier würde demnach auf die Schüsse 16 bis 19 in keinem Fall zu
rechnen sein.

Schlussfolgerung: Da die leichtere Treffbarkeit der f-Ziele die Aussicht auf Wirkung beim Beseitigen der Aufschläge durch Unterlegen von
Platten offen lässt, erscheint dort das Plattenverfahren um so mehr angezeigt, als bei der blossen Bildung der 100 m-Gabel in Az. die Az.-Flug-
bahn nur einen ungefähren Anhalt giebt, so dass zu dem an sich gebotenen
Streuen im Rahmen von wenigstens 100 m das mit dem Plattenverfahren
verbundene Springen beizunehmen ist. Anders liegt die Sache gegen

g-Ziele, deren schwierigere Treffbarkeit auf das Festhalten der in einer oder mehreren Gruppen erschossenen Az.-Flugbahn und die unmittelbare Brennläugen-Korrektur hinweist.

2. **Heben des Sprengpunktes.**

a) **Aenderung der Erhöhung allein** (in Graden, Metern oder mittelst Platten).

Sechstes Beispiel. Schuss 1 bis 8 siehe erstes Beispiel.

9) 2900 —/1   10) 2900 —/—1   11) $\dfrac{2900 \, ?/8}{1}$ u. s. w.

Vortheil: Nutzbarmachung der geladenen Geschütze; ferner, die Sprengweite wird von der Korrektur nicht beeinflusst; der Sprengpunkt wird um etwa den fünften Theil des Maasses, um welches die Erhöhung vermehrt wird, zurückgezogen; diese Aenderung der Sprengweite ist, wenn sie nicht an sich schon von der Streuung aufgesogen wird, ohne jede Bedeutung. **Nachtheil:** Keiner.

b) **Aenderung der Brennlänge allein — unmittelbare Brennlängen-Korrektur.**

Beispiel 6 a.

1) 2800 —   2) 3200 +   3) 3000 +   4) 2900 —   5) 2900 +   6) 2900 +   7) 2900 —

8) 2900 +   9) 2900 —   10) 2900 +   11) 2900 —   12) 2900 +   13) 2900 —

14) $\dfrac{2900 \, -/1}{,}$ 15) $\dfrac{2900 \, ?/2}{,}$ 16) $\dfrac{2900 \, +/4}{,}$ 17) $\dfrac{2900 \, ?/3}{,}$ 18) $\dfrac{2900 \, -/—1}{,}$ 19) $\dfrac{2900 \, ?/4}{,}$

20) $\dfrac{2900 \, ?/6}{2850}$ u. s. w.

Vortheil: Die Az.-Flugbahn wird beibehalten; es ist dies von Bedeutung für Bodenkammerschrapnels, bei welchen sich die dichteste Garbe der Füllkugeln um die Flugbahn des nicht krepirten Geschosses gruppirt. **Nachtheil:** Die Schüsse 16 bis 19 gehen theilweise für die Wirkung verloren; für Kammerhülsenschrapnels, bei denen man gegen *g*-Ziele, und um diese handelt es sich hier, mit dem Wirksamwerden des unteren Kegelmantels zu rechnen hat, ist die mit der Vermehrung der **Sprenghöhe** gleichzeitig eintretende Vermehrung der **Sprengweite** entschieden ungünstig; das Heben des Sprengpunktes durch Aenderung der **Erhöhung** allein ist hier richtiger; das Gleiche gilt für Sprenggranaten.

Schlussfolgerung: Die Aenderung der **Erhöhung** allein ist zutreffend gegen *f*-Ziele, gleichgültig, ob Bodenkammer- oder Kammerhülsenschrapnel, ferner gegen *g*-Ziele für Kammerhülsenschrapnel. Die Aenderung der **Brennlänge** allein ist zutreffend gegen *g*-Ziele für Bodenkammerschrapnel.

3. **Senken des Sprengpunktes.**

a) **Mittelbare Brennlängen-Korrektur.**

Siebentes Beispiel.

1) $\dfrac{2800 \, -}{3}$ 2) $\dfrac{3200 \, +}{3}$ 3) $\dfrac{3000 \, +}{3}$ 4) $\dfrac{2900 \, +}{3}$ 5) $\dfrac{2800 \, -}{3}$ 6) $\dfrac{2800 \, +}{3}$ 7) $\dfrac{2800 \, -}{3}$ 8) $\dfrac{2800 \, +}{3}$

9) $\dfrac{2800 \, ?/18}{3}$ 10) $\dfrac{2800 \, ?/20}{3}$ 11) $\dfrac{2800 \, ?/6}{2}$ 12) $\dfrac{2800 \, ?/4}{2}$ ·   13) $\dfrac{2800 \, -/3}{2}$ 14) $\dfrac{2800 \, ?/3}{2}$

15) $\dfrac{2850 \, ?/8}{2}$ u. s. w.   21) $\dfrac{2900 \, ?/5}{2}$ u. s. w.

Vortheil: Keiner. **Nachtheil:** Da hohe Sprengpunkte mit grossen Sprengweiten zusammenhängen, muss nach dem Senken gleichlaufend um 50 bis 100 m vorgegangen werden, um eine der tieferen Sprengpunktslage angepasste geringere Sprengweite zu erhalten; dieses Vorgehen wäre übrigens auch ohne Senken des Sprengpunktes geboten, weil bei hohen

Sprengpunkten und damit in Verbindung stehenden grossen Sprengweiten ein Mattwerden der Füllkugeln zu befürchten ist. Die Schüsse 11 bis 14 gehen für die Wirkung verloren.

b) **Aenderung der Brennlänge allein — unmittelbare Brenn-längen-Korrektur.**

Achtes Beispiel.

1) 2800 −   2) 3200 +   3) 3000 +   4) 2900 −   5) 2900 +   6) 2900 −   7) 2900 −

8) 2900 +   9) 2900 −   10) 2900 +   11) 2900 −   12) 2900 +   13) 2900 −

14) $\frac{2900\ ?/18}{2700}$ 15) $\frac{2900\ ?/20}{2700}$ 16) $\frac{2900\ ?/16}{2700}$ 17) $\frac{2900\ ?/12}{2700}$ 18) $\frac{2900\ ?/18}{2700}$ 19) $\frac{2900\ ?/16}{2700}$

20) $\frac{2900\ ?/6}{2750}$ u. s. w.

Vortheil: Die Sprengweite passt sich beim Senken des Sprengpunktes durch Aenderung der Brennlänge von selbst der Sprenghöhe an, so dass ein Vorgehen zum Zweck des Regelns der Sprengweite nicht geboten ist; ferner ist auch von Schuss 14 bis 19 noch Wirkung zu erwarten, wenn die Sprengweite für die Füllkugeln nicht zu gross ist. Nachtheil: Keiner.

Schlussfolgerung: Die unmittelbare Brennlängen-Korrektur ist hier dem Plattenverfahren entschieden vorzuziehen, ein Grund mehr, dass gegen g-Ziele die unmittelbare Brennlängen-Korrektur als einheitliches Verfahren zu gelten hat; andererseits wird man gegen f-Ziele, trotzdem hier ein kleiner Umweg im Verfahren bedingt ist, es beim Plattenverfahren bewenden lassen.

Gesammtfolgerung: Ballistisch ist begründet: a) die unmittelbare Brennlängen-Korrektur zum Beseitigen von Aufschlägen und zum Senken des Sprengpunktes; b) die einseitige Aenderung der Erhöhung mittelst Platten zum Heben des Sprengpunktes.

Die mittelbare Brennlängen-Korrektur käme demnach zunächst nicht in Betracht. Die einseitige Aenderung der Erhöhung mittelst Platten bezw. Ausschaltung hat den wesentlichen Vortheil vor der unmittelbaren Brennlängen-Korrektur voraus, dass nur eine Meterzahl in Betracht kommt. Dieser Vortheil des einfacheren Kommandos und die Nutzbarmachung der geladenen Geschütze werden bestimmend dafür, dass man sich gegen f-Ziele (besonders sich bewegende) an das Plattenverfahren (mittelbare Brennlängen-Korrektur) hält; ein Uebergreifen desselben jedoch gegen g-Ziele würde, weil es hierzu ballistisch nicht günstig genug veranlagt ist, auf Kosten der Wirkung gehen, eine Grenze, vor welcher selbstredend der Zug nach Einheitlichkeit Halt machen muss. Dazu kommt noch, dass gegen g-Ziele der Uebelstand, wie er im Kommando von zwei Meterzahlen unzweifelhaft liegt, auch bei der unmittelbaren Brennlängen-Korrektur sich wohl vermeiden lässt und zwar durch die Ausschaltung am Richtbogen bezw. Quadranten. Man kommandirt daher ebenfalls nur eine Zahl und giebt eine etwaige Abweichung der Erhöhung von dieser Zahl mittelst Ausschaltung. Ueber die Zweckmässigkeit des Quadranten beim Beschiessen von g-Zielen kann kein Zweifel obwalten, ja es ist demselben vor dem Aufsatz überall dort der Vorzug zu geben, wo es, wie stets bei g-Zielen, auf eine genauere Regelung der Sprengpunktslage ankommt.

Schlussergebniss im Rahmen des theilweise daraus zu folgernden Verfahrens für das gesammte Brennzünderschiessen.

A. Schrapnels.

1. **Aufsetzen des Brennzünders:** a) gegen f-Ziele auf der Entfernung, für deren Stimmigkeit die Az.-Schüsse Anhalt geben; ist ein dies-

bezüglicher Anhalt nicht gegeben, dann auf der kurzen Gabelgrenze;
b) gegen *g*-Ziele auf einer Gruppe Az.

Anmerkung. Ist in Az. die Bildung der 100 m-Gabel bezw. das Erschiessen einer Gruppe nicht durchführbar, so hat das Streuverfahren (Anleitung 181 bis 189) Platz zu greifen.

2. **Regeln der Sprenghöhe:** a) gegen *f*-Ziele mittelbare Brennlängen-Korrektur und zwar beim Aufsatz Plattenverfahren, beim Quadranten Ausschaltung; b) gegen *g*-Ziele unmittelbare Brennlängen-Korrektur, dabei grundsätzlich Quadranten; c) gegen *f*- und *g*-Ziele derart, dass unter 6 Schuss 1 bis 2 tiefe Sprengpunkte oder 1, höchstens 2 Aufschläge erscheinen (letzteres sich nicht wiederholend).

3. **Fortsetzung des Schiessens mit Bz.:** a) gegen *f*-Ziele auf derjenigen Entfernung, für deren Stimmigkeit bereits ein Anhalt gewonnen ist;[*] ist ein solcher Anhalt nicht gewonnen, so wird auf beiden Gabelgrenzen und der Gabelmitte abwechselnd gefeuert; b) gegen *g*-Ziele auf der erschossenen Verbindung von Erhöhung und Brennlänge;[*] falls der Anhalt für deren Stimmigkeit sich nicht verdichtet, wird mit einer 50 m weiteren Entfernung abgewechselt, und falls Neigung zu einer höheren, eine Neuregelung jedoch nicht erheischenden Sprengpunktslage sich bemerkbar macht, wird abwechselnd auch noch um 50 m unter die erschossene Entfernung gegangen. — Ist unter a) oder b) die Beurtheilung der Unstimmigkeit einer Entfernung möglich, so ist diese auszuschalten.

Neuntes Beispiel. *f*-Ziel; Unstimmigkeit zwischen Erhöhung und Brennlänge bekannt.

1) $\frac{2800-}{2}$ 2) $\frac{3200+}{2}$ 3) $\frac{3000+}{2}$ 4) $\frac{2900-}{2}$ 5) $\frac{2900+}{2}$ 6) $\frac{2900-}{2}$ 7) $\frac{2900+}{2}$ 8) $\frac{2900-}{2}$

9) $\frac{2900\,?/8}{2}$ 10) $\frac{2900\,?/6}{2}$ 11) $\frac{2900\,?/2}{2}$ 12) $\frac{2900\,?/10}{2}$ 13) $\frac{2900\,?/3}{2}$ 14) $\frac{2900\,?/12}{2}$

u. s. w., nach mehreren Lagen vielleicht $\frac{2950\,?/10}{2}$ u. s. w. $\frac{2900\,?/6}{2}$ u. s. w.

Das Streuen nach vorwärts wird nicht auf die weite Gabelgrenze (3000) ausgedehnt, da diese sicher als ungünstig weit erkannt ist, nachdem 2900 schon wechselnde Vorzeigen ergeben hat.

Zehntes Beispiel. *f*-Ziel; Unstimmigkeit zwischen Erhöhung und Brennlänge nicht bekannt.

1) 2800 — 2) 3200 + 3) 3000 + 4) 2900 — 5) 2900 + 6) 2900 — 7) 2900 + 8) 2900 +

9) $2900\,-/A$ 10) $2900\,+/A$ 11) $\frac{2900\cdots/2}{1}$ 12) $\frac{2900\,?/A}{1}$ 13) $\frac{2900\,?/8}{2}$ 14) $\frac{2900\,?/6}{2}$

15) $\frac{2800\,?/10}{2}$ u. s. w. 21) $\frac{2850\,?/6}{2}$ u. s. w. 27) $\frac{2900\,?/8}{2}$ u. s. w.

Mit Schuss 11 und 13 wird je eine Aufsatzplatte untergelegt; als erschossene Verbindung von Erhöhung und Brennlänge gilt $\frac{2800}{2}$, das ist die nach dem Regeln der Sprenghöhe und dem dabei gebotenen Springen gewonnene Entfernung; von dieser wird zweimal um je 50 m nach vorwärts gestreut.

Elftes Beispiel. *g*-Ziel; Unstimmigkeit zwischen Erhöhung und Brennlänge bekannt.

1) $\frac{2800-}{2}$ 2) $\frac{3200+}{2}$ 3) $\frac{3000+}{2}$ 4) $\frac{2900-}{2}$ 5) $\frac{2900-}{2}$ 6) $\frac{2900+}{2}$ 7) $\frac{2900+}{2}$

8) $\frac{2900-}{2}$ 9) $\frac{2900+}{2}$ 10) $\frac{2900--}{2}$ 11) $\frac{2900+}{2}$ 12) $\frac{2900-}{2}$ 13) $\frac{2900+}{2}$

14) $\frac{2900\,?/8}{2}$ u. s. w., nach mehreren Lagen vielleicht $\frac{2950\,?/6}{2}$ u. s. w. $\frac{2900\,?/8}{2}$ u. s. w.

---

[*] Im Sinne von Ziffer 121 der Anleitung und zur Beurtheilung der erschossenen Verbindung an Erhöhung und Brennlänge auf Grund einer grösseren Anzahl Schüsse.

Da hier mit dem Quadranten gerichtet wird, wird die Unstimmigkeit zwischen Erhöhung und Brennlänge durch die Ausschaltevorrichtung berücksichtigt.

Zwölftes Beispiel. g-Ziel; Unstimmigkeit zwischen Erhöhung und Brennlänge nicht bekannt.

1) 2800 —   2) 3200 +   3) 3000 +   4) 2900 —   5) 2900 —   6) 2900 +   7) 2900 +
8) 2900 —   9) 2900 +   10) 2900 —   11) 2900 +   12) 2900 —   13) 2900 +

14) 2900 —/A   15) 2900 —/A   16) 2900 ?/A   17) 2900 —/1   18) 2900 +/A   19) 2900 —/2

20) $\overline{2800}$?/8   21) $\overline{2800}$ —/1   22) $\overline{2800}$?/6   23) $\overline{2800}$ —/2   24) $\overline{2800}$?/10   25) $\overline{2800}$?/12
       2   2   2   2   2   2

u. s. w., nach mehreren Lagen vielleicht $\overline{2850}$?/10 u. s. w. $\overline{2800}$?/8 u. s. w.
                                              2   2

Das Kommando nach Schuss 15 lautet: »Nächste Lage 2800; Ausschaltung + 6«, da $^3/_{16}$ = 1 Aufsatzplatte; dadurch wird die Erhöhung 2900 beibehalten. Die Einfachheit und Einheitlichkeit im neunten und zehnten Beispiel einerseits, sowie im elften und zwölften andererseits ist klar zu erkennen; beim Gebrauch des Quadranten empfiehlt es sich übrigens, die Zahl der Aufsatzplatten in $^1/_{16}$ und nicht, wie hier geschehen, nach Zahl der Aufsatzplatten zu schreiben.

B. Sprenggranaten.

1. **Aufsetzen des Brennzünders:** gegen f- und g-Ziele auf einer Gruppe Az.

Anmerkung. Von f-Zielen kommen hier besonders freistehende, etwas zurückgezogene Feldbatterien in Betracht; gegen alle übrigen f-Ziele wird man mit der Sprenggranate besser im Aufschlag bleiben.

2. **Regeln der Sprenghöhe: Unmittelbare Brennlängen-Korrektur und Anwendung des Quadranten;** man mag nun das anleitungsgemässe Verfahren im Auge haben: $^1/_2$ Sprengpunkt, $^1/_2$ Aufschlag oder das in Heft 8, 1898, der »Kriegstechnischen Zeitschrift« behandelte, demzufolge das Regeln der Sprenghöhe auf 1 bis 2 tiefe Sprengpunkte oder 1 bis 2 Aufschläge erfolgt und zwar in der $^2/_{16}$ = 50 m über der Az.-Flugbahn gehobenen Flugbahn; die $^2/_{16}$ werden mittelst Ausschaltung gegeben.

3. **Fortsetzung des Schiessens mit Bz.:** anleitungsgemäss auf $^1/_2$ Aufschlag, $^1/_2$ Sprengpunkt; nach dem vorgeschlagenen Verfahren auf der erschossenen Verbindung von Erhöhung und Brennlänge mit mindestens 3 Lagen,[*] dann — 25 m weiter, — 25 m kürzer.

Dreizehntes Beispiel (anleitungsgemäss).

1) 2800 —   2) 3200 +   3) 3000 +   4) 2900 —   5) 2900 +   6) 2900 —   7) 2900 +
8) 2900 —   9) 2900 +   10) 2900 --   11) 2900 +   12) 2900 —   13) 2900 +   14) 2900 +

15) 2900 ?/12   16) 2900 ?/8   17) 2900 ?/15   18) 2900 ?/18   19) 2900 ?/6   20) 2900 ?/12
        2   2   2.   2   2   2   } kein Aufschlag

21) $\overline{2950}$?/6   22) $\overline{2950}$?/4   23) $\overline{2950}$?/9   24) $\overline{2950}$?/10   25) $\overline{2950}$?/3   26) $\overline{2950}$?/5
        4   4   4   4   4   4   } zuviel Aufschläge

27) $\overline{3000}$ —/A   28) $\overline{3000}$ +/A   29) $\overline{3000}$?/4   30) $\overline{3000}$?/3   31) $\overline{3000}$ —/A   32) $\overline{3000}$ +/A
        4   4   4   4   4   4   }

33) $\overline{3000}$ +/A   34) $\overline{3000}$ +/A   35) $\overline{3000}$ —/A   36) $\overline{3000}$?/3   37) $\overline{3000}$ —/A   38) $\overline{3000}$ +/A
        3   3   3   3   3   3   } $^1/_2$ Aufschlag, $^1/_2$ Sprengpunkt

39) $\overline{2975}$?/12   40) $\overline{2975}$ +/A   41) $\overline{2975}$ —/A   42) $\overline{2975}$?/5   43) $\overline{2975}$?/3   44) $\overline{2975}$ —/A
        3   3   3   3   3   3

45) $\overline{2975}$?/10   46) $\overline{2975}$ -- /A   47) $\overline{2975}$?/4   48) $\overline{2975}$ —/A   49) $\overline{2975}$ +/6   50) $\overline{2975}$?/A

u. s. w.

*) Im Sinne von Ziffer 121 der Anleitung und zur Beurtheilung der erschossenen Verbindung an Erhöhung und Brennlänge auf Grund einer grösseren Anzahl Schüsse.

Vierzehntes Beispiel (. Vorschlag.). Schuss 1 bis 14 siehe 13. Beispiel.

15) 2900?/18 16) 2900?/12 17) 2900?/20 18) 2900?/20 19) 2900?/10 20) 2900?.15 { kein tiefer
$$\overline{2} \qquad \overline{2} \qquad \overline{2} \qquad \overline{2} \qquad \overline{2} \qquad \overline{2}$$ Sprengpunkt

21) 2950?/8 22) 2950?/6 23) 2950?/18 24) 2950?/16 25) 2950?.9 } Wirkungsschiessen,
26) 2950?/12 27) 2950?/6 28) 2950?/8 29) 2950?.10 30) 2950?/10 } fehlen jedoch noch
31) 2950?.6 32) 2950?/9 } tiefe Sprengpunkte

$$33)\ \overline{2975} - 1 \quad 34)\ \overline{2975}?/4\ \text{u. s. w., dann nach mindestens 3 Lagen}$$ } Wirkungsschiessen.

$$35)\ \overline{3000}?/3\ \text{u. s. w.} \quad 57)\ \overline{2950}?/4\ \text{u. s. w.}$$

Die Ausschaltung ist im 13. und 14. Beispiel in Sechzehnteln
und zwar $^3/_{16} = 1$ Aufsatzplatte $= 50$ m (lg. 15 cm K.) vorgetragen im
Gegensatz zum 11. und 12. Beispiel, wo die Zahl der Aufsatzplatten
eingetragen ist; dort, wo die Ausschaltung über der Meterzahl steht, ist
dieselbe als minus abzulesen; im 14. Beispiel Kommando nach Schuss 18:
»Nächste Lage 2950, Ausschaltung minus 2«. Es ist im 13. Beispiel zu
erkennen, dass, mag sich die Brennlänge ändern wie immer, die Ausschaltung dafür zu sorgen hat, dass die Flugbahn 2900 beibehalten wird.
Von Schuss 39 ab werden die Sprengpunkte theilweise Wirkung ergeben,
es kann jedoch leicht der Fall eintreten, dass trotz $^1/_2$ Aufschlag, $^1/_2$ Sprengpunkt die Sprengpunktslage bei dem einen Geschütz (erstes?) ungünstig
weit, bei dem andern (erstes?) ungünstig kurz ist, während die Aufschläge
überwiegend nur an bestimmte Geschütze (zweites, sechstes?) sich halten:
es müsste dann weiterhin durch die Ausschaltung nachgeholfen werden,

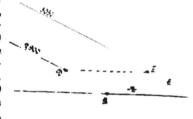

was einerseits im Widerspruch steht zum
Grundsatz, die Flugbahn beizubehalten,
und andererseits, wie nebenstehende Berichtigung zu Abbild. 1 (s. Heft 4, S. 177)
zeigt, beim Beseitigen von Aufschlägen eine
ungünstige Verschiebung der Sprengpunktslage nach der Weitseite befürchten lässt.
Im 14. Beispiel wird die Flugbahn 2950
mittelst der Ausschaltung bis zum Beginn
des Streuens festgehalten; von Schuss 21 ab,
18 Schuss vor dem 13. Beispiel, beginnt
das Wirkungsschiessen, das sich von Schuss 33 ab planmässig
nach Abbrechen an Brennlänge um 25 m und durch ein
Streuen, das den Ausgleich der Eigenart der Geschütze
halb der Korrektureinheiten erzielten, etwa nicht
Sprengpunktslage bezweckt. Nach der Schiessvorschr
wird dort ebenfalls beim Aufsetzen des Brennzünders
Az.-Flugbahn vorgegangen und zwar um 25 m;
jedoch erscheint das Plattenverfahren wegen der
fortgesetzten Aenderung der Erhöhung
der Sprenghöhe und wegen des damit in V
Springens nicht so günstig wie die unm
Korrektur; es wäre daher an dieser festzu
granatschiessen im Besonderen und da
zünderschiessen gegen g-Ziele im Allge
In konstruktiver Hinsicht wäre aus dem
dass für das Brennzünderschiessen der F
Metereintheilung (Richtbogen) ein una
um so eher stattgegeben werden kann, al
immer mehr ausschliesslich auf die Fl

Ladung in Frage kommt, beschränkt. Selbstredend ist, dass damit auch die Sekundeneintheilung der Zünder, durch die der Batteriekommandeur in lästiger und unfeldmässiger Weise an die Schusstafel gebunden bleibt, in Wegfall zu kommen hätte. Die daraus sich ergebende Unterscheidung zwischen Doppelzündern C/92 für Geschosse, die aus der schweren 12 cm Kanone verfeuert werden, und solchen Zündern gleicher Bezeichnung für Geschosse, die zur langen 15 cm Kanone gehören, könnte wohl in Kauf genommen werden für die **einheitliche Durchführung der Meter-stufen am Aufsatz, Quadranten und Zünder; denn erst mit dieser gelangt das Brennzünderschiessen zu einer den feld-mässigen Anforderungen entsprechenden Durchsichtigkeit, Uebersichtlichkeit und Einfachheit.**

Kleine Mittheilungen.

Eine einfache elektrische Fahrrad-Lampe. In den meisten tragbaren elektrischen Lampen sind die Elemente aufeinander gesetzt und zwei, welche leitende Büchsen enthalten, werden verwendet, um den Strom zwischen den Batterie-Elektroden und der Lampe zu schliessen. Eine durch die United States Battery Company, 258 West Twenty-Third Street in New-York city angefertigte Lampe, ist, wie wir dem Scientific American vom 17. Dezember 1898 entnehmen, eine Verbesserung in dieser Gestalt, insoweit, als sie nur eine einzige röhrenförmige Büchse benutzt, welche sowohl als Träger für die Lampe und deren Scheinwerfer dient, wie auch als Leiter von einer Elektrode der eingeschlossenen Batterie, um den Bogen zu schliessen. Wie man in Abbild. 1 sieht, ist die röhrenförmige Büchse mit Schrauben-Kappen an jedem Ende versehen und mit einem isolirten Futter, welches die auf einander gesetzten Elemente umgiebt. Die Elemente sind jedes mit einem cylindrischen Kupferring umschlossen, der die negative Elektrode, und mit einem vorstehenden Knopfe versehen, der die positive Elektrode darstellt. Die obere negative Elektrode ist in elektrischer Berührung mit der unteren positiven Elektrode. Die untere negative Elek-

Abbild 1.   Abbild. 2.   Abbild. 3.

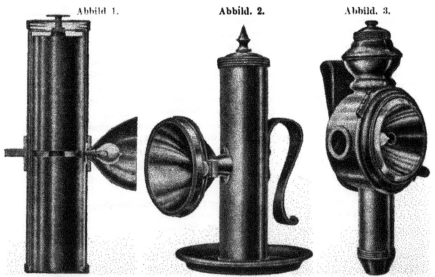

Elektrische Fahrrad-Lampe (Vertikalschnitt).   Elektrische Hauslampe.   Elektrische Wagenlampe.

Verschiedene Formen einer einfachen elektrischen Lampe.

trode ist in Berührung mit der äusseren Büchse. Eine Glühlampe mit Scheinwerfer ist mittelst eines Metall-Ringes rund um die Büchse befestigt. Ein schraubbarer Knopf ist an der oberen Kappe befestigt und mit einer isolirenden Platte versehen. Wenn man den Knopf bis in seine niederste Stellung schraubt, so drückt die Isolirplatte ein Kupferblech nieder auf die obere positive Elektrode und veranlasst so den Strom durch diese obere Elektrode, das Kupferblech, die innere Drahtspitze der Lampe, die äussere Drahtspitze derselben, ferner durch den metallenen Ring, die röhrenförmige Büchse nach dem untersten Element zu gehen und endlich nach dem Ausgangspunkt zurückzukehren, auf diese Weise die Lampe in den Stand setzend, ein glänzendes Licht auszustrahlen. In den Abbildungen werden verschiedene Gestalten der Lampen dargestellt, in welchen das Grundprinzip der Konstruktion in der Hauptsache sich gleich bleibt. Unter den Vorzügen der beschriebenen Lampe mögen noch erwähnt werden ihre Festigkeit, ihre einfache Konstruktion und ihre Billigkeit. Die Elemente kann man leicht und schnell in den zahlreichen elektrischen und in den Fahrrad-Geschäften jeder Stadt erhalten.

Knallsignale zur Sicherung von Eisenbahnfahrten. Zum Juli d. J. hat der Verein deutscher Eisenbahnverwaltungen a. A. die Preisaufgabe gestellt: »eine Vorrichtung anzugeben, welche zur Sicherung haltender oder durch Hindernisse bedrohter Züge besser wirkt als die jetzt üblichen Knall- und Handsignale«. Die jetzt gebräuchlichen Hand- und Knallsignale müssen allerdings für den Fall plötzlich auftauchender Fahrthindernisse als vollständig veraltet bezeichnet werden. Sie wurden in der ersten Zeit der Eisenbahnen eingeführt. Damals fuhr man auf den Hauptbahnen mit einer Geschwindigkeit, welche nicht viel grösser war als die der heutigen Sekundärbahnen. Inzwischen ist die Geschwindigkeit der Schnellzüge bis auf 90 km in der Stunde erhöht. Das Gewicht der Lokomotiven ist gewaltig gewachsen. Kein Wunder, dass, wenn heute ein 40 Achsen starker Schnellzug auf ein Hinderniss stösst, der Unfall viel entsetzlicher ist als vor 50 Jahren der eines leichten, langsam fahrenden Zuges. Die bisherigen Bemühungen, ein brauchbares Nothsignal zu konstruiren, waren nicht von Erfolg gekrönt. Die Vorrichtungen versagten zu leicht, oder sie traten unbeabsichtigterweise in Thätigkeit, oder schliesslich waren sie zu gefährlich und verletzten das Personal, welches zufällig in der Nähe sich befand. Der Mangel der jetzt üblichen Knall- und Handsignale besteht hauptsächlich darin, dass man diese Signale nicht schnell und weit genug dem gefährdeten Zuge entgegensenden kann. Es fehlt im heutigen Signalwesen daher eine Vorrichtung, mittelst welcher man einem nahenden, durch ein unvermuthet aufgetauchtes Fahrthinderniss plötzlich bedrohten Zuge auf beliebige Entfernung unmittelbar und sofort ein unbedingtes »Halt« entgegensenden kann. Durch eine Reihe von Unfällen wurde Herr Regierungs-Baumeister Leschinsky vor drei Jahren angeregt, eine derartige Vorrichtung zu konstruiren. Dieselbe ist seit zwei Jahren im Betriebe erprobt und hat sich als vollkommen zuverlässig erwiesen. Sie besteht aus einem vor dem Bahnhofe neben der Fahrschiene angebrachten eisernen Kasten, welcher eine elektrische Einrichtung und eine Knallpatrone enthält. Durch den Kasten ist eine elektrische Leitung geführt. Solange dieselbe Ruhestrom erhält, ist der Apparat gegen vorüberfahrende Züge vollkommen unempfindlich. Sobald jedoch die an allen Wärterposten des Bahnhofes vorbeizuführende Leitung irgendwo unterbrochen wird, ist die Knallpatrone sofort zum Abfeuern durch das erste Rad des nahenden Zuges bereit gemacht. Hierdurch wird dem Lokomotivführer der Befehl zum sofortigen Halten gegeben. Dasselbe würde natürlich auch eintreten, wenn die Batterie nicht ausreichend unterhalten wird, so dass der Apparat sich selbstthätig dauernd kontrolirt. Der Stromverbrauch beträgt nur $1/45$ Ampère. Die Unterhaltungskosten sind daher verschwindend gering. Durch Kombination dieses Nothsignals mit einer oder mehreren auf dem Bahnhofe anzubringenden elektrischen Druckschienen ist schliesslich die Aufgabe gelöst, einem heranfahrenden Zuge selbstthätig und ohne die Mitwirkung des Personals auf beliebige Entfernung ein Noth-

signal entgegenzusenden, sobald nach Ertheilung des Fahrsignals Eisenbahnfahrzeuge
in die Fahrstrasse des Zuges gerathen. — Derartige Knallsignale dürften im Feld-
eisenbahndienst, besonders in Feindesland, von ausserordentlichem Nutzen sein.

Neueste Erfindungen und Entdeckungen.

1. Geschütze, Geschosse, Artilleriewesen. Die mexikanische Gebirgsartillerie wird in »Riv. di Art. e Gen.«, 1899, Februar, beschrieben. Das Geschoss, Schrapnel oder Sprenggranate, wiegt 4,3 kg, die Ladung beträgt 0,130 kg
rauchloses Pulver. Metallpatronenhülsen, Rücklaufspaten, Feder zum Wiedervorschieben des Geschützrohres. Die Laffete ist zweitheilig, doch ist nicht zu ersehen,
ob die Seitenrichtung mit der Oberlaffete allein gegeben werden kann. Das Rohr hat
70 mm Kaliber, 24 Züge und Verschluss mit unterbrochenen Schraubengängen; das
innere Rohr ist von Stahl. Die Anfertigung der Geschütze erfolgt in St. Chamond.

Ein Herr Fitzgerald in England hat eine neue Mitrailleuse, Fitzgerald
machine battery-gun, hergestellt (»Riv. di Art. e Gen.«, 1899, Februar). Das Geschütz hat acht Lee-Metford-Rohre in zwei Reihen von je vier Rohren übereinander,
feuert aber nicht wie Hotchkiss nach dem ersten Schusse selbstthätig weiter, sondern
erfordert die stete Thätigkeit eines Schützen. Das ganze Rohrbündel wiegt 70 kg, ist
auf der Laffete mittelst Stiftes oder Bolzens so befestigt, dass man unter jedem Winkel
und nach jeder Richtung feuern kann. Eine Reihe ist stets geladen. Die Patronen
sind zu vier Stück in einem Aluminiumstreifen vereinigt, so dass man jede der beiden
Rohrreihen gleichzeitig laden kann. In der Sekunde lassen sich acht Schuss abgeben;
man kann lange Zeit hintereinander feuern, ohne das Rohr zu überhitzen. Die
Schnelligkeit des Feuerns ohne Ueberhitzung des Rohrs und unter steter Thätigkeit
des Schützen sind Widersprüche, die ohne nähere Angaben, die aber aus der Beschreibung nicht entnommen werden können, unaufgeklärt bleiben.

Professor Roberts-Austen in England hat nachgewiesen, dass die Zerstörungen
in den Seelen der Feuerrohre weniger von der chemischen Beschaffenheit des
Treibmittels als von der mechanischen Einwirkung der Hitze, die durch die
Explosion der Ladung entsteht, herrühren. (»Riv. di Art. e Gen.«, 1899, Februar.)
Diese Entdeckung erscheint nicht neu, zur Zeit der Bronzerohre und des langsameren
Wechsels der Rohrkonstruktionen wusste man das auch. Ebenso ist die in demselben
Aufsatz erwähnte Erfahrung, dass ordentlich durchgeschmiedetes Metall durch die
Explosion der Ladung weniger leidet als gegossenes, in Deutschland längst als fest-
stehend angenommen.

Russland macht jetzt in den Werkstätten von Kolpino Versuche in der Herstellung von Panzerplatten nach Kruppscher Art und soll bereits günstige Ergebnisse
erzielt haben. (»Riv. di Art. e Gen.«, 1899, Januar.)

Eine interessante und werthvolle Abhandlung über die Befestigung schwerer
Lasten, welche gehoben werden sollen, und über die Fortbewegung schwerer
Körper mittelst Hebelkraft findet sich in »Riv. di Art. e Gen«, 1899, Februar.

2. Kleine Feuerwaffen, deren Munition und Gebrauch. Die auf S. 142,
Heft 3, 1899, dieser Zeitschrift erwähnte Selbstladepistole Bergmann wird in der
»Riv. di Art. e Gen.«, 1899, Januar, mit grossen Tafeln ausführlich beschrieben und
als zweckmässig bezeichnet. Sie wird in zwei Kalibern, 5 mm und 6,5 mm, hergestellt,
nimmt sechs Patronen von 3,84 bezw. 9,53 g Gewicht auf und gestattet 30 gezielte
und 50 ungezielte Schüsse in der Minute. Sie wiegt 470 bezw. 850 g. Eine ähnliche
Waffe hat der Amerikaner John M. Browning hergestellt, die in demselben Aufsatz
beschrieben wird. Sie hat 9 mm Kaliber, 13 g Patronen- und 865 g Gesammtgewicht,
fasst sieben Patronen, welche ein geübter Schütze in 1,5 Sekunden verfeuern kann.
Ein zweites Modell Browning hat 7,65 mm Kaliber, wiegt 615 g, hat 7,65 g Patronen-
gewicht und fasst sieben Patronen, die ebenfalls in 1,5 Sekunden verfeuert werden
können. In der Schweiz macht man mit Selbstladepistolen Bergmann, Mauser,
Borchardt-Lueger und Mannlicher Versuche. Alle diese Modelle leisten bei einem

Geschossgewicht von 5,5 g und einer Anfangsgeschwindigkeit von 400 m Gutes. Zur Bestimmung eines Modells für die Kavallerie werden die Versuche noch fortgesetzt, wie auch »Schweizerische Mil.-Ztg.« und »Schweizerische Mil. Blätter« vom Dezember 1898 und »Riv. di Art. e Gen«, 1899, Januar, schreiben.

Frankreich will ein neues Geschoss für Infanteriegewehre einführen, das aus Messing bestehen, länger als das jetzige und an der Spitze mehr zugespitzt sein soll. Die Vortheile bestünden in grösserer Leichtigkeit, grösserer Tragweite und Durchschlagskraft. Ein solches Geschoss soll mit Leichtigkeit eine 13 mm dicke Stahlscheibe durchschlagen. (»Schweizerische Mil. Blätter«, 1898, Dezbr., und »Riv. di Art. e Gen.«, 1899, Januar.) Ueber das Gewicht des Geschosses ist nichts angegeben. Da zu der grösseren Tragweite und Durchschlagskraft ein grösseres Beharrungsvermögen erforderlich ist und dies mit der allgemein angegebenen grösseren Leichtigkeit des Geschosses im Widerspruch steht, so erscheinen die gemachten Angaben zweifelhaft.

Um das **Abspringen der Gewehrgeschosse** beim Schiessen auf kleine Entfernungen, namentlich bei dem sog. Tir réduit, dem Schiessen mit nach Verhältniss zur Entfernung verringerter Ladung, von den dabei verwendeten Metallscheiben zu vermeiden und auch das Anzeigen der Schüsse zu erleichtern, was auf der Metallscheibe schwierig ist, hat das 6. Genie-Regiment in Frankreich (»Revue du Génie mil.«, 1899, März) die Metallscheibe mit einem viereckigen, kastenartig gestalteten Holzrahmen umgeben. Da die den Kasten oder Rahmen bildenden Bretter 8 bis 10 cm breit und 1 bis 2 cm dick sind, so bildet die Metallscheibe gewissermaassen den Boden dieses Kastens. Derselbe wird nun mit Packleinwand überspannt, und auf diese klebt man runde Papierscheiben, auf welche die vorgeschriebenen Ringe eingezeichnet sind. Sobald eine Papierscheibe getroffen ist, wird sie abgenommen und durch eine andere ersetzt oder, nach Notirung des Schusses in der Schiessliste, überklebt. Die Geschosse, welche die Packleinwand durchschlagen, bleiben alle im Kasten liegen, weil sie der Metallboden nicht durchlässt, und jede Gefahr durch Abspringen wird durch die Packleinwand verhütet und gleichzeitig das Sammeln der verfeuerten Geschosse erleichtert.

3. **Explosivstoffe, Zünder.** Im »Army and Navy Journal« vom 1. April 1899 wird ein neues **rauchloses Pulver** beschrieben. Dasselbe heisst Sporting Rifle Smokeless und besteht aus Kollodium, welches zu einer halbdurchsichtigen Masse getrocknet ist und die explosiven Stoffe enthält. Worin diese Stoffe bestehen, ist nicht gesagt. Das Kollodium wird nicht gekörnt, sondern in ganz gleich grosse Theile zerschnitten, deren jeder genau dieselbe Menge Explosivstoff enthält. Es ist sehr hart und unbedingt widerstandsfähig gegen alle Feuchtigkeits- und Witterungseinflüsse, verunreinigt die Waffe in keiner Weise und hat sehr gleichförmige Wirkung. Dieses Pulver wird von der Laffin & Raud Powder Comp. hergestellt. Bei Schiessversuchen mit Revolvern auf 12 Yards Entfernung wurden sechs Schüsse abgegeben, die sämmtlich innerhalb eines Raumes von 1,1 cm Durchmesser sassen. Die nebenstehende Figur ist nach einer unmittelbar aufgenommenen Photographie gezeichnet. Die Ladung betrug 6 Grau des neuen Pulvers. Auch als Sprengladung für Granaten (Springfield shells) wurde dieses Pulver benutzt, und man erreichte mit 22 Gran desselben die gleiche Wirkung wie mit 69 Grau des alten schwarzen Schiesspulvers.

4. **Beleuchtungs- und Signalwesen, Telephonie, Telegraphie, Elektrizität.** Professor Nernst hat eine **Glühlampe** erfunden (»Riv. di Art. e Gen.«, 1899, Februar). Er verwendet als Lichtquelle Magnesiumoxyd, welches bei gewöhnlicher Temperatur kein Elektrizitätsleiter ist, dies aber bei einer Temperatur von 3000°

wird und dann unter dem Einfluss des Durchgangs eines starken elektrischen Stroms
ein weisses, stark glänzendes Licht ausströmt. Der Erfinder behauptet, seine Lampe
liefere dasselbe Licht für nur ein Drittel der Kosten, welche bei den anderen jetzt
in Gebrauch befindlichen Glühlampen aufgewendet werden müssen. Da das Magnesium
eine weit höhere Temperatur erträgt als die Kohle, so kann es auch ein viel stärkeres
Licht liefern. Der Erfinder sucht nun nach einem billigeren Stoff für seine Lampe
als das Platina. Sein System verträgt sich ebenso gut mit Wechselstrom wie mit
kontinuirlichem Strom. Es muss aber noch nachgewiesen werden, ob die Weglassung
der Glasumhüllung eine wünschenswerthe Verbesserung ist. Ein Vorzug der heutigen
Glühlampe ist nämlich die Lichtgebung ohne Explosions- oder Anzündungsgefahr,
was bis jetzt bei der Nernstschen Lampe noch nicht ausgeschlossen ist.

5. **Entfernungsmesser, Orientirungsinstrumente, Geländeaufnahme.**
Eine genaue Beschreibung des von Bass & Stroud hergestellten und in der spanischen
und englischen Marine mit Vortheil verwendeten Entfernungsmessers findet sich
in »Riv. di Art. e Gen.«, 1898, Oktober, mit vielen Figuren und Tafeln. Derselbe
beruht auf dem alten Satze des Anvisirens des Ziels von den beiden Endpunkten
einer Basis aus. Die Konstruktion des Instruments mittelst Spiegelscheiben macht
es aber möglich, das Anvisiren von der Mitte der Basis aus für beide Seiten zugleich
zu besorgen. Die Fehler sollen gering sein und werden z. B. bei einer Entfernung
von 5440 m auf 20 bis 36,56 m angegeben.

6. **Militärbauten zu Befestigungs- und Unterbringungszwecken.** »Riv. di
Art. e Gen.«, 1899, Januar, bringt eine Beschreibung der in Frankreich eingeführten
Einrichtung zur besseren Lüftung von Wohnungen, Lazarethen u. s. w. Man
setzt zwei Fensterscheiben parallel zu einander und ziemlich nahe aneinander in den
oberen Fenstertheilen ein. Die äussere der beiden Scheiben lässt unten, die innere
Scheibe oben freien Raum für Eintritt der Luft. Die Einrichtung, welche meines
Wissens übrigens auch an anderen Orten besteht, wird als Erfindung des französischen
Arztes Castaing und als von der französischen Akademie preisgekrönt bezeichnet.

Aus dem Inhalte von Zeitschriften.

Jahrbücher für die deutsche Armee und Marine. 1899. April: Die
Thätigkeit Moltkes als Chef des Generalstabes. — Taktik und Technik im Kriegs-
wesen. — Das Milizwesen und seine Schwächen. — Der Angriff der 38. Infanterie-
Brigade am 16. August 1870. — Armee und Marine. — Nachrichten aus Russland.

Marine-Rundschau. 1899. Heft 4: Das Acetylen und seine praktische Ver-
wendung für die Beleuchtung. — Ueber Beiboote mit elektromotorischem Antrieb. —
Das Seekriegsspiel. — Die Vermessung in Kiautschou. — Einiges über Panzerplatten.
— Einige Kapitel der Theorie der modernen Schiffsmaschine.

Ueberall. 1899. Heft 1: Seemacht und Volkswirthschaft. — Briefe aus der
Fremde. — Das Linienschiff »Kaiser Friedrich III.« — Die Kriegsmarinen im
Jahre 1898. — Einiges vom Torpedowesen. — Stapellauf S. M. Kanonenboot »Jaguar«.
— Heft 2: Handel und Flagge. — Deutsch-Ostafrika. — Samoa. — Unsere Linien-
schiffe der »Brandenburg«-Klasse. — S. M. Schiffe »Gazelle« und »Iltis«. — Die
modernisirten Schiffe der »Sachsen«-Klasse. — Heft 3: Schlichtes Heldenthum. —
Stapellauf der »Patricia«. — Unter brandenburgischer Kriegsflagge. — Tsintau. —
Vom Maschinenpersonal. — Manövertorpedobootsleben.

Prometheus. 1899. Nr. 494: Die siebzehnjährige Cikade. — Das Calcium-
Metall. — Die Elektrizität in der Landwirthschaft. — Aus der Geschichte des Nashorn-
geschlechts. — Ein Speisetisch der Tiefsee. — Rundschau (Himmelsbeobachtung im
Luftballon. — Sprengluft im Simplon-Tunnel). — Nr. 495: Ein neues Riesenprojekt.
— Ausbrennen der Geschütze beim Schiessen mit Cordit. — Fossiles Elfenbein. —
Räthselhafte Felsenzeichnungen in Brasilien.   Nr. 496: Ueber die Wirkung der
elektrischen Kräfte im Weltraum. — Kabel-Greifanker. — Windmotoren-Anlage.

Die Umschau. 1899. Nr. 14: Menschenaffen. — Die Aufdeckung des Forum

Romanum. — Pädagogik. — Astronomie. — Betrachtungen und kleine Mittheilungen. — Industrielle Neuheiten (Eine Einrichtung zum Heizen grösserer Aquarien). — Nr. 15: Die Mathematik bei den verschiedenen Nationalitäten. — Chemie. — Geschichtsschreibung. — Französisches. — Von der deutschen Tiefsee-Expedition. — Nr. 16: Kugellager für Strassenbahnwagen. — Neuer Unterbrecher für Induktionsapparate. — Das Kontrolpendel im Washington-Denkmal.

Der praktische Maschinen-Konstrukteur. 1899. Nr. 7: 30 PSe-Dampf-Dynamomaschine von Robinson & Auden, Wantage. — Dampfkessel auf der Turiner Ausstellung. — Zehnräderige Lokomotiven der Wisconsin-Centralbahn. — Zahnräder-Fräsmaschine von der Gleason Tool Comp., New-York. — Gouillochirmaschine, System Mink. — Neuere Feuerungen für Dampfkessel von E. Reich, Hannover. — Ueber das Berechnen von Maschinen und Maschinentheilen.

Illustrirte aëronautische Mittheilungen. 1899. Nr. 2: Ortsbestimmungen im Ballon. — Die Bedingungen des Erfolges im Entwurf von Flugapparaten. — Steilstehende Drachen. — Der Drachenballon der Jubiläums-Ausstellung in Wien (v. Parseval — v. Siegsfeld). — Zur Theorie der Luftschifffahrt und Flugtechnik. — Ein neuer Drache »Aëroplan«. — Dr. Danielewskys Versuche in Kiew. — Fahrten über den Kanal von Frankreich nach England.

Journal des sciences militaires. 1899. Januar: La veillée d'Jena. — Remarques sur la guerre hispano-américaine. — L'aérostation militaire en France et à l'Étranger. — Étude sur les instructions et réglements de manoeuvre de l'artillerie de campagne. — Projet de réglement de manoeuvres de l'infanterie. — Hygiène du pied. — Februar: La vallée de la Somme au point de vue militaire. — La guerre inévitable. — Le Grand Frédéric. — La réforme du code de justice militaire. — La guerre de la succession de l'Autriche (1740—1748). — März: Répartition des troupes et services de campagne. — Maximes napoléoniennes. — L'avancement de l'avenir et le rajeunissement des cadres. — Les milices de Grenoble en Savoie et Dauphiné (1690—1694).

Army and Navy Journal. 1899. Nr. 30: Ammunition at Manila Bay. — The fight at Las Guasimas. — Naval appropriation bill. — Military explorations in Alaska. — Nr. 31: The week at Manila. — The beef inquiry. — Growth of the Army.

Scientific American. 1899. Nr. 12: Fire protection of tall buildings. — Coal production in the United States. — Carriage timber supply. — An improvement in wrenches. — An efficient fastener for stock-cars. — The electric cab service of New York city. — The great telescope at the Paris-Exposition of 1900. — Nr. 13: Tasting acetylene generators. — Trick wood joining. — A simple pipe-hanger. — The multiphone. — A machine for filtering liquids. — An improvement in smoke-consumers. — The improved turrets of the battleship »Texas«. — A new gun camera. — An Ocean line pigeon service.

Rivista di Artiglieria e Genio. 1899. März: La tradizione storica degli ingegneri militari italiani e l'Arma del genio. — Prisma a riflessione totale per la misurazione delle distanze. — Impiego della gelatina esplosiva nella rotura di un cassone metallico. — Tiro scalare da costa. — Confani per munizioni per batterie da montagna.

Memorial de Ingenieros del Ejército. 1899. März: Problemas relativos al empleo de los cebos de cantidad. — Los globos en la guerra.

Artilleri-Tidskrift. 1899. April: Feldartilleriets indirekte Skydning. — I fältkanonfrägan.

Warschawsky Wajennyi Shurnal. (Warschauer Militär-Journal.) Nr. 1, Januar 1899: Die Bedeutung der Festungen und der zeitige Charakter ihrer Vertheilung auf dem Kriegsschauplatz. — Die Spezialität des Generalstabes.

Sapisski imperatorskawo russkawo technitschesskawo obschtschesstwa. (Denkschrift der Kaiserlich Russischen Technischen Gesellschaft.) Nr. 1, Januar 1899: Ueber die Anwendung von gemischtem Cement und seinem Einfluss auf die Trockenheit der neuen Bauten in St. Petersburg. — Die Vertheilung des schwarzen Pigments in der Dicke des gallertartigen Häutchens des Negativums. — Neuer Apparat Jors für die Projektionen in natürlichen Farben. — Ueber die Photographie von Sternschnuppen. — Der Entwurf von Pegeln für die Benutzung von elektrischen Einrichtungen, die mit Strömen von grosser Intensivität bis zu 3000 Volt arbeiten. — Nr. 2, Februar 1899: Der zeitige Zustand der Technik der Beleuchtung mit Acetylen. — Die Arbeit der Vögel in dem Ruderflug. — Uebersicht der Arbeiten über die Luftschifffahrt.

Bücherschau.

Progrès de la défense des états et de la fortification permanente depuis Vauban. Par le Général Brialmont. Un volume grand in 8° avec atlas oblong. Prix: 40 Francs. Bruxelles. E. Guyot, rue Pachéco 12. 1898.

Der rastlos thätige belgische Ingenieur-General Brialmont, welcher bereits im Jahre 1886 aus dem aktiven Militärdienste schied — er ist 1821 zu Venloo geboren — hat in dem obigen Werke ein Geschichtswerk der Befestigungskunst seit Vauban, dem Alt- und Grossmeister der Kriegsbaukunst, geschaffen, wie es in gleicher Vollkommenheit mit so ausgezeichneten Zeichnungen die militärtechnische Litteratur nicht wieder aufzuweisen hat. Nach einer Einleitung werden im 1. Kapitel die Fortschritte der Landesvertheidigung seit Vauban bis 1815 besprochen und dabei auch Betrachtungen über die Kapitulationen von Ulm, Metz, Paris und Plewna angeknüpft, während das 2. Kapitel die beständige Befestigung seit 1815 umfasst, wo die italienische, deutsche und französische Schule die erste Rolle spielen. Hier treten auch die Typen der Forts erstmalig nach Einführung der gezogenen Geschütze auf, und die Aenderungen in den Befestigungen von 1860 bis 1886 werden besprochen, einschliesslich der durch Annahme der Sprenggranaten erforderlich gewordenen Verstärkungsbauten. Anschlussbatterien, Zwischenbatterien und Panzerkuppeln gelangen gleichfalls zur Erörterung. Das 3. Kapitel geht dann näher auf die beständige Lagerfestung, die camps retranchés permanents, ein, bespricht die Verhältnisse von Forts und Fortins, von Stadtumwallung und Zwischen-Fortins und befasst sich mit Erwägungen über die Ueberlegenheit einer doppelten Fortslinie im Vergleich zu einer doppelten oder dreifachen Linie von Fortins in der abschnittsweisen Vertheidigung. Deckung des Mauerwerks, Panzerbeobachtungsstände, elektrische Scheinwerfer, Traditorenbatterien, Pulvermagazine u. s. w. werden ebenfalls hier erörtert. Im 4. bis 6. Kapitel werden die Typen der Forts, Fortins und Stadtumwallung einer Lagerfestung, sodann Brückenköpfe und Sperrforts, endlich Küstenforts und Batterien sowie Seeforts besprochen. Alsdann wendet sich das Werk vom 7. bis 18. Kapitel der beständigen Befestigung in den Staaten Frankreich, Preussen bezw. Norddeutscher Bund und Deutschland, Oesterreich, England, Belgien, Rumänien, Dänemark, Russland, Holland, Italien, Spanien und Portugal, Schweiz zu, deren jedem ein besonderes Kapitel gewidmet ist. Von den deutschen Befestigungen werden besprochen die älteren Befestigungen von Köln 1860, die Befestigungen von Coblenz, Ulm, Rastatt, Posen, Königsberg, Germersheim, die nach 1860 ausgeführten Anlagen, die Stadtumwallung und Forts von Köln und Strassburg, sowie die Beton- und Panzerforts nach 1894. Von den fremdländischen Befestigungen seien besonders hervorgehoben die neuen französischen Forts bei Saint-Cyr und Villeneuve-Saint-Georges, in Belgien die Befestigungsanlagen von Lüttich und Namur, in Rumänien Bukarest, die Sereth-Linie und Poksani, in Russland die neuesten Fortskonstruktionen an der deutschen Grenze und die Vorschläge Welitschkos, endlich in der Schweiz die Befestigungen des St. Gotthard und von St. Maurice.

Sammlung elektrotechnischer Vorträge. Herausgegeben von Professor Dr. Ernst Voit. 1. Band. 10. u. 11. Heft: Scheinwerfer und Fernbeleuchtung. Von F. Nerz. Stuttgart, Verlag von Ferdinand Enke. 1899.

Der Verfasser ist einer der besten Kenner der Scheinwerfer und ihrer Wirkung, da er lange Zeit der Abtheilung für Scheinwerfer der Elektrizitäts-Aktiengesellschaft vormals Schuckert & Co. als Ober-Ingenieur vorgestanden hat und noch jetzt bei dieser Gesellschaft als Direktor auf diesen Zweig der Fabrikation seinen Einfluss ausübt. Der Vortrag giebt demgemäss ein ausgezeichnetes Bild der Wirkungsweise der Scheinwerfer, der danach sich ergebenden Konstruktion und ihrer Anwendung. Besonders sind dabei diejenigen Einrichtungen dargestellt und erläutert, die für die Fernbeleuchtung des Vorfeldes im Kriege zur Geltung kommen. Die Darlegungen sind durch gute Abbildungen anschaulich gemacht. Die Schrift ist Allen, die der Frage der Fernbeleuchtung im Kriege ihre Aufmerksamkeit widmen, ganz besonders zu empfehlen.

Gedruckt in der Königlichen Hofbuchdruckerei von E. S. Mittler & Sohn, Berlin SW., Kochstrasse 68—71.

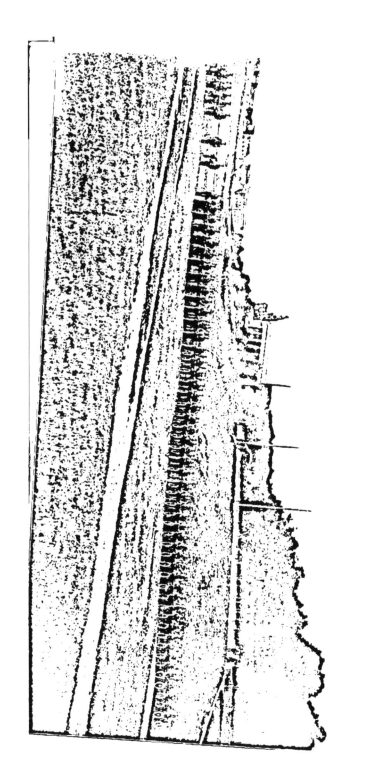

Der bayerische Militär-Radfahrkurs 1897: Aufstellung in Zugkolonne.

Nach Momentaufnahmen von M. Stufler in München.

Abbildung 3.

Der bayerische Militär-Radfahrkurs 1897: Vorbeimarsch in Zügen.

Nach Momentaufnahmen von M. Stufler in München.

Abbildung 4.

Der bayerische Militär-Radfahrkurs 1897: Einzelfahrübung.
Nach Momentaufnahmen von M. Stuffler in München.

Abbildung 5.

Der bayerische Militär-Radfahrkurs 1897: Mitführen lediger Räder.
Nach Momentaufnahmen von M. Stuffler in München.

Abbildung 6.

Der bayerische Militär-Radfahrkurs 1897: Fahrübung im Trupp.

Nach Momentaufnahmen von M. Stuffler in München.

Der bayerische Militär-Radfahrkurs 1897: Offizierspatrouille.

Nach Momentaufnahmen von M. Stuffler in München.

Abbildung 8.

Die Radfahrerkolonne des Kaiserlichen Hauptquartiers bei den Manövern
bei Homburg v. d. Höhe. 1897.

Steilfeuergeschütze für Feldartillerie.

Mit der vollständigen Durchführung der Neugestaltung unserer Feldartillerie wird diese im Besitz von 69 Haubitz-Batterien sein, wohl für
jedes der 23 Armeekorps eine Abtheilung zu drei Batterien. Wenn der
Anfang der 60er Jahre verstorbene Generalinspekteur der Artillerie v. Hahn
gewusst hätte, dass man die durch die gezogenen Geschütze verdrängten
Haubitzen nach noch nicht 40 Jahren wieder einführen würde, so wäre
ihm das gewiss ein grosser Triumph gewesen, denn General v. Hahn war
der grösste Anhänger der Haubitze. Und in der That war die 7pfündige
(15 cm Kaliber) Haubitze, namentlich mit den in Preussen eingeführten
excentrischen Granaten, im Vergleich zu den glatten 6- und 12pfündigen
Kanonen, welche Vollkugeln, Schrapnels und Büchsenkartätschen nur in
flachen Schussbahnen schossen, ein werthvolles Geschütz für jene Zeit.
Ihr Granatwurf reichte bis auf 1900 Schritt Entfernung mit Einfallwinkeln
von weit mehr als 22°. Dabei war die Trefffähigkeit im Vergleich zu
den glatten Feldgeschützen keine geringe, und ihre Zünder konnten tempirt
werden, so dass das Zerspringen der Granaten bald nach dem Aufschlag
erfolgte. Ausserdem hatte sie einen Granatschuss, der mit 45 Loth Geschützladung bis auf 1700 Schritt, einen Rollschuss, der ebenfalls bis
1700 Schritt, und einen Schrapnelschuss, der bis auf 1300 Schritt reichte
und bei der grossen Zahl von 186 Stück Hartbleikugeln in dem Geschoss
eine recht ansehnliche Wirkung ergab. Auch der Büchsenkartätschschuss
mit 56 Stück 6löthigen eisernen Kugeln hatte bis auf 900 Schritt noch
Wirkung. Man sieht daraus, dass die 7pfündige Haubitze neben den
glatten 6- und 12pfündigen Kanonen, die im direkten Schusse auf 1200
bezw. 1500, im Rollschuss auf 2000, im Schrapnelschuss auf 1300 bezw.
1500 Schritt und im Büchsenkartätschschuss auf 800 bezw. 500 Schritt
reichten, recht gut bestehen konnte. Insbesondere war ihr Rollschuss sehr
geschätzt, namentlich derjenige mit kleiner Ladung, der auf nähere Entfernungen ein sehr gutes Ergebniss hatte — sofern nämlich der Boden
ein günstiger war. Der Rollschuss, dessen ungestörte Bahn doch naturgemäss vorzugsweise von glattem Aufschlagboden abhing, war als einzige
Schussart, mit der man überhaupt zur Zeit der glatten Rohre bis auf
2000 Schritt gelangen konnte, so sehr beliebt bei den alten Artilleristen,
dass man die Unmöglichkeit, ihn aus gezogenen Kanonen mit Langgeschossen anzuwenden, den gezogenen Rohren als Hauptfehler anrechnete.
Man bedachte gar nicht, dass eine Entfernung, welche die Kugel aus dem
glatten Rohre, gewissermaassen über den Boden kriechend und vom kleinsten
Hinderniss am Boden, wie Steine, Erdschollen, leicht völlig aus der Richtung gestossen, erreicht, von dem Langgeschoss aus gezogenem Rohr mit
vorher ungeahnter Treffsicherheit in vollem Fluge und mit voller, nur
durch den Luftwiderstand geminderter Kraft erreicht wurde. Aehnlich

war es mit dem Büchsenkartätschschuss aus gezogenen Rohren gegenüber
denjenigen aus glatten Rohren. Der letztere hat ja entschieden eine
Ueberlegenheit über den ersteren. Dafür aber sind Granate und Schrapnel
des gezogenen Geschützes mit Az. auf allen Entfernungen ein Streugeschoss und fast ebenso leicht zu bedienen wie die Büchsenkartätsche.
Ich selbst habe bald nach 1866, zur Zeit als man gelegentlich der Schiessübungen noch Versuche machte auf Vorschläge der Truppenoffiziere, in
einem solchen Versuche nachgewiesen, dass die Granate, auf den sog.
Kartätschentfernungen im Schnellfeuer abgegeben, die Wirkung der Büchsenkartätsche weit übertrifft und im Ernstfall noch mehr übertreffen muss,
wenn man z. B. gegen Reiterangriffe den Dampf, Knall und die Feuer-
erscheinung der krepirenden Granate in Betracht zieht.

Trotz alledem waren die alten Artilleristen, darunter meines Wissens
namentlich General v. Hahn, Gegner der gezogenen Geschütze. Nach der
Formation der Artillerie von 1816 führte man 6- und 12 pfündige Kanonen,
7- und 10 pfündige Haubitzen. Mitte der 50er Jahre wurden die 6 pfündigen
Kanonen aus der Fussartillerie — der heutigen fahrenden Feldartillerie —
ausgeschieden und nur den reitenden Batterien belassen. An ihre Stelle
traten in jedem Regiment zwei weitere 12 pfündige und zwei weitere
7 pfündige Haubitz-Batterien. 1859 schaffte man die 10 pfündige Haubitze
aus der Feldartillerie ganz ab, und die Fussartillerie hatte nur noch
12 pfündige Kanonen und 7 pfündige Haubitzen, während die reitenden
Batterien noch glatte 6 pfündige Kanonen und 7 pfündige Haubitzen, im
Feldzuge 1866 aber kurze 12 pfündige Kanonen führten.

Da im Feldzuge 1866 die sämmtlichen glatten Geschütze nicht im
Stande waren, irgendwelche Leistungen von Erheblichkeit selbst gegen die nur
sehr minderwerthigen gezogenen Vorderladegeschütze der Oesterreicher zu
erzielen, weil sie eben das feindliche Feuer auf grosse Entfernungen gar nicht
zu erwidern vermochten, so entschloss man sich bekanntlich dann zur Abschaffung sämmtlicher glatten Kaliber und Bewaffnung der gesammten Feldartillerie mit gezogenen Hinterladern, und zwar wurde der schon seit 1860 bei
einzelnen Batterien bestehende gezogene 6 pfündige Hinterlader mit Kolbenverschluss und der seit 1864 bei einzelnen Batterien eingestellte gezogene
4 pfündige Hinterlader mit Keilverschluss, welche beiden Kaliber im Feldzuge 1866 ihre volle Schuldigkeit gethan hatten, als einzige Feldgeschütze
bei der Fuss- und reitenden Feldartillerie eingeführt. Die Haubitzen waren
sämmtlich bereits 1864 den gezogenen 4 Pfündern gewichen. Man glaubte,
die Haubitzen nämlich bei Einführung der gezogenen Geschütze gänzlich
entbehren zu können. Die Treffähigkeit der gezogenen Rohre und die
Wirkung der Granaten mit Aufschlagzündern (Az.) überraschten die alten
Artilleristen. Man sagte: Warum das umständliche Wurffeuer? Einige
Granaten aus gezogenen Rohren blasen die Erdbrustwehren der feindlichen
Verschanzungen weg. Ausserdem haben die gezogenen Rohre, wenn man
schwache Ladungen anwendet, auch die Fähigkeit, den Feind hinter
Deckungen durch Anwendung eines hohen Bogenschusses, also mittelst
Steilfeuers, zu erreichen. Das war wohl richtig, aber man bedachte
nicht, dass das Fechten der Truppen hinter Feldschanzen damals noch
keineswegs so ausgedehnt betrieben wurde, wie später, ebenso, dass die
Fallwinkel, welche man mit den gezogenen Kanonen erreichte, auf allen
Entfernungen von denjenigen der 7 pfündigen Haubitze nicht unwesentlich
übertroffen wurden, und endlich glaubte man überhaupt des Steilfeuers in
der Feldschlacht überhoben zu sein, da die Granaten aus gezogenen Rohren
jedes Hinderniss mit wenigen Schüssen wegzufegen im Stande seien. Eine

andere Schussart, welche gestattete, den Feind hinter Deckungen zu erreichen, das Schrapnel mit Brennzünder, war mit Abschaffung der glatten Geschütze ebenfalls geschwunden. Die gezogenen Geschütze hatten nur Az.-Schrapnels, welche zwar gegen ungedeckte Ziele bei günstigem Boden sehr gut wirkten, sonst aber nur dann erst zu gebrauchen waren, wenn die Granaten ihnen vorher freie Bahn gemacht hatten. Die deutsche Artillerie ging deshalb (mit Ausnahme der sächsischen) in den Feldzug 1870 ohne Schrapnels. Die grossen Erfolge, welche wir 1870/71 über die französischen Heere erlangten auch ohne Schrapnels und ohne Steilfeuer — denn auch dieses war, namentlich der vielerlei Ladungen wegen, vor dem Kriege abgeschafft worden —, verdankten wir indessen, ohne unseren eigenen Verdiensten nur entfernt zu nahe treten zu wollen, doch auch der minderwerthigen gezogenen französischen Artillerie. Sie hatte zwar Schrapnels mit Brennzündern, aber auch diese taugten so wenig, dass sie uns kaum irgendwo Schaden thaten und die verkehrte Ansicht zeitigten, Schrapnels seien überhaupt nicht nöthig. Man bedachte nicht, dass ein Geschoss, welches wie das Schrapnel mit Brennzünder gestattet, den Feind auch hinter Deckungen mit zahlreichen Kugeln und Sprengstücken zu überschütten, unbedingt einen hohen Werth hat, mit einem Wort, dass das Grundprinzip der Konstruktion des Schrapnels ein unanfechtbar richtiges ist, selbst wenn die Ausführung bezw. die Herstellung des Zünders, wie bei den Franzosen damals, eine so sehr mangelhafte war. Gegen Ende des Feldzuges wurden von den Stabsoffizieren der Feldartillerie Berichte über den Werth des Schrapnelfeuers eingefordert, und ich freue mich heute noch, dass ich mich für Wiedereinführung dieses jetzt sogar in erste Linie gerückten Geschosses der Feldartillerie in meinem Bericht ausgesprochen habe. Vom Wurffeuer war auch nach dem Feldzuge zunächst keine Rede. Die Wirkung unserer Feldartillerie war ja eine vorzügliche gewesen, das war allgemein anerkannt, ganz besonders bei den Franzosen; sagte mir doch ein französischer Gefangener am Morgen nach der Schlacht bei St. Privat: »L'artillerie nous a criblé«, d. h. zu Staub zerrieben oder zum Sieb durchlöchert. Im Jahre 1875 wurde das Material C/73 eingeführt, welches eine gleichmässige Konstruktion beider Feldgeschützarten herstellte, und eine weitere Aenderung führte 1890 zur Einstellung des Materials C/73/88, womit man zur Einheitsmunition für die gesammte Feldartillerie gelangte, und jetzt ist man an der Einführung der Schnellfeuergeschütze.

Mittlerweile aber tauchte doch auch der Gedanke an Steilfeuergeschütze, die ja in der Festungsartillerie (Fussartillerie) niemals ganz aufgegeben waren, auch für die Feldartillerie immer wieder auf. Hatte man schon in alten Zeiten den grössten Werth auf Steilfeuergeschütze gelegt, einmal, weil die Anfertigung solcher Rohre beim Stande der damaligen Technik leichter war als die Anfertigung langer Kanonenrohre, ferner, weil die letzteren aus verschiedenen Gründen eine zu geringe Trefffähigkeit besassen, und endlich, weil man zu jener Zeit ebenfalls viel hinter Deckungen, Stadt- und Burgmauern kämpfte, also Steilfeuer nöthig hatte, so war es nur natürlich, dass die Artilleristen aus der Zeit der glatten Rohre den Wurfgeschützen auch nach Herstellung besserer glatter Geschütze immer noch einen grossen Werth beilegten. So erwähnt General Roerdansz in seinem Vortrag in der Militärischen Gesellschaft vom 17. März 1865 »Das gezogene 4pfündige Feldgeschütz«, welcher Vortrag noch im selben Jahre bei E. S. Mittler & Sohn erschien, auf S. 12 den Ausspruch des Michael Miethen über die Haubitzen aus dessen 1683 in Frankfurt erschienener »Artilleriae recentior praxis Oder neuere Geschützbeschreibung u. s. w.«. Dieser Ausspruch lautet: »Die Haubitzen sind unter dem Goschütz das, was in dem edlen und sinnreichen Schachspiel die Königin ist, welche sich allenthalben das Spiel über brauchen lässt.« Roerdansz glaubt in seinem Vortrage, dass die Rolle der »Königin« nunmehr auf ein gezogenes Geschütz übergehen werde, denn die überwiegende Mehrheit der von dem Generalinspekteur v. Hahn dienstlich befragten sämmtlichen Generale, Stabsoffiziere und Hauptleute der Artillerie habe einem gezogenen Feldgeschütz den Vorzug vor der 7 pfündigen Haubitze zugesprochen. Ich habe die damalige Bevorzugung der gezogenen Geschütze im Wurffeuer vor der 7 pfündigen glatten Haubitze auch bereits in meiner 1870 bei Spamer in Leipzig erschienenen »Populären Waffenkunde«, der zweiten Auflage von »Schiesspulver und Feuerwaffen« desselben Verlages, auf S. 44 erwähnt. Die Haubitze wurde also, wie oben bereits erwähnt, zufolge A. K. O. von 1864 durch gezogene 4 pfündige Kanonen ersetzt. Manche hatten den 4 Pfünder auch nicht gewünscht, sondern hätten den gezogenen 6 Pfünder gern als Einheitsgeschütz gesehen. Roerdansz meinte in seinem Vortrage, das Einheitsgeschütz werde wohl immer ein schöner Traum bleiben. Das hat sich aber nicht bestätigt, denn das Material 1888 oder vielmehr 1873/88 brachte wenigstens die Einheitsmunition. Aber nunmehr wird auch diese wieder aus der Feldartillerie verschwinden durch Wiedereinführung von Steilfeuergeschützen, worin uns andere Staaten bereits vorangegangen sind, wenn auch nicht ganz auf dem Wege, den wir, wie es scheint, betreten.

Schon der amerikanische Secessionskrieg, unser Krieg 1864 gegen Dänemark, ja schon der Kampf um Sebastopol 1855, der Feldzug 1859 und 1866 in Italien hatten den Nutzen der Feldbefestigungen und ihre Widerstandsfähigkeit gegen glatte und gezogene Feldkanonen dargethan. Militärschriftsteller, wie Brialmont, v. Boguslawski, v. Sauer, der amerikanische Leutnant Birkheimer, sprachen sich für Einführung von Steilfeuergeschützen auch in der Feldartillerie aus. Die Anhänger solcher Geschütze wurden aber noch zahlreicher, als die Erfahrungen der Russen im Kriege 1877/78, namentlich vor Plewna, in zuverlässigen Nachrichten Verbreitung fanden. Oberstleutnant Leydhecker bearbeitete eine der von der Generalinspektion der Feldartillerie für 1885/87 gestellten Preisaufgaben »Das Wurffeuer im Feld- und Positionskriege, insbesondere beim Kampfe um Feldverschanzungen«. Die Arbeit wurde preisgekrönt und erschien bei E. S. Mittler & Sohn im Jahre 1887. Leydhecker weist darin im Anschluss an die Ansichten, welche von den oben erwähnten Schriftstellern ausgesprochen worden, unter eingehender Würdigung der Kriegserfahrungen und auf Grund eigener Studien in der Artillerie-Prüfungskommission und an anderen maassgebenden Berufsstellen die unbedingte Nothwendigkeit der Einführung von Wurfgeschützen nach. Ich verzichte darauf, alle die Beispiele aus den oben genannten Kriegen und die in verschiedenen Staaten angestellten Versuche anzuführen, welche die völlige Unzulänglichkeit der Kanonen mit flacher Bahn gegen heutige Feldverschanzungen unbestreitbar nachweisen. Sie finden sich in dem Leydheckerschen Buche vollständig angeführt. Auch ein neuerer Aufsatz in den Oktober-, November- und Dezemberheften der »Jahrbücher für die deutsche Armee und Marine«, 1897, von Major Tiedemann über »Wurfgeschütze der Feldartillerie zur Ergänzung des rasanten Feuers derselben« bringt diese kriegsgeschichtlichen Beispiele und viele Versuchsergebnisse. Beide Herren Verfasser, denen ich manche meiner Angaben entlehne, kommen zu dem Schluss, dass Steilfeuergeschütze unbedingt nöthig seien, sprechen sich für ein

12 cm Wurfgeschütz aus und weisen dies aus verschiedenen Schiess-versuchen, die sowohl in Deutschland wie im Auslande angestellt worden sind, mit voller Klarheit nach. Auch Generalleutnant Rohne bespricht in seinem werthvollen Aufsatz in der »Kriegstechnischen Zeitschrift«, Heft 3, 1898, »das moderne Feldgeschütz« und kommt zu dem Entwurf einer Feldhaubitze von 11 cm Kaliber, deren Konstruktion sich an die Kruppsche 12 cm Haubitze oder die 15 cm Haubitze unserer Fussartillerie anzulehnen hätte.

Russland, das den Mangel eines Steilfenergeschützes vor Plewna am eigenen Leibe erfahren hatte, führte alsbald einen 15 cm Feldmörser ein. Derselbe übertrifft nach angestellten Versuchen die Feldgeschütze im Schiessen gegen gedeckte Ziele ganz erheblich, ist aber als Feldgeschütz zu schwer, auch nicht beweglich genug und verlängert die Marschkolonne zu sehr, weil zur Fortschaffung der schweren Munition zu viele Fahrzeuge erforderlich sind. Trotzdem hatte Russland bereits 1897 24 Feldmörser-Batterien zu 6 Geschützen.

Frankreich hat eine 12 cm Feldhaubitze (Canon de 120 court) ein-geführt. Dieselbe ist mit allen Verbesserungen der Neuzeit versehen, hat also eine von der eigentlichen Laffete getrennte und auf dieser für die Seitenrichtung bewegliche Oberlaffete, Spaten zur Hemmung des Rück-laufs, hydropneumatische Rücklaufbremse für das Rohr. Aber auch bei diesem Geschütz ist das Gewicht zu gross. Das Rohr wiegt nämlich mit Bremse, die damit verbunden ist, 690 kg. Das Gesammtgewicht des Geschützes beträgt 2365 kg, also ohne Bedienung so viel, wie dasjenige unserer Feldkanone C/73 mit aufgesessener Mannschaft. Mit 5 Kanonieren, welche auf dem Geschütz aufsitzen, steigert sich das Gewicht dieser fran-zösischen Feldhaubitze auf 2755 kg, ist also namentlich für langandauernde Bewegung entschieden zu schwer. Die Feuergeschwindigkeit wird auf 3 Schuss in der Minute bei gewöhnlichem Feuer und auf 6 Schuss in der gleichen Zeit bei genährtem Feuer angegeben. An Geschossen werden Schrapnels mit je 630 Hartbleikugeln zu 12 g Gewicht und Melinit-Langgranaten geführt, welche nicht bloss durch ihren Fall, sondern nament-lich durch ihre Explosionskraft wirken. Beide Geschosse haben gleiches Gewicht, nämlich 20,35 kg, das erstere soll namentlich auch gegen Truppen, das letztere gegen todte Hindernisse wirken. Ersteres hat Doppel-, letzteres nur Aufschlagzünder. Die Geschützladungen bestehen aus der Normal-ladung von 550 g, einer mittleren von 330 und einer kleinen von 220 g. Ich entnehme diese Angaben namentlich dem im Buchhandel zu beziehenden »Règlement sur le service du Canon de 120 court« vom Jahre 1895. Die Batterie führt 6 Geschütze, 9 Munitionswagen und die nöthigen sonstigen Fahrzeuge. Geschütze und Munitionswagen sind sechsspännig. Gesammt-munition der Batterie 288 Schrapnels und 240 Langgranaten. Das genannte Reglement enthält eine grosse Anzahl guter Zeichnungen von Rohr, Laffete, Wagen und Geschossen.

England hat gleichfalls eine 12 cm (127 mm) Feldhaubitze ange-nommen, die aber auch zu schwer ist. Sie wiegt mit aufgesessener Mann-schaft 2465 kg und führt Granaten, Schrapnels und Kartätschen. Italien hat 9 cm Feldmörser, die Türkei und Bulgarien 12 cm Haubitzen, und Japan hat schon bei Port Arthur Haubitzen verwendet. Dänemark und Spanien wollen ebenfalls solche einführen.

Oesterreich hat die Versuche mit 12 cm Haubitzen aufgegeben und will eintretendenfalls 15 cm Mörser und Haubitzen aus der Belagerungs-artillerie verwenden. Dieselben werden aber den Bewegungen der Feld-

truppen nicht folgen können, da schon das 15 cm Haubitzrohr allein
1062 kg wiegt. Die Schweiz hat schon vor längerer Zeit 12 cm Mörser
in Feldlaffete mit transportabler Bettung eingeführt. Das Gesammtgewicht
eines solchen Geschützes ohne Bedienung beträgt allein über 2208 kg, also
200 kg mehr als das Gewicht eines deutschen Feldgeschützes. Indessen
bestehen in der Schweiz andere Verhältnisse. Sie ist nur auf eigene Landesvertheidigung, auf Positionskrieg eingerichtet, und deshalb mag die günstige
Beurtheilung, welche das genannte Geschütz in der Schweiz erfährt, wohl
gerechtfertigt sein.

Die Einführung von Steilfeuergeschützen in anderen Staaten wäre
allein schon Grund genug, auch bei uns zur Einstellung solcher Geschütze
zu schreiten, zumal Autoritäten in der Schiesskunst, wie Generalleutnant
Rohne, schon 1887 für diese Maassregel sich ausgesprochen und Kruppsche
Versuche 1887 mit 12 cm Feldhaubitzen und 15 cm Feldmörsern die
Ueberlegenheit der Wurfgeschütze nachgewiesen hatten. Der früher so
gerühmte Wurf von Granaten und Schrapnels in hohem Bogen aus gezogenen Kanonen erwies sich, wie erwähnt, mit der Zeit als unzulänglich,
da die kleinen Ladungen in dem verhältnissmässig grossen Verbrennungsraum
der Kanonen nur ungleichmässig wirkten, die Fallwinkel zu klein waren,
um Mannschaften, die hinter Brustwehren sassen, zu treffen, und die
Geschosse der Kanonen der hinreichenden Kraft entbehrten, um die
Deckungen, welche man nach und nach wesentlich zu verstärken gelernt
hatte, zu durchschlagen. Auch hätte man die Laffetenachse der Kanonen
verstärken müssen, damit sie der durch die grossen Erhöhungswinkel des
Steilfeuers gesteigerten Wirkung des Rückstosses auf die Achse widerstehen konnten. Alle diese · Gründe liessen erkennen, dass man den
gezogenen Kanonen, als man die Haubitzen abschaffte, zuviel zugetraut
hatte. Auch die Einführung der Sprenggranate für Kanonen im Anfang
der 90er Jahre war nicht im Stande, den Feind hinter Deckungen hinreichend zu schädigen. So musste man denn auch in Deutschland zur
Einführung eines Wurfgeschützes schreiten, und alle Versuche führten
dahin, dass man des grossen Gewichts der 15 cm Haubitze wegen von
dieser absah und sich dem 12 cm Kaliber*) zuwandte, welches Leydhecker
schon in seiner Preisschrift als das geeignetste bezeichnet hatte. Schon
1888 kam man zu dem Urtheil, dass die kurze 12 cm Kanone oder vielmehr Haubitze zwar nicht geeignet sei, das schwere Feldgeschütz in allen
Gefechtslagen zu ersetzen, dass sie aber als Steilfeuergeschütz eine ent-
schiedene Ueberlegenheit über das schwere Feldgeschütz habe. Die
15 cm Haubitze hat bekanntlich unsere fahrende Fussartillerie (schwere
Artillerie des Feldheeres). So sehr nun auch die Wirksamkeit und Verwendbarkeit der Fussartillerie durch ein bespanntes Geschütz gewonnen
hat, so ist dieses Geschütz doch zu schwer, um rechtzeitig und mit
Sicherheit auch im Feldkriege überall verwendet werden zu können. Die
in den Versuchen 1888/89 verwendete 12 cm Haubitze hat dagegen ein
Gesammtgewicht von nur 1986 kg, wiegt also ungefähr so viel wie die
Feldkanone C/73. Sie erwies sich auf Entfernungen von 2900 bis 4300 m,
unter Gebrauch verschiedener Ladungen, den Feldgeschützen unter gleichen
Umständen gegen gedeckte Ziele stets überlegen.

Unter diesen Umständen müssen wir zweifellos wieder zweierlei Geschütze in der Feldartillerie führen, wie das vor Einführung des Materials
C/73/88 bezw. vor Einführung der gezogenen Kanonen der Fall war. Und
nach allen Versuchen und Nachrichten scheint die 12 cm Haubitze das

---

*) Die neue deutsche Feldhaubitze wird ein geringeres Kaliber als 12 cm er-
halten. D. Red.

geeignetste Steilfeuergeschütz für die Feldartillerie. Sie besitzt eine Schussweite von 5000 m, kann also unter Umständen in zweiter Gefechtslinie, über eine Geschützlinie von Feldkanonen weg, gegen Verschanzungen schiessen. Sie kann wegen der Steilheit ihrer Geschossbahn den Angriff der Infanterie gegen Schanzen länger von ihrer Stelle aus unterstützen als Flachbahngeschütze, welche die nahe an den Feind herangekommene eigene Infanterie unter Umständen schädigen. Ihre Geschosse, namentlich Granaten mit brisanter Sprengladung, durchschlagen die Deckungen und werfen sie durch den Luftdruck der Detonation auseinander. Die vorzügliche Wirkung der aus Haubitzen in flacher Bahn, also mit der grössten Ladung, verfeuerten Schrapnels erreicht mindestens die der Feldkanonen und erhöht mithin die Vielseitigkeit der Verwendung der Haubitze als Feldgeschütz. Schliesslich ist auch der Gebrauch der Kartätschen nicht ausgeschlossen. Alles das sind Vortheile, welche das Aufgeben des Einheitskalibers bezüglich der Ausbildung wohl überwiegen. Selbstverständlich müssen solche Haubitz-Batterien schon im Frieden aufgestellt, der Feldartillerie, mit welcher sie ja vorzugsweise fechten sollen, zugetheilt und als Feldartillerie ausgebildet werden. Die Feldartillerie, die zur Zeit der glatten Kanonen die Bedienung von drei Kalibern lernen musste, wird jetzt auch, selbst in zwei Jahren, mit zwei Kalibern fertig werden, um so mehr, als man ja auch seither alle Mannschaften nur an dem einen Kaliber der betreffenden Batterie ausbildete. Der Vorschlag, Abtheilungen von je drei solcher Batterien den einzelnen Armeekorps zuzutheilen, erscheint durchaus zweckmässig. Es ist damit gewissermaassen wieder eine Korpsartillerie geschaffen, welche nach der für den Herbst d. Js. in Aussicht genommenen Neuorganisation wegfallen soll. Ich kann einer solchen Korpsartillerie nur das Wort reden und stehe mit dieser Ansicht gewiss nicht allein.[*] Denn der Kommandirende muss noch eine Waffe in der Hand haben, die er gegebenenfalls an entscheidender Stelle einsetzen kann, und dazu wird sich eine Abtheilung von 18 Steilfeuergeschützen vorzüglich eignen, wenn die Konstruktion derselben, worüber bis jetzt nichts in die Oeffentlichkeit gedrungen ist, den Angaben entspricht, die in Militärzeitschriften über Versuche und Schiessergebnisse u. s. w. gemacht werden. Dass wir solche Geschütze haben müssen, ist an und für sich zweifellos, da die anderen Grossstaaten sie haben, und dass wir ein gutes und brauchbares Steilfeuergeschütz bekommen werden, dafür bürgen unsere ganzen Einrichtungen zur Beschaffung tüchtiger, auf der Höhe der Zeit stehender Kriegswaffen. Eine Verminderung unserer Flachbahn-Feldgeschütze durch Einstellung von Steilfeuergeschützen ist ausgeschlossen, weil die ersteren im direkten Schiessen in der Schlacht den entschiedenen Vorzug vor den Steilfeuergeschützen haben und unsere voraussichtlichen Gegner ihre zahlreiche Feldartillerie zu Gunsten der Einstellung von Steilfeuergeschützen ebenfalls nicht vermindern.

C. v. Herget.

Die Radfahrtruppe der Zukunft.

Von Julius Burckart,
Major im Königlich Bayerischen 3. Feldartillerie Regiment ›Königin Mutter‹.

(Fortsetzung. Mit zwei Tafeln.)

II. Hie Klapprad, hie Kriegsrad.

›Wie jedes Rad zum Umdrehen, jeder Hahn zum Oeffnen, so reizt jede Behauptung zum Glauben‹ (Cossmann, Aphorismen).

---

[*] Doch darf diese von vornherein nicht als Reserve-Artillerie betrachtet und als solche zurückgehalten werden. D. Red.

Mit Kapitän Gérards Behauptung — »faisons porter le cycle par le cycliste, là où le cycliste ne peut être porté par le cycle, et le problème de l'infanterie montée sera résolu« — ist es just ebenso gegangen. Die Wirkung, die seine Klapprad-Idee im Engeren und Weiteren ausübte und noch ausübt, scheint mir eine treffliche Illustration zu jenem Gedankensplitter. Und in der That: Gérards Ausspruch hat auf den ersten Blick etwas Bestechendes: man ist versucht, sofort daran zu glauben.

Ich gestehe, dass es mir ebenso ergangen ist. Erst die aus den bayerischen Kursen gezogenen Erfahrungen und die praktischen Erprobungen aller bisherigen Klappradkonstruktionen haben mich eines Anderen belehrt.

Die Gérardsche Idee in ihrer scheinbaren Einfachheit eroberte sich im Fluge eine Schaar begeisterter Anhänger. Wie vorauszusehen war, traten die französische und russische Fachpresse zuerst und fast geschlossen dafür ein. Aber auch bei uns — wie es jener Verfasser der Einleitung zu Gérards schon früher erwähnter Studie befürchtete — und in den uns befreundeten Heeren hat die Idee Wurzel geschlagen und Keime getrieben: bei uns allerdings nicht, ohne gleichzeitig bedeutenden Widerspruch hervorzurufen.

Wie noch vor wenig Jahren die Frage, ob Pneumatik- oder Polsterreifen, die Freunde der Militärradfahrfrage entzweite, so hat jetzt die Klapprad-Idee diese in zwei getrennte Lager geschieden. Wahre Freunde einer Sache müssen sich aber untereinander verständigen, wenn sie der Sache nützen wollen. Und diesem Zwecke sollen vor Allem die nachfolgenden Ausführungen dienen.

Wie Gérard zu seiner Klappradkonstruktion kam, welche Rolle er seiner Radfahrtruppe zugedacht hat, ist sattsam bekannt; ausserdem aus seiner Brochüre: »Le problème de l'infanterie montée résolu par l'emploi de la bicyclette (1893)«, einigen Aufsätzen von ihm in der »Revue du Cercle militaire« und aus der schon erwähnten sehr lesenswerthen applikatorischen Studie »Infanterie cycliste en campagne (1898)« zu ersehen. Weiteres hierüber findet sich in zahlreichen Artikeln der französischen (auch italienischen) Militärlitteratur. Gegenüber den Gérardschen Veröffentlichungen bieten sie aber nichts Neues: es sind nur Variationen über das von Gérard angeschlagene Thema.

Unter den in deutschen Militärzeitschriften unternommenen Versuchen, die Klapprad-Idee klar zu legen, weiter zu spinnen, mit neuen Belegen zu stützen und gegen Einwendungen zu vertheidigen, sind die im »Militärwochenblatt« 1897 und 1898 veröffentlichten Artikel »Radfahrtruppen und Kriegsräder«, »Ueber die Kriegsbrauchbarkeit der Fahrräder« und »Organisationsentwurf für Radfahrer-Abtheilungen« hervorzuheben.

In sehr energischer Weise trat im November vergangenen Jahres ein ungenannter Verfasser in die Schranken der litterarischen Arena, um für das Klapprad eine Lanze zu brechen und zwar mit einem Artikel in der für »Militärische Nachrichten« bestimmten Spalte der »Münchener Neuesten Nachrichten«. Es heisst darin im Auszug: »Aus Anlass der in Aussicht genommenen bedeutenden Verstärkung der Fahrradausrüstung für die Armee haben die beiden (bayerischen) Armeekorps im letzten Uebungsjahre umfassende Versuche mit verschiedenen Modellen von Fahrrädern angestellt. Die von den Generalkommandos gemachten Berichte über das Ergebniss dieser Versuche dürften eben der Prüfung unterliegen, so dass auch der jetzige Moment geeignet erscheint, aus militärischer Feder stammenden Ausführungen über die wünschenswerthe Konstruktion der künftigen Armeefahrräder Raum zu gewähren.«

Nach einer kurzen Erörterung über die von einem Armeefahrrad überhaupt zu verlangenden Eigenschaften heisst es dann weiter:

»Ausser der Schnelligkeit, Leichtigkeit und Dauerhaftigkeit ist aber an ein Armeerad unbedingt die Anforderung der Zusammenlegbarkeit und Tragbarkeit zu stellen. In stark bergigem und unwegsamem Gelände, bei überraschendem Schneefall, bei der Ueberquerung von Bergzügen und bei der taktischen Verwendung braucht der militärische Radfahrer diese Eigenschaften seines Vehikels vor Allem. Und dass diese bei Aufrechterhaltung der übrigen militärischen Anforderungen recht gut erzielt werden können, das beweisen zur Genüge die bei' den diesjährigen französischen Manövern neuerdings und mit dem besten Erfolge gemachten Versuche mit dem Klapprad. Nach Angabe eines Korrespondenten der »Times« seien die Leistungen der Radfahrer-Abtheilung unter Hauptmann Gérard so hervorragend und das Funktioniren der hierbei verwendeten Klappräder so ausserordentlich sicher gewesen, dass selbst die verbissensten Kritiker bekehrt worden seien.«

Warum die Heeresleitung trotzdem keine Klappräder beschaffte, sondern bei dem bisherigen Modell verblieb, kann uns hier nicht weiter beschäftigen. Für uns hat jener Aufsatz, der sich ja allerdings mehr durch kategorischen Ton als durch glückliche Wahl seines Gewährsmannes auszeichnet, lediglich deshalb Interesse, weil er in Kürze jene Fälle aufzählt, wobei, nach des Verfassers ebenso wie auch der Klappradfreunde Meinung, eben nur ein tragbares Fahrrad zu brauchen sein soll.

Vor Allem handelt es sich nun darum, die prinzipielle Frage zu beantworten, ob tragbares Rad oder nicht. Diese Frage kann nur auf Grund einer Hypothese aufgeworfen, also auch nur im Hinblick darauf beantwortet werden: der Annahme nämlich, dass überhaupt in dem Fahrrad das Mittel gefunden sei, neue Truppengattungen für ganz besondere kriegerische Zwecke — die Radfahrtruppe der Zukunft — schaffen zu können. Auf die Möglichkeit dieser Voraussetzung gründet sich die ganze litterarische Bewegung hinsichtlich der Klappradfrage. Und nur deshalb, weil die bisherigen Manöverversuche mit Radfahrer-Abtheilungen deutlich die Absicht zeigen, die Lebensfähigkeit und den Nutzen derartiger Truppen festzustellen, gewinnt jene Räderfrage aktuelle Bedeutung.

Ehe wir aber hierauf näher eingehen, müssen wir uns die charakteristischen Eigenthümlichkeiten einer solchen Truppe — soweit dies eben die bisherigen Erfahrungen und die daraus gezogenen Folgerungen gestatten — vor Augen führen.

Nach meiner Meinung sind dies kurz folgende:

1' Eine Radfahrtruppe kann nur eine kleine Kommandoeinheit sein (etwa bis zur Stärke einer kriegsstarken Infanterie-Kompagnie). Die ihr innewohnende Schnelligkeit der Fortbewegung weist darauf hin, sie auf Gebieten zu verwenden, die abgetrennt liegen von dem Raum, den die marschirenden und fechtenden grossen Heeresmassen jeweils einnehmen. Ersteres — ihre numerische Schwäche — bedingt eine Begrenzung der ihr zuzumuthenden Aufgaben; Letzteres gewährt ihren Bewegungen dagegen eine gewisse Freiheit.

2. Die Fälle ihres gefechtsmässigen Auftretens werden denen ähneln, die die Kavallerie durch das Fussgefecht zu lösen strebt. Die Geguer, die eine Radfahrtruppe zu bekämpfen haben wird, werden Kavallerie-Abtheilungen zu Pferd oder zu

Fuss, oder wiederum Radfahrer-Abtheilungen sein; ferner kleinere Infanteriepostirungen, Transportbedeckungen, Freikorps
u. dergl. Ihr Verhalten, im Angriff sowohl als in der Vertheidigung, wird meist nur einen demonstrativen Charakter tragen.
Wohl nur ganz ausnahmsweise wird sie in die Lage kommen,
einen Angriff um jeden Preis durchführen oder in der Vertheidigung bis zur Vernichtung Stand halten zu müssen. Eine Verfolgung des geschlagenen Gegners wird meist gar nicht in der
Absicht ihrer Aufgabe liegen oder ihr überhaupt nicht möglich sein.

3. Die Eigenart ihrer Fortbewegung und die aus ihrer geringen numerischen Stärke resultirenden besonderen Verwen-
dungsarten bannen ihre Thätigkeit an das Wegenetz.

Ob all' diese Eigenthümlichkeiten darauf hinweisen, Radfahrer-
Abtheilungen ausschliesslich Kavalleriekörpern zuzutheilen, wie Gérard
meint, sei hier noch gar nicht weiter untersucht. Da aber diese Praxis
bei den Manövern der letzten Jahre fast allerwärts in erster Linie geübt
wurde, so nehmen wir einmal an, es sei so.

Wenn dem aber so ist, dann möchte wohl unbestritten sein, dass eine
Radfahrtruppe ihre Kavallerie nur dann begleiten oder gar in die rasch
wechselnden Phasen des Kavalleriekampfes nur dann mit Nutzen eingreifen
kann, wenn sich sowohl die Bewegungen der Kavallerie als auch deren
Kampfepisoden in der Nähe von fahrbaren Wegen abspielen; wenn
also die Radfahrtruppe zu ihren Bewegungen im Gelände vorwiegend vom Fahrrade Gebrauch machen kann.

Dieses Gebundensein an fahrbare Wege — zu ihrer raschen
Fortbewegung — und an die Nähe von fahrbaren Wegen zu ihrer
Gefechtsthätigkeit ist sonach das Hauptcharakteristikum des
Auftretens einer Radfahrtruppe; gleichviel ob im Verbande mit
Kavalleriekörpern oder anderweitig verwendet.

Diese Verhältnisse muss man sich vor Allem klargemacht
haben und immer wieder vor Augen führen, wenn man die
prinzipielle Frage erwägt, ob eine Radfahrtruppe tragbare
Räder braucht oder nicht. Wer daher die nachfolgenden Ausführungen widerlegen will, muss meines Erachtens zuerst nachweisen, dass diese Prämissen falsch sind.

Die prinzipielle Frage, ob tragbares Rad oder nicht, beantworten nun
Gérard und die Förderer seiner Idee mit Ja. Aus zwei Gründen, sagen
sie. Erstens, weil man in die Lage kommt, wegen Geländeschwierigkeiten
nicht fahren zu können; zweitens aber hauptsächlich darum, weil sich
eine Radfahrtruppe nicht von ihren Rädern trennen darf, wenn sie sich
zum Gefechte anschickt.

Ich sage nein. Und zwar deshalb, weil man erstens in den
Fällen, wo man nicht fahren kann, das Rad fast immer bequemer
schiebt als trägt und weil es zweitens überall da, wo eine Radfahrtruppe gefechtsmässig auftreten muss, möglich ist, die
Räder vorher abzustellen, ohne befürchten zu müssen, sie nicht
wieder rechtzeitig zur Hand zu haben oder gar ihrer verlustig
zu gehen.

Betrachten wir kurz die Fälle, wo man nicht fahren kann.
»In stark bergigem und unwegsamem Gelände, bei überraschendem Schneefall, bei Ueberquerung von Bergzügen«, schreibt jene militärische Feder
in den Münchener Neuesten Nachrichten, »in gewissen Jahreszeiten und

Gegenden, z. B. in Russland, zur Zeit der Schneeschmelze (raspútitza)«, fahren andere fort. Ich füge noch hinzu: bei sehr starkem, entgegenwehendem Sturmwind und bei stockdunkler Nacht, wenn die Verhältnisse — und dies wird in Feindesland ja meist der Fall sein — ein Fahren mit brennender Laterne nicht gestatten.

Und hier frage ich nun unter Verzicht auf alle weiteren Beweise jeden Radfahrer, ob militärisch oder bürgerlich, ob er, wenn er in ähnlicher Lage war, je mit einem Gedanken daran gedacht hat, sein Fahrrad über den Rücken zu hängen statt es zu schieben; sich 30 bis 40 Pfund aufzuladen, wo zum Schieben ein Druck genügt, der schlimmsten Falls höchstens ein Fünftel jener Kraftleistung erfordert; die Last eines Fahrzeuges zu schleppen, das wie kein anderes zum Rollen geeigenschaftet ist; dem Vater und Sohne in der Hebelschen Fabel gleichen zu wollen, die schliesslich ihren Esel trugen, statt — nachdem ihnen die Bemerkungen der Vorübergehenden das Reiten verleidet hatten — ihn wenigstens auf seinen eigenen Beinen laufen zu lassen. Freilich giebt es Momente, wo man weder fahren noch schieben kann: beim Erklettern eines Steilhangs zum Beispiel, beim Durchschreiten eines Wasserlaufs, beim Uebersteigen von Barrieren, von Zäunen und Mauerwerk, bei Wegesperrungen u. dergl. mehr. Diese Momente sind aber nur von kurzer Dauer. Jeder Radfahrer wird auf die eine oder andere Weise, den jeweiligen Umständen angepasst, sein Vehikel über derartige Hindernisse hinüberbringen; eine Truppe sogar noch leichter, da hier Einer dem Anderen helfen kann. Wer da erst sein Rad zusammenklappen, auf den Rücken laden, dann wieder abnehmen und auseinanderklappen wollte, würde fast immer längere Zeit zur Ueberwindung eines derartigen Hindernisses brauchen wie ein Mann mit einem gewöhnlichen Rade. Treten aber nun, wie oben angedeutet, im Verlauf eines Feldzugs Witterungsverhältnisse ein oder bewegen sich die Operationen auf Kriegsschauplätzen, wo man voraussichtlich auf längere Zeit hinaus das Fahrrad nicht wird gebrauchen können, dann wird man eine Truppe doch nicht mit jener unnützen Last herumziehen lassen. Dann ist es doch zweckmässiger, die Räder auf ein paar beigetriebene Wagen (vielleicht auch auf mitgeführte Motorfahrzeuge) aufzuladen und diese in einer Truppenfahrzeug-Staffel mitzuführen.

Man wird nun einwenden, dies treffe Alles für einen Zivilradfahrer, vielleicht auch für den einzelnen Truppenradfahrer zu, nicht aber für eine Radfahrtruppe. Diese müsse zu jeder Zeit gefechtsbereit sein, auch in den Momenten, wo man nicht fahren kann. Die Gefechtsbereitschaft sei dann eine höhere, wenn die Mannschaften die Räder am Rücken trügen statt sie zu schieben. Dieser Einwand hat, rein theoretisch betrachtet, den Schein einer Berechtigung. Praktische Bedeutung muss ihm dagegen abgesprochen werden, weil eben eine Radfahrtruppe nur eine kleine Kommandoeinheit darstellt. Eine Radfahrtruppe — etwa in der Stärke einer Infanterie-Kompagnie — hat mit den Rädern am Rücken eine Marschtiefe von 100 m; die Räder schiebend höchstens 300 m, meist aber nur 150 m, da hier dicht aufgeschlossen und meist auch in grösserer Breite (zu Vieren) marschirt werden kann. Im ungünstigsten Falle, bei überraschendem Angriff (Kavallerie) von vorne, bedarf eine die Räder schiebende Radfahrtruppe zwei Minuten, um mit allen Gewehren (wie schon im Theil I beschrieben) die Feuerfront nach vorn herzustellen. In dieser Zeit legt attackirende Kavallerie kaum mehr als 1 km zurück. Die Marschsicherungen einer Radfahrtruppe müssen aber, wie wir noch sehen werden, bis zu 2 km vorgeschoben sein. Eine Ueberraschung von vorne kann daher durch die Verbindungsleute immer noch frühzeitig genug zurücksignalisirt werden.

Bei einem Angriff aus der Flanke (siehe ebenfalls Theil I) ergiebt sich für die Herstellung einer entsprechenden Feuerfront überhaupt kein Zeitunterschied zwischen einer die Räder tragenden oder schiebenden Truppe. Ob da im einen Falle mit Sektionen eingeschwenkt oder im andern eine lockere Schützenlinie gebildet war, bleibt für den Feuereffekt gleichgültig. Im Gegentheil möchte gerade die letztere Formation einen grösseren Schutz vor Umfassung gewähren. Abgesehen von alledem muss man sich aber doch stets vor Augen halten, dass die Fälle, wo man während des Marsches nicht fahren kann, nur vorübergehend und dann durch Verhältnisse (stark bergiges unwegsames Gelände u. s. w.) bedingt sind, die meist auch der Attackenlust der Kavallerie einen Dämpfer aufsetzen. Soviel über die angebliche Nothwendigkeit, tragbare Räder zu besitzen für die Fälle, wo man nicht fahren kann.

Ich komme nun zum zweiten, schwerer wiegenden Theil der Frage, zur taktischen Verwendung einer Radfahrtruppe; wo, wie wir gehört haben, »der militärische Radfahrer die Eigenschaft der Tragbarkeit seines Vehikels vor Allem brauchen« soll. Ich habe oben diese Frage verneint mit der Begründung, dass es überall da, wo eine Radfahrtruppe gefechtsmässig auftreten muss, angängig sei, die Räder abzustellen.

Versetzen wir uns nun in die Lagen, in die eine Radfahrtruppe bei ihrer taktischen Verwendung kommen kann, so erkennen wir, dass die ihr zuzumuthenden Aufgaben, so verschiedenartig sich auch deren Lösung gestalten mag, fast alle das Eine gemeinsam haben, dass es sich darum handelt, eine bestimmte Oertlichkeit rasch zu erreichen und zu irgend einem Zweck eine gewisse Zeit zu halten.

Die Besetzung des Objekts, eine nothwendig werdende Vertheidigung oder — war jenes schon in Feindeshand — die Wegnahme, kurz der taktische Theil der der Radfahrtruppe gestellten Aufgabe erfordern nun ein Abstellen der Räder, wenn diese nicht tragbar sind. Der Abstellplatz, bei dessen Auswahl in erster Linie die Möglichkeit eines raschen Rückzugs ins Auge zu fassen ist, wird von der eigentlichen Gefechtstellung der Truppe, je nach der Entfernung dieser Stellung von der Marschstrasse, der Geländebeschaffenheit hinter der Stellung, oder wenn man zum Angriff gezwungen war, verschieden weit entfernt sein. Im letzteren Falle wird man allerdings versuchen, sobald es die Umstände zulassen, die Räder weiter nach vorne zu bringen (Verfahren im Theil I beschrieben); eine Trennung der Truppe von ihren Rädern bleibt jedoch bestehen. Diese Trennung bringt verschiedene Nachtheile mit sich. Sie zwingt dazu, je nach der Entfernung, ein entsprechendes Bewachungskommando bei den Rädern zurückzulassen und mit diesem Verbindung zu halten; sie hat zur Folge, dass man erst wieder zu den Rädern zurück muss, wenn man nach vorwärts den Marsch fortsetzen oder nach der Flanke abziehen will oder, wenn man zum Rückzug gezwungen wird. Die Radfahrtruppe ist hier also in ähnlicher Lage wie zum Fussgefecht abgesessene Kavallerie bei unbeweglichen Handpferden. Wie diese durch die Sorge um ihre Pferde, so wird jene durch die Trennung von den Rädern in ihrer Bewegungsfreiheit beschränkt; wie dieser, so entgeht auch ihr eine Anzahl Feuergewehre durch die zurückzulassenden Mannschaften.

Sind diese Nachtheile in irgend welcher Weise unschädlich zu machen? Ja, zum grossen Theil.

Der Ausfall einiger Feuergewehre?

Dieser Nachtheil allerdings nicht.

Der Zeitverlust, wenn man aus der Stellung nach vorwärts will?

Der ist bei der grossen Schnelligkeit einer Radfahrtruppe und den grossen Entfernungen der zurückzulegenden Wege von gar keiner praktischen Bedeutung.

Aber die Gefahr, die in der Beschränkung der Bewegungsfreiheit liegt?

Dieser Gefahr muss durch entsprechende Sicherheitsmaassnahmen vorgebeugt werden.

Werden denn die einer Radfahrtruppe möglichen Sicherheitsmaassnahmen ausreichen?

Ja, denn bei den Aufgaben, die ihr zugemuthet werden dürfen, wird sie es fast immer nur mit Kavallerie oder wiederum mit Radfahrer-Abtheilungen zu thun haben. Tritt die gegnerische Kavallerie zu Fuss auf, so hat sie zum mindesten dieselben Bewegungsbeschränkungen wie die Radfahrtruppe; kommt sie überraschend zu Pferd, dann giebt es nur eines: ihrer durch das Feuer Herr zu werden. Gelingt dies nicht, dann ist die Radfahrtruppe verloren, ob sie die Räder irgendwo abgestellt hat oder ob sie am Rücken trägt. Feindliche RadfahrerAbtheilungen müssen aber auf fahrbaren Wegen herankommen; solche Wege zu beobachten, ist einer Radfahrtruppe wohl immer möglich. Stärkeren Infanterie-Abtheilungen gegenüber kann sich eine Radfahrtruppe überhaupt nur demonstrativ verhalten und da nur, wenn sie schon im Gelände hinreichende Sicherheit findet.

Das Abstellen der Räder, namentlich aber die Verschiebung eines Abstellplatzes nach vorwärts, ist doch immer ein recht verwickeltes, meist auch zeitraubendes Manöver?

Zugegeben. Wenn man sich aber die Vortheile eines neuen Kriegsmittels, wie es das Fahrrad ist, zu Nutze machen will, muss man auch die seiner Natur entspringenden Nachtheile und Unbequemlichkeiten mit in Kauf nehmen. Im Uebrigen muss auch hier wie bei jeder anderen Spezialtruppe die Ausbildung das Ihrige thun, um besonderen Schwierigkeiten Herr zu werden. Was aber eine etwa nöthig werdende zeitraubende Verlegung des Räderabstellplatzes anlangt, so bleibt zu bedenken, dass sich die von einer Radfahrtruppe vorzunehmenden Besetzungen fast immer auf einen längeren Zeitraum ausdehnen müssen. Es ist eine ganz übertriebene, jeder Erfahrung entbehrende Erwartung, wenn man es für möglich hält, dass eine Radfahrtruppe rasch aufeinanderfolgende Stellungswechsel vornehmen könne, um mit dem Manövriren von Kavalleriekörpern gleichen Schritt zu halten. Wir werden darauf noch zurückkommen.

Die durch das nicht tragbare Rad hervorgerufenen Nachtheile könnten aber alle vermieden werden, wenn das Rad tragbar wäre?

Gewiss; aber nur gegen den Eintausch anderer Nachtheile.

Welche denn?

Drei ganz schwerwiegende: 1. bewegt sich eine Truppe mit den Rädern am Rücken im Gelände viel schwerfälliger; 2. schiesst sie schlechter und 3. erleiden die ins Gefecht mitgenommenen Räder derartige Beschädigungen durch das feindliche Feuer, dass die fernere Bewegungsfähigkeit der Truppe erst recht in Frage gestellt wird?

— — — —? Und nun frage ich: Sind diese Nachtheile des tragbaren Rades in irgend einer Weise unwirksam zu machen? Antwort: Nein!

Ich will mich nur bei dem dritten Punkt — die ersten beiden be-
streitet ja wohl Niemand — ein wenig aufhalten, weil die ganze litterarische Bewegung pro und contra Klapprad gerade diesen Punkt bisher
vollständig ausser Acht lässt. So lange das Rad seinen Fahrer trägt,
schützt diesen und sein Vehikel die Schnelligkeit der Fortbewegung bis
zu einem gewissen Grade vor feindlichem Feuer. Trägt aber der Mann
das Rad, so ist dieses ebenso Scheibe, wie er selbst, und gerade in der
Schützenlinie. Der Leser, der noch nicht Gelegenheit hatte, einen
Mann mit Klapprad am Rücken in den verschiedenen Anschlagsarten
zu sehen, möge sich mit Hülfe des beigegebenen Bildchens eine Vorstellung
davon machen, wie etwa eine Schützenlinie in diesen Fällen aussieht.*)
Die ganz charakteristische Erscheinung der Maschinentheile verräth dem
Gegner schon auf grosse Entfernung, dass er es mit einer Radfahrer-
Abtheilung zu thun hat; sie verräth auch jede im Gelände noch so geschickt postirte Schützenlinie und bietet an und für sich eine ganz erhebliche Treffläche. Wer aber glaubt, dass ein scharfer Treffer einem Fahrrade
keinen ernstlichen Schaden zufügt, der nehme einmal — Versuche in
grösserem Stil werden ja wohl kaum so bald angeordnet werden — eine
alte ausrangirte Maschine her und halte in einem Schiessstand oder sonstwo
ein Probeschiessen darauf ab. Er wird sich überzeugen, dass fast jeder
Treffer — die auf Speichen und Schutzbleche etwa ausgenommen — die
Benutzbarkeit des Fahrrades auf geraume Zeit, wenn nicht ganz zur Unmöglichkeit macht. Man vergegenwärtige sich nur die Treffwirkung auf
die Pneumatiks, auf die Kette, auf die drei Achsen, auf die Pedalkurbeln,
auf die Charnierverbindungen der Klappräder. Die geringste Rahmenrohr-
verbiegung hat zur Folge, dass die Schnittflächen nicht mehr aufeinander
passen und der Charnierverschluss nicht mehr bewirkt werden kann.
Wenn sich dann die Klapprädertruppe nach Abschluss einer Gefechts-
episode wieder auf die Strasse gesetzt hat, um zu neuen Thaten vorwärts
zu stürmen oder bei einem Rückschlag »mit einigen Pedaltritten« — wie
der militärische Mitarbeiter einer Sportzeitung so hübsch sagt — »dem
feindlichen Verfolgungsfeuer zu entfliehen,« dann wird sie zu ihrem
Schrecken gewahr werden, dass das »porter le cycle par le cycliste, là
où le cycliste ne peut être porté par le cycle« eine recht unerfreuliche
und keineswegs in der Absicht des Erfinders gelegene Erweiterung erfahren hat.

Den Nachtheilen des gewöhnlichen Rades stehen sonach
ganz erhebliche Nachtheile des tragbaren Rades gegenüber.
Erstere lassen sich bis zu einem gewissen Grade unschädlich
machen, letztere in keiner Weise. Dem gewöhnlichen Rade gebührt sonach der Vorzug; es ist kriegsbrauchbarer als das tragbare Rad. Die prinzipielle Frage, ob tragbares Rad oder nicht,
muss daher verneint werden.

Erst nach dieser Entscheidung der prinzipiellen Frage wende ich mich
zu den weiteren Mängeln tragbarer Räder. Ich habe schon in
meiner ersten Studie**) gesagt, dass es ein schwerwiegender Nachtheil
sei, dass das Klapprad die Anbringung des nöthigen Gepäcks
nicht gestatte, weil der Raum zwischen Vorder- und Hinterrad nicht
auszunützen ist. Die Einen erwiderten nun, der Radfahrer brauche überhaupt kein Gepäck, die Anderen wollen es zum Theil dem Fahrer selbst

---

*) Siehe auch die Abbildungen in dem Artikel »Das Militärrad« in »Kriegs-
technische Zeitschrift«, 1. Jahrgang S. 270. Ebendaselbst auf S. 205 und andere mehr.
**) Das Rad im Dienste der Wehrkraft.« München 1897.

anhängen, zum anderen Theil auf der Lenkstange unterbringen. Wenn man die Behauptung, der Radfahrer brauche überhaupt kein Gepäck, wirklich ernst nehmen will, dann ist vor Allem darauf hinzuweisen, dass unser Radfahrer doch auch ein Soldat ist. Was jeder andere Soldat im Felde zur Erhaltung seiner Gesundheit, seiner Felddienstfähigkeit braucht, das kann auch der Radfahrer nicht missen. Eine Radfahrtruppe muss davon wahrscheinlich noch mehr selbst mitführen, wie jede andere. Weit abgetrennt von der Hauptmasse der fechtenden Truppen fällt es ihr meist schwerer, ihre Verpflegung mit- oder heranzuführen; ein Beitreiben wird meist weder die Zeit noch die Lage solch' einer abgetrennten Truppe gestatten. Wenn ihr vielleicht auch das Unterkommen für die Nacht manchmal leichter wird, so wird doch die Gefahr, ihrer geringen Stärke wegen aufgehoben zu werden, diese Möglichkeit in Feindesland sehr beschränken. Deshalb muss der Radfahrer Mantel, Wäsche, Schuhzeug, Zeltbahn und hinreichend Lebensmittel selbst mitführen, wenn er leistungsfähig bleiben soll. Dazu kommen noch Munition und die zur Instandhaltung des Fahrrades nöthigen Werkzeuge. Wollte man aber — wie die Anderen meinen — dies Alles zum Theil dem Manne selbst anhängen, zum Theil auf der Lenkstange aufstapeln, so erlitte nicht nur die Leistungsfähigkeit des Mannes als Fahrer, sondern auch die Benützbarkeit seines Rades zum Fahren schwere Einbusse. Ich werde noch hierauf zurückkommen. Fernere Nachtheile des tragbaren Rades bestehen in seiner grösseren Empfindlichkeit gegen Sturzschäden, wobei nur geringe Verbiegungen das weitere Funktioniren des Klappmechanismus in Frage stellen, sodann in der Komplizirtheit dieses Mechanismus selbst und in dem Umstand, dass ein Fahrrad wohl niemals derart konstruirt werden kann, dass es zusammengeklappt bequem auf dem Rücken getragen werden könnte. Man sagt, ein kriegsmässig bepackter Tornister wiege fast das Doppelte wie ein Klapprad. Das ist an und für sich richtig; es handelt sich aber doch nicht ausschliesslich um das todte Gewicht, sondern recht sehr auch um die Tragweise. Ich glaube kaum, dass auch nur Einer von all' denen, die mit einem Federstrich unseren Radfahrern ein Klapprad über den Rücken hängen wollen, ein solches im Gelände nur einmal 5 km weit herumgeschleppt hat. Denn der Betreffende hätte sonst wohl sicher nicht versäumt, mit dieser Thatsache seinen Beweisführungen die Krone aufzusetzen.

In den eingangs erwähnten litterarischen Auslassungen zu Gunsten tragbarer Räder, die sich schliesslich alle auf Kapitän Gérards Manövererfolge berufen, wurde auch einmal versucht, österreichische Manöverversuche als Beweismaterial heranzuziehen. In dem Artikel »Ueber die Kriegsbrauchbarkeit der Fahrräder« (»Militär-Wochenblatt« 1897 Nr. 110) lesen wir, dass bei den Kaisermanövern von Csakathurn 1896 eine Abtheilung mit Styria-Rädern unter Führung des Oberleutnants Czeipek ganz Bedeutendes geleistet und damit den Beweis erbracht hatte, »dass mit dem Styria-Klapprad ein wirklich kriegsbrauchbares Fahrrad hergestellt worden sei«. Auf Grund eines Besuches in Graz kurz nach jenen Manövern, ferner einer Abschrift des dienstlichen Berichtes über die Thätigkeit jener Radfahrer-Abtheilung kann ich nun mittheilen, dass der Verfasser oben genannten Artikels irrig berichtet war. Die Leistungen jener Radfahrer-Abtheilung waren allerdings hervorragend. Die dabei verwendeten Räder waren aber in der Hauptsache nicht Styria-, sondern sogenannte Waffenräder, und zwar nicht tragbare. Auch der Führer der Abtheilung war nicht

Oberleutnant Czeipek, der Konstrukteur des Styria-Klapprades, sondern Oberleutnant Leber, der mit Leutnant Smutny zusammen die Abtheilung ausgebildet hatte. Von Letzterem besitze ich einen Bericht, woraus ich zur völligen Klarlegung folgende Stelle anführe:

»Während dieser Manöver (bei Csakathurn) hatte sich die grosse, verlässliche Leistungsfähigkeit der im Gebrauch stehenden Waffenräder gezeigt. Zur Richtigstellung vielfach irrig verbreiteter Berichte sei hier erwähnt, dass weder bei diesen Manövern noch zu anderer Zeit zusammenlegbare Räder im Felddienste verwendet wurden. Bei den letzterwähnten Manövern waren wohl einige umklappbare Räder, und zwar solche der Waffenfabrik in Steyr (Waffenräder), wie auch der Firma Puch in Graz (Styria-Räder) zu Erprobungszwecken mitgeführt worden, doch hat sich das Zusammenlegen als für unsere Verhältnisse ebenso unzweckmässig als überflüssig, ja mitunter sogar nachtheilig gezeigt, so dass in der Folge von dieser Konstruktion ganz abgesehen wurde und, wo solche im Gebrauch standen, die Räder nur in normalem Zustande benützt wurden.«*)

Was nun die Berufung auf die Erfolge der Gérardschen Radfahrer und deren günstige Beurtheilung durch ihre Oberen und die Fachpresse anlangt, möchte ich Folgendes zu bedenken geben. Gewiss hat die Gérardsche Truppe ganz positive Leistungen zu verzeichnen. Man muss sich aber dabei vor Augen halten, dass der Entdecker dieser Truppe, der Erfinder des Klapprades, der Vater jener »idée nouvelle« selbst an ihrer Spitze stand. Das mitleidige Lächeln, das ihm anfangs zu Theil wurde, der Widerstand, den seine ersten Bestrebungen an maassgebender Stelle fanden, und das in jedes Erfinders Busen glühende Feuer für die Sache haben gewiss das Ihrige beigetragen, Alles daran zu setzen, um der Mitwelt zeigen zu können, wie Recht man und wie Unrecht sie hatte. Ich bin daher auch ohne die Bemühungen der französischen Fachpresse und ihrer Uebersetzer vollkommen davon überzeugt, dass Gérards Truppe besondere Leistungen aufzuweisen hatte und dass zu ihrer Führung Keiner berufener war als Gérard selbst. Ich bezweifle auch keineswegs, dass Gérard und seine Leute, — die ihrer Kavallerie im Manöver Alles abnahmen, was dieser nur irgendwie unbequem sein konnte, vom Absitzen zum Fussgefecht angefangen bis zum Sicherheitsdienst in der Nacht, — sich des ungetheilten Beifalls all' ihrer Kameraden von der Kavallerie erfreuten. Ich glaube selbst, dass sie sich die Anerkennung jenes bei den Manövern als Gast weilenden Times-Korrespondenten errangen. Ich bestreite aber, dass das, was Gérards Truppe geleistet hat, als Beweis dafür gelten dürfe, dass man das Gleiche oder sogar Besseres nicht auch mit gewöhnlichen Rädern hätte leisten können. Wie sich, wäre es Ernst gewesen, die Schiessleistungen der Truppe gestaltet und wie sich diese da mit den zerschossenen Rädern abgefunden hätte, darüber schweigen die uns zugänglichen Berichte, ebenso wie jenes Times-Korrespondenten Höflichkeit.

Es erübrigt noch, auf einige konstruktive Eigenthümlichkeiten der bis jetzt bestehenden Klapprädersysteme einen flüchtigen Blick zu werfen. Wir erkennen hier zunächst, dass die Konstrukteure dieser Räder keineswegs unter sich einig sind. Gérard verwirft für ein Klapprad ausdrücklich den Rahmenbau; an seinem Fahrrade sind Vorder- und Hinterrad nur durch ein zerlegbares Rohr verbunden. Der Sattel seines

---

* Siehe darauf hin auch den Schlusssatz des Artikels »Das Militärrad« in »Kriegstechnische Zeitschrift« Jahrgang 1898, Seite 275.

Abbildung 9.

Bersaglieri-Kompagnie zu Rade unter Capitano Natali am Waffenplatz
in Parma.

Abbildung 10.

Abbildung 11.

Italienischer Infanterist mit dem Boselli-Rade
am Rücken.

Italienischer Infanterist mit dem
Boselli-Rade.

Abbildung 12.

Das vom italienischen Kapitän Boselli konstruirte Rad.

Abbildung 13.

Im Schützengraben mit und ohne Klapprad.

Rades liegt senkrecht über der Hinterradachse. Sattel und Pedale liegen so tief, dass der Fahrer zum Halten die Füsse nur auf den Boden zu stellen braucht. Die Räder seiner Maschine haben kleineren Durchmesser als die gewöhnlichen Räder. Wenn es der Verfasser des Artikels »Ueber die Kriegsbrauchbarkeit der Fahrräder« (»Militär-Wochenblatt« 1897 Nr. 110 Spalte 2935) als besonderen Vorzug der Gérardschen Räder erwähnt, dass sie Zahnradübertragung haben, so liegt hier wohl eine Verwechselung mit den Métropole Acatène-Klapprädern vor. Die Gérardschen Räder haben die gewöhnliche Kettenübertragung. Das »Seidel- und Naumann-« Klapprad kommt dem Gérard-Rad im Prinzip am nächsten. Dagegen zeigen »Adler- und Styria-« Klapprad äusserlich keinen Unterschied von gewöhnlichen Rädern. Sie haben beide den Rahmen und die normale Sattel- und Pedalstellung beibehalten; der Rahmen ist zusammenlegbar. Konstruktion, Zerlegungs- und Tragweise des jüngsten tragbaren Rades, das des italienischen Kapitäns Boselli, möge aus den beigegebenen Zeichnungen ersehen werden. Dieses Maschinchen hat noch kleinere Räder als das Gérardsche Rad.

Das gewöhnliche Fahrrad, wie wir ihm heute auf Schritt und Tritt begegnen, ist nunmehr auf rein empirischem Wege zu solcher Vollendung herangereift, dass man damit Geländeschwierigkeiten überwinden kann, die noch vor wenig Jahren als unfahrbar galten. Jedes Preisgeben der einen oder anderen dieser durch Erfahrungen erzielten Verbesserungen muss daher als ein Rückschritt in der Fahrbrauchbarkeit des Rades bezeichnet werden. Die Konstrukteure tragbarer Räder haben nun zu Gunsten der Tragbarkeit fast alle mehr oder minder darauf verzichtet, die heute für ein Fahrrad als am zweckmässigsten erkannten Ausmaasse und Schwerpunktslagen, Raddurchmesser, Sattel- und Pedalstellungen in Anwendung zu bringen. Die Folge davon ist, dass man mit solchen Rädern unsicherer fährt und rascher ermüdet. So entwickelt beispielsweise das Gérard-Rad, das etwa die Mitte hält unter den bis jetzt bestehenden Systemen, viel weniger lebendige Kraft und balancirt sich viel schwieriger als ein gewöhnliches anderes Rad. Die grössere Achsenreibung der kleineren Räder, die tiefe Lage des Sattels und der Sitz über der Hinterradachse statt über der Tretkurbel, ermüden den Fahrer viel früher, und die tief stehenden Pedale geben viel leichter zu Stürzen Veranlassung. Mit einem Gérard-Rad kann man weder die Geländeschwierigkeiten überwinden, noch die Marschleistungen erzielen, wie mit einem unserer Armeeräder. Und wenn wir so die heutigen Klappräder mit einander vergleichen, dann sehen wir, dass diejenigen, deren Gebrauchsfähigkeit zum Fahren jener der gewöhnlichen Räder am nächsten kommt, am unbequemsten zu tragen sind und umgekehrt.

Die tiefe Lage des Sattels und der Pedale, die ich soeben als unzweckmässig für den Fahrgebrauch bezeichnet habe, hält nun Gérard für ebenso wichtig und unerlässlich für ein Kriegsrad, wie die Tragbarkeit. Die Vertreter der Gérardschen Idee haben merkwürdigerweise diesen Punkt bisher kaum beachtet. Seine Begründung dieser Forderung ist viel zu charakteristisch, als dass ich sie meinen Lesern vorenthalten könnte: »Cette machine (militaire)«, schreibt Gérard, »doit être disposée de telle sorte que le cycliste puisse toucher le sol avec ses pieds, à l'arrêt comme en marche. Sans cette condition réalisée, pas de discipline, pas d'ordre, pas de cohésion dans l'unité tactique! Un troupeau d'hommes impossible à diriger, incapable d'un rendement pratique sérieux! .... en un mot un château de cartes roulant. En voulez-vous un exemple? Imaginez une troupe de cyclistes de 200 hommes montés sur des machines à cadres*) et descendant une côte. Au bas de la côte, un pont à occuper et, à ce pont, un petit poste ennemi. La compagnie arrive à 600 mètres du pont; tout à coup elle s'effondre comme le château de cartes en question. Qu'est-il arrivé? Le petit poste à tout simplement dirigé quelques coups de feu sur la tête de la compagnie; quelques hommes ont été atteints, sont tombés et, comme les autres lancés sur la pente n'ont pu s'arrêter instantanément ou parer là en prenant pied sur le sol, ils sont venus tomber à leur tour sur les blessés avec un ensemble touchant. De sorte que 3 ou 4 hommes, avec un seul coup de feu, ont couché à terre toute une compagnie de 200 hommes! Les tirailleurs ennemis seront de bien grands maladroits, si dans cet amas d'hommes ils n'en ont pas tué au moins une dizaine et blessé autant. Voilà pour la part du feu. Faisons maintenant celle de la chute: Quelques horions, quelques foulures, peut-être même quelques membres ou têtes cassés et, comme addition au bilan de cette scène comico-tragique, des guidons cassés, des pédales faussées, des cadres tordus, des roues voilées, des rayons sautés, etc. etc.

Soyons donc sérieux!... Ajoutons au principe de la bicyclette pliante cet autre principe: La bicyclette militaire doit permettre au cycliste à cheval sur sa selle de poser les pieds à terre. C'est à cette condition-là seulement que les troupes de cyclistes seront des troupes de soldats et non des troupes de saltimbanques«.

Mit dieser vernichtenden Kritik unserer bisherigen versuchsweise aufgestellten Radfahrer-Abtheilungen, »dieser rollenden Kartenhäuser, dieser Gauklerbanden ohne Zucht und Ordnung« schliesse ich tief erschüttert meine Betrachtungen über tragbare Räder.

Und was nun sonst?

Das werden wir wohl am besten im anderen Lager erfahren, dort, wo man sich ebenfalls nicht befreunden kann mit dem Klapprade. Halten wir da einmal Umfrage. Aber nein, auch hier keine Einigkeit, auch hier keine Zufriedenheit mit dem Bestehenden. Soviel Köpfe, soviel Wünsche und Vorschläge für Aenderungen und Verbesserungen unserer Kriegsräder und deren Einzelheiten. Ich sehe ganz ab von jenen Auslassungen der Sportpresse, deren Herkommen meist zweifelhaft und deren Tendenz sichtbarlich auf andere als kriegerische Zwecke gerichtet ist, und verweise nur auf die einschlägigen Veröffentlichungen unserer ersten Militärzeitschriften. Was wird da nicht Alles vorgeschlagen: Mehrsitzer, verkoppelte Räder, Seitsitzer für zwei Mann nebeneinander — die sogenannten Sociables — und gar erst die »Kettenlosen«. Bald die Einen, bald die Anderen sollen die richtigen Maschinen für den Kriegsgebrauch, vor Allem aber für Radfahrtruppen sein. Dazu noch die unterschiedlichen Vorschläge für Einzelheiten, wie auswechselbare Uebersetzungen, Motoranbringung, und für Ausrüstung und Packung der Räder. Und wenn man nun all diese verschiedenen Fahrradsysteme im Gelände unter Verhältnissen, mit denen der Militärradfahrer rechnen muss und nicht nur in Kasernenhöfen oder gelegentlich einer Vergnügungstour praktisch erprobt, so findet man überall gar bald den Haken. Mit Mehrsitzern kann man nicht von der Strasse weg. Jeder Waldpfad, jeder Fusssteig, der sich am Rand einer Wiese, eines Bahndammes, einer Ortschaft dahinschlängelt, ist ihnen verschlossen. Bei Unebenheiten, bei plötzlichem Gefäll der Wege, überhaupt überall, wo

---

*) Unser gewöhnliches Fahrrad mit Rahmenbau.

das eine Rad einmal eine Handbreit höher oder tiefer zu stehen kommt als das andere, streift das eine oder andere Pedalpaar am Boden. Sie sind nur verwendbar auf guter Chaussee und da nur, wenn diese trocken ist. Bei nassem, glitschigem Boden kommt bei Steigungen, die das gewöhnliche Zweirad noch spielend überwindet, ein Drei- oder Viersitzer nicht mehr weiter. Das schiebende Hinterrad findet am Boden nicht mehr die nöthige Reibung, um die ihm zufallende Last der Maschine und der Fahrer zu überwinden. Wie ein Lokomotivenrad bei geölter Schiene würde sich das Hinterrad auf der Stelle drehen, wenn die Maschine eben nicht sofort zur Seite umfiele. Mit Seitsitzern (Sociables) verhält es sich ähnlich. Dort ist es die Länge, hier die Breite der Maschine, die das Befahren schmaler Pfade verwehrt. Seitsitzer mit ihren zwei Fahrern nebeneinander haben ausserdem den doppelten Luftwiderstand zu überwinden. Was helfen da die schönsten Berechnungen über die geringen Marschtiefen von Radfahrtruppen auf Mehrsitzern oder Sociables, was nützen uns die Betrachtungen über die Thatsache, dass bei diesen Maschinenarten der einzelne Fahrer geringeren Kraftaufwandes bedarf, wenn ihr Fahrgebrauch ein derart beschränkter ist? Aber die Kettenlosen? Das sind doch wirklich kriegsbrauchbare Räder? — Leider nein! bis jetzt wenigstens noch nicht! Sie sind bestechend elegant und haben auch sonstige Tugenden, allein sie laufen schwerer. Man versuche nur einmal eine sanft ansteigende Strasse von ein Paar Kilometern Länge mit einem kettenlosen und gleich darauf mit einem Kettenrad zu fahren, um sich davon zu überzeugen. Wer diesen Versuch machen will, muss allerdings auch darauf sehen, dass beide Maschinen gleich schwer sind, gleiche Uebersetzung und — die gleiche Art Pneumatikreifen mit gleicher Luftspannung haben. Die Thatsache des schwereren Laufs, der grösseren Kraftanstrengung beim Fahren kettenloser Räder ist übrigens auch wissenschaftlich festgestellt.[*]) Solange uns aber das Kettenfahrrad gestattet, mit gleicher Kraftanstrengung eine grössere Strecke zurückzulegen als das kettenlose, müssen wir der Kette den Vorzug geben, wenn uns auch dieses Schmerzenskind manchmal schwere Sorgen bereitet.

Und so sehen wir, dass der alte Weisheitsspruch »Probiren geht über Studiren« auch in unserer Räderangelegenheit den allein richtigen Weg weist. Seine Befolgung zeigt uns, dass für unsere Zwecke das Einfachste das Beste, dass es das Kriegsbrauchbarste ist. Das Einfachste ist uns aber in dem Typ des gewöhnlichen Zweirades gegeben, wie es heute überall im Gebrauch ist.

Dieses Zweirad muss für den militärischen, für den Kriegsgebrauch gewisse Eigenschaften besitzen, die es von der gewöhnlichen Handels- und Luxuswaare unterscheiden. Bei seinem Bau muss mit der grösseren und rücksichtsloseren Ingebrauchnahme gerechnet werden. Dieser Umstand bedingt jedoch keineswegs eine Aenderung der durch Erfahrung herausgebildeten heutigen Form oder gar die Nothwendigkeit besonderer Gewichtserhöhung. Er bedingt jedoch die Forderung höchster Solidität des Materials und der Arbeit. Worin sich ein Kriegsrad in Einzelheiten von der gewöhnlichen Gebrauchswaare unterscheiden müsse, darüber liesse sich noch

---

[*]) Professor Carpenter der Cornell-Universität hat eingehende Versuche mit beiden Arten von Rädern angestellt. Bei einem guten kettenlosen Fahrrad ergab es sich, dass bei einer Geschwindigkeit von 24 km die für eine Umdrehung erforderliche Arbeit 1,5 bis 2,7 kgm betrug, während sich dieselbe bei einem Kettenfahrrad gleicher Qualität nur auf 0,8 bis 1,0 kgm pro Umdrehung bezifferte. Auch bei Verschmutzung der Kette fiel der Vergleich nicht zu Gunsten des kettenlosen Rades aus. (Mitgetheilt vom Patent- und technischen Bureau von Richard Lüders in Görlitz).

recht Vieles sagen. Mögen das Andere besorgen. Hier nur noch drei Punkte:
1. Ein Kriegsrad muss brünirte statt vernickelte Theile haben, aus demselben Grunde, aus dem man die Gewehrläufe nicht vernickelt. 2. Ein Kriegsrad muss hochgestellte Tretkurbellager haben, damit man in schwierigem Gelände mit den Pedalen nicht so leicht an Steinen, Baumwurzeln und dergleichen anstreift. 3. Ein Kriegsrad muss eine schmale Lenkstange, etwa von der Durchschnitts-Schulterbreite unserer Leute haben. Und dies deshalb, damit man auf schmalen Pfaden, an den äussersten Wegrändern nicht so leicht an Bäumen, Telegraphenstangen und Zäunen anstreift; damit man beim Passiren von Truppen leichter vorbeikommt; damit man besser paarweise nebeneinander fahren und damit sich der Fahrer militärischer halten kann.

Ja, wo soll aber das Gepäck hin? höre ich fragen. Das ist doch nirgends besser aufgehoben als gerade auf der Lenkstange. Diese muss deshalb doch auch gehörig umfangreich sein? — Aber gerade das Gegentheil! — Die Lenkstange muss frei bleiben. Möchten doch alle, die berufen sind, dem militärischen Radfahrdienst ihre Kräfte zu widmen, hierin einer Meinung werden, zum Besten der Sache, unserer Radfahrer und ihrer Leistungen. Ich will gleich zeigen warum.

Ich habe schon früher gesagt, dass man auf rein empirischem Wege zu all den Verbesserungen kam, deren man sich am Fahrrade in seiner heutigen Gestalt erfreut. Dies trifft ganz besonders zu in Bezug auf dessen stabilen Lauf und leichte Lenkbarkeit. Eine besondere Rolle spielt dabei die Schwerpunktslage der Maschine. Jede einseitige Belastung des Rades, die diese Schwerpunktslage verändert, verändert auch in ungünstiger Weise den Lauf und die Lenkbarkeit. Wenn man sich das Fahrrad durch eine senkrechte Linie durch die Tretkurbelachse in zwei Theile getrennt denkt, so verhält sich das Gewicht der vorderen zur hinteren Hälfte ungefähr wie 2:3. Bei unseren Militärfahrrädern, die rund 15 kg wiegen, ergiebt dies Verhältniss für den vorderen Theil etwa 6, für den hinteren etwa 9 kg Gewicht. Thürmt man nun das Gepäck des Fahrers (4 bis 5 kg) auf die Lenkstange und befestigt man noch, wie vorgeschlagen wurde, einen Karabiner (3 kg) vorn an Lenkstange und Vorderradgabel (siehe Abbild. 2 auf S. 276 der »Kriegstechnischen Zeitschrift« Jahrgang I), so hat man jene durch Erfahrung gefundene günstigste Gewichtsvertheilung gerade umgekehrt. Die Folge davon ist frühere Ermüdung des Fahrers in den Armen und grössere Gefahr des Stürzens auf schlechten Wegen, überhaupt Herabsetzung seiner Leistungsfähigkeit. Wenn man sich praktisch davon überzeugen will, muss man einmal unter schwierigen Verhältnissen 60 bis 80 km mit einer derart bepackten Maschine fahren; eine Runde in einem Kasernenhofe genügt dazu nicht. Der zweite Grund, warum die Lenkstange frei bleiben soll, ist der, dem Fahrer die Möglichkeit zu bieten, seine Hände an beliebiger Stelle auf der Lenkstange aufzusetzen. Dies ist das einzige Mittel, um bei langen Fahrten einer krampfartigen Ermüdung der Arme und Hände vorzubeugen. Von einem Fahrer, der stundenlang gezwungen war, die Handgriffe der Lenkstange umklammert zu halten, ist — wenn es gilt — eine zweckdienliche Handhabung seiner Schusswaffe nicht mehr zu erwarten. Auf der Lenkstange aufgestapelte Gepäckstücke vermehren endlich den Luftwiderstand in ganz empfindlicher Weise.

Was der Mann im Gefecht braucht — Gewehr, Seitengewehr und Patrontasche — das muss er am Leib tragen. Was der Mann in der Unterkunft braucht — Mantel, Zeltbahn, Wäsche,

Kleidungsstücke, Lebensmittel, Fahrradwerkzeuge u. s. w. — das gehört ans Rad. Und diese Dinge in solcher Anordnung, dass das Gewichtsverhältniss von Vorder- und Hintertheil (2 : 3) möglichst erhalten bleibt. Bei der schon beschriebenen versuchsweisen Bepackungsweise der Räder bei den bayerischen Kursen: Zeltbahn um Vorderrahmenrohr geschlungen, Werkzeugtasche innen an der Lenkstange herabhängend, Wäsche und kleinere Stücke in der Rahmentasche und gerollter Mantel und Sonstiges rückwärts unter dem Sattel (siehe Abbild. 5 Tafel 3 im 5. Heft) — ist jenes Verhältniss, jene Schwerpunktslage des unbepackten Rades, also auch dessen Stabilität und Lenkbarkeit vollkommen gewahrt, und die Lenkstange bleibt frei.

Ich habe schon früher auf die Nothwendigkeit hingewiesen, dass Radfahrtruppen einige Tandems (Zweisitzer) zur Beobachtung des Geländes während der Märsche mitführen. Ich halte dies aufrecht trotz der Einwendungen, die ich gegen Mehrsitzer erhoben habe. Diese Uebelstände machen sich bei Zweisitzern noch nicht in dem Maasse geltend wie bei Drei- und Viersitzern. So weit sie aber doch bestehen, müssen sie eben des höheren Zweckes willen in Kauf genommen werden. Den Gedanken an Motorfahrzeuge als Bagagestaffel einer Radfahrtruppe will ich nur andeuten.

Zur Hauptsache zurückkehrend, komme ich zu dem Schlusse, dass heute das beste Kriegsrad — gleichviel ob für Truppenradfahrer oder Radfahrtruppen — unser gewöhnliches Zweirad mit festem Rahmenbau und Kettenübertragung ist. Dieses Rad muss für unseren Gebrauch gewisse Eigenschaften besitzen. Um dieser Eigenschaften ganz theilhaftig zu werden, und damit das »Armeefahrrad« auch wirklich seinen Namen verdiene, ist es nothwendig, dass es für die ganze Armee bis in die kleinsten Einzelheiten nach einheitlichem Modell hergestellt werde.

Ich möchte nicht im Groll von den Freunden der Klapprad-Idee scheiden. Wenn es der Technik gelingt, ein tragbares Rad herzustellen, ebenso solid und haltbar und in demselben Maasse geeignet zum Fahren wie unsere gewöhnlichen Räder, dabei unempfindlich gegen Schusswirkung und so leicht, dass es ohne besondere Beschwerde getragen werden kann, dann will ich einer der Ihren werden. Ja, wenn zu all' diesen Eigenschaften noch die eine hinzuträte, dass die Benutzung dieses Rades keine Verlängerung der Marschkolonnen im Vergleich mit jenen marschirender Fusstruppen bedänge, dann wünschte ich sogar, dass jeder Infanterist sein Klapprad im Tornister trüge, wie einst jeder Napoleonische Soldat seinen — Marschallsstab.*) (Schluss folgt.)

Die Herstellung von feldmässigen Flussübergängen.
Mit neunzehn Abbildungen.

Schon seit langer Zeit sind in dem Moskauer Militärbezirk Versuche angestellt, Uebergänge über Flüsse von den Truppen mit unvorbereitetem Material ohne Zuhülfenahme der Sappeure in feldmässiger Weise herzustellen. Auf Grund dieser Versuche ist eine bezügliche Instruktion (in dem »Raswjedshik« veröffentlicht) zusammengestellt, die den Truppen als Anhalt dienen soll.

---

*) Im I. Theil (5. Heft) ist auf Seite 201 Zeile 4 und 5 zu lesen: »wie auf Tafel 2 Abbildung 3 darstellt«.

Eins der einfachsten Mittel, um wenig breite und nicht schnell strömende Flüsse zu überschreiten, besteht in der Herstellung von »Prahmbrücken«. Die Prahmbrücke (Abbild. 1) wird aus mehreren Paaren von Balken, die einen Durchmesser von 0,30 m und mehr haben, hergestellt, so dass die Länge der Brücke der Breite des Flusses gleichkommt. Die Balken werden mit Leinen zusammengeschnürt und mit einem Belag von Brettern oder Streckbalken versehen. Der Zwischenraum zwischen den Balken beträgt nicht mehr als 2 m. Bei dem Einbau der Brücke wird das eine Ende an dem Ufer durch Leinen festgehalten; das andere Ende wird quer über den Fluss geworfen und dann auch mit Leinen befestigt. Ausserdem wird die Mitte der Brücke mit den Ufern durch Taue verbunden. Um die Trag-kraft zu erhöhen, ist es vortheilhaft, unter der Brücke Tonnen anzubringen. Herstellungszeit 1½ Stunden. — Noch einfacher ist die Laufbrücke, welche, aus etwa 6 m langen und 17 bis 26 cm breiten Balken und Brettern längs des Ufers zusammengefügt wird, bis die erforderliche Länge der Brücke (Abbild. 2) erreicht wird. Dann werden die mittleren Balken mit

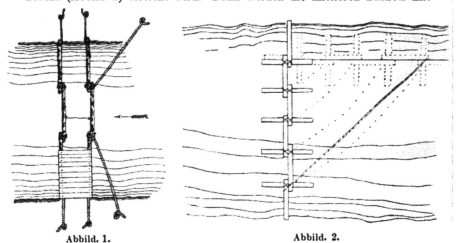

Abbild. 1.   Abbild. 2.

grossen Steinen, welche an entsprechend langen Leinen befestigt sind, ver-ankert. An dem äussersten Balken wird eine Leine festgeschlungen, deren loses Ende an das andere Ufer gebracht wird. Dann stösst man das freie Ende der Brücke ab, und die Strömung selbst dreht sie quer über den Fluss. Während der Drehung wirft man die Anker (Steine) zur Befestigung der Brücke. Am anderen Ufer wird die Brücke durch das hinübergeworfene Tau befestigt. Die Herstellung erfolgt in kurzer Zeit. — Balken, Bretter u. s. w. sind ein sehr geeignetes Material zur Herstellung von Prahmen von jeglicher Grösse und verschiedenen Typen, von welchen einige sehr eigenartig sind. Als Muster solcher dienen z. B. parallele Balken. Es werden 10 m lange, 18 cm starke Balken mit drei Brettern und Bindeleinen zusammengefügt. Der Zwischenraum zwischen ihnen beträgt etwa 2 m. Sie nehmen sechs Mann auf. Während der Ueberfahrt rudern zwei Mann, die übrigen vier können schiessen. (Abbild. 3.) Prahme aus Brettern werden am Ufer oder im Wasser zusammengefügt; sie haben verschiedene Grösse und Form: sie sind dreieckig, viereckig u. s. w. Die Tragkraft hängt von der Menge der Bretter, ihrer Güte, ihren Abmessungen u. s. w. ab. So nehmen neun 7 m lange Bretter, die mit Leinen zu einem Dreieck

zusammengefügt sind, drei Mann auf. Sich auf diesen Prahmen mit
Bootshaken (Staken) fortzustossen, ist unzweckmässig; besser ist es, mit
»Rudern« oder »Spaten« (den kleinen Spaten an einen Stock gebunden)
zu rudern. (Abbild. 4.) Die dreieckigen Prahme sind beweglicher als die
anderen. — Für das Uebersetzen von einzelnen Leuten und ihrer Bekleidung
können mit Erfolg einzelne Balken, Bretter, Stangen u. s. w. angewendet
werden. In Betreff der Tragkraft dieser Gegenstände ist durch Versuche
Folgendes festgestellt: Auf einem trockenen, etwa 3 m langen, 4 cm starken
und 19 cm breiten Brett wird ein Mann mit Bekleidung (ohne Waffe)
übergesetzt; auf einem 6 m langen, am Zopfende 16 cm starken Kiefer-
oder Fichtenbalken wird ein Mann mit Bekleidung und Waffe übergesetzt.
Zu 2 bis 3 zusammengefügte Bretter und Balken gestatten den Leuten, ausser
der Kleidung auch noch die Waffe und die Ausrüstung mitzunehmen. Die
Bretter werden zu einem Dreieck, parallel oder kreuzweise, zusammengefügt.

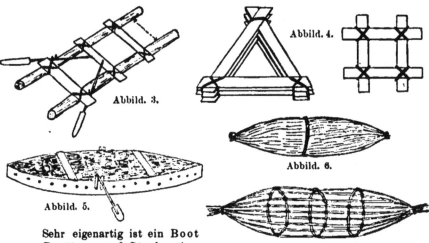

Abbild. 4.

Abbild. 3.

Abbild. 6.

Abbild. 5.

Abbild. 7.

Sehr eigenartig ist ein Boot
aus Brettern und Stroh. Aus
vier oder zwei Brettern, die 4 m
lang und 2 cm stark sind, werden durch bogenförmige Biegung die Borde hergestellt. Den Boden bilden untergenagelte Bretter. An den Seiten und oben
werden zur Befestigung dienende Bretter übergelegt, die auch gleichzeitig als
Sitze benutzt werden. Dann wird das Boot bis oben hin mit Stroh angefüllt.
Die Befestigung erfolgt durch Nägel und Leinen. (Abbild. 5.) Es nimmt vier
bis sechs Mann auf; hält sich auf dem Wasser drei Stunden. Von sechs Mann
wird es in 20 bis 30 Minuten hergestellt. Ein solches Boot kann auch
nach oben und unten mit einer Zeltbahn oder mit Segeltuch überzogen
werden, wodurch die Tragkraft bedeutend erhöht wird. Aus solchen Booten
können auch leicht Prahme hergestellt werden.

Die verschiedenen Arten von Binsen (Sumpfgras) haben eine grosse
Tragkraft. Aus ihm windet man Bruststücke zum Hinüberschwimmen
sowie verschiedene Vorrichtungen und Prahme. Als Grundtheil jedes
Apparats dient eine Garbe, welche am zweckmässigsten gewunden wird,
wie Abbild. 6 angiebt (die Wurzelenden in der Mitte, die Spitzen in den
Enden der Bunde; Länge etwa 2 m, Durchmesser 38 cm). Die unmittelbar
auf die Garben befestigten Unterlagen und die lebende Last drücken das
Gras zusammen und vermindern die Tragkraft des Prahms. Um letztere

zu erhalten, ist es zweckmässig, für die Garbe ein Gerippe aus Weidenruthen herzustellen (Abbild. 7), in welches die Binsen gesteckt werden.
Ausgetrocknete Bunde verlieren nicht an Tragkraft, aber der in den Gerippen entstandene hohle Raum muss durch Gras ausgefüllt werden. Ein
Prahm aus vier Garben von Binsen, die fest mit Leinen umwunden und
durch vier Stangen zusammengedrückt werden, nimmt vier Mann mit der

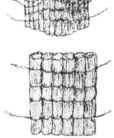

Ausrüstung auf. Er wird eine Woche lang nicht durchnässt, selbst wenn er im Wasser bleibt. In der Abbild. 8
sind Bruststücke dargestellt, mit deren Hülfe ein
bewaffneter Mann schwimmend übersetzen kann. —
Trockenes frisches Stroh bildet ein weit schlechteres
Material als Binsen. Altes eignet sich gar nicht dazu.
Bei der Herstellung von Prahmen aus Stroh werden die
Garben von derselben Abmessung wie die aus Binsen
gewunden, aber dabei muss jede Garbe mit einer Feldzeltbahn umwunden und an zehn Stellen mit einer Leine
fest verschnürt werden. Eine Fähre aus vier Garben trägt
zwei bis drei Mann. Aus acht Garben von gewöhnlichen
Abmessungen, die fest verschnürt und mit zwei Ruthen
befestigt sind, stellt man Prahme für einen Mann her. —
Reisig wird ausschliesslich trocken verwendet. Zwei

Abbild. 8.

Bunde, die je 1 1/2 bis 2 m lang sind und 70 cm im Durchmesser haben, nehmen einen Mann auf. Aus trockenem
Reisig (und aus Riedgras) wird eine ganze Reihe von Vorrichtungen für
das Uebersetzen von einzelnen Leuten wie von Gruppen hergestellt. Als
Grundlage für die meisten dient die allgemein bekannte Faschine, die kein
schlechtes Material für die Anfertigung eines Prahms bietet. Ein Prahm
aus acht Faschinen von mittleren Abmessungen (aus Reisig 4 m lang,
25 bis 35 cm stark, und aus Riedgras 35 bis 70 cm stark bei derselben
Länge) trägt sechs bis acht Mann mit voller Ausrüstung.

Boote, Fahrzeuge, verschiedenartige Holzgefässe (Tonnen,
Kübel u. s. w.) geben ein sehr gutes Material, um schwimmende Unterstützungen herzustellen. Auf Segeltuch wird ein Wagenkasten gestellt,

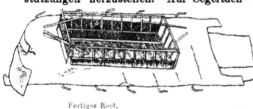

Fertiges Boot.

an dessen Brettern zwei Paar
Stangen befestigt werden, um
den Schnabel und das Hintertheil (das Gerippe des Bootes)
zu bilden. Das Gerippe wird
mit Segeltuch überzogen, dessen
Ränder innerhalb des Fahrzeugs umgeschlagen und an den

Abbild. 9.

Brettern befestigt werden; am Hintertheil und
am Schnabel wird das Segeltuch zusammengenommen und in einen Knoten gebunden.
(Abbild. 9.) Zwei solche Boote, die mit einander durch Stangen und Bretter vereinigt
sind, geben eine leichte, haltbare und gut lenkbare Fähre mit einer Tragkraft von 15 bis 20 Mann. Die Zeit der Herstellung
beträgt bei zehn Arbeitern und vorhandenem Material etwa zehn Minuten.
Gewöhnliche Belngen (Wagen russischer Art) sind auch dazu geeignet.
Zwei feste Belugenkasten, deren Ritzen mit Werg oder Gras verstopft
sind, werden zusammengefügt, wie Abbild. 10 angiebt. Die Tragkraft
beträgt vier bis sechs Mann. Herstellungszeit 1/2 Stunde mit sechs Ar-

heitern. Aus Rädern kann man die in Abbild. 11 angegebenen Vorrichtungen herstellen. An die Radreifen werden Stangen angebunden. Die Radreifen werden mit Stroh oder Gras umwickelt, damit der Rost und die spitzen Kanten das Segeltuch nicht beschädigen. Die Achsen bleiben, oder es werden an ihre Stelle Stangen eingesetzt, um den Abstand der Räder von einander zu erhöhen. Das auf diese Weise hergestellte Gerippe wird mit Segeltuch überspannt. Aus vier Hinterrädern und vier Stück Segeltuch erhält man eine Vorrichtung, die vier Mann aufnehmen kann.

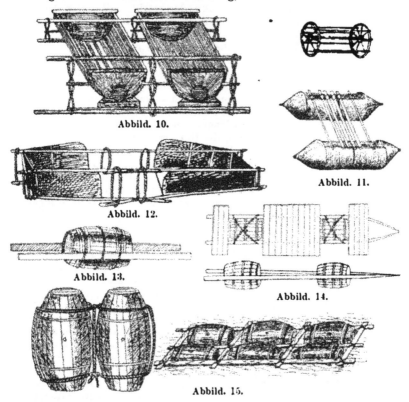

Abbild. 10.

Abbild. 11.

Abbild. 12.

Abbild. 13.

Abbild. 14.

Abbild. 15.

Ein Boot aus Karren. Die Karren werden von den Rädern befreit und zusammengefügt, wie Abbild. 12 zeigt. Zur grösseren Festigkeit werden Stangen darübergelegt und mit Leinen befestigt. Das Gerippe des Boots stellt man auf Segeltuch, umwickelt es und befestigt es mit Leinen. Herstellungszeit fünf Minuten; Tragkraft drei Mann.

Tonnen. An den Seiten werden die zwei Hälften eines gespaltenen Balkens (oder Brettes) befestigt, wie es Abbild. 13 zeigt. Man bewegt sie mit kleinen Spaten bezw. Rudern. Die Tragkraft richtet sich nach der Grösse der Tonne. Aus zwei Tonnen, die zu einem Prahm verbunden sind (Abbild. 14), wird eine Vorrichtung von grosser Tragkraft hergestellt. Aus Tonnen, Kübeln u. s. w. erhält man überhaupt Prahme von bedeutender Tragfähigkeit. Ihre Herstellung ist allgemein bekannt. Vor der Herstellung der Prahme werden die Tonnen sortirt, so dass jeder Prahm aus gleich grossen und gleich tragfähigen Tonnen zusammengefügt werden kann. Prahme aus mehr als sechs Tonnen sind wenig beweglich und bedürfen zu ihrer Anfertigung einer langen Zeit. Der Prahm selbst stellt den Rahmen vor, der aus Stangen oder Brettern zusammengefügt wird, zwischen welchen die Tonnen aufgestellt und dann an ihm mit Leinen, Draht oder Ruthen festgeschnürt werden. Die Tragkraft einer Tonne ist dem Gewicht des Wassers gleich, das sie fasst. Ein Wedro (12,3 l) Wasser wiegt 30 Pfund (12,3 kg). Ein Prahm aus sechs Tonnen, die 20 Wedro Wasser fassen, trägt 20 Mann mit der Ausrüstung. (Abbild. 15.)

Ein Prahm aus Kübeln. Man nimmt vier bis sechs und mehr Kübel und stellt sie in zwei Reihen mit etwa 2 m Abstand derselben und 1 m

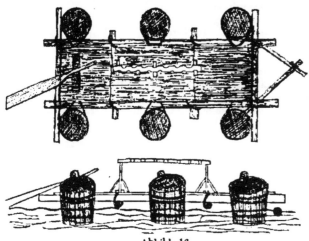

zwischen den Kübeln auf. Auf ²/₃ ihrer Höhe werden die Kübel durch einen Rahmen aus Stangen zusammengefügt. Auf den Rahmen wird ein Belag (Bretter, Zweige u. s. w.) gelegt; der Schnabeltheil des Belags wird als ein ausspringender Winkel hergestellt. Hinten an dem Prahm wird ein Steuerruder befestigt; in der Mitte befinden sich die Gewehrstützen. Er wird mit Staken in Bewegung gesetzt. Fest und beweglich ist seine Tragkraft eine sehr bedeutende. (Abbild. 16.)

Abbild. 16.

Ein Prahm aus Zeltbahnen besteht aus zwei Cylindern und wird auf folgende Art hergestellt. Die Bahn wird im Wasser angefeuchtet. Aus fingerdicken Ruthen werden sechs Ringe mit einem Durchmesser von je 13 cm gemacht. Mit Hülfe von vier Stöcken, Weidenbast und diesen Ringen wird das Gerippe des Cylinders hergestellt, der 1 m lang ist. Dann

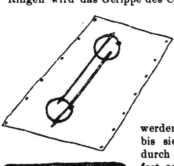

werden zwei feuchte Bahnen aufeinandergelegt. Das Gerippe des Cylinders wird in die Mitte der Bahnen gestellt, deren Ränder, der Länge des Gerippes parallel, oben zusammengenommen und mit der Zeltleine verbunden werden. Letztere wird durch die Löcher der Bahnen durchgezogen. Nachdem man die Bahnen gut geglättet und mit der Leine zusammen ausgereckt hat, werden sie so lange fest und gleichmässig gedreht, bis sie auf das Gerippe gespannt sind, und die durch das Rollen gebildete Naht mit der Leine fest auf dem Gerippe liegt. Die freien Ränder der Bahnen werden an jedem Boden des Cylinders zusammengenommen, angezogen und fest mit den übrigbleibenden Enden des Zeltstricks verschnürt.

Abbild. 17.

Die so hergestellten Cylinder (Abbild. 17) werden paarweise mit Hülfe eines Rahmens aus Zeltstangen zu einzelnen kleinen Prahmen mit einer Tragkraft von 196 kg vereinigt. Bei der Herstellung des Prahms ist zu beachten, dass die Naht oben zu liegen kommt. Die Beladung muss unbedingt im Wasser erfolgen. Besonders muss man auf eine gleichmässige Vertheilung der Last bedacht sein.

Kessel aus Zeltbahnen und ein Prahm aus Kesseln. Zwei dicke, biegsame Ruthen von einer Länge von etwa 1,5 bis 2,5 m werden in der Mitte kreuzweise zusammengebunden; die Enden werden umgebogen und an einem Reifen befestigt. Das so entstehende Gerippe des Kessels (Abbild. 18) wird mit zwei zusammengenähten Zeltbahnen umwunden. Drei solcher Kessel, die an ein Dreieck aus Stangen gebunden werden, bilden eine Vorrichtung, die zum Uebersetzen von drei Leuten geeignet ist. In jedem Kessel sitzt ein Mann, und auf die Stangen werden Gewehr und Ausrüstung gelegt.

Abbild. 18.

Ein Schlauch aus Zeltbahnen und ein Prahm aus Schläuchen (Abbild. 19). Eine Zeltbahn wird zur Hälfte zusammengefaltet und mit einer Leine zusammengenäht. Man nimmt einen Zeltpfahl und schiebt auf ihn den zusammengenähten Saum auf. Eins von den offenen Enden der zusammengenähten Bahn wird fest an diesen Pfahl angebunden und bildet so eine Art Sack. Dann macht man die Bahn ordentlich nass, bläst den Sack mit Luft auf und bindet ihn endgültig zu, indem man ihn an einem anderen Pfahl befestigt. Es entsteht ein Schlauch, der einen Mann mit voller Ausrüstung tragen kann. Aus Schläuchen werden Prahme hergestellt. Je öfter die Schläuche nassgemacht werden, desto längere Zeit halten sie sich auf dem Wasser. Derartige Schläuche kann man auch anstatt mit Luft mit Stroh anfüllen. Drei solcher Schläuche, die mit Stangen und einem Belag verbunden sind, tragen fünf bis sechs Mann.   K.

Abbild. 19.

Rückblicke auf die Belagerung von Strassburg 1870.

Je weiter wir uns zeitlich von den Ereignissen des Feldzuges von 1870/71 trennen, um so klarer und durchsichtiger treten dieselben uns vor Augen und desto rückhaltloser kann die kritische Sonde angelegt werden, um aus den begangenen Fehlern, die auch in der besten Kriegführung vorkommen, zu lernen.

Die Veranlassung zu gegenwärtigem Aufsatze bietet das neueste Werk des Generalleutnants z. D. H. v. Müller über »Die Thätigkeit der deutschen Festungsartillerie bei den Belagerungen, Beschiessungen und Einschliessungen im deutsch-französischen Kriege 1870/71«,[*] dessen erster Band der Belagerung von Strassburg gewidmet ist.

Ueber diese Belagerung ist in den 70er Jahren ein ausführliches Werk von dem damaligen Hauptmann R. Wagner des Ingenieurkorps geschrieben worden, welches an der Hand amtlichen Materials die gesammte Thätigkeit aller Truppengattungen in umfassender Weise ausführlich darstellt,

[*] Berlin 1898, E. S. Mittler & Sohn, Königliche Hofbuchhandlung.

während in dem Werke des Generalleutnants H. v. Müller die artilleristische Seite in den Vordergrund gestellt ist. In seinem Werke will der General ein geschlossenes Gesammtbild von der Thätigkeit der Festungsartillerie geben und vor Allem aus dem allgemeinen artilleristisch-taktischen Verhalten und der Feuertaktik beider Theile und unter Zugrundelegung der täglichen Schusszahlen sowie mit Berücksichtigung der Schwierigkeiten, welche die Landes- und Witterungsverhältnisse und die sonstigen »Friktionen« der Artillerie entgegenstellten, die Ursachen für den schnellen oder verzögerten Erfolg oder für den Nichterfolg in jedem einzelnen Falle nachweisen.

Der preussische Artillerie-Belagerungstrain, welcher bei Strassburg zur Verwendung gelangte, bestand zwar zum grösseren Theil schon aus gezogenen Geschützen, deren hohen Werth man aus den bei Düppel gemachten Erfahrungen kannte, aber es fehlte auch nicht an einer recht beträchtlichen Anzahl von glatten Geschützen. Dieser Train umfasste 60 15 cm, 100 12 cm, 40 9 cm Kanonen, 8 25pfdge (23 cm) glatte Bombenkanonen, 6 25pfdge (23 cm), 8 50pfdge (28 cm) Haubitzen, 23 50pfdge (28 cm), 25 25pfdge (23 cm) und 40 7pfdge (15 cm) Mörser, also zusammen 200 gezogene und 120 glatte Geschütze.

Für jedes gezogene Geschütz waren 1000 Granat- und 200 Schrapnelschüsse, für die glatten Geschütze je 500 oder 600 Schüsse vorhanden.

Zum Belagerungstrain gehörten noch 50 Zündnadel-Wallbüchsen und 20 Raketengestelle.

Die Belagerungsbatterien sollten 4 bis 6 Geschütze erhalten; sie wurden in der »beschleunigten« Bauart ausgeführt und hatten folgende Einrichtung: Der Batteriehof bildete eine 1 m tiefe, 7 m breite Ausschachtung, die Brustwehr war 1,25 m hoch und 6 bis 8 m stark; sie erhielt flache Scharten. Zwischen je zwei Bettungen blieb ein Erdkeil stehen, der an der Brustwehr durchstochen wurde. Dieser Durchstich erhielt eine Decke aus Holz oder Eisenbahnschienen, woraus die »Blendage« oder der »Unterstand« entstand. — Zum besonderen Schutz für die ruhende Mannschaft war meist auf einem Flügel der Batterie ein grösserer, bombensicher eingedeckter Unterkunftsraum vorgesehen. Je nach Umständen wurden ein bis zwei volle Traversen angelegt (3 bis 3,5 m stark, 2,5 m hoch). — Für die Kartuschen wurde hinter einem Flügel der Batterie eine mit Kreuzholz oder Eisenbahnschienen eingedeckte Pulverkammer angelegt, während die Geschosse neben der Batterie in den Flügelgräben in mit Holz ausgesetzten Nischen untergebracht wurden. — Die Länge einer Batterie betrug für 4 Geschütze 30 m, für 6 Geschütze 45 m. — Wenn der Boden Standfestigkeit genug hatte, wurde nur die Brust bekleidet; die flachen Scharten blieben unbekleidet. Für eine Batterie von 4 Geschützen waren nöthig: 40 oder 80 Schanzkörbe für die Brust, 16 bis 20 für die Pulverkammer, ferner 20 bis 30 Faschinen und die nöthigen Hölzer; dazu das Material für etwaige Unterkunftsräume. Eisenbahnschienen wurden, wenn sie vorhanden waren, gern für die Eindeckungen benutzt. — An Mannschaften wurden zum Bau berechnet für 4 Geschütze 17 Unteroffiziere und 236 Mann, für 6 Geschütze 23 Unteroffiziere und 316 Mann; davon sollte mindestens die Hälfte Artilleristen sein. — Diese »versenkten« Batterien sollten für gewöhnlich auch in einer kurzen Nacht bequem hergestellt werden. — Diese Vorschrift für den »beschleunigten Batteriebau« war bei Beginn des Krieges noch nicht eingeführt und vielen Kompagniechefs auch noch nicht geläufig. Daher wurde der Bau öfters nach einer älteren Vorschrift vom Jahre 1865 ausgeführt, wobei die Bauzeit etwas grösser war.

Wenn man diese technischen Einzelheiten des Batteriebaues betrachtet, so ergiebt sich ohne Weiteres, dass ihre Ausführung eine ganz aussergewöhnliche Arbeitskraft in Anspruch nehmen musste, selbst wenn das gesammte Material an Bettungen, Schanzkörben, Faschinen, Hölzern und Eisenbahnschienen zur Stelle war. Wir sehen denn auch, dass manche Batterien nicht in einer Nacht hergestellt werden konnten, weil eben die Arbeitsleistung eine zu grosse war. Die vielfachen Eindeckungen für Unterstände und dergleichen erscheinen uns heute übertrieben, besonders wenn man erwägt, wie wenige Volltreffer auf solche Unterstandsdecken gefallen sind; jedenfalls war dadurch eine solche Ausdehnung von Eindeckungen kaum noch gerechtfertigt. In Zukunft werden dieselben aber noch zweifelhafterer Art sein, da sich mit den Behelfsmitteln des Krieges bombensichere Eindeckungen gegen Brisanzgeschosse überhaupt nicht herstellen lassen. Da wirft sich wie von selbst die Frage auf, ob denn wirklich die Herstellung einer Belagerungsbatterie mit einem solchen ausserordentlichen Aufwand an Material und Arbeitskraft geschehen soll, wie es auch jetzt noch die Batteriebau-Vorschrift vorsieht. In den Kreisen der Fussartillerie stösst man bereits mehrfach auf die Ansicht, dass in dieser Beziehung noch bei Weitem zuviel geschieht, namentlich auch, was die Sicherung der Bedienungsmannschaften durch Unterstände und Eindeckungen anbelangt. Wird Derartiges denn jemals für die Mannschaften einer Feldbatterie gefordert, die doch mindestens ebenso werthvoll sind wie die einer Fuss- bezw. Belagerungsbatterie, deren Blut doch auch kein besonderer Saft ist? Je mehr Einfachheit in den Batteriebau hineinkommt, desto sicherer ist die Aussicht, alle Batterien wirklich in einer Nacht erbauen und das Feuer gleichzeitig eröffnen zu können. Geschütze, Munition und Bettungen müssen als das unbedingt Nothwendige vorhanden und in Stellung gebracht sein, was schon in einer halben Nacht unschwer zu erreichen sein muss; schützende Brustwehren, Eindeckungen und Unterstände sind dann eine cura posterior. Der Einwand, dass durch die Brustwehr u. s. w. mehr das kostbare Geschützmaterial als die Mannschaft gedeckt werden soll und muss, ist zwar nicht ganz von der Hand zu weisen, aber das Demontiren eines Geschützes in den Angriffsbatterien hat auf die gewöhnlichen Entfernungen doch seine Schwierigkeiten und grenzt nahezu an Zufall, wodurch eine so ausserordentliche Arbeit wie die Ausführung einer modernen Belagerungsbatterie Manchem nicht mehr voll berechtigt erscheint. Vielleicht geben diese Zeilen einen erwünschten Anlass, in dieser Zeitschrift die angeschnittene Frage der Vereinfachung des Batteriebaues näher zu erörtern.

Es kann nicht die Aufgabe einer kurzen Besprechung sein, auf alle Einzelheiten des v. Müllerschen Werkes einzugehen, vielmehr muss sie sich damit begnügen, nur wenige Stellen herauszugreifen, um ihre Erörterungen daran knüpfen zu können. Eine der wichtigsten Fragen war zunächst die, wie man bei Strassburg am raschesten den Fall der Festung herbeiführen könne, und hierbei traten die Erwägungen über ein Bombardement in die vorderste Linie. Dies lag auch sehr nahe, denn Strassburg war eine alte, im Bastionärtrace ausgeführte Festung mit allen Vor- und Nachtheilen des Vaubanschen Systems, entbehrte aber der vorgeschobenen Forts. Deshalb war es der Artillerie des Angreifers möglich, ihre Batterien von vornherein so nahe an die Festung heranzuschieben, dass eine Beschiessung der Stadt, also ein Bombardement, ohne jede Schwierigkeiten ausführbar war.

Es kam also der Gedanke des Bombardements von Strassburg alsbald zur Erörterung, ein Gedanke, der in der Abneigung des Oberkommandos gegen den langwierigen, förmlichen Festungsangriff und in den sich wiederholenden Nachrichten über die mangelhaften Verhältnisse der Festung und die Abneigung der Bevölkerung gegen die Gefahren einer Belagerung eine starke Unterstützung fand.

Die Ausführung eines Bombardements gab allerdings Aussicht, den Besitz der Festung schnell und ohne grosse Menschenopfer, also in militärischer und rein menschlicher Hinsicht auf die erwünschteste Weise, herbeizuführen. Aber die Erörterungen führten auch zu der Ueberzeugung, dass die Beschiessung, wenn sie wirksam sein sollte, wohl vorbereitet, überlegt und mit grossem artilleristischen Kraftaufwande ausgeführt werden müsse, also erst nach Eintreffen entsprechender Mittel und Kräfte. Die Berechtigung des Bombardements wurde alsdann durch die Wahrscheinlichkeit des Erfolges bestimmt. Wie gross diese war, das war, wie in solchen Fällen, eine nicht zu beantwortende Frage.

Der Misserfolg des Bombardements lehrte später, dass diejenigen Recht behielten, welche sich von vornherein gegen die Beschiessung und für die sofortige Einleitung des förmlichen Angriffs ausgesprochen hatten. Hierzu gehörten in erster Linie die Ingenieure, während die Artilleristen für die Beschiessung waren. Die Gründe, welche zu diesem Misserfolge führten, lagen der Hauptsache nach in der mangelhaften Vorbereitung und Durchführung des Bombardements; jedenfalls war nach dem damaligen Stande des Festungskrieges der förmliche Angriff die schnellste und kürzeste Art, sich einer Festung zu bemächtigen, ein Satz, dessen Richtigkeit auch durch die späteren Erfolge der Beschiessungen von kleineren Festungen in keiner Weise anzugreifen ist.

Aus der Vergangenheit soll man für die Zukunft lernen; der Festungskrieg der Zukunft dürfte aber das Bombardement bezw. die Beschiessung im Sinne der vergangenen Epochen schwerlich noch in Berechnung ziehen dürfen. Die Festung von heute besteht aus einem Gürtel weit vorgeschobener Forts, und die Entfernung derselben von der Stadt kann im Durchschnitt auf 5 bis 6 km Luftlinie angenommen werden. Von dieser Gürtellinie dürften alsdann die Angriffsbatterien mindestens doch 3000 m entfernt liegen, so dass eine Gesammtentfernung von 8000 bis 9000 m von der Stadt herauskäme, auf welche die Erfolge einer Beschiessung der Stadt mehr als zweifelhaft erscheinen.

Die Festung von morgen wird aber noch wieder anders gestaltet sein. Die Kampflinie der Vertheidigung wird als Gürtellinie noch weiter als bisher hinausgeschoben werden, und es wird keine Stadtumwallung mehr geben, wie dies auch jetzt schon bei einzelnen französischen, belgischen und russischen Festungen der Fall ist. Der Festungsangriff, gleichviel, ob beschleunigt oder förmlich, wird sich daher im Grossen und Ganzen in der vordersten Vertheidigungslinie abspielen, ohne dass die Stadt als solche in unmittelbare Mitleidenschaft gezogen werden wird. Die Wirkung auf die Bevölkerung der Stadt wird daher in Zukunft eine äusserst geringe sein, und der Kampf um die Festung wird sich voraussichtlich nur noch zwischen den beiderseitigen Gegnern abspielen, wodurch ein bisher im Festungskriege vorhandenes Moment, nämlich das Bombardement, mehr und mehr zum Ausscheiden gelangt.

Werfen wir nun einen kurzen Blick auf die technische Ausführung der Batteriebauten, so muss zunächst auffallen, dass die Vorbereitungen dazu in grosser Eile und nicht überall mit der wünschenswerthen Umsicht zur Ausführung gelangten. So fehlte es unbegreiflicherweise an Karten;

von den Kompagniechefs, welche den Batteriebau leiten sollten, hatten sechs die Festung noch nicht einmal aus der Ferne gesehen; fünf hatten das Angriffsgelände, auf dem sie hauen sollten, noch nicht betreten, und bei dem Mangel an Karten waren die Lage der Quartiere und ihre Verbindungen unbekannt. Bei mehreren Kompagnien fehlten noch die Reitpferde für die Offiziere. Da der Versuch, sich auf Bauernpferden zu bewegen, missglückte, mussten die betreffenden Offiziere zu Wagen ihre Obliegenheiten abwickeln. Bei der Ertheilung der Befehle zum Batteriebau konnten die Baustellen nur auf kleinen Planskizzen angewiesen werden, von denen sich die meisten Hauptleute Kopien nahmen.

Es konnte also nicht Wunder nehmen, dass später eine ganze Anzahl von Batterien nicht an der richtigen Stelle lag, was schon beim Bombardemont sich unvortheilhaft geltend machte. Dass der reglementarische Batteriebau eine viel zu umfangreiche Arbeit aufwies, um bei den unausbleiblichen »Friktionen« vor einer fremden Festung in einer Nacht ausgeführt zu werden, haben wir schon oben angedeutet. In der That konnten auch die Batterien vorschriftsmässig nur dadurch in einer Nacht hergestellt werden, dass man zunächst Blendagen, Untertreteräume, Traversen und Geschossräume fortliess. Die Granaten waren in den Transportkästen an geeigneten Stellen bei den Batterien niedergelegt.

Auch beim Beginn des förmlichen Angriffs fehlte es noch an dem so wichtigen Kartenmaterial. Die Kompagniechefs besassen als einziges Hülfsmittel für die Auswahl der Baustellen immer nur noch die kleinen Skizzen, auf denen nicht einmal überall die Werke angedeutet waren. Wenn nun auch bei der Befehlsausgabe gesagt war, die Lage der Bauplätze solle möglichst genau erkundet werden, so wurde doch vorausgesehen, dass Fehler dabei vorkommen würden, dies um so mehr, weil den Kompagniechefs, welche die Batterien bauen sollten, die betreffenden Fronten mit dem vorliegenden Gelände ganz unbekannt waren. — Sie kamen dahin und fanden keinen Anhalt. Oberstleutnant Hartmann sagt sehr treffend: »Vor diesen (den Häusern von Strassburg) lag, auch mit dem besten Fernrohr nicht zu ermitteln, das Gewirr von Walllinien, die alte Befestigungsart, welche ein Werk nahe vor das andere legt.«

Man wird zugeben, dass hier ausserordentliche Schwierigkeiten für die Angriffsartillerie zu überwinden waren, dass aber die Vorbereitungen für den zu erwartenden Festungskrieg nicht mit der gleichen Umsicht und Sorgfalt betrieben worden waren wie für den Feldkrieg. Man glaubte, in dem Festungskrieg nach den Vorgängen von 1866 immer noch etwas Nebensächliches erblicken zu dürfen, wurde aber durch die rücksichtslose Wirklichkeit bald eines Anderen belehrt. Jedenfalls lernte man aus den bei Strassburg hervorgetretenen Mängeln unendlich viel nicht nur für die ferneren Angriffe gegen Festungen während dieses Krieges, sondern auch für die Zukunft. Mit vollem Recht kann heute der Satz aufgestellt werden, dass der Festungskrieg ebenbürtig und gleichwerthig neben dem Feldkriege steht und deshalb jener ebenso sorgfältiger Vorbereitungen bedarf wie dieser.

Das Werk des Generalleutnants v. Müller ist eine wahre Fundgrube für jeden Offizier und ergänzt das Generalstabswerk wie das Werk des Hauptmanns R. Wagner über die Belagerung von Strassburg in hervorragender Weise. Wir müssen uns mit den gemachten Erörterungen begnügen, wollen aber doch noch kurz der Verluste an Material gedenken, wobei festzustellen ist, dass ein solcher durch feindliches Geschützfeuer nicht eingetreten ist, sondern nur durch den eigenen Gebrauch.

So waren in Batterie 10 am 29. August alle 4 Rohre ausgebrannt, so dass sie nach 48 Schüssen das Feuer ganz einstellen musste. Am 4. Septbr. waren 14 15 cm und 5 12 cm Rohre nicht gebrauchsfähig; es ward das Einsetzen neuer Stahlringe nöthig. — Es trat ein zeitweiser Mangel an 15 cm Rohren ein, so dass 20 Stück nachträglich vom Ministerium gefordert wurden. — Die Kanonenlaffeten erlitten sehr unbedeutende Beschädigungen. — Die schweren Mörserrohre erlitten Beschädigungen (Reissen der Kessel, Abbrechen der Schildzapfen), die sie unbrauchbar machten. — Sehr schlecht verhielten sich ihre Laffeten. Am 4. Septbr. waren schon 24 23 cm Laffeten unbrauchbar oder reparaturbedürftig, von denen das Ministerium nur 11 ersetzte. Da der grosse Ausfall nicht gedeckt werden konnte, musste dieses Mörserkaliber in den Batterien zum Theil durch 28 cm Geschütze ersetzt werden. — Am wenigsten hatte das glatte Mörsermaterial befriedigt.

Diese nicht unerheblichen Verluste an Material, welche nur aus dessen vorschriftsmässiger Benutzung hervorgingen, gaben der Technik vollauf Gelegenheit, Verbesserungen am Material wie in der Konstruktion herbeizuführen, wobei der Gussstahlfabrik Krupp in Essen der Hauptantheil zufiel, durch deren unerreichtes Material für die Geschützfabrikation volle Gewähr gegeben ist, dass derartige Verluste nach so verhältnissmässig kurzem Gebrauch wie vor Strassburg nicht zu gewärtigen sind. — Mit berechtigter Spannung darf man dem Erscheinen der weiteren Bände des v. Müllerschen Werkes entgegensehen, von denen der zweite die Belagerungen, Beschiessungen u. s. w. der kleineren französischen Festungen, der dritte die Belagerung von Belfort und der vierte Band den artilleristischen Angriff auf Paris enthalten wird.

Ueber russisches Kartenwesen.

Von W. Stavenhagen.

(Schluss.)

Wenden wir uns nun im Einzelnen zu den wichtigsten auf Grund aller dieser Aufnahmen entstandenen Karten:

I. Europäisches Russland.

A. Aeltere Karten. a. Landkarten. 1. Militärtopographische Karte der Halbinsel Krim 1 : 168 000, in Kupfer, 10 Blatt, 1817, 45 Mk. Vom Generalmajor Muchin aufgenommen. — 2. Spezialkarte des westlichen Theils des russischen Reichs 1 : 420 000, von Generalleutnant v. Schubert. 62 Blatt (je 50 : 74,5 cm gross) und 1 Uebersichtstafel in Kupferstich. Auf Grund von 272 Ortsbestimmungen und allmählich sich ausdehnenden Triangulirungen 1821 bis 1839 entstanden, 1844 bis 1856 neu revidirt. 330 Mk. In Bonnescher Projektion erstreckt sie sich vom 44. bis 64. Grad n. Br. und 35. bis 68. Grad ö. L. über einen Raum von 73 000 Quadratmeilen. Grundlage aller übrigen Karten, so sehr sie auch im Einzelnen infolge der vervollkommneten Aufnahmemethoden überholt und durch verschiedenen Zeiträumen angehörende Berichtigungen ungleichwerthig geworden ist. Bei grosser Reichhaltigkeit in der Situation (wobei jedoch die Waldbezeichnungen fehlen) und bis ins Kleinste gehender Ausführung sind mit Ausnahme der in der Krim die Bodenunebenheiten in Bergstrichen (zenithales Licht) nur angedeutet, und ist die Benutzung durch das viele Detail und vor Allem durch die Beschreibung in russischer Sprache für Westeuropäer sehr mühsam und anstrengend. Das französische Dépôt de la guerre hat 1855/56 eine in französischer Nomenklatur abgefasste Kopie erscheinen lassen aus Anlass des orientalischen Krieges, die zwar billiger ist (das Blatt 2,5 Mk.), aber in der Orthographie zweifelhaft. — 3. Karte von Ost-Bulgarien 1 : 84 000. — 4. Topographische Karte des Gouvernements St. Petersburg 1 : 210 000, in Kupfer, 8 Blatt, vom General Schubert, 1834. Russisch. — 5. Topographische Karte der Umgebung von St. Petersburg 1 : 84 000, in Kupfer, 8 Blatt, von Schubert, 1834. Russisch. — 6. Spezialkarte von Livland 1 : 187 500, in Kupfer, 6 Blatt, von Rücker, 1839. Deutsch. — 7. Karte von Kurland 1 : 300 000, in Kupfer, 6 Blatt, von Neumann, 1839. Deutsch. 15 Mk. — 8. Topographische Karte von Polen 1 : 126 000, in Kupfer, 60 Blatt, 1839, neue Aufnahme 1877.*) — 9. Topographische Karte des Gebiets des donischen Heeres 1 : 126 000. In 63 Blatt, 1840 bis 1845. — 10. Topographische Karte der Halbinsel Krim 1 : 210 000, 8 Blatt, von Ssemok, 1842. — 11. Generalkarte des Grossfürstenthums Finnland 1 : 1 703 945, in 2 Blatt, von Eklund, 1847. Russisch. — 12. Generalkarte von Esthland 1 : 250 000, in 2 Blatt, von Schmidt, 1847. Deutsch. — 13. Generalkarte der russischen Ostsee-Provinzen Livland, Esthland und Kurland 1 : 500 000, 4 Blatt, von Rücker, 1846. Deutsch. — 14. Karte von Kurland 1 : 570 000, 1 Blatt, von Bühler, 1848. Deutsch. — 15. Karte des nördlichen Ural- und des Küstengebirges Pae-Choe 1 : 1 083 333, in 2 Blatt, 1850. Von der Hoffmannschen Ural-Expedition 1847. — 16. Höhenschichten-Karte über Finnland 1 : 1 120 000, in 6 Blatt, von C. W. Gyldén mit Hülfe angestellter Nivellements und Höhenmessungen entworfen und in finnischer Sprache beschrieben. Kolorirt. 1850. — 17. Topographische Karte der Umgebung von Moskau 1 : 42 000, 6 Blatt, von Schubert, 1852. Russisch. — 18. Ethnographische Karte des europäischen Russlands 1 : 3 150 000, in 4 Blatt, von v. Köppen im Auftrage der Kaiserl. russ. geogr. Gesellschaft, 1851. Russisch. — 19. Kriegsstrassen-Karte eines Theils des europäischen Russlands 1 : 1 680 000 (40 Werst = 1 Zoll), in 8 Blatt, 1829 erschienen, 1852 nach der Postkarte berichtigt. Vom General Schubert. Russisch, aber auch in auf 1 : 1 400 000 reducirter Ausgabe in 16 Blatt vom K. u. K. österr. General-Quartiermeister-Stabe mit deutscher Aussprache. 1837. — 20. Postkarte des europäischen Theils des russischen Kaiserreichs und der kaukasischen Länder 1 : 2 250 000, in 10 Blatt, auf allerhöchsten Befehl vom Postdepartement in russischer Sprache 1855 u. 1863 neu revidirt herausgegeben. Sehr gut und bequem, hauptsächlich die Poststrassen berücksichtigend. — 21. Generalkarte des europäischen Russlands wie auch der angrenzenden Ländertheile in Europa und Asien 1 : 1 680 000, in 15 Blatt, 1 Uebersichtstafel und 1 westlichen Anschluss-

---

*) Aus dieser älteren Zeit seien auch nachstehende ausländische Veröffentlichungen über Polen erwähnt: a) Preussischer Generalstab: Karte eines Theils des Königreichs Polen (das ehemalige Südpreussen) 1 : 57 000, 42 Blatt, 1831. Auf Grund der Aufnahme Brodowskis, 1796 bis 1805. — b) K. K. österreichischer General-Quartiermeisters-Stab: Karte von Westgalizien 1 : 172 800, 12 Blatt, 1808, und Generalkarte von Westgalizien 1 : 288 000, 6 Blatt. — c) Gilly: Spezialkarte von Südpreussen 1 : 150 000, 13 Blatt, 1802/3. — d) Sotzmann: Topographische Militärkarte vom vormaligen Neu-Ostpreussen 1 : 150 000, 15 Blatt, 1808, sowie auch die bezüglichen Blätter der Reymannschen (1 : 200 000) und der Engelhardtschen (1 : 325 000) Spezialkarten.

blatt, 1855. Sehr klar und deutlich gehalten, jedoch die Orographie nur skizzenhaft. Russisch.*)

b) Seekarten. 1. Atlas des Weissen Meeres, in 14 Blatt, von Reinecke, 1834. Russisch. — 2. Generalkarte des Finnischen Meerbusens, in 16 Blatt, vom hydrographischen Departement, 1840. Russisch. — 3. Atlas des Schwarzen Meeres, in 28 Blatt, von Manganari, 1841. Russisch.

B. Generalstabskarten, zum Theil auf Grund der vorigen. 1. Kriegstopographische oder Dreiwerstkarte 1 : 126 000 (3 Werst = 3 · 1067 m = 3 · 42 000 Zoll = 1 Zoll der Karte). Sie umfasst 29 West- und Süd-Gouvernements und 10 Gouvernements Polens. Im Ganzen 972 Blätter. Ihr Erscheinen wurde 1847 im »Russischen Invaliden« Nr. 147 zuerst und zwar für einen Umfang von rund 1300 Blättern angekündigt. Verrathen die unter A. aufgeführten älteren Karten noch kein tieferes wissenschaftliches und kartographisches Studium, so sind in dieser seit 1820 in Arbeit begriffenen Karte alle Fortschritte der Kartographie berücksichtigt worden; es ist die beste und ausführlichste des europäischen Russlands. Sie ist in Bonne-Flamsteedscher Projektion entworfen und in Kupfer gestochen. Das Gelände ist in Schraffen (senkrechte Beleuchtung) dargestellt. Die seit 1858 angegebenen Höhenzahlen sind in Saschen (1 Sashe = 2,13 m) ausgedrückt. Auf den neueren Blättern erscheinen Niveaulinien mit 2 Sasben Schichthöhe. Die in Schwarzdruck wiedergegebenen Karten werden unter Berücksichtigung aller neueren Erfahrungen kurrent gehalten. Nomenklatur russisch. Die Blatteintheilung ist unabhängig vom Gradnetz. Jedes Blatt der Karte umfasst 3123 qkm und ist 41,4 : 58 cm gross. Links oben ist es mit der Nummer der wagerechten Blattreihe (von denen die Gesammtkarte 35 in römischen Ziffern gekennzeichnete hat) und rechts oben mit der Blattnummer der betreffenden senkrechten Reihe (von denen es 28 durch arabische Ziffern und 4 durch A bis D bezeichnete giebt) versehen. In der Mitte oben ist der Name des Gouvernements angegeben, links unten der Name des Graveurs von Netz, Wäldern und Bergstrichen, rechts unten der Name des Zeichners der Schrift und das Datum der der Richtigstellung zu Grunde liegenden Erkundungen. Ein dreifacher Rand umgiebt die Sektion; die beiden inneren Randlinien sind mit einer auf den Meridian der Petersburger (Pulkowaer) bezw. Pariser Sternwarte bezogenen Gradeintheilung in Minuten versehen. In der Mitte unten ist der Maassstab. — 2. Topographischer Vermessungsatlas des Gouvernements Twer 1 : 84 000 (2 Werst = 1 engl. Zoll), 97 Blatt, 1848/49 vom General Mende ausgeführt. Chromolithographie, das Gelände in Tuschmanier. — 3. Topogr. Karte des Gouv. Moskau 1 : 84 000, 40 Blatt, 1853 bis 1856 und 1880, vom Topogr. Depot, in Kupfer. — 4. Topogr. Karte der Halbinsel Kritu 1 : 42 000, 95 Blatt, 1847. — 5. Topogr. Vermessungsatlas des Gouv. Rjäsan 1 : 84 000. Chromolithographie. Gelände in Schummerung. 25 Blatt, 1860. — 6. Kriegstopogr. Karte des Gouv. Ssimbirsk 1 : 126 000. Kupferstich. 21 Blatt, 1860. — 7. Halbtopogr. Karte des Gouv. Kaluga 1 : 252 000. Kupfer. 4 Blatt, 1862. — 8. Karte des südlichen Theils des Grossfürstenthums Finnland 1 : 400 000, 30 Blatt, 1863. Chromolithographie. — 9. Topogr.

---

*) Ausser diesen russischen Veröffentlichungen seien noch genannt: 1. Ergänzung zu Stielers Handatlas: Die europäisch-russischen Grenzländer 1 : 1 250 000, in 10 Blatt, von F. v. Stülpnagel, 1855 6 (bei Perthes in Gotha). — 2. The Geology of Russia in Europe by R. Murchison, E. de Verneuil und Count A. v. Keyserling. London 1846, in 2 Bänden mit 69 Plänen. 1848 deutsch von G. Leonhard bearbeitet.

Vermessungsatlas des Gouv. Tambow 1 : 168 000. Chromolithographie. Gelände in Schummerung. 1864, 33 Blatt. — 10. Karte von Theilen der Gouv. St. Petersburg und Wyborg 1 : 42 000 (1 Werst = 1 Zoll), 1885 in 42 Blättern und vierfarbiger Chromolithographie. — 11. Karte von Bessarabien 1 : 126 000, 34 Blatt in Heliogravure, seit 1885 in Ausführung. — 12. 10 Werstkarte der kaukasischen Länder 1 : 420 000. Chromolithographie. 1847, 1864 bis 1869, berichtigt 1880. 25 Blatt (je 45 : 60 cm). Gelände in Kreideschummerung. — 13. Wegekarte der kaukasischen Länder 1 : 840 000. Chromolithographie. 9 Blatt (je 40 : 45 cm), 1858. Russisch. Gelände in Horizontalschraffen. — 14. 5 Werstkarte des Kaukasus und der angrenzenden Theile der asiatischen Türkei und Persiens 1 : 210 000. 76 Blatt in Chromolithographie. 1863 bis 1885. — 15. Garnisonumgebungs-Karten verschiedenen Maassstabes, meist 1 : 42 000 und 84 000 (Petersburg, Moskau, Dünaburg, Riga, Taschkent u. s. w.). Chromolithographie.

C. Neu auf Grund von A. und B. bearbeitete Kartenwerke.
1. Orographische Karte des Gouv. Podolien 1 : 840 000. Chromolithographie. 1 Blatt, 1864. — 2. 10 Werstkarte. Neue Spezialkarte des europäischen Russland vom General Strelbitzki 1 : 420 000. Seit 1865, Neuauflage 1880, 177 Blatt. Chromolithographie. Die das ganze europäische Russland einschl. Polen, Finnland und die transuralischen Theile, die Gouv. Perm und Orenburg, Transkaukasien, sowie der ausländischen Grenzgebiete (Preussen bis Berlin, Oesterreich bis Wien, europäische Türkei, Rumänien, Ostrumelien, Bulgarien) umfasst. Die Karte ist in Gaussscher Projektion entworfen, in der Westhälfte korrekter als in der Osthälfte ausgeführt, wenn sie auch fortlaufende Verbesserungen empfängt. Die Darstellung ist ziemlich ausdruckslos, die Höhenzahlen fehlen gänzlich. Bei den Ortschaften ist die Zahl der Häuser beigefügt. Bei der Umarbeitung dienen gewöhnlich die photographisch in 1 : 210 000 verkleinerten Aufnahmen des Ministeriums der Reichsdomänen. Russisch. Steindruck. — 3. Orographische Karte des Militärbezirks Odessa 1 : 840 000. Chromolithographie. 4 Blatt, 1867. — 4. Militärische Wegekarte des europäischen Russland oder 25 Werstkarte 1 : 1 050 000. 16 Blatt. Chromolithographie mit Wäldern, Gewässern und Bodenrelief. Beruht auf der unter A. aufgeführten Kriegsstrassenkarte 1 : 1 680 000 des Generals Schubert. Seit 1871; stets verbessert, da sehr wichtig. — 5. Strategische Karte Mitteleuropas 1 : 1 680 000, 12 Blatt. Chromolithographie. Seit 1867. Soll durch die Karte 1 : 1 050 000 ersetzt werden. — 6. Dislokationskarte der Truppen im europäischen Russland 1 : 2 520 000, 4 Blatt, 1883. — 7. Karte der Strassenverbindungen des europäischen Russland 1 : 2 520 000, 4 Blatt, 1884. — 8. Orohydrographische Karte des europäischen Russland 1 : 2 520 000, 6 Blatt, 1885. Chromolithographie. — 9. Atlas des russischen Reichs und der angrenzenden Gebiete, mit Plänen der hauptsächlichsten Städte. Verschiedene Maassstäbe. Vom General Iljin. 45 Blatt in 12 Heften, jedes Blatt 1,50 bis 2 Mk. 1885 bis 1893. Gelände in braunen Bergstrichen, Gewässer blau, Stadtviertel roth.*) — 10. Die Messtisch-

---

*) Von ausländischen Veröffentlichungen besonders: 1. Karte des russischen Reichs in Europa von Kiepert. 6 Blatt, 6. Auflage, 1893. — 2. Eisenbahn- und Verkehrsatlas von Europa. 11. Abth.: Russland von Koch und Opitz. 1894. — 3. Orohydrographische Schulwandkarte von Russland von Habenicht. 1895. — 4. Uebersichtskarte des westlichen Russland von O'Grady. 1898.

blätter sämmtlicher Gouvernements 1 : 84 000 (2 Werst = 1 engl.
Zoll), in Niveaulinien mit 4,25 m Abstand. — 11. Semitopogr.
Karten von Livland (1 : 189 000 oder 4½ Werst), Krim (1 : 210 000 oder 5 Werst)
und Kiew (1 : 252 000 oder 6 Werst). — 12. Hypsometrische Karte
des europäischen Russland 1 : 252 000 (60 Werst), von General Tillo.
Mit 51 385 Höhenpunkten. 1890.

D. Karten verschiedener nichtrussischer Länder. 1. (Topogr.)
Karte des Theils der Balkan-Halbinsel, welcher das ganze
Kriegstheater 1877/78 umfasst. 1 : 210 000 (5 Werst = 1 engl. Zoll).
Entworfen bei der militärischen Geschichtskommission durch das militär-
topographische Korps von dem Kapitän Ssidorow, dem Hofrath Ssidorow,
den Titularräthen Malejew und Butowitsch und dem Kollegiensekretär
Iwanow unter der Redaktion des Wirkl. Staatsraths de Livron. Chromolithographie. 60 Blatt (je 27 : 30 cm). Umfasst das heutige Bulgarien
und Ostrumelien, sowie den südöstlichen Theil der Türkei bis zum Marmara-
Meer und bis Konstantinopel in einheitlicher Darstellung und guter Ausführung. Gewässer und Sümpfe sind blau, Wälder grün, das Gelände in
braunen Niveaulinien mit 10 Sashen Abstand (1 Sashe = 2,13 m). Viele
Höhenzahlen. Die Karte ist 1884 veröffentlicht und auf Grund der während
des Krieges 1877/78 bis 1879 durch zwei Hauptabtheilungen des topographischen Korps unter dem Obersten Shdanow und dem General Erne-
feld bewirkten Triangulation und topographischen Aufnahmen hergestellt.
Die Triangulation wurde durch 2 Punkte mit dem russischen und 11 Punkte
mit dem österr.-ungarischen Netz in Verbindung gebracht. 1888 wurde
türkischerseits diese Karte ergänzt und verbessert; 1894 in 64 Blatt
vollendet, von denen jedoch nur 24 veröffentlicht wurden. — 2. Karte
von Bulgarien 1 : 105 000. Kupferstich. 1884. — 3. Ausführliche
Karte der europäischen Türkei 1 : 420 000. Gewässer blau, Gelände
in Schummerung. 1879 bis 1884. 17 Blatt. — 4. Karte der östlichen Hälfte der Balkan-Halbinsel 1 : 126 000. Heliogravüre. 1883.
— 5. Karte der Umgebung von Konstantinopel und des Bosporus
1 : 42 000, 10 Blatt und 2 Klappen, 1883. Vom Generalmajor Artamanow.
— 6. Karte der Umgebung von Konstantinopel 1 : 420 000, 1883.
Vom Generalmajor Artamanow. — 7. Karte der Umgebung von Konstantinopel 1 : 420 000, 1883.*) — 8. Karte von Bulgarien und
Ostrumelien 1 : 210 000 (5 Werst = 1 Zoll). Auf Grund von Aufnahmen
in den Kriegsjahren vom russischen Generalstabe. Kupferstich. 56 Blatt.
Gelände in Niveaulinien mit 10 Sashen Schichthöhe. — 9. Karten der Gegend
zwischen Adrianopel, Wisa, Rodosto und Demotica 1 : 210 000,
1 Blatt; vom Parallelkreise Adrianopel—Midia, 1 : 210 000, 4 Blatt; von
Centralbulgarien und dem westlichen Theil von Ostrumelien, 7 Blatt —
auf Grund von Erkundungen des Generalstabes. — 10. Pläne der Befestigungen der Tschataldscha-Linie und von Philippopel mit
Umgebung 1 : 21 000. Vom Generalstabe. — 11. Karte von Neu-
Montenegro 1 : 21 000 (500 Sashen = 1 Zoll). Von russischen Offizieren
aufgenommen 1879 bis 1881. Geheim. — 12. Karta crnagorske
knjazevine 1 : 168 000, 4 Blatt. Unzuverlässig. — 13. Karte von
Montenegro 1 : 294 000 (7 Werst = 1 Zoll). Lithographie. Dreifarben-
druck. 1 Blatt.

*) Es giebt noch die französische ›Carte des environs de Constantinople
1 : 200 000‹. Von 1829, berichtigte Neuausgabe 1882; ferner Frhr. v. Moltke ›Karte
von Konstantinopel, den Vorstädten, der Umgegend und dem Bosporus 1 : 25 000‹. 1842;
C. Frhr. v. d. Goltz ›Karte der Umgegend von Konstantinopel 1 : 100 000‹. 1897.

E. Geologische Karten. Dieselben werden vom geologischen Komitee des Bergdepartements des Ministeriums der Reichsdomänen seit 1883 auf Grund der von Tschewkin, Murchison und Verneuil in den 30er Jahren angefertigten und durch Neuaufnahmen berichtigten Karten bearbeitet. Vor Allem wichtig ist die allgemeine geologische Karte des europäischen Russland 1 : 420 000, 154 Blatt mit Text. — In Finnland bewirkt die Herausgabe die geologische Kommission, welche seit 1879 eine Karte 1 : 200 000 in Helsingfors erscheinen lässt.

II. Asiatisches Russland.

A. Die von der militär-topographischen Abtheilung des Hauptstabes bearbeiteten Karten. 1. Karte des asiatischen Russland 1 : 8 400 000. Chromolithographie. 4 Blatt. Seit 1860 alljährlich neu erscheinend. — 2. Karte des asiatischen Russland und der angrenzenden Gebiete 1 : 4 200 000 (100 Werst = 1 Zoll). Umfasst neben dem russischen Reich auch einen grossen Theil Asiens bis zum 32. Parallel (China, Tibet, Pendschab, Persien u. s. w.). In Gausssscher Projektion auf 8 Blatt. Kupferstich. Das vorläufig in Schummerung hergestellte Gelände wird später durch Bergstriche dargestellt werden. 1863 bis 1883. — 3. Militär-Strassenkarte des asiatischen Russland 1 : 2 100 000. Lithographie. 14 Blatt, 1874. — 4. Karte der astronomischen und trigonometrischen Punkte des asiatischen Russland 1 : 1 680 000. Lithographie. 2 Blatt, 1876. — 5. Karte der südlichen Provinzen des asiatischen Russland und der Grenzgebiete 1 : 1 680 000 (40 Werst = 1 Zoll). 40 Blatt. Umfasst einen grossen Theil Sibiriens, ganz Turkestan, das östlich vom Kaukasus gelegene Gebiet und einen grossen Theil des asiatischen Gebiets bis zum 28. Parallel. Karte in Gausssscher Projektion und Chromolithographie. Gelände in Bergstrichen.

B. Militär-topographische Abtheilung für Kaukasien (in Tiflis). 1. Wegekarte der Kaukasusländer 1 : 840 000. Chromolithographie. 9 Blatt, 1880 berichtigt. — 2. Karte des Kaukasus und der angrenzenden Theile der asiatischen Türkei und Persiens 1 : 210 000 (5 Werst) vom General Stebnitzky. Chromolithographie. 76 Blatt, 1863 bis 1885. Da die Karte im Hochgebirge sehr ungenau ist, wurde Letzteres seit 1886 neu mit Messtisch und Diopterlineal in 1 : 42 000 in äquidistanten Horizontalen (10 Saschen-Abstände) unter Zugrundelegung eines dichten trigonometrischen Netzes aufgenommen, und erscheint seitdem die Karte berichtigt. — 3. Marschroutenaufnahmen im transkaspischen Gebiet 1 : 84 000. 6 Blatt, 1872. — 4. Karte des transkaspischen Gebiets 1 : 840 000. 2 Blatt, 1881. — 5. Karte des Kaukasus 1 : 1 680 000 (40 Werst). 1881. Ausserdem die betreffenden 25 Blätter der 10 Werstkarte Strelbitzkys.

C. Militär-topographische Abtheilung für Ostsibirien*) (in Irkutsk). 1. Marschroutenkarten 1 : 630 000 nach Karatageis und Darwas von Kossjakow. 1885. — 2. Marschroutenkarten von Staro—Juruchaitnjewsk nach Aigun am Amur 1 : 1 050 000 von Butin. 1885. — 3. Karte der Insel Sachalin 1 : 1 168 000 (40 Werst). Chromolithographie. 1 Blatt. — 4. Zwei Karten des südlichen Ussurilandes 1 : 420 000 bezw. 1 : 630 000. 1866 bezw. 1883.

---

*) Die Abtheilung wurde 1867 errichtet, 1884 in die Abtheilung Irkutsk und Amur getheilt. Ihre Arbeiten vorläufig noch unbedeutend, daher die Uebersichtskarten des Hauptstabes besonders wichtig.

D. Militär-topographische Abtheilung für Westsibirien*) (in Omsk). 1. Spezialkarte von Westsibirien 1 : 420 000. Lithographie. 1870. — 2. Karte von Westsibirien 1 : 680 000. 6 Blatt, 1880 bis 1885. — 3. Zwei Karten der westchinesisch - russischen Grenze 1 : 840 000 bezw. 1 : 210 000. Photolithographie. 1884. — 4. Ethnographische Karte der Kirgisensteppe 1 : 840 000. Lithographie. 1868.

E. Militär-topographische Abtheilung für Orenburg.**) (Ist 1881 aufgehoben worden). 1. Karte der Orenburger Länder 1 : 420 000. Chromolithographie. 70 Blatt, 1858 bis 1868. Wurde dann über die Länder der bukejewkischen Kirgisenhorde und über das Land des uralischen Kasakenheeres, seit 1879 auch über die Steppengebiete von Uralsk und Turgai erweitert und ist nun der Strelbitzkischen Karte einverleibt. — 2. Generalkarte des Gouv. Perm und der Orenburger Länder 1 : 840 000. Chromolithographie. 19 Blatt, 1864 bis 1869, seit 1880 berichtigt. — 3. Karte der Etappenstrassen des Orenburger Landes 1 : 2 100 000. Lithographie. 1 Blatt, 1865. — 4. Zwei Karten der inneren bukejewkischen Kirgisenhorden 1 : 210 000 (32 Blatt 1865 bis 1868) und 1 : 420 000 (8 Blatt 1874). Chromolithographie. — 5. Zwei Karten des uralischen Kasakenheeres (1 : 210 000 16 Blatt, 1869 bis 1872, und 1 : 420 000, 4 Blatt, 1879). Chromolithographien. — 6. Generalkarte der Orenburger Länder nebst Theilen von Chiwa und Buchara***) 1 : 2 100 000. Chromolithographie. 2 Blatt, 1879.

F. Militär-topographische Abtheilung für Turkestan (in Taschkend)†) 1. Karte des Gebiets Ssemirjetschenk 1 : 210 000. 1 Blatt, 1867. — 2. Karte des Militärbezirks Turkestan 1 : 700 000. Lithographie. 4 Blatt, 1873. — 3. Karte des Generalgouvernements Turkestan 1 : 2 100 000. 2 Blatt 1873. — 4. Karte des Chanats Chiwa und der Niederungen am Amur-Darja 1 : 1 555 000. Chromolithographie. 1 Blatt, 1876. — 5. Karte der chinesischen Grenzlande 1 : 210 000. Chromolithographie. 18 Blatt, 1880. — 6. Wegekarte des Militärbezirks Turkestan 1 : 1 680 000. Chromolithographie. 16 Blatt, 1881. — 7. Karte des Gebiets Fergana 1 : 420 000. Chromolithographie. 9 Blatt, 1882. 8. Karte des Gebiets Fergana 1 : 840 000 (2 Werstkarte). Chromolithographie. 1884. — 9. Karte des Quellgebiets des Amur-Darja. 1886.

III. Uebriges Asien.

Die russischen Aufnahmen erstrecken sich aber auch auf Vorder-Asien, Turau und Iran sowie China.

A. Türkisches Reich. Von der militär-topographischen Abtheilung für Kaukasien: 1. Orographische Karte der asiatischen Türkei 1 : 2 100 000. Chromolithographie. 2 Blatt, 1879. — 2. Karte der asia-

---

*) 1867 errichtet. Die astronomischen und geodätischen Arbeiten begannen bereits zu Anfang dieses Jahrhunderts, wurden jedoch nur halbinstrumental oder nach dem Augenmaass ausgeführt. Die Vervielfältigung der Karten findet in St. Petersburg statt.

**) 1867 gebildet. Seit 1881 übernahm der Hauptstab die Arbeiten. Erste Arbeiten 1823, wichtigste die trigonometrische Vermessung 1857 längs des 52. Parallels.

***) Auch der Hauptstab hat Karten und zwar des Orenburger Kasakenheeres 1 : 420 000 und der Orenburger Kirgisensteppe 1 : 840 000 in 1 bezw. 14 Blatt und als Lithographien 1882 bezw. 1889 veröffentlicht.

†) Die 1868 errichtete Abtheilung begann erst nach Niederkämpfung der Unruhen in Chiwa 1875 ihre halbinstrumentalen Arbeiten auf Grund von Detail-Triangulirungen. Vervielfältigung meist in St. Petersburg.

tischen Türkei 1 : 630 000. Chromolithographie. 20 Blatt, 1880 bis 1885. — 3. Karte der asiatischen Türkei 1 : 840 000. Chromolithographie. 11 Blatt, 1884.

B. Turan und Iran. Von den militär-topographischen Abtheilungen für Kaukasien und Turkestan veröffentlicht: 1. Karte von Persien 1 : 840 000. 12 Blatt. Russisch 1867 bis 1871. Wird ersetzt durch Karte Nr. 3. — 2. Karte von Persien, Afghanistan und Beludschistan 1 : 2 100 000 (50 Werst = 1 Zoll). Heliogravure. 6 Blatt. Russisch. 1878 bis 1881. — 3. Karte von Persien und den angrenzenden Theilen der asiatischen Türkei und Afghanistan 1 : 840 000. Chromolithographie. Viele Höhenzahlen. Russisch. Seit 1886 zum Ersatz von Nr. 1. — 4. Carte de la Turkomanie méridionale 1 : 840 000 von Stebnitzki. 9 Blatt. — 5. Karte des Pamir 1 : 260 000 (30 Werst = 1 Zoll). 1879. — 6. Karte von Afghanistan und den angrenzenden Ländern 1 : 2 100 000. Russisch. 1879.

C. China.*) Von den militär-topographischen Abtheilungen für Turkestan, Ost- und Westsibirien wurden aufgenommen: 1. Karte der russisch-chinesischen Grenzlande 1 : 210 000. Chromolithographie. 18 Blatt. Russisch. 1880 (Taschkend). — 2. Karte der nordwestlichen Mongolei 1 : 420 000. Lithographie. 1880 (Omsk). — 3. Karte der nordöstlichen Mongolei 1 : 2 100 000. 1 Blatt, 1885 (Irkutsk). — 4. Reisekarte der Mongolei und Mandschurei 1 : 840 000. 1882 (Irkutsk).

Hiermit sei dieser Ueberblick des russischen Kartenwesens, seiner historischen Entwickelung**) und wichtigsten Leistungen geschlossen. Von den neueren Seekarten muss Raummangels wegen abgesehen werden. Bei aller Knappheit dürfte diese Skizze doch die Grossartigkeit und Bedeutung des russischen Vermessungswesens deutlich erkennen lassen. Nur die moderne amerikanische Kartographie kann bei ähnlichem Landescharakter an Umfang der russischen an die Seite gestellt werden, wobei jedoch zu beachten bleibt, dass erstere sich vorläufig im Wesentlichen auf das Mutterland beschränkt, während die russischen Behörden ihre grossartige Thätigkeit auf ein riesiges und oft schwer zugängliches Kolonialgebiet sowie angrenzende Nachbarländer auszudehnen genöthigt waren. Unter diesen ragen besonders die Leistungen der militär-topographischen Abtheilung für Kaukasien in Persien hervor und die kartographischen Aufnahmen der zahlreichen Expeditionen.

— —❊ Kleine Mittheilungen. ❊—

Schiessversuche gegen Kruppsche Panzerplatten. In den letzten Jahren sind schnelle Fortschritte in Herstellung von Panzerplatten gemacht worden. Man musste das Metall in seiner Widerstandsfähigkeit verbessern, da eine weitere Steigerung der Plattendicke ausgeschlossen erschien. Wenn wir die Betrachtung des Uebergangs von Schmiedeeisen zu den aus solchem und Stahl zusammengesetzten (Compound-)

---

*) Die einheimischen chinesischen Kartenwerke, unter denen die auf Befehl des Generalgouverneurs von Human und Hupsi aufgenommene: Ta-Tsing yi tung yü-tu, d. i. vollständige Generalkarte von Ta-Tsing-Reich, sogenannte Wu-tshang-Karte, die ganz China umfasst, die vollständigste ist, entsprechen unseren Anforderungen in keiner Weise. Die russischen und englischen, auf Grund von Ortsbestimmungen der Jesuiten aufgenommenen Karten behandeln nur Grenzstrecken.

**) Wer sich eingehender über die ältere Zeit unterrichten will, der benutze: ›Exposé des travaux astronomiques et géodésiques exécutés en Russie dans un but géographique jusqu'à l'année 1855 par le général T. F. de Schubert.‹

Platten und zu Platten von reinem ungehärtetem Stahl oder Nickelstahl unterlassen, so haben wir nachfolgende Reihe, in welcher die Platten sich verbesserten: Die Stahlplatten von Harvey, bei welchen man eine fortschreitende Cementirung dadurch erreichte, dass man die mit Kohlenmasse bedeckten Platten erhitzte. Durch diese Operation wurde eine Schicht von etwa 30 mm Dicke mit Kohlenstoff angereichert, derselben grössere Härte ertheilend. Das Verhältniss des Kohlenstoffs steigerte sich dabei von der hinteren nach der vorderen Oberfläche der Platte, dadurch Härte mit Zähigkeit verbindend; die Nickelstahlplatten nach Harveys Art hergestellt; dieselben nach der Cementirung einer erneuten Schmiedung oder Walzung unterzogen; dieselben, nachher durchgeschmiedet und gewalzt: endlich die Platten von Krupp, bei welchen ein besonderes, nicht näher bekanntes Härtungsverfahren angewendet wird. — In Amerika haben nun, wie Mittheilungen in dem ›Scientific American‹ und im ›Engineering‹ von Ende 1898 berichten, die hauptsächlichsten metallurgischen Werke, obwohl man dort sehr gute Ergebnisse mit Harvey-Platten erzielt hatte, dennoch versucht, das Verfahren Krupps anzuwenden. Sie hoffen, auf diese Weise Panzerplatten von 30 cm Dicke herzustellen, welche dieselbe Widerstandskraft zeigen, wie die bei den jetzigen besten Panzerschiffen verwendeten Platten von 45 cm Dicke. Die nachstehenden Zeilen geben die mit 15 cm und 20 cm Kanonen in Amerika angestellten Schiessversuche gegen solche nach Krupps Verfahren dort hergestellte Panzerplatten nach der ›Riv. di Art. e Gen.‹ vom Januar 1899, bezw. den oben angeführten Fachblättern: Schiessversuch mit einer 15 cm Kanone gegen eine Platte von 152 mm Dicke. Die Platte hatte eine Breite von 2,90 m und eine Höhe von 1,73 m. Die Oberfläche zeigte keinerlei Bügel. Die Härtung hatte eine zwischen 4 und 5 cm wechselnde Tiefe erreicht und ging vom rechten nach dem linken Rande der Platte. Die Hinterlage wurde durch 305 mm starkes Eichenholz und durch zwei Eisenplatten dahinter von 16 mm Dicke gebildet. Das Ganze war mit der Platte durch Bolzen verbunden, sowie angelehnt und befestigt an die gewöhnlich bei solchen Schiessproben verwendeten Hinterbauten. Erster Schuss. Ein Carpentergeschoss zum Durchschlagen, gehärtet bis auf 7 cm vom vorderen Ende, 45,4 kg schwer, Anfangsgeschwindigkeit 616 m, lebendige Kraft von 877 Krafteinheiten. Der Aufschlag erfolgte senkrecht zur Oberfläche, etwa 1 m von dem unteren und 1,5 m vom linken Rande der Platte. Das Geschoss zerschellte auf der Platte, ein kleiner Theil der Spitze blieb daran angeschweisst, der Rest wurde in einem Stück vor dem Ziel gefunden. Die Eindringungstiefe wurde auf 63 mm geschätzt. Auf der hinteren Fläche der Platte fand man eine Beule von etwa 37 mm. Auf der vorderen Fläche um den Berührungspunkt herum fand sich eine etwa 11 mm tiefe Ausbrechung, die Vertiefung, welche das Geschoss hervorgebracht, hatte einen Durchmesser von 30 cm. Die Platte hatte keinerlei Riss und keinen Schaden an den Bolzen und den Hinterlagen. Zweiter Schuss. Geschoss wie vorher, Anfangsgeschwindigkeit 682 m, lebendige Kraft 1074 Krafteinheiten. Das Geschoss traf die Platte senkrecht zur Oberfläche, 49 cm vom unteren und 2,33 m vom linken Rande. Es zerbrach auf der Platte, und ein Theil desselben blieb daselbst angeschweisst. Die Eindringungstiefe wurde auf 127 mm geschätzt. Auf der hinteren Fläche fand sich eine Beule von etwa 11 cm; auf der vorderen Fläche war um den Berührungspunkt herum eine Ausbrechung von 8 cm. Die Vertiefung, welche das Geschoss hervorgebracht, hatte einen Durchmesser von etwa 27 cm. Um dieselbe herum war die Oberfläche innerhalb eines Durchmessers von 42 cm abgesplittert, es zeigte sich indessen an der Platte und an den Hinterlagen keinerlei Riss. Dritter Schuss. Geschoss wie vorher, Anfangsgeschwindigkeit 716 m, lebendige Kraft 1186 Krafteinheiten. Auftreffpunkt senkrecht zur Oberfläche 51 cm vom unteren und 54 cm vom linken Rande. Das Geschoss ging durch Platte und Holzhinterlage und zerbrach in mehrere Stücke, welche von den hinteren Eisenplatten aufgehalten wurden. Das Schussloch von länglicher Gestalt hatte einen Durchmesser von mehr als 22 cm, ein Stück der Platte von einer dem

Schussloch entsprechenden Gestalt war von der Geschossspitze ausgestanzt. Um den Treffpunkt herum sah man eine Vertiefung von 7 mm, und die Oberfläche war innerhalb eines Durchmessers von 44 cm abgesplittert. Ausser diesen Beschädigungen fand sich keinerlei Verletzung an der Platte und der ganzen Hinterlage. Vierter Schuss. Carpenter-Panzergeschoss von 47 kg Gewicht, gehärtet bis auf 10 cm vom vorderen Ende und mit Kappe versehen. Anfangsgeschwindigkeit 605 m, lebendige Kraft 879 mt. Das Geschoss traf senkrecht auf die Platte zwischen den Treffstellen des 2. und 3. Schusses, etwa 54 cm entfernt von jener des 2. Schusses. Das Geschoss zerbrach, ging aber durch die Platte und die gesammte Hinterlage einschliesslich der hinteren Eisenplatten und drang noch ein Weniges in den dahinterliegenden Sand ein. Das Loch war länglich mit einem Durchmesser von mehr als 17 cm, die Panzerplatten-Oberfläche war innerhalb eines Durchmessers von 30 cm abgesplittert. Im Uebrigen keine Beschädigung, weder an Panzerplatte, noch an Hinterlage und Bolzen. — Schiessversuch mit einer 20 cm Kanone gegen eine Platte von 159 mm Dicke. Die Platte hatte 2,74 m Breite und 1,88 m Höhe und war gestützt durch eine Rücklage aus 305 mm starkem Eichenholz und 36 mm starker Platte von weichem Stahl. Erster Schuss. Holtzer-Panzergeschoss französischer Anfertigung, 114 kg schwer, Anfangsgeschwindigkeit 464 m, lebendige Kraft 1244 mt. Das Geschoss traf die Platte 76 cm vom oberen und etwa ebensoviel vom rechten Rande. Es zerbrach. Die Bruchstücke wurden zurückgeworfen. Die Eindringungstiefe betrug 19 mm, und die Platte nahm sonst keinen Schaden. Zweiter Schuss. Holtzer-Geschoss von der Midvale Steel Company, 115 kg schwer, Anfangsgeschwindigkeit 495 m, lebendige Kraft 1430 mt. Treffpunkt 66 bezw. 58 cm vom rechten bezw. unteren Rande der Platte und 47 cm vom vorhergehenden Schusse. Die Spitze des Geschosses war geschmolzen und blieb an der Platte fest hängen, die Bruchstücke des Geschosses waren heruntergefallen. Die Eindringungstiefe betrug 63 mm. Keinerlei radialer oder sonstiger Riss, nur eine leichte Vertiefung um den Treffpunkt herum. Ein Bolzen brach, das Holz der Hinterlage war an dem rechtsliegenden Ende gesplittert. Dritter Schuss. Geschoss wie vorher, Anfangsgeschwindigkeit 528 m, lebendige Kraft 1621 mt. Treffpunkt 68 cm vom unteren Rande und vom 1. Schusse. Eindringungstiefe 158 mm. Kein Riss, eine geringe Vertiefung um den Treffpunkt herum. Der vordere Theil des Geschosses war geschmolzen und blieb an der Platte hängen, die Bruchstücke waren heruntergefallen. Vierter Schuss. Geschoss wie vorher, Anfangsgeschwindigkeit 557 m, lebendige Kraft 1811 mt. Treffpunkt 79 bezw. 86 cm vom oberen bezw. rechten Rande der Platte und 66 cm vom 3. Schusse. Das Geschoss durchschlug Platte und Hinterlage. Seine Bruchstücke drangen in den hinterliegenden Sand ein. Kein Riss in der Platte, nur eine geringe Vertiefung um den Treffpunkt herum. Fünfter Schuss. Geschoss wie vorher, Anfangsgeschwindigkeit 529 m, lebendige Kraft 1593 mt. Treffpunkt 53 cm vom oberen Rande, 46 cm vom 1. Schusse. Die Eindringungstiefe betrug 127 mm. Kein Riss oder sonstiger Schaden, ausgenommen eine geringe Vertiefung um den Treffpunkt herum. Die Geschosstrümmer wurden nach rückwärts geschleudert. Sechster Schuss. Geschoss wie seither, Anfangsgeschwindigkeit 555 m, lebendige Kraft 1798 mt. Treffpunkt 61 bezw. 43 cm vom oberen bezw. rechten Rande und 55 cm vom 1. Schuss. Das Geschoss durchschlug die Platte, und seine Trümmer blieben in der Platte selbst und im Holzgerüst des Hinterlagers stecken, die hintere Eisenplatte beulte sich auf, ohne zu reissen. Kein Riss in der Panzerplatte, obwohl der Treffpunkt den vorhergehenden Schüssen sowohl, als auch einer Ecke der Platte selbst sehr nahe und die Hinterlage schon beschädigt war. Die gewöhnliche Ausbröckelung um den Treffpunkt herum war auch hier vorhanden. Die Prüfung des Widerstandes dieser Panzerplatte muss in der That in ihrem Ergebniss als hervorragend und allen anderen in Amerika bisher erzielten Ergebnissen überlegen angesehen werden, sowohl was Widerstand gegen Durchschlag, als auch was das Fehlen der Risse und die geringen Eigenschaften der übrigen nebensächlichen Wirkungen, wie Absplitterung u. s. w., anlangt. — Als Gesammtergebniss aus den vorstehend angegebenen Versuchen wird zugegeben, dass die nach Krupps Verfahren hergestellten Panzerplatten alle anderen Panzerplatten, welche, von den Compoundplatten angefangen, bis jetzt hergestellt wurden, übertreffen. Sie lösen das Problem am besten, durch eine äusserst harte äussere Oberfläche der Platte das Eindringen des Geschosses zu verhindern und durch die Zähigkeit des hinterliegenden Theils der Platte sich der Bildung von Rissen zu widersetzen. Die nach Krupps Verfahren hergestellten Panzerplatten übertreffen die schmiedeeisernen Platten um mehr als das Doppelte und die Stahlplatten um mehr als das Anderthalbfache. Was die Harvey-Platten anlangt, so ergiebt sich aus einem Vergleich des oben geschilderten ersten Schiessversuchs mit den vom amerikanischen Naval Department gestellten Annahmebedingungen für Harvey-Platten, dass die nach Krupps Verfahren hergestellten Panzerplatten von 15 cm Dicke so viel an Widerstandsfähigkeit leisten wie Harvey-Platten von 25 cm Dicke. Die Verminderung der Panzerplattendicke in dem Verhältniss von 3:2, welche die Amerikaner für ihre neuen Kriegsschiffe »Maine«, »Ohio« und »Missouri« angeordnet haben, erscheint demnach gerechtfertigt. Diese neuen Panzerplatten sollen nach Krupps Verfahren gemacht, aber, wie »Scientific American« vom 3. Dezember 1898 sagt, innerhalb der Vereinigten Staaten angefertigt werden.

Armee-Nähzeug. Wie mancher Soldat hat sich schon geärgert, wenn er sich in seinem aus einem Tuchbeutel bestehenden Nähzeug im Biwak oder mangelhaften Quartier sein Bisschen Zwirn und Nähnadel, die durcheinander gerathen und »verzaust« waren, wobei die Knöpfe herausfielen und im Biwakstroh kaum wiederzufinden waren, zusammensuchen musste. Und dennoch bedarf er des Nähzeuges als eines stetigen Begleiters, wenn er seine Siebensachen gehörig im Stande halten soll. Eine vortreffliche Abhülfe der unbestreitbaren Nachtheile des Tuchbeutels gewährt nun das neue Armee-Nähzeug 99, welches als eine flache Metalldose von der Firma Daum-Loschwitz zum Preise von 55 Pfg. hergestellt und mit etwa 100 m verschiedenen Zwirnen, Nähnadeln, Stecknadeln, Knöpfen für Hosen und Hemden, Haken und Oesen, Nähring (Fingerhut) und Stahlscheere ausgestattet ist. Durch eine besondere patentirte Vorrichtung wickeln sich die Fäden in der Dose selbst ab, so dass der Zwirn nie in Unordnung gerathen kann. Ausser bei der Leib-Gendarmerie ist das neue Nähzeug bei den meisten Truppentheilen im Gebrauch, und dass es auch schon den Weg nach Tsintau gefunden hat, spricht für die Zweckmässigkeit dieser scheinbar geringwerthigen Erfindung, deren hohen Werth aber ein Jeder zu schätzen weiss, der sich mit dem alten Tuchbeutel-Nähzeug herumgeärgert hat. Der Radfahrer, auch der Offizier, wird stets das neue Armee-Nähzeug 99 zweckmässig bei sich führen; die äussere Ausstattung ist durchaus geschmackvoll, der Deckel mit dem künstlerisch ausgeführten Bildniss des Kaiserpaares versehen.

Neueste Erfindungen und Entdeckungen.

1. Geschütze, Geschosse, Artilleriewesen. In dem »Internat. Technischen Courier« von 1899, S. 184, meldet C. Puff in Spandau Patent an auf ein Geschützrohr mit Blechumwickelungen. — Eine Richtmethode für indirektes Schiessen und ein dafür konstruirtes Diopterlineal wird mit guten Abbildungen in »Mitth. über Gegenst. des Art.- und Geniew.«, 1899, Heft 4, beschrieben. — Der Leutnant van Royen der niederländischen Artillerie hat einen Richtapparat für Belagerungs- und Festungsgeschütze konstruirt, der bei Schiessproben in Scheveningen sehr gute Ergebnisse zeigte. Er ergab z. B. auf 3000 m eine Seitenabweichung von 2,5 m, während man beim Richten mit dem gewöhnlichen Aufsatz eine solche von 21,5 m hatte und die Schusstafel 14,4 m angab bezw. gestattete. Die Abweichung in der Schussweite — Längenabweichung — war beim Schiessen mit dem van

Royenschen Aufsatz 48 m, mit dem gewöhnlichen 197 m, und die Schusstafel gestattete 116 m. Die ›Revue d'art‹, 1899, April, bringt eine Beschreibung mit Abbildungen. — Eine neue Verschluss- und Abfeuervorrichtung für mehrläufige Geschütze ist Herrn F. Egersdörfer in Wiesbaden nach dem ›Internat. Techn. Courier‹, 1898, Oktober, patentirt worden. — Nach derselben Zeitschrift, 1899, S. 184, haben die Herren W. A. Broichmann in Köln und J. Boehm in Lüneburg Patent angemeldet für ein Sprenggeschoss mit Wassermantel. — Der italienische Hauptmann Pierucci hat ein Schrapnel konstruirt, welches im Sprengpunkt die Bodenkapsel fast senkrecht auf den Erdboden abwirft. Diese Bodenkapsel enthält eine Mischung, welche starken granatrothen Dampf erzeugt und auf diese Weise erkennen lässt, ob der Sprengpunkt in der Luft vor oder hinter dem Ziel liegt. Pieracci will damit das Bz.-Schiessen sofort ermöglichen, während demselben jetzt zur Ermittelung der Entfernung immer erst ein Az.-Schiessen vorausgehen muss. (›Riv. di Art. e Gen.‹, 1899, April.) — Nach den ›Times‹ hat die englische Admiralität sich ebenfalls davon überzeugt, dass die nach Krupps Manier hergestellten Panzerplatten die Harveyschen Platten übertreffen. Infolgedessen mussten die englischen Panzerplattenwerke ganz neue, auf Krupps Verfahren begründete Anlagen herstellen. So schreibt der ›Praktische Maschinen-Konstrukteur‹ vom 16. März 1899. — Die Ver. Staaten von Amerika haben bekanntlich bei grossen, eigens zum Zweck der Vergleichung von Krupp und Harvey angestellten Schiessversuchen gegen Panzerplatten die gleichen Erfahrungen gemacht. (Vergl. ›Kriegstechn. Zeitschrift‹, Heft 6, S. 279.)

2. Kleine Feuerwaffen, deren Munition und Gebrauch. R. Dinamore in Passaie, New-Yersey, hat nach dem ›Internat. Techn. Courier‹, 1899, S. 201, Patent angemeldet auf ein Mehrladegewehr mit Kolbenmagazin und unter dem Vorderschafte liegenden Ladeschieber. — Eine genaue Beschreibung der automatischen Pistole Browning enthält, mit grossen Tafeln, die ›Revue de l'armée belge‹, 1899, Januar und Februar. — Herr K. Kauder in Nürnberg hat nach dem ›Internat. Techn. Courier‹, 1898, Oktober, ein Patent auf selbstanzeigende Schiessscheibe erhalten.

3. Explosivstoffe, Zünder, Torpedos. Herr A. Kostron in Krakau hat nach dem ›Internat. Techn. Courier‹ von 1899, S. 184, Patent angemeldet auf einen mechanischen Zeitzünder, der auch beim Aufschlag thätig wird, also als Doppelzünder zu gebrauchen ist. — Nach derselben Zeitschrift, Oktober 1898, hat Herr Dr. L. Mautner, Ritter von Markhof, Wien, ein Patent erhalten auf einen Aufsatz für Schiffsgeschütze und Torpedo-Lancirrohre, bei welchem die Geschwindigkeit und Fahrrichtung des eigenen und des feindlichen Schiffes sofort berücksichtigt wird.

4. Beleuchtungs- und Signalwesen, Telephonie, Telegraphie, Elektrizität. In Paris hat man zwischen Eiffel-Thurm und Pantheon, auf eine Strecke von 4 km, ohne Draht telegraphirt. Die ›Revue d'art‹, Dezember 1898, nennt diese Telegraphie ›Hertzsche Telegraphie‹, wie es scheint, nach dem in Bonn leider zu früh verstorbenen Professor Hertz, der ja auch als der eigentliche Entdecker der Röntgen-Strahlen bezeichnet wird. Die Depeschen gingen vom Eiffel-Thurm ab und wurden auf dem Pantheon aufgenommen. Umgekehrt gelang die Telegraphie nicht, man vermuthet wegen der Einwirkung der grossen Metallmasse des Eiffel-Thurms. — Nach dem ›Praktischen Maschinen-Konstrukteur‹, Heft 8, 1899, ist die Wireless Telegraph & Signal Cie., die zur Ausnutzung der Marconischen Erfindung des Telegraphirens ohne Draht gegründet wurde, mit einer grossen Dampfergesellschaft und auch mit der französischen Telegraphenverwaltung in Verhandlung getreten. An der französischen Nordküste soll eine Versuchsstation errichtet werden, um über den Kanal zu telegraphiren. Diese Versuche sollen bereits überraschende Erfolge gehabt haben. Bekanntlich verwendete man bis jetzt die Marconische Telegraphie hauptsächlich für Signalisiren zwischen dem Lande und vorbeifahrenden Schiffen und als Warnungssignal zwischen Schiffen bei Nebel.

5. Entfernungsmesser, Orientirungsinstrumente, Geländeaufnahme.
Nach der ›Revue d'art.‹, 1899, Februar, macht der Kapitän F. Morelle den, wie es
scheint, nicht unpraktischen Vorschlag zur Einführung eines in Tausendtheile der
Visirlinie eingetheilten Winkelinstrumentes, mittelst dessen man die Front-
ausdehnung der feindlichen Stellung leicht auf jeder Entfernung messen könne. Der
Erfinder scheint die Unsicherheit seines früheren Vorschlages, vergl. ›Kriegstechn.
Zeitschrift‹, 1899, Heft 3, S. 143, durch den jetzigen Vorschlag heben zu wollen.
Nähere Angaben, insbesondere mit Abbildungen des projektirten Winkelinstrumentes,
bleiben abzuwarten, bevor ein sicheres Urtheil abgegeben werden kann.

6. Ausrüstung von Mann und Pferd. Verpflegung. Fussfahrräder mit
Kettenübertragung sollen in der italienischen Armee probeweise Einführung gefunden
haben.   Dieselben bestehen aus einem kleinen Zweirad für jeden Fuss, das
wie ein Schlittschuh am Fusse befestigt wird und durch eine Eisenstange, die bis in
die Mitte der Wade reicht und da mit einem Riemen befestigt wird, noch einen
besonderen Halt gewinnt. Die Füsse werden in derselben Weise bewegt wie beim
Schlittschuhlaufen. Das Anhalten erfolgt ohne besondere Bremsvorrichtung durch
die besondere Einrichtung der Fussplatten selbst. Die Anwendung ist selbstverständlich auf gebahnte Strassen beschränkt, verbürgt aber auf diesen eine bedeutende
Schnelligkeit der Fortbewegung. Die Fahrradschuhe wären also für Ordonnanzen
eine ganz gute Einrichtung, wenn sie sich wirklich bewähren. (Zu den Fahrrädern
auch noch Fussräder! C'est le comble, sagt der Franzose in solchen Fällen. Das
Fussrad wird kaum über eine Sportspielerei hinauskommen. D. Red.) — Nach dem
›Praktischen Maschinen-Konstrukteur‹ vom 16. März 1899 hat Herr Michel junior in
Schönlinde, Böhmen, in Oesterreich ein Patent erhalten auf gewirkte, elastische,
ohne Naht hergestellte Binden zum Bandagiren verletzter Pferde. — Wie der
›Internat. Techn. Courier‹, 1899, S. 176, schreibt, verwendet man flüssigen Sauerstoff zur Wiederbelebung bei Vergiftungen durch Leuchtgas und Kohlenoxydgas.
Aus einer stählernen Flasche entweicht beim Oeffnen fortwährend Sauerstoff unter
hohem Druck und tritt in einen Gummibeutel, aus welchem er durch einen Schlauch
in den Mund des Verunglückten geleitet wird und eine rasche Entgiftung des Blutes
von den schädlichen Gasen herbeiführt. — Der Franzose G. Jaubert hat einen Stoff
erzeugt, dessen Namen er geheim hält, welcher es einem Menschen ermöglicht, in
luftdicht verschlossenem Raume, Taucherglocke, unterseeischem Boote u. s. w.,
24 Stunden zu leben.

7. Militärbauten zu Befestigungs- und Unterbringungszwecken. Herr
H. Chatellier hat in der ›Revue du Génie mil.‹, 1899, April, eine Methode angegeben,
Cement auf seine Haltbarkeit nach der Verwendung zu prüfen. Sie besteht
darin, dass man Cement mit ²⁄₃ der Feuchtigkeit, die zu seiner Verwendung angewendet
wird, in Gestalt eines Kuchens formt und diesen dann in einem Metallgefäss weiterer
Feuchtigkeit aussetzt. Er schwillt dann bis zur doppelten Grösse an, darf aber weder
zerreissen, noch überhaupt Risse bekommen. In demselben Aufsatz befinden sich
noch weitere Angaben über Cementbehandlung. — Die Verwerthung der Abfälle in
Sägemühlen, Sägespähne zu Bausteinen, Brennmaterial, Mauerputz, Verkitten
u. s. w. durch Mischung mit Cement, Harz, Thonerde u. s. w. wird ausführlich beschrieben im ›Internat. Techn. Courier‹, 1899, S. 176. — In Böhmen und in Belgien
fertigt man Glastafeln an, welche verschieden gestaltete Drahtgeflechte enthalten
und dadurch grössere Haltbarkeit gewinnen und sich für Militärgebäude eignen.
Näheres mit Abbildungen in ›Riv. di Art. e Gen.‹, 1899, April. — Ingenieur Schinke
hat in Milwaukee eine doppelte Zugbrücke auf eine Spannweite von 23,77 m
hergestellt. Die Brückenklappe wird durch einen Hebelarm um eine Rolle mit fester
Achse gehoben, in ihrer horizontalen Lage aber durch zwei Streben gehalten. Die
Bewegung der Brücke erfolgt durch eine Kraftmaschine mit Hülfe eines gezahnten
Triebwerkes. Näheres ›Revue du Génie mil.‹, 1899, April.

8. Transportwesen im Kriege. Train. Nach ›Scientific Americ.‹ vom 31. Oktober 1898 und ›Riv. di Art. e Gen.‹, 1899, April, hat Herr O. Ramsey in El Campo, Texas, einen neuen Radkranz für Fahrräder und auch für Räder an anderen Fuhrwerken hergestellt, der seine Elastizität nicht durch eingepumpte Luft, sondern durch Spiralfedern und wellenförmig gelegte Bandfedern erhält (siehe nebenst. Abbild.). Auf den Federn liegt ein Korkreifen und

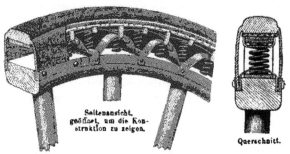

Seitenansicht, geöffnet, um die Konstruktion zu zeigen.

Querschnitt.

Ramsey's Radkranz für Fahrräder.

darauf ein massiver Gummireifen. Etwaiges Springen einer Feder hat nicht die Unbrauchbarkeit des Rades zur Folge, wie bei den luftgefüllten Reifen. Der Radkranz ist ferner in einzelne Theile, Felgen, eingetheilt, so dass man zur Herstellung einer gesprungenen Feder oder zu einer sonstigen Reparatur nur die betreffende Felge herauszunehmen braucht.

Aus dem Inhalte von Zeitschriften.

Jahrbücher für die deutsche Armee und Marine. 1899. Heft 2: Taktik und Technik im Landkriege. — Einiges über Büchsenmeisterei zu Ende des 16. Jahrhunderts.

Marine-Rundschau. 1899. Heft 5: Selbstthätige Steuerung der Torpedos durch den Geradlaufapparat. — Brauchen wir eine nautische Hochschule? — Die Vermessung von Kiautschou. — Erfindungen (Anker. Dampfleitung. Feuerung. Dampfkessel. Elektrische Steuerung. Lanciren von Torpedos. Sicherheitswesen).

Ueberall. 1899. April. Heft 4: Arbeit — Flotte — Frieden — Arbeit. — Der letzte Ablösungstransport für Kiautschou. — Etwas von der Schiffsartillerie. — Aus dem Orient, mit Bildern von der anatolischen Bahn. — Manövertorpedoboots-leben. (Forts.) — Die Poesie an Bord. — Reisebriefe. — Plaudereien. — Mai. Heft 5: Die Bedeutung der deutschen Schiffbauindustrie. — Von der Inspektion des Bildungswesens der Marine. — Einiges von unseren Neubauten. — Moderne Seeschiffe. — Manövertorpedobootsleben. (Forts. n. Schluss.)

Prometheus. 1899. Nr. 497: Ueber die Wirkung elektrischer Kräfte im Weltraum. (Schluss.) — Ueber photographische Anamorphosen. — Nr. 498: Eine neue Art biegsamer Trockenplatten. — Die neuen französischen Zündhölzchen. — Die Graphitlager bei Passau. — Schwefelquelle von Amboni im nordöstlichen Deutsch-Ostafrika. — Nr. 499: Ueber Strömungslinien, Wirbelbewegungen und Oberflächenreibung in Flüssigkeiten. — Das deutsche Feldgeschütz C/90. — Elektrisch beleuchtetes Zifferblatt. — Die Elektrizität in Aegypten. — Nr. 500: Zur ›Umsetzung der Erdenergie in Arbeitskraft‹. — Ueber Strömungslinien u. s. w. (Forts.) — Der russische Eisbrecher ›Ermack‹. — Die Vertheilung der Mineralschätze nach den Breitengraden. — Nr. 501: Der Weiterbau des Panama-Kanals. — Ueber Strömungslinien u. s. w. (Schluss.) — Der russische Panzerkreuzer ›Gromowoi‹. — Ueber die Zunahme der Blitzgefahr. — Neuere Verwendung des Acetylens. — Jodgehalt der Atmosphäre.

Die Umschau. 1899. Nr. 17: Die Lebensthätigkeit der niedersten Thiere. — Die transafrikanische Eisenbahn. — Ingenieurwesen (Kanäle, Schiffshebewerke, Ranchplage, Schiffsgeschwindigkeit, Lazarethschiffe). — Betrachtungen und kleine Mittheilungen (Die Durchsichtigkeit der undurchsichtigen Körper und das schwarze

Licht). — Nr. 18: Ueber Gährung, Fäulniss und Urzeugung. — Kunstgewerbe (Verwandlungsmöbel). — Nr. 19: Kriegswesen (Rauchschwaches Pulver. Die Schnellfeuergeschütze auf Kuba und am Atbara. Torpedofahrzeuge. Unterseeboote). — Nr. 20: Tiefsee-Expedition. — Elektrotechnik (Elektrische Bahnen. Nernstsche Glühlampe. Marconische Telegraphie. Aufthauen eingefrorener Wasserleitungsröhren). — Nr. 21: Eröffnung des »White Pass« und der Yukon-Eisenbahn. — Das Gehirn von Helmholtz. — Photographische Aufnahmen während einer totalen Mondfinsterniss. — Luftelektrizität. — Schwarzes Licht. — Rauchloses Pulver.

Der praktische Maschinen-Konstrukteur. 1899. Nr. 8: Neue Dieselsche Wärmemotoren. — Dampfmaschinen mit rotirendem Kolben. — Neuer Typ für Torpedobootszerstörer. — Vorschriften zur Wartung von elektrischen Maschinen. — Nr. 9: Vierachsiger Akkumulator-Motorwagen der Eisenbahn Mailand--Monza. — Beton-Eisenbrücke, System Melan in Steyr. — Ueber Formveränderungen von Feuerungsarmaturtheilen im Feuer. — Nr. 10: Neuere Jonval-Turbinen. — Flusseisen als Kesselmaterial. — Elektrisch betriebener Automobilwagen. — Stellbare Reisschiene.

Mittheilungen über Gegenstände des Artillerie- und Geniewesens. 1899. Heft 4: Ueberblick der geschichtlichen Entwickelung des Minenkrieges. — Gürtelforts-Typen und deren Bestandtheile. — Moderne Kriegsgewehre. — Zum Richten in verdeckten Stellungen. — Zur Frage der Organisation der Feldartillerie.

Organ der militär-wissenschaftlichen Vereine. 1899. Heft 3: Ueber die Ziele Russlands in Asien. — Die Entwickelung des Repetirgewehrs.

Schweizerische militärische Blätter. 1899. März: Die Sicherung der Artillerie gegen überraschenden Angriff und Nahangriff überhaupt. (Forts.) — Ein 76,5 mm Schnellfeuer-Gebirgsgeschütz.

Journal des sciences militaires. 1899. April: Organisation et direction d'exercices de tactique appliqué dans le corps de troupe. — L'aérostation militaire en France et à l'Étranger. (Suite.) — L'orientation nouvelle de la tactique de cavalerie.

Revue d'artillerie. 1899. April: Navires de guerre et batteries de côte. Opérations de l'escadre américaine à Santiago. — Les exercices de service en campagne dans le groupe de batteries. — Pistolets automatiques. — Le terrain chez soi ou contribution à l'organisation des exercices sur la carte. — Appareils de pointage de siège et de place proposés par le lieutenant Van Royen, de l'artillerie hollandaise. — Mai: Les blessures de harnachement dans l'artillerie. — Matériel d'artillerie des établissements Vickers, Sons and Maxim.

Revue de l'armée belge. 1899. Januar-Februar: Quelques considérations sur la défense des places. — La manomètre enregistreur de pressions dans les pièces d'artillerie. — Le pistolet automatique Browning. — A propos des progrès de la défense des Etats et de la fortification permanente depuis Vauban, du général Brialmont.

Army and Navy Journal. 1899. Nr. 32: Rock Island arsenal. — Room for the machine gun.

Scientific American. 1899. Nr. 14: French submarine torpedo boats. — The recent explosion of a ten-inch army-gun. — Electricity at high pressures. — A simple ventilator for railway-cars. — Nr. 15: Latest battleships and cruisers for the British navy. — New system of wireless telegraphy. — The handy acetylene gas lamp. — A simple vehicle wheel. — Pneumatic tube delivery system at the Waldorf-Astoria Hotel. — The new testing locomotive at Columbia university. — Nr. 16: Liquid air as a new source of power-another engineering fallacy. — Military ballooning. — A new form of fire-escape. — Navies of the world (Germany). — Nr. 17: Wireless telegraphy across the english channel. — Manufacture of Krag-Jörgensen rifles at the Springfield armory. — The Marvin electric rock drill. — Nr. 18: Cristallization of metal under stress. — The Rowland telegraph system. — A novel boiler-tube cutter and expander. — A device for removing dents from gun-barrels.

Journal of the United States Artillery. 1899. Januar-Februar: Problems in curved and indirect fire. — Coast defence against torpedo-boat attack. — Artillery material (New type wire guns; war material).

Rivista di Artiglieria e Genio. 1899. April: Cenni storici sull' ordinamento dell' artiglieria italiana. — Studio di un ponte di avanguardia. — Shrapnel fumigeno. —Tabelle uniche speciali di tiro.—Circa l'istruzione sul tiro per l'artiglieria da campagna.

Memorial de Ingenieros del Ejército. 1899. April: Estudios de fortificación: Atrincheramientos permanentes para infantería. — Ideas generales de las obras de defensa de la Habana.

De Militare Spectator. 1899. Nr. 4, April: Eenige beschouwingen over Tirailleeren. — De opleiding in het schieten.

Sapisski imper. russ. techn. obscht. (Denkschrift der kaiserl. russ. technischen Gesellschaft.) 1899. März: Die unmittelbare Herstellung des Gusseisens und des Stahls in den Hochöfen. — Die Organisation von Kursen für die Handwerker der technischen Anstalten, welche eine gewisse wissenschaftliche Bildung besitzen.

⋙ Bücherschau. ⋘

Leitfaden für den Unterricht in der Feldbefestigung. Zum Gebrauche in den k. u. k. Militär-Bildungsanstalten und Kadettenschulen, bearbeitet von Moriz Ritter v. Brunner, k. u. k. Generalmajor. Siebente, neu bearbeitete Auflage. Mit einer Tafel und 195 Abbildungen. Wien 1898, L. W. Seidel & Sohn, k. u. k. Hofbuchhändler. Preis 5,50 Mk.

Die vorliegende Neubearbeitung ist namentlich durch die Einführung neuer Typen für flüchtige und verstärkte Feldbefestigungen, dann durch die in mehreren Heeren erfolgte Einstellung von Brisanzgranaten in die Ausrüstung der Feldgeschütze nothwendig geworden, auf welche Typen der Leitfaden ganz besonders Rücksicht nimmt. Die theoretische Lehre der Feldbefestigung glaubt man bisweilen für überflüssig halten zu dürfen, da die modernen Strömungen die Ausbildung fast nur auf die praktische Thätigkeit gerichtet wissen wollen; aber diese theoretische Lehre ist nicht nur für den Kriegsschüler unerlässlich, sondern sie ist auch dauernd für jeden älteren Offizier sowohl der Infanterie als namentlich der Pioniere, weil unsere Feldbefestigungs-Vorschrift in ihren verschiedenen Typen nur als ein Anhalt dienen soll und mithin der Entfaltung eigener Gedanken und der Entwickelung neuer Typen der weiteste Spielraum gegeben ist. Unter diesem Gesichtspunkt betrachtet, dürfte es erforderlich sein, den Brunnerschen Leitfaden bei allen unseren Pionier-Bataillonen zu besitzen, um die aus demselben zu schöpfende Anregung zur Entwickelung weiterer Formen bei den alljährlichen Kommandos der Infanterie zu den Pionieren für jene

nutzbar zu machen, denn in den Kriegen der Zukunft wird der Spaten und die Eindeckung auch im Feldkriege eine hervorragende Rolle spielen. Generalmajor Ritter v. Brunner entwickelt seinen Stoff in fortschreitendem Aufbau und vergisst dabei nicht, einzelne Streiflichter auf erledigte Feldbefestigungen zu werfen, die nur mehr ein geschichtliches Interesse haben, wie z. B. die Vertheidigungs-Pallisadirungen; ebenso lässt er es an interessanten kriegsgeschichtlichen Beispielen nicht fehlen. Wir begnügen uns damit, Einzelnes aus dem Leitfaden hervorzuheben, zunächst die Ausnutzung der Feuerkraft bei verstärkten Feldbefestigungen, die in vorbereiteten Stellungen zur Anwendung kommen. Hierbei treten wieder Gewehrscharte und Bonnet auf;

Abbild. 1. (1 : 100.)

die Brustwehr erhält für den Schützen eine Sitzstufe und eine Armstufe, und bei Nichtbesetzung der Feuerlinie sitzen die Schützen auf der Grabensohle und der Grabenstufe mit dem Rücken dem Feinde zugekehrt (Abbild. 1). Trotz des Nutzens der vorzüglichen Deckung für das erste Glied, das im stehenden Anschlage feuert, weist der Verfasser auch auf die Nachtheile des Bonnets hin; uns will die Sache doch sehr gekünstelt erscheinen, denn die Anlage von Scharten und Bonnets erfordert viel Arbeit und Zeit, und im Kriege dürfte das Einfache stets vorzuziehen sein. In dem Leitfaden werden für die Feldbefestigung innerhalb der Schanzen Geschützaufstellungen angenommen, wo die Geschütze entweder über Bank oder durch Scharten fenern. Bei uns ist dieser Grund-

unterliegt. Ein solches Blockhaus ist in Abbild. 2 dargestellt. Die feindwärts gerichteten Wände wie auch die Decken schützen entweder nur gegen kleine Geschosse, d. i. gegen Schrapnels oder Sprengstücke der Granaten, insbesondere auch jene der in der Luft springenden Brisanzgranaten, oder auch gegen Granatenvolltreffer.

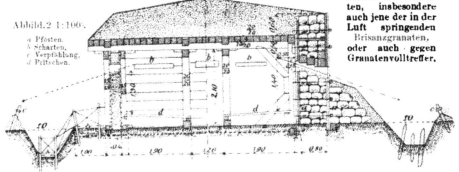

Abbild. 2 1:100.
a Pfosten,
b Scharten,
c Verpfählung,
d Pritschen.

satz aufgegeben, weil wir die Geschützlinien hinter den Infanterielinien aufstellen und auch wegen der Feuerleitung Infanterie und Artillerie nicht miteinander vermischen. Steht die Artillerie in der befestigten Stellung von vornherein hinter der Infanterie, so dient sie dieser als Reserve für den Fall des Verlustes der Infanteriestellung; dazu kommt, dass die Anlage von Geschützbänken und Scharten in der Feldbefestigung viel zu gekünstelte Konstruktionen erfordern. — In Bezug auf die Eindeckungen gegen Artilleriefeuer

Wände gegen kleine Geschosse sind entweder aus Erd- oder Schotterkästen hergestellt, Abbild. 2 linke Hälfte, wenn nämlich zwischen zwei Wände aus Brettern Erde (60 cm) oder Schotter (30 cm) eingefüllt wird, oder sie bestehen aus einer Mauer. Granatsichere Wände hingegen bestehen aus einer Erdschüttung (Abbild. 3) oder aus losen Steinen, die zwischen Pfosten a fest gepackt sind, Abbild. 2 rechte Hälfte. Die Decken der Hohlbauten bestehen gewöhnlich aus Balken mit Erdbeschüttung; 15 cm starke Balken mit 1 m Erde oder 70 cm Schotter (Steinschlag) darüber genügen gegen die stärkste Beschiessung aus Feldgeschützen (Abbild. 2); gegen kleine Geschosse sichert schon eine Decke von 4 bis 8 cm dicken Pfosten allein; sind letztere schwächer, so schüttet man etwas Erde oder Steine auf dieselben.

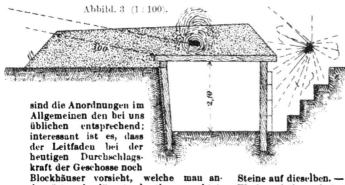

Abbild. 3 (1 : 100).

sind die Anordnungen im Allgemeinen den bei uns üblichen entsprechend; interessant ist es, dass der Leitfaden bei der heutigen Durchschlagskraft der Geschosse noch Blockhäuser vorsieht, welche man anderwärts als längst abgethan erachtet. Freilich ist zu bemerken, dass auf Kriegstheatern mit gebirgigem Gelände das Blockhaus immer noch seinen Werth hat, zumal hier die Anwendung schwererer Geschützkaliber manchen Beschränkungen

— Das v. Brunnersche Werk enthält auch Angaben über die Anwendung der Feldbefestigungen für bestimmte Kriegszwecke, sowie über Angriff und Vertheidigung der Feldbefestigungen; eine Tabelle über die Geschosswirkung des 8 mm Repetirgewehrs ist beigefügt.

Gedruckt in der Königlichen Hofbuchdruckerei von E. S. Mittler & Sohn, Berlin SW., Kochstrasse 68—71.

Vorbereitete Stellungen.

Feldverschanzungen sind stets nützlich, nie
schädlich, wenn sie verständig angelegt werden.
Napoléon.

Von langer Hand, also meist im Frieden eingerichtete Vertheidigungslinien, welche mit den Hülfsmitteln der provisorischen und permanenten
Befestigungskunst geschaffen wurden, gehören ebenso wie die Festungen,
welche sie ergänzen sollen, zum Vertheidigungssystem des Staats, d. h. zur
Gestaltung des Landes als vortheilhaften Kriegsschauplatz. Durch ihre
Anlage will man der Feldarmee Kräfte ersparen, ihre Bewegungsfreiheit
und Thatkraft erhöhen. Denn die dauernde Behauptung für die Kriegführung unentbehrlicher Oertlichkeiten, durch künstliche Geländeverstärkungen von grosser passiver Stärke und materieller Sturmfreiheit geschützter
Linien und Punkte kann verhältnissmässig schwachen und im freien Felde
minder verwendbaren Truppen (Besatzungen) anvertraut werden. Die
Armee kann ihren Bereich für die Feldoperationen für immer verlassen
oder sie nur mittelbar ausnutzen, um dadurch gestärkt um so offensiver
zu verfahren. Ortssicherung ist also der Zweck. Sie gehört, weil sie
sich auf Geländeabschnitte und -Punkte von ständigem militärischen Werth
bezieht und sich daher im Wesentlichen schon im Frieden voraussehen
lässt, zur vorbereitenden Strategie. Die Kämpfe um solche von vornherein befestigte Stellungen, wie es z. B. die Narew—Niemen-Anlagen in
Russland, die Sereth-Linie in Rumänien, die Tschataldscha-Befestigungen in
der Türkei sind, spielen vorzugsweise eine strategische Rolle und fallen
in das Gebiet des Festungskrieges. Dieser wird zwar nach den allgemeinen
Grundsätzen des Feldkrieges geführt, hat aber den anders gearteten und
stärkeren technischen Hülfsmitteln Rechnung zu tragen. Ziel der auch
nachts nicht unterbrochenen, länger dauernden Angriffe ist der Ortsbesitz,
die Vernichtung der Vertheidigungskräfte rückt in zweite Linie. Das
Operationsziel ist klar gegeben und meist genügend bekannt, so dass alle
Vorbereitungen von Hause aus getroffen werden können. Der Vertheidiger
kann dem Angriff nicht ausweichen. Ist diese das Heer entlastende nun
die normale Verwendungsweise dieser Stellungen, so kann unter Umständen
auch eine Armee in die Lage kommen, die ständigen Linien unmittelbar
zu benutzen. Hier treten Gelände- und Ortsbesitz in zweite Reihe, die
Truppe hat den Vortritt. Es handelt sich dann gewissermaassen um eine
permanente Schlachtfeld- (Positions-) Verschanzung, wie es z. B. die
Linien von Torres Vedras, die Danewerke, die Düppelstellung in pro-
visorischer Ausführung waren, wie es bei Ländern, die ihre Landes-
befestigungen auf bestimmte Angriffsvoraussetzungen und Ideen, gewissermaassen operativ, aufgebaut haben, auch mit ständigen Anlagen, so
z. B. in Frankreich mit seinen Sperrfortsketten und Intervallgruppen,

Holland mit seinen Linien, wie es bei den oben angeführten Anlagen
Russlands der Fall sein kann. Dies hat für die Führung aber unter
Umständen grosse Gefahren, die Vertheidigungslinien können zur Fessel,
ja zur Falle werden.

Wenn dagegen sich gelegentlich, innerhalb der Kriegführung, im
Laufe der Feldoperationen der eine Theil dem Begegnungsverfahren versagt, also unvorhergesehen eine defensive Haltung einnimmt, den feindlichen Angriff erwarten will, dabei womöglich nicht im freien Felde auf-
marschirt, sondern in seiner augenblicklichen Unterlegenheit sich an ein
Geländehinderniss anklammert, sich den Besitz der beherrschenden Punkte
sichert, alle natürlichen Vortheile der betreffenden Oertlichkeit zum eigenen
Schutz ausnutzt und, wo die Natur nicht alles Erforderliche leistet, die
Verschanzungskunst zu Hülfe ruft, um seine Kräfte zu vervielfältigen, die
an sich überlegenen feindlichen zu zerstören — da entstehen vorbereitete
(Feld-) Stellungen, mit denen wir uns hier und zwar vom vorwiegend
operativen und taktischen Standpunkt beschäftigen wollen. Charakteristisch
ist also, dass nicht die Kriegsvorbereitung, sondern der Gang der Feldoperation
sie schafft, dass die aktive Sturmfreiheit, d. h. das Feuer lebender Kräfte, die
Schmiegsamkeit an die Kriegslage und das in der Hand einer umsichtigen
und thatkräftigen Führung gerade heute dem Angriff gegenüber so wichtige
Ueberraschungsmoment die fehlende materielle und passive Sicherheit
ersetzen muss. Daher bedürfen diese Stellungen zu ihrer Vertheidigung
aber auch erheblicher Theile der Feldarmee und verlieren ihren
Werth und werden aufgegeben, sobald diese ihren Bereich verlässt, denn
wenige und minderwerthige Truppen (Besatzungen) vermögen sie wegen
ihrer Ausdehnung und nicht ausreichender passiver Stärke nicht zu behaupten. Der Ortsbesitz ist nicht Zweck, sondern nur Mittel zur Erreichung
der Gefechtsabsicht des Führers. Die beabsichtigte Widerstandsdauer ist
gegen die der von langer Hand her geschaffenen Stellungen natürlich eine
geminderte. Diese militärischen Unterschiede bedingen daher auch den
äusseren, mehr technischen Unterschied in der Bauart. Die hierbei angewandten künstlichen Geländeverstärkungen werden aber in den taktisch
und technisch mannigfaltigsten Abstufungen und Formen vorkommen, je
nach Kriegslage, Absicht, Truppenstärke und vorhandenen Mitteln. Es
muss daher auch eine stetig zunehmende Verstärkung der in kurzer Frist
vertheidigungsfähigen Anlagen bis zu dem im Felde überhaupt erreichbaren
Grade möglich sein, ohne dass die einmal gewonnene Vertheidigungs-
fähigkeit zeitweise durch die Vertheidigungsarbeiten wieder verloren ginge.
Die flüchtigen, in wenigen Minuten bis zu 24 Stunden oder wenigen
Tagen auszuführenden Feldbefestigungen, die höchstens gegen Feldgeschütz-
feuer sichern, müssen sich zu den stärksten, in mehreren Tagen bis zu
1—2 Wochen selbst herzustellenden Feldwerken ausbauen lassen, welche
einer längeren Beschiessung aus Feld-, einer vorübergehenden aus beweglichen Belagerungsgeschützen zu widerstehen vermögen. Besonders wird
dies natürlich im Festungskriege nothwendig werden. Den Hauptwider-
stand hat aber hier wie in allen Kriegsfällen die militärische Tüchtig-
keit von Führung und Truppe zu leisten.

Geht, wie in den alten Zeiten der Stellungskriege es meist der Fall
war, der Zweck des Vertheidigers dahin, sich dem Gegner ganz zu versagen, ihm eine andere Entscheidung als die Schlacht aufzuzwingen,
handelt es sich also nicht um einen entscheidenden Waffenerfolg, sondern
um blosse Verhinderung der feindlichen Operation oder reinen Zeitgewinn, so entstehen möglichst »unangreifbare« feste Stellungen, wie

es z. B. einst die festen Linien und die allein oder in Verbindung mit Festungen feldmässig angelegten verschanzten Lager waren.

Will man dagegen die Entscheidung suchen, also den Feind zum Angriff reizen und ihm nur unter möglichst vortheilhaften Bedingungen entgegentreten, so vermeidet man, zumal in der heutigen Zeit des Bewegungskrieges, solche Stellungsreiterei und wählt ein Schlachtfeld mit durch Natur und Kunst gesteigerten Vortheilen, die aber nicht übertrieben sein dürfen, damit nicht etwa der Gegner sich versagt und zu Umgehungen veranlasst sieht — dann handelt es sich um Schlachtfeld-Verschanzungen, d. h. mit Mitteln der Feldbefestigung vorbereitete Stellungen, in denen man mit voll entwickelten Kräften sich nicht nur abwartend zu vertheidigen sucht, sondern viel mehr noch die Möglichkeit eines Gegenangriffs mit den Hauptkräften anstrebt und erhält.

Die festen Stellungen dienen also der reinen Abwehr; man will sichern, nicht sich in ihnen schlagen. Zuweilen sollen sie nicht bloss Truppen decken, sondern auch einen bestimmten Raum schützen. Hierdurch und durch geschickte Naturlage (steile Erhebungen, ebene Schussflächen) sowie den grösseren Aufwand an künstlichen Mitteln bilden sie vielfach den Uebergang zu den von langer Hand vorbereiteten, der örtlichen Vertheidigung dienenden und, wo der Angriff unumgänglich, durch stärkere Angriffsmittel zu bekämpfenden Vertheidigungslinien. In früheren Zeiten waren sie die Regel. Da fiel Truppenlager und Vertheidigungsstellung zusammen. Man liess keinen Zugang offen, um die hinter den Verschanzungen stehenden Heerestheile anzugreifen. Daher wurden diese Stellungen meist in Verbindung mit der Castrametation (Lagerabsteckung), auch wissenschaftlich, behandelt, und selbst Macchiavelli, Frönsperger, Stevins, Doergens u. A. verfuhren noch so. Dem Festungsbau entlehnte Formen, meist zusammenhängende Linien, welche die passive Vertheidigung begünstigten, waren üblich. Das Lager von Alesia ist ein typisches Beispiel ältester Zeit. Schon mit erheblichen Einschränkungen darf das »Lager« von Bunzelwitz genannt werden, und nur sehr bedingt ist in neuerer Zeit Plewna und zwar erst in der zweiten Kriegsperiode, als Osman gänzlich auf Ausnutzung seiner Siege verzichtet hatte, als berühmtes Beispiel der Idee nach anzuführen. Heutzutage werden solche der reinen Abwehr dienenden festen Stellungen, wenigstens in Kulturländern, eine seltene Ausnahme bilden, schon allein, weil sich durch die Natur geeignete Gegenden dafür nicht so leicht finden und daher der Aufwand an künstlichen Mitteln ungeheuer wäre. Noch mehr aber aus operativen Gründen. Das reiche Strassennetz erleichtert, da die Ausdehnung doch nur eine verhältnissmässig geringe sein kann, die blosse Beobachtung, die Umgehung oder die strategische Umfassung und taktische Vernichtung. Man wird sie daher nur noch anwenden, wo entweder behufs Zeitgewinn eine Umgehung herbeigeführt werden soll, oder auch da, wo infolge ihrer örtlichen Lage oder der strategischen Bedeutung eine solche ausgeschlossen und der Angriff unumgänglich werden muss und sich verbluten soll. In leichteren Formen bei Arrieregarde-Gefechten benutzt, wo sie aber das Ablösen der Truppen vom Feinde (durch Decken des Geländes hinter der Front) begünstigen müsse, können diese Stellungen durch kräftige Fronthindernisse, noch mehr aber durch starke Flanken (ungangbares Gelände oder feste Punkte), Schwierigkeit der Umgehung und Möglichkeit einer schrittweisen Behauptung von Stützpunkt zu Stützpunkt der hartnäckigsten Vertheidigung dienen, wie sie z. B. am Endpunkt einer Rückzugsdefensive und namentlich im Festungskriege häufig ist. Da sollen ja die besetzten Linien auf längere Zeit mit geringen Kräften gehalten werden, bis die in Ruhe befindlichen Unterstützungen zum Eingreifen bereit sind. Dann werden die Anlagen durch ausgedehntere Anwendung von Hindernissen, umfangreiche Schutzmaassregeln gegen Artilleriefeuer, geschlossene Befestigung, wenigstens einzelner Gruppen, nach allen Seiten für den einfachen Feldangriff allerdings unüberwindlich werden.

Während nun solche Stellungsreiterei in der Mehrzahl der Fälle den Feind vom taktischen Angriff abhalten soll und wird, wollen die Schlacht-feld-Verschanzungen gerade die Operationen zum Stillstand bringen. Bei ihnen überwiegt das taktische Element. Sie wollen oft, wie bei Auster-litz, durch eine scheinbare Schwäche den Feind zum Vorgehen in leicht erkennbarer Richtung verleiten. Sie müssen die angriffsthätige Ver-theidigung begünstigen, durch die dem Feinde ein womöglich den Feldzug entscheidender Schlag beigebracht werden kann. Die sichere Anlehnung der Flügel fehlt fast immer, nur ein Theil der Front wird verstärkt, um dort Truppen zu sparen und sie auf dem anderen, dem eigentlichen Schlachtfeld, anhäufen und verwerthen zu können. Das erste Beispiel eines verschanzten Schlachtfeldes in der Kriegsgeschichte gab der Marschall von Sachsen in der Schlacht von Fontenay 1745, indem er eine Stellung in der Weise befestigte, dass er darin angegriffen werden und eine Schlacht liefern wollte. Er vermied nämlich die dem Festungsbau entlehnten zusammenhängenden Linien und setzte seine Befestigungen aus einzelnen kleinen, sich gegenseitig vertheidigenden Werken zusammen, welche die Vertheidigung zwar unterstützten, den Truppen aber nicht die Bewegungs-freiheit raubten. Auch im Festungskriege, so vor Mastricht 1748, wandte der Feldherr diese Befestigungsweise an, welche sich in den nieder-ländischen Befreiungskriegen herausgebildet hatte, und die man die oranische*) nennen darf. Dadurch wirkte er bahnbrechend, denn die kommenden Kriege wandten wenigstens die Formen seiner Verschanzungs-weise an. Auch Friedrich der Grosse wurde beeinflusst. Auch er war ein Gegner der zusammenhängenden Linien und bevorzugte den Gebrauch — nach römischer Art, wie er sagte — von einzelnen geschlossenen Schanzen (redoutes saillantes et rentrantes), wenn auch freilich mehr im Sinne der festen Stellungen als der Schlachtfeld-Befestigung. Er retranchirte seine »Lager« (nach seinen eigenen Worten), um entweder eine Stadt zu belagern oder eine difficile Passage zu vertheidigen oder um Entreprisen zu evitiren oder auch, um die Desertion zu verhindern. Aber bei ihm findet sich schon die Absicht, die Verstärkung des Geländes durch die Kunst nur als einen Zusatz zu betrachten, um das Selbstvertrauen seiner Truppe zu erhöhen, auf die es ihm vor Allem ankam. Und so zeichnen sich seine »Lager« mehr durch geschickte Geländebenutzung und geeignete Truppenvertheilung als durch technisch zweckmässige Ausführung der Werke aus. Sie bilden gleichsam den Uebergang zur Positionsbefestigung. Dies gilt auch für seine berühmteste praktische Leistung in der Feldbefestigungskunst, das gut gewählte, ihn vor der mehr als dreifachen Ueberlegenheit der gegenüberstehenden Russen und Oester-reicher rettende »Lager« von Bunzelwitz. Friedrich erwartete nicht nur mit grosser Zuversicht darin den Angriff, sondern hatte auch die Absicht, obwohl er keineswegs die Schlacht suchte, im geeigneten Augenblick gegen seine Gegner hervorzubrechen. Auch war die Stellung keineswegs unangreifbar — es fehlten also manche Momente, welche sie nach damaligem

---

*) Moriz v. Oranien deckte aber namentlich Belagerungstruppen im Rücken durch so angeordnete starke Feldbefestigungen (Gertruidenborg 1593, Rheinsbergen 1597).

Maassstabe zum »Lager« machten, man kann sie vielleicht als »Schlachten-lager« — als ein Uebergangsglied zur heutigen Schlachtfeld-Befestigung bezeichnen. Ein Suworow hätte den König auch sicher angegriffen, was Buturlin und Laudon freilich nicht wagten.

Seitdem ist in den Kriegen unseres Jahrhunderts die Feldbefestigung, namentlich aber die Schlachtfeld-Verschanzung, in allen Formen, von der flüchtigsten bis in die schwerste, bereits in die provisorische Geländeverstärkung überleitende Art der eigentlichen »Positionsbefestigung« angewendet worden, und ihr gehört auch die Zukunft, trotzdem das System der Bewegungskriege der Feldbefestigung eigentlich ungünstig erscheint. Denken wir z. B. an Gneisenaus Wolfsberg-Schanze, die Befestigungen von Warschau, Silistria und Sebastopol, an die Danewerke und die Düppel-Stellung — sie alle gehören sachlich in das Gebiet der Positions-verschanzung. Seitdem hat die Schnelligkeit der Kriegführung zwar das Begegnungsverfahren zur Regel erhoben, das den Schanzen wenig günstig ist. 1866 werden die feindlichen Feldarmeen geschlagen, Festungen kommen ebenso wenig wie starke Stellungen zur Geltung. Aber doch ist das Schlachtfeld von Königgrätz nach Anordnung des österreichischen General-Geniedirektors nach allen Regeln der Feldbefestigungskunst ver-stärkt worden, und die unvorhergesehene Bedrohung offener Orte führte bei den lang werdenden Operationslinien zu feldmässigen Anlagen hinter der Front (Dresden, Florisdorf, Schweidnitz und im Plan auch der Nuthe—Notte-Linie bei Berlin), ohne dass es zu ihrer taktischen Aus-nutzung kam. Ebenso sind die österreichischen Vertheidigungseinrichtungen vor und nach Custozza, sowie am Po und an der Etsch hervorzuheben. Auch der Krieg 1870/71 zeigt in seinem ersten Theil den nämlichen glänzenden Verlauf wie 1866, dennoch finden sich auf den Schlachtfeldern von Spicheren und Gravelotte Feldbefestigungen. Dann aber gewinnt der Krieg durch Metz und Paris sowie die Belagerungen anderer Festungen ein anderes Aussehen, er wird geradezu zum Stellungskriege, und das geplante Angriffsverfahren kommt zugleich mit dem Begegnungskampf im freien Felde je nach Bedarf gleichberechtigt vor. Dabei trat namentlich in den Cernirungen, aber auch in vielen Kämpfen im freien Felde, so an der Lisaine, die schwerste Form der Feldbefestigung und der Eintritt der Positionsartillerie in den Bewegungskrieg hervor. 1877/78 waren die Verhältnisse zwar vielfach zu eigenartig, um bindende Folgerungen zu ziehen. Der Krieg wurde monatelang in Bulgarien zum Stellungskriege, wir finden flüchtige Schlachtfeld-Befestigungen bei Trestenik, hinter der Drenska, bei Selwi, wir finden die Passbefestigungen am Schipka, wir treffen dann die berühmten Positionsverschanzungen des »Lagers« von Plewna an und sehen endlich in die Behelfs- oder provisorische Befestigung überleitende starke Ortssicherungen in den Anlagen von Tschataldscha, Adrianopel und Ruščuk (nach Bluhm-Paschas Entwürfen). Die zahlreichen Befestigungen aller Länder, besonders Frankreichs, Russlands, Deutsch-lands und Oesterreichs, versprechen zum Mindesten keine Abnahme der Kämpfe um Festungen wie befestigte Stellungen, wenn auch die Opera-tionen im freien Felde immer die Hauptsache bleiben müssen. Aber auch sie werden mehr als je zum Spaten greifen müssen, zumal die Mitführung von Brisanzgeschosse schleudernden Haubitzen, ja sogar von mobilen Belagerungs-Batterien die schwereren Feldbefestigungsformen nicht immer ausreichend erscheinen lässt. »Die Spatenarbeit wird der Waffenwirkung ebenbürtig werden.«

So streng freilich wie hier der Begriffsfeststellung wegen geschehen —

wir müssen diese Unterschiede mindestens empfinden, um Verständniss für das Wesen und den Gebrauch der künstlichen Geländeverstärkung zu bekommen — lassen sich die wirklichen Ausführungen freilich nicht immer scheiden. Sie erfüllen ja oft die verschiedensten Zwecke, und ebenso wenig wie es bei den Operationen nicht immer praktisch zu entscheiden ist, wo die Strategie endet, die Taktik anfängt, ebenso wenig lassen sich die verschiedenen Arten und Aufgaben der Feldverschanzungskunst streng sondern im Einzelfalle, die einzelnen Schattirungen fliessen vielmehr, namentlich auch bei der stärkeren Befestigungsweise, ineinander. Sehen wir schon bei Bunzelwitz, dass es ein zusammengesetzter Begriff, ein »Schlachtenlager« ist, so dürfte es vielleicht noch schwerer bei Plewna zu entscheiden sein, welcher Kategorie von vorbereiteten Stellungen es angehört. Man wird es in der ersten Periode wohl lediglich als eine feldfortifikatorische Frontverstärkung der türkischen Feldarmee — also als eine Schlachtfeldbefestigung ansehen müssen, in der späteren, wo Osman keine Neigung mehr zur Offensive besitzt und die Behauptung des Schlachtfeldes, also des Ortsbesitzes, überwiegt und die Anlagen allmählich nach allen Seiten Front machen und an Stärke der Ausführung wachsen, als eine schwere Positionsverschanzung in Form eines feldmässigen Lagers, also zu den festen Stellungen zu rechnen haben, die ähnlich wie eine Festung zur förmlichen Belagerung herausfordern. Nur den Begriffsfehler darf man nicht machen, das von einer ganzen Armee vertheidigte Plewna eine »improvisirte Festung« zu nennen und daher aus den durch die strategische Lage als Flankenstellung einer Armee und durch das russische Ungeschick erzielten Erfolgen Schlussfolgerungen zu Gunsten von »Festungsimprovisationen« im Sinne des Ersatzes der an den Ort gebundenen »unbeweglichen Festung« durch eine »bewegliche« (!) zu ziehen. Hiergegen sprechen schon allein die Erfahrungen der Kriegsgeschichte zu Zeiten, wo die Wirksamkeit der Artillerie unvergleichlich geringer als heute war. Nur, wenn in weiter Voraussicht der kommenden Ereignisse — also niemals im raschen Laufe der Operationen — so lange Zeit vorhanden, dass von einer »Improvisation« eigentlich nicht mehr die Rede sein kann, könnte, vorausgesetzt, dass die nöthigen Friedensorganisationen vorhanden, von einem Grossstaat innerhalb drei Wochen etwa im Landesinnern eine grosse Festung provisorisch geschaffen werden und allenfalls noch einige kleinere Befestigungen als Etappenplätze, Brückenköpfe u. s. w.*) Das hat dann natürlich auch nichts mehr mit Feldbefestigung zu thun, die doch für Plewna noch charakteristisch war.

Haben wir im Vorstehenden gesehen, dass die Feldbefestigungskunst, d. h. die taktisch und technisch richtige Anwendung des Spatens durch die Truppe, so alt wie der Krieg ist, so ist zu bemerken, dass sie als Wissenschaft noch verhältnissmässig jung ist. Eigentlich erst Vauban unternahm 1705 eine wirklich selbständige Behandlung dieses wichtigen Zweiges der Kriegskunst durch seinen berühmten »traité des fortifications de campagne«. Da er aber die Arbeit nicht für veröffentlichungsreif erklärte, so bildete sich im Wesentlichen erst zu Anfang der friedricianischen Zeit eine eigene Litteratur über die Feldbefestigung heraus, merkwürdigerweise, da die Blüthezeit der Anwendung des Spatens in die Tage der Oranier fällt und der Bewegungskrieg, den der grosse Friedrich im Allgemeinen führte, ihr nicht so günstig war. Der König hatte freilich viel aus den »mes rêveries« des Marschall von Sachsen gelernt, wohl dem eigenartigsten

---

*) Wagner hat das meisterhaft nachgewiesen in seinen »Provisorischen Befestigungen und Festungs-Improvisationen«.

Werk über Kriegskunst, das es giebt, und in dessen 2. Theil auch die Feldbefestigung geistreich behandelt wird im Sinne der Schlachtfeldbefestigung. Friedrich legte seine Grundsätze in den Generalprinzipien vom Kriege (1748) und in seiner Lagerkunst und Taktik (1770) nieder. Für ihn ist die Feldbefestigung »l'art de tirer le plus grand parti possible d'un terrain pour son avantage«, das Lager »un champ de bataille que vous prenez, parce qu'il le devient sitôt, que l'ennemi vous attaque« und überall sieht er die Vertheidigung in dem Gegenstoss mit allen Kräften. Da aber des Königs litterarische Aeusserungen nicht veröffentlicht wurden, von Seiten seiner in der Anwendung der Feldbefestigung besonders geschickten Gegner Daun und Lacy solche überhaupt nicht vorlagen, so ging die wissenschaftliche Behandlung dieser Kunst auf französische Seite über, bis nach dem Siebenjährigen Kriege die Deutschen wieder in den Vordergrund treten. Ich erinnere nur an Brück, dann Gaudi besonders, ferner an Gottlieb Tielke und Ludwig Müller, bei welchem die taktischen Elemente hervortraten, und dessen Ideen Gneisenau als Muster für seine Wolfsberg-Schanze dienten. Auch auf Scharnhorsts Bemerkungen über die »Verschanzungskunst, die Vertheidigung und den Angriff der Schanzen, Verschanzungen, Landstädte, Dörfer u. s. w.« im 2. Theil seines Handbuchs für Offiziere darf hingewiesen werden. Dann ist auf die Fülle von Lehren Raummangels wegen nur hinzudeuten, die sich aus der Betrachtungsweise des Krieges durch die grossen Denker Napoleon, Clausewitz, Jomini, Erzherzog Karl, Willisen u. A. auch für die Feldbefestigungskunst ergaben, da sie Alle das Gelände als ein wichtiges Hülfsmittel der grossen Operation nicht minder wie der Taktik ansahen. Da aber ihre Betrachtungsweise weder die allein mögliche ist, noch die nach allen Seiten abgeschlossene, auch eine Fülle neuer Kriegsmittel besonders auch durch die Fortschritte der Technik entstanden sind, so ist es recht beklagenswerth, dass seit diesen Arbeiten aus dem ersten Drittel des Jahrhunderts eigentlich die späteren Feldherren, die Strategen und Taktiker, die — wenigstens öffentliche — wissenschaftliche Behandlung der Feldbefestigung im Wesentlichen dem Ingenieur überlassen haben, während nur aus dem Zusammenarbeiten beider Theile etwas Vollkommenes, der Armee Nützliches, von Einseitigkeit der Auffassung in Ueber- oder Unterschätzung des Geländes und seiner Verstärkung Freies entstehen kann! Hat sich doch so Vieles seit den napoleonischen Zeiten von den damaligen Voraussetzungen ihrer Lehre und damit auch den Schlussfolgerungen verändert, so dass die der Praxis als Pfadfinderin vorauseilende Theorie neben der noch brauchbaren alten neue Wege suchen musste. Und wenn eine Waffe, so ist es die erst im Gebrauchsfalle geschmiedete Geländeschutzwaffe, welche rechtzeitig ihre »Taktik« ausbilden muss, damit sie ihrer Natur gemäss richtig gehandhabt und sachgemäss in den allgemeinen Operations- und Schlachtrahmen eingepasst werden kann.

Da ist es nun auf das Freudigste und Dankbarste zu begrüssen, wenn ein so erfahrener und weitblickender hoher Truppenführer wie der General v. Schlichting, der in seinem Leben wiederholt in hervorragender Weise, theoretisch und praktisch, sein volles Verständniss der Bedeutung jeder Art von Geländeverstärkung für die Kriegführung öffentlich bekundet hat, der Armee und der Wissenschaft die Schlussergebnisse seines Nachdenkens über vorbereitete Stellungen und den Angriff auf solche in seiner geistvollen Art und in geläuterter knapper Form giebt. Wir können an diesen scharf gedachten und gut begründeten Urtheilen um so besser unsere eigenen Ansichten klären und kontrolliren, als die neuere Kriegs-

geschichte bisher, keine Beispiele eines Kampfes um solche mit modernen
Mitteln verstärkte Stellungen bietet, und als der General durchaus auf
dem Boden unserer von Moltke und seiner Schule geschaffenen Dienstvorschriften steht, wie sie neu aus den Erfahrungen der letzten Kriege
erwachsen sind, die daselbst gegebenen Gesetze nur von dem höheren
Standpunkt der allgemeinen Gefechtsorganisation betrachtet und die
einzelnen Satzungen daher aus dem elementaren auf das höhere Truppen-
führungsgebiet überträgt. Moltkescher Geist weht daher auch in dem
eben erschienenen III. Theil seiner »taktischen und strategischen Grundsätze
der Gegenwart«, der von der »Taktik im Dienste der Operationen« handelt,
also im Wesentlichen vom Gebrauche des Gefechts zum Zwecke des
Krieges, der stets oberstes Gesetz bleibt, weshalb ein Feldherr zwecklose
Gefechte vermeiden muss. Auch in diesem, das schöne Werk zu einem
organischen Ganzen abrundenden Schlussbande, sucht der General die
Brücke zwischen Vergangenheit und Gegenwart herzustellen. Konnte noch
Jomini behaupten, dass die Strategie Napoleons sogar von der Caesars nicht
verschieden sei, so erblickt v. Schlichting in den veränderten Waffen und
Operationsmitteln die Ursache zu den grössten Gegensätzen zwischen der
heutigen und der napoleonischen Zeit und zwar sowohl auf strategischem
als viel mehr noch auf taktischem Gebiet. Freilich ist hervorzuheben,
dass es zunächst auf Verständigung über die Begriffe in einer Lehre ankommt, auf den Standpunkt, von welchem aus man aus Strategie und Taktik
und die in ihren Diensten stehende Geländeverstärkung betrachtet, um die
rechte Grundlage zu einer Kritik zu erlangen, und da werden auch manche
Gegensätze zwischen heute und gestern verschwinden bezw. die Lehren
der Vorfahren mindestens als damals zeitgemäss erscheinen. Dies sei nicht
für den Verfasser der »Grundsätze«, sondern für die Leser dieses Aufsatzes
bemerkt, und daher habe ich es im Vorhergehenden auch unternommen,
gewisse Begriffe festzustellen, um nun meinen Standpunkt zu der geistvollen Lehre des Generals zu kennzeichnen und das Folgende verständlich
zu machen und an Raum zu sparen. Glücklicherweise kann ich voraus-
schicken, dass es nur Kleinigkeiten sind, in denen ich als Ingenieur einige
Bedenken vorzutragen habe, im Uebrigen, in den grossen Fragen, voll und
ganz seine erleuchteten Ausführungen zu unterschreiben vermag.

Der General*) sieht im Spaten »ein nützliches Hülfsmittel in der Hand
offensiven Geistes, den ohnehin defensiven führt er leicht zu schädlicher
Uebertreibung«, er wünscht daher für uns, denen die Offensive traditionell
ist, ein die Mitte halten zwischen dem französichen Extrem von 1870/71,
das jede im Kampfe erworbene Scholle mit grosser technischer Fertigkeit
schnell und meisterlich — aber taktisch überflüssig und in ein schädliches
Defensivverfahren verstrickend — befestigte, und dem des deutschen
Infanteristen, der Spatenleistung selbst noch vor Festungen als eine Frohn-
arbeit (!) ansah. Besonders legt v. Schlichting, weil er sich mit den
Operationen beschäftigt, den Schwerpunkt auf das Kräftesparende der
künstlichen Geländeverstärkung.

Schon in den einfachsten Lagen wird, dem Sinne der F. O. I, 128
gemäss, welche bezüglich der Sicherungsanstalten einer nach zurückgelegtem
Marsche Halt machenden Truppe, die am nächsten Tage weiter marschiren
will, sagt, sie »muss sich mit den einfachsten Maassnahmen begnügen«,
die Ausführung von Geländebefestigungen flüchtigster Art sich empfehlen.

_____
*) Ich folge nun in grossen Zügen in einer von mir gewählten Disposition und
Reihenfolge seinen wesentlichsten Ausführungen, zum Theil mit seinen eigenen Worten
und gebe meine Urtheile und Ansichten dabei.

Da muss die Selbstthätigkeit der Truppe den Absichten der höheren Führung entgegenkommen und sich rechtzeitig zu nachdrücklichem Widerstande durch einfachste, aber rasch und am wichtigsten Platz auszuführende Anlagen befähigen. So entsteht der Bedarf an Spatenarbeit gelegentlich, aus und nach dem Gefecht. Er kann sich aber auch schon vor Kampfbeginn ergeben, also vorbereitete Ausführungen umfassen, sofern anerkannt wird, dass die Behauptung des eingenommenen oder erreichten Punktes, weil man weder vor noch zurück kann, bis zum Eingriff der Gesammtoperation nothwendig ist. Je länger dann der passive Widerstand zu leisten ist, um so besser gewählt und stärker müssen die Befestigungsmaassnahmen sein, wieder der F. O. I, 128 entsprechend, welche sagt: »Längeres Gegenüberstehen erfordert einen höheren Grad von Sicherung und Gefechtsbereitschaft«. Dann wird auch die Zeit zu gründlicherem Verfahren nicht fehlen, und nach dieser richtet sich dann auch das Maass der Arbeit.

Wie hier im Kleinen, so gelten dieselben Grundsätze auch auf dem grossen Schlachtfelde. Sowohl bei vor- wie rückschreitenden Operationen wird der Gefechtsgebrauch der einzelnen Theile ein sehr verschiedener sein. Bei den riesigen operativen Heeresfronten sind Kriegslagen sehr wohl denkbar, wo an einem Tage alle möglichen Gefechtsarten zur Anwendung kommen werden, die aber dennoch in einer organischen Wechselwirkung stehen müssen. Da der Zweck der Operation in erster Linie entscheidet, so kann bei der operativen Offensive ein einzelner Heerestheil, sei es, dass er auf eine ihm überlegene Heeresversammlung stösst wie bei St. Privat, sei es, dass er das Herankommen des Flügels abwarten will, wie dies in dem Sarthe-Feldzug leicht der Fall hätte sein können, selbst auf Tage zur Wahl einer vorbereiteten Stellung genöthigt sein. Sie wird aber, um einen Schlusserfolg zu erzielen, d. h. um zum vereinten Schlagen zu führen, natürlich im Zusammenhange mit der Gesammt-Heereshandlung, die in Bewegung bleibt, stehen müssen. Aber selbst bei Rückzügen wird die taktische Mischung der Handlungen ebenfalls zu Tage treten, Theile werden in vorbereiteten Stellungen Front machen, während andere angreifen u. s. w. Daher wird der Entschluss zu gelegentlicher Schanzarbeit auf dem Schlachtfelde, da eine zentrale Leitung nicht möglich, schon, weil sie verspätet und deshalb schädlich wirken würde, der Theilführung anheimzugeben sein. Die befestigte Stellung wird also ein vereinzeltes Glied in einem Schlachtganzen bilden, um an einer Stelle Truppen zu sparen, dafür an anderer mit überlegener Offensive aufzutreten. Ich möchte mir aber erlauben, darauf hinzuweisen, dass je mehr beide Theile heute ihre Absichten verschleiern, je weniger ausserdem zentrale Leitung auch beim Angreifer sich fühlbar macht, zumal er schon von weit her seine Operationen einleiten wird, um so weniger wird es für den Vertheidiger möglich sein, sein Schlachtfeld in ein Offensiv- und in ein Defensivfeld von Hause aus zu gliedern und einzurichten. Auch das Gelände selbst giebt nicht mehr in dem Maasse den Anhalt wie früher, nachdem gerade die Ebene mit ihren kahlen Schussflächen solche Vertheidigungskraft erlangt hat, das bewegte Gelände, das sich sonst zu schönen Befestigungen so gut eignet, dagegen ein bevorzugtes Angriffsfeld geworden ist. Dazu kommt, dass es im Wesen der Befestigungskunst liegt, dass ihre Arbeiten Zeit verlangen, was bei der Schnelligkeit der heutigen Kampfhandlungen doppelt ins Gewicht fällt. Deshalb möchte ich es doch im Gegensatz zu General v. Schlichting und unseren Vorschriften befürworten, dass der taktisch-technischen Urtheilskraft des Pioniers öfter anheimgestellt werde, ob er

gegebenenfalls seine Einrichtungen vorbereiteter Stellungen nicht doch für
verschiedene Fälle, d. h. für einen Gebrauch à deux mains treffen will,
noch ehe die Angriffsrichtung erkannt ist; die Truppen muss man so lange
zurückhalten, nicht aber die Befestigung. Das darf durchaus nicht dahin
ausarten, dass die Absichten der Führung beherrscht, die Bewegungsfreiheit gehemmt wird. Der Leiter des Spatens, der Pionieroffizier, ist
nicht der Knecht, sondern ein treuer Diener und Helfer des Führers
und soll daher oft die Absichten seines Herrn und Meisters errathen, ihnen
helfend zuvorkommen, sie oft auch anregen. Wartet der »Spaten« in
jedem Fall das heute sich sehr spät zeigende Erkennen der Angriffsrichtung
und das Aussprechen der Absicht ab, so wird es oft zu spät sein, ihn in
Bewegung zu setzen oder seine Arbeiten zu vollenden oder — besonders
bei kleineren Abtheilungen — etwas Widerstandsfähiges zu leisten. Unter
allen Umständen muss das friedricianische »raisonner sa position«, das
Hineindenken in die möglichen Lagen stattfinden, schon aus Rücksicht auf
die Oekonomie der Kräfte, um Wichtiges von Unwichtigem zu scheiden.
Besonders wird die Sorge um Freilegen des Schussfeldes den Pionier beschäftigen müssen. Bei widerstandsfähigeren Stellungen müssen auch die
Anlagen nach verschiedenen Richtungen mindestens disponirt, der Bedarf
ermittelt und sichergestellt werden. Wie weit dann die Arbeiten ein-
zuleiten, der Spaten in die Hand zu nehmen ist, ehe die feindliche Angriffsfront erkannt ist, entscheidet der Einzelfall. Besonders im Festungskriege wird ein solches Verfahren oft geboten sein. Es erfordert freilich
eine richtige taktische Erziehung des Ingenieuroffiziers, ferner eine
richtige Erziehung der Truppe, leichten Herzens im Schweisse ihres Angesichts ausgeführte Arbeiten aufzugeben, Gräben nicht zu besetzen,
sich nicht organisch mehr mit ihnen wie mit dem Gelände überhaupt verbunden zu fühlen als mit dem Verlauf der Gefechtshandlung, denn die
Durchführung des Gefechtszwecks steht höher als die Ausnutzung des Geländes und seiner Verstärkungen. Endlich erfordert es
Einsicht und Thatkraft der oberen Führung, solche Schützengräben u. s. w.
nöthigenfalls als nicht vorhanden zu betrachten, sie jedenfalls nicht eher
mit entwickelten Gefechtsfronten zu besetzen, als der Angriff dazu nöthigt.
Ich mache nebenbei auch auf die moralischen Wirkungen aufmerksam, die
vorhandene Schanzarbeit ausübt. Sowohl giebt sie der Truppe Selbstvertrauen, als übt das Gerücht ihres Vorhandenseins oft den Einfluss, den
Feind vom Angriff abzuhalten, wie dies 1870 z. B. mit unseren südlich
von Orléans ausgeführten Arbeiten der Fall war. Wo also unter Umständen letzterer Zweck beabsichtigt ist, hilft das Befestigen ebenfalls sehr.
Muss der Feind aber die Stellung haben, so schrecken ihn selbst solche
Anlagen nicht, er verfährt höchstens planvoller. Nicht dem unnöthigen
Schanzen rede ich das Wort, das thut kein Pionier, der die Arbeit kennt,
sondern dem weisen und ruhigen Ausdenken der Lage, der Vorstellung,
des geistigen Bildes von der voraussichtlichen Kräfteverwendung und der
rechtzeitigen technischen Vorbereitung und erforderlichenfalls auch
Ausführung von Befestigungen, auch wenn die Absicht und Angriffsrichtung noch nicht sicher feststeht, und, wenn die Anlagen nicht benutzt
werden sollten, — aus Rücksicht auf die Oekonomie der Kräfte und das
rechtzeitige Fertigstellen der Anlagen.*)

In der Regel wird, wie General v. Schlichting ausführt, solche Spatenarbeit auf einem der Flügel ihren Platz finden, um ihm erhöhte Unnah-

---

*) In Frankreich und Italien beginnt man mit den Verstärkungsarbeiten gleich
nach der Erkundung durch den Führer, in der Schweiz, »wenn man über die Art,
wie man vertheidigen will, sich klar geworden ist«.

barkeit für die Schlachtdauer zu geben und dabei gleichzeitig dem anderen eine grössere Manövrirfähigkeit zu sichern, d. h. die Fähigkeit zur Umfassung zu erhöhen. Greift dann der Feind dennoch den verstärkten — und namentlich auch mit Artillerie wohl ausgestatteten — Flügel umfassend an, so bedarf er dazu erheblicher Kräfte, so dass auch für diesen Fall unser Offensivflügel leichteren Erfolg hat. Seltener dagegen wird das Zentrum einer Kampffront befestigt werden, weil heute Durchbruchsversuche erheblich an Aussicht eingebüsst haben.

So erscheint der Widerstand in Stellung für einen einzelnen Heerestheil also nur auf Zeit und in Verbindung mit der Gesammt-Offensivoperation aussichtsreich, in der grossen Feldschlacht muss künftig das Angriffsverfahren mit der Abwehr Hand in Hand gehen. Sache des Taktikers wird es dann sein, den richtigen Platz zu wählen, und die des Ingenieurs, zu den nöthigen Schlachtfeldverstärkungen die Mittel flüssig zu machen und rasch anzusetzen.

Die Stellungsreiterei dagegen, wie sie z. B. Bazaines Unterschlüpfen in der Lage von Metz war, erklärt der General mit vollem Recht für die schwächste, d. h. niedrigste Kriegführungsform, zu welcher die grössten Feldherren aller Zeiten nur in höchster Noth auf Zeit ihre Zuflucht genommen haben. Er leugnet durchaus nicht, dass man heutzutage die örtliche Waffenwirkung ausserordentlich zu steigern vermag. Aber er giebt mit vollem Recht zu bedenken, wie überwältigend die Operation heute mit ihren Gesammtmaassnahmen auf zentrale Lagen, einzelne Punkte und eingeschränkte Räume zu wirken vermag, und vergleicht sehr sinnreich das Uebergewicht der operativen Mittel mit dem noch immer siegreichen Ausgang des Streits der Geschosskraft mit dem Panzer für erstere. Für den Fall freilich, wo sich eine Stellung von solchen operativen Einwirkungen frei zu machen weiss, wird sie eine ausserordentliche Stärke erlangen. Dies wäre meines Erachtens z. B. in Flankenstellungen meist der Fall, auch da, wo der Gegner nicht breit genug basirt ist, um konzentrisch zu umfassen, oder wo es ihm nicht gelingt, die rechtzeitige Vereinigung der operativ getheilten Gesammtkraft auf dem Schlachtfelde herbeizuführen oder geographisch-örtliche Verhältnisse, grosse natürliche Hindernisse ein Ueberschreiten auf bestimmte Richtungen verweisen, die dem »Positionsreiter« dann günstig werden, indem er sich in den Besitz der betreffenden Uebergangspunkte setzt u. s. w. Dann wird der Besitz solcher beherrschenden Stellungen zweifellos den Angriff zu Mitteln besonderer Art nöthigen, um sich die Feuerüberlegenheit zu verschaffen, ohne welche an ein Gelingen des Sturms nicht zu denken ist.

Mit Recht spricht aber der General die Ueberzeugung aus, dass für die deutsche Armee der Gebrauch solch passiver Vertheidigungsformen — sofern es sich nicht um Behauptung einzelner Punkte im Zusammenhang mit der Feldoperation handelt, wofür er Trautenau als lehrreiches Beispiel anführt — auch künftig ausser Betracht bleiben wird. Da aber unser wahrscheinlicher Gegner wie 1870 so wohl auch künftig uns mit solcher Positionsreiterei entgegentreten wird, so wird es Pflicht für uns, dass wir uns eingehend damit beschäftigen, wie wir am zweckmässigsten und mit den geringsten Kraftverlusten ihr begegnen und sie überwinden können. Die Grundgesetze dafür giebt Theil II, 82 des Infanterie-Exerzir-Reglements. Der Feldangriff wird sich dafür mit einer zweiten Staffel von ihn verstärkenden Mitteln — Stellungs-(Steilfeuer-)Geschützen bezw. fahrbare Panzerlaffeten*) zu versehen haben, welche man im Bedarfsfalle rascher heranziehen kann als die Belagerungstrains. Da das aber zu grosse Gewichte

---

*) 12 cm Haubitzen bezw. 3,7 und 5,3 cm Kaliber.

sind, welche unsere auf das Begegnungsverfahren als das die grössten Erfolge versprechende und daher normale, zugeschnittenen raschen Heeresbewegungen unnöthig beschweren und verlangsamen würden, da es überdies sehr zweifelhaft ist, ob bei den vielen Reibungen, die der Aufmarsch zum Kampfe ohnedies mit sich führt, gelingen wird, diese auf Tagesmarschabstand von der Spitze entfernten besonderen Formationen rechtzeitig vorzuziehen und vom richtigen Platz wirken zu lassen, so muss ich dem General durchaus und freudig zustimmen, wenn er die Operation selbst damit nicht belasten will. Denn Schnelligkeit der Entwickelung zum Kampf ist oberstes Gesetz, und wer darin heute überlegen ist, hat schon den halben Sieg errungen. Es ist daher, zumal die Gesammthandlung der Operation heute das Uebergewicht giebt, unbedenklicher, lieber auf das Eintreffen der die Eindeckungen einschlagenden Steilfeuergeschütze zu warten, als solche Lasten immer und oft unnöthig mitzuschleppen oder die Theilführungen durch das Vorhandensein von Panzerlaffeten zur Stellungsreiterei zu verführen. Dadurch wird freilich der »beweglichen« Festung, die man sich aufbaut, wo man sie braucht, ebenfalls das Urtheil gesprochen.

Nur ungern nehme ich hier von dem geistvollen, eine Fülle der Anregungen bietenden Buche Abschied und muss es, schon Raummangels wegen, einem späteren Aufsatze überlassen, näher auf den Kampf um vorbereitete Stellungen einzugehen, wie ihn der General auf Grund unserer Dienstvorschriften in ausführlicher, klarer und reizvoller Weise charakterisirt und durch ein sehr gelungenes praktisches Manöverbeispiel mit Plan höchst anschaulich erläutert.

Das Werk sei den Kameraden zur sorgfältigen Durcharbeit und eingehendstem Studium ans Herz gelegt. Es erleichtert die Lösung des wichtigsten und schwierigsten Problems der Befestigungskunst, der künstlichen Geländeverstärkung im Verlaufe der Operationen, und flicht ein starkes Freundschaftsband zwischen Taktiker und Techniker.

W. Stavenhagen.

Die Radfahrtruppe der Zukunft.

Von Julius Burckart,
Major im Königlich Bayerischen 3. Feldartillerie-Regiment »Königin Mutter«.

(Schluss.)

III. Wozu Radfahrtruppen?

Soeben lese ich in der Zeitung:

»Paris, 9. Mai 1899. — Zwei Radfahrer-Kompagnien schuf Kriegsminister Freycinet noch am Tage vor seinem eben erfolgten Rücktritt, und zwar für das 6. und das 20. Armeekorps. Jede Kompagnie umfasst 125 Mann, nämlich 5 Offiziere (1 Hauptmann, 4 Leutnants), 20 Unteroffiziere (darunter 2 Trompeter, 4 Mechaniker) sowie 100 Gemeine; ausserdem 2 Wagen und 2 Pferde. Die Kleidung ist die der Alpenjäger, jedoch mit Käppi; die Ausrüstung: Artilleriekarabiner mit Bajonett. Als Garnisonen sind Saint-Mihiel bezw. Lunéville bestimmt. Räder: Modell Gérard.*)

Saint-Mihiel und Lunéville! In unserer nächsten Nachbarschaft! 30 km von der Grenze! Für Radfahrer eine Entfernung von kaum 2 Stunden! Da müssen wir sie aber rasch mobil machen — in Gedanken wenigstens — unsere »Radfahrtruppe der Zukunft«.

---

*) Nun muss ich aber gleich zurücknehmen, was ich in der Einführung zu den vorliegenden Betrachtungen über die Zurückhaltung der französischen Heeresleitung dem Gérardschen Projekt gegenüber gesagt habe.

Schon sehe ich skeptische Stirnen sich runzeln in Voraussicht des ausschweifenden Gedankenspiels, das sich unter dieser imaginären Bezeichnung enthüllen wird. Aber diese Bezeichnung ist gar nicht von mir. Ich habe sie entlehnt. In v. Löbells Jahresberichten ist sie zu lesen: Jahrgang 1897, Seite 332 Zeile 24 von unten. Und was ich darüber zu sagen haben werde, ist aus ganz reellen Ergebnissen gezogen. Drum »Soyons sérieux!« wie Gérard sagt.

Ich komme zu meinem eigentlichen Thema. Da ich der Verständlichkeit halber in den früheren Abschnitten schon Manches davon verrathen musste, kann ich mich jetzt kürzer fassen.

Ehe man über Verwendung und Organisation von Radfahrtruppen Betrachtungen anstellt, muss man sich eine Reihe von Vorfragen beantwortet haben. Wird ein Fahrrad, so ein leichtes, empfindliches Ding, überhaupt einen Feldzug aushalten? Welche Anforderungen darf man an Radfahrer-Abtheilungen in Bezug auf Bewegungsfähigkeit und Marschleistung stellen? Wie stark werden solche Abtheilungen sein können? Ist es möglich, dass sie sich während der Bewegung selbständig sichern? Und endlich: ist es möglich, und unter welchen Voraussetzungen, dass sie fechtend auftreten können? Nicht nur die theoretische Betrachtung, auch die praktischen Versuche in den verschiedenen Heeren selbst, bei Manövern und in Vorbereitungskursen, haben diese Fragen in der verschiedenartigsten, oft widersprechendsten Weise beantwortet. Den Grund zu dieser Erscheinung und wie dem abzuhelfen wäre, habe ich eingangs dieser Studie angedeutet. Ich will nun versuchen, diese Fragen auf Grund der bei den bayerischen Abtheilungen gewonnenen Erfahrungen zu beantworten. (Die Ergebnisse ähnlicher Versuche im deutschen Heere und anderwärts finden nur insoweit Verwerthung, als sie mir aus eigener Anschauung oder aus einwandfreien Berichten bekannt sind.)

Ob ein Fahrrad einen Feldzug aushalten wird? — Jedes Fahrrad, das in all seinen Theilen solid ist, hält selbst bei angestrengtester Ingebrauchnahme Jahre lang, wenn — es tadellos gefahren und während und nach der Fahrt mit Verständniss und Sorgfalt behandelt wird. Es bedarf wohl keines Beweises, dass beim militärischen, beim Feldzugsgebrauch des Fahrrades diese Anforderungen im höchsten Maasse erfüllt sein müssen. Die volle Gewähr dafür, dass Militärfahrräder jenes höchste Maass von Solidität und ausserdem noch die für militärischen Gebrauch besonderen Eigenschaften besitzen werden, wird man meines Erachtens nur dann haben, wenn man die Räder von einer einzigen bewährten Fahrradfabrik und zwar für das ganze Heer nach einheitlichem Modell bezieht. Dass sich der Militär-Radfahrer aber die zur kriegsbrauchbaren Erhaltung seines Rades unerlässliche Fahrsicherheit, Kenntniss und Sorgfalt in der Behandlung aneigne, dürfte nur eine einheitliche Ausbildung der Radfahrer in festorganisirten Verbänden ermöglichen. Erst bei Erfüllung dieser Forderungen getraue ich mir die Frage, ob ein Fahrrad einen Feldzug aushalten werde, zu bejahen. Eines kann aber schon heute mit Bestimmtheit behauptet werden: die auf Pneumatikschäden zurückzuführenden Marschabgänge von Radfahrer-Abtheilungen werden gegenüber den statistisch festgestellten prozentualen Abgängen der Fusstruppen durch Fusskranke, der berittenen Waffen durch lahme Pferde verschwindende sein.

Welche Anforderungen darf man an Radfahrer-Abtheilungen in Bezug auf Bewegungsfähigkeit und Marschleistung stellen?*)

---

*) Ich verweise hier auch auf den Artikel: »Marschleistungen von Radfahrertruppe« (Militär-Wochenblatt 1898 Nr. 29). Dieser Aufsatz, von einem der zu den bayerischen Kursen kommandirten Offiziere geschrieben, giebt treffend die dabei gewonnenen Erfahrungen wieder.

Eine systematisch und gründlich ausgebildete Radfahrer-Abtheilung kann
unter mittleren Wege- und Witterungsverhältnissen in derselben Zeit etwa
den 4fachen Weg zurücklegen, wie die Infanterie, den doppelten wie die
Kavallerie: das ist 15—16 km in der Stunde. Als durchschnittliche Tages-
leistung darf man ihr das 4fache eines normalen Tagemarsches der Infanterie, das Doppelte eines solchen der Kavallerie, also 80—100 km
zumuthen. (Einzelfahrer und kleinere Gruppen können noch grössere
Geschwindigkeiten und grössere Tagesmarschleistungen erzielen.) Radfahrtruppen als ganze Körper sind hauptsächlich an Strassen und Wege
gebunden, die das paarweise Nebeneinanderfahren gestatten;
ich rechne hierzu noch Bahnlinien.*) Dagegen können sich Einzelfahrer und kleinere Gruppen (Seitendeckungen, Patrouillen) für kürzere
Strecken sehr wohl auch ins Gelände wagen; sie finden da fast immer
schmale Pfade, Waldwege, fahrbare Streifen an Wiesen- und Wald-
rändern u. s. w. Schlammbedeckte Strassen, Schnee bis zu einer Handbreit Höhe verbieten das Fahren noch lange nicht, wenn nur der Untergrund der Strasse fest ist. Starker Gegenwind, langandauernde Steigungen,
Nacht und Nebel verringern die Geschwindigkeit. Tiefer Sandboden,
aufgewühlte Lehmschichten und hohe Schneedecke machen das Fahren
zur Unmöglichkeit. Dagegen übt Glatteis gar keinen Einfluss auf die
Fortbewegung des Radfahrers aus; nur das Aufsitzen ist schwieriger.
Und gerade bei Glatteis und hartgefrorenem Boden wird man in einem
zukünftigen Feldzug gewahr werden, was man da dem Gummireifen anvertrauen darf, gegenüber dem eisenbeschlagenen Huf. Es ist wohl einleuchtend, dass diese Angaben nicht für alle Räume, so etwa der »Gegend
zwischen Paris und Petersburg« gleiche Gültigkeit beanspruchen können.
Wenn auf der einen Seite ein reichgegliedertes, von vorzüglichen Chausseen
durchzogenes Wegenetz zur Fahrradverwendung geradezu einlädt und diese
mit ziemlicher Sicherheit 9 bis 10 Monate im Jahre in voller Ausdehnung
gestattet, legen nach der anderen Richtung hin die Sandwege Ostpreussens,
die Knüppeldämme Polens, die sumpfigen und wegearmen Grenzgebiete
weiter östlich und der langandauernde Winter dem Fahrrade bedeutende
Beschränkungen auf. Dass man dort, wo man den Narew und Niemen
gegenüber steht, daher anders über Militärradfahren denkt wie am Mosel
und Maas, ist begreiflich. Aber Niemand wird ein Kriegsmittel, das dem
einen Gegner gegenüber bedeutende Vortheile gewährt, deshalb verwerfen
wollen, weil es einem anderen gegenüber nicht oder nur in beschränktem
Maasse zu verwenden sein wird. Wer daher berufen ist, in einer Frage,
wie der vorliegenden, sein Urtheil abzugeben, einer Frage, worüber noch
ziemliche Unsicherheit herrscht und der suchende Blick sich umsonst zu
der sonst immer hülfsbereiten Lehrmeisterin Kriegsgeschichte wendet, der
achte wohl darauf, dass er nicht unbewusst dahin gerathe, persönliche
und lokale Erfahrungen zu verallgemeinern.

　　　Wie stark werden nun Radfahrer-Abtheilungen sein können?
Marschall Lord Wolseley hat vor Jahren gesagt, »der Tag sei nicht mehr

---

*) Ich lege der Einübung des Fahrens auf Bahnlinien besonderen Werth bei und
werde später zeigen, warum. Hier nur Folgendes: Bahndämme gestatten fast überall
das paarweise Nebeneinanderfahren, meist auf den äusseren Rändern der Dämme,
hie und da auch zwischen den Schienen. Fast immer laufen aber Fusswege
neben den Dämmen einher, die dem Bahnpersonal zum Verkehr dienen. Auf diesen
schmalen Streifen zu fahren, ist gutgeschulten Radfahrern sehr wohl möglich. Mit
den schon mehrfach versuchten Verkoppelungen zweier Fahrräder, um auf den
Schienen zu fahren, kann ich mich für Radfahrtruppen nicht befreunden. Derartige
Verkoppelungen sind in einfacher Weise nicht herzustellen; die Verkoppelungstheile
müssen an den Fahrrädern mitgeführt werden und erhöhen daher deren Gewicht;
endlich beansprucht das Koppeln und Wiederauseinandernehmen zu viel Zeit.

fern, an dem ein mächtiges Radfahrerkorps einen integrirenden Bestand-
theil aller Heere der Welt bilden wird«, und ein andermal »dass ein
Mann, der 2 oder 3 Bataillone Radfahrer, 1 Bataillon berittener Infanterie
und ein mit Revolverkanonen ausgerüstetes Kavallerie-Regiment unter seinem
Befehl habe, die kühnsten Pläne zu verwirklichen im Stande sei«. Man
ist heute zu nüchterneren und mehr aus der Natur des Fahrrades entwickelten Ansichten gekommen. Mit seltener Einstimmigkeit bezeichnet
die heutige Militärlitteratur die Stärke von 200—250 Fahrern als höchste
zulässige Radfahrer-Gefechtseinheit. Meines Erachtens darf man sehr
wohl bis zu der bezeichneten Maximalgrenze gehen. Für die Lösung der
ihr zufallenden Aufgaben besitzt eine solche Abtheilung alsdann eine
relativ beträchtliche Gefechtskraft, und zur Abwehr eines überraschenden
Angriffs während des Marsches vermag sie — wie wir gesehen haben —
wohl immer noch rechtzeitig alle Feuergewehre in die Front zu bringen.
Es ist sehr wohl denkbar, dass man bei der Verwendung in gewissen
Fällen eine Theilung in kleinere Gruppen vornimmt. Umgekehrt ist es
auch keineswegs ausgeschlossen, dass man das eine oder andere Mal
mehrere Radfahrer-Abtheilungen zu einem einheitlichen Zweck zusammen-
fasst. Hier handelt es sich nur darum, dass sie getrennt marschiren und
sich erst dort vereinigen, wo sie kämpfen müssen, und dass sie bei einem
Rückschlag wiederum auf mehreren Wegen zurückweichen können.

Und nun zur Frage der Sicherung selbständig marschirender Radfahrer-Abtheilungen! Diese ist es ja hauptsächlich,
die so manchem theoretischen Betrachter schwere Bedenken erregt. Ich
muss deshalb hier etwas verweilen.

Die Hauptsicherung einer marschirenden Radfahrer-Abtheilung, vorausgesetzt, dass sie nur dort verwendet wird, wo sie von den Eigenschaften
ihrer Räder vollen Gebrauch machen kann, ruht — und das fühlt man
so recht erst »im Sattel« — in ihrer Schnelligkeit und der Lautlosigkeit
ihrer Fortbewegung. (Diese darf allerdings nicht durch kilometerweit
sichtbare, im Sonnenlicht verrätherisch glitzernde Maschinentheile hinfällig
gemacht werden.) Zweifellos bedarf es auch noch besonderer Sicherheitsmaassnahmen. Nur darf man nicht verlangen, dass man hier ein gleiches
Verfahren zur Anwendung bringen müsse wie bei Infanterie- oder Kavallerie-
Abtheilungen. Die Sicherung marschirender Radfahrer-Abtheilungen
erheischen neue Formen. In den mehrerwähnten Räumen, wo Radfahrer-
Abtheilungen zweckdienliche Verwendung werden finden können, wird eine
genügend weit vorgetriebene Spitze, je nach den Umständen verschieden
stark und eine angemessene Anzahl Auslugposten auf den Rücksitzen
einiger Tandems, welch letztere auf Spitze und Hauptkolonne gleichmässig
zu vertheilen sind, meist hinreichen, um Ueberraschungen vorzubeugen.
Feindliche Radfahrer-Abtheilungen sind in derselben Lage wie wir; zur
Abwehr feindlicher Kavallerie, solange nur das eigene Feuer dazu ausreicht, ist — wie wir gesehen haben — fast immer genügende Zeit vorhanden. Stärkerer Kavallerie gegenüber muss man eben nach vorwärts
oder rückwärts mit äusserster Schnelligkeit zu entkommen suchen. Was
der Radfahrer in diesem Falle selbst bei schlechtem Wege zu leisten vermag, das habe ich zur Genüge bei den Manövern gesehen. Uebrigens
sind dies meist auch nur vorübergehende Momente. Die Verfolgung einer
auf einer Strasse dahineilenden Radfahrer-Abtheilung durch Kavallerie,
die sich hierzu im Gelände mit fortbewegen muss, kann sich fast nie
über mehr als ein paar Kilometer erstrecken, ohne auf Geländehindernisse
zu stossen, die ihr ein Ziel setzen oder wenigstens den Radfahrern einen
bedeutenden Vorsprung und die Erreichung eines schützenden Gelände-

abschnitts gewähren. Dazu kommt noch, dass der Athem der Pferde bedeutend früher auslässt, als der der Radfahrer. Bei feindlicher Haltung der Bevölkerung, besonders wo diese zu Thätlichkeiten ausartet, da muss eben ein Theil absitzen und mit der Schusswaffe freie Bahn schaffen. Sind in einer Ortschaft die Wege unfahrbar oder mit Hindernissen verlegt, dann schieben die Leute einer Seite je 2 Räder und die andere Seite begleitet sie mit Gewehr in der Hand. Kleineren Bedrohungen gegenüber genügen wohl auch ein paar von den Leuten auf den Rücksitzen der Tandems abgegebene Schreckschüsse mit dem Gewehr.

Gegen ein selbständiges Marschiren von Radfahrer-Abtheilungen in Feindesland wird immer nur das Eine ins Treffen geführt, dass die Aufklärungsthätigkeit der Kavallerie im Volkskrieg an der Loire fast vollständig versagte, weil sie damals — ebenso wie es Radfahrer-Abtheilungen sein würden — auf die Strassen angewiesen war und vor jeder Ortschaft, aus der einige Schüsse fielen, Halt machen oder umkehren musste. Demgegenüber ist aber zu bedenken, dass eine im Schiessen wohlgeübte, mit einer vorzüglichen Schusswaffe ausgerüstete Radfahrer-Abtheilung von 250 Mann denn doch in ganz anderer Lage sein wird, als es damals die Kavallerie war, die zur Führung des Fussgefechts weder eine geeignete Waffe, noch die genügende Ausbildung besass; abgesehen davon, dass sich Kavallerie viel früher verräth und ein viel günstigeres Ziel bietet. v. Boguslawski meint, es sei ein Leichtes, einer vorgehenden Radfahrer-Abtheilung einen Hinterhalt zu bereiten. Wenn man aber Jemand erfolgreich einen Hinterhalt legen will, so müssen doch — abgesehen von der Bedingung, dass der zu Ueberfallende ahnungslos in die Falle geht — auch noch alle jene Momente gegeben sein, die uns das Dichterwort: »Durch diese hohle Gasse muss er kommen, es führt kein anderer Weg u. s. w.« in klassischer Kürze vor Augen geführt hat. Woher soll ein Gegner oder feindselige Bevölkerung wissen, ob überhaupt und auf welcher Strasse eine Radfahrer-Abtheilung kommen muss? Wie wollen sie das Herannahen einer solchen Abtheilung, die sich lautlos und mit 15 km Geschwindigkeit in der Stunde fortbewegt, so rechtzeitig bemerken, dass sie noch die Zeit finden, ihr unbemerkt eine Falle zu legen? Man rechne nur einmal mit Raum und Zeit! Ungünstiger ist die Sachlage, wenn eine Radfahrtruppe nach Erfüllung ihres Auftrages wieder an ihren Ausgangspunkt zurück- oder überhaupt umkehren muss. Da wird es bei feindseliger Bevölkerung wohl hie und da gerathen sein, bei der Rückkehr einen anderen, wenn auch Umweg einzuschlagen oder an unsicheren Ortschaften — wenn auch schiebend — aussen herum zu gehen. Das Abfangen einer Radfahrer-Abtheilung der Westpartei in Seligenstadt (Kaisermanöver 1897) kann wohl kaum als Beleg für v. Boguslawskis Ansicht angezogen werden. Diese Abtheilung fuhr ohne genügende Sicherung durch den Ort durch, stiess dann nach einigen Kilometern auf die Spitze einer Marschkolonne der Ostpartei und wollte nun durch Seligenstadt — dieses war ja nur »supponirt« feindlich — wieder zurück. Da sah sie sich plötzlich mitten in der Ortschaft den Rückweg von einer halben Eskadron verlegt. Dieser Fall beweist nur, dass man bei Ausserachtlassung der oben gekennzeichneten Sicherungsmaassregeln Gefahr läuft, abgeschnitten zu werden. Es beweist aber auch hauptsächlich — was ich schon wiederholt angedeutet habe —, dass eine Radfahrer-Abtheilung mitten vor einer feindlichen Armeefront, insbesondere wenn diese schon auf einen halben Tagemarsch Entfernung an die Front der eigenen Armee herangerückt ist, nichts mehr zu suchen hat. Trotz alledem glaube ich, dass sich im Ernst-

fall die Abtheilung durch ihr Feuer der halben Eskadron gegenüber durch-
geschlagen hätte, ehe von rückwärts her die gegnerische Infanterie hätte
herangekommen sein können; allerdings mit grossen Verlusten und unter
Zurücklassung eines Theils ihrer Räder. Ich bestreite keineswegs, dass
eine Radfahrer-Abtheilung selbst bei Beobachtung aller Vorsichtsmaassregeln nicht auch einmal einem geschickt angelegten oder durch den Zufall begünstigten Hinterhalt zum Opfer fallen kann. Nur darf man nicht
glauben, dass dies die Regel sein müsste. Und endlich darf man nicht
verlangen, dass gerade Radfahrtruppen gegen Ereignisse gefeit seien, die
doch auch jeder anderen kleineren, selbständig operirenden Truppen-
abtheilung zustossen können. (Detachement Boltenstern u. s. w.) Die
Gefahren, die einer Radfahrer-Abtheilung immerhin drohen, werden sich
erheblich vermindern, wo sie ihre Märsche bei Nacht ausführen oder bei
Tag dazu Bahnlinien benützen kann. Die damit verbundene Verringerung
der Geschwindigkeit wird reichlich aufgewogen durch geringere Aufent-
halte und Fahrthindernisse.

Und nun nochmals zur Bahnlinie. Die Vortheile ihrer Benützung
sind derart in die Augen springend, dass ein kommender Feldzug unsere und
des Feindes Radfahrer ganz von selbst dazu führen wird, sie auszunützen.
Bahnlinien haben keine Steigung, die der Radfahrer nicht fahrend über-
winden könnte. Auf den Zustand des Dammes übt die Witterung kaum
einen Einfluss aus. Von den schlimmen Veränderungen, die Weg und
Steg eines Kriegsschauplatzes durch den Truppenverkehr, Pferde und
Fahrzeuge aller Art erleiden, bleibt der Bahndamm völlig unberührt. Die
Bahnlinie führt viel öfter durch ungangbares Gelände, als die Wege und
Strassen, da bei ihrer Anlage ja ganz andere Gesichtspunkte in Frage
kommen; sie bietet also schon deshalb viel grösseren Schutz gegen
Kavallerie-Unternehmungen; ganz abgesehen davon, dass der Bahndamm
auch im gangbaren Gelände Kavallerie-Bewegungen Schranken setzt. Der
Bahndamm gewährt der Vertheidigung gegen Flankenangriffe die beste
Stütze und gestattet meist einen gedeckten Abzug. Die Bahnlinie berührt
Ortschaften viel weniger als die Strasse und führt nicht wie diese mitten
hindurch, sondern aussen vorbei. Die Gefahr der Begegnung mit feindlicher Bevölkerung ist daher bedeutend geringer.

Bezüglich der letzten Vorfrage, wie es möglich sei, dass Radfahrer-
Abtheilungen gefechtsmässig auftreten können, verweise ich auf meine
Ausführungen in den vorangegangenen Abschnitten.

Und nun nach alledem: Wozu Radfahrtruppen?

Auch hier hat Gérard die Antwort gegeben, die die meisten Anhänger
fand. Er sieht in dem Fahrrade einzig und allein das Mittel, die bekannte
Lieblingsidee Napoleons I. — Beigabe leicht beweglicher berittener Infanterie
an die Kavallerie — zu verwirklichen. Gönnen wir einmal einem Freunde
Gérards, einem Kavallerieoffizier, das Wort und hören wir, wie dieser uns
Gérards Pläne plausibel macht:

›L'idée était déjà ancienne de faire suivre la cavalerie par des fractions d'infanterie, à pied ou en voiture. Mais ces unités restaient uniquement de l'infanterie,
indépendante des divisions de cavalerie, qui doivent surtout rester indépendantes de
ces auxiliaires éloignés, intermittents et lourds. L'infanterie vélocipédiste créée par
le capitaine Gérard est absolument autre chose. Elle est une unité speciale, qui doit
faire partie intégrante de la division de cavalerie, au même titre que l'artillerie à
cheval. Elle est même, plus intimement que celle-ci, liée à l'existence de la cavalerie.
Elle lui est d'une utilité quotidienne, et elle demeure, sans en jamais sortir, dans la
sphère d'action de la division. Elle est son satellite fidèle, grâce à sa vitesse, à sa
mobilité, égales ou supérieures à celle de ses escadrons. Tandis que l'artillerie à
cheval ne sert guère à la cavalerie que dans le combat, l'infanterie volante du capitaine

Gérard lui peut, en effet, servir chaque jour. Cette infanterie doit, sans fatigue, verouiller et rendre inviolables les cantonnements de la division; elle donnera à ses avantpostes la solidité, la force de résistance que celle-ci ne pourrait obtenir, à un degré inferieur, qu'en y consommant beaucoup plus de monde, et en y fatiguant péniblement ses chevaux. Ces services quotidiens, on les devine »a priori«, sans qu'il soit nécessaire d'en faire la démonstration. Ils suffiraient à eux seuls à justifier et à légitimer la création de cette infanterie vélocipédiste«.

Wenn man die einschlägige Litteratur der letzten Jahre eingehend studirt, so kann man die Wirkungen der Gérardschen Ansichten auf Schritt und Tritt verfolgen. (Cette idée nouvelle ne tardera pas à germer en Allemagne, hat Gérards Freund gesagt!) Bewusst oder unbewusst hat sich die Theorie, mit wenig Ausnahmen, in Gérards Bann begeben, gerade wie er seinerseits bei Entwickelung seiner Ideen im Banne des napoleonischen Gedankens lag. Hypnotisirt durch des Letzteren Problem, verlor er den freien Blick und fragte sich nur, ob nun endlich in dem Fahrrade das Mittel gefunden sei, den napoleonischen Gedanken zu verwirklichen; statt sich zu fragen, welchen kriegerischen Zwecken mit dem Fahrrade gedient werden könnte. Und als er glaubte, dass das Fahrrad zur Verwendung nach der von ihm verfolgten Richtung immer noch nicht so recht gefügig wäre, schritt er kurz entschlossen zur Operation. Er durchschnitt es: er machte es tragbar und glaubte damit das napoleonische Problem — l'infanterie montée — gelöst zu haben. Ich hege keinen Zweifel, dass sich Gérard wohl bewusst war, dass er damit seiner Radfahrtruppe ein gut Theil von ihren besten Eigenschaften: Schnelligkeit, Ausdauer und Bewegungsfähigkeit genommen hatte. Allein sie sollte ihm ja nur zum allzeit gefügigen Satelliten der Kavallerie werden, und da konnte sie ja immer noch mitkommen. Viel mehr kann sie nun allerdings nicht mehr. Wir haben aber gesehen, dass die uns vorschwebende Radfahrtruppe noch mehr kann: dass sie die doppelte Geschwindigkeit und die doppelte Marschleistung der Kavallerie in sich birgt. Sollten diese Eigenschaften nicht noch zu mehr befähigen, als nur die Kavallerie zu begleiten? ihr Haus und Hof zu bewachen? ihre reitende Artillerie zu bedecken? ihr das Absitzen zum Fussgefecht und nächtliche Ritte zu ersparen? — von den vielsagenden »services quotidiens« ganz abgesehen. »On les devine a priori.« Soll man den in Radfahrtruppen schlummernden Kraftfaktor wirklich zur Hälfte brach liegen lassen? Sollte nicht gerade in dem Fahrrade das Mittel geboten sein, über manche Schwierigkeiten und Friktionen hinwegzukommen, die die vorauszusehende ungeheuere Erweiterung zukünftiger Kriegsschauplätze mit sich bringen wird? Sollte es nicht gerade Radfahrtruppen vorbehalten sein, dereinst Aufgaben zu erfüllen, die andere Truppengattungen überhaupt nicht oder nur mit Ueberanstrengung und Aufbietung unverhältnissmässiger Kräfte zu lösen im Stande sind? Nach diesen Richtungen mussten sich meines Erachtens die theoretischen Betrachtungen über Radfahrtruppenverwendung ausdehnen und durften nicht an einer am Wege aufgelesenen Möglichkeit sekundärer Bedeutung und an sonstigen Velleitäten Halt machen und haften bleiben, wie Gérards Projekt. Fragen wir uns deshalb nicht, ob Radfahrtruppen gerade einem bestimmten Zweck, sondern welchen Zwecken sie dienen könnten! Stellen wir mithin die Frage so:

Wo überall auf den weiten Gebieten zukünftiger kriegerischer Thätigkeit können bei voller Ausnützung der ihnen innewohnenden Leistungsfähigkeit Radfahrtruppen von Nutzen sein? Welche Existenzbedingungen müssen wir für Radfahrtruppen schaffen, damit sie in dem ihnen zugewiesenen Wirkungskreis ihre Leistungsfähigkeit auch voll ausnutzen können?

Und so sehen wir uns nun nach Erledigung jener fünf Vorfragen vor die zwei Hauptfragen gestellt. Wir erkennen, dass die letztere davon zuerst beantwortet werden muss, wenn man zeitraubende Wiederholungen ersparen will.

Um Schnelligkeit und Marschleistung ganz ausnützen und sich eintretendenfalls kritischen Lagen rechtzeitig und rasch entziehen zu können, bedürfen Radfahrtruppen freier Bahn nach vorwärts und nach rückwärts, freier Auswahl der Strassen (in bemessenen Grenzen) — und selbst freier Auswahl der Strassenseiten. Diese Bedingungen sind nicht gegeben, wenn man Radfahrer-Abtheilungen nur im unmittelbaren Anschluss an andere Truppenkörper verwendet. Sie sind hier meist an ganz bestimmte Wege gebunden. Weg und Steg und selbst die besten Strassen, wenn nur einmal die Marschkolonnen einiger Korps mit ihren Trains darüber gegangen sind oder gar Gefechte in ihrer Nähe stattgefunden haben, befinden sich in einem Zustand, der das Fahren aufs Aeusserste erschwert. Bei dieser Art Verwendung drängt sich ferner die Forderung auf, Radfahrer-Abtheilungen an Marschkolonnen vorbeiziehen zu können. Dies ist aber überhaupt nur bei Kolonnen von geringer Tiefe und auch da nur auf breiten Strassen möglich. An langen Marschkolonnen gemischter Waffen vorbeifahren zu wollen, besonders von rückwärts her, selbst wenn man zu Einem abbricht, wird meist mit einem kläglichen Fiasko der Radfahrtruppe endigen. Man vergegenwärtige sich nur all die möglichen Hindernisse, die auch auf der frei gehaltenen Strassenseite sich dem Vorwärtskommen entgegenstellen: die bekannten, für Strassenreparaturen aufgeschichteten Steinhaufen, entgegenkommende Truppen, Fahrzeuge, Meldereiter u. s. f. Nun erst gar bei Märschen vor und nach Schlachten, bei Verfolgungen, beim Rückzuge, überall da, wo die Strassen die Spuren des Kampfes tragen! Hier wird selbst bei breiten Chausseen ein Vorbeifahren an langen Marschkolonnen oft von vornherein unmöglich werden. Man bedenke aber, dass man meistens auf Strassen angewiesen ist, die von den Marschkolonnen überhaupt schon in ihrer ganzen Breite bedeckt sind.*)

---

*) Ich habe schon in meiner ersten Studie davor gewarnt, Radfahrer-Abtheilungen an langen Marschkolonnen vorbeizuziehen. Einer meiner Herren Kritiker bezeichnet diese Mahnung als unbegründet und meint, Radfahrer-Abtheilungen seien sogar leichter und mit weniger Belästigung an langen Infanteriekolonnen vorzuziehen als Kavallerie und Artillerie. Mit weniger Belästigung ›für die Infanterie‹: das gebe ich zu; aber nicht mit weniger Belästigung für die vorzuziehende Abtheilung. Wenn Kavallerie oder Artillerie vortrabt, da kündigt das Pferdegetrabe und Rädergerassel deren wuchtiges Nahen schon von Weitem an. Wie da die Infanterie, ohne Befehl, zur Seite weicht, ist bekannt. Die vorfahrende Radfahrer-Abtheilung aber kommt lautlos heran. Der einzelne Infanterist in der Marschkolonne fühlt die Nothwendigkeit, ihr Raum zu geben, nicht im Mindesten, da bei einem Zusammenstoss ja nicht er, sondern der Radfahrer der Gefährdete ist. Wie soll der Truppenführer vorn wissen oder erfahren, dass von rückwärts eine Radfahrer-Abtheilung herankommt, um rechtzeitig den Befehl zum Seitwärtstreten zu gehen? Glaubt man etwa, dass Radfahrer-Abtheilungen mit ihrem ›Glockenspiel‹ die Heersäulen zur Seite rücken können? Schon Einzelfahrer haben Mühe, an marschirenden Truppen vorüberzukommen: der Reitersmann, der auf seines Rosses Rücken in träg hinschleppender Marschkolonne dahinzieht und es als unangenehme Störung seines Nachdenkens empfindet, wenn sein Pferd das plötzliche Vorbeischwirren von Radfahrern markirt, denkt wohl selten daran, mit welcher Gefahr diese Leute hier ihren Dienst verrichten und mit welcher Nervenanspannung sie bestrebt sind, ›bald rechts, bald links, vom Steine hier, vom Sturze da, die Räder wegzulenken‹. Und nun erst Radfahrer-Abtheilungen! oder gar bei Nacht! Wenn derartige Wagnisse auch das eine oder andere Mal bei Manövern mit den kleinen Radfahrer-Abtheilungen glücken, so ist damit für den Ernstfall nur wenig bewiesen; dort wo die Marschkolonnen ins Endlose wachsen und noch eine Reihe anderer Verhältnisse eintreten, die beim ›Krieg im Frieden‹ vollständig fehlen.

Es soll damit durchaus nicht gesagt sein — wie man etwa glauben könnte — dass die bisherige Art der Manöverversuche zu verwerfen sei, weil sie diesen Forderungen im Allgemeinen nicht immer Rechnung trug. Wir können der Manöverversuche mit Radfahrern nicht entbehren, wenn wir überhaupt Erfahrungen sammeln wollen darüber, wie sich Radfahrer-Abtheilungen im Gelände bewegen und wie sie gefechtsmässig auftreten könnten. Nur muss man sich, um Fehlschlüsse zu vermeiden, immer bewusst bleiben, dass die Manöver nur ein schwaches Abbild des wirklichen Krieges geben können und die bekannten Unnatürlichkeiten sich erst für das Auftreten der Radfahrer recht geltend machen. Es ist Radfahrer-Abtheilungen bei den Manövern meist ein Leichtes, überallhin freie Bahn zu finden, ja auch unvermuthet und in kürzester Frist in Flanken und Rücken des Gegners zu gelangen. Denn sie durchstreifen — nach berühmten Mustern — meist unbewusst, mit beneidenswerther Sorglosigkeit alle Räume, die bei Freund wie Feind mit »supponirten« Anschlusstruppen und rückwärtigen Staffeln bedeckt sind. Und trotzdem sind die Manövermarschleistungen der Radfahrer-Abtheilungen — ich schöpfe hier aus reichlicher Statistik deutscher, österreichischer, französischer und russischer Quellen — im Verhältniss zu ihrer Leistungsfähigkeit ganz minimale, meist kaum an die der Kavallerie, ja oft selbst nicht einmal an die der Infanterie heranreichend. Zahlen beweisen. Ich will nur die Marschleistungen der bayerischen Abtheilungen vom Jahre 1897 anführen, die noch obendrein die höchsten sind im Vergleich mit jenen anderweitiger Versuche (soweit mir hierüber Berichte vorliegen).

	Radfahr-Detachement der Kavallerie-Division.			Radfahrer-Abtheilung des Generalkommandos I. Armeekorps.		
1.	Im gemeinschaftlichen Radfahrkurs: 1505 km.					
2.	Marsch zu den Kavallerie-Divisions-übungen:	In 4 Tagen 300 km .	Tägliche Durchschnitts-leistung . 75 km	Marsch zu den Manövern der 1. Division:	In 1 Tage 68 km .	Tägliche Durchschnitts-leistung . 68 km
3.	Während der Uebungen und kriegsmässigen Anmärsche der Kavallerie-Division:	In 11 Tagen 328 km .	Tägliche Durchschnitts-leistung . 30 km	Während der Divisions- und Korpsmanöver	In 6 Tagen 228 km .	Tägliche Durchschnitts-leistung . 38 km
4.	Während der grossen Manöver bei Homburg v. d. Höhe:	In 5 Tagen 294 km .	Tägliche Durchschnitts-leistung . 41 km	Während der grossen Manöver bei Homburg v. d. Höhe:	In 4 Tagen (am 5 Tage nicht bei dem Manöver verwendet) 292 km .	Tägliche Durchschnitts-leistung . 73 km
	Im Ganzen (einschliesslich Kurs) 2337 km.			Im Ganzen (einschliesslich Kurs) 2093 km.		

Bemerkung: Diese Zahlen, mit Kilometerzählern festgestellt, geben selbstverständlich nur die Marschleistungen der geschlossenen Abtheilungen an. Patrouillen- und Meldefahrer bleiben hier unberücksichtigt.

Wir ersehen hieraus, dass die im unmittelbaren Anschluss an die Kavallerie-Division verwendete Radfahrer-Abtheilung bei den eigentlichen

Manövern bedeutend geringere Marschleistungen aufzuweisen hatte, als jene des Generalkommandos, die verhältnissmässig selbständig war. Und auch die letztere erreichte erst bei den grossen Manövern eine Höhe, wovon man sagen kann, dass sie annähernd die volle Ausnützung der einer Radfahrtruppe innewohnenden Leistungsfähigkeit repräsentirt. Was dagegen eine nicht im Anschluss an andere Truppenkörper verwendete Radfahrer-Abtheilung zu leisten vermag, das bewies klärlich eine Patrouillenfahrt während jener grossen Manöver. Leutnant Reiss (10. Inf. Regt.) fuhr am 5. September nachmittags mit 10 Mann von Wächtersbach ab, mit dem Auftrag, die von Giessen in südöstlicher Richtung führenden Strassen zu beobachten. Er erreichte noch abends die Gegend von Wetzlar, verbarg sich in der Nacht und gelangte am 6. September frühmorgens in den Rücken der gegnerischen 15. Division, wo er bis zum 7. September verblieb und dann auf Umwegen zurückkehrte. Die Patrouille hatte in $2^1/_2$ Tagen 244 km zurückgelegt, also mehr als die Radfahrer-Abtheilung der Kavallerie-Division in der doppelten Zeit.

Ich kann in den Marschleistungen der Radfahrer-Abtheilung des Generalkommandos (73 km täglich) und in jener der Offizierspatrouille (244 km in $2^1/_2$ Tagen) durchaus keine Belege erblicken für v. Boguslawskis Behauptungen, dass (S. 32 seiner Schrift) »bei anhaltend schlechtem Wetter im Herbst« — und das war es damals gründlich — »die Leistungen der Radfahrer auf Null reduziren können« und dass »gerade die Manöver in der Wetterau seine Behauptungen über den Einfluss der Witterung vollkommen bestätigt hätten« (S. 44).

Meines Erachtens beweisen diese Manöver gerade das Gegentheil. Sie zeigen, dass nicht die Witterung es ist, sondern die durch die Verhältnisse bedingte Verwendung, die unter Umständen die Leistungen derart herabsetzt, dass sie der flüchtigen Betrachtung werthlos erscheinen.*) Gerade die oben angeführten Zahlen dürften den vollen Beweis dafür erbringen, dass die Leistungsfähigkeit der Radfahrer nur ausgenützt werden kann, wenn diese nicht im engen Anschluss an andere, insbesondere grössere Truppenkörper Verwendung finden. Jene Offizierspatrouille hatte freie Bahn, freie Auswahl der Wege, sie war allein auf der Strasse und konnte überallhin ausweichen. Und sie musste davon ausgiebigsten Gebrauch machen, denn sie stiess wiederholt auf feindliche Kavallerietrupps, denen sie nicht gewachsen war. Sie musste wiederholt Umwege machen und sich verbergen, und sie wurde in ihren Verstecken wiederholt von den Einwohnern verrathen, die damit keineswegs im Sinne der Generalidee handelten, wonach die Patrouille der landesfreundlichen Partei angehörte. Nun denke man sich statt dieser schwachen Patrouille eine Radfahrer-Abtheilung von 250 Mann. Es ist gar nicht abzusehen, warum diese nicht ebenso gut das Ziel erreicht hätte wie die Patrouille. All jene, der Patrouille unbequemen Kavallerietrupps hätte sie vielmehr durch ihr Feuer

*) Die vielen abfälligen Urtheile, die gerade die Manöver in der Wetterau dem Militärradfahren eintrugen, haben ihre Ursachen in noch ganz anderen Verhältnissen. Unter den — nach verschiedenen Angaben — 800 bis 1000 damals verwendeten Radfahrern war eine ganz beträchtliche Anzahl Wildlinge: eingezogene Reservisten, mit eigenen Rädern meist zweifelhafter Güte, und Leute, die zu Leistungen weder erzogen noch gewillt waren. Selbst die versuchsweise zusammengestellten Abtheilungen hatten nicht überall die genügende Vorschule gehabt und waren an und für sich meist zu schwach, um selbständig eine nennenswerthe Gefechtsaufgabe zu lösen. So hatte auch das Detachement der bayerischen Kavallerie-Division nicht — wie mehrfach zu lesen ist (auch in v. Löbells Jahresberichten) — 100, sondern nur 60 Mann (einschliesslich der Offiziere), und diese Zahl schrumpfte durch Patrouillenfahrer und abkommandirte Ordonnanzen meist auf 40 zusammen.

verjagt und daher viel geringeren Aufenthalt gehabt. Ist es nicht ganz leicht zu denken, dass sie im Rücken jener Division, wo wir uns Munitionskolonnen und Trains vorstellen müssen, ganz beträchtlichen Schaden gestiftet hätte? Wäre es nicht möglich gewesen, solche Kolonnen gerade auf die Dauer ihrer absoluten Benöthigung brach zu legen? sie bewegungsunfähig zu machen, so dass sie noch fernerhin für den Fall des Rückzuges der Division die Strasse verstopft hätten? Wäre es dieser Abtheilung nicht unter Umständen möglich gewesen, für den Feind folgenschwere Brückensprengungen, Bahn- und Telegraphenzerstörungen vorzunehmen? Hätte es nicht schon genügt, wenn sie den Gegner zu starken Detachirungen gezwungen hätte?*)

Man könnte nun einwenden, dass es ja in vielen Fällen gar nicht geboten sei, von der äussersten Marschleistung einer Radfahrtruppe Gebrauch zu machen, man könne doch oftmals aus der Geschwindigkeit allein schon erhebliche Vortheile ziehen. Dem ist zu erwidern, dass Ausnützung der Geschwindigkeit und Marschleistung Hand in Hand gehen. Auf kurze Strecken ist die Geschwindigkeit der Radfahrer für unsere Zwecke von gar keiner praktischen Bedeutung. Einen 10 km entfernten Punkt erreicht Kavallerie fast in derselben Zeit wie Radfahrer. Erst von 20, von 30 km an beginnt die Ueberlegenheit des Radfahrers sich derart geltend zu machen, dass man hier besser Radfahrer als Reiter verwendet. Wo könnte es sich aber dort, wo sich Heeresmassen schon auf Tagemarsch gegenüberstehen, um die rasche Gewinnung von Punkten vor der Front handeln, die viel weiter als 10 km entfernt wären? Die Manöver geben eben auch hier zu falschen Schlüssen Veranlassung. Bei Begegnungen kleinerer Körper, wo es manchmal gilt, eine einige Kilometer entfernte Oertlichkeit rasch vor dem Feinde zu erreichen und kurze Zeit festzuhalten, da haben sich kleine Radfahrer-Abtheilungen bei den Manövern oftmals recht nützlich erwiesen. Im Zukunftskriege werden derartige Begegnungen kleiner Körper nur ausnahmsweise und unter besonderen Verhältnissen vorkommen. Die Begegnungen grosser Massen tragen in ihrem Verlauf aber einen ganz anderen Charakter. Die beiden Gegner haben sich schon in viel grösserer Entfernung gefühlt und müssen die ihren Zwecken dienenden Abschnitte meist mit ganz anderen Mitteln zu erreichen trachten. Ist ihnen dies nicht mehr möglich, so können in diesen grossen Verhältnissen Radfahrer-Abtheilungen auch nichts mehr daran ändern. Jedenfalls werden die Fälle zu spärlich und der Nutzen ein zu geringer sein, als dass man daraus die Nothwendigkeit von Radfahrer-Abtheilungen ableiten könnte. Für Ausnahmefälle reichen dann wohl auch einmal die zu einer Abtheilung vorübergehend vereinigten Truppenradfahrer eines Infanterie-Regimentes oder einer Infanterie-Brigade aus. Jedenfalls muss man sich aber bewusst bleiben, dass in diesem Sinne verwendete Radfahrer-Abtheilungen, sobald sich die beiden Gegner

---

*) Um allzu gründlicher Beurtheilung von vornherein die Spitze abzubrechen, bemerke ich hier ausdrücklich, dass ich sehr wohl weiss, dass dort, wo sich jene Radfahroffizierspatrouille in selbständiger Verfolgung ihres Auftrags hinwagte und längere Zeit aufhielt, der rechte Flügel der supponirten Hauptarmee von West anschloss und dass es daher im gegebenen Falle im Ernstfall kaum gelungen wäre, in den Rücken des Feindes zu kommen und sich dort aufzuhalten. Es war ein Manöverstöcklein, wie manche andere. Die hervorragende Marschleistung aber bleibt bestehen; und um die handelte es sich zunächst bei obiger Betrachtung. Für die Anwendung des Falles auf eine starke Radfahrer-Abtheilung muss man eben annehmen, es sei dort der freie Flügel gewesen, oder muss man sich die ganze Episode nach der anderen Seite verlegt denken, wo thatsächlich der freie Flügel war.

genähert haben, im Wege herumstehen und sich fahrend nach keiner
Seite mehr aus der Zone des Massenzusammenstosses herausziehen können.

In grossen Verhältnissen können von ihrer Verwendung Vortheile
daher nur dort erwartet werden, wo sie von den grossen Heeresmassen
vollkommen losgelöst auftreten können. Dies verweist sie weit vor die
Front und auf die Flügel. Ihr Verweilen weit vor der Front ist aber nur
so lange möglich, als die beiden Gegner räumlich noch weit getrennt sind.
Sobald sich diese einmal auf Tagesmarschentfernung einander genähert
haben, müssen die Radfahrer-Abtheilungen auf die äussersten Flügel heraus.
Wir wissen, dass das Verhalten der selbständigen Kavallerie ein ähnliches
sein wird, und erkennen daher auf den ersten Blick, dass in diesen Sphären
die Thätigkeiten der selbständigen Kavallerie sowohl als auch der Radfahrer-Abtheilungen sich berühren und daher nothwendigerweise in Wechselbeziehungen treten müssen. Hat man nur einmal diese Wechselbeziehungen
in ein System gebracht und die richtigen Formen dafür gefunden, so
wird sich sicherlich zeigen, dass diese Art des Zusammenarbeitens, wo
jeder Theil, in seiner Art selbständig, seiner Natur gemäss wirken kann,
beiden Theilen zu gute kommt, namentlich aber der Kavallerie ganz
anderen Vortheil bringen wird, als wenn sie aus den Radfahrer-Abtheilungen
ihre Satelliten machen will, die ihr auf Schritt und Tritt folgen, wie
Gérard meint.

Nach Allem, was ich bisher von Radfahrer-Abtheilungen gesehen habe
und wie sich mir deren Wesen darstellt, hat sich mir die feste Ueberzeugung gebildet, dass sie bei der Verwendung im Gérardschen Sinne der
Kavallerie mehr im Wege sein als nützen werden. Das Wesen und die
Bewegungselemente der beiden sind so grundverschieden, dass es gar nicht
abzusehen ist, wie sie bei den rasch wechselnden Lagen grösserer Kavalleriekörper in Einklang gebracht werden könnten. Aus diesem Grunde muss
vor Allem die Meinung Gérards, mit seinen Radfahrern in den eigentlichen
Kampf der Kavallerien gegeneinander oder in Attacken auf andere Truppen
eingreifen und ihnen vorwirken zu können, als eine Verkennung der Verhältnisse bezeichnet werden. Beim Angriffsgefecht der Kavallerie, wo es
einzig gilt, den günstigen Augenblick zu erspähen, und wo sich nach
dessen Erkennung Entschluss, Befehle und Ausführung wie elementare
Schläge folgen müssen — wie sollen da die Radfahrer zur Stelle sein, um
auch mitwirken zu können? Wie soll der Kavallerieführer noch Zeit und
Mittel finden, seine Radfahrer-Abtheilung auf den geeignetsten Platz zu
leiten? Soll er etwa abwarten, bis sie glücklich dahin gelangt und der
günstige, der einzige Augenblick verstrichen ist, wo er seine Reiterscharen
entfesseln müsste? Und daran ändert das Klapprad nicht das Geringste;
denn wo die Radfahrtruppe nicht fahrend hingelangen kann,
da kommt sie für Kampfzwecke im unmittelbaren Anschluss an
die Kavallerie doch immer zu spät. Für das Vertheidigungsgefecht
hat die Kavallerie ihre Schusswaffe und ihre reitende Artillerie. Die
Fälle, wo da einmal die Mitwirkung von Radfahrer-Abtheilungen von aus-
schlaggebender Bedeutung sein möchte, dürften doch zu vereinzelt sein, um
deren ständige Beigabe zu rechtfertigen. Auch im Bewegungsfelde wird
sich die Radfahrer-Abtheilung der Kavallerie viel öfter als Ballast fühlbar
machen, als sie sich ihr für lokale Bedürfnisse und jene »services quotidiens« dienstbar erweisen kann. Für diese besitzt übrigens die Kavallerie
— nach den Aussprüchen erster kavalleristischer Autoritäten — heute
ebenfalls die Mittel völlig ausreichend in ihrer Schusswaffe und in ihrer
Ausbildung nach dieser Richtung. »Eine Kavallerie, die nicht befähigt

ist, sich unter Umständen ihre Kantonnements selbst zu vertheidigen, ist
den nothwendigerweise an sie zu stellenden Anforderungen nicht gewachsen
und erfüllt ihre Aufgabe nicht so, wie es von ihr verlangt werden muss:
sagt General v. Schmidt. Es liegt in der Natur der Dinge, dass man an
eigener Selbständigkeit verliert, je mehr man fremde Hülfe beansprucht
und sich darauf verlässt. Unsere grossen Kavalleriekörper führen aber
die stolze Bezeichnung »selbständig« und sollen und wollen daran wohl
auch nichts einbüssen.

Die etwaige Absicht, die den Kavallerie-Divisionen beigegebenen
Pionier-Detachements auf Räder zu setzen — was zweifellos verschiedene
Vortheile hat —, wird von dem Vorhergesagten in keiner Weise berührt.
Für deren Verwendung sind ganz andere Gesichtspunkte maassgebend.
Dies ist jedoch eine Sache für sich und kann uns hier nicht weiter
beschäftigen.

Es wurde wiederholt die Erwartung ausgesprochen, die den Divisions-
Kavallerien zufallenden Aufgaben zum Theil Radfahrer-Abtheilungen übertragen und hierdurch die den Infanterie-Divisionen zuzutheilende Kavallerie
zu Gunsten der selbständigen Kavallerie vermindern zu können. Da wir
uns aber in der überwiegenden Mehrzahl der Fälle die Infanterie-Divisionen
im Zusammenhang der Armeen denken müssen, so spricht gegen diese
Art der Verwendung von Radfahrer-Abtheilungen Alles, was oben über
deren Aufenthalt in truppenbedeckten Räumen und Bewegungsmöglichkeit
in der Zone vor den Armeefronten gesagt wurde.

Damit wäre ja — wird man von gewisser Seite einwenden — der
Radfahrtruppe so ziemlich die Hauptsache von dem wieder genommen,
womit man bisher ihre Nothwendigkeit zu beweisen versuchte? Ja! Aber
nur, um ihr Grösseres zu geben und ergebnissreicheren Nutzen aus ihr
zu ziehen. Denn das vornehmste Gebiet ihrer Thätigkeit soll
mit einem Worte der »kleine Krieg« sein: der kleine Krieg aber in
ganz anderem Umfange und von ganz anderem Charakter, als wie man
sich diesen für gewöhnlich vorstellt: ein kleiner Krieg, der ohne
Unterbrechungen die grossen Operationen auf ihren äussersten
Peripherien begleitet und mit seiner Summe von Einzelerfolgen
unter Umständen zu entscheidender Bedeutung heranwachsen
kann. Die Abtheilungen, die diesen kleinen Krieg führen, sollen sich
nicht in die Zonen der grossen Kampfhandlungen hineinwagen, sie sollen
aber unausgesetzt versuchen, von aussen her dem Gegner Verlegenheiten,
Störungen und Abbruch zu verursachen; sie sollen ihm den Nachschub
von Munition und Verpflegungsbedürfnissen für kritische Augenblicke
lahmlegen, seine Rückzugslinien unterbrechen, seine grossen Befehls-
verbindungen zerschneiden. Sie sollen ihn zwingen, sich durch Detachirungen zu schwächen und Hunger und Munitionsmangel zu erleiden, und
sollen auf diese Weise seinen Entschluss zum Rückzug früher zur Reife
bringen. Sie sollen aber auch verhüten, dass der Gegner uns in
ähnlicher Weise schädige. Von welcher Bedeutung diese Art kleiner
Krieg bei dem Massenaufgebot zukünftiger Kriege sein wird, haben be-
rufenere Federn eindringlichst dargethan. Ich nenne nur v. Boguslawski,
Kardinal v. Widdern, v. Schlichting und Andere mehr. Die selbständigen
Kavallerien ausschliesslich mit diesen Aufgaben zu betrauen, wird in Zukunft auf immer grössere Schwierigkeiten stossen. Denn die grosse
Kavalleriemasse wird immer wieder eine gegnerische Kavalleriemasse anziehen. Diese werden sich dann gegenseitig binden und keine Kräfte
mehr für jene kleineren Unternehmungen abstossen können. Dazu kommt

noch, dass die ungeheure Erweiterung zukünftiger Kriegsschauplätze zur
Führung jenes kleinen Krieges Marschleistungen erfordern wird, die die
Kräfte des Pferdes übersteigen, und ferner, dass in den zu durchmessenden
Räumen weder an einen Nachschub, noch an eine Verpflegung durch Beitreibungen gedacht werden kann. Hier drängt sich der Gedanke, mit dem
Fahrrade Abhülfe zu schaffen, gebieterisch auf. Es bedurfte nicht dieser
Zeilen, darauf hinzuweisen. Der Gedanke daran hat aber bisher noch
keine Gestalt gewonnen, weil immer noch Zweifel darüber bestehen, ob
es Radfahrer-Abtheilungen überhaupt möglich sei, in Feindesland selbständig aufzutreten. Dass dies aber möglich und auf welche Weise, das
zu zeigen, sollte der Zweck des Vorhergegangenen sein.

In der Schaffung von Radfahrtruppen und in ihrer Ausbildung zu
den vorgezeichneten Zwecken erkenne ich daher das vorzüglichste Mittel,
künftighin jenen kleinen Krieg zu führen und mit ihm an die empfind-
lichsten Stellen des Gegners, an seine Lebensadern heranreichen, umgekehrt
aber die eigenen Verbindungen auf das Wirksamste schützen zu können.
Und all das mit den relativ geringsten Kräften. Welchen Kraftzuwachs
die grosse Heeresmasse, in erster Linie aber die selbständige Kavallerie
mittelbar hierdurch erführe, liegt auf der Hand. Hier endlich wären
für das Fahrrad und die Radfahrtruppe jene Räume geboten, deren sie
zur vollen Ausnutzung ihrer Leistungsfähigkeit bedürfen. Hier ist es aber
auch, wo ihre Leistungsfähigkeit bis zum Aeussersten wird ausgenützt
werden müssen. Hier hat sie freien Raum und kann sich, geschickt geführt, schlimmen Lagen fast immer noch rasch und rechtzeitig entziehen.

Die Aufgaben, die auf diesem weiten Gebiet an Radfahrtruppen herantreten möchten, können hier nur in grossen Umrissen skizzirt werden.
Denken wir uns hierzu einmal 20 bis 25 solcher Radfahrer-Kompagnien
in der Stärke von 250 Mann schon im Frieden fest organisirt, zweckmässig ausgerüstet und ausgebildet und bei Manövern grössten Stils auf
ihre besondere Thätigkeit vorbereitet.

Bei Ausbruch eines Krieges mit möglichster Beschleunigung an
die bedrohte Grenze geworfen und auf die Grenzdetachements vertheilt,
würden sie diesen gestatten, mit bedeutend geringeren Kräften ihren Aufgaben des Grenzschutzes, der Sperrung der Landesgrenze, der Deckung
der Versammlungsgebiete und des lokalen Schutzes der Bahnen, Brücken,
Tunnels und sonstiger Kunstbauten gerecht zu werden. Noch vor der
Linie der eigentlichen Grenzdetachements an geeigneten Abschnitten
postirt, würden sie noch vor diesen berufen sein, Einbruchsversuche feindlicher Kavallerie abzuwehren oder doch zu verzögern. Solche Kompagnien
könnten sich in kürzester Frist untereinander verständigen und unterstützen und wären jederzeit in der Lage, sich sprungweise von Abschnitt
zu Abschnitt auf ihre Grenzdetachements zurückzuziehen. In ihrer Ge-
sammtzahl — etwa 5000 bis 6000 Mann — stellten diese Radfahrer-
Abtheilungen einen beträchtlichen Kraftfaktor dar, der sich ja bei Ausnützung ihrer Marschgeschwindigkeit und Marschleistung zum Mindesten
verdoppelte. Ihre Verwendung in diesem Stadium würde zweifellos gestatten, mit geringeren Kavalleriekräften auszureichen: ein Umstand, der
je nach der politischen Konstellation von schwerwiegender Bedeutung sein
möchte. Denn er gestattete vielleicht, in anderer Richtung über stärkere
Kavalleriekräfte verfügen zu können, unter Umständen nach einer Seite
hin, wo die topographischen Verhältnisse dem Fahrrade Beschränkungen
auferlegen.

Nach vollendetem Eisenbahnaufmarsch, wenn die operativen

Konzentrationen beginnen, und von da bis zur Niederwerfung des ersten feindlichen Dammes werden die Radfahrer-Abtheilungen im Allgemeinen immer noch in der vorbezeichneten Zone zurückzuhalten sein. Die grossen Heereskörper gingen nun durch ihre Linie hindurch und die Radfahrer-Abtheilungen stehen hinter der Front. Sie lösten in diesem Stadium die Grenzdetachements allmählich ab, die sich nun den grossen Massen anschlossen. Ihre bisherige Aufgabe, am Grenzschutze mitzuwirken, geht nach und nach in die Aufgabe über, zu decken, was von rückwärts her dem Heere zufliessen muss.

Sobald nun die eigene Operation an Boden gewinnt und die grossen Massengruppirungen, die Armeen, beginnen, sich voneinander loszulösen, ziehen sich die Radfahrer-Abtheilungen, die nun in entsprechender Anzahl in die Hände der Armee-Oberkommandos gelegt wurden, hinter die äusseren Flügel und Lücken der ganzen Heeresfront. Sie kommen hier naturgemäss hinter die eigenen grossen Kavalleriemassen, die sich bisher wohl zurückgehalten und von dem vermuthlich ebenso aussichtslosen wie verlustreichen Versuch abgestanden haben werden, weit vor der Front erfahren zu wollen, was man schon im Frieden weiss oder doch auf andere Weise erfahren kann. Die selbständigen Kavallerien finden hier also den ersten Rückhalt an den Radfahrer-Abtheilungen.

Hat sich nun der erste Akt des kriegerischen Dramas abgespielt, trennen sich in Verfolgung ihrer weiteren oder neuen Operationsziele die Armeen voneinander, finden die grossen Kavalleriekörper vor der Front und auf den Flügeln Raum zur Bewegung und vollen Entfaltung ihrer Thätigkeit, dann folgen die Radfahrer-Abtheilungen zunächst dem Vorschreiten der Kavallerie, und zwar immer mit der Tendenz, deren äussere Seite zu gewinnen. Sie begleiten dann das Fortschreiten der Armeen auf deren äussersten Flügeln. Sie gehen, unter sich selbst wieder, von Abschnitt zu Abschnitt auf Parallelstrassen vor und verbreitern so die vorwärtsrückende Armeefront. Sie verweisen damit jeden Versuch des Gegners, mit kleineren Abtheilungen um die Armeeflügel herumzugreifen, auf immer grössere Umwege und decken so mittelbar die rückwärtigen Zonen. Sie decken aber auch mittelbar die selbständige Kavallerie in der Flanke und werden umgekehrt an dieser wiederum Rückhalt finden können.

Wir kommen nun zu dem Stadium, wo die Radfahrtruppe ihr eigentlichstes Feld der Thätigkeit finden soll. Man hat sich dem Gegner genähert, seine Anmarschstrassen, seine Stellungen sind erkundet, seine Flügel festgelegt: die grosse Kampfhandlung beginnt. Die Heeresmassen von Freund und Feind haben sich gebunden, ebenso wie die beiderseitigen grossen Kavalleriekörper. Jetzt ist für die Radfahrer-Abtheilungen die Zeit gekommen und wird für sie die Bahn frei, sich loszulösen und während dem nun wohl Tage währenden Ringen der grossen Massen in den Rücken des Feindes heranzugehen und ihn an seinen Lebensadern zu schädigen. Die einzelnen Abtheilungen werden dabei weder auf ganz bestimmte Objekte angesetzt, noch wird ihnen genau ein Weg vorgezeichnet werden können. Es kann ihnen der Raum nur im Allgemeinen, das Ziel nur in grossen Umrissen bezeichnet werden. Sie müssen in diesen weit gesteckten Grenzen auf gut Glück operiren und die Möglichkeit, den Feind zu schädigen, nehmen, wo und wie sie sie finden. Sie müssen darauf vorbereitet sein, Tage und Nächte lang von jeder direkten Verbindung mit der Armee abgeschnitten zu sein, und daher die Mittel, zu kämpfen und zu leben, mit sich führen. Vielleicht nur einige Motorfahrzeuge mit Munition, Sprengmaterial und etwas Lebensmitteln (mit Faltbooten?) werden ihnen folgen können. Mag da auch einmal eine Abtheilung vernichtet werden, wenn nur indess einer anderen ein Streich gelingt, der dem Gegner momentan unheilbare Verlegenheit bereitet. Jedenfalls werden schon derartige Versuche dahin wirken, Kräfte des Feindes zu absorbiren, die ganz ausser Berechnung und Verhältniss stehen. Wann und wie solche Abtheilungen wiederum zurückkehren und den Anschluss an ihre Armeen wieder zu gewinnen trachten, muss ganz dem nach den Umständen handelnden Führer überlassen bleiben.

Die Vortheile, die man ferner noch bei ähnlich selbständiger Verwendung der Radfahrer-Abtheilungen auf anderen Gebieten der kriegerischen Thätigkeit zu ziehen vermag, brauche ich nach allem Vorangegangenen wohl nur noch anzudeuten. Ich nenne hier die gesicherte Zurückleitung der Aufklärungsergebnisse der selbständigen Kavallerie an die Armee-Oberkommandos; die Verbindung der letzteren unter sich und mit dem grossen Hauptquartier; bei belagerten oder eingeschlossenen Plätzen des Feindes die Verwendung von Radfahrer-Abtheilungen im Rücken der Einschliessungstruppen; ihren Gebrauch gegen Freischaren, die unsere Rückenlinien bedrohen und zweifellos dereinst sich des Fahrrades in vollem Umfang bedienen werden; und überall da, wo es sich darum handelt, an Punkte ausserhalb der eigentlichen grossen Kampfzonen rasch Truppenabtheilungen hinzuwerfen, sei es zur Verzögerung feindlicher Annäherung, zur Alarmirung feindlicher Kräfte oder um nach einer bestimmten Richtung Verwirrung und Schrecken hinzutragen. Endlich mögen auch einmal bei vorübergehendem Stillstand in den Operationen Radfahrer-Abtheilungen der selbständigen Kavallerie als Rückhalt für Aufklärungszwecke, die an eine bestimmte Basis gebunden sind, beigegeben werden.

Die Vielseitigkeit und Eigenart der Aufgaben, wozu Radfahrer-Abtheilungen nach alledem berufen sein möchten, lässt klar erkennen, dass es dazu besonderer Vorbildung bedarf und dass solche Abtheilungen nicht erst im Bedarfsfalle improvisirt werden können. Sie lässt aber auch erkennen, dass es zu solcher Thätigkeit der Führer bedarf, die neben hoher Elastizität des Körpers und Geistes Energie, Muth, klaren Blick und Entschlussfähigkeit besitzen. In unseren Offizierkorps ist an solchen Persönlichkeiten kein Mangel. Hier liegen schlummernde Kräfte gebunden, die nur des Augenblicks bedürfen, der sie weckt. Und wenn sie sich auch im engbegrenzten Rahmen der Thätigkeit der unteren Offiziersgrade, da wo »des Dienstes immer gleichgestellte Uhr« die Zeiger dreht, nicht immer ausleben und in die Erscheinung treten können; der kundige Blick wird sie doch zu erkennen vermögen.

Diese Zeilen haben reichlich ihren Zweck erfüllt, wenn sie nur ein Kleines dazu beitragen, zu Versuchen in den berührten Richtungen anzuregen. Um vollwerthige Ergebnisse zu zeitigen, müssten solche Versuche wohl allerdings mit Radfahrer-Abtheilungen in der gedachten Kriegsstärke angestellt werden. Der eigentlichen Manövererprobung müssten mindestens halbjährige Uebungskurse vorhergehen, und die Manöver selbst müssten im grössten Stile angelegt sein. Es müssten hierbei mit allen nur erdenklichen Mitteln (soweit es die Friedensumstände eben gestatten: mit markirten Postirungen, Kolonnen und Trains und Besetzungen rückwärtiger Verbindungen) Verhältnisse geschaffen werden, wie sie eben in oben gedachtem Sinne verwendete Radfahrer-Abtheilungen im Ernstfalle antreffen werden.

Ich meine, dass sich der Militärlitteratur ein reicheres und erspriesslicheres Feld der Thätigkeit erschlösse, wenn sie Betrachtungen darüber anstellte, wie sich solche Manöverversuche vorbereiten und durchführen liessen und welche Folgerungen daraus zu ziehen wären, als wenn sie Gérards Spuren folgt und die Zukunft des Rades und der Radfahrtruppe nach seinen Rezepten zu brauen versucht.

Machen wir uns doch von fremden Fesseln frei! Halten wir uns immer vor Augen, dass Alles, was wir vom Fahrrade verlangen, aus seiner Natur und seinen Eigenthümlichkeiten entwickelt sein muss. Machen wir dafür aber auch die Eigenschaften des Rades bis zu deren äussersten Grenzen unseren Zwecken dienstbar! Schaffen wir uns eine Truppe für dieses Rad und nicht ein Rad für eine, einem vorher ausgeklügelten, untergeordneten Zwecke dienen sollende Truppe! Lernen wir von Anderen, was von ihnen zu lernen ist! Gehen wir im Uebrigen aber unsere eigenen Wege, damit sich bei den Anderen nicht die Meinung festsetze, dass nur ihre Intelligenz und Arbeiten dazu dienen müssten, »profiter au roi de Prusse!«

Wir haben gesehen, dass es fast nur die Gebiete des kleinen Krieges sind, worin sich die Eigenschaften des Rades bis zum Aeussersten ausnützen lassen. Die Handlungen in diesen Gebieten werden aber in Zukunft eine erhöhte Bedeutung gewinnen. Schaffen wir uns also eine Truppe, die schon im Frieden gelernt hat, sich in diesen Gebieten heimisch zu fühlen, sich darin zu bewegen und für den grossen Gesammtzweck zu wirken.

Im kleinen Krieg »gut geführte Parteien«, hat Bertram Gatti gesagt, »sind die Kometen am strategischen Himmel; ihre Bahnen sind fast unberechenbar, ihre Gestalten veränderlich. Selbst dem Kenner erscheinen sie massiger als sie wirklich sind, den Kleingläubigen aber erfüllen sie vollends mit Furcht und Entsetzen.«

Möchten unsere Radfahrtruppen der Zukunft — unsere »Jäger zu Rade«, wie ich sie wohl taufen möchte — solche Kometen am strategischen Himmel werden!

Ueber Stabilität und Nutzleistung der Luftschiffmotoren.

Von C. Lobinger, Major a. D.

Mit fünf Abbildungen.

Unter den vielen technischen Schwierigkeiten, welche sich der Konstruktion eines lenkbaren Luftschiffes entgegenstellen, ist die Stabilerhaltung des arbeitenden Motors nicht die geringste, und mögen die bisherigen Misserfolge mit lenkbaren Ballons zum guten Theil auf Rechnung dieses Umstandes zu setzen sein. Zur Orientirung des Nichttechnikers über diese bedeutsame Sache diene Folgendes:

Jeder Motor bedarf, um seine Kraft nutzbringend äussern zu können, einer festen Anlehnung. Wir sehen diese beispielsweise bei stationären Dampfmaschinen in der kräftigen Verankerung der Dampfcylinder im Fundament; in gleicher Weise müssen die Magnetgestelle der Elektromotoren unverrückbar festgehalten werden. Den Lokomotiven und Wagenmotoren giebt die Reihung der Triebräder auf den Bahnen jenen festen Rückhalt, ohne welchen sich dieselben nicht von der Stelle zu bewegen vermöchten u. s. w. Ist eine solche feste Anlehnung nicht vorhanden — und dies trifft beim Luftballon zu —, so macht sich die Wirkung der

Triebkraft nicht nur am Bewegungsmechanismus, sondern auch am Gestelle der Maschine geltend, dessen Unbeweglichkeit als Grundbedingung
einer normalen Maschinenfunktion vorausgesetzt wird. Beide Gruppen
des Maschinenbestandes treten alsdann in freie Bewegungs-
konkurrenz nach entgegengesetzten Richtungen und zwar nach
Maassgabe ihrer Massen und jener Widerstände, welche sich
einer Bewegung derselben etwa entgegenstellen.

Es ist klar, dass die auf Bewegung des Maschinengestelles verwendete
Energie keine nutzbringende ist, sondern vielmehr an der Gesammtleistung
des Motors verloren geht. Dieser Verlust wird aber um so grösser,
je geringer das Gewicht des Gestelles und je grösser die Kraftleistung des Motors ist — Eigenschaften, welche gerade von Luft-
schiffmotoren gefordert werden. Den gesetzmässigen Zusammenhang dieser
der Technik längst bekannten Sachlage lässt nachfolgende allgemein ge-
baltene Rechnung erkennen.

Bezeichnet m_1 eine ideelle Masse*), welche den gesammten Bewegungsmechanismus repräsentirt, p_1 die Beschleunigung, welche dieser Masse von
der Motorkraft ertheilt werden würde, m_2 und p_2 die entsprechenden
Grössen in Bezug auf das Maschinengestelle, endlich w_1 den Widerstand,
welchen das Arbeitsobjekt darbietet (beim Luftschiff der Widerstand am
Propeller), w_2 den Widerstand, welcher sich einer Bewegung des Maschinengestelles entgegensetzt (Anlehnungswiderstand), so gilt nach den Gesetzen
der Mechanik

$$m_1 p_1 + w_1 = m_2 p_2 + w_2 \quad\cdots\cdots (1)$$

Stellt weiter A_1 die nutzbringende, d. h. auf die Fortbewegung des
Luftschiffes hinwirkende, A_2 die verlorene,**) d. h. auf die Bewegung des
Maschinengestelles verwendete, und A die Gesammtarbeit des Motors
dar, so ist

$$A = A_1 + A_2 \quad\cdots\cdots\cdots (2)$$

ferner ist für die Zeit t der Krafteinwirkung

$$A_1 = (m_1 p_1 + w_1)\frac{p_1 t^2}{2} \quad\cdots\cdots (3)$$

$$A_2 = (m_2 p_2 + w_2)\frac{p_2 t^2}{2} \quad\cdots\cdots (4)$$

Aus diesen Gleichungen folgt

$$\frac{A_1}{A_2} = \frac{p_1}{p_2} = \frac{m_2 p_1}{m_1 p_1 + w_1 - w_2}$$

woraus

$$A_2 = \frac{m_1 p_1 + w_1 - w_2}{m_2 p_1} \cdot A_1$$

oder

$$A_2 = \frac{A}{1 + \dfrac{m_2}{m_1 + \dfrac{w_1 - w_2}{p_1}}} \quad\cdots\cdots (5).$$

*) Masse $= \dfrac{\text{Gewicht}}{\text{Beschleunigung der Schwerkraft}}$.

**) Von jenen Arbeitsverlusten, welche durch Uebertragung der Bewegung und
Reibung der Maschinentheile entstehen, soll, der Einfachheit halber, hier abgesehen
werden.

Diese Gleichung 5 besagt:

Der Arbeitsverlust (A₂) wird um. so grösser, je leichter das
Motorgestelle (m₂), je schwerer der Bewegungsmechanismus
(m₁) (Kolben, Kolbenstangen, Kurbeln, Wellen, Propeller u. s. w.), endlich
je grösser die nutzbringende Leistung (w₁) und je kleiner der
Anlehnungswiderstand (w₂) des Motors ist.

Aus dieser Gleichung geht weiter hervor, dass der in Rede stehende
Arbeitsverlust verschwindet, wenn

$$w_2 = m_1 \, p_1 + w_1 \quad \ldots \ldots \ldots \ldots \quad (6),$$

d. h. wenn der Anlehnungswiderstand (w₂) immer der Kraftleistung des Motors gleich bleibt, mit anderen Worten, wenn das
Motorgestelle von der Triebkraft nicht direkt bewegt wird.*)
Letzteres trifft bei allen stationären Kraftmaschinen zu, wenn dieselben in so-
lider Weise fundirt sind, dann aber auch bei gut konstruirten Lokomotiven und
Strassenbahnmotoren, weniger dagegen bei Motoren, welche auf schwan-
kenden Gerüsten oder auf gewöhnlichen Fahrzeugen arbeiten (Lokomobilen
u. s. w.). Wir beobachten hier eine mehr oder weniger starke schwingende
Bewegung des Maschinengestelles, welche in entgegengesetzter Richtung der
Kolben- (Anker- u. s. w.) Bewegung verläuft und Arbeitsverlust bedeutet.

Noch geringer als in den oben bezeichneten Fällen ist die Motoranlehnung (w₂) bei Dampfschiffen, weil die leichtbewegliche Wassermasse
dem Schiffskörper, mit welchem das Maschinengestelle ja fest verbunden
ist, nur geringen Rückhalt bietet, dagegen hat hier die Grösse m₂ einen
sehr hohen Werth; sie umfasst die Gesammtmasse des Schiffes und der
Beladung und lässt den erstangegebenen Mangel bedeutungslos erscheinen
— ein Umstand, welchen Gleichung 5 ohne Weiteres erklärt. Indess
bleiben die oben erwähnten schädlichen Schwingungen des Maschinengestelles, also des Schiffskörpers, doch wahrnehmbar, so namentlich bei Rad-
dampfern mit horizontal liegenden Cylindern. Man beobachtet hier
deutlich das Hin- und Herschwingen des Schiffes in entgegengesetzter
Richtung des Kolbenweges. Hierzu kommt weiter jene Anlehnung der
Maschine an den Schiffskörper, welche infolge des Drehmomentes der
Schaufelräder entsteht und sich in einer vermehrten Tauchtiefe des Schiffshintertheils (bei der Vorwärtsfahrt) äussert**) (siehe Abbild. 1).

Bei vertikal stehenden Schiffsmaschinen verlaufen die durch den
Rückdruck auf die Cylinderdeckel hervorgerufenen Vibrationen des Schiffskörpers in vertikaler Richtung. Dieselben sind weniger fühlbar als die
Horizontalstösse der ersten Schiffsgattung und verschwinden fast ganz, wenn
die Maschine mit mehreren Expansionscylindern arbeitet, deren ineinander-
greifende Wirkung die Stossimpulse auf das Gestelle grösstentheils aufhebt.

Bei Schraubendampfern mit nur einer Schraube verursacht das Drehmoment der letzteren eine Neigung des Schiffskörpers zur Seite, soweit,
bis das die Normallage des Schiffes anstrebende Schwerpunktsmoment zur
gleichen Grösse angewachsen ist. (Abbild. 2.)

---

*) Gleichung 6 ist ein Ausdruck des Grundgesetzes, wonach eine Kraft nicht
grösser werden kann als der Widerstand ist, welchen sie findet.

**) Jene Angriffe auf die Stabilität des Maschinengestells, welche durch die lebendige
Kraft $\left(\dfrac{m \, v^2}{2}\right)$ der hin- und hergehenden bezw. schwingenden Maschinentheile (Kolben
mit Stange und Kreuzkopf, Pleuelstange, Kurbel, Excenter u. s. w.) entstehen, sollen
hier nicht weiter besprochen werden, weil dieselben bei allen neueren Maschinen
durch zweckmässige Anordnung der Massen (Schlick'sches Patent u. A.) nahezu völlig
beseitigt sind.

Abbild. 1. **Motoranlehnung eines Raddampfers mit horizontalen Cylindern.**

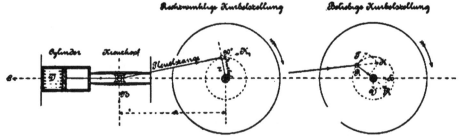

Verlauf der Kräfte D, C und H während einer
halben Radumdrehung (vergrössert).

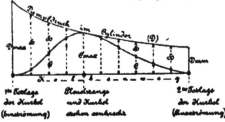

D Dampfdruck im Cylinder, K Pleuel-
stangendruck bezw. Zug (bei senkrechter
Stellung der Kurbel $= K_1$). K radiale, T tan-
gentiale Komponente von K, am Kurbelzapfen
auftretend. V vertikale. H horizontale Komponente von K, am Wellenlager (Gestelle)
wirkend.

$C = D - H$ Rückdruck auf den Cylinderdeckel, welcher den Schiffskörper, der Kolben-
bewegung entgegen, antreibt. V Kreuzkopf-
druck auf die untere Führung (Vorwärtsfahrt),
welcher der Vermehrte Auftrieb des tiefer-
tauchenden Schiffshintertheils das Gleichgewicht halten muss. $N . a$ Auftriebsmoment,
welches dem Drehmoment $(K_1 . r)$ der Schaufelräder die Anlehnung giebt. (r die Kurbellänge.)

$$N . a = K_1 . r.$$

Bei Doppelschraubendampfern fällt dieser Missstand weg, weil man
hier die beiden Schrauben, deren Flügel gegeneinander gestellt sind, im
entgegengesetzten Sinne rotiren lässt und sich demnach die Anlehnungs-
momente der beiden Maschinen selbst das Gleichgewicht halten.

Die vorbesprochenen, infolge der Anlehnung der arbeitenden Maschinen
an den Schiffskörper entstehenden Vibrationen und Lageveränderungen
sind ja im Allgemeinen gering, sie werden aber um so fühlbarer, je
leichter das Schiff (m_2) und je schneller seine Fahrt (w_1) ist. Hiermit
wächst aber auch der Arbeits- d. h. Kohlenverlust (A_2) — Thatsachen,
welche in Gleichung 5 ihre Erklärung finden.

Das Geschütz ist eine Kraftmaschine ersten Ranges. Die Grösse m_1
wird hier durch das Geschoss, m_2 durch Geschützrohr und Laffete repräsentirt; w_1 ist
der Geschoss-
widerstand im
Rohre, w_2 der
äussere Wider-
stand, welcher
sich dem Rück-
lauf der Laffete
entgegenstellt.
Nach dem Vor-
hergehenden
ist einleuch-

Abbild. 2. **Wirkung der Motoranlehnung bei einem
Einfachschraubendampfer.**

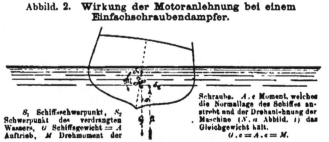

S_1 Schiffsschwerpunkt, S_2
Schwerpunkt des verdrängten
Wassers, U Schiffsgewicht $= A$
Auftrieb, M Drehmoment der

Schraube. $A . c$ Moment, welches
die Normallage des Schiffes anstrebt und der Drehanlehnung der
Maschine ($N . a$ Abbild. 1) das
Gleichgewicht hält.

$$U . c = A . c = M.$$

tend, dass der Rücklauf des abgefeuerten Geschützes Arbeitsverlust (A_2)
bedeutet. Wenn nun die neueren Konstruktionsverbesserungen darauf
abzielen, diesen Rücklauf durch äussere Kräfte nach Möglichkeit zu hemmen,
so wird hierdurch neben anderen Vortheilen auch eine bessere Ausnützung der Pulverkraft erzielt. Durch Vermehrung des Widerstandes w_2 wird der Werth von A_2 verringert (Gleichung 5), somit jener

von A_1 — der Nutzleistung des zur Geschossbewegung verwendeten Pulverquantums — erhöht (Gleichung 2), Anfangsgeschwindigkeit und lebendige Kraft des Geschosses werden grösser sein.

Im Luftschiff nun giebt es nicht nur keine äussere Anlehnung für den Motor ($w_2 = 0$), sondern es muss auch die Grösse m_2, welche das Gewicht des Motorgestelles repräsentirt, aus begreiflichen Gründen auf einen Mindestwerth gebracht werden. Würde man daher den Luftschiffmotor nach gewöhnlichen Normen konstruiren, so wären nicht nur grosser Arbeitsverlust, sondern auch gefahrbringende Lageveränderungen und Schwankungen des Luftschiffes die nothwendige Folge. Würde beispielsweise ein mit zwei Cylindern auf eine horizontale Schraubenwelle wirkender Motor in der Gondel eines Luftballons festgelegt, so würde diese, ähnlich wie die Laffete eines abgefeuerten Geschützes, immer nach der entgegengesetzten Seite des Kolbenantriebes ausweichen, und zwar in horizontaler Richtung, wenn die Cylinder horizontal liegen, in vertikaler, wenn diese vertikal stehen. Aber nicht nur das, die Gondel würde auch, um dem Drehmoment der Schraube die nöthige Anlehnung geben zu können, aus ihrer vertikalen Aufhängung gerathen und zwar soweit, bis ein diesem Drehmoment gleiches Schwerpunktsmoment entstanden ist. Der Hauptnachtheil wäre aber, wie schon gesagt, die auf solche unerwünschten Bewogungon des Fahrzeuges verwendete bezw. verlorene Arbeit, welche je nach Umständen (unzweckmässige Gewichtverhältnisse, Gegenwind u. s. w.) so gross werden kann, dass der Nutzen des Motors ganz in Frage käme.

Wie muss nun aber der Luftschiffmotor beschaffen sein, wenn diese unangenehmen Nebenwirkungen und der damit verbundene Arbeitsverlust vermieden werden sollen?

Vor Beantwortung dieser Frage erscheint es am Platze, die jetzt bekannten Motorgattungen hinsichtlich ihrer Eignung für die Luftschifffahrt einer kurzen Besprechung zu unterziehen.

Es bedarf wohl keiner ausführlichen Darlegung, dass Dampf- und Heissluftmotoren für Luftschiffe ungeeignet sind; Feuerungsanlagen können in diesen nicht eingerichtet werden. Elektromotoren würden sich in Allem gut eignen — sie bedürfen nur der einen Anlehnung gegen Drehung, welche leicht gegeben werden könnte, und würden eine bedeutende Vereinfachung des Triebwerkes zulassen —, allein es wurde bis jetzt noch keine Batterie erfunden, welche für ein Luftschiff passt, und ist auch wenig Aussicht vorhanden, dass dies je gelingen wird.

Motoren, welche durch die Expansivkraft verflüssigter Gase (Kohlensäure, Luft, Chlormethyl u. s. w.) betrieben werden sollen, bedürfen dickwandiger, also schwerer Behälter für die unter hohem Druck verdichteten Gase, ferner einer Heizvorrichtung zur Bekämpfung der enormen Kälte, welche die Gasentwickelung begleitet und die Maschine zum Einfrieren bringen würde; dieselben sind also ebenfalls ungeeignet. Die Anwendung von Gasmotoren ist wegen der Mitführung der erforderlichen Gasmenge unbequem. Zwar wurde der Vorschlag gemacht, das zum Betrieb der Maschine nöthige Gas dem Ballon zu entnehmen, dessen Tragkraft hierdurch keine sonderliche Einbusse erleiden würde (es sind pro Pferdekraftstunde nur etwa 0,80 cbm Leuchtgas erforderlich); auch könnte, falls die Ballonfüllung nicht Leuchtgas ist, das täglich nothwendige Gasquantum in einem besonderen kleinen Ballon mitgeführt werden. Obwohl nun gegen diese Vorschläge kein schwerwiegender Einwand erhoben werden kann, hat diese Motorgattung bei den seitherigen Versuchen mit lenkbaren Ballons doch keine Verwendung gefunden, vielmehr wurden hierbei ausschliesslich Benzin- oder Petroleummotoren benützt. Letztere Motorgattung ist nun allerdings für den beregten Zweck am meisten geeignet; ihre leichte, gedrängte Bauart und einfache Wirkungsweise erweisen sich hier besonders vortheilhaft. Immerhin haften aber auch ihnen noch Einrichtungen an, welche nicht so recht als »flugfähig« bezeichnet werden können. Es sind dies der »Vergaser«, ein Behälter, in welchem das explosible Gasgemisch erzeugt wird, dann die Zündvorrichtung (ein Glühkörper oder elektrischer Zünder), welche letzteres zur Explosion bringt. Beide Apparate können durch starke Schwankungen, wie sie in einem Luftschiff vorkommen, in ihrer Funktion beeinträchtigt werden. Der neue Petroleummotor des Ingenieur Diesel bedarf dieser Apparate nicht und würde sich demnach sehr gut für Luftschiffe eignen, er ist aber sehr schwer und dürfte diese für Luftschiffe unangenehme Eigenschaft kaum verlieren.*)

Wir kehren nun zurück zur Frage, auf welche Weise im Luftschiff eine ausreichende Motoranlehnung erzielt und hiermit gefahrbringende, den Nutzeffekt der Maschine herabsetzende Schwankungen hintangehalten werden können, und wollen hierbei annehmen, dass ein Benzin- oder Petroleummotor mit hoher Tourenzahl zur Anwendung gelangt und die Fortbewegung des Luftschiffes durch Windflügelräder (nach Art der Schiffsschrauben) geschieht.**)

Schon bei Darlegung der Wirkungsweise der Schiffsmaschinen wurde erwähnt, dass die infolge der Motoranlehnung entstehende Lageveränderung des Schiffskörpers durch Anwendung von zwei in entgegengesetztem Sinne rotirenden Flügel, deren Flügel so gegeneinander gestellt sind, dass sie die gleiche Wirkung hervorbringen, beseitigt wird. Dieses Mittel hätte auch im Motor-Luftschiff Anwendung zu finden und zwar in einer Modifikation, welche nicht nur die Drehmomente am Gestell, sondern auch die Rückstösse der Gasexplosionen auf die Cylinderböden aufzuheben geeignet ist. Um dies zu erreichen, ist nöthig, dass

1. jede Schraube einen eigenen Motor besitzt und diese beiden Motore
2. in Bauart und Kraftleistung völlig übereinstimmen, ferner
3. am nämlichen Gestelle symmetrisch liegen und endlich
4. im gleichen Takte (synchron) arbeiten.

Diese Bedingungen können ohne Schwierigkeit erfüllt werden.

In Abbild. 3 ist eine derartige Maschinenanordnung schematisch dargestellt; die Skizze lässt erkennen, dass sich die am Gestelle wirkenden »inneren Kräfte« fortwährend im Gleichgewicht halten müssen, also keinerlei Bewegung bezw. Arbeitsverlust verursachen können.

Was nun die Aufstellung eines solchen Motors im Luftschiff anbelangt, so muss hierbei, ebenso wie bei anderen Motorfahrzeugen, an dem Grundsatze festgehalten werden, dass die Resultante der Triebkräfte mit jener der Widerstände (Luftwiderstand gegen das Fahrzeug)

---

*) Der viel höhere Gasdruck im Cylinder des Diesel-Motors (ca. 35 atm) erheischt eine namhafte Verstärkung aller Maschinentheile, insbesondere des Schwungrades, welches bekanntlich die Kompression der Explosionsluft besorgen und gleichzeitig (während des Leergangs) die äussere Arbeit leisten muss. Ferner bedarf der Diesel-Motor einer Luftpumpe nebst Druckluftreservoir zum Antrieb; der Druck in letzterem beträgt ca. 40 atm.

**) Es wurden hierfür auch Schaufelräder in Vorschlag gebracht. Ohne die letzteren hinsichtlich ihres Wirkungsgrades den Schrauben nachsetzen zu wollen, muss doch bemerkt werden, dass sich die hier in Rede stehende Stabilisirung des Motors mit Schraubenpropellern ungleich einfacher gestaltet und Motore mit Schaufelrädern deshalb nicht weiter in Betracht gezogen wurden.

paar*) versehen werden, welches den Ballon — ohne Gasabgabe bezw. Lufteintausch — in die Tiefe treibt. Hierbei darf die Gleichgewichtslage des Fahrzeuges wiederum nicht alterirt werden.

Diesen beiden Forderungen kann aber nur dann Genüge geleistet werden, wenn der Schwerpunkt des Motors mit jenem des Tragballons annähernd zusammenfällt.

Die Erfüllung dieser Bedingung wäre an sich eine einfache Sache, man könnte derselben durch Anwendung eines Ringballons (Abbild. 4) oder eines Doppelballons (Abbild. 5) leicht gerecht werden, allein die Rücksicht auf möglichste Ermässigung des Gewichts und Erlangung der erforderlichen Tragkraft des Ballons lässt sich mit solchen Anordnungen nur schwer vereinen.

Ob nun noch andere günstigere Ballonformen möglich sind, welche allen Bedingungen entsprechen, oder ob es zweckmässig erscheint, die Tragkraft der vorstehend skizzirten Ballons durch den Motor mittelst der vertikal wirkenden Schrauben zu unterstützen, diese Erwägungen müssen Luftschiffern von Beruf anheimgestellt bleiben.

Im Uebrigen lässt sich nicht verhehlen, dass auch bei der denkbar besten Konstruktion die Fahrt mit einem derart lenkbar gemachten Ballon immer unsicher bleiben wird. Abgesehen von zufälligen Beschädigungen, welche das leichte, räumlich ausgedehnte Fahrzeug naturgemäss häufig erleiden wird, dürfte schon ein mässiger Wind hinreichen, um seine Lenkbarkeit aufzuheben oder doch wesentlich einzuschränken.**)

---

*) Auch hier müssen, der Gleichbelastung der beiden Motoren wegen, zwei in verschiedenem Sinne rotirende Schrauben angewendet werden. Die Achsen derselben würden senkrecht über den horizontalen Schraubenachsen zu stehen kommen und von diesen durch ausrückbare Kegelräder angetrieben werden (vergl. Abbild. 3).

Die Steuerung des Fahrzeuges könnte durch ein am vorderen oder hinteren Ende angebrachtes Schraubenrad, dessen Ebene in der Längenmittellinie vertikal steht, bewirkt werden. Durch Kuppelung desselben bald mit dem einen, bald mit dem andern Motor kann dasselbe in verschiedenem Sinne gedreht und hierdurch dem Fahrzeug eine Schwenkung um seine Vertikalmittellinie ertheilt werden (siehe Abbild. 3, 4 u. 5).

**) Ueber die Geschwindigkeit, welche sich mit einem solchen Fahrzeug bei ruhiger Luft erreichen lässt, können selbstverständlich nur ganz überschlägige Berechnungen angestellt werden. Angenommen der in Abbild. 5 skizzirte Doppelballon habe folgende Maass- und Gewichtsverhältnisse: Länge 40 m, Cylinderquerschnitt 30 qm, Gesammtinhalt 2400 cbm, Tragkraft bei Wasserstofffüllung in 300 m Höhe ca 2500 kg, Gewicht des Ballons aus gefirnisstem Stoff sammt dem umschliessenden Gerippe ca. 1000 kg, des kompletten Doppelmotors nach System Daimler bei 10 effektiven Pferdestärken ca. 900 kg, des Traggerüstes und der Gondel nebst Insassen ca. 600 kg, in Summa 2500 kg, die Luftwiderstandsfläche (F) messe in der Ebene senkrecht zur Längenaxe 65 qm, so würde die höchste Leistung des Motors bei einem Wirkungsgrad der Propeller von ca. 70 pCt. betragen: 10 · 75 · 0,7 = 525 kgm/sec.

Der Luftwiderstand (P) des in der Richtung seiner Längenaxe bewegten Fahrzeuges ist alsdann:

$$P = q \cdot \gamma \cdot \frac{v^2}{2\,g} \cdot F$$

(γ Gewicht von 1 cbm Luft, g Beschleunigung der Schwerkraft, v Bewegungsgeschwindigkeit, q ein Erfahrungskoeffizient, welcher in Berücksichtigung der Tétenform (Spitzenform) des Fahrzeuges etwa zu 1,0 anzunehmen ist), nach Einsetzung der Zahlenwerthe:

$$P = 4,28 \ v^2 \ kg$$

Die Arbeit des Luftwiderstandes pro sec ist:

$$P \cdot v = 4,28 \ v^3 \ kgm/sec$$

Die Arbeitsgleichung ergiebt somit

$$4,28 \ v^3 = 525$$

woraus v = ca. 5 m/sec.

Das Luftschiff würde also bei einer Windgeschwindigkeit von über 5 m pro sec nicht mehr zum Ausgangspunkt zurückkehren können; im Uebrigen dürfte der Koeffizient q bei einer günstigeren Form der Ballontéten einen kleineren Werth annehmen, womit sich die Fahrgeschwindigkeit noch etwas erhöhen liesse.

Die Verwendbarkeit des »Motorballons« — wie das lenkbare Luftschiff in einem früheren Artikel dieser Zeitschrift (Jahrgang 1898 Heft 10) richtiger genannt wurde — für Kriegszwecke dürfte daher nicht sehr hoch anzuschlagen sein. Immerhin wird der »Motorballon« seine Zukunft haben, und zwar auf dem Gebiete des Sports, welchem ja Geld, Zeit und Arbeit stets unverdrossen geopfert werden.

Ventilation bombensicherer Hohlbauten.
Von O. Krell jr., Ingenieur.
Mit sechs Abbildungen.

Man unterscheidet bei Lüftungsanlagen solche, deren Wirkungsweise auf dem Prinzip des Auftriebes der Luft in senkrechten Kanälen infolge von Temperaturdifferenzen beruht, und solche Anlagen, bei welchen die Bewegung der Luft durch mechanische Hülfsmittel erfolgt.

Die erstere Art erfordert zu ihrer Anwendung eine gewisse Ausdehnung der Bauwerke in der Höhe und arbeitet immer mit verhältnissmässig geringen Druckunterschieden und Luftgeschwindigkeiten. Aus letzterem Grunde werden die Kanalquerschnitte, sobald einigermaassen grosse Luftmengen bewegt werden sollen, unbequem gross. Zudem erscheint die Berechnung derartiger Anlagen den meisten schwierig und langwierig und hinterlässt sehr oft bei dem Berechner nicht die wünschenswerthe Zuversicht, dass die Anlage bei allen Witterungsverhältnissen auch in der angenommenen Weise funktioniren wird. Alle diese Eigenschaften der auf Temperaturdifferenzen beruhenden Lüftungsmethode erschweren ihr ganz ungemein den Kampf gegen die mechanischen Lüftungseinrichtungen, deren Wirkungsweise so viel leichter zu begreifen und meistens so sehr »fühlbarer« ist.

Wohl auf keinem anderen Gebiete der Technik gehen die Meinungen auch der sogenannten Fachleute soweit auseinander als auf demjenigen der Ventilation. Und zwar werden diese Meinungen meist um so positiver ausgesprochen, je weniger sie mit Gründen vertheidigt werden können, ebenso wie sicher diejenigen Lüftungsprojekte die deutlichsten und meisten Pfeile für die Luftbewegung aufweisen werden, bei denen am wenigsten gerechnet wurde. Wer jedoch weiss, wie wenig Respekt die Luft vor diesen Pfeilen besitzt, der wird es aufgeben, andere Zwangsmittel als die Naturgesetze für sie anwenden zu wollen.

Einen grossen Theil der Schuld an diesen auseinandergehenden Meinungen trägt der Umstand, dass in der Ventilationstechnik immer noch viel zu wenig gemessen wird und zu sehr die Beurtheilung nach dem Gefühle üblich ist. Wir möchten daher am Schlusse dieser Abbandlung auch noch Einiges über Messungen an Lüftungsanlagen bringen.

Ohne uns über die Grenzen der auf Temperaturgefälle beruhenden Lüftung und der mechanischen Ventilation zu verbreiten, können wir behaupten, dass für bombensichere Hohlbauten nur mechanische Ventilation in Frage kommen kann, und zwar aus folgenden Gründen.

Die Verhältnisse zwischen Aussen- und Innentemperatur derartiger, wie Keller wirkender Bauten sind so wechselnd, dass eine geregelte vorauszubestimmende Luftströmung ohne mechanische Hülfsmittel nicht erzielt werden kann. Dazu sind die Höhendimensionen solcher Werke verhältnissmässig unbedeutend. Die natürliche Ventilation, d. h. die selbstthätige Erneuerung der Luft durch das poröse Mauerwerk und

sonstige Undichtigkeiten hindurch, wie sie bei gewöhnlichen Gebäuden
stattfindet, ist bei bombensicheren Bauten infolge der grossen Mauerdicken
und der Erddecken fast gar nicht vorhanden. Licht- und Luftöffnungen
müssen klein gehalten werden, um die Wirkung der Geschosse bei einer
Beschiessung möglichst abzuschwächen. Um jedoch einigermaassen grosse
Quantitäten Luft durch kleine Oeffnungen hindurch zu treiben, bedürfen
wir ebenfalls mechanischer Hülfsmittel. Endlich muss die Ventilations-
luft zu manchen Räumen beträchtliche Wege zurücklegen; dabei sollen
die Leitungen einen möglichst geringen Querschnitt besitzen und wenig
Raum einnehmen, was wieder höhere Drücke erfordert, die am einfachsten
mechanisch hergestellt werden.

Alle diese Umstände weisen uns auf die Nothwendigkeit mechanischer
Lüftungseinrichtungen in bombensicheren Bauwerken hin, und sollen daher
nur diese im Folgenden behandelt werden.

Die Verhältnisse in Festungswerken und nicht in letzter Linie die
durch alle anderen Beleuchtungsarten hervorgerufene Luftverschlechterung
haben der elektrischen Beleuchtung in bombensicheren Bauwerken Eingang
verschafft.

Es bietet sich daher in der einmal vorhandenen elektrischen Anlage
das bequemste Mittel zum elektrischen Antrieb der Ventilatoren. Im
Folgenden werden wir daher auch immer elektrischen Antrieb der Ventilatoren stillschweigend voraussetzen.

Zunächst möchten wir alle die Forderungen zusammenstellen, welche
ganz allgemein an Ventilationsanlagen gestellt werden müssen, wenn sie
das Prädikat »gut« für sich in Anspruch nehmen wollen.

Die Lüftung muss vor allen Dingen so reichlich wie möglich sein,
und ein bestimmter minimaler Luftwechsel muss unter allen Verhältnissen mit den vorzusehenden Einrichtungen erreichbar sein.

Die Luftzufuhr muss in Räumen, in denen sich Menschen aufhalten,
ohne Zugwirkung stattfinden.

Die Lüftungseinrichtungen sollen die Garantie bieten, dass unver-
mischte Frischluft zugeführt werde und das Quantum der letzteren
immer durch Messung bestimmt werden kann.

Für die mechanischen Ventilationsanlagen kommt hinzu, dass die
vorstehenden Forderungen mit möglichst einfachen betriebssicheren Einrichtungen und mit dem geringsten Aufwand von Bedienungspersonal und
Energie erreicht werden.

Dieser letztere Punkt kommt ganz besonders bei Festungswerken in
Betracht, bei welchen die Rohmaterialien für die Kraftmaschinen als Vorräthe aufgestapelt werden müssen.

Es ist also für solche Anlagen von grösster Wichtigkeit, neben dem
Energieverbrauch der Einrichtungen auch Bestimmungen über das zu
liefernde minimale Luftquantum zu treffen und dem ausführenden Ingenieur
dessen Einhaltung zur Pflicht zu machen. Das Erstere, die Festsetzung
des Energieverbrauches, geschieht grösstentheils, das Letztere, Garantie
des minimalen Luftwechsels, jedoch nicht. Die Bestimmung des Nutz-
effektes der Ventilationseinrichtungen ist daher ganz in die Hand des
ausführenden Ingenieurs gegeben, welcher nur zu leicht, wenn er gleichzeitig Unternehmer ist, in Versuchung geräth, billige Einrichtungen mit
entsprechend niedrigem Nutzeffekt solchen mit gutem Nutzeffekt vorzuziehen, ohne dass er formell im Unrecht wäre. Die Wahl eines Ventilators auf Grund seines Energieverbrauches ohne Bestimmungen über seine
Leistung in Kubikmeter Luft ist gleichbedeutend mit der Festsetzung eines

bestimmten Kraftverbrauches für eine Dynamomaschine ohne Bestimmungen über ihre Leistung in Ampère und Volt; dass es aber gerade auf die letztere ankommt, leuchtet ein.

So wenig aber eine Dynamomaschine durch die Angabe der zu liefernden Stromstärke in Ampère allein in ihrer Leistung bestimmt ist, vielmehr immer noch die Angabe der Spannung in Volt hinzukommen muss, so wenig nützt die Angabe des Luftquantums bei einem Ventilator ohne Angabe des Druckes in Millimeter Wassersäule, den er zu liefern im Stande sein soll.

Bei in Anlagen eingebauten Ventilatoren genügt allerdings die Messung des Luftquantums, weil damit implicite der Beweis erbracht wird, dass der Ventilator auch den zur Ueberwindung der Widerstände erforderlichen Druck liefert.

. Es sollte also ohne Festsetzung der Luftquantität keinesfalls eine Lüftungsanlage mit mechanischem Betrieb eingerichtet werden, da sonst jeder Anhalt für die Preiswürdigkeit und Zweckmässigkeit der Anlage fehlt.

Wenn wir oben als erste Forderung die Reichlichkeit der zugeführten Luftmenge betonten, so ist die Frage zu beantworten: brauchen wir überhaupt in allen Festungsbauwerken mechanische Ventilation und in welchem Umfang. Wenn nun die hier in Betracht kommenden Bauwerke recht verschieden bezüglich ihrer Grösse, ihres Grundrisses, ihrer Verwendung und ihrer Lage sind, so liegen doch sogar von sehr günstig in Bezug auf natürliche Ventilation disponirten Bauwerken Versuchszahlen vor, welche die Verwendung von besonderen Ventilationseinrichtungen fordern.

Es giebt ja leider kein direktes einfaches Mittel, um die Güte der Luft festzustellen. Man ist jedoch nachgerade übereingekommen, den Kohlensäuregehalt der Luft als Maassstab ihrer Qualität anzusehen. Und in der That, wo nicht aussergewöhnliche Verhältnisse obwalten, kann nach Pettenkofer die Gesammtverunreinigung der Luft proportional dem Kohlensäuregehalt angenommen werden. Ein Schluss auf Grund des Kohlensäuregehaltes wird allerdings unzulässig in Räumen, in denen chemische Prozesse vor sich gehen oder Arbeiten vorgenommen werden, welche Staub oder Dünste entwickeln.

Auf Grund vieler Versuche kann nun die Güteskala der Luft aufgestellt werden wie folgt: 0,7 $^0/_{00}$ CO_2 gute Luft, 1,0 $^0/_{00}$ gerade noch zulässig, 1,5 $^0/_{00}$ ausnahmsweise zulässig, über 1,5 $^0/_{00}$ unzulässig. In den mit Mannschaften belegten Räumen unter günstigsten Verhältnissen wurden nach etwa 18 Stunden Kohlensäuregehalte von über 4,5 $^0/_{00}$ festgestellt, womit die Frage der unbedingten Nothwendigkeit einer Ventilation entschieden ist. Es ist ja eine grosse Schwierigkeit, derartige Versuche vollständig kriegsmässig durchzuführen. Es bildet aber keinen Beweis, dass die Luft trotz des hohen Kohlensäuregehaltes noch erträglich genannt werden soll, weil direkte Ohnmachtsanfälle selten oder gar nicht gemeldet wurden. Im Ernstfalle setzt die immerhin vorhandene Erregtheit der Mannschaften ihre Widerstandskraft herab; es werden ferner die schwächsten Individuen, welche sich an den Thüren und am Eingang durch Luftschöpfen vor der Katastrophe bewahrten, im Ernstfalle sicher versagen, da das Luftschöpfen wegen der Gefahr, von Geschossen bezw. Sprengstücken getroffen zu werden, unterbleiben wird. Jedenfalls bilden Mannschaften, welche längere Zeit eine derartige Atmosphäre eingeathmet haben, keinen widerstandsfähigen Gegner mehr. Dieser Umstand bewirkt, dass, ganz abgesehen von humanitären Rücksichten, eine Ventilation der Mannschafteräume vom rein militärischen Standpunkt gefordert werden muss.

Schwerer ist schon die Frage zu beantworten, wie stark die Ventilation wenigstens sein muss. Da die Mannschaftsräume natürlich in solchen Bauwerken sehr eng belegt sind, so ergiebt ein für gewöhnliche Verhältnisse geringer Luftwechsel pro Kopf schon eine ganz beträchtliche Gesammtluftmenge, welche einzuführen ist. Wenn nicht ganz unüberwindliche technische Schwierigkeiten sich entgegenstellen, sollten wenigstens 20 cbm pro Kopf und Stunde an Frischluft zugeführt werden. Pettenkofer erklärt einen Kohlensäuregehalt von 1,0 °/oo als äusserste sanitär zulässige Grenze. Rietschel setzt für dichtbelegte Räume diese Grenze wegen technischer Schwierigkeiten auf 1,5 °/oo fest. Auf Grund dieser letzteren Zahl und der stündlichen Kohlensäureentwickelung eines Mannes ist das Quantum von 20 cbm pro Kopf und Stunde errechnet.*)

Bevor wir das Lüftungsbedürfniss der anderen Räume untersuchen, wollen wir erörtern, auf welche Weise so grosse Luftmengen ohne Zugwirkung in Räume, in denen sich Menschen aufhalten, eingeführt werden können.

Man kann sich durch Versuch leicht davon überzeugen, dass sich die Zugwirkung eines Luftstromes, der mit grosser Geschwindigkeit aus einer Oeffnung austritt, um so weiter fortpflanzt, je grösser diese Oeffnung ist. So ist z. B. der aus einem Rohr von 75 cm Dchm. mit einer Geschwindigkeit von 5 m austretende Luftstrom noch sehr stark in einer Entfernung von 12 m fühlbar, während Luft mit der gleichen Geschwindigkeit aus einer Oeffnung von 4 mm Durchmesser austretend in ³/₄ m fast keine Wirkung ausübt. Diese letztere Erscheinung bleibt auch bestehen, wenn eine grössere Anzahl solcher kleiner Oeffnungen siebartig nebeneinander gesetzt werden, falls der gegenseitige Abstand nicht weniger als das 4fache des Lochdurchmessers beträgt. In derartig fein vertheiltem Zustande konnten einem Mannschaftsraum Luftquantitäten zugeführt werden, welche mehr als das 12fache des Rauminhaltes betragen, ohne dass die geringste Zugwirkung festgestellt werden konnte. Es dürfte auch schwerlich eine andere Einrichtung für die Zufuhr verhältnissmässig so grosser Luftmengen in Mannschaftsräume getroffen werden können, welche die Entstehung von Zug besser vermeidet.

Die freie Anbringung von Ventilatoren in den immer nur mässig hohen Räumen kann daher nicht empfohlen werden, da sich auch durch Schutzschirme unterhalb der Ventilatoren die Verbreitung der Luftwirbelungen im Raum nicht verhindern lässt. Daher sind wir der Meinung, dass auch bei Einzelventilation die Ventilatoren ganz eingeschlossen werden müssen und die Lufteinströmung durch gelochte oder geschlitzte Rohre geschehen sollte. Die in Abbild. 1 im Grundriss dargestellte Anordnung dürfte sich daher für Einzelventilation zur Ausführung empfehlen.

Die hinter dem Flügelrad quer abzweigenden Rohre stellen, wie Versuche gezeigt haben, eine günstige Anordnung dar, weil die Luft hinter dem Flügelrad ziemlich starke rotirende Bewegung und infolge der Fliehkraft das Bestreben zeigt, querab zu entweichen. Messungen haben Drücke bis zu 3,5 mm Wassersäule auf die Rohrwandungen direkt hinter einem Schraubenventilator ergeben. Auf die in der Abbild. 1 dargestellte Stahlblende dicht vor der trompetenförmig erweiterten Saugöffnung kommen wir unten näher zurück.

---

*) Siehe H. Rietschel, Leitfaden zum Berechnen und Entwerfen von Lüftungs- und Heizungsanlagen, 1894, pag. 11 u. ff. und II. Tabelle 2.

Bei allen diesen Ausführungen ist angenommen, dass es sich um Zuführung wenigtens ebenso warmer Luft handelt als in den Räumen bereits vorhanden ist. Die Zuführung sehr kalter Frischluft, auch in fein vertheiltem Zustande, würde sich bei diesen grossen Mengen immer unangenehm fühlbar machen. Vorkehrungen zum Vorwärmen im Winter können nur zur Ausführung kommen, wenn die Zuluft durch eine oder wenige Oeffnungen eingeführt wird, also bei centralisirten Anlagen.

Was im Vorstehenden über die Luftzuführung zu den Mannschaftsräumen gesagt ist, gilt in noch höherem Maasse für die Räume, in denen Kranke und Verwundete untergebracht werden sollen, nämlich ausgiebigste Lüftung von nicht unter 75 cbm stündlich pro Kopf bei peinlichster Vermeidung von Zug. Die Räume, in denen nur einzelne oder wenige Personen sich aufhalten, können mit ganz geringem, etwa einmaligem Luftwechsel in der Stunde bedacht werden, besonders, wenn die sonstigen Räumlichkeiten mit ausgiebiger Lüftung versehen sind. Ebenso können mit geringer Lüftung die sogenannten Arbeitsräume und die Munitionsräume auskommen. Bei 75 cbm pro Kopf in den Lazarethen ist ein zulässiger Kohlensäuregehalt von 0,7 °/oo angenommen.

Gänzlich andere Verhältnisse finden wir in den gepanzerten Geschützthürmen, den Küchen, den Latrinen und im Maschinenraum. Ueberall wird die Luft durch Gase, Dünste und mit Ausnahme der Latrine auch durch Wärmeentwickelung verschlechtert. Das Ueberströmen von Luft aus diesen Räumen in die benachbarten muss unbedingt vermieden werden. Daher gilt für solche Räume mehr als für irgend andere der Grundsatz, die luftverschlechternden Gase möglichst bei ihrem Entstehen auf dem kürzesten Wege zu beseitigen. Ein Trugschluss, welcher leider häufig gemacht

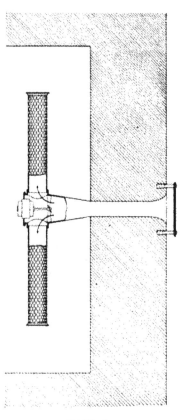

Abbild. 1.

wird, führt zu der Folgerung: also muss aus allen solchen Räumen die schlechte Luft durch Absaugen entfernt werden. Dieser Satz kann keineswegs so allgemein aufgestellt werden wie der vorhergehende. Es muss vielmehr von Fall zu Fall unter Berücksichtigung der speziellen Verhältnisse die geeignete Art der Lufterneuerung bestimmt werden. Hierdurch werden wir zur Betrachtung der Unterschiede geführt, welche sich für Lüftung durch Eindrücken von Frischluft in und durch Absaugen der verbrauchten Luft aus den zu lüftenden Räumen ergeben.

Bei einem so leicht beweglichen Körper, wie es die atmosphärische Luft ist, reichen die geringsten Druckunterschiede aus, um eine Ausgleichsströmung hervorzurufen. Wir brauchen uns nur zu vergegenwärtigen, dass ein Druckunterschied von nur 0,0659 mm Wassersäule bereits

der Luft eine Geschwindigkeit von 1 m in der Sekunde zu ertheilen im
Stande ist und dass zur Erzeugung einer Luftgeschwindigkeit von 40 m
(Geschwindigkeit des verheerenden Cuba-Orkans im Jahre 1844) nur
110,8 mm Wassersäule Druckdifferenz nöthig ist, um uns eine Vorstellung
von der Empfindlichkeit der Luft gegen Druckdifferenzen zu machen.

Beim Einblasen von Luft in einen Raum tritt nun in diesem eine
Druckerhöhung, beim Absaugen eine Druckverminderung ein. Es ist aber
durchaus nicht nöthig, dass diese Druckerhöhung gleichbedeutend mit
Ueberdruck und die Druckverminderung gleichbedeutend mit Unterdruck
ist, wie dies oft fälschlich ohne Weiteres angenommen wird.' Ein Beispiel
möge zur Erläuterung dienen.

Sämmtlichen untereinander in Verbindung stehenden Räumen eines
Komplexes werde Frischluft unter Druck zugeführt. Auf welche Weise
dies geschieht, ist für unser Beispiel gleichgültig.

Richten wir es nun so ein, dass einem Raum eine grössere Frischluftmenge zugeführt wird, als er im Verhältniss zu den anderen Räumen
erhalten sollte und als er durch die auf ihn treffenden Undichtigkeiten
wieder abgeben kann, so wird in diesem Raum ein Ueberdruck, in den
anderen Räumen ein Unterdruck festzustellen sein, obwohl auch den
letzteren Frischluft unter »Druck« zugeführt wird. Wir sehen also, dass
Ueberdruck und Unterdruck ganz relative Begriffe sind, welche immer
nur unter Bezugnahme auf den Vergleichsdruck gebraucht werden sollten.

Ein genau dem zugeführten gleiches Quantum Abluft muss aus den
Räumen entweichen. Besondere Abluftkanäle dafür vorzusehen, ist nicht
erforderlich, wir können es der Luft ruhig selbst überlassen, sich den
Ausweg zu suchen; die Undichtigkeiten auch von bombensicheren Räumen
sind so gross, dass sie selbst bedeutenden Luftquantitäten ohne erheblichen Widerstand den Austritt ermöglichen.

Ich möchte hier einfügen, wie es möglich ist, auf Grund der Ueberlegung, dass das zugeführte Luftquantum gleich dem entweichenden sein
muss, die Gesammtundichtigkeit von Räumen festzustellen. Durch Einpressen der Luft wird, wie oben erwähnt, der Druck im Innern erhöht; es
muss ein Ueberdruck gegen die äussere Luft entstehen, und zwar ist
dieser Ueberdruck die einzige treibende Kraft für die durch die Undichtigkeiten entweichende Luft. Berechnet man nun die diesem Ueberdruck
entsprechende Luftgeschwindigkeit und misst das zugeführte Luftquantum,
so kann man aus Geschwindigkeit und Quantum die entsprechende Durchströmöffnung, welche sich als Summe aller Undichtigkeiten darstellt, ermitteln. So ergab sich z. B. an einer Panzerbatterie mit vier Geschützen
bei einer stündlich zugeführten Luftmenge von 16 500 cbm ein Ueberdruck
im Innern gegen aussen von 0,103 mm Wassersäule, woraus sich nach
der Formel für die Geschwindigkeitshöhe der Luft

$$v = \sqrt{\frac{2\,g\,h}{1,293}} = \sqrt{\frac{2 \cdot 9,81 \cdot 0,103}{1,293}} = 1,25\ m$$

ergiebt.

Für den Gesammtquerschnitt F der Austrittsöffnungen erhält man
demnach

$$F = \frac{Q}{3600 \cdot v} = \frac{16\,500}{3600 \cdot 1,25} = 3,665\ qm.$$

Einen so grossen Werth würde wohl Niemand, der eine kriegsmässig
verschlossene Panzer-Batterie schon gesehen hat, erwartet haben. Es möge
noch erwähnt sein, dass dieser Querschnitt F in Wirklichkeit jedenfalls

noch grösser ist, da unsere Berechnung alle Widerstände (Reibung und Kontraktion) vernachlässigt und somit das theoretische Minimum für den Querschnitt angiebt.

Ebenso wie beim Eindrücken von Frischluft in ein Bauwerk ein dem zugeführten genau gleiches Luftquantum entweichen muss, so wird bei Absaugen ein dem entfernten genau gleiches Luftquantum den Räumen von aussen zuströmen. Im ersteren Fall haben wir eine Kontrolle der zugeführten Frischluft, da wir die Entnahmestellen genau kennen, und überlassen es der verbrauchten Mischluft, sich ihren Ausweg selbst zu suchen. Im zweiten Fall haben wir zwar auch eine Kontrolle der Luftquantitäten, aber wir wissen nicht, ob die durch alle Undichtigkeiten eindringende Zuluft auf ihrem Weg ins Innere nicht bereits verdorben worden ist. Bei gemischten Lüftungsanlagen, bei welchen in einen Theil der Räume eingedrückt, aus einem Theil abgesaugt wird, ist daher auch nur die zugeführte Frischluftmenge als solche für den Luftwechsel in Rechnung zu setzen.

Wie man sieht, ist also die Sicherheit der Luftführung beim Einpressen der Frischluft bedeutend besser gewahrt als beim Absaugen der Abluft, und erstere Methode verdient daher nach diesem Gesichtspunkt den Vorzug.

Es kann jedoch Fälle geben, in denen die eine Lüftungsart ebenso gut angewendet werden kann wie die andere, wenn es sich z. B. um die Lüftung einzelner Räume, welche rings von guter Luft oder gute Luft enthaltenden Räumen umgeben sind. In diesem Fall sind andere Eigenschaften beider Systeme ausschlaggebend. Beim Einpressen der Luft müssen meistens erst Vorrichtungen zur Vermeidung von Zugwirkungen geschaffen werden; beim Absaugen ist dies nicht erforderlich. Dagegen wird man mit einem geringeren Energieaufwand für den gleichen Luftwechsel beim Einpressen auskommen, als wenn man absaugt. Dieser Unterschied kann sehr bedeutend, ja ausschlaggebend werden, wenn die Oeffnungen, die ins Freie führen, nur geringen Querschnitt besitzen dürfen, wie dies bei bombensicheren Räumen ja immer der Fall ist. Wir wollen diese Behauptung einstweilen als zutreffend annehmen und werden den Beweis weiter unten erbringen.

Nach diesen allgemeinen Ausführungen wird es uns nunmehr ein Leichtes sein, für die oben bereits genannten Räume: Latrine, Geschützthürme, Küche und Maschinenraum die jeweils richtigste Lüftungsmethode zu bestimmen. Für die Mannschaftsräume sowie das Lazareth kommen so grosse Quantitäten von Luft in Betracht, dass sich eine andere Zuführungsart als durch Einpressen wegen des allzugrossen Energieaufwandes beim Absaugen und Hinausdrücken ins Freie nicht anwenden lässt.

Für Latrinenventilation ist das Absaugen aus dem Latrinenraum, wie es verschiedentlich sogar von Fachleuten vorgeschlagen wurde, zu verwerfen, weil dadurch die Grubengase veranlasst werden, durch die Fallrohre und Sitzöffnungen in den Latrinenraum einzudringen, aus welchem sie alsdann erst abgesaugt werden. Die einzig sichere und zweckentsprechende Lüftung geschieht in diesem Fall durch direktes Absaugen aus der Grube selbst. Dabei sollen wenigstens $^1\!/_3$ der Sitzöffnungen ohne jeden Verschluss sein, damit durch sie hindurch die Luft des Latrinenraumes abgezogen wird. Lüftungen nach diesem System ausgeführt, haben sich vorzüglich bewährt. Vom richtigen Funktioniren der Anlage kann man sich leicht dadurch überzeugen, dass man die Zugrichtung im Fallrohr mittelst eines brennenden Streichholzes oder dergleichen kontrollirt, ob sie nach unten gerichtet ist. Ueberhaupt ist eine Flamme infolge ihrer Empfindlichkeit gegen Luftbewegung ein vorzügliches Mittel zur Bestimmung von Zugrichtungen. Als Anhalt für die Berechnung einer Latrinenlüftung möge dienen, dass in den Fallrohren, wenn alle Sitze offen sind, eine Luftgeschwindigkeit von etwa 0,5 m pro Sekunde die Garantie für gute Wirkung bietet. Das Prinzip, die schädlichen Gase gleich von ihrem Entstehungsort abzuführen, ist hierbei richtig eingehalten.

An ein Einpressen von Luft in Latrinenräume .wird wohl Niemand denken wegen der Gefahr, dass die Gase in benachbarte Räume getrieben werden können, sobald diese den geringsten Unterdruck dem Latrinenraum gegenüber aufweisen.

Bei der Lüftung der Geschützthürme ist zu berücksichtigen, dass die Pulvergase nach jedem abgegebenen Schuss beim Oeffnen des Verschlusses erst ins Innere des Thurmes eindringen, ein Vorgang, welcher beim Absaugen aus den Thürmen noch unterstützt wird. Bei dem geringen Rauminhalt, welchen derartige Thürme mit Rücksicht auf die Kosten und die Widerstandsfähigkeit der Panzerung haben, ist es nun gewiss möglich, die eindringenden Pulvergase durch Absaugen zu entfernen; die Lufterneuerung wird hierbei hauptsächlich aus dem benachbarten Korridor bezw. den Mannschaftsräumen erfolgen, und die Bedienungsmannschaften, welche den verhältnissmässig angestrengtesten Dienst haben, erhalten zu der Wärmeentwickelung der Geschützrohre im günstigsten Fall verbrauchte, wenn auch bei guter Allgemeinventilation nicht gerade schlechte Abluft der Mannschaftsräume.

Führt man dagegen den Geschützthürmen Luft unter Druck zu, so dass ein Ueberdruck der Aussenluft gegenüber entsteht, so ist anzunehmen, dass die im Rohr befindlichen Pulvergase beim Oeffnen des Geschützverschlusses direkt ins Freie gedrückt werden. Der praktische Versuch hat auch gezeigt, dass dies wirklich eintritt, und es war in einem Haubitzthurm nach 10 Schuss Schnellfeuer keinerlei Luftverschlechterung durch Pulvergase zu bemerken. Die Thatsache, dass Pulvergase bei Drucklüftung überhaupt nicht ins Innere des Thurmes dringen, lässt auch die Befürchtung, es könnten diese Gase in den Korridor und in die Mannschaftsräume getrieben werden, hinfällig erscheinen. Durch den Randspalt der Panzerkappe kann eine grosse Menge verbrauchter Luft entweichen, so dass die Mannschaften immer gute Luft erhalten. Beim Absaugen findet nicht in demselben Maasse ein Luftwechsel durch den Randspalt statt, weil der durch die Drucklüftung der Mannschaftsräume und durch die Schornsteinwirkung der höher gelegenen Thürme gegen aussen erzeugte Ueberdruck vermindert oder aufgehoben, ja sogar in geringen Unterdruck verwandelt werden kann, wobei immer die Druckdifferenz, welche allein die Strömung durch den Randspalt hervorruft, verringert bezw. aufgehoben wird. Die Lüftung der Geschützthürme durch Absaugen ist daher sowohl theoretisch als auch auf Grund der praktischen Erfahrungen zu verwerfen. Hierzu kommt noch der Nachtheil, dass beim Absaugen und Hinauspressen· der Abluft ins Freie ein bedeutender Kraftverlust entsteht, wie unten ausführlich nachgewiesen werden wird.

Ein prinzipieller Unterschied besteht hierbei nicht zwischen Haubitzund Schnellfeuer-Geschützthürmen, es kann sich höchstens darum handeln, die letzteren mit kräftiger wirkenden Drucklüftungseinrichtungen zu versehen.

Die Frage der Küchenventilation, wo eine solche überhaupt in Betracht kommt, scheint einfach zu lösen, indem man die Dämpfe und die heisse Luft nahe am Gewölbescheitel absaugt und ins Freie drückt, doch darf man des Guten nicht zu viel thun, um nicht die Zugwirkung des Herdschornsteines zu beeinträchtigen.

Aus diesem Grunde wäre ein Versuch mit einfachen Auszugsöffnungen nahe der Decke zu befürworten, besonders wenn im Bauwerk die Drucklüftung überwiegt. Eine etwas warme Küche dürfte immerhin einer rauchigen mit schlecht oder gar nicht brennendem Herdfeuer vorgezogen werden.

Die Maschinenräume sind bezüglich der Lüftung verschieden zu behandeln, je nachdem Petroleummotoren, Dampfmaschinen mit getrenntem Kesselraum oder sogenannte stationäre Lokomobilen in Frage kommen. Für den Lokomobilen- und Kesselraum ist in Rücksicht auf die Zugwirkung der Feuerung kräftige Drucklüftung unbedingt erforderlich; höhere Temperaturen sind in diesen Räumen unvermeidlich und sind als solche mit in den Kauf zu nehmen. Die Lüftungseinrichtung kann hier nur den Zweck haben, die Temperaturen auf ein erträgliches Maass herabzusetzen. Der Dampfmaschinenraum könnte an sich am besten durch Absaugen gelüftet werden, doch kann die Rücksicht auf den benachbarten Kesselraum Drucklüftung angezeigt erscheinen lassen.

In Maschinenräumen mit Petroleummotoren kommen ausser den letzteren für die Luftverschlechterung noch die Vorrichtungen zur Rückkühlung des Cylinderkühlwassers in Betracht. Die offenen Cirkulationskühlgefässe dürfen als veraltet übergangen werden, nachdem sie durch die viel weniger Raum beanspruchenden und mit weniger Wasser arbeitenden Ventilationskühlgefässe ersetzt wurden. Die Konstruktion der letzteren ist verschieden; das allen zu Grunde liegende gleiche Prinzip besteht darin, das von den Motoren kommende heisse Kühlwasser in einem Gradirwerk fein zu vertheilen und dem so vertheilten Wasserstrom, welcher in diesem Zustande eine grosse Oberfläche darbietet, einen kräftigen Luftstrom entgegen zu schicken. Die Abkühlung wird bei diesem Vorgang noch durch die Verdunstung eines Theiles des Kühlwassers vermehrt. Dass dem entweichenden Dampfstrom der direkteste und sicherste Weg ins Freie gegeben werden muss, ist einleuchtend. Fehlerhaft wäre es, den Dampfstrom frei in den Maschinenraum treten zu lassen und ihn über der Austrittöffnung wieder durch einen Trichter ansaugen und ins Freie drücken zu wollen. Es ist bei einer solchen Einrichtung nie zu vermeiden, dass Wasserdämpfe in den Maschinenraum treten, und gerade feuchte Wärme ist viel unerträglicher als trockene Hitze, wie Jeder zugeben wird, der Gelegenheit hatte, beide aushalten zu müssen.

Bedenkt man noch den Fall, dass der Absaugeventilator gänzlich versagen kann, so übersieht man die Gefährlichkeit einer derartigen Einrichtung in ihrem ganzen Umfang. Es muss daher für die Ventilationskühlgefässe die direkte von der übrigen Lüftungseinrichtung getrennte Ableitung des Abdampfes gefordert werden. Durch diese Einrichtung wird ein unserer Ansicht nach vollkommen genügender Luftwechsel des ganzen Raumes erzielt, und man wird auch hier immer bedenken müssen, dass man sich in einem Maschinenraum, und zwar in einem bombensicheren befindet. Diese Frage wird jedoch nie objektiv gelöst werden können, da erstlich der Maassstab der Kohlensäuremessung hier versagt und zweitens die Wärmeentwickelung bezw. deren zulässige Grenzen nur subjektiv angegeben werden können.

Soll noch eine zusätzliche Lüftung des Maschinenraumes eingerichtet werden, so ist es ebenfalls nur eine Ermessensfrage, ob Drucklüftung oder

Sauglüftung vorzuziehen ist. Bei Drucklüftung hätte man ein ganz bestimmtes Quantum frischer Luft stündlich und wäre so lange ein Ueber-
treten der Luft aus dem Maschinenraum in benachbarte Räume nicht zu
befürchten, als das durch die Kühlgefässe abgesaugte Quantum das herein-
gedrückte überwiegt. Für diese Einrichtung würden wir uns entscheiden.
Beim Absaugen aus dem Maschinenraum dürfte die Temperatur vielleicht
mehr erniedrigt werden, als dies durch Eindrücken von Frischluft geschieht, und gegen Hitze besonders empfindliche Personen werden daher
das Absaugen befürworten. Dafür werden sie jedoch unbedingt die aus
den Mannschaftsräumen bezw. dem Korridor zuströmende Abluft einathmen
müssen. Hier entscheidet lediglich der Geschmack.

Zur Bestimmung des Luftwechsels in Maschinen-, Kessel- und anderen
Räumen, in denen Wärme produzirt wird, kann die Wärmeabgabe der
verschiedenen Einrichtungen berechnet und danach der erforderliche Luftwechsel ermittelt werden. Wir verweisen auch für diese Berechnungen
auf den Leitfaden von H. Rietschel und besonders auf die Tabelle 3
des zweiten Bandes. Dabei ist es gleichgültig, ob das nach dieser Tabelle
erforderliche Luftquantum zugeführt oder abgesaugt wird. Die Vortheile
bei Zuführung durch Einpressen der Frischluft besonders in Maschinenräumen mit Petroleummotoren und bei Verwendung von Ventilations-
kühlgefässen haben wir bereits oben betont.

Somit wären die Betrachtungen über die Art und Weise sowie über
die Grösse der Lufterneuerung in den einzelnen Räumen bombensicherer
Bauwerke zu einem Abschluss gekommen. Es wird sich aber fast immer
nicht um die Lüftung einzelner Räume der oben besprochenen Art, sondern um die Lufterneuerung in zusammenhängenden, meist sogar sehr
eng zu grösseren Bauwerken vereinigten Räumen handeln.

Es hat dies insofern Einfluss auf die Anordnung der Lüftungseinrichtungen, als für alle Räume oder doch wenigstens für alle mit gleicher
Zuführungsart zu lüftenden Räume eine einzige Kraftquelle vorgesehen
werden kann. Die Vertheilung der Luft muss in letzterem Fall durch
ein Rohr- oder Kanalsystem geschehen, und es taucht die Frage auf,
welches System ist vorzuziehen, Einzellüftung der Räume mit ebenso vielen
Kraftquellen, oder Anschluss der Räume an ein gemeinsames Kanalsystem
mit einer Kraftquelle, also kurz Einzellüftung oder Centrallüftung.

Ganz allgemein lässt sich zwischen diesen beiden Systemen ebenso
wenig eine Entscheidung treffen, wie zwischen Drucklüftung und Sauglüftung. Es müssen vielmehr die Vor- und Nachtheile beider erwogen
und mit den gerade vorliegenden lokalen Verhältnissen zusammengehalten
werden.

Die Vorzüge der Einzellüftung sind: die einfache Gestaltung bezw.
der gänzliche Fortfall eines Rohrsystems und die Einfachheit der Pro-
jektirung, bei welcher komplizirte Berechnungen nicht in Frage kommen.
Die im Folgenden aufzuführenden Vorzüge der Centrallüftung bilden
durch ihr Fehlen ebenso viele Nachtheile der Einzellüftung, ebenso wie
das weitverzweigte und in der Berechnung häufig schwierige Rohr- und
Kanalsystem die Nachtheile der Centrallüftung der Einzellüftung gegenüber darstellt.

Durch die centrale Anordnung der Kraftquelle werden bedingt:

1. Grössere und daher in ihrer Konstruktion widerstandsfähigere
Antriebmaschinen für die Ventilatoren.

2. Besserer Wirkungsgrad der grossen Motoren und Ventilatoren. Es
ergeben z. B. Elektromotoren von 1 PS. meist schon einen Wirkungsgrad

von 75 pCt., während die für Einzellüftung in Betracht kommenden
$1/16$-, $1/8$- u. s. w. pferdigen Motoren einen Wirkungsgrad von 25 bis 30 pCt.
besitzen. Ganz ähnlich verhält es sich mit dem Nutzeffekt der zugehörigen
Ventilatoren. Die Folge des besseren Wirkungsgrades ist

3. Geringerer Energiebedarf für das gleiche zu liefernde Luftquantum
und dadurch bedingt

4. Geringere Anlage- und Betriebskosten pro Kubikmeter stündlich
geförderter Luft.

5. Einfachere, leichtere Bedienung und Instandhaltung der centralisirten maschinellen Anlagen.

6. Die Möglichkeit einer feineren Regulirung und eventuellen Forcirung
der Lüftung in besonders bedürftigen Räumen. Und endlich

7. Die Möglichkeit der Vorwärmung der zugeführten Frischluft, ein
leider bei Ventilationen von Hohlbauten nur zu sehr unterschätzter Vortheil der Centralanordnung.

Um gleich bei diesem letzten Punkt stehen zu bleiben, so sehen wir
den Betrieb der Ventilationsanlage im Winter in dem für dichtbelegte
Mannschaftsräume erforderlichen Umfang ohne Vorwärmung der Luft
völlig ausgeschlossen. Das Fehlen einer Vorwärmung der Zuluft bei
kräftigen Lüftungsanlagen hat immer zur Folge, dass die Anlage bei
kalter Aussentemperatur ausser Betrieb gesetzt werden muss, und es tritt
der bei Mannschaften nur allzu verbreitete Grundsatz: lieber erstickt als
erfroren, in Kraft. Die Vorwärmung der Zuluft muss um so mehr für
ständig und dichtbelegte· Räume empfohlen werden, als dadurch die
Heizung der Räume vollständig gespart werden kann wegen der nur
äusserst langsam vor sich gehenden Abkühlung der starken Mauern und
Erdschüttungen der bombensicheren Bauwerke. Welchen Einfluss eine
kräftige Lüftung auf die Temperatur der Mauern im Innern solcher Bauten
haben kann, möge nachstehendes Beispiel zeigen.

Die in bombensicheren Bauwerken herrschende Feuchtigkeit ist allgemein bekannt. In besonders auffallender Weise trat dieselbe bei Versuchen an kriegsmässig belegten und verschlossenen Haubitz-Batterien auf,
indem der von den Mannschaften abgegebene Wasserdampf an den kalten
Mauerwänden niedergeschlagen wurde und thatsächlich in Strömen herab-
lief, während an den Gewölben dicke Wassertropfen hingen.

Merkwürdigerweise trat dies nur bei einer von zwei ganz gleich
gebauten und gleich belegten Batterien auf, während bei der anderen
keinerlei Wasserniederschlag zu bemerken war.

Der Grund für das verschiedene Verhalten ergab sich in der Verschiedenheit der Ventilationseinrichtungen. Die eine Batterie erhielt eine
Frischluftmenge von etwa 6500 cbm, die andere eine solche von 16 500 cbm
stündlich.

Da nun eine sehr warme Aussentemperatur herrschte und die Ventilationsanlagen einige Zeit vor der Belegung mit Mannschaften in Betrieb
gesetzt worden waren, so wurde bei der Batterie mit dem grossen Luftwechsel die Oberflächentemperatur der Mauerwände über die Thaupunkttemperatur erhöht, so dass ein Niederschlag des Wasserdampfes nicht
stattfand. War nun eine kräftige Ventilation im Stande, in wenigen
Stunden durch Zuführung warmer Luft die Mauern über die ziemlich hohe
Thaupunkttemperatur der Mannschaftsräume zu erwärmen, so ist dadurch
die Unmöglichkeit erwiesen, eine derartige Ventilation in ihrem ganzen
Umfang bei Frost in Betrieb zu lassen. Mit den verschiedenen bereits
vorhandenen Lüftungseinrichtungen würden wichtige Versuche im Winter

angestellt werden können, die um so nothwendiger wären, als voraussichtlich alle derartige Lüftungsanlagen für die Zeit des Winters sich als
vollkommen illusorisch erweisen dürften.

Bei Centrallüftung können leicht in den Zuströmkanälen oder Rohren
Heizkörper angebracht werden, welche die Vorwärmung der Luft ermöglichen; bei Einzelanordnung der Ventilatoren ist dies ausgeschlossen.

Die ferner unter 1 bis 6 aufgeführten Vortheile der Centralanordnung
sind Thatsachen, welche jeder Techniker kennt und die nur aufgezählt
zu werden brauchen, für die wir uns aber füglich den Beweis sparen
können. Nur zu Punkt 6 wollen wir weiter unten noch Einiges bemerken.

Was die Nachtheile der Centrallüftung anlangt, nämlich: weit-
verzweigtes Kanalsystem und Schwierigkeit der Berechnung desselben, so
kann letzteres für den Ingenieur überhaupt nicht als Nachtheil bezeichnet
werden, sondern muss als kleine Unbequemlichkeit in den Kauf genommen
werden. Das weitverzweigte Kanalsystem springt besonders insofern als
Nachtheil in die Augen, als die Lüftungsanlagen fast immer in fertige
Bauwerke eingebaut werden. Wenn es schon bei bürgerlichen Gebäuden
ein Fehler ist, Lüftungsanlagen nachträglich einbauen zu wollen, wie viel
mehr ist es nothwendig, bei neu anzulegenden bombensicheren Kriegsbauten,
bei denen so sehr mit dem Raum gegeizt werden muss, von Anfang an
Rücksicht auf die Anforderungen der Ventilation zu nehmen; ganz abgesehen davon, dass hierdurch auch sehr viel an Geld gespart werden kann.

Werden die Querschnitte bei Centrallüftung zu gross, so kann durch
gruppenweise Zusammenfassung der Räume zur Versorgung von einem
gemeinschaftlichen Ventilator aus, Abhilfe geschaffen werden. Stehen die
Gruppenleitungen unter sich wieder in Verbindung, so hat man ausserdem noch den Vortheil, immer eine gewisse Reserve zu besitzen, welche
überdies noch stets bereit ist.

Versagt bei Einzellüftung ein Ventilator, so ist der betreffende Raum,
bis ein neuer Ventilator angebracht ist, ohne jegliche Lüftung.

Die von manchen so sehr gefürchtete Abhängigkeit der Luftzufuhr bei
Centrallüftung zu den einzelnen Räumen voneinander stellt unserer Ansicht nach im Gegentheil den unter 6. aufgeführten Vorzug dieses
Systems dar, indem zeitweilig die Lüftung besonderer Räume auf Kosten
anderer forcirt werden kann. Bei einem Einzelventilator ist dies natürlich nicht möglich, wenn er nicht von vornherein übermässig gross, also
unpassend gewählt wurde.

Nach den vorstehenden Vergleichen müssen wir zu dem Schluss
kommen:

Es ist so lange möglichste Centralisirung oder gruppenweise Zusammenfassung der Kraftquellen bei mechanischer
Ventilation in bombensicheren Bauwerken anzustreben, als
nicht technische Schwierigkeiten oder spezielle Lüftungsarten
den Uebergang zur Einzellüftung unvermeidlich machen.

An dieser Stelle mögen auch noch einige Bemerkungen über die geeignetste Stelle, an welcher die Frischluft eingeführt werden soll, Platz
finden. Der Grundsatz, dass die Einströmungsöffnung in einen Raum
möglichst weit entfernt von der Abluftöffnung angebracht werden solle,
hat zu der Anordnung B (Abbild. 2) bei Einzellüftung von Mannschaftsräumen geführt, indem angenommen wurde, dass die verbrauchte Mischluft durch das Fenster bei a entweicht.

Bei den schon mehrfach erwähnten Versuchen an kriegsmässig belegten Batterien zeigte es sich jedoch, dass die Abluft hauptsächlich durch

die in den Thüren b angebrachten Ventilationsgitter durch den Mittelgang G und die wenigstens zur Hälfte immer offene Thüre dieses Ganges
sich den Ausweg
suchte. Es liegt nun
unserer Ansicht nach
kein Grund vor, der
Luft diesen Weg
durch dichtes Ab-
schliessen der Thüren
nach dem Gang zu
versperren; es fehlt
aber dann der An-
ordnung, die Ein-
strömöffnungen etwa
³/₃ der ganzen Raum-
länge vom Fenster
entfernt anzubringen,
jede Begründung.

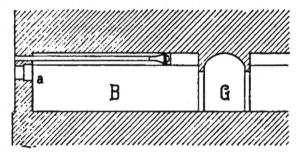

Es wird mit dieser
Anordnung ohne
Grund der einzige
Vortheil der Einzel-
lüftung, nämlich die
Entbehrlichkeit eines
Rohrsystems, auf-
gegeben. Uebrigens
wäre auch, ohne dass
die Luftströmung
nach dem Gang bei
den Versuchen fest-
gestellt worden wäre,
die Anbringung des
Ventilators direkt an
der Stirnmauer zu-
lässig, denn bei hohen
Eintrittsgeschwindig-
keiten findet eine so
schnelle Mischung
und Vertheilung der
Zuluft mit der Raum-
luft statt, dass die Be-
fürchtung, es könne
Frischluft, ohne
ihren Zweck erfüllt
zu haben, wieder ent-
weichen, grundlos ist.
Es würde daher die
im Raume C dar-
gestellte Anordnung
einfacher sein und
zudem besser auf
Grund der Erfahrun-
gen vertheidigt wer-
den können. Wie wir

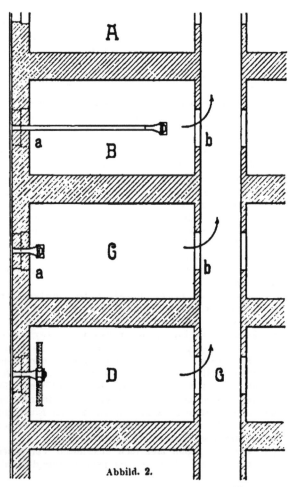

Abbild. 2.

oben ausgeführt haben, bestehen gegen die freie Anbringung eines nach
innen blasenden Ventilators wegen der nicht zu vermeidenden Zugwirkung
für Mannschafteräume Bedenken und würde die ebenfalls oben beschriebene
Zuführung der Luft in fein vertheiltem Zustande vorzuziehen sein (D).

Die sämmtlichen übrigen im Prinzip der Einzelventilation gelegenen
Nachtheile bleiben selbstverständlich auch bei dieser letzteren Anordnung D
bestehen.

Eine Hauptschwierigkeit bei Lüftung bombensicherer Hohlbauten
bietet die Anordnung der Lufteintritts- bezw. Austrittsöffnungen. Diese
sollen natürlich an Zahl und Grösse gering sein, um das Mauerwerk
möglichst wenig zu schwächen und um selbst eine geringe Trefffläche
darzubieten.

Die Grösse der Durchströmöffnungen ist aber für den Energiebedarf
von einschneidender Wichtigkeit. Es soll daher im Folgenden näher ins
Auge gefasst werden, welchen Einfluss die Dimensionen der Durchströmöffnungen auf den Kraftbedarf ausüben.

Wir nehmen beispielsweise an, es sei für ein Bauwerk durch eine
Oeffnung 1 cbm Luft pro Sekunde zu fördern. Je kleiner nun die Oeffnung ist, desto grösser wird die Luftgeschwindigkeit sein müssen, um
1 cbm pro Sekunde zu ergeben, und zwar erhalten wir diese Geschwindigkeit v nach der Gleichung

$$v = \frac{Q}{F}$$

Hierin bedeutet Q die sekundliche Luftmenge (hier = 1) und F den Querschnitt der Durchströmöffnung in Quadratmeter. Vergleichen wir vier
runde Oeffnungen von 30, 25, 20 und 15 cm Durchmesser, deren Quer-
schnitte $\left(\frac{d^2 \pi}{4}\right)$ $F_1 = 0{,}0706$, $F_2 = 0{,}049$, $F_3 = 0{,}0314$ und $F_4 = 0{,}0177$ qm
betragen, so ergeben sich für 1 cbm sekundliche Luftmenge die Ge-
schwindigkeiten $v_1 = 14{,}18$, $v_2 = 20{,}4$, $v_3 = 31{,}8$ und $v_4 = 56{,}5$ m pro
Sekunde.

Wir erhalten also die vierfache Geschwindigkeit $v_4 = 56{,}5$ m gegenüber von $v_1 = 14{,}18$, um das gleiche Luftquantum durch die im Durchmesser halb so grosse Oeffnung von 15 cm gegenüber derjenigen von
30 cm zu treiben; d. h. die Durchströmgeschwindigkeiten verhalten sich
umgekehrt proportional dem Quadrat des Oeffnungsdurchmessers.

Die zur Erzeugung dieser Geschwindigkeiten nothwendigen Pressungen
ergeben sich für 0° Lufttemperatur und 760 mm Barometerstand aus der
Formel

$$h = 1{,}293 \; \frac{v^2}{2g}$$

in welcher h die Geschwindigkeitshöhe in Millimetern Wassersäule, v die
Luftgeschwindigkeit in Meter pro Sekunde, g die Beschleunigung der
Schwere und 1,293 das Gewicht eines Kubikmeters Luft in Kilogrammen
bei 0° und 760 mm Quecksilbersäule bedeuten.

Die erforderliche Pressung (h) ist danach direkt proportional dem
Quadrat der Geschwindigkeit, und da diese, wie oben ausgeführt, umgekehrt
proportional dem Quadrate des Durchmessers der Durchströmöffnung ist,
so wächst der der aufzuwendenden Pressung proportionale Kraftbedarf
umgekehrt proportional der vierten Potenz des Durchmessers; d. h. wir
brauchen 16 mal mehr Kraft, um das gleiche Luftquantum durch den
Querschnitt von 15 cm Durchmesser hindurch zu treiben, als wenn uns ein
Querschnitt von 30 cm Durchmesser zur Verfügung steht.

Die gesammte zur Erzeugung der Geschwindigkeit aufgewendete Energie ist nun in dem bewegten Luftquantum enthalten und geht beim Ausblasen der Luft ins Freie verloren. Man ersieht daraus, dass bei Ausblaseöffnungen geringe Querschnitte sehr nachtheilig für den aufzuwendenden Kraftverbrauch sind.

Ganz anders liegen die Verhältnisse beim Ansaugen der Frischluft durch kleine Oeffnungen mit grossen Geschwindigkeiten.

Hierbei können Vorkehrungen getroffen werden, welche einen solchen Verlust nicht oder wenigstens nicht in vollem Maasse eintreten lassen.

Bereits C. Schinz veröffentlicht in seinem Werk über Heizung und Ventilation 1861, Seite 333 und 335, Formeln und Tabellen über die Druckvermehrung der Luft bei konischer Erweiterung von Leitungen.

Diese Vermehrung des statischen Druckes ist eine Folge der in der bewegten Luftmenge enthaltenen kinetischen Energie, welche sich bei allmählicher Erweiterung des Leitungsquerschnittes in statischen Druck umsetzt.

Wir haben gesehen, dass zur Erzeugung einer gewissen Luftgeschwindigkeit v eine Pressung in Millimetern Wassersäule von $h = 1{,}293 \dfrac{v^2}{2\,g}$ erforderlich ist, welche Pressung man die Geschwindigkeitshöhe nennt. Wird nun die Luftgeschwindigkeit durch Erweiterung des Leitungsquerschnittes auf den Betrag v_1 herabgedrückt, so müsste die Differenz der Geschwindigkeitshöhen $h - h_1 = 1{,}293 \left(\dfrac{v^2 - v_1{}^2}{2\,g} \right)$ den Gewinn an statischem Druck ergeben, wenn man von allen Verlusten absieht.

Könnte man diese Umsetzung in günstiger Weise vornehmen, so wäre damit ein vorzügliches Mittel gegeben, um durch kleine Eintrittsöffnungen hindurch grosse Luftmengen mit geringem Kraftaufwand zu fördern, wenn man den Uebergang zu dem im Innern der Bauwerke angeordneten stärkeren Leitungsnetz allmählich herstellt.

Um nun das Güteverhältniss bezw. die Verluste bei konischem Uebergang von engen in weitere Leitungen festzustellen, hat die Elektrizitäts-Aktiengesellschaft vormals Schuckert & Co. im November des Jahres 1897 eingehende Versuche mit einem Blackmann-Ventilator von 24″ Durchmesser, welcher elektrisch angetrieben wurde, angestellt. Die in Abbild. 3 gezeichnete Versuchsanordnung zeigt das auf Böcken gelagerte, etwa 10 m lange Blechrohr von

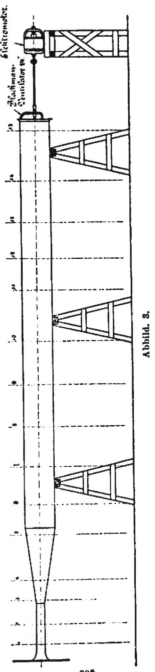

Abbild. 3.

22*

750 mm Durchmesser, welches mittelst eines konischen Uebergangsstückes an ein enges Rohr von 200 mm Durchmesser angeschlossen ist. Ventilator und Elektromotor sind in einer solchen Anordnung gezeichnet, dass die Luft durch die enge Leitung angesaugt wird. Die verschiedenen punktirt hervorgehobenen Querschnitte 1 bis 15 geben die Stellen an, an denen gemessen wurde.

Der Kraftaufwand wurde aus dem vorher ermittelten Wirkungsgrad des Motors genau festgestellt.

Abbild. 4.

Eine Darstellung des Versuchsventilators geben wir in Abbild. 4. Der Blackmann gehört zu den sog. Schöpfventilatoren, deren eigenartige Flügelform charakteristisch für diese Ventilatorgattung ist. Er bedarf keines weiteren Gehäuses, sondern schöpft aus freier Luft und eignet sich wegen seiner verhältnissmässig hohen Tourenzahl gut zum direkten Antrieb mit Elektromotoren.

Der Elektromotor förderte durch das enge Einströmungsrohr an-
saugend bei den verschiedenen Beanspruchungen die in der Tabelle
angegebenen Luftmengen. Dabei ergaben sich im engen und im weiten
Rohr die ebenfalls eingetragenen Luftgeschwindigkeiten (v) in Metern pro
Sekunde und statischen Drucke (p) in Millimetern Wassersäule.

Touren-zahl	Kraftbedarf in PS. eff.	Pro Stunde geförderte Luftmenge	im engen Rohr		im weiten Rohr	
			v	p	v	p
450	0,23	1630	14,6	— 13,9	1,03	— 3,2
620	0,43	1820	16,3	— 17,4	1,15	— 6,6
750	0,73	2100	18,8	— 23,6	1,33	— 9,2
900	1,1	2300	20,6	— 28,3	1,46	— 12,0

Sehen wir der Einfachheit wegen von den geringen Geschwindigkeitshöhen der Luft im weiten Rohr ab, welche sich den kleinen Geschwindigkeiten entsprechend unter 0,15 mm Wassersäule halten, so erhalten wir
als Druckgewinne für die vier Fälle bezw. 10,7, 10,8, 14,4 und 16,3 mm
Wassersäule. Dies ergiebt in Prozenten der anfänglich aufgewendeten
Geschwindigkeitshöhen ausgedrückt:

$$\frac{10,7}{13,9} = 77 \text{ pCt.}, \quad \frac{10,8}{17,4} = 62 \text{ pCt.}, \quad \frac{14,4}{23,6} = 61 \text{ pCt. und } \frac{16,3}{28,3} = 57,6 \text{ pCt.}$$

Bei dem geringsten geförderten Luftquantum ist also der Rückgewinn
an Druck und somit auch an Kraft am grössten. Dies ist hauptsächlich
dem Umstande zuzuschreiben, dass die beim Versuch gewählte Conicität
des Uebergangsstückes für die grösseren Luftgeschwindigkeiten nicht schlank
genug ist, so dass grössere Verluste durch Wirbelbildung entstanden sind.
Die Messungen an den verschiedenen Stellen des Querschnittes 6 bestätigen
obige Annahme auch vollkommen. Schon im Querschnitt 8 konnten
dagegen ziemlich gleichmässig über den ganzen Querschnitt vertheilte
Geschwindigkeiten gemessen werden. Zweifellos ist für jede Einströmungs-
geschwindigkeit ein ganz bestimmter Spitzwinkel des Konus der geeignetste,
bei welchem die geringsten Verluste durch Wirbelungen entstehen. Versuche hierüber stehen uns zur Zeit leider noch nicht zur Verfügung.

Ganz ähnliche Vorgänge finden statt, wenn man einen Schraubenventilator direkt ans Ende der konischen Erweiterung setzt, wie dies bei
den Anordnungen in den Abbild. 1 u. 2 geschehen ist.

Es muss noch erwähnt werden, dass die Kanten der Einströmöffnungen
nach Kurven abgerundet waren, welche der Kontraktionskurve des Luftstromes möglichst nahe kommen. Die Wichtigkeit dieser Maassregel geht
daraus hervor, dass mit abgerundeter Einströmöffnung bei gleichem Kraftbedarf eine um etwa 20 pCt. grössere Luftmenge gefördert werden konnte
als bei scharfen Rändern. Es ist daher unbedingt zu fordern, dass bei
allen Einströmöffnungen die grösste Sorgfalt auf die Abrundung der Kanten
verwendet werde.

Die Abrundung der Kanten, welche der Luft die radiale Einströmung
besonders erleichtert, gestattet nach den angestellten Versuchen, ebene
Platten bis auf $^1/_3$ des Durchmessers vom Einströmrohr vor die Einströmöffnung zu bringen, ohne dass eine merkliche Verringerung des Luftquantums oder Steigerung des Kraftaufwandes nachzuweisen gewesen wäre.

Die bei den Versuchen benutzten Platten hatten etwa den dreifachen Durchmesser des Einströmrohres und wurden der Einströmöffnung bis auf 7 cm genähert.

Für Festungshohlbauten lässt sich dieser Umstand sehr gut verwerthen, indem man in die Lage versetzt ist, die Einströmöffnungen durch genügend grosse, splittersichere Stahlplatten zu schützen. Die Anordnung einer solchen Stahlblende ist auf Abbild. 1 dargestellt und bereits oben erwähnt.

Nachdem die Annahme, dass sich durch allmähliche Erweiterung der Rohrleitung ein beträchtlicher Theil des zur Beschleunigung der Luft im engen Einströmrohr aufgewendeten Energiebetrages wiedergewinnen lasse, durch die oben beschriebenen Versuche vollauf bestätigt wurde, war es von Interesse, auch die Behauptung, dass die ganze Geschwindigkeitshöhe beim Hinausdrücken der Luft durch enge Querschnitte ins Freie verloren gehe und damit ein entsprechender Verlust an Kraft verbunden sei, ebenfalls durch einen Versuch zu bestätigen.

Zu diesem Zweck wurde der Blackmann-Ventilator gewendet, so dass er die Luft in das weite Rohr hineinpresste.

Wenn nun auch eingewendet werden kann, dass die Verhältnisse, unter welchen der Ventilator jetzt zu arbeiten hatte, andere waren, so waren sie doch keinesfalls ungünstiger, da er nun in freier Luft seiner Konstruktion und Bestimmung gemäss arbeiten konnte, während er beim Saugen in einem allerdings genügend weiten Rohr eingeschlossen war. Die beim zweiten Versuch erhaltenen Zahlen sind daher eher zu günstig als zu ungünstig.

Die Ergebnisse haben wir in nachstehender Abbild. 5 graphisch zusammengestellt. Die Abscissen stellen das stündlich geförderte Luftquantum in Kubikmetern dar, während die Ordinaten den aufgewendeten Kraftbedarf angeben. Die Versuche wurden in der Weise vorgenommen, dass dem blasenden Ventilator die gleichen Kraftbeträge, also 0,23, 0,43, 0,73 und 1,1 PS. eff., durch den Elektromotor zugeführt wurden wie bei den ersten Versuchen dem saugenden Ventilator, und dann wurden alle Messungen vorgenommen.

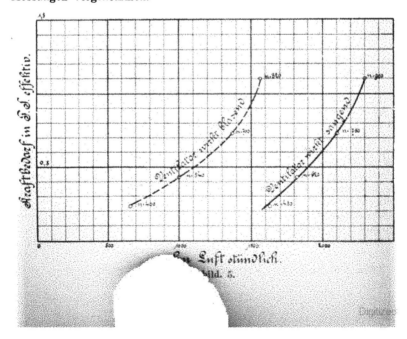

Ein Blick auf das Diagramm zeigt uns, dass mit 0,23 PS. bei blasendem Ventilator nur 660 cbm gegenüber 1630 cbm bei saugendem stündlich gefördert werden, also um 59,5 pCt. weniger. Noch ungünstiger gestaltet sich der Vergleich, wenn wir den Kraftaufwand zur Erreichung der gleichen Luftmenge erhöhen wollten, denn wir sehen, dass nicht einmal mit 1,1 PS. (1560 cbm) bei blasendem Ventilator das mit 0,23 PS. bei saugendem Ventilator geförderte Luftquantum (1630 cbm) erzielt wird. Ausserdem beweist das starke Ansteigen der Kurve, dass der Ventilator bereits sehr nahe an seiner Druckgrenze angelangt ist. Diese Leistungsgrenze kann nun natürlich durch Anwendung von Centrifugalventilatoren in die Höhe gerückt werden, die Verluste an Kraft bleiben hierbei jedoch immer die gleichen.

Durch Vorstehendes glauben wir den Nachweis geliefert zu haben, dass hartnäckig so lange an dem Hereinsaugen der Luft in mechanisch ventilirte Festungsbauten festgehalten werden sollte, als nicht zwingende Verhältnisse diesen Weg unmöglich machen.

Nicht unerwähnt möchten wir lassen, dass die Erfahrung von dem bedeutend gesteigerten Kraftverbrauch bei blasendem Ventilator gegenüber dem saugenden im Jahre 1897 schon an einer nach Abbild. 2 Anordnung B mit Einzelventilation versehenen Panzer-Batterie auch von anderer Seite bereits gemacht wurde. Die saugenden Fächerventilatoren wurden durch Aendern der Drehrichtung in blasende verwandelt. Dabei zeigte sich, dass die Energieaufnahme der Elektromotoren so wuchs, dass die Primärmaschine nicht mehr ausreichte. Unsere obigen Versuche und Auseinandersetzungen geben die Erklärung für dieses Verhalten der Ventilatoren.

Was die Messungen der Luftgeschwindigkeiten und Pressungen anlangt, so wurde von der Verwendung der üblichen Flügelrad-Anemometer bei diesen Versuchen abgesehen. Mit welcher Vorsicht besonders bei einigermaassen hohen Geschwindigkeiten die Angaben dieser Instrumente zu verwerthen sind, geht aus der von E. Althans in der »Zeitschrift für Berg-, Hütten- und Salinenwesen«, 1884 Heft 2, veröffentlichten Abhandlung hervor. Er referirt darin über eingehende Versuche der Gard Commission, auf Grund deren sie zu dem Resultat gelangt, dass »die Anemometermessungen beständig übertriebene Resultate« liefern. Althans selbst empfiehlt daher »nur den Beobachtungswerthen geringer Stromgeschwindigkeiten (unter 4 m pro Sekunde) ein besonderes Vertrauen zu schenken, wogegen die starken Stromgeschwindigkeiten um so mehr verdächtig erscheinen, je höher sie sich belaufen«.

Da auch unsere Erfahrungen sich mit diesen Angaben vollkommen decken, so konnten wir um so leichter auf die Verwendung von Flügelrad-Anemometern verzichten, als uns in der Konstruktion des Mikromanometers bezw. Pneumometers[*] von O. Krell sen. ein dem Anemometer in jeder Hinsicht überlegenes Instrument zur Verfügung stand. In der Konstruktion sind die grundlegenden Versuche über Luftwiderstand u. s. w. von Prof. G. Recknagel verwerthet. Abbild. 6 zeigt den zusammengestellten Apparat, wie er zum Messen von Luftgeschwindigkeiten Verwendung gefunden hat. Die Einrichtung besteht aus zwei Theilen, dem Mikromanometer und dem mit diesem durch Schläuche verbundenen Pneumometerkopf (auf der Abbildung auf dem Träger festgeklemmt).

Das Mikromanometer wird durch das luftdicht abgeschlossene Gefäss 10

---

[*] Siehe O. Krell sen. »Hydrostatische Messinstrumente«, 1897.

gebildet, mit welchem ein sehr wenig geneigtes Glasrohr in Verbindung steht. Bringt man eine Sperrflüssigkeit, z. B. absoluten Alkohol, in das Gefäss, so stellen sich die Oberflächen in der Glasröhre und im Gefäss 10 in ein Niveau. Da nun der Querschnitt der Glasröhre im Vergleich zu demjenigen des Gefässes verschwindend klein ist, so kann auch die Niveauänderung in dem letzteren beim Steigen der Flüssigkeit in der Röhre infolge von Ueberdruck im Gefässe vernachlässigt werden, d. h. der Nullpunkt der Messröhre bleibt praktisch konstant.

Diese Einrichtung ist gegen Druckunterschiede zwischen Gefässraum und dem Ende des geneigten Rohres ungemein empfindlich, so dass es gelungen ist, damit Druckdifferenzen bis zu 0,0025 mm Wassersäule zu messen. Die Messung der statischen Drucke wurde bei den Versuchen auf diese Weise bewerkstelligt.

Abbild. 6.

Der Pneumometerkopf in Verbindung mit dem vorstehend beschriebenen Mikromanometer ermöglicht die Messung von Luftgeschwindigkeiten. Seine Konstruktion beruht auf der Beobachtung, dass sich vor einer einem bewegten Luftstrom senkrecht entgegengestellten Platte eine Staupressung, hinter derselben eine Unterpressung bildet.

Bringt man vorn und hinten in der Mitte dieser Platte kleine Oeffnungen an (die vordere ist auf der Abbildung ersichtlich) und stellt in geeigneter Weise die Verbindung der Oeffnungen einerseits mit dem Gefäss, andererseits mit dem Rohr des Mikromanometers her, so ist man in der Lage, die durch strömende Luft an der Platte erzeugte Pressungs-differenz zu messen.

Nun hat G. Recknagel nachgewiesen, dass nicht nur die Grösse dieser Platte für die Messungen fast gleichgültig ist, sondern dass auch die Staupressungen in einem ziemlich grossen Umkreis um den Mittelpunkt der Platte konstant bleiben. Ferner ermittelte er durch eine grosse Zahl

von Versuchen, dass die Pressung vor der Platte gleich der Geschwindig-
keitshöhe der Luft $\dfrac{v^2}{2g}$ und die Unterpressung hinter der Platte $0{,}37\,\dfrac{v^2}{2g}$
beträgt. Werden daher Platten mit doppelter Durchbohrung verwendet,
wie dies an dem Krellschen Apparat der Fall ist, so erhält man für die
gesammte Druckdifferenz am Pneumometerkopf

$$h = 1{,}37\,\frac{v^2}{2g},$$

und hieraus berechnet sich die

$$v = \sqrt{\frac{2g \cdot h}{1{,}37}}.$$

Selbstverständlich sind stets die durch das specifische Gewicht der
Luft und Sperrflüssigkeit, Temperatur und Barometerstand bedingten
Reduktionen an dieser Formel vorzunehmen, was uns jedoch hier zu
weit führen würde.

Die Nachtheile des Flügelrad-Anemometers gegenüber dem Pneumometer sind nun kurz folgende:

Das Anemometer muss rein empirisch geaicht werden und bedarf
zum Ausgleich der Reibungswiderstände einer additionellen Konstante,
welche Aenderungen unterworfen ist, sobald sich der Zustand des Instrumentes ändert; zudem sind die gewöhnlich angewendeten Aichungs-
methoden keineswegs einwandfrei.

Das Pneumometer bedarf keiner empirischen Aichung und hat auch
in der Formel keine von den individuellen Eigenschaften des betreffenden
Apparates abhängige Koeffizienten.

Während weiter die Zuverlässigkeit der Anemometerangaben mit
wachsenden Luftgeschwindigkeiten immer fragwürdiger wird, giebt das
Pneumometer auch bei hohen Geschwindigkeiten von 10 bis 25 m pro
Sekunde richtige Werthe. Die Uebertreibungen der Anemometer giebt
Fournier zu 15 pCt., Cessous zu 10 pCt., Krell sen. zu 5 bis 8,6 pCt. an.
Wir konnten bei 8,5 m Geschwindigkeit bei Messungen an einer Ventilationsanlage mit einem fremden Instrument sogar 28 pCt. Mehrangabe kon-
statiren. Wahrscheinlich war der Apparat nicht in Ordnung, und wir
führen diese Zahl nur an, um zu beweisen, wie wenig gerechtfertigt das
Vertrauen des Besitzers in die Zuverlässigkeit des Instrumentes war.
Bei wichtigen Versuchen ist daher unserer Ansicht nach eine Nach-
kontrolle der Anemometer, wenn man sie überhaupt anwenden will,
unerlässlich.

Ein weiterer Nachtheil der Anemometer und unserer Ansicht nach
ein besonders für Festungsanlagen mit den geringen Kanalquerschnitten
sehr schwerwiegender ist das Versagen in engen Oeffnungen. Die ganze
Konstruktion der Flügelanemometer bedingt eine gewisse räumliche Ausdehnung, und es werden dadurch die Strömungsverhältnisse beim Ein-
bringen eines solchen Instrumentes in enge Rohre in ganz unkontrollirbarer
Weise geändert. Der Pneumometerkopf in seiner geringen Ausdehnung
(es wurden schon solche mit 12 mm Durchmesser mit Erfolg verwandt)
giebt nicht nur auch in engen Rohren zuverlässige Angaben, sondern
gestattet sogar die lokale Geschwindigkeitsmessung an verschiedenen
Stellen des gleichen Rohrquerschnittes. Dieser letztere Fall tritt häufiger
ein, als man glauben sollte, und es giebt bei mechanischer Ventilation
fast nie Strömungsverhältnisse, bei denen in allen Punkten des Querschnittes auch nur annähernd gleiche Geschwindigkeit herrscht. Wie

werthvoll für diese Fälle die Anwendung kleiner Pneumometerköpfe ist, zeigen die oben angeführten Versuche, bei welchen die in drei verschiedenen Querschnitten 8, 10 und 12 in Abbild. 5 gemessenen mittleren Geschwindigkeiten und somit auch die Luftmengen sehr gut übereinstimmten.

Wir hoffen mit Vorstehendem gezeigt zu haben, dass auch in der Ventilationstechnik erste Bedingung ist, viel und richtig zu messen. Ein solches Vorgehen allein kann uns vor unrichtigen Folgerungen bewahren und etwa vorhandene unzutreffende Vorstellungen korrigiren. Gerade in der Ventilationstechnik müsste Alles rücksichtslos zurückgewiesen werden, was nicht auf Grund von Messungen oder physikalischer Gesetze bewiesen werden kann, weil auf keinem anderen Gebiet die Verlockung grösser ist, an Stelle schwieriger und zeitraubender Untersuchungen die Schlüsse einer jederzeit bereitwilligen Phantasie zu setzen.

———— ⇒ Kleine Mittheilungen. ⇐ ————

Laffete mit beschränktem Rücklauf. (Mit zwei Abbildungen.) In der »Riv. di Art. e Gen.« findet sich ein Vorschlag von dem Hauptmann der italienischen Artillerie Vittorio Lamberti-Bocconi zur Herstellung einer Laffete mit beschränktem

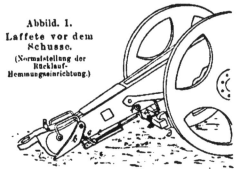

Abbild. 1.
Laffete vor dem Schusse.
(Normalstellung der Rücklauf-Hemmungseinrichtung.)

Rücklauf. Die vorgeschlagene Konstruktion soll folgenden Bedingungen entsprechen: 1. Der Querbalken *a* der Laffetenhemmung soll zur Unterdrückung des Rücklaufs beitragen; 2. die Räder sollen beim Anhalten der Laffete sich nicht vom Boden erheben; 3. die Beschränkung des Rücklaufs soll elastisch sein und die Anstrengung, welcher die Laffete beim Schusse ohnehin unterworfen ist, nicht vermehren; 4. Ab- und Aufprotzen sowie Richten des Geschützes sollen nicht beeinträchtigt

werden; 5. die eisernen Laffetenwände sollen nicht durch Einbohren neuer Löcher geschwächt werden; 6. endlich soll die Konstruktion billig, einfach und leicht anwendbar sein. Auf Grund dieser Sätze hat Hauptmann Lamberti-Bocconi nun seine

Abbild. 2.
Laffete nach dem Schusse.

Anordnungen, berechnet für die Eisenlaffete eines 9 BR. Geschützes, an einem Holzmodell von 1/5 der natürlichen Grösse, getroffen. An jedem vorderen Bolzen der Handhaben des Laffetenschweifes ist ein Stahlstück *b* angebracht. Diese beiden Stahlstücke stehen in Verbindung mit zwei gleichlaufend zu den Laffetenwänden verschiebbar befestigten Stäben *c*, welche in der Lage sind, gegen den Querbalken *a* der Laffetenhemmung zu wirken.

Sobald nämlich die Stahlstücke *b* bei dem durch den Rückstoss beginnenden Rücklauf der Laffete Boden fassen, drücken sie durch ihre in die senkrechte Stellung übergehende Lage (Abbild. 2) die Stäbe *c* vorwärts gegen den Querbalken *a*, so dass dieser seine Hemmklötze d gegen die Räder der Laffete presst und die Laffete damit zum Stehen bringt. Zur Lösung der Hemmklötze von den Rädern ist die Einrichtung getroffen, dass auf den Stäben c Spiralfedern aufgeschoben sind, welche sich bei dem Vorschieben der Stäbe durch die beim Rücklauf in die Erde einstechenden Stahlstücke b bezw. den mit den Stahlstücken b verbundenen Bügel c zusammendrücken. Sobald nun der Laffetenschweif von dem Kanonier zur Fortsetzung der Bedienung des Geschützes wieder gehoben wird, gehen die Stahlstücke b wieder aus der Erde heraus und nehmen ihre Stellung wie in Abbild. 1 wieder an, so dass die Abspannung der Spiralfedern die Stäbe c wieder zurück in die Lage Abbild. 1 schiebt und so den Querbalken a der Hemmung mit den Hemmklötzen vom Rade entfernt. Der Erfinder ist der Ansicht, dass die Stäbe c, insbesondere die Spiralfedern, noch durch eiserne Hülsen geschützt oder überhaupt durch starke Eisenröhren ersetzt werden könnten, welche die Spiralfedern inwendig aufnähmen. Zur grösseren Sicherheit des Zurücktretens der Hemmklötze von den Radreifen, sobald der Laffetenschweif gehoben wird, glaubt er, könnte man in den Bügeln f, welche den Querbalken a tragen, eine Sperrklinke anbringen, welche bei Nachlassen des Druckes der Stäbe c den Balken a zurückdrückten und dadurch die Hemmklötze von den Rädern entfernten. Doch meint er, dass diese weitere Komplikation sich als nicht nothwendig herausstellen, vielmehr die erst vorgeschlagene Einrichtung genügen würde. Die Stahlstücke b würden, wenn anders sie richtig hergestellt und am Laffetenschweife, wie oben beschrieben, angebracht, weder das Ab- und Aufprotzen, noch die Wendungen des aufgeprotzten Geschützes beeinträchtigen. Auch glaubt der Erfinder nicht, dass Staub oder Erde, welche sich an dem Laffetenschweif ansetzen, das rechtzeitige Erfassen des Erdbodens beim beginnenden Rücklaufe hindern würden. Ausserdem genüge für die Hemmung des Rücklaufes schon, wenn ein Stahlstück b den Boden erfasse. Obwohl, wie oben erwähnt, die Erfindung nur an einem Holzmodell von $\frac{1}{5}$ d. nat. Gr. ausgeführt und erprobt worden ist, glaubt der Erfinder doch, dass er auch an einem grossen Geschütze gute Ergebnisse erzielen und den Rücklauf auf 30 cm beschränken würde. — Wir können der Erfindung die folgerichtige Anlage nicht absprechen, glauben aber, dass die einzelnen Theile, wenn sie sicher arbeiten sollen, doch recht kräftig konstruirt sein müssen. Ausserdem halten wir die Einrichtungen, welche eine Trennung der Oberlaffete von dem Laffetenblocke vorsehen, das Zurückgleiten der Oberlaffete gegen ein elastisches Kissen im Blocke und Wiedervorschieben der Oberlaffete durch die Rückwirkung dieses Kissens, ausserdem die Hemmung der Räder durch eine Seilbremse in Aussicht nehmen, für sicherer und jedenfalls für die Schonung der Laffete zuträglicher.

Neue Konserven. Die Verpflegung des Soldaten mit Konserven besteht zur Zeit in den meisten Heeren aus pulverisirt gepressten Gemüsekonserven und aus Fleischkonserven, welche getrennt mitgeführt werden und einer verschiedenartigen Zubereitung bedürfen, woraus sich für ihre Verwendung im Felde mancherlei Mängel ergeben. Diesen abzuhelfen, ist es der Armee-Konservenfabrik von Basté & Co. in Leipzig-Lindenau gelungen, eine neue Konserve herzustellen, welche alle Vorzüge der jetzt üblichen Konservenverpflegung besitzt, ohne deren Mängel zu haben. Die Vortheile der neuen Basté'schen Konserve sind folgende: a) Sie besteht — unter Zugrundelegung der Portionssätze für den Mobilmachungsfall — aus den in natürlicher Form erhaltenen Hülsenfrüchten u. s. w. jeder Art (also nicht pulverisirt) und Fleisch, ist mithin eine richtige Fleischgemüse-Konserve, welche nicht die geringste Flüssigkeit oder Kraftbrühe in gesulzter Form enthält; b) die Konserve wird beim Gebrauch am Boden und Deckel oder je nach Belieben geöffnet; der Inhalt wird in das kochende Wasser geschüttet, ein wenig zerkleinert und etwa 15 Minuten ununterbrochen gekocht, dabei Salz nach Bedarf hinzugethan; die Konserve ist alsdann genussfertig; c) die Konserve ist ohne jegliche chemische Zusätze hergestellt und von unbedingter Haltbarkeit; Kraft und Saft bleiben der Speise bis zum kleinsten Atom in sich selbst erhalten; d) die Konserve ermöglicht, selbst die grössten Truppenverbände in denkbar

kürzester Zeit — etwa in 1 bis 2 Stunden — abgespeist wieder zum Abmarsch bereit-
zustellen; e) der Soldat braucht zur Herstellung der Konserve in seinem Kochkessel
nur Wasser und Salz; f) der Soldat besitzt für jeden Tag eine andere Speise und hat
dabei Abwechselung. Da die Früchte in ihrer natürlichen Form erhalten geblieben
sind, so weisen Fleisch und Gemüse zusammen den denkbar höchsten Nährwerth auf
und sind von dergleichen frischen Nahrungsmitteln kaum zu unterscheiden. Aber
jedem Vortheil muss doch auch wenigstens ein Nachtheil als Ausgleich gegenüberstehen, und dies ist ebenfalls bei der neuen Konserve der Fall, indem ein eiserner
Bestand für drei Tage 2¹/₄ kg brutto wiegt. Abgesehen hiervon dürfte aber kaum
irgend eine Konserve den von Basté & Co. hergestellten gleichkommen. Die in jüngster
Zeit empfohlenen Geraer Wildkonserven aus der Fabrik von Max Müller in
Gera-Reuss-Bieblach scheiden zwar aus der Verpflegung des Mannes aus, sind aber
für den Offiziertisch von ausserordentlichem Werth. Ihre etwas umständliche Zu-
bereitungsart weist zwar nicht in erster Linie auf den Gebrauch im Felde hin, aber
für Offizier-Speiseanstalten — namentlich in kleineren Garnisonen — werden sie eine
willkommene Bereicherung der Speisekarte abgeben.

Verschluss für Eisenbahnwagen. (Mit fünf Abbildungen.) Ein wirksamer und
zuverlässiger Verschluss für Eisenbahnwagen zum Transport von Vieh wird im
»Scientific American« vom 25. März 1899 beschrieben. Der Verschluss besteht hauptsächlich in einem verbesserten Riegel und einem Halter für den Haken, der den
gewöhnlichen Viehwagen verschliesst.
Abbild. 1 zeigt den Verschluss im
Gebrauch. Abbild. 2 ist ein Aufriss
von Haken und Halter mit Durchschnitt des betreffenden Holzbalkens
zum Schliessen des Wagens. Abbild. 3
ist eine perspektivische Ansicht des
Halters, Abbild. 4 zeigt den Halter
von der Rückseite und Abbild. 5 ist
die perspektivische Ansicht des
Schliessriegels. Der Querbalken, der
den Eingang zum Wagen absperrt,
Abbild. 1, wird an einem Ende von
einem Einschnitt aufgenommen, der
durch eine Eisenplatte überdeckt ist.
Am anderen Ende wird er durch
einen Haken in dem dort befindlichen
Einschnitt gehalten. Der Haken ist
so gebogen, Abbild. 2, dass er mit
der Gestalt des Halters übereinstimmt.

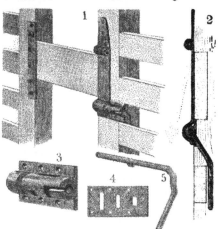

Pearsons Verschluss für Viehwagen.

Abbild. 3 u. 4 zeigen, dass der Halter aus einer Unterlageplatte mit darauf befindlicher
röhrenartiger Hülse besteht. Platte und Hülse sind mit Längen- und Querschlitz versehen
und haben eine Oeffnung zur Aufnahme der Krampe des Hakens. Der Riegel, welcher den
Halter zwingt, den Querbalken zu schliessen, besteht aus einem Haupttheil und einem
Griff, mittelst dessen er gehandhabt wird. Der Haupttheil gleitet und dreht sich in
der röhrenförmigen Hülse des Halters, um die Krampe festzuhalten. An dem Haupttheil des Riegels ist ein kleiner Zapfen, welcher durch den Längen- und den Querschlitz durchgearbeitet werden kann, um den Verschluss zu schliessen und zu lösen.
Die eigenthümlichen Konstruktionen von Halter und Riegel machen es unmöglich,
den Querbalken zufällig loszumachen, sobald der Riegel nur einmal umgedreht und
an seinen Platz geschoben ist. Der hier beschriebene Verschluss ist dem Erfinder
John C. Pearson, Pocatello, Idaho, patentirt; für die Eisenbahntruppe dürfte er von
besonderem Interesse sein, da diese den Nachschub von lebendem Vieh für das Feld-
heer unter Umständen gleichfalls zu übernehmen haben wird.

Die Ergänzung der Artillerieoffiziere in Russland hat eine Abänderung der bisher gültigen Bestimmungen erforderlich gemacht, da der Bedarf an Offizieren durch die Vermehrung der russischen Artillerie in den letzten Jahren sich mehr und mehr gesteigert hat; und zwar hat man nicht nur eine der drei Infanterieschulen (die Konstantin-Schule) in eine auf derselben Grundlage wie die Michael-Artillerieschule begründete Artillerieschule umgewandelt, sondern man hat Zöglinge dieser letzteren Schule — deren Lehrgang eigentlich drei Jahre umfasst — bereits nach dem zweiten Jahr zu Offizieren befördert und will diese Maassregel nun konsequenterweise auch auf die Konstantin-Artillerieschule ausdehnen. Es bedingte dies naturgemäss eine Umwandlung des Lehrplanes dergestalt, dass den Zöglingen bereits in den ersten zwei Jahren das für den Truppendienst Erforderliche beigebracht wird. Jede dieser zwei Artillerieschulen soll dann nach vorläufiger Bestimmung in den obersten (dritten) Jahrgang 35 Schüler aufnehmen, so dass dann insgesammt 70 Artillerieoffiziere jährlich eine vollständige Ausbildung durchmachen und dementsprechend geeignet sind zum späteren Besuche der höheren Kurse der Michaels-Artillerieakademie.

Neueste Erfindungen und Entdeckungen.

1. Geschütze, Geschosse, Artilleriewesen. Frankreich hat nach ›Riv. di Art. e Gen.‹, 1899, Mai, ein neues **Schnellfeuergeschütz**, System Deport, von 7,5 cm Kaliber schon ganz fertiggestellt und bereits in hinreichender Zahl für seine gesammte Artillerie beschafft. Dasselbe soll viel leichter sein als das de Bange-Geschütz. Rücklauf der Laffete ist durch Spaten völlig aufgehoben, das Rohr, mit Oberlaffete auf der Unterlaffete gleitend, wird durch automatische Einrichtung wieder vorgeschoben. Zwei Kanoniere besorgen Richtung, Ladung und Abfeuern. Die Geschosse werden auf Karren herangeschoben. Die Granaten sind mit Melinit geladen, die Schrapnels enthalten 300 Kugeln. Die Richtung ist vereinfacht, soll aber sehr genau sein. Die Laffete hat sehr geringe Kniehöhe. Stahlschilder schützen die Bedienungsmannschaft. Das Geschütz kann in der Minute 15 Schuss abgeben, während de Bange nur deren 12 leistete.

Das **neue russische Schnellfeuergeschütz** hat 76 mm Kaliber, 6,3 kg Geschossgewicht, 600 m Anfangsgeschwindigkeit und kann 16 Schuss in der Minute abgeben. Das Gewicht des Rohres ist 276 kg, das Gesammtgewicht des Geschützes mit 36 Geschossen beträgt 1720 kg. Die Bespannung besteht aus sechs Pferden. — Ein zweispänniger und zweiräderiger Munitionskarren ist für die russische Feldartillerie in Vorschlag. (›Riv. di Art. e Gen.‹, 1899, Mai.)

Das Januar-Februarheft 1899 der ›United States Artillery‹ bringt eine Beschreibung neuer **Drahtkanonen** von 12″ und 9,2″ Kaliber, mit Abbildungen. Diesen Drahtkanonen wird eine sehr grosse Leistungsfähigkeit zugeschrieben. Der Verschluss dieser Geschütze aber erscheint, wenigstens nach der beigegebenen Zeichnung, äusserst komplizirter Natur.

Ein Herr Gathman in Amerika hat eine **Granate** hergestellt, welche mit Schiesswolle gefüllt wird. Bei dem nach dem ›Scientific American‹ vom 20. Mai 1899 am 9. Mai in Sandy Hook angestellten Versuche wurde eine solche 15″ Granate mit 62 Pfd. feuchter Schiesswolle gefüllt und in eine alte 15″ Rodman-Kanone eingesetzt, die ihrerseits eine starke Geschützladung rauchschwachen Pulvers enthielt. Das in eine tiefe Grube gelegte Geschütz wurde mit Elektrizität abgefeuert und gesprengt. Die Schiesswolle in der Granate explodirte nicht, was man als einen Beweis ansieht, dass mit Schiesswolle gefüllte Granaten von der hier versuchten Art gefahrlos zu laden sind und auch den Stoss von rauchlosem Pulver im Geschützrohr aushalten, ohne zu zerspringen, sowie dass die Explosion der Schiesswolle selbst erst durch die Thätigkeit des Granatzünders erfolgt. Der amtliche Bericht steht noch aus.

Die **Engländer** sollen bei der Beschiessung von Omdurman Granaten mit **Lidditfüllung** verwendet haben, die eine ganz ausserordentlich zerstörende Wirkung ausgeübt hätten. Eine solche Granate wäre in ein von 118 Personen besetztes Haus eingeschlagen und hätte 106 Personen dieser Besatzung getödtet. Der Berichterstatter in der »Riv. di Art. e Gen.«, 1899, Mai, bezweifelt die Richtigkeit dieser Angabe wohl mit Recht.

Die Schweiz hat nach der »Riv. di Art. e Gen.«, 1899, Mai, als Sprenggeschoss die Stahlgranate mit weissem Pulver zur Sprengladung für die 12 cm Kanone angenommen.

2. Kleine Feuerwaffen, deren Munition und Gebrauch. Die Remington arms comp. hat für Mexiko 32 000 Gewehre neuen Systems kontraktlich zu liefern. Das Gewehr hat 7 mm Kaliber, 2,4 g Ladung rauchschwachen Pulvers in Kupferpatrone von 11 g Gewicht, Anfangsgeschwindigkeit 600 m, Aufsatz bis zu 2000 m. Das Gewehr wiegt ohne Säbelbajonett 3,8 kg, der Lauf ist 75 cm lang. Das Gewehr ist Einzellader und schliesst sich in seiner Konstruktion den alten Remingtons an, welche in den centralamerikanischen Staaten sehr verbreitet sind. »Army and Navy Journal« vom 15. April 1899. »Riv. di Art. e Gen.«, 1899, Mai.

3. Beleuchtungs- und Signalwesen, Telegraphie, Telephonie. Der General Greeley, Chef des amerikanischen Signalkorps, hat mit der drahtlosen Telegraphie ausgedehnte Versuche gemacht und legt dieser Telegraphie grossen Werth bei, namentlich für den Verkehr zwischen Leuchtthürmen, Leuchtschiffen und Ufer, sowie überhaupt für alles Telegraphiren, wo man kein ständiges Kabel anbringen kann, also zwischen Schiffen auf der See und an Stelle der Flaggentelegraphie, weil die drahtlose Telegraphie weder durch Sturm, noch Nebel, noch Dunkelheit an Verständlichkeit einbüsst. Dagegen glaubt man nicht, dass für das Telegraphiren in der Handelswelt der Draht entbehrt werden kann. Wie der »Scientific american« vom 27. Mai 1899 sagt, werden die Versuche von den amerikanischen Behörden eifrig fortgesetzt.

4. Ausrüstung von Mann und Pferd. Verpflegung. In Frankreich hat man nach »Riv. mil. ital.«, 1899, Mai, Kürasse für Infanterie und Kavallerie geprüft. Sie sollen aus einer Legirung von drei Metallen bestehen, welche zu einer Platte von 1 cm Dicke zusammengeschmolzen und unter dem Hammer auf 6,8 mm zusammengeschmiedet werden. Das specifische Gewicht beträgt 7,8. Das Metall ist dem Stahl ähnlich. Der Kürass wird mit Polsterung überdeckt, um das Rückprallen der Geschosse zu verhüten. Er ist 30 cm hoch, 23 cm breit, hat mit der Polsterung eine Dicke von 4 cm und ein Gewicht von etwa 3,5 kg. Versuche auf 70, ja auf 40 m Entfernung mit dem 6 mm Mauser-Gewehr liessen fast keine Spuren der Geschosseinschläge auf dem Kürass erkennen, auch nicht, als man eine nur 2,8 kg schwere Platte beschoss. — Solche Kürasse sind gewiss im Festungskriege gut verwendbar.

5. Militärbauten zu Befestigungs- und Unterbringungszwecken. In »Riv. di Art. e Gen.«, 1899, Mai, ist ein aus Eisendraht und Thon hergestelltes Netz beschrieben und abgebildet, welches von Stauss u. Ruff in Cottbus hergestellt wird und als Zwischenboden in Gebäuden, sowie zum Schutz von gusseisernen und schmiedeeisernen Säulen, zur Bedeckung feuchter Wände und Wände in Räumen, durch welche stetig Dampf durchstreicht, sowie auch als Einzäunung dienen soll.

6. Luftschifffahrt, Brieftauben. Im Schlusswort eines durch mehrere Hefte des »Journ. des sciences mil.«, 1899, Maiheft, gehenden Aufsatzes des Majors Bornecque über die Militär-Luftschifffahrt in den europäischen Staaten wird betont, dass Deutschland ein Verfahren besitze, welches die Füllung des Ballons mit Wasserstoffgas in zwei Stunden gestatte. Man gehe aber jetzt für die Feldparks der Luftschiffer-Abtheilungen allgemein zur Füllung des Ballons über mittelst Röhren, die komprimirtes Leuchtgas enthielten, während das in Deutschland übliche Verfahren die Mitführung eines vierräderigen fahrbaren Ofens erfordere, auf welchem das Gas durch Zersetzung des Wassers infolge der Reaktion von hydraulischem Kalk auf Zink bei hoher Temperatur erzeugt werde. Der Anfsatz ist lesenswerth, auch weil er einen geschichtlichen Ueberblick über die Entwickelung der Militär-Luftschifffahrt bis heute darbietet.

Aus dem Inhalte von Zeitschriften.

Jahrbücher für die deutsche Armee und Marine. 1899. Juni. Heft 3: Die Thätigkeit Moltkes als Chef des Generalstabes. (Forts.) — Taktik und Technik im Kriegswesen, erläutert an Beispielen aus dem See- und Landkriege. III. Die fechtende Radfahrertruppe. — Gedanken über den Angriff auf befestigte Feldstellungen. — Heer und Flotte Italiens im zweiten Halbjahr 1898. — Das Verhalten der Vorposten bei einem feindlichen Angriff.

Ueberall, deutsche Flottenzeitung. 1899. Juni. Heft 6: Der Segelsport und das heranwachsende Deutschland. — Der deutsche Segelsport und die Kieler Woche. — Von den Karolinen, Marianen und Palao-Inseln. — Stapellauf S. M. S. »Kaiser Wilhelm der Grosse«.

Prometheus. 1899. Nr. 502: Extreme Temperaturen. — Ein neues englisches Patentloth. — Elektrolytische Glühlampe von Nernst. — Schupmanns Medial-Fernrohr. — Nr. 503: Der Kreislauf des Wassers und seine Bedeutung für die Technik. — Ueber die Wirkung komprimirter Luft in Schiesswaffen. — Das Elektrizitätswerk in Rothenburg a. d. Tauber. — Nr. 504: Der Kreislauf des Wassers u. s. w. (Schluss.) — Das lautsprechende Telephon von Germain. — Neue Erfolge der drahtlosen Telegraphie. — Nr. 505: Der elektrochemische Alkali- und Chlorprozess. — Epidiaskopischer Projektionsapparat. — Ueber Aluminium. — Transport von geschmolzenem Roheisen auf der Bahn.

Die Umschau. 1899. Nr. 22: Die Jungfraubahn. — Ueber die Bedeutung des Alkohols für die Ernährungstherapie. — Filtrirmaschine. — Nr. 23: Neuerungen im Fahrradbau. — Nr. 24: Unterirdische Stromzuführung für Strassenbahnen. — Elektrische Schmelzung des Glassatzes. — Das Zischen des elektrischen Bogenlichts. — Nr. 25: Die »Clous« der Pariser Weltausstellung (Mareorama, Riesenfernrohr). — Ingenieurwesen (Tunnelbahnen, Bremsberge, rotirende Stufenbahn). — Elektrisches Automobile System Milde.

Der praktische Maschinen-Konstrukteur. 1899. Nr. 11: Gasmotor System Letombe. — Einiges über die Konstruktion moderner Drahtmantel-Geschützrohre. — Zündrohrbefestigung für Petroleummotoren. — Kugellager System Thompson. — Die neue elektrische Lokomotive der Paris—Lyon—Méditerranée-Gesellschaft. — Nr. 12: Doppeltwirkende Wasserpumpe. — Einiges über die Konstruktion moderner Drahtmantel-Geschützrohre. (Schluss.)

Mittheilungen über Gegenstände des Artillerie- und Geniewesens. 1899. Heft 5: Richtschuss und Messstab. — Kriegsausrüstung einer Gürtelfestung. — Das Verhalten der Gewehr-Patronenhülsen seit Anwendung rauchschwacher Pulver. — Neuere Methoden der Erzeugung von Geschosskernen. — Heft 6: Die Entwickelung des Kruppschen Feldartillerie-Materials von 1892 bis 1897. — Ueber Eisenbahn-Knallsignale und Sicherheits-Schutzkappen. — Neues von der italienischen Gebirgsartillerie. — Ueber einen Sprengversuch mit Oxyliquit. — Patent-Stukkaturplatten.

Organ der militär-wissenschaftlichen Vereine. 1899. Heft 4: Die k. u. k. Streitkräfte auf Kreta. — Wie könnte die Hauptübung des feldmässigen Schiessens möglichst feldmässig durchgeführt werden? — Heft 5: Maria Theresia, ihr Heer und ihre Völker im österreichischen Erbfolgekriege. — Gedanken über die instruktive Beschäftigung bei der Truppe. — Automatische Handfeuerwaffen.

Schweizerische militärische Blätter. 1899. April. Heft 4: Die Sicherung der Artillerie gegen überraschenden Angriff und Nahangriff überhaupt. (Schluss.) — Das österreichische 9 cm Feldgeschütz Modell 1875. — Französisches Feldgeschütz. —

Neue Sprengstoffe für Granaten. — Kriegsmässige Schiessausbildung. — Mai. Heft 5: Marschfähigkeit der Truppen im Gebirge. — Das Klassensystem im Instruktionskorps. — Ausbrennen der Geschütze beim Schiessen mit Cordit. — Ballistische Vergleichung verschiedener Geschützentwürfe der Neuzeit. — Kriegsmässige Schiessausbildung. (Forts.)

Journal des sciences militaires. 1899. Mai: L'armée coloniale et son organisation. — L'aérostation militaire en France et à l'Étranger. (Fin.) — La lumière électrique et son emploi à la guerre.

Revue d'artillerie. 1899. Juni: Repartition du feu de l'artillerie. — Les exercices de service en campagne de la groupe de batteries. (Suite.) — Mode d'emploi d'un plan-relief en sable pour l'éducation tactique des cadres. — Pistolets automatiques. (Fin.)

Revue de l'armée belge. 1899. März-April: Aérostation militaire. — Comparaison des différents fusils en usage dans les infanteries européennes. — Etude sur l'artillerie de forteresse sous coupole et son application aux forts de la Meuse.

Army and Navy Journal. 1899. Nr. 37: Deep water shipping. — Engineering and naval architecture. — How a blockade was broken. — Nr. 38: Admiral Sampsons report. — Our new army. — Signal service in the Philippines. — Nr. 39: The artillery at Santiago. — Our army short of officers.

Scientific American. 1899. Nr. 19 (Bicycle and Automobile Number): Our sea-coast defenses. — Automobilism in Paris. — Wood's electric motor vehicles. — Electric motor vehicles. — Some early forms of the automobile. — A mechanical bicycle-chain cleaner. — A novel stirrup-pedal for bicycles. — Explosion of a ten-inch gun at Sandy Hook. — The Trebert coaster and brake. — Nr. 20: Loss of speed in warships. — An automatic safety appliance for railroads. — A coupling for the air-pipes of railway-cars. — More light on the smokeless powder question. — A bedstead for invalids. — Manufacture of Krag-Jörgensen rifles at the Springfield armory II. — Nr. 21: Is smokeless powder reliable? — Wireless telegraphy. — The cromo-camera. — A new gas-generating machine. — A novel portable folding boat. — Nr. 22: Liquid airs in high explosives. — Gruson armor in the United States. — A feed-water purifier and skimmer for boilers. — Some smokeless powder considerations. — Nr. 23: Liquid air »Surplusage«. — The automobile trip from Cleveland to New York. — Photography in relief. — An improved hydraulic press. — The Brickell feed water case. — Philosophy of explosive wave action. — The manufacture of high grade linen ledger paper. — Wawerly electric Runabout and Columbia electric emergency wagon.

Rivista di Artiglieria e Genio. 1899. Maiheft: La separazione delle carriere nell' arma del genio. — Circa nuovi dispositivi per la misurazione delle distanze in campagna. — Calcolo dell' incavallatura all' italiana. — Utilità della tosatura nei cavalli dell' esercito. — Funzionamento delle nostre batterie da campagna e sua distribuzione nelle vetture.

De Militaire Spectator. 1899. Juni. Heft 6: Meer eenheid tusschen' de officierskorpsen van het Nederlandsche en het Nederlandsch-Indische leger! — Itinéraires. — Ranglijst. — Statistiek.

Sapisski imper. russ. techn. obscht. (Denkschrift der kaiserl. russ. technischen Gesellschaft.) 1899. Aprilheft. Nr. 4: Physisches Verfahren, um die Eigenschaften einer zum Einschmieren dienenden Flüssigkeit zu bestimmen. — Der Torf und die Naphta-Torfheizung. — Die Anwendung von Eisenbeton zur Kanalisation und Wasserversorgung der Städte.

Gedruckt in der Königlichen Hofbuchdruckerei von E. S. Mittler & Sohn, Berlin SW., Kochstrasse 68—71.

Die voraussichtliche Wirkung des Feldgeschützes 96.

Im Laufe dieses Jahres sind von dem deutschen Feldgeschütz 96 zuverlässige Beschreibungen veröffentlicht, die sehr genaue Angaben über die Einrichtung des Rohrs, der Laffete, der Munition u. s. w. enthielten, dagegen nichts über das, was alle Offiziere am meisten interessirt: über die Wirkung. Dass diese Lücke eine absichtliche ist, kann nicht angenommen werden, da jeder Sachverständige im Stande ist, sich aus den wenigen in die Oeffentlichkeit gelangten Angaben ein recht zuverlässiges Bild zu machen, das an Werth noch bedeutend gewinnt, wenn man es mit dem auf gleichem Wege entstandenen Bilde von der Wirkung des alten Feldgeschützes vergleicht. Die Methode, deren man sich dabei bedient, hat Aehnlichkeit mit der des Naturforschers, der aus einem in einer gewissen Erdschicht gefundenen Thierknochen ein Bild nicht nur von der äusseren Erscheinung, sondern auch von der Lebensweise des Thieres, dem der Knochen entstammt, zu entwerfen vermag. Da für die artilleristischen Leser dieses Blattes diese Methode vielleicht dasselbe oder ein höheres Interesse beanspruchen darf wie ihre Ergebnisse, werde ich sie eingehender entwickeln.

Die Angaben, deren ich zur Aufstellung der Schusstafel, dieses wichtigen Maassstabes für die Beurtheilung der ballistischen Leistung, bedarf, entnehme ich dem Januarheft der »Revue d'Artillerie«, Jahrgang 1899. Dort ist angegeben:

Kaliber. . . . . . . 7,7 cm,
Anfangsgeschwindigkeit . 465 m,
Geschossgewicht . . . 6,8 kg.

Das sind für den Laien äusserst dürftige Angaben; aber in Verbindung mit einigen später zu erwähnenden Angaben reichen sie aus, nicht nur zur Aufstellung der Schusstafel, sondern auch zur Feststellung der vom Schrapnel zu erwartenden Wirkung.

Die entsprechenden Angaben lauten für das Feldgeschütz 73:

Kaliber . . . . 8,8 cm,
Anfangsgeschwindigkeit . 442 m,
Geschossgewicht . . . 7,5 kg (Schrapnel 91).

Errechnet man für beide Geschosse die Querdichte (Querschnittsbelastung), so findet man sie für das Schrapnel 96 zu 147 g, für das 91 zu 123 g. Schon der Laie wird sich sagen können, dass die Geschossbahn beim neuen Feldgeschütz, namentlich auf den weiteren Entfernungen, gestreckter sein wird als beim alten. Damit ist aber noch recht wenig gesagt. Soll das Bild von der Wirkung des neuen Geschützes Werth haben, so muss es schärfer sein.

Es ist bekannt, dass für die Ueberwindung des Luftwiderstandes die Querdichte von hervorragendem Einfluss ist. Seit Einführung der gezogenen Feuerwaffen tritt daher sowohl bei der Infanterie als auch bei der Artillerie das Bestreben zu Tage, die Querdichte nach Möglichkeit zu steigern. Bei den Gewehren ist sie im Verlauf von 50 Jahren von 15,5 g (Minié) auf fast das Doppelte, 29,8 g (Gewehr 88), gestiegen; bei den deutschen Feldgeschützen ist die Steigerung in den 40 Jahren ihres Daseins zwar nicht so bedeutend; immerhin hat sie, wenn man von den ausgestorbenen leichten Geschützen absieht, von 105 auf 147 g, also um 40 pCt., zugenommen.

Aber es giebt noch ein anderes Mittel zur Verminderung des Luftwiderstandes, auf das man wenigstens in Deutschland erst in der jüngsten Zeit Werth gelegt hat, das ist die zweckmässige Form des Geschosses. »Ueber die günstigste Form der Geschossspitze« ist seit Jahrzehnten viel geschrieben worden, aber in der deutschen Artillerie ist erst in den letzten Jahren hiervon eine bewusste Anwendung gemacht, was schon daraus hervorgeht, dass in dem hervorragenden Werke des Generalleutnants v. Müller »Die Entwickelung der Feldartillerie«, dessen Schlussband 1894 erschienen ist, dieses Mittel an keiner Stelle erwähnt wird.

Ohne mich hier auf weitläufige, gelehrte Auseinandersetzungen einlassen zu wollen, bemerke ich nur, dass der Luftwiderstand bei den Geschossen der neuesten Kruppschen Geschütze — vergl. Schiessbericht 89 dieser Firma — lediglich durch die günstigere Geschossform (Fortfall des vorderen Führungsringes, seichte Züge, schlanke Spitze) um mehr als $^1/_3$ niedriger ausgefallen ist, als er sein würde, wenn die Geschosse bei gleicher Querdichte nach Analogie des Schrapnels 91 konstruirt wären. Man hat hier mit einer Querdichte von 147 g in ballistischer Beziehung genau dasselbe erreicht, was man bei einem nach dem Muster des Schrapnels 91 konstruirten Geschoss mit einer Querdichte von 198 g erreichen würde.

Von allen Kruppschen Schnellladekanonen steht die schwere 7,5 cm Kanone L 28/30 — Geschossgewicht 6,5 kg, Anfangsgeschwindigkeit (v_0) = 500 m — dem Feldgeschütz 96 am nächsten. Aus der unter Anlage 38 des Schiessberichts 89 mitgetheilten Schusstafel geht hervor, dass die Luftwiderstandskonstante (was Siacci und Braccialini den n-Werth nennen) gleich 0,810 zu setzen ist. Es wird daher erlaubt sein, für das Feldgeschütz 96 einen gleichen n-Werth anzunehmen.*)

Die Berechnung der nachstehenden abgekürzten Schusstafel ist nach der »Ballistique extérieure« von Siacci ausgeführt, die »leichtfassliche« Methode von Braccialini (v. Scheve) würde ähnliche Resultate liefern. Die dem Schrapnel 91 entsprechenden, der Schusstafel entnommenen Werthe sind zum Vergleich in Klammern darunter gesetzt.

---

*) Im Vergleich zu dem n-Werth des Schrapnels 91, der nach Heydenreich »Lehre vom Schuss« (Th. II, Zusammenstellung 1) 1,150 beträgt, ist der hier angenommene n-Werth sehr günstig. Es giebt aber Geschosse mit noch günstigeren Formen; so ist z. B. der n-Werth des französischen 90 mm obus à mitraille nur 0,752. Das ist allerdings der günstigste aller mir bekannten Werthe.

Zusammenstellung 1.

Ent-fernung m	Abgangs-winkel Gr. Min.		Fallwinkel Gr. Min.		Flugzeit Sekunden	Bestrichener Raum für 1 m Zielhöhe m	$^1/_{16}$ Gr. ändert die Schuss-weite um m	End-geschwindig-keit m
0	—	—	—	—	—	—	465
	—	—	—	—	—	—	(442)
1000	1	32	1	48	2,4	31	35	369
	(1	52)	(2	19)	(2,7)	(25)	(27)	(319)
2000	3	37	4	43	5,4	12	26	310
	(4	37)	(6	15)	(6,2)	(9,1)	(20)	(268)
3000	6	15	8	42	8,8	6,5	21	279
	(8	15)	(12	—)	(10,3)	(4,7)	(15)	(233)
4000	9	31	13	31	12,7	4,2	18	256
	(12	56)	(19	45)	(15,2)	(2,8)	(12)	(208)
5000	13	25	19	22	17,1	2,8	15	237
	(19	30)	(30	56)	(21,4)	(1,7)	(8)	(190)
6000	18	11	26	30	22,1	2,0	11	220
	(29	42)	(46	8)	(30,3)	(1,0)	(4)	(188)

Die Angaben über den »Abgangswinkel« des Feldgeschützes 73 sind um den »Abgangsfehler« ($^6/_{16}°$) grösser als die Angaben der Schusstafel, die sich auf den »Erhöhungswinkel« beziehen. Der »bestrichene Raum« ist der Einfachheit und des leichteren Vergleichs wegen für die Zielhöhe von 1 (statt 1,7) m berechnet und zwar nach der einfachen Formel Ziel-höhe mal Kotangente des Fallwinkels.

Aus der Zusammenstellung geht hervor, dass das Feldgeschütz 96 dem alten ballistisch sehr überlegen ist, d. h. eine bedeutend gestrecktere Flugbahn und eine nicht unerheblich grössere Geschossgeschwindigkeit besitzt, namentlich auf den grösseren Entfernungen. Auf Entfernungen über 1000 m hat das Feldgeschütz 96 eine gestrecktere Flugbahn als der englische 12 Pfünder vom Jahre 1884 und die französische 80 mm Kanone, welche Geschütze unter allen eingeführten die gestrecktesten Bahnen aufweisen.

Es ist bemerkenswerth, dass diese günstige Gestalt der Geschossbahn unerreichbar gewesen wäre, wenn man nicht dem Geschosse eine möglichst vortheilhafte Form, namentlich eine schlanke Spitze, gegeben hätte. Ich hob bereits oben hervor, dass ohne diese Aenderung eine Querschnitts-belastung von 198 g erforderlich sein würde, um dieselbe ballistische Leistung bei einem dem Schrapnel 91 nachgebildeten Geschoss zu erreichen. Bei einem 7,7 cm Geschütz hätte man also ein 9,2 kg schweres Geschoss haben müssen, was für eine Feldkanone ein viel zu hohes Gewicht ist, oder aber man hätte unter Beibehalt des Geschossgewichts von 6,8 kg auf das Kaliber von 6,6 cm herabgehen müssen. Bei einem so kleinen Kaliber hätte die innere Höhlung des Geschosses nur wenige Kugeln aufnehmen können. In beiden Fällen hätte man unbedingt mit einem um mindestens $^1/_3$ höheren Gasdruck, also wahrscheinlich 2200 Atmosphären, rechnen müssen. Ich bin hierauf näher eingegangen, um zu zeigen, was man der Wissenschaft verdankt; der Anstoss zur Annahme einer so günstigen Geschossform ist nicht durch Versuchsergebnisse, sondern durch wissen-schaftliche Untersuchungen gegeben. Bereits im Jahre 1891 (Militär-Wochenblatt Nr. 70/1891 »Zum Feldgeschütz der Zukunft«) bei Besprechung des bekannten Willeschen Buches habe ich auf die hohe Wichtigkeit ballistisch günstiger Geschossformen aufmerksam gemacht.

Zu einer vollkommenen Beurtheilung der ballistischen Leistung gehört auch noch die Kenntniss der Trefffähigkeit. Eine genau richtige Vorstellung von der Präzision eines Geschützes kann man natürlich nur durch systematische, eigens dafür angelegte Versuche erhalten. Immerhin wird die Streuung in hohem Maasse von den ballistischen Verhältnissen (Gestalt der Flugbahn) abhängen, und unter der wohl berechtigten Annahme, dass bei Anfertigung des neuen Geschützes und seiner Munition mit derselben Sorgfalt wie beim alten verfahren ist, wird man sich hierüber eine für die Praxis ausreichende Vorstellung bilden können.

Ein dem Feldgeschütz 96 sehr nahe stehendes Geschütz ist die Kruppsche schwere 7,5 cm Schnellladekanone L 28/30. Diese hat fast genau dieselben Längen-, dagegen kleinere Höhen- und Breitenstreuungen wie das Feldgeschütz 73; dasselbe dürfen wir für das Geschütz 96 voraussetzen. Es wird sich zwischen dem Feldgeschütz 96 und dem 73 ungefähr dasselbe Verhältniss herausstellen wie zwischen dem Feldgeschütz 73 und der 9 cm Stahlkanone 61 (die unter dem Namen »gezogener 6 Pfünder« vielleicht bekannter geworden ist). Zusammenstellung 2 enthält einige Angaben über die Streuungen der 9 cm Stahlkanone 61, dem Feldgeschütz 73 und der Kruppschen 7,5 cm Schnellladekanone, die als gleichwerthig mit dem Feldgeschütz 96 anzusehen ist.

Zusammenstellung 2.

| Ent- fernung m | Mittlere Streuung in m | | | | | | | | |
| | Höhe | | | Breite | | | Länge | | |
	Stahlk. 61	Feld- gesch. 73	Krupp	Stahlk. 61	Feld- gesch. 73	Krupp	Stahlk. 61	Feld- gesch. 73	Krupp
1000	0,9	0,8	0,5	0,6	0,8	0,4	16	20	17
2000	3,6	2,5	1,5	2,0	1,8	1,0	20	23	20
3000	9,2	5,7	3,5	3,0	3,3	1,8	29	27	25
4000	—	—	7,3	—	5,4	2,9	—	32	32
5000	—	—	—	—	8,0	4,5	—	40	40
6000	—	—	—	—	11,2	6,7	—	52	50

Die Wirkung eines Feldgeschützes hängt weit weniger von seiner ballistischen Leistung als von der Einrichtung seines Geschosses ab, namentlich, wenn dieses ein Streugeschoss ist. Weder Wernigk, noch Zwenger, die Beschreibungen des Feldgeschützes 96 gebracht haben, machen über die Einrichtung des Geschosses werthvolle Angaben. Dagegen enthält die »Revue d'artillerie« die durchaus glaubwürdig erscheinende Mittheilung, dass das Schrapnel ein Bodenkammerschrapnel mit einer Füllung von 300 Kugeln zu je 10 g sei und einen Doppelzünder mit einer von 400 bis 5000 m reichenden Eintheilung habe. Ferner giebt der »Leitfaden für den Unterricht in der Waffenlehre« den Kegelwinkel des Schrapnels für die Entfernung von 3000 m zu $17\frac{1}{2}°$ an. Diese Angaben genügen, um ein zuverlässiges Bild von der Wirkung des Schrapnelschusses zu entwerfen.

In meiner »Studie über den Schrapnelschuss«*) habe ich für die Berechnung des Kegelwinkels β die Formel

$$\tan\frac{\beta}{2} = \frac{x}{v_n + y}$$

aufgestellt. In dieser Formel bedeuten:

v_n die von der Entfernung n abhängige Geschwindigkeit des Schrapnels im Sprengpunkte,

x die Geschwindigkeit der am Umfange des Geschosses gelagerten Füllkugeln, senkrecht auf die Geschossachse gerichtet,

y den Geschwindigkeitszuwachs, den die Füllkugeln durch die Sprengladung der Bodenkammer erhalten.

Es ist leicht einzusehen, dass x und y von der Entfernung gänzlich unabhängige Grössen sind. Sobald eine dieser beiden Grössen gegeben ist, lässt sich der Kegelwinkel für alle Entfernungen errechnen, da auch v_n bekannt ist.

Nach dem Schiessbericht 89 der Kruppschen Fabrik, Anlage 15, ist die Geschwindigkeit, welche die Füllkugeln eines in Ruhe befindlichen Schrapnels durch die am Boden gelagerte Sprengladung erhielten, zu etwa 60 m gemessen. Diese Geschwindigkeit bezieht sich aber natürlich nur auf diejenigen Kugeln, welche die grösste Geschwindigkeit erhielten, während auf die Grösse des Kegelwinkels die Durchschnittsgeschwindigkeit oder gar die Geschwindigkeit der langsamsten Kugeln von bestimmendem Einfluss ist. Setzt man diese Geschwindigkeit (also y) $= 50$ m,**) so lässt sich x berechnen, da $v_{3000} = 279$ m und $\beta = 17^1/_2°$ gegeben sind. Aus

$$\tan\frac{\beta}{2} = \frac{x}{v_n + y} \quad \text{folgt}$$

$$x = (v_n + y)\tan\frac{\beta}{2} \;; \text{mithin}$$

$$= (279 + 50)\cdot\tan 8^3/_4°$$

$$= 50,7 \text{ m.}$$

Setzt man nun in der für $\tan\frac{\beta}{2}$ die Worthe für x (50,7 m), y (50 m) und v_n aus Zusammenstellung 1 ein, so errechnet sich der Kegelwinkel β für die Entfernung von 1000 m zu $13^{12}/_{16}$ Grad,

>   2000 m » 16   »
>   3000 m » $17^8/_{16}$ »
>   4000 m » $18^{12}/_{16}$ »
>   5000 m » 20   »

Der Kegelwinkel ist also erheblich kleiner als der des Schrapnels 91, der nach der Schiessvorschrift »im Mittel« 21 bis 22° betrug. Freilich so gross, wie es hiernach scheinen könnte, ist der Unterschied in Wirklichkeit nicht. Es ist zu bemerken, dass bei Ermittelung des Kegelwinkels des Schrapnels 91 zwar nicht alle Kugeln und Sprengstücke berücksichtigt wurden, dass vielmehr auch schon damals einzelne an den Grenzen des Treffbildes sitzende Sprengtheile ausser Betracht blieben. Es war aber

---

*) Berlin 1894, Königliche Hofbuchhandlung von E. S. Mittler & Sohn.
**) Es mag hier bemerkt werden, dass sich die Grösse des Kegelwinkels nur sehr wenig anders errechnet, wenn für y ein etwas anderer Werth gewählt wird.

dem Gutdünken des den Versuch ausführenden Offiziers überlassen, wie viele solcher Sprengtheile und Kugeln ausgeschlossen blieben. Jedenfalls schwankte diese Zahl sehr. Nach dem 89. Schiessbericht der Kruppschen Fabrik, Anlage 15, lag die Zahl der bei Messung des Kegelwinkels berücksichtigten Sprengtheile u. s. w. zwischen 85 und 98 pCt.; im Mittel betrug sie etwa 94 pCt. Nach Heydenreich »Lehre vom Schuss«*) wird bei den neueren Messungen der Kegelwinkel so bestimmt, dass er 85 pCt. aller Sprengtheile u. s. w. einschliesst. Für das Schrapnel 91 werde ich annehmen, dass 95 pCt. aller Treffer innerhalb des Kegels liegen.

In der »Schiesslehre für die Feldartillerie« habe ich im VI. Kapitel (Die Wirkung des Schrapnelschusses) gezeigt, wie alle wissenswerthen Angaben über die Gestalt des Streukegels, die Breite der Streugarbe auf dem gewachsenen Boden, die Stosskraft der Kugeln, die Zahl der gegen Ziel von gegebener Grösse zu erwartenden Treffer u. s. w. errechnet werden können, wenn die Grösse des Kegelwinkels, die Geschwindigkeit der Kugeln im Sprengpunkt sowie der Fallwinkel des nicht krepirten Schrapnels bekannt sind. Die nachstehenden Angaben für das Schrapnel 96 sind mit Hülfe der dort entwickelten Formeln errechnet worden. Die Zahl der Sprengtheile innerhalb des Streukegels ist zu 255 (0,85 · 300) angenommen. Die (eingeklammerten) Zahlen für das Schrapnel 91 habe ich aus der »Schiesslehre« umgerechnet unter der Annahme, dass 95 pCt. aller Sprengtheile innerhalb des Streukegels lägen; die Zahl der Sprengtheile ist demgemäss auf 285 veranschlagt.

Zunächst handelt es sich um die Wirkungstiefe des Schrapnels, die dort ihre Grenze findet, wo die Stosskraft der Kugel nicht mehr genügt, um einen Menschen ausser Gefecht zu setzen, d. h. unter 8 mkg sinkt. Das ist der Fall, wenn die Geschwindigkeit der 10 g schweren Kugel auf 125 (die der 11 g schweren auf 120) m gesunken ist. Hiernach würde die Wirkungstiefe betragen auf:

1000 m beim Schrapnel 96	291 m	(Schrapnel 91	282 m)
2000 m »	276 m	(»	249 m)
3000 m »	266 m	(»	206 m)
4000 m »	254 m	(»	178 m)
5000 m »	240 m.		

Trotz des geringeren Gewichts hat die 10 g schwere Kugel des Schrapnels 96 eine grössere Wirkungstiefe als die des Schrapnels 91.

Gegen Pferde stellt sich die Sache etwas anders. Langlois und mit ihm alle französischen Ballistiker verlangen gegen Pferde eine Stosskraft von 19 mkg; d. h. für die Kugel von 10 g eine Geschwindigkeit von 193, für die von 11 g eine solche von 184 m. Unter dieser Voraussetzung beträgt die Wirkungstiefe auf

1000 m beim Schrapnel 96	163	(beim Schrapnel 91	179) m,
2000 m »	148	(»	138) m.

Auf den nahen Entfernungen hat das Schrapnel 91 die grössere Wirkungstiefe, auf den weiteren das Schrapnel 96; auf etwa 1500 m stehen beide einander gleich.

Im Uebrigen hängt die Wirkung des Schrapnelschusses ab von der »Dichtigkeit der Treffer« und der »Ausbreitung der Sprengtheile« am Ziel.

---

*) Berlin 1898, Königliche Hofbuchhandlung von E. S. Mittler & Sohn.

Für die Sprengweite von 50 m ist die »Dichtigkeit der Treffer«, d. h.
die Zahl der auf 1 qm der senkrechten Treffläche entfallenden Treffer,

auf 1000 m beim Schrapnel 96 = 2,23 (Schrapnel 91 = 1,42)
»   2000 m   »   = 1,64 (»   = 1,00)
»   3000 m   = 1,37 (»   = 0,76)
»   4000 m   = 1,17 (»   = 0,61)
»   5000 m   »   = 1,04.

Die Dichtigkeit nimmt bekanntlich mit dem Quadrat der Sprengweite
ab, beträgt also bei 100 m Sprengweite nur $^1/_4$, bei 150 m nur $^1/_9$ der hier
errechneten u. s. w.

Die Ausbreitung der Kugeln nimmt im einfach geometrischen Verhältniss mit der Sprengweite zu und beträgt für eine Sprengweite von 50 m

auf 1000 m beim Schrapnel 96 12,3 m (Schrapnel 91 15,9 m)
»   2000 m   »   14,0 m (»   19,0 m)
»   3000 m   15,4 m (»   21,8 m)
»   4000 m   16,5 m (»   24,5 m)
»   5000 m   »   17,5 m.

Das Produkt aus der »Dichtigkeit« und »Ausbreitung« der Treffer
ergiebt die Zahl der gegen eine Scheibe von 1 m Höhe und grosser
Breite zu erwartenden Treffer. Hiernach erhält man gegen ein solches
Ziel von jedem Schuss bei 50 m Sprengweite im Mittel

auf 1000 m beim Schrapnel 96 27,4 Treffer (Schrapnel 91 22,6)
»   2000 m   »   23,0 »   (»   19,0)
»   3000 m   21,1 » (»   16,6)
»   4000 m   19,3 » (»   14,9)
»   5000 m   »   18,4 »

Die Ueberlegenheit des Schrapnels 96 wächst mit der Entfernung;
seine Wirkung übertrifft die des Schrapnels 91

auf 1000 m um 21 pCt.
»   2000 m » 21 »
»   3000 m » 27 »
»   4000 m » 30 »

im Mittel also um etwa 25 pCt.

Die Zahl der Treffer nimmt in einfachem Verhältniss mit der Grösse
der Sprengweite zu. Das gilt aber in voller Schärfe nur, wenn die Achse
des Streukegels das Ziel trifft, d. h. wenn die zu grosse Sprengweite nicht
durch fehlerhafte Flugbahnlage, sondern durch zu kleine Brennlänge der
Zünder hervorgerufen ist. In den weitaus meisten Fällen ist aber eine
zu grosse Sprengweite die Folge davon, dass man zu kurz eingeschossen
ist, denn die Sprenghöhe wird gleich nach dem Uebergang zum Bz.-Feuer
auf ein der mittleren Sprengweite von 50 m ungefähr entsprechendes
Maass geregelt.

Ein klares Bild von der Gestalt des Streukegels gewinnt man durch
die Betrachtung der Flugbahn der obersten Kugel, sowie der Ausbreitung
der Streugarbe auf dem gewachsenen Boden bei normaler Sprengweite.
Ich verweise nochmals auf den § 32 der »Schiesslehre für die Feldartillerie«.

1. Die der Sprengweite von 50 m entsprechende (normale) Sprenghöhe beträgt für die Entfernung von

1000 m beim Schrapnel 96 1,6 m (beim Schrapnel 91 1,9 m)
2000 m   »   4,1 m (»   5,3 m)
3000 m   7,6 m (10,5 m)
4000 m   12,0 m (17,7 m)
5000 m   17,6 m.

2. Flughöhe der obersten Schrapnelkugel in Bezug auf den Sprengpunkt.*)

Ent-fernung m	Schrapnel 96					Schrapnel 91				
	Sprengweite in m					Sprengweite in m				
	50	100	150	200	250	50	100	150	200	250
1000	+ 4,4	+ 8,6	+ 12,2	+ 15,3	+ 17,6	+ 6,0	+ 11,6	+ 16,7	+ 21,2	+ 24,4
2000	+ 2,8	+ 5,3	+ 7,3	+ 8,8	+ 9,4	+ 4,0	+ 7,5	+ 10,4	+ 12,4	+ 13,5
3000	+ 0,1	± 0	— 1,3	— 2,9	— 5,5	+ 0,5	+ 0,3	— 0,7	— 3,0	— 6,0
4000	— 3,6	— 7,8	— 12,4	— 17,9	—	— 4,9	— 10,5	— 17,5	— 23,5	—
5000	— 8,6	— 17,5	— 26,9	—	—	—	—	—	—	—

3. Ausbreitung der Sprengtheile auf dem Boden bei normaler Sprenghöhe.

Ent-fernung m	Schrapnel 96					Schrapnel 91				
	Sprengweite in m					Sprengweite in m				
	50	100	150	200	250	50	100	150	200	250
1000	12,3	24,3	35,7	46,8	57,0	15,9	31,7	46,8	57,2	71,1
2000	14,0	25,6	36,4	47,3	55,3	19,0	35,8	50,6	64,2	75,6
3000	15,4	26,7	32,0	36,0	25,6	21,8	36,8	46,4	48,6	43,0
4000	16,5	22,2	—	—	—	24,5	17,7	—	—	—
5000	17,6	2,0	—	—	—	—	—	—	—	—

4. Das Produkt aus der »Dichtigkeit der Treffer« und der »Ausbreitung« derselben ergiebt die von einem Schuss bei normaler mittlerer Sprengweite zu erwartende Trefferzahl gegen eine breite Scheibe von 1 m Höhe.

Ent-fernung m	Schrapnel 96					Schrapnel 91				
	Sprengweite in m					Sprengweite in m				
	50	100	150	200	250	50	100	150	200	250
1000	27,4	13,5	8,9	6,5	5,1	22,6	11,2	7,4	5,1	4,0
2000	23,0	10,5	6,6	4,8	3,6	19,1	9,1	5,7	4,0	3,0
3000	21,1	9,1	4,9	3,1	1,4	15,6	7,0	3,9	2,3	1,3
4000	19,3	6,5	—	—	—	14,9	5,3	—	—	—
5000	18,4	0,5	—	—	—	—	—	—	—	—

Der Vergleich der unter 4. mitgetheilten Zahlen zeigt, dass die Ueberlegenheit des Schrapnels 96 über die des Schrapnels 91 nicht mit der Zunahme der Sprengweite wächst, wie man wegen der grösseren Gestreckt-

*) Beachtenswerth ist, dass beim Schrapnel 96 wie beim Schrapnel 91 auf 3000 m etwa die Grenze liegt, jenseits welcher die oberste Schrapnelkugel eine abwärts gerichtete Flugbahn hat. Auf dieser Entfernung ist der Fallwinkel ungefähr dem halben Kegelwinkel gleich. Von da ab nimmt die Wirkungstiefe des Schrapnels sehr rasch ab. (Vergl. unter Ziffer 3.)

heit der Bahn annehmen könnte. Infolge der kleinen Kegelwinkel ist, wie aus 3. hervorgeht, die Ausbreitung der Treffer auf dem gewachsenen Boden erheblich geringer als bei dem Schrapnel 91.

Eine kleine, aber doch nur unbedeutende Mehrleistung über die gemachten Angaben hinaus muss dem Schrapnel 96 noch zugestanden werden, da bei diesem 15, beim Schrapnel 91 aber nur 5 pCt. der Sprengtheile ausser Ansatz geblieben sind.

Auf eine Angabe der Wirkung gegen gefechtsmässige Ziele verzichte ich, da es hier weniger darauf ankommt, absolute Zahlen zu finden als das Verhältniss der Wirkung des alten und neuen Geschützes.

Die durch die grössere Feuergeschwindigkeit hervorgebrachte Wirkungssteigerung ist nicht veranschlagt. Ich bin der Meinung, dass sie nur im »Schnellfeuer«, also auf Entfernungen unter 1500 m, zur Geltung kommt, und dass hierdurch die Wirkung auf etwa das Doppelte gesteigert werden kann. Auf den grösseren Entfernungen kann das Feldgeschütz 96 nicht schneller schiessen als das alte Geschütz, da bereits bei diesem die Feuerpausen nicht dadurch bedingt wurden, dass die an der Reihe zum Feuern befindlichen Geschütze schussbereit standen, sondern dadurch, dass alle Schüsse beobachtet werden konnten.

Nach der Schiessvorschrift Z. 41 wird beim Schrapnel 91 die Wirkung für »gut« erklärt, wenn die mittlere Sprengweite 130 m nicht übersteigt. Man erhält nun mit dem Schrapnel 96 annähernd dieselbe Trefferzahl wie mit dem Schrapnel 91 bei einer Sprengweite von 130 m, wenn die Sprengweite auf

1000 m	154 m
2000 m	157 m
3000 m	165 m
4000 m	172 m,

im Mittel also 162 m, beträgt. Was folgt daraus? Offenbar, dass in denjenigen Fällen, wo beim Schrapnel 96 die mittlere Sprengweite zwischen 130 und 162 m liegt, die Wirkung noch als »gut« bezeichnet werden darf, während man solche Schiessen beim Schrapnel 91 als »wirkungslos« bezeichnet. Sehr bedeutend ist der Unterschied in dieser Beziehung nicht; die Zahl der »wirkungslosen« Bz.-Schiessen (vergl. den Aufsatz »Ueber die Zuverlässigkeit des Einschiessens«, Archiv für Art.- und Ingen.-Offiziere Band 104) sinkt um etwa $\frac{1}{10}$, von 20 auf etwa 18 pCt.

In grösserem Maasse würde die Zahl der »wirkungslosen« Bz.-Schiessen vielleicht herabgedrückt werden, wenn die normale mittlere Sprengweite auf 75 (statt 50) m festgesetzt werden könnte. Wenngleich die Zündertheilung so eingerichtet werden kann, dass bei normalem Verhalten der Zünder sich eine Sprengweite von 75 m ergiebt, so würde man mit einer mittleren Sprengweite von 75 doch nur dann rechnen können, wenn man beim Regeln der Sprenghöhe mit Korrektureinheiten von 75 (statt wie auch für das neue Feldgeschütz angenommen 50) m operirte. Daran ist aber vorläufig gar nicht zu denken.

Es drängt sich hier die Frage auf, ob das Einschiessen mit dem Feldgeschütz 96 zuverlässiger ausfallen wird als mit dem alten. Diese Frage muss verneint werden; eher ist sogar das Gegentheil der Fall. Die Zuverlässigkeit des Einschiessens hängt — gleiche Methode desselben vorausgesetzt — lediglich ab von der Sicherheit der Beobachtung und der Grösse der Längenstreuung. Die Sicherheit der Beobachtung wird bei beiden Geschützen die gleiche sein, es giebt keinen Grund, der dagegen spräche. Dass die Längenstreuungen beider Geschütze bei tadel-

loser Bedienung dieselben sein werden, ist bereits oben auseinandergesetzt.
Beim gefechtsmässigen Schiessen muss aber unbedingt mit Richtfehlern,
d. h. Fehlern in der Grösse des Abgangswinkels, gerechnet werden. Ein
solcher Fehler verändert aber wegen der grösseren Gestrecktheit der Flugbahn die Schussweite beim Feldgeschütz 96 in stärkerem Grade als beim
alten Geschütz. So z. B. ändert $^1/_{16}°$ die Schussweite (vergl. Zusammenstellung 1)

beim Feldgeschütz 96 auf 1000 m um 35 m, beim Feldgeschütz 73 um 27 m,
»   2000 m » 26 m,   »   20 m,
»   3000 m » 21 m,   »   15 m
u. s. w. Hieraus folgt mit grosser Sicherheit, dass unter sonst gleichen
Umständen im gefechtsmässigen Schiessen die Längenstreuungen beim
Feldgeschütz 96 grösser ausfallen werden als beim alten Feldgeschütz,
und dass bei jenem eher mehr als weniger falsche Gabelbildungen zu
erwarten sind.

Soll die grössere Wirkung des neuen Feldgeschützes in die Erscheinung
treten, so erfordert dieses eine mindestens ebenso sorgfältige Bedienung
wie das bisherige. Das gilt auch ganz besonders für die Seitenrichtung.
Wegen der geringen Ausbreitung der Kugeln werden kleine Seiten-
abweichungen bei schmalen Zielen die Wirkung sehr herabsetzen können.
Von der Granate ist nur wenig zu sagen. Sie hat dasselbe Gewicht
und denselben Zünder wie das Schrapnel. Die Zahl der von ihr zu
erwartenden Splitter ist in dem neuesten »Leitfaden für den Unterricht in der Waffenlehre« (1899) zu 135 angegeben, während die Sprenggranate des alten Feldgeschützes nach derselben Quelle (Auflage von
1897) deren 500 liefert. Es ist klar, dass je kleiner die Zahl der
wirksamen Splitter, um so kleiner Sprengweite und -höhe ausfallen müssen,
damit der Schuss mit Rücksicht auf die Dichtigkeit der Treffer noch als
wirksam gelten kann. Mit der Abnahme der zulässig grössten Sprengweite nimmt zugleich die Zahl der zu erwartenden wirksamen Schüsse
ab. Wenn ich in meiner »Studie über das Schiessen mit Sprenggranaten« (Archiv für Art.- und Ingen.-Offiziere 1895) unter der Annahme von 500 wirksamen Splittern 20 m als die zulässig grösste Sprengweite bezeichnete, so folgt, dass bei einer Splitterzahl die nur $^1/_4$ so gross
ist, eine Sprengweite von höchstens 10 m (nämlich $20 \cdot \sqrt{^1/_4}$) noch zulässig
ist. Dementsprechend fällt auch die günstigste mittlere Sprengweite
niedriger aus. Die günstigste mittlere Sprengweite wird etwa 8 m, die
günstigste mittlere Sprenghöhe 6 m betragen. Bei einer solchen mittleren
Sprengpunktslage kann man auf höchstens 16 bis 17 wirksame Schüsse
unter hundert rechnen. Da man aber nach der Schiessvorschrift stets auf
drei verschiedenen Entfernungen (nämlich der, welche voraussichtlich diese
günstigste Sprengpunktslage ergiebt, einer um 25 m kleineren und um
ebenso viel grösseren) schiesst, so hat man unter 100 Schüssen auf durchschnittlich etwa 7 »wirksame« Schüsse (d. h. solche, deren Sprengweite
10 m nicht übersteigt) zu rechnen.

In dieser Beziehung ändert die Einführung des Feldgeschützes 96
nichts zum Besseren. Die grössere Gestrecktheit der Flugbahn des Feldgeschützes 96 ist ebenso wie die erheblich geringere Zahl der Splitter
für die Wirkung der Granate unter allen Umständen von nachtheiligem
Einfluss.

Mit aller Bestimmtheit lässt sich voraussagen, dass die Wirkung der
Granate gegen gedeckte Ziele bei dem Feldgeschütz 96 hinter der des
alten Feldgeschützes zurückstehen wird. Das ist in der Natur der Sache

begründet. Schon bei dem Feldgeschütz 73 befriedigte die Granate nur sehr bescheidene Ansprüche, was schon daraus hervorgehen dürfte, dass fast jedes Jahr eine Aenderung der Schiessregeln brachte. Ich habe bereits vor 1½ Jahren an dieser Stelle ausgesprochen*) und wiederhole es: »Ein Geschoss, das eine so peinlich genaue Behandlung verlangt, kann unmöglich für ein kriegsbrauchbares gehalten werden.« Wie recht ich mit diesem Ausspruch hatte, dürfte wohl daraus hervorgehen, dass inzwischen den Batterieführer beim gefechtsmässigen Schiessen die Benutzung schriftlicher Aufzeichnungen gestattet ist. Die Erfahrung muss doch wohl gezeigt haben, dass ohne solche Irrthümer und Verwechselungen entstehen, die einen Misserfolg des Schiessens nach sich ziehen. Sonst wäre eine solche Verfügung ganz unverständlich.

Meine Ansicht geht dahin, dass die Sprenggranate, an deren Einführung ich selbst persönlich betheiligt war, beim gefechtsmässigen Schiessen nicht das gehalten hat, was man sich von ihr nach den Versuchen glaubte versprechen zu können, und dass sie im Ernstfalle noch weniger leisten wird, als man jetzt von ihr erwartet. So lange nichts Besseres an ihre Stelle zu setzen war, konnte man sich damit trösten, dass das Spezialgeschoss das Spezialgeschütz entbehrlich machen würde. Nachdem aber die Einführung der Feldhaubitze erfolgt ist, schlage ich vor, die Granate ganz aus der Ausrüstung des Feldgeschützes 96 zu streichen. Man kann alsdann den Batterien einen Munitionswagen mit Schrapnels mehr geben und mit den Gespannen des zweiten Granatwagens noch eine vierte Haubitz-Batterie aufstellen.

Man könnte dann zwei Abtheilungen zu je zwei Haubitz-Batterien bilden und jeder Division eine solche Abtheilung zutheilen, da die Bildung einer selbständigen, kleinen Korpsartillerie grosse Bedenken gegen sich hat. Dann fällt auch das Bedürfniss fort, mit jeder Batterie gegen gedeckte Ziele schiessen zu können.

Von allen fremden Staaten hat nur Oesterreich noch seine Feldkanonen mit Sprenggranaten (Ekrasit) ausgerüstet, zu dem gleichen Zweck wie Deutschland.**) Es scheint aber (vergl. »Vedette« Nr. 172/1899, S. 5, 3. Spalte), dass man nicht bessere Erfahrungen damit gemacht hat wie in Deutschland.   H. Rohne.

Der Angriff auf vorbereitete Stellungen.

Erzherzog Karl sagt mit Recht, der Stellungskrieg gedeihe auf einer mittleren Kulturstufe, während mit dem Maasse des Fortschreitens der Kultur sich die Möglichkeit des Bewegungskrieges erweitert. Die Vertheidigung einer Gegend durch unthätige Behauptung einzelner Punkte fällt fort, und die ausgebreiteten Folgen des Angriffs werden mehr durch die Anlage der Gefechte im Ganzen als durch den Erfolg einzelner Kämpfe bestimmt. Die Möglichkeit verschiedenartiger und schneller Bewegungen erweitert sich, während in Ländern mit mittlerer und niederer Kultur bei der geringen Zahl von Kunststrassen jeder Strassenknoten zu einem schwer entbehrlichen Punkt wird, da sein Besitz mindestens eine, zuweilen auch zwei Operationslinien öffnet. Da müssen dann Befestigungen einen erhöhten Werth erlangen.

---

*) Jahrgang 1, S. 213.
**) Die nur mit Aufschlagzünder versehenen Obus allongés der französischen Artillerie sollen anderen Zwecken dienen.

Dennoch, so sehr die Kultur auch das Uebergewicht des Geistes über die Masse und die Aktivität begünstigt, kommen doch alle Heeresoperationen in der Form von Bewegung und Stellungnahme zum Ausdruck, und einer der Gegner wird in den meisten Fällen zu Letzterer greifen. Man kann den Angriffskrieg führen und doch bei dem Zusammentreffen mit dem Gegner sich abwartend, vertheidigungsweise verhalten. Eine Reihe von Vertheidigungsgefechten der Jahre 1870/71 rechnen wir zu unseren ruhmvollsten Kämpfen; das Gleiche war russischerseits am Schipka der Fall.

Hieraus ergiebt sich einerseits die Wichtigkeit von vorbereiteten Stellungen, andererseits die Bedeutung der Wahl der entscheidenden Richtung für die operative Entschlussfassung des Angreifers, um den Gegner wehrlos zu machen. Entscheidende Punkte für Operationen behalten dauernd ihren Werth, weil sie durch geographische Verhältnisse bestimmt werden. An solchen Stellen sollen Festungen erbaut werden. Da übt dann die Eroberung des Ortes, der Geländebesitz einen nachhaltigen Einfluss auf die Kriegführung, raubt dem Gegner die Lebensbedingungen, ist also entscheidend für die Strategie. Viel seltener übt eine strategisch entscheidende Wirkung der Gewinn fester (Feld-) Stellungen, weil sie an Orten liegen, über deren Bedeutung häufig der Zufall bestimmt; unerwartete Ereignisse vermögen die Entscheidung auf Punkten zu bringen, wo man sie nicht voraussetzt. Anders liegt der Fall mit Schlachtfeldstellungen. Da ist der Sieg über die lebendige Streitmacht das Entscheidende; auf ihre Vernichtung kommt es dem Heerführer dann in erster Linie an. Diese Stellungen haben also eine grössere Bedeutung, sie können nicht übersehen werden, sie üben eine magnetische Anziehungskraft auf den Angreifer, selbst wenn sie sich nicht an strategisch entscheidender Stelle befinden sollten. Denn auf dem Schlachtfelde stehen, selbst wo sie sich im Widerspruch mit den strategischen befinden sollten, die taktischen Rücksichten obenan. »Vor dem taktischen Siege schweigt die Forderung der Strategie, sie fügt sich der neugeschaffenen Sachlage an.« (Moltke.) Die Schlacht kann auch Manches gut machen, was vielleicht in der strategischen Anlage gefehlt worden ist, während die Vernachlässigung der taktischen Anforderungen an strategisch wichtiger Stelle erst recht verhängnissvoll werden und die schönsten Operationen zerstören kann. Das Höchste freilich ist es, wenn die Schlacht gewissermaassen zur Probe auf das Exempel wird, wenn also der Sieg an strategisch entscheidender Stelle errungen wird, strategische und taktische Rücksichten derart im Einklang stehen, dass der strategische Gedanke die taktische Durchführung beherrscht und die Schlacht nur das Ergebniss der Operationen ist.

In allen Fällen müssen also beim Herantritt an einen vorbereiteten Gegner, also in der sog. bataille rangée, alle operativen Rücksichten zunächst schweigen, und die Oberleitung muss ihre beste Kraft an die geschickte taktische Ueberwindung des Feindes setzen.

Wir wollen uns nun im Folgenden mit dem entscheidenden Angriff beschäftigen, der den Gegner aus seiner Stellung wirklich herauswerfen soll, nicht mit dem Herausmanövriren durch Umgehung der nicht angegriffenen Position und Gefährdung der Rückzugslinie, noch mit blossen Scheinangriffen.

Bei allen die Entscheidung suchenden Angriffen muss, wie bei den Operationen, die Ueberlegenheit am entscheidenden Punkte angesetzt werden. Es müssen also die Hauptkräfte in gemeinsamer Wirkung gegen einen bestimmten Theil der feindlichen Stellung gerichtet werden, um,

wenn dort mit Schnelligkeit und Energie die Ueberlegenheit gewonnen
ist, die übrigen bis dahin unbeschäftigten Theile des Gegners um so
leichter zu überwältigen. Die Herbeiführung der für den Erfolg unerläss-
lichen Feuerüberlegenheit gelingt am leichtesten durch Umfassung. Daher
sucht man durch einen Nebenangriff die Front des Gegners zu beschäftigen,
durch den Hauptangriff die Flanke, die verwundbare Stelle, soweit sie
nicht durch das Gelände oder durch andere Truppen gesichert ist, zu
überwältigen. Vorbedingung für das Gelingen dieses »überflügelnden«
Angriffs aber ist, dass man mit einer Front auch auf eine Flanke stösst.
Bei der heutzutage auch beim Vertheidiger beobachteten Gliederung nach
der Tiefe, seinen stets kürzeren Wegen und der grossen Beweglichkeit
der Truppen gelingt eine solche Ueberflügelung meist nur dann, wenn der
Gegner durch den Nebenangriff so geschickt beschäftigt und gefesselt
wird, dass er über den wahren Angriffspunkt getäuscht und dann überrascht wird, ehe er auf dem engen Raum und in der kurzen Zeit seine
Hauptkräfte zum Flankenschutz herangezogen hat.*) Dies war bei Wörth
der Fall. Oder aber die Ueberlegenheit des Angreifers muss so gross
sein, dass die Schwäche des Vertheidigers diesem nicht gestattet, der fortgesetzt umklammernden Verlängerung des Angreifers ähnliche Maassnahmen entgegenzusetzen, so dass die Bildung neuer Fronten verhindert
wird. Sonst kommt es sowohl zum Durchbruch wie zur Ueberflügelung.
Natürlich dürfen die Vorzüge der Umfassung — der auch manche Nachtheile, wie die Schwierigkeit, Haupt- und Nebenangriff, besonders bei der
heutigen Ausdehnung der Schlachtfelder, in Uebereinstimmung zu bringen,
zu grosse Ausdehnung, Möglichkeit der Zersplitterung oder auch Ver-
leitung, den Frontangriff entscheidend zu führen — nicht ein für alle Mal
ihre Anwendung herbeiführen und so zum Schema werden. Oft ist, wie
z. B. beim Angriff auf Flanville 1870, ein Frontalangriff unter Bedrohung
der Flanke aussichtsreicher. Daher muss unsere Infanterie um so mehr
auf den Frontalangriff vorbereitet sein, als in der eigentlichen Ausführung
für die einzelne Truppe jeder Angriff ein frontaler ist. Doppelt umfassende
Angriffe, wie z. B. bei Königgrätz und Wörth, oder gar Umzingelungen,
wie bei Sedan, können nur bei ausserordentlicher Ueberlegenheit in Betracht
kommen, erleichtern dann aber den Angriff sehr.

Ganz selbstverständlich ist es nun, dass je nach der Stärke des
Gegners und seiner Stellung sich auch die Mittel richten müssen, die
der Angreifer aufzubieten hat.

Wir gehen nun im Besonderen zu dem Angriff gegen eine vom Feinde
vorbereitete Stellung über, die der Gang der Feldoperation zu dem
Zweck ernsten entscheidenden Widerstandes am Ende der Operationen
geschaffen hat. Ihre Widerstandsfähigkeit setzt sich ausser aus Zahl und
Zustand der Truppen sowie moralischen Faktoren aus der Stärke im
Gelände zusammen, welche vor Allem die Feuerwirkung begünstigen muss,
weniger durch todte Hindernisse mächtig wird, ohne deren Hineinziehung
von der Hand zu weisen. Bei der Vervollkommnung der Technik, welche
die Mitführung von fahrbaren gepanzerten Geschützen (Panzerlaffeten von
3,7 und 5,3 cm Kaliber), sowie die allgemeine Ausrüstung der Armeen
mit Schanzzeug möglich macht, werden solche durch die Kunst selbst an
natürlich weniger geeigneten Orten zu schaffende Stellungen in den
nächsten Kriegen häufiger sein. Freilich ist die Grenze der Gewichte,
welche man den Heeresbewegungen anhängen darf, bald erreicht, sollen

---

*) v. der Goltz sagt: »Von hundert umfassend gedachten Angriffen gerathen
erfahrungsmässig achtzig am Ende vor die feindliche Front.«

nicht die vermeintlichen Vortheile der vermehrten Ausrüstung in die grösseren Nachtheile der verminderten Beweglichkeit umschlagen, zumal die Reibungen im Aufmarsch zum Kampfe bei der Grösse der heutigen Heere ohnehin sehr grosse sind. So sollte also diese reichere Ausrüstung nicht Anlass geben, öfter als wirklich nothwendig zu schanzen und ein für allemal die Feldoperationen durch Mitführung von solchen Lasten zu beschweren. Sie müssen vielmehr eine zweite Staffel bilden, welche, beweglicher als die bei Festungsangriffen mitgeführten Belagerungstrains, im Bedarfsfalle rasch, d. h. innerhalb eines Tages, heranzuziehen sind. Das Gleiche gilt natürlich auch für den Angreifer, mit dem wir uns nun ausschliesslich beschäftigen wollen.

Wird der Angriff auf solche vorbereiteten Stellungen nach Wahl des Platzes oder der Bedeutung der sie vertheidigenden Heerestheile unumgänglich nothwendig, so gelten für das Angriffsverfahren bedingungslos die Satzungen, wie sie mustergültig in Theil II, 82 unseres Infanterie-Exerzirreglements niedergelegt sind. Da es dort aber nur als allgemeine Grundlage für die taktische Elementarausbildung einer einzelnen Waffe geschehen ist, so erübrigt es, diese Gesetze von dem höheren Standpunkt der allgemeinen Gefechtsorganisation zu betrachten, also unter Berücksichtigung ausserdem der Erfahrungen der letzten Kriege aus dem elementaren in das Gebiet der höheren Truppenführung zu übertragen. Eine solche Gefechtslehre für den Angriff auf eine vorbereitete Stellung, welche unseren Dienstvorschriften eigentlich fehlt, giebt nun in scharfsinniger und geistreicher Weise der dritte Theil der »strategischen und taktischen Grundsätze der Gegenwart« des Generals v. Schlichting, welcher die »Taktik im Dienste der Operationen« behandelt. Ihm wollen wir uns anvertrauen und dabei einige eigene Betrachtungen, auch vom Standpunkt des Pioniers, einflechten. Wir müssen uns aber Raummangels wegen auf die Hauptmomente beschränken, im Uebrigen den Leser auf die trefflichen Grundsätze selbst verweisen.

Wie schon eingangs von mir hervorgehoben, schweigen beim Herantritt an die Stellung die operativen Rücksichten, der örtliche Kampf tritt an ihre Stelle, wie vor jeder Festung. Die landläufigen Mittel des durchschnittlichen Feldangriffsverfahrens versagen da. Es kann nicht wie im Begegnungskampf die Kampfthätigkeit gleichzeitig mit dem Aufmarsch aus dem Marschverhältniss fortschreiten, zwecks Zeitgewinnes. Das wäre ein unnützes Wagniss. Beide Handlungen, Aufmarsch und Angriff, müssen vielmehr getrennt werden, ersterer dem letzteren vorangehen. Da der Feind offenbar auf den Angriff zunächst verzichtet hat, so gewinnt die eigene Führung auch Zeit dazu, Richtung und Art des Angriffs zu wählen, kurz, das Angriffsverfahren in seiner Anlage, von seinen Anfängen an, zu einem geplanten zu machen und je nach der Stärke der Stellung auch die Stärke der aufzuwendenden Mittel sorgfältig zu bestimmen; genau wie vor Festungen nicht immer die förmliche Belagerung geboten ist. Ueber die weitere Durchführung entscheidet natürlich das Verhalten des Gegners, dessen Wille wie bei allen Gefechten dem unserigen entgegentritt und seine Absichten leicht in andere Bahnen lenken kann, sowie der Grundsatz: rasch, sicher und unter dem geringsten Kräfteaufwand die Aufgabe zu lösen.

Das Angriffsdrama wird sich stets durch mindestens drei gesonderte Akte charakterisiren lassen. Der erste, vorbereitende, ist die Stellungnahme der Waffen vor dem Gegner — der Aufmarsch vor Eintritt in das Gefecht. Der zweite, theils vorbereitende, theils durchführende, ist

die Herbeiführung der Feuerüberlegenheit. Der dritte, entscheidende, ist der Sturm. Als vierten Akt, mit dem sich v. Schlichting
hier nicht beschäftigt, kann man die Verfolgung (bezw. den Rückzug)
anfügen. Dieses systematische, Schritt vor Schritt vorgehende Verfahren
(attaque pied à pied) ist das normale, und dies wollen wir zunächst
betrachten. Es nähert sich mehr oder minder dem Belagerungskriege.

1. Der Aufmarsch. Seiner Erörterung sollen einige Bemerkungen
über den Anmarsch vorangehen, aus dem sich der Aufmarsch entwickelt.
Da die Schlacht das letzte Ergebniss der Operationen ist, muss der Angriff
unmittelbar aus ihnen entstehen. Die Herstellung einer Offensivflanke
verspricht dabei den besten Erfolg, d. h. der Angriff muss umfassend
geführt werden. Da bei den heutigen Heeresgrössen Umfassungen von der
Grundlinie aus zu Transversalbewegungen über Tagesmarschdauer zwingen
würden, würden die sie ausführenden Truppen bei den innerhalb solcher
Zeit sich vollziehenden Waffenentscheidungen fehlen. Je ausgedehnter die
Stellung, je weiter der Feuerbereich ihrer Geschütze geht, um so zeitraubender sind die Umfassungen — Alles spricht also für operative
Einleitung derselben, die Schlachtdisposition wird der letzte operative
Akt der Führung zu einheitlichem Zusammenwirken der Theile.

Weit voraus den »Berennungskolonnen« Kavallerie, die auch Flanken
und Rücken sichert, zur Aufklärung vor der Front, um Bewegungen, Stärke und
Absichten des Feindes früh zu erkennen bezw. die Handlungen und Schliche
des für den Angriff festgemachten Gegners zu belauschen. »Der umsichtige
Offizier-Patrouillenführer wird ihn sich von vorn und hinten besehen, dazu
steile und verborgene Pfade nicht scheuen, um Punkte für stets neue
Eindrücke zu gewinnen.« Eine reiche Beigabe von technischen Truppen
ist nöthig, um den folgenden Kolonnen alle Bewegungshindernisse aus
dem Wege zu räumen und auch nöthigenfalls telegraphische Verbindung
zwischen den Kolonnen herzustellen. General v. Schlichting will dann
den eigentlichen Aufmarsch ausserhalb des Feuerbereiches vollziehen,
so dass also der Regel nach die Vortruppen der feindlichen Stellung auf
»Kanonenschussentfernung«, also etwa 3500 m — wie der General anführt — nahe treten, damit der Wille der Führung ausreichend frei bleibt,
kein vorzeitiger Eintritt in das Gefecht stattfindet. Dies entspricht
durchaus der Absicht des Reglements. Ich gebe indessen zu bemerken,
dass unsere schweren Batterien des Feldheeres (schwere 12 cm Kanone
mit Stahlseele, 15 cm Haubitze und 21 cm Mörser mit Stahlseele) grösste
Granatschussweiten von 7250, 6050 und 4200 (6200) m besitzen, dass
also danach ein Haltmachen ausserhalb dieser Wirkungsbereiche nothwendig wäre, die sich mit dem Fortschreiten der Technik immer noch
erweitern können. Da man aber später doch wieder vor muss, dann
aber Alles viel langsamer und nur mit grossen Verlusten geschehen
könnte, so möchte ich doch lieber den Grundsatz aussprechen: So weit
vor als irgend möglich, trotz einiger Opfer, mindestens bis an die
untere Grenze der mittleren Entfernungen. Nur müssen die Ein-
leitungstruppen so schwach gemacht werden, dass ihnen die Möglichkeit
zur Aufnahme entscheidender Kämpfe genommen wird. Diese Avantgarden
sollen vielmehr das Gelände vor der feindlichen Stellung unter dem Schutze
der Dunkelheit in Besitz nehmen, sich durch Besetzen etwaiger Stützpunkte
festklammern, die Vortruppen des Gegners auf die Hauptstellung zurück-
drücken und, was vor Allem wichtig, die Erkundung vervollständigen,
um für die weiteren Anordnungen zuverlässige Grundlagen zu schaffen.
Es entspricht das auch dem Sinne des Reglements II, 82: »Grundsatz ist,

mit Vortruppen so nahe an die Stellung heranzugehen, als das Gelände
es zulässt«, nur meine ich, das sollte gleich im Anfang geschehen und
weiter, als das Gelände das Festsetzen gestattet, damit unter solchem
Schutz die zum Festhalten des Geländes erforderlichen Verstärkungen
dahinter ausgeführt und gleichzeitig gewaltsam Einblick in die feindliche
Stellung genommen werden kann.*) Den dann vorgeschobenen Postirungen
bezw. den Feldwachen, welche nach den erledigten Avantgardengefechten
ausgesetzt werden, fallen, wie v. Schlichting angiebt, in ihren beschränkten
Wirkungsräumen der Kavallerie gleich wichtige Aufklärungsaufgaben zu.
Sie allein sind häufig, namentlich zu nächtlicher Zeit, im Stande, genaue
Auskunft über eine bestimmte Oertlichkeit, ihre Herrichtung, Besetzung
in ihrem Verhältnisse zum feindlichen Gros u. s. w. zu schaffen, und müssen
gelegentlich ihre Meldung durch eine einfache aber charakteristische
graphische Darstellung wirksam unterstützen. Auch Jagdkommandos
möchten hier vortheilhaft verwendet werden können. Vor Allem wird
aber der Gesammtführer während Vollziehung des Aufmarsches eingehende Erkundungen über die Beschaffenheit der Stellung und des Vor-
geländes in allen seinen Einzelheiten ausführen und sich dabei von seinen
verfügbaren Stabskräften (Generalstab, Artillerie, besonders auch dem
Kommandeur etwa vorhandener schwerer Artillerie und dem Ingenieur)
unterstützen lassen. Dazu werden die Aufgaben nach Abschnitten oder
Waffenleistungen getheilt. Ausdehnung und Art der Befestigung
und ihre fortifikatorischen Einzelheiten, Stärke der Besatzung, Aufstellung
und Stärke der Reserven, Vorhandensein etwaiger Marken, Scheinanlagen,
vorgeschobener Posten, geeignetste Artilleriestellungen, die besten An-
näherungswege für die Infanterie und die zweckmässigsten Angriffs- (Ein-
bruchs-) Punkte — das scheinen mir so die wesentlichen Gesichtspunkte.
Auswahl einiger Führer, um die einzelnen Truppentheile rechtzeitig an
ihre Eingriffspunkte zu führen, kann unter Umständen zweckmässig sein.
Auf Grund der Ergebnisse dieser so wichtigen getheilten Aufklärungs-
arbeit erfolgt durch die Führung das Bereitstellen der Streitkräfte und
technischen Mittel, d. h. der Aufmarsch und das Ansetzen des Angriffs,
d. h. die Angriffsdisposition. Aufmarsch- und Gefechtsbefehl werden
natürlich zu trennen sein. Es muss Alles so geregelt werden, dass bei
der Vorwärtsbewegung gegen den Feind die Truppen sich den Angriffs-
zielen gegenüber befinden, weil Verschiebungen u. s. w. im feindlichen
Feuer undurchführbar sind.**) Nach Maassgabe der bereits ausgeführten
Aufmärsche entstehen die den einzelnen Kommandoeinheiten (Korps,
Divisionen) zuzuweisenden Theilaufgaben. Besonders wird während dieser
einleitenden Maassnahmen die Artillerie ihre erste Aufstellung möglichst
überraschend und so genommen haben, dass eine wirksame Bekämpfung
der eigentlichen Kampfartillerie möglich ist. Das ist nicht leicht gegenüber einem wachsamen Vertheidiger. Dabei pflegt das Gelände die
bindende Vorschrift zu geben, so dass im offenen Gelände meist mehr
als eine, im bergigen dagegen — unbeschadet der gelegentlichen Vornahme
einiger Batterien in die todten Winkel zur Flankenbestreichung — der
Regel nach nur eine Artilleriestellung sich ergeben wird. Daraus folgt
die Wichtigkeit der ersten Stellungswahl, weshalb in allgemeinen Umrissen

---

*) Gewaltsame Erkundungen sind hier um so eher am Platz, als die über
Stellung und Stärke des Feindes erhaltenen Nachrichten sofort verwerthet werden
können. (F. O. 95.)
**) Eine nicht unwichtige Rolle spielt dabei natürlich das Wegenetz, namentlich
die Sicherung der für die schwere Artillerie nöthigen Strassenzüge.

dem Führer bereits der Kampfesgang vorschweben muss. Konzentrische Wirkungen sind dabei vor Allem anzustreben, und dann ist die Wirkung durch Ueberraschung zu erhöhen. Daher muss die Artillerie in der Nacht in ihre Stellungen einrücken, um in der Morgendämmerung das Feuer eröffnen zu können. Deshalb muss auch das Zurückwerfen der Vortruppen am Abend erfolgt sein, und die Infanterie muss sich vorwärts ausserhalb wirksamer Gewehrschussweite eingenistet haben. Schwierig wird die Deckung der in ziemlicher Nähe bereitzuhaltenden rückwärtigen Staffeln sein. Sie müssen mindestens durch Masken gedeckt werden, sofern sie sich nicht eingraben. Dass den Pionieren während dieser ganzen Zeit der Erkundung und des Aufmarsches hier grosse Aufgaben zufallen, ist klar. Mittlerweile muss die Führung auch die Angriffsdisposition getroffen, d. h. die Linien festgestellt haben, welche der Infanterieangriff zu durchlaufen hat, denn das zweckmässige Ansetzen der entscheidenden Angriffe gebiert den Erfolg. v. der Goltz sagt sehr richtig: »Viel mehr als das Ansetzen, die Bezeichnung des Zieles und der Wege dahin kann auch der in einem Befehl ausgedrückte Angriffsentwurf nicht enthalten. Die Einzelheiten des Verlaufs hängen viel zu sehr von den Maassnahmen des Gegners ab, die man erst bei der Durchführung erkennt, als dass sich im voraus dafür bestimmte Anordnungen treffen liessen. Diese müssen nach den Umständen und innerhalb derselben nach den allgemeinen Grundsätzen der Truppenverwendung geregelt werden.« Es handelt sich nun aber, da das summarische Entwickelungsverfahren des Feldkrieges hier niemals genügen kann, für die Infanterie darum, sich geeigneter Stützpunkte bei bezw. nach begonnenem Artilleriekampf zu bemächtigen, falls sie sich im Gelände bieten, denn nur in ihnen kann der Infanterieangriff beim planmässigen Fortschreiten neue einheitliche Kraft schöpfen, da er die weiterreichenden feindlichen Feuerwirkungen nicht ebenbürtig erwidern kann. In diesen wohl immer, namentlich im wechselvollen Gelände vorhandenen Objekten (Geländeerhebungen, Senkungen, Buschremisen, Vorwerken u. s. w.) nisten sich die kleineren Verbände leicht und straflos ein, und die Summe solcher Besitznahmen schafft, wie der General hübsch sagt, eine Grundlage für weitere Fortschritte. Also mit sparsamen Mitteln, mit Bataillonen, Kompagnien und noch kleineren Körpern, anfänglich sogar leicht und ohne Kampf, will v. Schlichting sich heranarbeiten. Zu Entscheidungskämpfen könnten solche Vortruppengefechte sich nur dann ausgestalten, wenn der Feind den unwahrscheinlichen und waghalsigen Schritt thäte, seine Verschanzungen zu verlassen, um zum Angriff überzugehen. Darauf kann der Angreifer viel wagen, so lange er sich des verfrühten Angriffs auf die Hauptstellung enthält.

Auf diesem Wege entstehen die ersten Feuerstellungen, unter deren Schutz man die grossen Entwickelungen vornehmen kann. Mit der Zeit und im Bunde mit ·dem gleichen Artillerieverfahren hat dies Standfeuer, wenn es von verschiedenen Seiten heranrückt und zu konzentrischen Wirkungen gelangt, Aussicht, die Ueberlegenheit zu erlangen. Wie weit damit vorzudringen ist, ob bis auf 1000 m oder näher, richtet sich zu sehr nach dem Gelände, ebenso, ob man die ganze feindliche Stellung mit solchen Positionen umspinnt oder, wie in grösseren Fällen fast stets, nur einen Theil. Plewna lehrt, dass man mit einem reglementirten Schlachtverfahren nicht auskommen kann. Da nun im offenen Gelände die Stützpunkte vielfach fehlen werden, so müssen sie künstlich, d. h. mit dem Spaten und unter dem Schleier der Nacht, geschaffen werden,

nachdem am ersten Tage die Truppen bis an die Grenzen des feindlichen
Feuerbereichs herangebracht und noch unter Tageslicht die Erkundungen
für die Lage der Stützpunkte geschehen sind. v. Schlichting setzt 600 bis
700 m als Durchschnittsentfernung der Stützpunkte von der feindlichen
Stellung an und, da sie sich gegenseitig unterstützen sollen, ist natürlich
eine Annäherung aus zwei Fronten (Offensivflanke) sehr erwünscht; freilich
könnte diese höchstens ein Armeekorps leisten, da die Division stets nur
eine Front bilden kann aus ihrer einzigen Anmarschstrasse. Gegen Ausfälle — die nächtliche Arbeit wohl stören, nie dauernd hindern können —
müssen sich die Bedeckungen und die arbeitenden Kräfte selbst schützen,
im Nothfall ist eine Gegenoffensive der »Gefechtsbereitschaften« erforderlich.
Nach Nr. 21 der F. V. bestehen die Verstärkungseinrichtungen der Stützpunkte am besten in geschickt angeordneten Schützengräben (zurückgezogene
Flanken, auf den Flügeln gestaffelt u. s. w.), ferner in vermehrter Zahl
der Deckungsgräben für Unterstützungstrupps und Reserven; nur ausnahmsweise (und wohl nie beim Angriff) in geschlossenen Schanzen. Aber im
offenen Gelände wird auch an nähere Artilleriestellungen bei der nächtlichen Arbeit schon gedacht werden müssen, allerdings, schon aus Platz-
mangel, nur für Theile der Artillerie, damit solche Kräfte den Sturm
begleiten können, während die zuerst eingenommenen Hauptstellungen
bestehen bleiben, um das Gelände hinter der Stellung und die anrückenden
Reserven unter Feuer zu nehmen. Für alle vorgeschilderten vorbereitenden
Handlungen ist absolute Geräuschlosigkeit und trotz ihrer ein Zusammenwirken der Kräfte nöthig, das nur durch umsichtige Vorübungen sichergestellt werden kann.

Ein Infanterieangriff aber ist aussichtslos, der sich in seinen Haupt-
stadien durch ungebrochenes Artilleriefeuer hindurcharbeiten muss. Kann
die Vertheidigungsartillerie nicht völlig niedergekämpft und vernichtet
werden, so muss sie wenigstens doch durch die eigene Artillerie nieder-
gehalten werden. Dazu bedarf es der Feuerüberlegenheit durch
Niederkämpfung der Fern- und Nahvertheidigung. »Feuerüberlegenheit im
Einzelnen wie im Grossen zu erzielen, ist das erste taktische Prinzip der
Gegenwart und Zukunft«, sagt General Liebert.

2. Die Herbeiführung der Feuerüberlegenheit. Dazu müssen
sich die Truppen in Stellungen den feindlichen Werken gegenüber befinden
und zwar die Infanterie auf den Nahentfernungen (600 bis 700 m), die
Artillerie zu konzentrischer Wirkung auf die zum Sturm ausersehenen
Angriffsziele. Das wird frühestens mit Anbruch des zweiten Tages der
Fall sein. Je ausgedehnter dann die Stellungen, je mehr Gewehre und
Batterien (namentlich mit Steilfeuergeschützen) zur unmittelbaren einheitlichen, besonders konzentrischen Wirkung gelangen können, desto aussichts-
voller gestaltet sich der nun entbrennende entscheidende Feuerkampf.
Die Artillerie muss die feindliche zum Schweigen bringen, am Auffahren
und Einschiessen hindern, die Besatzung moralisch und physisch schwächen
und die Werke beschädigen, namentlich die Eindeckungen zu durchschlagen
suchen, um das Vertrauen in sie zu hindern. Die später zu stürmenden
Theile der Stellung müssen mit Feuer derart zugedeckt werden, dass ihre
Gegenleistung versagt und ihre Besatzung in die Deckungen getrieben
wird, und dies Verfahren ist so lange fortzusetzen, bis der Sturmlauf
selbst bis in die Gräben stattfinden kann. Ich bemerke aber, dass das
Alles nicht so leicht sein wird, namentlich bei nur einer Artilleriestellung.
Denn die Vertheidigungsartillerie kennt jetzt die Stellungen des Angreifers
ziemlich genau und führt gegen diese ihre Batterien aus neuen, dem

Gegner unbekannten Aufstellungen ins Feuer. Das Verhältniss zwischen Angreifer und Vertheidiger kehrt sich fast um. Dazu kommt, dass letzterer nunmehr, von seiner Scheinwerferbeleuchtung unterstützt, auch in der im Vorfelde vorschreitenden Infanterie vorzügliche Ziele findet, die leicht durch Schrägfeuer in der Tiefe zu fassen sind. So ist also mit dem vorbereitenden und erschütternden Artilleriefeuer, das zudem etwa vor der Stellung und in den Gräben ihrer Werke liegende Hindernisse nicht zu zerstören vermag, die Sache noch lange nicht entschieden. Jetzt kommt vielmehr die schwierigste, die Hauptarbeit: das Heranarbeiten der Infanterie, welches die Artillerie nur unterstützen kann, während die Ausführung selbst der Hauptwaffe des Feld- und Festungskrieges unter Zuhülfenahme der Pioniere allein obliegt. Dabei wird jetzt öfters kleinen Offensivstössen des Vertheidigers zu begegnen sein. So gestaltet sich dieses Vorschreiten — der Nahangriff — das wirkliche Herangehen an den Feind durch den ihm entgegengesandten Geschossregen, zu einem schweren nächtlichen Ringen, namentlich von Infanterie mit Infanterie. Zeitweise wird am Tage sogar zum schrittweisen Vorgehen (Pioniere) bisweilen gegriffen werden müssen, d. h. die Annäherung muss durch Vortreiben von »Laufgräben« bewirkt werden, die in grösserer Nähe des angegriffenen Punktes nicht mehr zickzackförmig, sondern in Form von Deckwehrgräben ausgeführt werden müssen. Bodenbeschaffenheit (Felsboden) und Grundwasser können diese Arbeit sehr erschweren, weshalb soviel wie möglich flüchtig gearbeitet bezw. sprungweise vorgegangen werden wird. Bei starken Stellungen wird nur höchst selten der Sturm von 600 bis 700 m Entfernung ab auszuführen sein, während General v. Schlichting diesen Abstand als den normalen bezeichnet, weil er die Kräfte vorderster Linie nicht einer längeren Isolirung ausgesetzt lassen will, die auf so kurzer Entfernung nicht ertragen werden könnte. Er folgert aber auch, dass die Aufgabe sicherer gelöst werden würde, wenn es gelingt, bis auf 300 m die Stützpunkte heranzuschieben, hält das unter Umständen für wohl ausführbar und dann es für einen Fehler, wenn es nicht geschieht. Ich meine, bei dem gezielten Feuer des Vertheidigers wird es gut sein, diese Lage der »Sturmstellung« — 300 m, vielleicht gar nur 200 m — als die normale anzusehen, den früheren Sturmbeginn als die Ausnahme. Der General warnt mit vollstem Recht vor den Friedensgewohnheiten unzulänglicher Spatenarbeit, die sich leicht auf den Ernstfall übertragen, aber bei der Durchschlagsfähigkeit heutiger Geschosswirkungen sich furchtbar rächen müssen. Man wird gegen das gezielte und von Beobachtungsständen kontrollirte Feuer sich schützen müssen und zwar gegen das der Flachbahngeschütze durch tieferes Eingraben, sowie zuweilen sogar durch feldmässige Eindeckungen einfachster Art, gegen das Steilfeuer dagegen durch gute Vertheilung der Unterstände, da mit den Mitteln der Feldbefestigung Sicherheit dagegen sich überhaupt nicht erreichen lässt. Vielleicht bietet unsere vorgeschrittene Technik bald besseren Schutz, ohne gerade zu unterirdischem Vorgehen zu greifen, das höchstens bei vorhandenen Vertheidigungsminen in Betracht käme.

»Erst das Durchschlagen der Deckungen bringt die betroffenen Werke endgültig zum Schweigen, andernfalls wird der Sturm stets darauf bedacht sein müssen, den Vertheidiger auf der Brustwehr handelnd wiederzufinden«, sagt der General. Dann handelt es sich nicht mehr um die Feuerüberlegenheit, sondern um die in der Kopfzahl. Im hin- und herwogenden Feuerkampf und unter dem Schutze der Artillerie, die zuletzt nicht mehr die Werke der Einbruchsfront, sondern die sie flankirenden Nebenwerke und die Anmarschlinien der Reserven unter Feuer nimmt, wird sich der An-

greifer mit seinen Schützenlinien bis in den Bereich der kleinen Schuss-
entfernungen herangearbeitet haben. Die Unterstützungen sind nähergerückt, alle Lücken zwischen den Stützpunkten mit feuernden Kräften
dicht gefüllt, die feindliche Stellung wird mit Feuer allmählich niedergekämpft, ihr Feuer beginnt nachzulassen, und erst einzelne, schliesslich
ganze Gruppen des Vertheidigers beginnen abzubröckeln. »In den meisten
Fällen wird das Herantragen eines auf die entscheidenden Punkte vereinigten überwältigenden Feuers bis auf die näheren Entfernungen schon
einen solchen Erfolg haben, dass der letzte Anlauf nur noch gegen die
vom Feinde geräumte oder nur schwach vertheidigte Stellung erfolgt.« (II, 30.)

3. Der Sturm. Den Augenblick zu bestimmen, wann die Stellung
sturmreif, der Vertheidiger erschüttert, der Sturm angezeigt erscheint, ist
nicht immer leicht. Am sichersten mit Rücksicht auf die Einheitlichkeit
und Gleichzeitigkeit des Vorgehens würde es sein, wenn der oberste
Führer der Angriffstruppen den Befehl zum Sturm giebt.*) Aber besonders
in grösseren Verbänden wird er so weit zurück sein, dass er nicht immer
wird beurtheilen können, wann und wo der Widerstand beim Feinde nachlässt, um dann überraschend und rechtzeitig, zur raschen Ausnutzung
der erlangten Erfolge, das Sturmzeichen zu geben. So wird also sehr oft
die Schützenlinie den Anstoss geben, und dann ist es Aufgabe der
geschlossenen Abtheilungen, ihr sofort zu folgen und sie gegen Rückschläge
zu sichern. Das kann freilich leicht zu Theilangriffen und Misserfolgen
führen, besonders bei starken Stellungen à la Düppel, weshalb der Befehl
zum Sturm der Regel nach von dem obersten Führer gegeben werden
sollte, wozu er ganz genaue Vorschriften, namentlich auch bezüglich der
Zeit für den Antritt der verschieden weit vom Angriffsziel entfernten
Kolonnen, zu ihrem einheitlichen Zusammenwirken in Form eingehender
Instruktionen geben muss. Einmal angetreten, darf keine Sturmkolonne
mehr zum Stillstand kommen, sondern muss im energischen Anlauf auf
das ihr bezeichnete Ziel der feindlichen Stellung eindringen. Es muss das
Zusammenwirken der Theile bis auf die Minute klappen. Dem sprung-
weisen Vorgehen der starken Schützenschwärme folgen unaufhaltsam die
Kompagniekolonnen oder -linien in dicht aufgerückten Staffeln, wobei den
Kommandoeinheiten die Wahl der Formation freisteht. Ob der Gesammtführer eine Reserve sich vorbehält, hängt ebenfalls von den Umständen
ab. »Die Beseitigung der Hindernisse muss in der Regel vor dem Sturm
bewirkt sein. Die Pioniere suchen dabei in kleineren Trupps oder
einzeln während der Dunkelheit geräuschlos an die Hindernisse heranzukommen. Das Aufräumen beginnt am besten da, wo durch Artilleriefeuer Lücken entstanden sind. Beim Sturm eilen dann die Pioniere den
Sturmabtheilungen voraur, um die Beseitigung der Hindernisse noch zu
vervollständigen oder wieder entstandene Sperrungen aus dem Wege zu
räumen. Muss ausnahmsweise die Beseitigung der Hindernisse bis zum
Sturm verschoben werden, so gehen die Pioniere in der Regel zugleich
mit der Schützenlinie vor. Während diese, an den Hindernissen angelangt,
sich niederlegt und bereit hält, den Vertheidiger mit Feuer zu überschütten, führen die Pioniere die Arbeit aus.« (F. V. 133.) Ich möchte
hiergegen einwenden, dass das Voreilen der Pioniere doch das Bedenken
hat, dass sie nicht bloss vorzeitig vernichtet werden, sondern auch das
Feuer der Schützen hindern, und ferner, dass die Schwarmlinien soweit

---

*) Scheinangriffe, auch periodisches Beschiessen der hochgradig abgespannten
Besatzung durch die Artillerie können die überraschende Ausführung des Sturms
begünstigen.

als möglich sich nicht von den Hindernissen aufhalten lassen, sondern sie selbst zu überwinden suchen müssen. Denn der Losung, welche Vorwärts heisst — Vorwärts geradeaus zum Ziel — entspricht es nicht, wenn die Schützen auf die Pioniere warten. Nur die absolut an der Ueberschreitung gehinderten Schwärme sollten sich niederwerfen und feuern. Zum Handgemenge und Bajonettkampf wird es nur höchst selten kommen, wenn sie auch nicht ausgeschlossen sind, wie Gornij Dubnjak und die Grivica-Redoute lehren. Das von allen Hornisten unausgesetzt geblasene »Rasch vorwärts«, der Trommelschlag der geschlossenen Abtheilungen und das »Hurrah«-rufen der Stürmenden werden meist von so grosser moralischer Wirkung sein, dass auch die noch Zurückgebliebenen die Stellung räumen. Bei Befestigungen wird man möglichst die festen Punkte vor dem Sturm dadurch isolirt und umschlossen haben, dass man die in den angehängten Schützenlinien und Batterien befindlichen Schützen und Artilleristen vertreibt. Dann wird sich der Sturm gegen die ausspringenden Winkel dieser Stützpunkte richten. Ist ein Graben vorhanden, so breitet man sich auf der Sohle bis zur Kehle aus (wie z. B. 1871 bei der Redoute Hautes Perches), besetzt die Berme und äussere Brustwehrböschung und ersteigt dann, auf den Zuruf der Offiziere, von allen Seiten gleichzeitig die Krone, dort sich, falls es nicht zum Bajonettkampf kommt, niederwerfend und den Fliehenden nachfeuernd. Dann dringt man in das Innere des Werks ein.

4. Verfolgung. Nach gelungenem Angriff gilt es, den Gegner zu verfolgen, sich selbst in der Stellung festzusetzen und gegen Rück-eroberungsversuche zu behaupten. Dazu werden die vordringenden Truppen festgehalten, damit sie Verfolgungsfeuer auf den weichenden Feind abgeben können, unter dessen Schutz frische Abtheilungen, namentlich auch Kavallerie, zur Verfolgung antreten. Befinden sich Dörfer, Gehöfte, Waldstücke u. s. w. in der feindlichen Stellung, so muss der Angriff bis zum jenseitigen Rande fortgesetzt werden. Ist der Gegner dem Bereich der Nahvisire entrückt, so erfolgt Sammeln und Ordnen der Verbände, Besetzen der Stellung, Untersuchen der Munitionsmagazine der Werke, Patronenersatz, Wegführen der Gefangenen u. s. w.

5. Rückzug. Bei misslungenem Sturm muss die zurückfluthende Truppe durch die eigene Artillerie unterstützt werden, damit möglichst wenig von dem in Besitz genommenen Gelände preisgegeben und das Frontmachen erleichtert werde. Sofern es die Heftigkeit des verfolgenden Feuers irgend gestattet, hat ein Eingraben stattzufinden. Ist eine Aufnahmestellung — am besten unmittelbar seitwärts der wahrscheinlichen Rückzugslinie — vorgesehen und ein Rückzug dahin möglich, d. h. wenn die Truppe noch Tiefengliederung hat, so werden die zurückgehenden Abtheilungen von dem noch frischen Theil der Truppen aufgenommen und so lange Widerstand geleistet, bis den Zurückgehenden ein unbelästigter Rückzug möglich ist. Dann schliesst sich diesem die Aufnahme selbst an, und ein gut geleitetes Rückzugsgefecht muss schliesslich zur Herstellung der Marschformationen mit einer räumlich gegliederten Arrieregarde führen. (II, 86.)

v. Schlichting meint, die Möglichkeit sei einzuräumen, dass namentlich im bewegten Gelände, welches dem Angriff stets ansehnliche Hülfen gewährt, die Lösung des Angriffs auch wohl in einem Tage gelingen kann. Das dürfte aber wohl nur höchst selten der Fall sein, bei sehr schlechten Stellungen, Fehlern des Vertheidigers u. s. w. Der Regel nach wird der Angriff mindestens zwei, oft drei bis vier Tage dauern und zwar sowohl in bewegtem wie in ebenem Gelände. Gewiss aber werden

Fälle eintreten, wo die Abkürzung der vorbereitenden Thätigkeit möglich ist und man die Dunkelheit statt zur Einleitung der Herbeiführung der Feuerüberlegenheit zum Sturm ausnutzen wird, so bei schwachen, zu ausgedehnten oder mangelhaft bewachten Stellungen. Aber auch bei solchen Ueberfällen und Ueberrumpelungen oder mehr flüchtigen Angriffen muss die Form des Angriffs von ihren Anfängen an geplant sein, und dies Verfahren darf nicht etwa aus plötzlichem Entschluss und Uebergang aus dem regelmässigen Verfahren entstehen, z. B. von der vorderen Linie ausgeführt und improvisirt werden. Denn Nachtkämpfe bedürfen der allereinfachsten Verfassung, nach planvoll kurz gesteckten, schon bei Tageslicht erkundend sichergestellten Zielen und von ihren Anfängen an einer geplanten Führung. So klar. es ist, dass durch gründliche Lösung der vorbereitenden Thätigkeit der Erfolg des Sturms am sichersten gewährleistet wird, ja dieser entscheidende Schlag vielleicht ganz unnöthig gemacht wird, weil der Vertheidiger die Stellung räumt, ebenso liegt es auf der Hand, dass unter sonst gleichen Umständen mangelhafte Vorbereitung des Sturms den ganzen Erfolg in Frage stellen kann, und dass daher starken Stellungen gegenüber das regelmässige, mehr förmliche Angriffsverfahren die grössten Aussichten auf Erfolg hat. Dem General v. Schlichting aber gebührt das hohe Verdienst, eigentlich zum ersten Male öffentlich, wenigstens in Deutschland, vom operativen Standpunkt aus den Angriff auf eine mit allen Mitteln der modernen Technik vorbereitete Stellung geistvoll und klar theoretisch behandelt und durch ein Manöverbeispiel seine Lehre in trefflicher Weise applikatorisch ergänzt zu haben. Ihm gebührt der Dank der technischen Truppen nicht minder wie der übrigen Waffen. Allen Kameraden seien diese Lehren und Anwendungen der »Grundsätze« warm empfohlen.   W. Stavenhagen.

Die englische und deutsche Feldtelegraphie.

Nachdem auch im deutschen Heere die Formirung besonderer Telegraphen-Bataillone am 1. Oktober d. Js. stattgefunden hat, dürfte ein Vergleich derselben mit der englischen Feldtelegraphenformation, welche für die deutschen diesbezüglichen Vorstudien als Vorbild diente, zur besseren Beurtheilung der beiderseitigen Eigenarten Gelegenheit bieten.

England hatte seit jeher, infolge seines von allen anderen europäischen Armeen abweichenden Rekrutirungssystems, einen bedeutenden Vorsprung in der Militärtelegraphie und Luftschiffahrt aufzuweisen. Lange Dienstzeit — 5 bis 20 Jahre bei der Truppe — macht es dort eben möglich, ein durchaus geschultes technisches Personal heranzubilden, und dies noch um so mehr, da in England das Depeschiren mit dem Klopfer, an Stelle des registrirenden Schreibapparates, auch in der Reichstelegraphie seit lange gebräuchlich ist. . Unter diesen günstigen Umständen standen dort von Hause aus keine Schwierigkeiten zur Schaffung einer Telegraphen-Friedensformation im Wege.

Erkannte man in Deutschland auch sehr wohl die hohe Leistungsfähigkeit der englischen Telegraphentruppe, so war doch ein Kopiren der dortigen Einrichtungen infolge der kürzeren deutschen Dienstzeit und mit den nur mit schwerfälligen Morseschreibern ausgebildeten Reichstelegraphisten ganz ausser Frage. Es musste hier eine Organisation geschaffen werden, welche gleich gute Ergebnisse bei kurzer Dienstzeit gewährleistet; und darin lag die erhebliche Schwierigkeit. Um diese Aufgabe vollends zu lösen, mussten alte festgefasste Auffassungen sowie die Personal- und

Materialverhältnisse der bisherigen Militärtelegraphie erst geklärt werden. Der Uebergang von der dreijährigen zur zweijährigen Dienstzeit konnte für die Entscheidungen der schwebenden Feldtelegraphenreorganisation zuvörderst nur verzögernd einwirken, insofern nun erst endgültige Erfahrungen über die Ausbildungsmöglichkeit bei verkürzter Dienstzeit abgewartet werden mussten. Wie vorauszusehen war, konnte die zweijährige Dienstzeit die Ausbildung einer Truppe nicht fördern, die erst im Mobilmachungsfalle aus den im Frieden unvollkommen vorgebildeten Pionieren, Trainsoldaten und Reichspostbeamten als heterogene Kriegstelegraphentruppe zusammengesetzt werden musste; im Gegentheil, die kurze Dienstzeit konnte die Leistungsfähigkeit der Feldtelegraphie nur entsprechend gefährden. Da die im Frieden zur Telegraphenausbildung erforderlichen Pioniere während des ersten Dienstjahres zur Ausbildung der eigenen Waffe bei der Truppe verbleiben mussten und erst im zweiten Jahre zur Telegraphenschule kommandirt werden konnten, wo dann wiederum ³/₄ Jahr zur telegraphischen Ausbildung erforderlich waren, so vermochte der Feldtelegraph im Frieden nur während eines kurzen Vierteljahres auf. ausgebildete Militärtelegraphisten zu rechnen. Es mag wohl dieser Umstand und die mit derartigen Telegraphenabtheilungen während der Manöver erzielten Resultate, wobei auch Mannschaften der Reserve und telegraphisch unvollkommen ausgebildete Offiziere hinzugezogen wurden, den Ausschlag gegeben haben, mit dem alten System nun endlich zu brechen und eine der Wichtigkeit der Verkehrsmittel entsprechende Feldtelegraphen-Friedensformation zu schaffen, die sich in durchgehends militärischer Weise den Erfordernissen des elektrischen Meldewesens schon im Frieden widmet. Die neuen Telegraphenmannschaften, entlastet von dem mannigfachen Pionierdienst, werden daher schon als Rekruten anfangen, den Feldtelegraphendienst zu erlernen, und sie erhalten so bereits im ersten Dienstjahre eine militärisch-telegraphische Ausbildung, die dann während des ganzen zweiten Jahres noch eine fernere Befestigung erfährt. Dass Deutschland so lange die einzige Militärmacht verbleiben konnte, welche im Frieden keine selbständige Telegraphentruppe besass, ist somit zum grossen Theil durch den verzögernden Umstand der probeweisen Herabsetzung der Dienstzeit zu erklären, und es kann daher die Entwickelung dieser technischen Truppe auch nicht mit dem Entwickelungsgange der entsprechenden englischen verglichen werden.

Da England schon 1837 die ersten elektrischen Telegraphen errichtete, so brach sich auch dort zuerst das Vertrauen Bahn, den Telegraphen im Felde zu benutzen. In den Jahren 1854—55 wurden von den Engländern die ersten Kriegstelegraphen während der Belagerung von Sebastopol errichtet; und unter Anderem auch schon ein Seekabel. Im Jahre 1857—58 wurde zum ersten Male während der indischen Meuterei Feldtelegraphenmaterial ins Feld genommen — leichte eiserne Gestänge und Eisendraht. Die gesammelten Erfahrungen und das Zutrauen zum Telegraphen führten 1857 zur Gründung der ersten Militärtelegraphenschule in Chatham. Im Jahre 1872 umfasste die englische Armee-Telegraphenorganisation ausser der Chatham-Telegraphenschule auch noch die Aldershot-Telegraphentruppe, welche mit voller Ausrüstung der Gespanne bereits als Friedensformation für den eigentlichen Feldtelegraphendienst bestimmt war. Für Zwecke der »permanenten« und »halbpermanenten« Etappenlinien wurden für den Kriegsfall Freiwillige aus dem Personal der Reichstelegraphie in Aussicht genommen. Schon damals waren die Telegraphentruppen auch im optischen Signalwesen ausgebildet, so dass sie gewissermaassen den

Bedürfnissen eines Vorpostentelegraphen entsprachen, der dort zur Geltung kommt, wo sich elektrische Meldungen als unanwendbar erweisen.

Die Chatham-Telegraphenschule legte ganz besonderen Werth darauf, die Leute im Telegraphiren nach dem Gehör auszubilden, denn man war überzeugt, dass dadurch nicht nur die fehlerhaften Aufnahmen vermindert, sondern dass auch die Telegraphirthätigkeit ganz bedeutend gesteigert wird. Die Aldershot-Telegraphentruppe war in drei Sektionen getheilt mit je 19,2 km eines schweren, 94 kg per Kilometer wiegenden Kabels.

Dieser Organisation hafteten noch ganz bedeutende Mängel an; ihr fehlte zuvörderst eine gemeinsame Spitze, welche sie mit der obersten geistigen Stelle der Armee, dem grossen Generalstab, in Verbindung erhielt. Man hatte schon damals, und wohl mit Recht, den Vergleich zwischen der englischen und deutschen Militär-Telegraphenorganisation dahin ausgesprochen, dass erstere aus einem »gesunden Körper ohne Kopf« bestehe, während letztere einen »gesunden Kopf ohne Körper« aufweise. Der anormale deutsche Zustand hat inzwischen eine vollkommene Herstellung erfahren, während sich auf englischer Seite in diesen Ressortverhältnissen wenig geändert hat und es heute noch vorkommt, dass der Feldtelegraph im Ernstfalle dort fehlt, wo er hätte von Nutzen sein können.

Der alten englischen Telegraphentruppe hafteten noch fernere Mängel an, die zuvörderst darin bestanden, dass den Offizieren und Mannschaften die Gelegenheit zur Erwerbung professioneller Telegraphenerfahrung fehlte; wie ferner darin, dass das genannte Geräth für den Felddienst zu schwer war. Dem ersteren Uebelstande hatte man probeweise schon dadurch vorgearbeitet, dass im Jahre 1870 Leute der 22. und 34. Kompagnie der Ingenieurtruppe unter Leitung ihrer Offiziere zum Reichstelegraphenausbau, der damals soeben vom Staate übernommenen Privattelegraphennetze, abkommandirt wurden. Im Jahre 1871 übernahmen diese Truppen die Errichtung und Erhaltung eines ganzen Reichstelegraphendistriktes, der schon 1872 vergrössert wurde, und 4 Ingenieuroffiziere und 61 Mann beschäftigte; ein Theil dieser Truppen errichtete 1873 im Ashantee-Kriege 176 km Etappenlinien. Eine fernere Erweiterung erhielt die nunmehr »Royal Engineer's 2rd Division of Telegraph Battalion« getaufte Telegraphensektion im Jahre 1878 durch Uebernahme des Reichstelegraphendistriktes im Süden und Südwesten Englands mit einem Bestand von 6 Offizieren und 165 Mann. Diesen Leuten stand seither die beste Gelegenheit zur Erlernung des Telegraphenbaues und der Handhabung der verschiedenartigsten Stationsapparate zur Verfügung, so dass der englische Feldtelegraphist seine telegraphischen Fertigkeiten sich bis heute noch vornehmlich in dieser Schule aneignet. Die englische Militärtelegraphie besitzt sonach drei Ausbildungsinstitute für ihre Offiziere und Mannschaften: die Telegraphenschule in Chatham, die Reichstelegraphie und die in Aldershot stationirte Feldtelegraphentruppe.

Die Mängel, welche der englischen 1872er Feldtelegraphie aus ihrem schwerfälligen Park und aus der geringen Länge des mitgeführten Leitungsmaterials erwuchsen, sind durch Verbesserung des Stations- und Leitungsmaterials in erfolgreicher Weise beseitigt worden. Bis dahin wurde noch in der englischen Feldtelegraphie dem Morse-Schreibapparat der Vorzug vor dem in der Reichstelegraphie bereits eingeführten Hörapparat gegeben; dann machten sich die Vortheile des Klopfers und seit 1888 insbesondere die des Telephon und Mikrophon« dermaassen geltend, dass ation zum Feldtelegraphenapparat »par

excellence« erkoren wurde. Dieser »Vibrating-Sounder« ermöglicht, je
nach Erforderniss, die Uebermittelung akustischer Morse-Zeichen oder auch
Telephonsprache; er beansprucht wenig Raum und ist leicht zu reguliren,
so dass er die früheren besonderen Stationswagen entbehrlich gemacht
hat. Der Summer empfängt noch auf schlecht isolirten Linien, nachdem
alle anderen Apparate bereits versagen; ja er arbeitet selbst noch · auf
unterbrochenen Leitungen. Ein anderer Vortheil des Summers besteht
darin, dass er leicht an feindliche Telegraphenlinien zum Abhören von
Depeschen angelegt werden kann, ohne deren Betrieb zu stören, und er
eignet sich deshalb besonders als. Kavallerie-Telegraphenapparat bei den
Aufklärungsschwadronen. Schliesslich gestattet dieser Apparat vermittelst
einer Kondensorschaltung die gleichzeitige Arbeit mit einem Morse-Schreibapparat an derselben Leitung, wodurch die Leistungsfähigkeit der Tele-
graphenlinie verdoppelt werden kann.

Der Verbesserung des Stationsmaterials steht ein gleicher Fortschritt
des Leitungsmaterials zur Seite, wobei die Einführung leichter Stahl- und
Kupferdrähte für Luftleitungen, sowie leichter, zugfester Feldkabel, welche
ein schleifenloses Auslegen und Wiedereinholen im schnellen Tempo gestatten, am meisten zur Verminderung der Schwerfälligkeit der Telegraphen-
parks und dementsprechend zur Steigerung der Beweglichkeit der Feld-
telegraphenkolonnen beigetragen haben. Während die drei englischen
Feldtelegraphensektionen noch bis zum Jahre 1881 zum Transport ihrer
Gesammtkabellänge von nur 58 km 12 vierrädrige Kabelwagen mit
72 Pferden erforderten, wurden inzwischen die Feldkabel derartig leichter,
dass das Gewicht des im Jahre 1888 eingeführten Kabels, verglichen mit
dem von 1881, von 94 kg per Kilometer auf 24 kg vermindert ' war,
während die Zugfestigkeit von 82 kg auf 250 kg stieg. Mit diesen Kabeltypen wurde nicht nur eine grössere Beweglichkeit der Kolonnen, sondern
auch eine Verdreifachung des ins Feld genommenen Leitungsmaterials
erzielt. Die Kabelwagen erhielten fortan nur zwei Räder und sind mit
13 km Feldkabel anstatt mit 5 km belastet. Bei gleichzeitiger Thätigkeit
von zwei Wagen wird das Kabel auf gewöhnlicher Landstrasse mit einer
Durchschnittsgeschwindigkeit von 8 bis 10 km pro Stunde ausgelegt,
während auf offenem Felde bis 12 km erreicht werden, so dass der
englische Feldtelegraph mit Sicherheit selbst der Kavallerie zu folgen und
diese mit dem Stabe in ununterbrochener Verbindung zu erhalten im
Stande ist.

Wenn auch der Feldtelegraph an den meisten englischen Kolonialkriegen einen mehr oder weniger bedeutenden Antheil genommen hat, so
ist ihm doch nicht immer, aus vorhin angedeuteten Gründen, diejenige
Aufgabe zugetheilt worden, die er zu beanspruchen berechtigt wäre. So
finden wir das Feldtelegraphen-Bataillon im letzten Sudan-Feldzuge nicht
vertreten. Nur Etappentelegraphen folgten dem langsamen, fadenartigen
Vormarsche der Truppen dicht an den Ufern des Nils entlang durch
Wüsten und Steppen des einstmals weiten Reiches des Mahdi, bis in
die südlichen Urwälder und nach Chartum.

Am dritten Feldzuge von Omdurman, 1898, nahmen ausser den der
Nil-Flotte angehörigen englischen Mannschaften auch europäische und
asiatische Truppen aus Unterägypten, Malta, Gibraltar und Indien Antheil.
Der siegreiche Ausgang der Schlacht am Atbara am 8. April, welcher
das Vorspiel zum Angriff auf Omdurman bildete, konnte sofort mit dem
Etappentelegraphen der inzwischen bis El Damar·fortgeführten Eisenbahn
(30 km) zur Weiterbeförderung nach London telegraphirt werden. Infolge

der Eigenart des Landes mussten sich die Kriegszüge fast ausschliesslich im Nil-Thal, parallel zur Wasserstrasse bewegen, so dass seitliche Verbindungen zwischen gleichzeitig operirenden Divisionen nicht verlagen und infolgedessen der Etappentelegraph viel mehr als der Feldtelegraph zur Anwendung kommen konnte.

Die Engländer sind eine praktische und berechnende Nation, und es wäre daher interessant, zu' erfahren, warum der Höchstkommandirende neben dem Etappentelegraphen nicht auch den Feldtelegraphen an dem mit so musterhafter Sorgfalt vorbereiteten Feldzuge hat theilnehmen lassen. Während der politisch so bedeutenden Schlacht von Omdurman stand telegraphische Befehlsübermittelung nicht zur Verfügung; die Truppen hatten während des ganzen Feldzuges nur permanente Telegraphen-Linien aus hölzernen Gestängen und Eisendraht am Nil und der Eisenbahn entlang errichtet, welche nicht nur den Heeres-Etappen, sondern auch der späteren Landesverwaltung dienen sollten. Gestützt auf die Entwickelungsgeschichte der englischen Feldtelegraphie und auf die wiederholt von ihr im Felde gelösten Aufgaben, bleibt es unverständlich, warum diese Truppe nicht auch im letzten Sudan-Kriege herangezogen wurde, wo für sie nicht nur an der Spitze des Etappenlinienbaues, sondern auch im Kampfe ein nutzenbringendes Feld vorhanden war.

In Parenthese sei hier ein Kulturkuriosum angeführt, nach welchem thatsächlich nicht die englisch-ägyptische Armee, sondern die Derwische einen elektrischen Telegraphen am Tage der Schlacht von Omdurman in Thätigkeit hatten. Als der »Director of Army Telegraphs of the Egyptian Army« den Etappentelegraphen nach der Schlacht bis Omdurman führte, wurde am Südende der Stadt eine Telegraphenleitung des Mahdi bemerkt, die Schan-Schambat mit dem Omdurman-Arsenal verband und von dort durch ein Flusskabel nach der Chartumer Schiffswerft führte. Dieser Telegraph war seit der Einnahme von Chartum noch in Thätigkeit geblieben und wurde von gefangenen ägyptischen Telegraphisten bedient. Die Stationsapparate zeigten den Stempel: Siemens Brothers & Co., London, und waren im Jahre 1878 direkt an General Gordon geliefert.

Kehren wir nun zu der neuen deutschen Feldtelegraphen-Friedensformation zurück. Diese setzt sich, abgesehen von der obersten Spitze der »Inspektion der Verkehrstruppen« (Eisenbahn-, Luftschiffer- und Telegraphen-Truppen), wie folgt, zusammen: 1 Inspektion der Telegraphentruppen, aus 2 Offizieren bestehend. 3 Feldtelegraphen-Bataillone, zusammen 10 Kompagnien, mit einem Gesammtbestand an Offizieren, Unteroffizieren und Mannschaften von 1564 Köpfen. 3 Train-Bataillone für Telegraphentruppen, mit einem Gesammtbestand von 120 Offizieren, Unteroffizieren und Mannschaften, und 144 Pferden. 1 Traindetachement bei der Kavallerie-Telegraphenschule in Berlin, bestehend aus 12 Mann und 25 Pferden. Die Friedenspräsenzstärke der Feldtelegraphenformation soll hiernach bestehen aus 1698 Offizieren, Unteroffizieren und Mannschaften mit 169 Dienstpferden.

Die charakteristischen Grundzüge, nach welchen diese neue Truppe formirt worden ist, lassen sich folgendermaassen zusammenfassen: Vor Allem musste eine rein militärische Formation mit Ausschluss von Civilbeamten als Grundbedingung erachtet werden, und um diesen Truppen die möglichst grösste Ausbildung zu geben, wurde die Formirung einer Telegraphen-Stammtruppe zur Nothwendigkeit, bei welcher die Mannschaften bereits im Frieden eine militärisch-technische Ausbildung erhalten. Die systematische und gründliche Schulung der Telegraphisten wird mit Zuhülfenahme der Staatstelegraphie zu erreichen gesucht, indem Rekruten vornehmlich von dort zu entnehmen sind. Die deutsche Feldtelegraphie besitzt einen grossen Vortheil vor der englischen in den beiden Inspektionen der Verkehrstruppen und der Feldtelegraphie, welche ihr den erforderlichen Zusammenhang mit dem Grossen Generalstabe sichern. Die allgemeine Wehrpflicht macht es ferner in Deutschland möglich, ein telegraphisch bereits vorbereitetes Rekrutenpersonal alljährlich aus der Reichs- und Eisenbahntelegraphie auszuheben, und es wird dadurch die in England unumgängliche Nothwendigkeit einer theilwcisen Verschmelzung der Reichs- und Militär-Telegraphenressorts entbehrlich. Aus der kürzeren Dienstzeit entspringt aber auch der Vortheil einer grösseren Reservemannschaft, da jährlich etwa 600 Rekruten zur Ausbildung kommen, und so lange die Telegraphentruppen aus elektrotechnischen Professionen rekrutirt werden, so liegt auch die Gefahr nicht mehr vor, wie dies bisher der Fall war, dass die früher häufig in nicht-elektrotechnische Gewerbe eintretenden Reservisten die in der Armee erlernte telegraphische Fähigkeit wieder einbüssen. Die heutige deutsche Feldtelegraphen-Organisation, die einen durchgehend militärischen Charakter bewahrt, besitzt der englischen gegenüber ganz erhebliche Vortheile, zu welchen auch noch der hinzutritt, dass ein häufiger Wechsel der Offiziere, wie er sich in der kleinen englischen Telegraphentruppe nothgedrungen einstellt, in der neuen deutschen Organisation nicht bedingt ist. In diesem häufigen Wechsel der leitenden Stellen liegt in England und lag ganz besonders auch in Deutschland, ein Haupthinderniss für eine schnelle Entwickelung dieser technischen Spezialtruppe.

Nicht allein in den Organisationsfragen bezüglich des »Personals«, sondern auch in derjenigen des »Materials« hat sich die neue deutsche Feldtelegraphie den englischen Grundzügen immer enger angeschlossen. Der ernste Kampf: »Schreibapparat contra Hörapparat« ist auch hier zum schweren Kummer der starren Anhänger des »schriftlichen Meldewesens« zu Gunsten der Hörapparate entschieden worden. Ja, man ist in der Verwendung der »Summer mit Telephon und Mikrophon« viel weiter gegangen, als es sich bei der ersten Anregung dieser Streitfrage selbst die lebhaftesten Sanguiniker träumen liessen. Der »Summer« hat eine Kavallerietelegraphie ermöglicht, wie sie bereits im September 1882 im ägyptischen Feldzuge von der englischen Aufklärungs-Schwadron zur Geltung kam, deren deutsche Ausdehnung aber alles, innerhalb des diesbezüglichen Rahmens englischer Militärtelegraphie Befindliche weit übertrifft.

Auch in der zweiten Kardinalfrage bezüglich der Materialverwendung: »Luftleitung contra Kabelleitung«, hat sich die deutsche Anschauung der englischen nicht nur genähert, sondern sie hat dieselbe weit überholt. Die in England 1886/87 eingeführten leichten und zugleich festen Kabeltypen, welche dort im Verhältniss von 1:3 verwendet werden, haben auch in der deutschen Feldtelegraphie eine Erleichterung der Transportverhältnisse und eine daraus erwachsende Steigerung der Manövrirfähigkeit erzielt, so dass Kabelbau, der auch in England nur zweirädrige Fahrzeuge erfordert, in Deutschland zum Normalbau erhoben ist.

Ein mit der elektrischen Telegraphie innig verwandtes Kommunikationsmittel ist das optische Signalwesen. In England wird bei den Telegraphentruppen streng auf eine gleichzeitige Ausbildung in beiden Dienstzweigen gesehen, und auch in der deutschen Feldtelegraphentruppe wird das optische Signalwesen zur Einführung gelangen. War schon eine gründliche Ausbildung in der Feldtelegraphie bei den bisherigen Mängeln der Friedensformation unausführbar, so würde ein durchgreifender Versuch mit optischen Signalen ganz hoffnungslos gewesen sein.

Die neue Organisation der deutschen Feldtelegraphie kann nur freudig begrüsst werden; sie entspricht den gesteigerten Anforderungen, welche bei der Grösse der heutigen Heere an die Verkehrsmittel der Armee gestellt werden müssen. Sie gewährleistet nicht nur eine strenge Befestigung der Ausbildung der Mannschaften, sondern wird auch einen Stamm von telegraphisch sehr gewandten Unteroffizieren und Offizieren heranbilden, welche die Militärtelegraphie zu ihrer bleibenden Lebensaufgabe machen, und mit derartigen Kräften und Führern steht dem deutschen Heere nunmehr eine recht gute Telegraphentruppe in sicherer Aussicht.

Aus der Kriegstechnik des letzten Vierteljahrhunderts.

Die Fortschritte der verflossenen 25 Jahre auf dem Gebiete der Kriegstechnik weisen einen solchen Umfang auf, dass es nicht möglich ist, dieselben in dem beschränkten Raume eines kurzen Aufsatzes zu erschöpfen. Wir müssen uns daher mit einem kurzen Abriss und Ueberblick an der Hand des Jubiläumsbandes der v. Löbellschen Jahresberichte*) begnügen, wobei zunächst die Entwickelung der Handfeuerwaffen, des Artilleriematerials und des Festungswesens in Deutschland, Oesterreich-Ungarn, Italien, Russland und Frankreich von besonderem Interesse erscheint.

In Deutschland zeigte sich der Mangel an politischer Einheit bis zum Jahre 1870 auch in der Bewaffnung der einzelnen Kontingente. Den Anfang zu einer einheitlichen Infanteriebewaffnung machte zunächst nach 1866 der ehemalige Norddeutsche Bund, indem für seine Staaten das preussische Zündnadelgewehr des Kalibers 15,43 mm mit dem Dreyseschen Cylinderverschluss allgemein eingeführt wurde. Bayern wählte für die Bewaffnung seiner Infanterie das »Werder-Gewehr Modell 1869« mit Blockverschluss vom Kaliber 11 mm, mit welchem im Kriege 1870/71 bereits ein Theil der Truppen ausgerüstet war. Nach dem Feldzuge gegen Frankreich wurde nun für das gesammte deutsche Heer das »Gewehr Modell 1871«, System Mauser, von 11 mm Kaliber eingeführt. Die Verausgabung dieses Gewehrs ging jedoch so ungemein langsam vor sich, dass erst am Schlusse des Jahres 1875 die deutsche Infanterie, mit Ausnahme der bayerischen Armeekorps, damit bewaffnet war.

In Bayern wurde dieses Gewehr erst im Jahre 1880 angenommen, jedoch hatte man schon 1876 das Werder-Gewehr M/69 für die Patrone M/71 eingerichtet, so dass wenigstens zu jener Zeit das deutsche Heer eine »Einheitspatrone« besass. Im Jahre 1878 wurden die Spezialtruppen und die Marine-Truppentheile mit der Jägerbüchse M/71, die Kavallerie mit dem Karabiner M/71 bewaffnet. Beide Waffen verfeuerten die Patrone des Gewehrs M/71. Die Waffen M/71 hatten den Mauserschen Cylinderverschluss, dessen Mechanismus nur zwei Griffe erforderte:

---

*) v. Löbells Jahresberichte über die Veränderungen und Fortschritte im Militärwesen. XXV. Jahrgang. Ueberblick der Entwickelung von 1874 bis 1898. Herausgegeben von v. Pelet-Narbonne, Generalleutnant z. D. E. S. Mittler & Sohn, Königliche Hofbuchhandlung.

1. Aufstellen und Zurückziehen der Handhabe = Oeffnen, Spannen und Fixiren der Feder, Ausziehen der leeren Patronenhülse;
2. Vorschieben und Rechtsumlegen der Handhabe = Schiessen.

Der russisch-türkische Krieg von 1877/78 hatte die wesentlich auf das Schnellfeuer basirte Ueberlegenheit der mit dem Winchester-Repetirgewehr ausgerüsteten türkischen Infanterie in so deutlicher Weise gezeigt, dass in Deutschland wie auch in fast allen anderen Staaten Versuche zur Erhöhung der Feuergeschwindigkeit angestellt wurden. Diese Versuche endigten vorläufig mit der Einführung des von Mauser konstruirten Mehrladers, welcher unter dem Namen »Infanteriegewehr M/71. 84« im Jahre 1886 mit überraschender Schnelligkeit im Heere eingeführt wurde. Das Kaliber (11 m) blieb jedoch nach wie vor dasselbe. Nach Einführung dieses Gewehrs war die deutsche Heeresleitung darauf bedacht, die Feuerbereitschaft zu erhöhen. Hierzu war unbedingt eine Herabsetzung des Kalibers nöthig, und so gelangte bereits nach kurzer Zeit das »Gewehr 88« mit einem Kaliber von 7,9 mm zur Annahme. Bald darauf folgte für die Kavallerie die Einführung des Karabiners 88 und für die Fussartillerie die des Gewehrs 91; beide sind von derselben Konstruktion wie das Gewehr 88, nur etwas kleiner. Augenblicklich hat das Gewehr 88 die Bezeichnung »Gewehr 88/97« erhalten; was für Veränderungen an demselben vorgenommen worden sind, ist noch nicht bekanntgegeben worden. Die bis 1879 im Gebrauch befindliche Pistole M/1845 wurde durch den Revolver M/79 ersetzt, welcher 1883 zum Revolver M/83 umgeändert wurde. Die Konstruktion blieb dieselbe, nur war die Waffe kürzer und leichter geworden, aber die Drehtrommel war beibehalten, und zur Einführung einer modernen Mehrladepistole (Selbstspanner) hatte man sich noch immer nicht entschliessen können, obschon es an brauchbaren Modellen nicht fehlt.

In Oesterreich-Ungarn war die Infanterie zu Anfang der 70er Jahre mit dem Gewehr M/67 bewaffnet, das durch die Anbringung eines Klappenverschlusses des Gewehrfabrikanten Wänzl aus den gezogenen Vorderladern M/54 und 62 entstanden war. Dies Gewehr wurde jedoch sehr bald durch das Werndl-Gewehr, das gleichfalls den Namen M/1867 erhalten hatte, verdrängt. Im Grossen und Ganzen war die Konstruktion dieselbe wie beim Wänzl-Gewehr, nur mit verändertem Verschluss (Wellenverschluss). Anfang 1874 wurde eine veränderte Konstruktion des Werndl-Gewehrs als Modell 1873 im Heere eingeführt. Die Veränderungen bestanden in der Erleichterung und Verbesserung des Schlossmechanismus des Gewehrs 1867 und in der Annahme der Patrone M/77; diese Patrone war gleichzeitig für den Karabiner und das Extra-Korps-Gewehr, allerdings mit verringerter Pulverladung, angenommen. Die einheitliche Bewaffnung des Heeres war 1883 beendet. Da das neue Gewehr jedoch denen anderer Staaten erheblich nachstand, so wurde der Entwickelung der Frage der schnellfeuernden Hinterlader eingehende Aufmerksamkeit gewidmet, und umfangreiche Versuche wurden angestellt. Das Ergebniss der Versuche war die Annahme des »Repetirgewehrs M/86 System Mannlicher«, das zu Ende 1886 zur Einführung gelangte. Das Kaliber betrug abermals 11 mm, jedoch war die Feuergeschwindigkeit durch Anbringung eines Kapselmagazins vermehrt, dessen Füllung durch Einführung eines gefüllten Patronenrahmens erreicht wurde. Dieses Gewehr konnte sich jedoch nicht des ungetheilten Beifalls im Heere erfreuen, weshalb auch 1888 die weitere Anfertigung desselben eingestellt wurde. Auch in Oesterreich war man nämlich darauf bedacht, die Feuerbereitschaft zu erhöhen und das Kaliber

zu vermindern. Zur Annahme gelangte nun das »8 mm Infanterie-Repetir-
gewehr M. 88 System Mannlicher«, vorläufig mit Schwarzpulverladung.
Verschluss und Kastenmagazin entsprachen der Konstruktion des Gewehrs
M 86, der Lauf erhielt einen Mantel behufs Erleichterung der Handhabung des heiss gewordenen Gewehrs. Für dieses wurde 1890 die
Patrone M/90 mit österreichischem rauchlosen Pulver M/90 eingeführt;
infolgedessen wurde der Gewehrlauf mit einem hölzernen Handschutz
versehen unter Fortfall des Laufmantels.

Für die Reservebestände an Infanteriegewehren wurde das Gewehr
M/1895 angenommen, ebenfalls ein 8 mm Mannlicher-Repetirgewehr, jedoch
von geringerem Gewicht. Gegenwärtig ist also das österreichisch-ungarische
Heer mit 8 mm Repetirgewehren und Karabinern, System Mannlicher, ausgerüstet. Auch in Oesterreich-Ungarn haben in den letzten Jahren vielfach
Versuche mit Gewehren von 6,5, 5,5 und 5 mm stattgefunden, die jedoch
noch zu keinem abschliessenden Ergebniss geführt haben.

Als Revolver hat das österreichische Heer auch nur den alten Trommelrevolver M 77, obwohl auch schon seit vielen Jahren Versuche mit einer
neueren Konstruktion stattfinden.

In Italien fand, vor Einführung eines neuen Hinterladers, zunächst
eine Aptirung der Vorderlader M/60 mit einem Cylinderverschluss statt.
Das Kaliber betrug 17,8 mm. 1874 waren mit diesem Gewehr nur noch
20 Infanterie-Regimenter bewaffnet, während die übrigen Regimenter bereits
mit dem Vetterli-Gewehr M 70 von 10,4 mm Kaliber ausgerüstet waren.
Die gesammte Infanterie war 1883 mit diesem Gewehr bewaffnet, während
die Kavallerie den Vetterli-Karabiner M 70, der dieselbe Patrone wie
Gewehr M/70 verfeuerte, führte. Im Frühjahr 1892 gelangte ein 6,5 mm
Gewehr, System Mannlicher-Carcano, unter dem Namen »Fucile modello
1891« zur Einführung. Der Verschluss dieses Gewehrs ist ähnlich dem
des deutschen Gewehrs 88, ohne Laufmantel und mit hölzernem Handschutz. Die Kavallerie führt den 6,5 mm Karabiner M 91. Italien besitzt
also vom Dreibunde das kleinste Kaliber und die grösste Feuerbereitschaft
»6 Patronen in einem Rahmen«; ob noch unter dieses Kaliber, mit Rücksicht auf Feuerwirkung, heruntergegangen wird, erscheint zweifelhaft.
Eine moderne Selbstladepistole ist auch in Italien noch nicht eingeführt.

In Frankreich wurden nach 1866 die gezogenen Vorderlader, nämlich
das »fusil rayé modèle 1857« der Infanterie und der »carabine sans tige
modèle 1859« der Jäger mit dem Sniderschen Dosenverschluss umgeändert.
Das Kaliber dieser Waffen betrug 17,8 mm. Kurz vor Ausbruch des
Feldzuges gegen Deutschland war die französische Infanterie mit dem
Chassepot-Gewehr »fusil modèle 1866« ausgerüstet, das ein Kaliber von
11,0 mm hatte; die Kavallerie führte einen gleich konstruirten Karabiner
von demselben Kaliber, der die gleiche Patrone wie das Gewehr verfeuerte. Die Schussweite des Karabiners betrug 1100 m, während die
Visireintheilung des Gewehrs bis zu 1200 m reichte; also bedeutend weiter
wie die der deutschen Gewehre in demselben Feldzuge. Der Chassepot-
Verschluss wurde 1874 nach den Angaben des Hauptmanns Gras umgeändert, und die Waffe gelangte unter dem Namen »fusil modèle 1874,
système Gras« zur Ausgabe. 1878 wurde für die Marine ein Repetirgewehr System Gras-Kropatscheck angenommen, das nun als Ein- und
Mehrlader verwendet werden konnte. Nach vielen Versuchen wurde das
11 mm Gewehr M 74 in ein Magazingewehr umgeändert und zwar als
Modell 1884 mit dem Verschluss des Marinegewehrs M 78, System Gras-
Kropatscheck und 1885 mit den von Vetterli vorgeschlagenen

Umänderungen des Marinegewehrs M/78. Zur Steigerung der Feuergeschwindigkeit der noch vorhandenen Infanteriegewehre M/74, System Gras wurden sie mit einem »Schnelllader«, chargeur rapide, einer Ledertasche für 8 Patronen, versehen. Alle diese Aenderungen an den alten Waffen führten jedoch nicht zu dem erhofften Erfolg, und so wurde 1886 das Magazingewehr M/86, System Lebel mit einem Kaliber von 8 mm für die Infanterie angenommen; 1891 war jedoch erst die Bewaffnung der Infanterie mit diesem Gewehr beendet. Augenblicklich besitzt das französische Heer dieses Gewehr mit geringen Abänderungen unter dem Namen »Fusil modèle 1886 M/1893«. Dies Gewehr kann jedoch mit denen anderer Grossstaaten kaum in Wettbewerb treten, weshalb man zur Zeit eingehende Versuche mit kleineren Kalibern vornimmt; ganz besonders bemerkenswerth sind die Versuche mit einem 6,5 mm Gewehr, System Daudeteau, das wohl über kurz oder lang eingeführt werden dürfte.

Auch in Frankreich hat man immer noch einen Trommelrevolver von 8 mm; derselbe zeigt jedoch insofern eine Verbesserung gegen den im deutschen Heer verwendeten, als die abgeschossenen Patronenhülsen von einem Auswerfstern entfernt werden. Von Versuchen mit Selbstladepistolen irgend eines Systems ist noch nichts laut geworden.

Russland ging vom gezogenen Vorderlader zum Hinterlader in der Weise über, dass es die »Sechslinien-Vorderladergewehre M/1856« von 15,24 mm Kaliber theils nach Krnkas Dosenverschluss, theils nach dem Karlsschen Cylinderverschluss (Zündnadelmechanismus) umänderte. Diese Gewehre wurden unter der Bezeichnung M/1867 eingeführt. Aber schon 1871 wurde eine Neubewaffnung der Infanterie und Kavallerie vorgenommen; zur Annahme gelangte das »4,2 Linien-Gewehr M/1871« mit einem Kaliber von 10,66 mm, das den Cylinderverschluss Berdan Nr. 2 aufwies. Der russisch-türkische Krieg 1877/78, insbesondere die hartnäckigen Kämpfe um Plewna, liessen den grossen Einfluss des Schnellfeuers für die Ueberlegenheit der Infanterie erkennen. Noch während des Krieges wurden Versuche zur Erhöhung der Feuergeschwindigkeit der Infanteriewaffe angestellt. Erst 1891 wurde für die Infanterie ein neues Gewehr, das »Dreilinien-Gewehr M/1891 System Nagant-Mougins« angenommen. Der Kolbenverschluss hat Drehbewegung; das Magazin, im Mittelschaft, für 5 Patronen eingerichtet, wird mit Ladestreifen geladen. Das Gewehr hat einen hölzernen Handschutz, also keinen Laufmantel. Das Kaliber beträgt 7,62 mm. Von gleicher Konstruktion ist auch das 7,62 mm Dragonergewehr, mit dem die Sappeure und Pontonniere ausgerüstet sind, und ein für die Kavallerie im Versuch befindlicher 7,62 mm Kasaken-Karabiner. Der Unterschied liegt lediglich im Gewicht und in der Länge.

Wir müssen uns mit diesen Angaben begnügen, die aber doch hinlänglich beweisen, dass die Heeresleitungen aller grossen Staaten bestrebt sind, das Kaliber zu vermindern, die Feuerbereitschaft und Feuergeschwindigkeit zu erhöhen, ohne hierbei die Feuerwirkung ausser Acht zu lassen. Ob eine noch weitere Kaliberverminderung eintreten kann ohne Nachtheil der Feuerwirkung, wird die Technik späterer Zeit lehren.

Wie die Entwickelung der Handfeuerwaffen im letzten Vierteljahrhundert eine bedeutende ist, so hat auch das Artilleriematerial eine völlige Umgestaltung und Umwälzung in dem gleichen Zeitraum erfahren. Bald nach dem Feldzuge 1870/71 machte sich der Mangel eines einheitlichen Geschützes bei der Feldartillerie fühlbar, und es dauerte daher auch nicht lange, dass das für die fahrenden Batterien angenommene Kaliber von 8,8 cm auch den reitenden, nach unerheblicher Erleichterung,

gegeben wurde. Wie bei der Infanterie die Heeresleitung ihr Augenmerk
auf die Erhöhung der Feuergeschwindigkeit legte, so auch bei der Feldartillerie. Dies geschah durch Einführung der Seilbremse, welche als
Fahr- und Schussbremse wirkend den Rücklauf beschränkte, durch Fortfall des Auswischens beim rauchlosen Pulver und dergl. Die Fortschritte
der Artillerietechnik ermöglichten es jedoch sehr bald, dass man in Deutschland zur Einführung eines Schnellfeuer-Feldgeschützes schreiten konnte.
Das Hauptgeschoss der Feldartillerie ist das Schrapnel, nebenbei sind die
Batterien noch mit Granaten und Kartätschen ausgerüstet, welch letztere
beim Feldgeschütz C/96 in Fortfall gekommen sind. — Die Anwendung
der Feldbefestigung hat die Einführung eines Steilfeuergeschützes auch
beim Feldheere nothwendig gemacht, und so sehen wir, wie jetzt das
deutsche Heer mit einer Feldhaubitze ausgerüstet wird. Gleichwie in
Deutschland, so ist auch in den anderen Militärstaaten Europas die Entwickelung des Feldgeschützes bedeutend fortgeschritten. Die Systeme sind
im Allgemeinen bei allen Heeren dieselben, wenn auch die Geschütze verschiedene Konstruktionsabweichungen aufweisen. Mit der Feldartillerie
steht die Belagerungs- und Festungsartillerie in einem gewissen
Zusammenhange. Die Fortschritte der Feldartillerie, die sich meist auf
Rohrmaterial, Hinterlader, Laffetenmaterial, Fortbildung der Geschoss-
einrichtung, langsam verbrennendes Pulver, rauchloses Pulver, Brisanzgeschosse und Schnellfeuergeschütze beziehen, sind auch der Festungs-
und Belagerungsartillerie zu Theil geworden. Eigenthümlich ist bei dieser
das Hervortreten des indirekten und Wurffeuers und die Nothwendigkeit
einer grösseren Zerstörungskraft wegen der gesteigerten Widerstandsfähigkeit der Ziele. Hieraus erwächst die Mannigfaltigkeit in Kalibern und
Geschützarten, während die Feldartillerie einem Einheitskaliber zustrebt
und nur ungern über das Flachbahngeschütz hinausgeht. Kurz vor und
während des Feldzuges 1870/71 wurden in Preussen die ersten gezogenen
Steilfeuergeschütze eingeführt und zwar die kurze eiserne 15 cm Kanone C/69
und der 21 cm bronzene Mörser. Beide Geschütze haben bei Belagerungen
recht gute Dienste geleistet. Trotz dieser günstigen Erfolge kam man in
Preussen zu der Ueberzeugung, dass die Bewaffnung der Belagerungs- und
Festungsartillerie einer gründlichen Umgestaltung bedürfe. Die Doppel-
keilverschlüsse der langen Kanonen hatten sich nicht bewährt, die eisernen
kurzen 15 cm Kanonen waren nicht haltbar genug, die 21 cm Mörser C/69
zu schwerfällig und unhandlich, die C/70 von zu geringer Wirkungsweite
und Durchschlagskraft. Ebenso waren die 9 cm und 12 cm Kanonen von
zu geringer Wirkung und Geschossgeschwindigkeit. Frankreich musste auf
diesem Gebiete von Grund aus neu aufbauen und bedurfte dazu einer
längeren Zeitdauer, die bis in den Beginn unseres Jahrzehnts reicht, da
hier dem Feldgeschütz der Vortritt gebührte und die wenig entwickelte
Technik erst ein brauchbares Rohrmaterial liefern musste. Unter Berücksichtigung der im Kriege 1870/71 gemachten Erfahrungen gelangte in
Deutschland bald nach dem Feldzuge ein neues Material für die Fussartillerie zur Herstellung. Der Doppelkeilverschluss der 12 cm und 15 cm
Kanonen wurde durch einen einfachen Flachkeilverschluss ersetzt, zu der
schon vorhandenen 9 cm Kanone wird eine von gleichem Kaliber aus
Bronze hinzugefügt. Behufs Erlangung kräftiger Geschosswirkung gelangte
die 15 cm Ringkanone in künstlicher Metallkonstruktion zur Annahme.
Die kurze 15 cm Kanone wurde in Bronze hergestellt und ein neuer
21 cm Mörser, zwischen den bisherigen Konstruktionen etwa die Mitte
haltend, eingeführt. Mitte der 70 er Jahre wurde die Bronze durch die

Hartbronze abgelöst. Der Anfang der 90er Jahre brachte der Fussartillerie das rauchschwache Pulver und die Sprenggranate sowie wirkungsvollere Steilfeuergeschütze; andererseits erwuchs ihr die Aufgabe, die Feldheere durch feldmässig organisirte schwere, namentlich Wurfgeschütz-Batterien unmittelbar zu unterstützen, in der sog. bespannten Fussartillerie. — Die Hartbronze ist dem rauchschwachen Pulver gegenüber nicht widerstandsfähig genug, man wandte sich also wieder mehr dem Stahl zu oder versah die Bronzegeschütze mit Stahlseelenrohren. — Schnellfeuergeschütze kleiner Kaliber, auch in Panzerlaffeten, finden zur Grabenbestreichung Eingang. 1894 finden wir in der bespannten Fussartillerie die schwere 12 cm Kanone mit Stahlseele, die neue 15 cm Haubitze als ein Stahlmantelrohr mit Flachkeilverschluss und den 21 cm Mörser mit Stahlseele. Das 1898 erschienene Exerzir-Reglement der Fussartillerie legt drei Geschütze zu Grunde und zwar die 15 cm Haubitze, den 21 cm Mörser mit Stahlseele und die schwere 9 cm Kanone. Die 15 cm Haubitze ist das Hauptgeschütz der schweren Batterien des Feldheeres, die mit und ohne Bettung gebraucht werden kann. Diese Geschütze der modernen Feldheere haben in Russland in den Mörser-Regimentern und in Frankreich in den 120 mm Batterien Ausdruck gefunden.

Zum Schluss sei noch mit wenigen Worten auf das Festungs- und Pionierwesen hingewiesen.

Die grosse Rolle, welche die Festungen Frankreichs im Kriege 1870/71 spielten, rückten die Festungsfrage noch mehr in den Vordergrund, als dieses schon durch die Belagerungen von Sebastopol und Düppel geschehen war. Mehr, wie bei diesen, sprang die Bedeutung in die Augen, welche die befestigten Plätze für die Operationen der Feldarmeen gewinnen könnten und unter Umständen gewinnen müssten. Bedeutende Militärschriftsteller haben ihre Ansichten über das Festungswesen in beachtenswerthen Werken niedergelegt. Generalleutnant v. Hanneken hält die Befestigungen von Eisenbahnknotenpunkten für durchaus erforderlich, wie dies z. B. bei Toul und Soissons der Fall ist. Desgleichen will er Städte befestigt haben, die durch ihre Grösse und Lage ein würdiges Objekt kriegerischer Anstrengungen sind, wie Metz, Strassburg und Paris. General v. Scherff verlangt in seiner Schrift »Lehre von der Truppenverwendung«, die 1880 erschienen ist, die Befestigung solcher Oertlichkeiten, welche allen Anforderungen, die an eine Depot- und eine Sperrfestung gestellt werden, entsprechen. Als zweite Klasse bezeichnet er die örtlich jenen vorliegenden Sperrforts an den wichtigsten Eisenbahnlinien. Dagegen sieht er in den grossen Centralfestungen, welche als politische Kriegsobjekte zu Anziehungspunkten für die beiderseitigen Heere werden, eher ein Hinderniss und eine Schwächung als eine Stärkung und letzte Zufluchtsstätte der Feldarmeen. Beachtenswerth erscheint auch die Ansicht des Generals Brialmont, die dieser in seiner Schrift »La défense des Etats« ausgesprochen hat. Er gliedert das Festungssystem in die Sperrfestungen der ersten, die Lager- und Manövrirfestungen der zweiten Linie und in eine grosse Centralfestung. Letztere wird aber nur dann mit der Landeshauptstadt zusammenfallen, wenn mit deren Verlust jede geordnete Landesvertheidigung aufhören würde und wenn sich im Lande kein Punkt von grösserer strategischer Bedeutung findet.

In den 80er Jahren erschienen von dem Artilleriegeneral v. Sauer Werke, in denen zum ersten Mal Ansichten über »ein abgekürztes Angriffsverfahren« erschienen, welche in jeder Beziehung beachtenswerth waren. An Material zum Bau von Festungen war nach dem Feldzuge eigentlich nur Erde und Stein vorhanden; 1887 trat nun Schumann mit seinen Panzerkonstruktionen hervor, welche einen Umschwung in der Befestigung und in der Lehre vom Festungskrieg herbeiführten. Schon 1869/70 hatte man in Preussen einen Angriffsentwurf auf eine grosse Fortfestung ausgearbeitet, der jedoch im Feldzuge selbst nicht mehr zur Ausführung gelangen konnte. Der Feldzug zeigte, dass die Einnahme grosser Festungen ohne Mitwirkung schwerer Geschütze allein mit der Sappenarbeit nicht möglich sei; die alten Vorschriften für Angriff und Vertheidigung sind im Allgemeinen gänzlich fallen zu lassen, und das Angriffsverfahren muss sich aus dem gemeinsam gültigen Prinzipien der Taktik, modifizirt nur mit Rücksicht auf die vom Feldkriege abweichenden Verhältnisse der schweren Waffe und der gründlicheren Vorbereitung der Kampfstellung, neu entwickeln. — Die Einführung der Brisanzgranaten in den 80er Jahren schien eine hervorragende Bedeutung für den Festungskrieg zu gewinnen; man war in artilleristischen Kreisen der Ansicht, dass nun die Bombensicherheit der Forts aufhöre, und dass mit der Aufstellung der schweren Artillerie das Schicksal der Forts besiegelt sei. Der Ingenieur hatte infolgedessen sein Hauptaugenmerk auf Sicherung seiner Kasematten gerichtet, und dies erlangte er, indem er das Mauerwerk durch den Cementbeton ersetzte, wie solchen schon Ende der 50er Jahre die Dänen zur Landbefestigung ihrer Hauptstadt angewendet hatten. Als weiteres Verstärkungsmittel wurde das Eisen in Gestalt des Panzerschutzes angenommen. Im Wettkampf zwischen Geschoss und Panzer machte die Technik von Jahr zu Jahr weitere Fortschritte behufs Erzeugung widerstandsfähiger Panzerplatten. Aus dem Wettbewerb aller Panzerfabriken ging aber immer die mit dem Grusonwerk vereinigte Firma Krupp als Siegerin hervor. Ihre gehärteten Nickelstahlplatten haben sich bei allen Schiessversuchen als die besten bewährt und gewähren den Vortheil, mit mässigen Plattenstärken bei den Bauten der Land- und Küstenbefestigung auszukommen. — Unter dem Druck der Sprengstoffgranaten hat seit Mitte der 80er Jahre der Panzer in fast allen Staaten Europas, mit Ausnahme von Russland, wo aber auch schon Stimmen dafür laut werden, Eingang gefunden und dem Festungsbau den Charakter der Panzerbefestigung aufgeprägt.

Wenige Jahre nach dem Feldzuge 1870/71 gelangte im deutschen Heere der kleine Infanteriespaten zur Annahme, nachdem er schon vorher in Oesterreich-Ungarn eingeführt worden war. Man muss hierin einen Ausdruck des durch die Kriegserfahrungen erzeugten Bewusstseins erblicken, dass die Franzosen sich in der Handhabung der Geländeverstärkung uns überlegen gezeigt hatten, und dass es dringend nothwendig sei, unsere Truppen mit der Feldbefestigung vertrauter zu machen, sie daran zu gewöhnen, rechtzeitig deren Hülfsmittel zur Anwendung zu bringen. Dasselbe Bestreben zeigte sich in Russland nach dem russisch-türkischen Kriege. Auf die Entwickelung der Feldbefestigung gewannen namentlich die Einführung der gezogenen Gewehre und der schnelle Verlauf der Kriege bedeutenden Einfluss. Mehr als die ihr folgende Verbesserung der Geschütze war es die grössere Schussweite und Treffsicherheit der Gewehre, welche den Schutz der künstlichen Deckung überall, wo die Gestaltung des Geländes ihn nicht bot, nicht nur für einzelne Truppentheile, sondern ganz allgemein für die fechtende und selbst für die bereit sich haltende Truppe wünschenswerth erscheinen liess. Das Misstrauen jedoch, das dem Spaten in Deutschland anfangs entgegengebracht wurde, stand jeder Weiterentwickelung lange Zeit hindernd im Wege. Dieses Misstrauen zum Theil zu beseitigen und die Feldbefestigung der Taktik nahe zu bringen, gelang in den 80er Jahren dem Major Pochhammer, der schon damals den Grundsatz aufstellte, dass die Feldbefestigung da hergestellt werden müsse, wo der Führer sie braucht, nicht aber von dem Führer verlangt, dass er seine Entschlüsse nach der Anlage der Feldbefestigung fasse. Dieser Grundsatz ist auch heute noch maassgebend, und jeder Führer wird sich heute der Feldbefestigung in der Vertheidigung wie auch im Angriff bedienen.

Als völlig neue Errungenschaften auf dem Gebiete der Kriegstechnik der letzten 25 Jahre sind noch das Eisenbahnwesen, die Luftschifffahrt und die Militärtelegraphie zu erwähnen, deren stetig fortschreitende Entwickelung grosse Erfolge in einem zukünftigen Kriege erhoffen lässt. Auf die näheren Verhältnisse im Einzelnen einzugehen, muss bei dem knapp bemessenen Raum besonderen Betrachtungen vorbehalten bleiben. K. H.

Kleine Mittheilungen.

Abzugs- und Ziel-Kontrollapparat. Dass bei der abgekürzten Dienstzeit auf die Schiessausbildung ein noch grösserer Werth als früher gelegt wird, geht aus allen einschlägigen Bestimmungen über diesen Dienstzweig hervor. Die Anfangsgründe jeder Schiessausbildung beruhen auf dem richtigen Anschlagen, Zielen und Abziehen. Sie dem Rekruten beizubringen, wird im Einzelnen dem Unteroffizier überlassen, und es kann daher nicht verwundern, wenn dieser vielseitige Erfahrungen sammelt und solche auch nutzbringend zu verwenden weiss; ebenso gehen ihm mancherlei Hülfs- apparate durch die Finger, aus deren praktischer Erprobung er nicht selten Ver- besserungen herzuleiten weiss. Eine solche liegt nun in dem Abzugs- und Ziel- Kontrollapparat vor, den der Sergeant Hummel von der 5. Kompagnie des Infanterie-Regiments Nr. 106 erfunden hat, wie ihn nachstehende Abbildung darstellt. Dieser Apparat ist ein unentbehrliches Hülfsmittel bei der Schiessausbildung der Mannschaften, da er

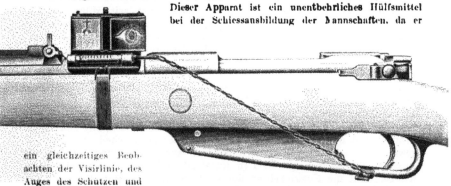

ein gleichzeitiges Beob- achten der Visirlinie, des Auges des Schützen und

des Abziehens gestattet, ohne dass der Schütze gewahr wird, welche seiner Thätig- keit vom Lehrer beobachtet wird. Dabei ist er in allen Anschlagsarten für den Schützen wie für den Lehrer gleich bequem zu handhaben. Man setzt den halb- runden Fuss des Apparats auf den Laufmantel dicht vor dem Hülsenkopf, hängt das unter dem Schaft herumgeführte Gummiband in den an der Seite angebrachten Haken und schiebt den an der Kette hängenden Schuh zwischen Absatz und Bügel (siehe Abbild.). Der Spiegelaufsatz und die Zeigerhülse lassen sich derart umstecken, dass der Lehrer den Schützen in allen Anschlagsarten beobachten kann, ohne seinen Platz wechseln zu müssen, wodurch bei der Unterweisung auch viel Zeit gespart wird. Bei Zielübungen wie beim Schiessen mit dem Zielgewehr wird man den

25*

Apparat stets gebrauchen, ebenso bei dem Verschiessen der Nachhülfekugeln für die schlechten Schützen. Der Apparat ist bei vielen Regimentern bereits im Gebrauch und hat sich als einfach, praktisch und dauerhaft bewährt; er ist unter D. R. G. M. Nr. 100 375 geschützt und durch die elektrotechnische Fabrik von Ohl & Dieterich in Hanau a. M. zum Preise von Mk. 3,60 mit Schachtel zu beziehen.

Der französische Infanterie-Offiziersäbel. Die Direction de l'artillerie et des equipages militaires, bureau du materiel hat unter dem 20. Juni 1899 eine neue Beschreibung des Infanterie-Offiziersäbels mod/1882 veröffentlicht, um Aenderungen der Mode vorzubeugen. Der Säbel hat eine gerade Klinge und Metallscheide und wird in vier verschiedenen Grössen entsprechend den vier verschiedenen Längen der Klinge geführt. Entsprechend den Klingenlängen von 900, 850, 800 und 700 mm wird der Infanterie-Offiziersäbel mod/1882 als 1., 2., 3. und 4. Grösse bezeichnet. Die Offiziere der Infanterie wählen sich unter den verschiedenen Grössen die ihrer Statur angemessene aus. Die folgende Beschreibung gilt hauptsächlich für den Säbel der dritten Grösse (also für den von 800 mm Länge), stimmt aber auch für die übrigen Grössen unter Vorbehalt einiger später zu machenden Zusätze. K l i n g e. (Gussstahl, einschliesslich der Angel gehärtet und nachgeglüht.) Gerade Klinge mit zwei Schneiden, Spitze in der Mittellinie der Klinge. Querschnitt der Klinge in Form doppelter, sehr flacher Spitzbogen, letztere mit ihren Basen einander zugekehrt. Zwei Rinnen, auf jeder Seite der Klinge eine, beginnen 120 mm von der Parirstange und enden 40 mm vor der Spitze. Querschnitt der Rinnen = Bogen von 2 mm Radius, die bis zu 14° ausgeführt sind (tg = 0,25). Die Angel ist leicht zurückgebogen, um den Umrissen des Griffes zu folgen, und wird vernietet. — G e f ä s s. Metalltheile des Gefässes sind in Weissmetall, bestehend aus 55 Theilen Kupfer, 20 Theilen Nickel, 8 Theilen Zinn und 17 Theilen Zink, hergestellt. Das Gefäss nach dem Profil des Säbels gewölbt. Auf dem oberen Theil ein warzenartiger Knopf mit Verzierung, in dem die Angel vernietet ist. Handgriff in schwarzem Büffelhorn mit einem Buckel und etwa zwölf Ringen, welche das Festhalten erleichtern sollen. Filigran-Ueberspinnung. Das Gefäss besteht aus vier Stangen, drei davon auf derselben Seite; eine derselben ist für den Faustriemen durchbrochen. Stichblatt, an der den Gefässstangen entgegengesetzten Seite etwas zurückgezogen, ist durch eine Parirstange im rechten Winkel begrenzt. Stossleder. — S ä b e l s c h e i d e in Stahlblech, hart gelöthet, mit Mundblech, Holzfedern, einem Band und einem Schuh. Die Säbelscheide ist aus 0,8 mm starkem Blech gefertigt. Die Scheiden der vier verschiedenen Grössen des Säbels haben sämmtlich dasselbe Band und den gleichen Schuh. Das Mundblech von Stahl ist aus zwei federnden Theilen hergestellt und stützt die Klinge in voller Breite. Festgehalten wird es durch eine Schraube von 6 mm. Die Holzfedern von 0,5 m Länge werden durch das Mundblech gehalten. Das Band hält einen Ring aus Stahldraht. Schleppschuh aus Stahl. Klinge, Scheide, Schuh, sichtbare Theile des Mundblechs, Band und Ring sind vernickelt.

Neue Arten von tragbaren Telegraphenstangen. (Mit drei Abbild.) In dem Aprilheft der »Riv. di Art. e Gen.« findet sich ein Vorschlag zur Anfertigung und zum Gebrauch von tragbaren Telegraphenstangen. Dieselben sollen im Frieden Verwendung finden zur schnellen Wiederherstellung von unterbrochenen Leitungen, wie solches durch Naturereignisse, als Ueberschwemmungen, Erdstürze u. s. w., hin und wieder vorkommt. Sie eignen sich aber auch selbstverständlich zur schnellen Anlage von Telegraphenleitungen im Kriege. Diese Telegraphenstangen bestehen aus zwei Haupttheilen, der Stange oder dem Stabe, dem Grundpfahl und einem Zubehörstück, dem Hut. Die Stange *a* (Abbild. 1) ist eine cylindrische Stahlröhre, welche an dem einen Ende mit einem Zapfen *b* als Isolator (wie solcher bereits bei den italienischen Genie-Regimentern eingeführt ist) abschliesst. Dieser Zapfen ist seinerseits mit der Verbindungshülse *c* vereinigt. Die Stange selbst endigt in eine erweiterte

Hülse *d*, um mehrere Stangen vereinigen zu können. Die Stange ist 2,75 m lang, hat einen äusseren Durchmesser von 19 mm und wiegt 1,2 kg. Um die Ablenkungen des elektrischen Stromes zu vermeiden, welche bei Regen und Schnee entstehen könnten, die den Isolator bedecken, schlägt der Erfinder der oben beschriebenen, durch ihre grosse Widerstandsfähigkeit und Leichtigkeit ausgezeichneten Stäbe auch einen Telegraphenstab vor, welcher aus Holz mit Stahlhülse besteht. Derselbe hat einen Schaft von Eschenholz mit 23 mm Durchmesser und trägt am oberen Ende eine doppelte Stahlröhre mit demselben Isolator, wie oben beschrieben, am unteren Ende eine etwas engere Stahlröhre, um in die Hülse *e* des Grundpfahls (Abbild. 2) eingeschoben zu werden. Dieser Stab oder Stange hat mit dem stählernen Stabe gleiche Länge und gleiches Gewicht. Der Grundpfahl (Abbild. 2) ist von Stahl und für beide Stangen der gleiche. Er besteht aus einer Röhre *f*, welche in eine Spitze endigt, um leichter in den Boden eingetrieben werden zu können, und eine Halteplatte *g*, um das Eindringen in den Boden zu begrenzen. Auf der Halteplatte befindet sich die unten würfelförmig gestaltete Hülse *e*. Der Grundpfahl lässt sich in die Erde einsetzen ohne schwere Werk-

Abbild. 1.
Stange von Stahl

Abbild 2.
Grundlage in Stahl
Maassstab ⅓

Abbild. 3.
Hut
Maassstab ⅓

Maass-stab ¹/₁₀.   Maass-stab ¹/₃.

zeuge oder Bohrer. Ein Hammer genügt dazu. Nur muss man die Hülse *e* vor Beschädigungen durch die Hammerschläge mittelst eines Deckels oder im Nothfall mit
Holzklötzen schützen. Der Grundpfahl wiegt 1,4 kg. Der Hut (Abbild. 3) ist eine
oben geschlossene Stahlröhre, welche auf die Hülse *e* des Grundpfahls (Abbild. 2)
aufgesetzt wird, um diese Hülse beim Einschlagen des Grundpfahls in die Erde
zu schonen. Die Höhe des Hutes beträgt 16 cm, das Gewicht 0,46 kg. Die Aufstellung
der Telegraphenstäbe kann durch einen einzigen Mann geschehen, welcher, nachdem
der Hut (Abbild. 3) über die Hülse *e* übergestülpt ist, die Grundpfähle mit einem
Hammer oder einer Keule in die Erde schlägt, bis die Halteplatte *y* aufsitzt. Hierauf
wird der Hut wieder abgenommen, und die Stangen *a*, welche bereits mit Isolator
und Leitungsdraht versehen sind, werden auf die Hülsen *e* so aufgeschoben, dass sie
feststehen. Braucht man längere Stangen als solche von 2,75 m, so können unter
Anwendung der hülsenartigen Erweiterung *d* zwei Stangen vereinigt und so eine
Höhe von 6,36 m erreicht werden.

„Untersuchungen über die Vibration des Gewehrlaufs“,*) eine höchst beachtens-
werthe Studie, der, wie aus dem Titel zu schliessen ist, noch mehrere ähnliche zur
Erweiterung und Ergänzung folgen werden. Die Verfasser haben sich die Aufgabe
gestellt, den Gründen für das Bestehen des Abgangsfehlerwinkels bei Waffen nachzuforschen, das heisst der Ursache, weshalb die Anfangsrichtung des Geschosses nicht
genau mit der Richtung der Seelenachse des Rohres übereinstimmt. Sie kommen zu
dem Resultat, dass der Grund in Schwingungen des Laufes liegt, die er beim Schuss
macht. Interessanter noch als das Resultat selbst ist die Art und Weise, wie das
Resultat gewonnen ist, lehrreich zugleich dafür, wie man bei den Mitteln der heutigen
Technik verfahren muss, um den schwierigen ballistischen Einzeluntersuchungen
objektiv beizukommen. Um das Vorhandensein der Laufschwingungen darzuthun und
um den Charakter der Schwingungen festzustellen, ist in sehr geschickter und sicherer

Zeitlicher Verlauf der Schwingungen an verschiedenen Stellen des Gewehrs.

(Die Lichtpunktmarke, deren Ort durch den vertikalen Strich *γ* bezeichnet ist, giebt den Moment an, in
welchem das Geschoss aus dem Lauf austritt.)

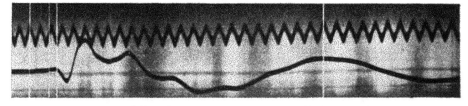

α   β γ   Schwingungskurve eines Punktes, der 1,5 cm von der Mündung entfernt liegt

Anordnung die Augenblicksphotographie zu Hülfe genommen, so zwar, dass während
des Schusses ein besonders gekennzeichneter Punkt des Laufes auf einer photo-
graphischen Platte abgebildet wurde, die während des Abbildens in der Bildebene
schnell vorbeibewegt wurde. So bildete sich der Verlauf der Schwingung eines
Punktes als Kurve auf der Bildebene ab. Um nun noch die genaue Zeit für jede
Stellung des fraglichen Laufpunktes festzulegen, ist mit der Laufkurve zugleich eine
schwingende Stimmgabel (von bekannter Schwingungszahl) mit abgebildet, so dass
man durch Abzählen der einzelnen Schwingungen der Stimmgabel (die im Bilde als

---

*) Von C. Cranz und K. R. Koch. 1. Schwingungen in vertikaler Ebene bei
horizontal gehaltenem Gewehr. A. Gewehre vom Typus des Mauser-Gewehrs M/71.
München 1899. Verlag der Königl. Akademie. Sonderabdruck aus den Abhandlungen
der Königl. bayerischen Akademie der Wissenschaften II. Kl. XIX. Bd. III. Abth.

Schraubenlinie erscheinen) die Zeiten genau bestimmen kann, in denen die verschiedenen Lagen des abgebildeten Laufpunktes auf einander folgten. Zur Erläuterung des Gesagten und zur Darstellung, wie klar und sicher der eingeschlagene Weg zum Ziel führt, folgt hier eine Nachbildung eines der 33 beigegebenen Bilder der Studie. Die Arbeit sei allen Ballistikern warm empfohlen. An die Herren Verfasser die Bitte, die Studie bald fortzusetzen! Sie bedeutet unter allen Umständen einen Fortschritt der Ballistik und lehrt, dass und wie in den Fragen, bei denen die unmittelbare Beobachtung versagt, objektive Klarheit geschaffen werden kann. Klussmann.

Verbesserter Schraubenschlüssel. (Mit zwei Abbildungen.) Eine Verbesserung an Schraubenschlüsseln bringt der ›Scientific American‹ vom 25. März 1899. Der Schraubenschlüssel hat Backen, welche anstatt durch eine Schraube lediglich durch die Bewegung des Handgriffes der zu öffnenden oder zu schliessenden Schraubenmutter angepasst werden. Der Handgriff hat einen Schlitz, in welchem sich ein an einem Gleitblock befestigter Knopf bewegt. An dem Gleitblock ist ein mit Spiralfeder umgebener Stab befestigt; diese Feder drückt gegen einen doppelten Sperrhakengriff. An dem Ende des Handgriffes ist die Hauptbacke *a*, dicht am Sperrhaken, beweglich um einen Pivotstift, befestigt. Auf der Hauptbacke gleitet die zweite Backe (Hülfsbacke) *b*. An der Hauptbacke, konzentrisch zu dem Pivotstift, sind gezahnte Segmente *c* hergestellt, welche mit dem doppelten Sperrhaken zusammenwirken, um die Backe in der gewünschten Stellung zu erhalten. Die Hülfsbacke ist mit dem Handgriff durch Kettenglieder verbunden. Wenn der Schraubenschlüssel seine in Abbild. 1 gezeigte Stellung hat, kann die Hülfsbacke durch ihre Kettenglieder so nahe als nöthig herangeschoben werden, um auch die kleinsten Schraubenmuttern zu fassen. Abbild. 2 stellt den Schraubenschlüssel in grösserer Oeffnung, also für grössere Muttern, dar. Will man die Backen in die Lage bringen, eine Mutter zu fassen, so wird der Schlüssel in der Stellung Abbild. 2 an die Mutter gebracht und der Handgriff nach links gedreht. Dadurch wird die Hülfsbacke durch ihre Kettenglieder gegen die Hauptbacke vorgeschoben und so die Mutter zwischen beide Backen gefasst. Die Spiralfeder *d* drückt den Gleitblock *e* gegen die Segmente *c* und hält so die Backen zusammen. Zieht man den Knopf *f*, welcher in dem Handgriff gleitet, zurück, so geht der Gleitblock zurück, und die Backen öffnen sich. — Dieser Schraubenschlüssel ist den Herren Reinhold Klatt und Thomas M. Broderick in Strong City, Kansas, patentirt worden. Die Erfinder scheinen, dem Namen nach, Deutsche zu sein.

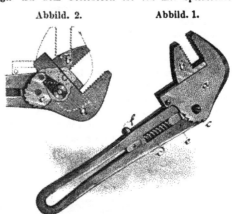

Abbild. 2.   Abbild. 1.

Klatt und Brodericks verbesserter Schraubenschlüssel.

Neueste Erfindungen und Entdeckungen.

1. Geschütze, Geschosse, Artilleriewesen. Bei den Schiessversuchen zu Indian Head mit der neuen Schiffskanone der Ver. Staaten von Amerika von 15 cm Kaliber und einer Länge von 45 Kalibern wurde die bis jetzt nirgends erreichte Anfangsgeschwindigkeit von 915 m erzielt.

Die ›Riv. di Art. e Gen.‹, Juni 1899, beschreibt ein von einem Herrn Holden konstruirtes Instrument zur Messung des Gasdruckes, der im Geschützrohr durch den Schuss entsteht. Das Instrument besteht aus einer Stahlbüchse *a*, die mit einem eingeschraubten Deckel geschlossen ist. Der Deckel hat eine Durchbohrung, in der sich ein Kolben *c* bewegt. In der Höhlung der Stahlbüchse ist eine Feder *e*, auf

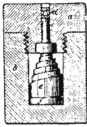

die sich der breitere Theil des Kolbens *c* stützt, und eine Scheibe *f*, in deren Mitte eine Röhre *h* befestigt ist. Innerhalb der Röhre gleitet mit starker Reibung ein Schaft *g*, dessen obere Spitze in der Grundstellung sich mit dem breiten Theil des Kolbens *c* berührt. — Im Augenblick des Schusses bewirkt der auf das obere Ende des Kolbens ausgeübte Druck die Zusammendrückung der Feder *e* und zwingt den Schaft *g*, in die Röhre *h* einzutreten. Die sich darauf ausdehnende Feder *e* bringt den Kolben *c* wieder an seinen Platz. Die Länge, um die der Schaft *g* in die Röhre *h* eingedrungen ist, dient zur Messung der Zusammendrückung der Feder und damit zur Beurtheilung des durch den Schuss stattgehabten Druckes. Ein Abschliess-

Apparat *d* verhindert jedes Eindringen der Gase um den Schaft des Kolbens. — Der ganze Apparat gleicht im Prinzip demjenigen von Rodmann.

Im 5. Hefte der »Mitth. über Gegenst. des Art.- und Geniew.«, 1899, werden verschiedene Arten der Herstellung von Geschosskernen beschrieben, wie sie entsprechend dem Patent Ehrhardt in Deutschland und Oesterreich angefertigt werden. Das Verfahren besteht wesentlich darin, dass gewalzte, gehämmerte und in Prismen zerschnittene Flusseisenblöcke in eine Form eingedrückt werden, in der sie durch einen Stempel die innere Höhlung erhalten. Ein weiteres Durchdrücken durch kräftige Stahlplatten mit stets sich verengerndem Durchmesser giebt dem Körper nach und nach die Gestalt des Geschosskerns. Die Spitze bleibt geschlossen oder wird zugehämmert, der Boden wird durch eine Bodenplatte verschraubt. Zur Anbringung der Führungsringe werden Nuthen in die Geschosskerne gedreht, in die die kupfernen Ringe durch eine besondere Maschine eingepresst werden.

Ein neues Mittel gegen Rost ist von der Ingenieurinspektion in Versailles versucht worden. Es scheint hauptsächlich Schwefelkohlenstoff zu enthalten und ist entweder ganz farbloser oder schwarzer Pirniss, dem der Fabrikant den Namen Éclair (Blitz) gegeben hat, weil er sich so schnell verwenden lässt. Man machte Versuche mit Spaten. Ein Arbeiter konnte 7 Spaten in 10 Minuten firnissen und brauchte für jeden 14 g. Das Trocknen erfolgt vollkommen in einer Stunde. Durch Eintauchen der Gegenstände in den Pirniss kommt man noch schneller zum Ziel als durch Anstreichen. Der Firniss hält lange gegen jede Witterung und zeigt sich vortheilhafter als alle anderen Anstriche. »Revue du Génie mil.«, 1899, Juni.

2. Explosivstoffe, Zünder, Torpedos. Der Explosivstoff Petroclastit soll nach den »Schweiz. Mil. Blättern«, 1899, Juni, bestehen aus: 69 Theilen salpetersaurem Chlornatrium, 5 Th. salpetersaurem Kalium, 10 Th. Schwefel, 1 Th. doppeltchromsaurem Kalium und 15 Th. Steinkohlentheer. Seine Kraft im Verhältniss zum gewöhnlichen Schiesspulver wird auf 7:1 angegeben, während das Verhältniss von Nitroglycerin zu gewöhnlichem Pulver sich wie 9:1 stellt.

Ein neuer Sprengstoff ist dem D. W. Nightigale Camberwell, London 1897, patentirt worden. Er soll aus einem Gemisch von 55 pCt. Kaliumchlorat, 35 Natriumcarbonat, 8 Zucker oder sonstiger kohlehaltiger Substanz und 2 Kochsalz bestehen und explodirt nur durch Erhitzen. Man leitet zu diesem Zweck einen elektrischen Strom durch Drähte, die in den Sprengstoff eingebettet sind, oder man versieht den Sprengstoff mit Löchern, um der Flamme des Zünders den Zutritt zu ermöglichen. Soll der Stoff durch einen Zünder zur Explosion gebracht werden, so sind 2 pCt. Seife den anderen Sprengstoff-Komponenten beizufügen.

3. Entfernungsmesser, Orientirungsinstrumente, Geländeaufnahme.
Die von K. Zeiss in Jena schon vor mehreren Jahren erfundenen Relief-Fernrohre
sind jetzt noch wesentlich verbessert worden, so dass sie eine 15fache Vergrösserung
liefern. — Die Reisszeugfabrik Lutterberg & Keller in Mittweida fertigt eine durch
D. R. P. geschützte Präzisions-Reissfeder, deren Vorzug darin besteht, dass man
den einen Federarm nicht am Scharnier zurückklappt, um die Feder zu reinigen,
sondern dass man ihn um die Stellschraube als Achse seitwärts drehen und dann
wieder in die ursprüngliche Lage bringen kann. Die Strichstärke ist nach geschehener
Reinigung und Wiedereinstellung des Federarms dieselbe wie vorher.

4. Ausrüstung von Mann und Pferd. Verpflegung. In Belgien hat man
einen Desinfektionsapparat, Aeskulap genannt, eingeführt. Jede Kaserne besitzt
einen solchen. Derselbe darf nur vom Arzte des Dienstes angewendet werden und
arbeitet, wie es scheint, mit Räucherkerzen, deren 100 Stück 4 Frcs. kosten.

Ein Schweizer Unteroffizier, Namens Zeller, hat ein eisernes Kochgestell
konstruirt, das
leicht aufzustellen,
zusammenzulegen
und zu transpor-
tiren ist. Es ge-
stattet, gleichzeitig
für 200 Mann zu
kochen. Die neben-
stehende Abbildung
zeigt die sehr ein-
fache Konstruktion.

Zwei Ameri-
kaner, Otto und
Wielsch, haben eine
Einrichtung erfun-
den, um ein gewöhn-
liches Fahrrad
auch auf Eisen-
bahnen zu ge-
brauchen. Um das

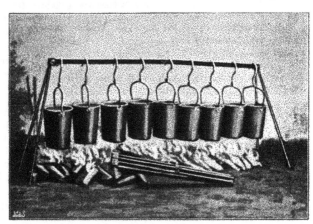

Kochgestell Zeller.
(Offen, zum Gebrauch, und geschlossen, zum Transport.)

Zweirad dabei in senkrechter Richtung zu erhalten, wird eine Stange an dessen Seite
befestigt, die ein mit Rille versehenes Rad trägt, das auf der Nebenschiene läuft. Die Räder
des Fahrrades selbst erhalten einen Rahmen mit je zwei kleinen Rädchen, die auf den
Seitenflächen der Schiene laufen, weshalb ihre Achse senkrecht steht. Dadurch bleiben
Vorder- und Hinterrad auf der Schiene. Die Einrichtung soll so leicht anzubringen
und wieder abzunehmen sein, dass man das Rad je nach Bedarf auf Eisenbahnschienen
und auf Strassen benutzen kann. Immerhin lässt aber die nicht zu umgehende
Nothwendigkeit, die oben beschriebenen Rahmen und Stangen mitzuführen, die ganze
Einrichtung doch nur von zweifelhaftem Werthe erscheinen.

Der Domänenpächter F. W. Reisch, Gierth bei Frankenstein in Schlesien, hat
einen Sicherheitshaken zum Aufhängen von Lattirbäumen in Pferdeställen
patentirt bekommen. Der Haken hängt sich selbstthätig aus, wenn ein Pferd darunter
zu liegen kommt, und kann vom Wärter leicht ausgehängt werden, wenn das Pferd
sich darauf gesetzt hat. Näheres in »Mitth. über Gegenst. des Art.- und Geniew.«,
1899, Juli. Ebendaselbst wird eine hölzerne Pferdestandsäule beschrieben, die in
einen Gusseisenschuh eingestellt wird und deshalb weniger leicht abfault, leicht wegzunehmen und zu desinfiziren ist. — Am besten wendet man Kastenstände an, ähnlich
den »Boxen«, worin die Pferde unangebunden stehen, sich bequemer ausruhen und
legen können.

5. Militärbauten zu Befestigungs- und Unterbringungszwecken. Der russische Oberstleutnant Engmann stellt bombensichere Hohlräume in provisorischen Befestigungen in schneller Weise dadurch her, dass er Eisenbahnschienen dicht nebeneinander auf den Boden legt, darüber Betondecken in der erforderlichen Stärke herstellt und nun gleichzeitig unter dieser Eisen- und Betondecke den Hohlraum aushebt und als obere Deckung die erforderliche Erdschicht von mindestens 8,5 m Höhe aufschichtet.

Die Austrocknung von Holz kann man jetzt auf schnellste Art mittelst Durchleitung eines elektrischen Stromes von 110 Volt bewirken.

6. Luftschifffahrt, Brieftauben. Die Russen haben 1898 bei Nowo-Georgiewsk der Kavallerie Brieftauben aus der Festung zugetheilt. Jede Patrouille erhielt 5 bis 7 Stück in einem Käfig, den ein Reiter umgehangen trug. Entfernungen von 27 bis 32 km legten die Tauben in 18 bis 23 Minuten zurück. Waren sie aber 43 bis 53 km in der erwähnten Weise transportirt worden, so waren sie so ermüdet, dass sie selbst das Futter versagten.

7. Transportwesen im Kriege. Train. Im Juni 1899 war auf der Ausstellung des Automobilklubs in Richmond in England ein Militär-Automobil von Friedr. Sinnus ausgestellt. Es hat vier Räder und einen Petroleummotor, der auf 120 englische Meilen eine Geschwindigkeit von 18 Meilen in der Stunde verleiht. Für grössere Strecken kann man noch einen Vorrath an Petroleum mitnehmen. Das Automobil trägt zwei Mann oder einen Mann und ein Maxim-Maschinengewehr mit 1000 Patronen, das nach allen Richtungen, auch während der Fahrt, feuern kann. Derselbe Konstrukteur stellte auch ein gepanzertes, noch grösseres Automobil aus, das zwei Maschinengewehre in einem kleinen Thurm trägt und vorn und hinten eine Art Widder besitzt. Die Bedienungsmannschaften können durch Spiegel das Ganze leiten, ohne sich selbst einer Gefahr auszusetzen. Ein Daimler-Motor setzt den Wagen in Bewegung und bedient auch einen elektrischen Scheinwerfer. Ebenso kann man mittelst Elektrizität Alle niederschlagen, die beim feindlichen Angriff das Automobil äusserlich anzufassen wagen. Also der reine Sichelwagen der Neuzeit, der wohl zu jenen Erfindungen gehört, die fast ebenso schnell verschwinden, wie sie auftauchen.

Aus dem Inhalte von Zeitschriften.

Jahrbücher für die deutsche Armee und Marine. 1899. Heft 1: Die Thätigkeit Moltkes als Chef des Generalstabes. (Forts.) — Strategische Rückblicke auf die Ereignisse im südöstlichen Theil des französischen Kriegsschauplatzes im Dezember 1870 und Januar 1871. — Ueber Abfassung von Befehlen. — Armee und Volkserziehung. — Die Heeresverhältnisse Chiles. — Spanien und die allgemeine Wehrpflicht. — Neue Reglements der russischen Armee (1899). — Ein Beitrag zur »Anleitung zur Ausführung von Dauerritten«. — Heft 2: Die Thätigkeit Moltkes u. s. w. (Schluss.) — Strategische Rückblicke u. s. w. (Forts.) — Die Russen auf dem Schipka-Balkan im Winter 1877/78. — Ueber Abfassung von Befehlen. (Forts.) — Die Fortschritte der preussischen Artillerie unter Friedrich dem Grossen. — Die Ergebnisse der englischen Armeemanöver von 1899.

Marine-Rundschau. 1899. Heft 6: Die Etappenstrasse von England nach Indien um das Kap der guten Hoffnung. (Forts.) — Die türkische Marine von ihren Anfängen an. — Calciumcarbid und Acetylen. — Ein Ordrebuch von der deutschen Flotte. — Eine alte Karte der Jade. — Lübecks neuer Gross-Schifffahrtsweg. — Die Vermessung in Kiautschou. — Das Giessen schwerer Gussstücke. — Heft 7: Kurze Bemerkungen über das Photographiren an Bord. — Bootsaussetzvorrichtungen »Luvboote nach Lee«. — Kochen mittelst elektrischer Energie. — Zur neuesten Nelson-Litteratur. — Neues aus der Industrie. — Ueber die Bereitung kohlensäurehaltiger Wässer an Bord S. M. Schiffe. — Die Etappenstrasse von England nach Indien u. s. w.

(Forts.) — Sprichwörter und sprichwörtliche Redensarten über Seewesen, Schiffer- und Fischerleben in den germanischen Sprachen. — Befehlsübermittelung durch elektrische Telegraphen.

Ueberall. Deutsche Flottenzeitung. 1899. Heft 7: Emden und die ersten Anfänge einer brandenburgisch-preussischen Welthandelspolitik. — Die Hamburg—Amerika-Linie. — An Bord eines Schiffsjungen-Schulschiffes. — Vom Norddeutschen Regatta-Verein. — Stapellauf des Doppelschrauben-Reichspostdampfers ›König Albert‹.

Prometheus. 1899. Nr. 506: Die Entwickelung und der gegenwärtige Stand der elektrischen Zündung von Sprengschüssen in Steinkohlengruben. — Die Verwerthung der Fette. — Elektrische Nachtsignale für den Schiffsverkehr. — Zur Geschichte der Telegraphie und Telephonie. — Salzgehalt der Meeresluft. — Die Bewegung des Eiffelthurms. — Der angebliche Fluorgehalt gewisser Mineralwässer. — Nr. 507: Die Verwerthung der Fette. (Forts. u. Schluss.) — Luftgasmaschinen. — Analyse mittelst farbiger Gläser. — Die White-Pass-Yukon Eisenbahn. — Die Sonnenwärme. — Nr. 508: Der Simplon-Tunnel. — Ueber das Leuchten bei Thieren und Pflanzen. — Nr. 509: Alte und neue Fluthmühlen. — Cellulose-Leitungsdraht. — Ueberfahrt der Schichauschen Torpedojäger nach China. — Nr. 510: Wasserreinigung durch Ozon. — Nr. 511: Der Drachen im Lichte moderner Forschung. — Aluminiumdrähte für elektrische Leitungen. — Die Explosion eines eisernen Hohlkörpers. — Nr. 512: Die Dichtigkeit der Luft in grossen Höhen. — Eine neue Art drahtloser Telegraphie. — Nr. 513: Marconis Wellentelegraphie. — Stahldrahtarmirte Bleirohre für Wasserversorgung. — Ueber Erdmagnetismus. — Nr. 514: Das Aluminium als Wärmespeicher. — Bestimmung der Vergrösserung terrestrischer Fernrohre. — Ueber Erdmagnetismus. (Forts. u. Schluss.) — Ueber den gegenwärtigen Stand der elektrochemischen Technik.

Die Umschau. 1899. Nr. 26: Land und Leute in Deutsch-Guinea. — Ueber einige Unterschiede der Geschlechter. — Zur Geschichte der Konserven und des Fleischextraktes. — Sauerstoff auf der Sonne. — Der Mineralreichthum der Provinz Schantung. — Nr. 27: Ueber einige Unterschiede der Geschlechter. (Schluss.) — Die Bekämpfung der Tuberkulose. — Telephongesprächs-Zeitmesser. — Nr. 28: Motorwagen als Armeefahrzeuge. — Lenkbarer Seetorpedo. — Beruhigung der Wellen durch Oel. — Chinesische Torpedojäger. — Nr. 29: Ueber topographische Aufnahmen im Hochgebirge. — Nernstsche Glühlampe. — Stromunterbrecher von Wehnel und Simon. — Nr. 30: Ueber topographische Aufnahmen u. s. w. (Forts.) — Flüssige Luft. — Elektrische Schwingungen. — Nr. 31: Rettungswesen zur See. — Ueber topographische Aufnahmen u. s. w. (Schluss.) — Plastische Nachbildung von Körpern mit Hülfe der Photographie. — Nr. 32: Aus der Chemie der künstlichen Farbstoffe. — Das Wetterschiessen. — Aluminium als Ersatz des Kupfers. — Ein neues Luftschiff. — Nr. 33: Ueber Blitzableiter. — Unterseeboot ›Argonaut‹ in Nordamerika. — Der Luftwiderstand bei Murphys Radfahrt hinter einem Eisenbahnzuge. — Nr. 34: Das Schiffshebewerk zu Henrichenburg. — Der Klopfer im Telegraphenbetriebe. — Versuche mit Elektrizität von hoher Spannung.

Zeitschrift des Vereins deutscher Ingenieure. 1899. Nr. 25: Die Weltausstellung in Paris 1900. (Forts.) — Betrachtungen über die Verbesserungen des Viertakt-Petroleummotors in den letzten zehn Jahren, unter besonderer Berücksichtigung des Petroleummotors von Dopp. — Neuerungen an Arbeitsmaschinen für die Textilindustrie. — Zur Frage der Gebühren der gerichtlichen Sachverständigen aus dem Ingenieurstande.

Illustrirte aëronautische Mittheilungen. 1899. Nr. 3: C. Kramp und die Aëronautik. — Der Gleitflug auf zwei straff gespannten Segeln. — L'Ortsbestimmung des ballons-sondes. — Der Einfluss des Winddrucks auf das Tau eines Fesselballons. — Induktion und Deduktion in der Luftschiffahrt. — Offizieller Bericht des Oberstleutnants Joseph E. Maxfield vom U. S. Volunteer Signal Corps über die Kriegs-

Luftschifffahrt bei Santiago de Cuba. — Zu: »Buttenstedt und die Flugfrage«. — Scientific Kite Flying in America. — Kleinere Mittheilungen (Der Aéro-Club in Paris. Ein amerikanischer Luftradler. Sur un record allemand. Der Winddruckmesser. Neue Andrée-Nachricht).

Der praktische Maschinen-Konstrukteur. 1899. Nr. 15: Neuere Wasser-röhren-Dampfkessel. — Material-Transportwagen. — Mittel-Pivot-Laffete für die 10'' (25,4 cm) Kanonen der Ver. St. A.-Artillerie.

Mittheilungen über Gegenstände des Artillerie- und Geniewesens. 1899. Heft 7.: Ueber den Minenkrieg und dessen Zukunft. — Das italienische 9 cm bronzene Feldgeschütz M. 1880/98. — Neue Gebirgsgeschütze. — Ueberwindung künstlicher Hindernisse. — Motorwagen für Militärzwecke.

Organ der militär-wissenschaftlichen Vereine. 1899. 58. Band. 6. (Schluss-) Heft: Zur Frage der Organisation der Feldartillerie. — Eigenthümlichkeiten des russischen Reglements in den Bestimmungen für das Gefecht der Infanterie. — Die Bedeutung des Fettes in der Kriegsportion des Soldaten. — 59. Band. 1. Heft: Die Operationen der englisch-ägyptischen Truppen im Sudan. — Die Schlacht von Novi am 15. August 1799. — 2. Heft: Der spanisch-amerikanische Krieg. — Die Probe-mobilisirung des russischen 35. Infanterie-Regiments im Kreise Kremenczug.

Schweizerische militärische Blätter. 1899. Juni. Heft 6: Neue Relief-Fern-rohre. — Die 12 cm Schnellfeuerhaubitze in Panzerlaffete Modell 1891. — Kriegs-mässige Schiessausbildung. (Forts.) — Ueber Organisation, Ausbildung und Verwen-dung von Radfahrertruppen.

Journal des sciences militaires. 1899. Juni: Trois colonnes au Tonkin (1894—1895). — Les exercices et cours de l'école de Mars. — Le Grand Frédéric. (Suite.) — L'armée en 1900. Ce qu'elle est, ce qu'elle devrait être. I. Le Soldat. — Besançon et la 7e division militaire en 1870—1871. (Suite.) — La guerre de la suc-cession d'Autriche (1740—1748). (Suite.) — La lumière électrique et son emploi à la guerre. (Suite.) — A propos du désarmement. — Juli: Trois colonnes etc. (Suite.) — L'armée en 1900. (Suite.) — La lumière electrique etc.

Revue d'artillerie. 1899. Juli: Répartition du feu de l'artillerie. (Suite.) — Les exercices de service en campagne dans le groupe des batteries. (Suite.) — Note sur l'entrainement du cheval de selle d'artillerie. — L'artillerie austro-hongroise en 1899. — Le matériel de côte de l'artillerie russe. — August: Répartition etc. (Suite.) — Les camps d'instruction d'Allemagne. — Les exercices etc. (Suite.) — L'artillerie austro-hongroise en 1899. (Fin.)

Revue de l'armée belge. 1899. Mai-Juni: Aérostation militaire. (Suite.) — Etude sur le tir de l'infanterie. — Le matériel de campagne de 75 mm à tir rapide, system Nordenfelt.

Journal of the United States Artillery. 1899. Nr. 2: A simple method of laying guns for indirect fire for the 3,2 B. L. field rifle. — A note of the calculation of the transverse dimensions of steel guns. — The artillery at Santiago. — The 5-inch howitzers at Omdurman. — The railway systems of Central and South America. — The lessons of the Spanish-American war. — Nr. 3: The monitor, the battleship, the cruiser and the destroyer. — The shooting of our coast artillery and how to improve it. — Temperature developped in firearms by firing.

Scientific American. 1899. Nr. 24: A peril of the navy. — The world's coal production. — An improved acetylene generator. — An air-cushion fluid-pressure regulator. — A remarkable bridge desastre. — The development of submarine telegraph. — The bridge of Niagara gorge. — Nr. 25: Secrecy in yacht construction. — Com-parison of electric and stove heating on street cars. — The liquid air fallacy. — A new two-part bycicle-crank. — Steam motor cars for brauch lines. — The lines and construction of the yacht »Columbia«. — Vol. LXXXI. Nr. 1: The theory and construction of ball bearings. — Nr. 2: The United States experimental model basin.

— Nr. 3: Extreme range of sixteen-inch gun. — The latest liquid air plant. — Nr. 4: Moving a 500-ton train-shed arch. — Nr. 5: A huge overland traction machine. — Test of the new naval 4-inch gun. — Nr. 6: Automobile motors. — Three pounder semi-automatic gun.

Rivista di Artiglieria e Genio. 1899. Juni: Le esercitazione tattiche dell' artiglieria da campagna ai poligoni di tiro. — Servizio dei depositi laboratori alle scuole di tiro d'artiglieria. — Nota circa l'impiego degli alzi scalari nel tiro da costa. — Juli-August: L'artiglieria da campagna ed i nuovi materiali. — Nuove utopie telemetriche. — Cannoni a tiro rapido. — La Scienza e l'arte del minatore militare.

Memorial de Ingenieros del Ejército. 1899. Mai. Nr. 5: Bahia de Algeciras. — Influencia de las armaduras metálicas en las propiedades de los morteros y hormigones. — Problemas relativos al empleo de los cebos de cantidad. — Conservación del materiel aerostático. — Fabricación y compresión del gas hidrógeno. — Juni. Nr. 6: La alimentación del soldado. — Juli. Nr. 7: Educación de las tropas de zapadores-minadores.

De Militaire Spectator. 1899. Nr. 7: De troebelen aan de Indo-Afghaansche grens. — De Opleiding in het Schieten bij de Infanterie. — Engelsch vernuft en Geweerprojectilen. — De Artillerie-Schietschool en de Vesting-Artillerie gedurende de laatste 20 jaren. — Nr. 8: Eenige belangen der Kustartillerie. — Het Infanterievuur.

Sapisski imper. russ. techn. obscht. (Denkschrift der kaiserl. russ. technischen Gesellschaft.) 1899. Mai: Die Bestimmung des Gehaltes des Talgs. — Ergänzungsjournal der Kommission der 1. (chemischen) Sektion über die Frage der Acetylenbeleuchtung. — Entwurf von Regeln für die Verwendung von Acetylen zur Beleuchtung. — Die Arbeit der Vögel beim Flug auf der Stelle. — Uebersicht der Arbeiten über die Luftschifffahrt. — Juni-Juli: Die Bildungsfragen Russlands bei der Umwälzung der ökonomisch-politischen Beziehungen mit den Völkern des Westens und Ostens auf Grund der Entwickelung der russischen Eisenbahnen. — Bindende Norm für die Abbrennung der Rückstände des Naphtha. — Ersatz der hölzernen Schiffscisternen für den Naphthatransport durch eiserne. — Ueber flüssig gefärbte Schirme und ihre Anwendung für die orthochromatische Photographie.

——— ❋ Bücherschau. ❋ ———

Das Feldartillerie-Material C/96. Nachtrag zum Handbuch für die Einjährig-Freiwilligen sowie für die Reserve- und Landwehroffiziere der Feldartillerie. Bearbeitet von Wernigk, Hauptmann und Batteriechef im 2. Bad. Feldart.-Regt. Nr. 30. Mit zahlreichen Abbildungen im Text. Berlin 1899, E. S. Mittler & Sohn. Preis Mk. 1,60.

Das neue deutsche Schnellfeuer-Feldgeschütz war bisher in den Schleier des Geheimnisses gehüllt, der nun gelüftet wurde, um namentlich auch die Instruktion der Offiziere und Mannschaften der Feldartillerie zu erleichtern, der die vorliegende Schrift gleichfalls gewidmet ist. Sie beginnt mit der Munition des Feldgeschützes C/96 und behandelt dabei Treibmittel, Sprengmittel, Geschosse und Zünder, Feldkartuschen sowie Exerzir- und Verpackungsmunition. Beim Feldgeschütz selbst wird das Rohr, der Verschluss, die Feldlaffete und die Protze besprochen,

woran sich der Munitionswagen C/96 und die Verwaltungsfahrzeuge anschliessen. Die Untersuchung und Behandlung des Rohrs, des Verschlusses, der Richtgeräthe, Laffeten, Protzen und Wagen u. s. w. ist eingehend erörtert, auch Einiges über Herstellungs- und Handhabungsarbeiten hinzugefügt. Die Schrift wird allen Feldartilleristen willkommen sein, aber auch die Offiziere aller anderen Waffen werden daraus Belehrung schöpfen und sich mit dem neuen Geschütz vertraut machen können. Dass die ausländische Presse sich desselben sofort bemächtigt hat und eine wortgetreue Uebersetzung mit sämmtlichen Abbildungen bringt, darf nicht weiter Wunder nehmen; aber bekanntlich macht es im Kriege die Geschützkonstruktion nicht allein, man muss damit schiessen und treffen können, was nur auf dem Schiessplatz, nicht auf dem Papier zu erlernen ist. Hoffentlich werden auch bald zuverlässige Mittheilungen über die neue deutsche Feldhaubitze bekanntgegeben werden.

Anleitung zur technischen Ausbildung der Rekruten der Königlich Preussischen Eisenbahn-Brigade. Berlin 1898. E. S. Mittler & Sohn. Preis M k. 1,60.

Der erste Abschnitt dieser Anleitung enthält eine Aufzählung der Werkzeuge und Geräthe, welche der Pionier in den Beständen der Brigade vorfindet. Zunächst ist die Behandlung und das Instandsetzen der Werkzeuge erläutert; hierbei ist naturgemäss auf das Instandsetzen stumpf gewordener Werkzeuge zum Schneiden oder Bohren von Eisen oder Holz grosser Werth gelegt worden. Als Weiteres ist im ersten Abschnitt das Handwerkszeug der Holzarbeiter, das der Schmiede und Schlosser und endlich das Werkzeug und Geräth zum Verlegen des Oberbaues eingehend erörtert. Als ganz besonders werthvoll will es, gerade bei der zweijährigen Dienstzeit, erscheinen, dass sämmtliche Handwerkzeuge und Geräthe in recht anschaulicher Weise dem Rekruten im Bilde gezeigt werden können. Durch die beigefügten Tafeln wird dem Rekruten sowohl als auch dem Lehrer der Unterricht in hohem Maasse erleichtert werden, ist dieser doch nicht mit gezwungen, dem Rekruten die einzelnen Gegenstände nur theoretisch zu erklären, wobei er gar nicht einmal sicher ist, ob er von allen Leuten richtig verstanden worden ist. Der zweite Abschnitt erläutert den Oberbau, und zwar das Material und die Handhabung desselben, die allgemeinen Vorschriften für den Oberbau und die Herstellung desselben; im letzten Theil sind auch die Stärke und Thätigkeit der einzelnen Trupps und die Kommandos der Truppführer in recht klaren Worten erörtert. Abschnitt 3 führt uns die Weichen und Kreuzungen vor und zwar aus vorbereitetem Material sowohl als auch aus Behelfsmaterial. Die nächsten Abschnitte behandeln den Rampenbau, auf welchen mit Recht grosser Werth gelegt wird, die Bahnhofsanlagen, den Brückenbau und endlich den Feldbahnbau. Auch diese Abschnitte der Schrift sind durch beigefügte Zeichnungen in deutlicher und klarer Weise erläutert, so dass das Buch wohl mit Recht als ein vortreffliches Instruktionsbuch für alle Dienstgrade bezeichnet werden kann.

Justus Perthes' Deutscher Armee-Atlas. Bearbeitet von Paul Langhans. Mit Begleitworten von Major a. D. Th. Toegel. Gotha, Justus Perthes. Preis gebd. M k. 1,—.

Im vorigen Jahre erschien im Verlage von Justus Perthes ein von Paul Langhans bearbeiteter »Deutscher Marine-Atlas« für die Beurtheilung der damaligen Marinevorlage eine recht schätzenswerthe Unterlage lieferte. Der nachfolgende »Deutsche Armee-Atlas« ist ein recht gut gelungenes Orientirungsmittel. Der besondere Werth dieses kleinen Werkes liegt darin, dass nicht nur das deutsche Reichsheer auf den einzelnen Karten in recht anschaulicher Weise zur Darstellung gelangt ist, sondern auch die Dislocirung der Heere der uns benachbarten Staaten. So erhalten wir nicht nur ein Bild des östlichen und westlichen Kriegstheaters mit seinen Festungen, Verbindungen und Hindernissen, sondern wir haben gleichzeitig auch Einblick in die militärischen Verhältnisse Norditaliens, Oesterreichs und vom Norden Dänemarks; letzteres allerdings nur bis Kopenhagen. Auf der ersten Karte sieht man die Heere Mitteleuropas nach Stärke und Waffen in Armeekorps, die Kommandositze und die Territorialgrenzen derselben. Auf dieser Karte fallen natürlich die Truppenanhäufungen an unserer West- und Ostgrenze besonders ins Auge. Auf der zweiten Karte erblicken wir neben den Festungswerken von Spandau, Magdeburg und Wesel die Truppenübungsplätze, welche Preussen im Westen besitzt; ausserdem den Truppenübungsplatz des sächsischen Armeekorps; Karte III bringt uns die Festungen und Truppenübungsplätze im Osten; die folgende diejenigen im Süden Deutschlands. Die letzte Karte stellt das Deutsche Reich dar, in die einzelnen Landwehrbezirke eingetheilt. In recht treffender Weise werden sämmtliche Karten von den vom Major Toegel verfassten Begleitworten erläutert. Die Kapitelüberschriften mögen die Vielseitigkeit derselben bezeugen: Das deutsche Reichsheer nach seiner Gliederung, seinen technischen und Verwaltungsbehörden, sein Ausbildungs- und Erziehungswesen, seine technischen Anstalten; die Eintheilung des Reichsheeres nach Armeekorps, Divisionen, Brigaden, Regimentern, Bataillonen; Namen deutscher Truppentheile; Militär-Konventionen; die Friedenspräsenzstärke des Reichsheeres von 1871 bis 1899; Friedensstärke des deutschen Heeres nach Waffen, Staaten und Dienstgraden; Friedensstärke der Heere Mitteleuropas nach taktischen Einheiten und Kopfzahl; Stärke der taktischen Einheiten in den Hauptheeren; die neue Militärvorlage von 1899; Mobilmachung, Kriegsstärke und Kriegsformationen der europäischen Heere; Festungswesen und Landesvertheidigung der mitteleuropäischen Staaten; Feuerwaffen und Uniformen der Hauptheere Europas; die Militärbudgets der grösseren Staaten für die Landheere. Alles in Allem genommen dürfte der neue »Deutsche Armee-Atlas« nicht nur für jeden jetzigen oder früheren Angehörigen des deutschen Heeres eine willkommene Gabe sein, sondern zur Beurtheilung der drohenden

Weltlage, soweit sie durch das Militärwesen Mitteleuropas beeinflusst wird, bei seinem billigen Preise (nur 1 Mk.) gute Dienste leisten.

Die Befestigungsweisen der Vorzeit und des Mittelalters. Von August v. Cohausen, weiland Ingenieuroberst z. D. und Königl. Konservator. Auf seinen Wunsch herausgegeben von Max Jähns. Mit einem Bildniss des Verfassers in Kupferlichtdruck und mit einem Atlas von 57 Tafeln Abbildungen. Wiesbaden, C. W. Kreidels Verlag. 1898. Preis Mk. 25,—.

Das uns vorliegende Prachtwerk ist im Namen der Familie v. Cohausen Ihrer Majestät der Kaiserin und Königin Friedrich in tiefster Ehrfurcht gewidmet, deren hoher Gnade und Theilnahme es zu verdanken ist, dass durch Beistellung verfügbarer Mittel die Herausgabe dieses hervorragenden Werkes zu einem so verhältnissmässig niedrigen Preise zu ermöglichen war. Trotzdem ist er noch hoch genug, dass nur wenige Private sich das Werk beschaffen können, welches schon allein aus diesem Grunde in keiner Militärbibliothek fehlen darf. Es enthält die vollständige Geschichte der Befestigungskunst von der grauen Vorzeit bis in das Mittelalter und ist auf Grund von Forschungen entstanden, welche der Verfasser an Ort und Stelle hat vornehmen können. Weit über die Rheinlande hinaus ist der Name v. Cohausen bekannt und geehrt, ohne ihn wäre schwerlich die Limesforschung zu Stande gekommen, wozu er mit seiner Schrift vom römischen Grenzwall in Deutschland wohl die Anregung gegeben hat. In seinem Hauptwerk über die Befestigungsweisen giebt er das Ergebniss eines ganzen Lebensstudiums heraus. Im 1. Theil, erstes Buch, behandelt er Urbefestigungen, als Befestigung mittelst des Waldes (Holz) und des Wassers, mit Steinen und mittelst Erde, um im 2. Theil, zweites Buch, auf die Befestigungen der Römer überzugehen und im 3. Theil, drittes Buch, die mittelalterlichen Befestigungen deutscher Burgen anzuschliessen, wobei namentlich der Bergfried eingehende Erörterung erfährt. Im vierten Buch dieses Theils geht der Verfasser auf die mittelalterlichen Befestigungen deutscher Städte, Dörfer und Kirchen, im fünften Buche auf die mittelalterlichen Befestigungen in niederdeutschen Aussenlanden. Das sechste Buch des 3. Theils enthält die mittelalterlichen Befestigungen in Italien mit Stadtbefestigungen, Burgbefestigungen und Stadtburgen, das siebente Buch die normännischen, französischen und burgundischen Befestigungen und endlich das achte Buch den Uebergang

zu den Befestigungen der neueren Zeit. Der gesammte Inhalt des Werkes ist in überaus fesselnder Weise geschrieben und von dem Herausgeber, Oberstleutnant Dr. Max Jähns, in trefflicher Weise zusammengestellt und dazu mit einer interessanten Lebensbeschreibung des Verfassers versehen. Es ist schade, dass derselbe nicht auch die mittelalterlichen Befestigungen der alten Metis, des heutigen Metz, mit in den Bereich seines Werkes einbezogen hat, für welches die Tour d'enfer, die Tour Camoufle, die Befestigung beim Barbara-Thor und vor Allem das deutsche Thor um so interessantere Gegenstände abgegeben hätten, als dieselben zum grössten Theil durch Schleifung der Süd- und Ostumwallung der Metzer Stadtbefestigung dem Untergange geweiht sind; nur das deutsche Thor soll als Baudenkmal erhalten bleiben. Von Metz erwähnt v. Cohausen nur den aus dem 12. Jahrhundert stammenden Bergfried des alten Hotel Saint Livier, welcher sich dort noch heute vorfindet. Die zahlreichen Abbildungen sind vortrefflich ausgeführt, und die ganze Ausstattung des Werkes macht dasselbe zu Geschenkzwecken besonders geeignet.

Ueber den Minenkrieg und dessen Zukunft. Von Adolf Kutzinigg, k. u. k. Hauptmann im Geniestabe. Mit einer Tafel. Wien 1899. In Kommission bei L. W. Seidel & Sohn.

Die vorliegende Schrift ist ein Sonderabdruck aus dem 7. Heft 1899 der »Mittheilungen über Gegenstände des Artillerie- und Geniewesens« und behandelt die in neuester Zeit wieder mehr in den Vordergrund getretene Frage, ob der Festungskrieg der Zukunft einen Minenkrieg erforderlich machen werde. In Oesterreich-Ungarn und Deutschland wird diese Frage nach den früheren Auffassungen über den Minenkrieg kurzweg verneint, so dass in beiden Heeren die Pioniere in der Sonderkunst des Mineurs nicht mehr ausgebildet werden, denn der Feldmineurdienst kann mit jener Kunst — und eine solche war es thatsächlich — nicht verglichen werden. Unentwegt an der Nothwendigkeit eines Minenkrieges hält Russland fest, wo die Ausbildung der Genietruppe im Miniren und die Uebung des Minenkrieges in Angriff und Vertheidigung noch in voller Blüthe steht. Die Ansichten, die zur Zeit herrschen, lassen sich etwa dahin zusammenfassen, dass die alte Schule jene Frage bejaht, die neue Schule sie verneint. Wer von beiden recht hat, wird wohl erst der Ernstfall lehren können. Wir meinen aber, dass die Möglichkeit eines Minenkrieges beim Angriff auf ein Port oder eine Festung deshalb vorhanden ist, weil viele Befestigungsanlagen noch Vertheidigungs-Minensysteme in Vorbereitung oder theilweiser Ausführung aufweisen, deren sich ein gewissenhafter Vertheidiger sicherlich bedienen wird. Da nun einem solchen Minensystem meist nur unterirdisch beizukommen ist, so erscheint eine erweiterte Ausbildung der Pioniere in dieser Angriffsart wohl zweckmässig und angezeigt. Ob dabei der ganze alte Ballast von grossem und kleinem Getriebsholz, holländischen Rahmen u. s. w. erforderlich bleibt, oder die Bohrminen nach technischer Vervollkommnung des Bohrgeräths zur Anwendung zu gelangen haben, ist eine besondere Frage, die ebenfalls der Erörterung zugeführt werden muss, wenn die Hauptfrage bejaht wird.

Das gefechtsmässige Abtheilungsschiessen der Infanterie. Welche Wirkung hat es, und wie werden die Aufgaben dafür gestellt? Von H. Rohne, Generallieutnant und Gouverneur von Thorn. Dritte, gänzlich umgearbeitete Auflage. Mit sieben Abbildungen. 8⁰. Berlin 1899. Ernst Siegfried Mittler und Sohn, Königliche Hofbuchhandlung, Kochstr. 68—71. VI u. 76 S. Preis Mk. 1,50.

Die vorliegende Schrift des auf dem Gebiete der Schiesslehre rühmlichst bekannten Verfassers wurde veranlasst durch die A. O. Sr. Majestät des Kaisers vom 27. Januar 1895, die hohe Auszeichnungen für solche Truppentheile in Aussicht stellt, die die besten Gesammtleistungen im Schiessen aufweisen. Wenn die Schrift innerhalb vier Jahren drei Auflagen nöthig hatte, so spricht das schon selbst für ihren Werth. Rohne behandelt in derselben den Einfluss der Schätzungsfehler und des Geländes auf ganz neuer Grundlage. Er beschränkt sich aber diesmal nur auf das Schiessen der Infanterie, über das ihm aus dieser Waffe und insbesondere auch von der bayerischen Militär-Schiessschule vielfache werthvolle Mittheilungen über Schiessübungen und Schiessversuche geworden sind, und lässt das Schiessen der Artillerie noch bei Seite, weil über die Leistungsfähigkeit des neuen Feldgeschützes noch nichts öffentlich bekanntgegeben ist. Auf S. 13 wird sehr richtig betont, dass geringe Trefferergebnisse ebensowohl durch geringe Präzision als auch durch Schätzungsfehler verursacht werden können. Man kann dabei nur immer wieder betonen, dass die Beschaffung eines praktischen Entfernungsmessers mit allen Mitteln erstrebt werden muss. Dass deshalb das Präzisionsschiessen stets seinen hohen Werth behält, hebt Rohne auf S. 14 noch besonders hervor, weil

sonst der Soldat im Gefecht dazu verführt wird, überhaupt nicht mehr zu zielen, ja selbst das Gewehr nicht mehr in Anschlag zu bringen, wie dies bekanntlich 1870 seitens der Franzosen vielfach geschah. Voller Uebereinstimmung muss man mit dem Verfasser sein, wenn er auf S. 37 dem Abhalten des gefechtsmässigen Abtheilungsschiessens im Gelände und nicht auf den gewohnten Uebungsplätzen das Wort redet. Die Art und Weise, wie er diese Uebungen im Gelände vorbereitet, ist durchaus richtig und auch durchführbar. Rohnes Schrift, die durch viele Beispiele erläutert ist und in einem Anhang viele Tabellen zur Beurtheilung der Ergebnisse enthält, wird jedem Leitenden solcher Uebungen einen zuverlässigen Anhalt sowohl für Anlage als Beurtheilung der Uebungen bieten.

Schiessübungen der Feldartillerie. Vortrag, gehalten in der Zürcherischen Artillerie-Offiziersgesellschaft von Major Habicht. Sonderabdruck aus der »Schweiz. Zeitschrift für Artillerie und Genie«. 8⁰. Frauenfeld 1899. Verlag von J. Huber. 11 u. 27 S.

Eine durchaus praktische Anleitung zum zweckmässigen Betreiben der Schiessübungen. Verfasser knüpft zwar naturgemäss an die heimathlichen Verhältnisse der Milizeinrichtung an, aber auch andere Artilleristen, die stehenden Heeren angehören, werden die Schrift mit Nutzen lesen. Seiner Ansicht über Theilung der Arbeit bei Einübung der Artilleristen im Schiessen, über Aufstellung fester und Anordnung beweglicher Ziele kann nur beigepflichtet werden. Ebenso richtig legt er hohen Werth auf den Munitionsersatz. Dabei ist für Uebung in grösseren Artillerieverbänden, die ja allerdings der Schweizer Artillerie nach Heeresstärke und voraussichtlichem Kriegsschauplatz ferner liegen, hervorzuheben, dass der Munitionsersatz hauptsächlich von dem Staffelführer in die Hand genommen werden muss. Er muss entweder selbst in die Gefechtslinie vorreiten oder sofort eine Verbindung mit der Batterie einrichten und nicht erst Befehle und Anordnungen dazu vom Batteriechef oder dem höheren Artillerieführer abwarten, die mit Leitung des Feuers und Beobachtung des Feindes hinreichend zu thun haben. Sehr richtig ist auch, was am Schluss über die Besprechung der Uebung gesagt wird, nämlich: Besprechung des taktischen Verhaltens unmittelbar nach der Uebung, Besprechung des eigentlichen Schiessens und der Ergebnisse erst später nach Aufstellung der Schiesslisten.

Generalmajor z. D. Gustav Schröder †.

Am 6. Oktober verschied in Berlin im fast vollendeten 81. Lebensjahre Herr Generalmajor z. D. Gustav Schröder, der, am 15. Oktober 1818 zu Glogau geboren, seine militärische Laufbahn im Ingenieur- und Pionierkorps von seinem Eintritt als Fahnenjunker bei der damaligen 6. Pionier-Abtheilung am 1. Oktober 1835 bis zu seiner am 22. März 1874 als Generalmajor und Abtheilungschef im Ingenieurkomitee erfolgten Verabschiedung zurückgelegt hatte. Auch nach seinem Ausscheiden aus dem Allerhöchsten Dienste widmete er seine volle Kraft der Waffe, die er für sich erwählt hatte, mit unermüdlichem Fleisse und in angestrengtester Thätigkeit als Lehrer des Wasserbaues an der Vereinigten Artillerie- und Ingenieur-Schule. Auf diesem Gebiete technischer Wissenschaft galt er als eine Autorität, die vielfach auch über die militärischen Kreise hinaus volle Anerkennung fand. In diesen war er durch seine umfangreiche Thätigkeit als Militärschriftsteller bekannt geworden, und namentlich waren die Ingenieurwissenschaften das Feld, das zu bearbeiten er sich vorgenommen hatte, und auf dem er unbestritten Erfolge zu verzeichnen gehabt hat. Als langjähriger Schriftleiter des »Archivs für die Artillerie- und Ingenieuroffiziere des deutschen Reichsheeres« hat er bis zum Eingehen dieser Zeitschrift unermüdlich zur weiteren wissenschaftlichen Fortbildung der Offiziere der technischen Waffen beigetragen, die ihm für sein unermüdliches Schaffen ein dauernd dankbares Gedenken widmen werden. Durch die fortgeschrittene Entwickelung auf dem Gebiete der Technik war mit der Zeit die Bedeutung des »Archivs« eine andere geworden und als Nachfolgerin desselben die »Kriegstechnische Zeitschrift« hervorgegangen. Wenn der Verewigte auch nicht mehr in der Lage war, seine hervorragende Feder dieser jungen Zeitschrift zur Verfügung zu stellen und sie in ihren ersten Lebensjahren stützen zu helfen, so hat er sie doch mit dem Interesse verfolgt, das seinem liebenswürdigen und vornehmen Charakter sowie seiner aus diesem hervorgegangenen Lebensanschauung entsprach. Der Verlag dieser Zeitschrift, mit dem der Verstorbene in langjährigen freundschaftlichen Beziehungen gestanden hat, wird ebenso wie die Schriftleitung dem nach langem thatenreichen und ehrenvollen Leben dahingeschiedenen General Gustav Schröder ein dauerndes Andenken bewahren.

Ueber grössere Pionierübungen
unter Bezugnahme auf die Uebung in Schleswig 1899.
Mit zwei Skizzen und zwei Abbildungen.

Die Anforderungen, die im Kriege an die Leistungen der Pioniere zu stellen sind, haben sich mit der Vervollkommnung der Feuerwaffen und mit der vermehrten Verwendung künstlicher Hülfsmittel im Kriege gesteigert. In erhöhtem Maasse muss ausser der Beherrschung der reglementarischen Formen von der Pioniertruppe verlangt werden, dass sie ihre Arbeiten unter den erschwerenden Einflüssen des Krieges, in gespannten taktischen Lagen sowie unter Ueberraschungen und Störungen durchzuführen vermag. Dies erfordert die Gewöhnung des Soldaten an aussergewöhnliche Anstrengungen, eine Erziehung zu Leistungen, die nur mit Anspannung aller Kräfte kritischen Momenten Rechnung zu tragen vermögen, und ein rasches Erfassen veränderter Lagen. Von dem Offizier muss ausserdem verlangt werden, dass er bei Ausführung eines Auftrages nicht nur die technischen Schwierigkeiten zu überwinden vermag, sondern auch durch sachgemässe Einleitung und zweckentsprechendes Einpassen der Arbeiten in den Rahmen der taktischen Handlung einer gegebenen Kriegslage gerecht zu werden versteht. Das Gelingen eines Auftrages hängt sehr oft vom Anmarsch und den Vorbereitungen ab, und die Ausführung der Arbeiten hinsichtlich der Tageszeit, Dauer und Art wird je nach der Kriegslage eine ganz verschiedene sein. Demnach ist taktisches Verständniss die Grundlage der Leistungen eines Pionieroffiziers im Kriege.

Es wäre nun das Natürlichste und Beste, wenn die Pioniere bei den grossen Herbstübungen im Zusammenwirken mit den übrigen Waffen die nöthige Schulung und Erfahrung gewinnen könnten, aber nur selten bieten sich mit Rücksicht auf die kriegerische Handlung und das Gelände lohnende Aufgaben. Das Interesse nehmen die Hauptwaffen in erster Linie in Anspruch, die Ereignisse verlaufen meist rascher als im Ernstfalle, auch die Bebauungsverhältnisse sowie die oft unzureichenden Mittel der Pioniere erschweren ihre Verwendung; schliesslich ist auch im Heere die Bekanntschaft mit der Thätigkeit und den Leistungen dieser Waffe noch nicht derart verbreitet, dass allen Führern ihre sachgemässe Verwendung geläufig ist. Daher dienen die alljährlichen grösseren Pionierübungon dazu, dieser Waffe die ihr im Manöver fehlende Gelegenheit zu ihrer feldmässigen Ausbildung zu geben. Dieser Zweck wird um so vollständiger erreicht, je mehr es gelingt, dem Verlauf der Uebungen eine dem Ernstfall möglichst nahe kommende Kriegsmässigkeit zu verleihen.

Eine Betrachtung der Veranlagung und der Durchführung der diesjährigen Uebung in Schleswig wird zeigen, mit welchen Mitteln und bis zu welchem Grade das erstrebte Ziel erreicht ist. Zugleich bietet sie noch

ein besonderes Interesse dadurch, dass sie auf dem denkwürdigen Kriegsschauplatz der für die Pioniere so ruhmreichen Ereignisse von 1864 stattfand und zu manchen Vergleichen mit den damaligen Verhältnissen
Gelegenheit gab.

Die Uebung wurde von dem Inspekteur der 3. Pionier-Inspektion geleitet. An ihr nahmen theil die Pionier-Bataillone von Rauch und Nr. 9,
die Kommandeure der noch zur Inspektion gehörigen Bataillone Nr. 4, 7,
8 und 10 sowie einige besonders kommandirte Offiziere. Mit Rücksicht
auf die für den 3. Juli in Aussicht gestellte Anwesenheit Sr. Majestät des
Kaisers war die Zeit vom 26. Juni bis 3. Juli festgesetzt.

Der Uebung diente ein strategisch-taktischer Rahmen als Grundlage,
der für die ganze Dauer der Uebung beibehalten wurde. Hieraus ergab
sich der Vortheil, dass Offiziere und Mannschaften sich vollständig in die
Kriegslage einleben, gewissermaassen sich ganz in sie versetzt fühlen und
die alleinige Richtschnur für Befehlen und Handeln in der aus der Kriegslage heraus sich ergebenden Nothwendigkeit finden konnten. Die Aufträge
entwickelten sich vollständig aus den für die einzelnen Tage erlassenen
Spezialideen. — Das Festhalten einer fortlaufenden strategisch-taktischen
Idee während der ganzen Uebung gestattet auch am ehesten, den innigen
Zusammenhang der Thätigkeit der Pioniere mit den grossen Operationen
des Krieges zur Darstellung zu bringen. Dadurch werden die Offiziere
Verständniss für grössere Kriegslagen und Erfahrung im Zusammenwirken
mit den übrigen Waffen sich praktisch aneignen und die Gelegenheiten
erkennen lernen, wo aus eigener Initiative im Interesse der grösseren Truppenverbände einzugreifen ist. — Erscheint es in einzelnen Fällen wünschenswerth, besonders lehrreiche Verhältnisse, z. B. an grösseren Strömen, zur
weiteren schulmässigen Ausbildung auszunutzen, so können solche Uebungen
an dazu bestimmten Tagen eingeschaltet werden.

Der Kriegslage entsprechend, wurden für die Uebung zwei Parteien
— Nord und Süd — gebildet. Zwar war es nicht möglich, sie während
der ganzen Dauer in taktischer Berührung zu erhalten, da die unmittelbare
Nähe zweier feindlicher Heerestheile auf Entscheidung drängt und die
Thätigkeit der Pioniere mehr oder weniger an bestimmte Geländeabschnitte
gebunden ist. Für Offiziere und Mannschaften ergab sich aber häufig
Gelegenheit, in besonders gespannten Lagen ihre Aufträge zu erfüllen und
sich kriegsgemässen Störungen und Ueberraschungen gegenüber stets
gerüstet und rasch entschlossen zu zeigen.

Auf die beiden Parteien wurden die zur Uebung herangezogenen
Pionier-Bataillone vertheilt und aus ihnen die erforderlichen Formationen in
Kriegsstärke aufgestellt. Die Führung und sachgemässe Verwendung dieser
Verbände wollen geübt sein, sie vermögen auch allein ein richtiges Urtheil
über die im Kriege von der Truppe zu leistenden Arbeiten und die an sie
zu stellenden Anforderungen zu bilden. — Die Aufstellung mobiler Forma-
tionen gewährt noch den Vortheil, dass bei der verhältnissmässig geringen
Ausstattung der Heerestheile im Felde mit Pioniertruppen zwei bis drei
Bataillone zu einer Uebung herangezogen werden können, ohne dass der
dadurch bedingte Rahmen zu gross wird und für die Pioniertruppe sich
Wiederholungen oder mangelnde Beschäftigung einzelner Theile ergeben.

Den Verhältnissen des Krieges sollte insbesondere auch dadurch ent-
sprochen werden, dass die zu den aufgestellten Formationen gehörigen
Brückentrains Bespannungen erhielten, die theils durch das Train-
Bataillon Nr. 9 gestellt, theils durch gemiethete Pferde gebildet wurden.
Im Gegensatz zu den Uebungen mit formirten oder schwimmenden Depots,
die in der Garnison und auch bei den kleineren Pontonirübungen der

Pionier-Bataillone die Regel sind, zeigen die Uebungen mit bespannten Trains erst die Schwierigkeiten und Reibungen, die im Ernstfall das rechtzeitige und gut geordnete Heranführen des Brückenmaterials bietet. Misserfolge und Verzögerungen haben häufiger ihre Ursache in einer unzweckmässigen Vorbereitung als in Schwierigkeiten beim Brückenbau selbst gefunden.

Wie die Bespannung der Trains dem Führer der Pioniere erst die kriegsgemässe Verwendung der ihm im Felde zur Verfügung stehenden vorbereiteten Hülfsmittel ermöglicht, so sollte dem Ernstfall auch insofern Rechnung getragen werden, als dem Offizier möglichste Freiheit gegeben wurde, durch Beitreibungen das nach der Kriegslage erforderliche Behelfsmaterial an Ort und Stelle in feldmässiger Weise zu beschaffen. Nur der bezüglich Heranziehung, Eintheilung und Verwendung seiner Mittel innerhalb des durch die taktische Lage bedingten Spielraums unbeschränkte Führer vermag die nöthige Erfahrung im Erkennen und Beurtheilen des Bedarfs an Material und auch an Zeit zu gewinnen und die volle Verantwortung für den Erfolg zu übernehmen.

Ein wesentliches Moment kriegsgemässer Gestaltung der Uebungen ist die Betheiligung anderer Waffen. Sollen schon die Pioniere bei ihren Uebungen in der Garnison eine solche anstreben, so ist sie bei den grösseren Uebungen ganz besonders geboten. Die einzelnen Phasen der Gefechtshandlung, in die der Pionier seine Thätigkeit einzupassen hat, werden prägnanter, Fehler in der Ausführung der Arbeiten treten deutlicher zu Tage und wirken überzeugender als theoretische Belehrung. Im Zusammenwirken der Pioniere mit anderen Waffen, besonders bei Flussübergängen, zeigen sich noch vielfach ungenügende Vorbereitung, unrichtige Anschauungen und unsichere Befehlsführung, Mängel, die nur durch häufige gemeinsame Uebungen beseitigt werden können. Demgemäss war die Leitung mit den Garnisonen von Sonderburg, Flensburg, Schleswig und Rendsburg in Verbindung getreten und hatte deren Mitwirkung an fast sämmtlichen Uebungstagen sichergestellt.

Auch die Befehlsführung und der Befehlsgang sollte vollständig der Wirklichkeit entsprechend innegehalten werden. Während die Leitung, wie im Manöver, nur die Kriegslage aufstellte und durch Mittheilung von Nachrichten oder Befehlen einer höchsten Führerstelle eingriff, soweit Friedensrücksichten oder die beabsichtigte Ausnutzung eines bestimmten Geländes für die Uebung dies erforderten, wurden alle Anordnungen der im Rahmen der Ordre de bataille liegenden Führerstellen schriftlich durch ältere, bei Aufstellung der kriegsstarken Formationen nicht eingetheilte Offiziere bearbeitet, die dauernd mit der Führung dieser Kommandostellen betraut wurden. Hierdurch hatten diese Offiziere Gelegenheit, ihre taktische Ausbildung zu erweitern, zugleich traten aber auch alle die Schwierigkeiten in Erscheinung, die sich im Ernstfall aus einem längeren Instanzenzuge ergeben. — Dem Innehalten des kriegsgemässen Befehlsganges entsprach die Forderung feldmässiger Berichterstattung seitens aller betheiligten Stellen einschliesslich Führung der Kriegstagebücher.

Da bei einem dem Ernstfall entsprechenden Verlaufe der Uebungen eine regelmässige Tageseintheilung nicht innezuhalten war und zur Ruhe wie zu den Mahlzeiten die nach der taktischen Lage sich darbietenden Pausen benutzt werden mussten, hatte jeder Mann eine dreitägige eiserne Portion stets mit sich zu führen, deren Verwendung der Truppenführer nach Bedarf anordnete. Hiermit war Unabhängigkeit von der Quartierverpfle   langt und die Möglichkeit gegeben, die Truppe an andauernde grosse körperliche Anstrengungen und Entbehrungen zu gewöhnen, ohne die die Thätigkeit der Pioniere im Kriege nicht abgeht.

Vor Beginn der Uebung hielt der Leitende mit den Bataillonskommandeuren einen dreitägigen Uebungsritt ab, dessen Generalidee zugleich die fortlaufende Grundlage für die Kriegshandlung während der ganzen Uebung bildete. Es entsprach dieser Ritt den Verhältnissen des Ernstfalles insofern, als dabei die einleitenden Operationen zur Darstellung gelangen konnten und die Führer Gelegenheit hatten, sich in die Kriegslage vollständig einzuleben, mit dem Befehlsgang sich vertraut zu machen und die Eigenarten des Geländes zu erkennen.

Verlauf der Uebung. Die Generalidee für den am 22. Juni in Kiel beginnenden Uebungsritt lautete: »Eine Südmacht ist mit ihren Nachbaren an der West- und Ostgrenze gleichzeitig in Krieg verwickelt. Ihre Flotte ist theils in der Nord-, theils im östlichen Theil der Ostsee gebunden. Eine Nordmacht benutzt diese Lage, um in Schleswig einzurücken, und erreicht mit einem Armeekorps am 21. Juni Apenrade.« Auf Seiten von Süd war die 17. Reserve-Division am 20. abends bis Idstedt vorgeschoben. Das dieser Division unterstellte Bataillon Fussartillerie-Regiments Encke stand in Rendsburg marschbereit; die gemischte 33. Infanterie-Brigade hatte an der Strasse Kiel—Eckernförde südlich des Kanals Ortsunterkunft bezogen. — Im Laufe des dreitägigen Uebungsrittes war es bei Idstedt zu einer für Nord ungünstig verlaufenden Waffenentscheidung gekommen. Gefolgt von Süd, ging Nord über Apenrade zurück. Der Uebungsritt endete zwischen Flensburg und Apenrade. Von hier begaben sich die Theilnehmer zu den beiden Ausgangspunkten der Uebung, Flensburg und Sonderburg. Der Ritt hatte rund 135 km umfasst und Gelegenheit gegeben, durch einzelne Offiziere über die Gefechte von Eckernförde (5. April 1849), Missunde (2. Februar 1864), Idstedt (25. Juli 1850), Schleswig (23. April 1848) und Bau (9. April 1848) an Ort und Stelle Vorträge halten zu lassen.

Die Uebung selbst begann am 26. Juni. Den neu hinzutretenden Offizieren wurde die Lage beim Abschluss des Uebungsrittes durch die Generalidee bekanntgegeben: »Ein Nordkorps hat sich nach unglücklichen Gefechten in Feindesland auf Kolding zurückgezogen. Eine verstärkte Süd-Division ist ihm bis Apenrade gefolgt.« Nach der für den ersten Operationstag für Süd erlassenen Spezialidee waren Nachrichten von dem Eintreffen von Verstärkungen für Nord bei Kolding und von einer bevorstehenden Landung stärkerer feindlicher Kräfte auf Alsen eingegangen. Die dem Feinde bisher gefolgte verstärkte 17. Reserve-Division sah sich daher genöthigt, zunächst auf Flensburg zurückzugehen, und liess die Brücke bei Sonderburg zerstören. Die Spezialidee für Nord theilte ein Telegramm des Oberkommandos an das Nordkorps vom 24. 6. 5⁰ N. mit, wonach dieses Korps möglichst bald wieder vorgehen sollte. Die 3. Infanterie-Division würde am 24. und 25. auf Alsen landen und voraussichtlich am 27. Juni früh zum Uebergang nach dem Sundewitt bereit sein; sie sei angewiesen, im Einvernehmen mit dem Nordkorps zu handeln und bei späterer Vereinigung unter dessen Befehl zu treten. Gleichzeitig erhielt der Kommandeur der Pioniere des Nordkorps Befehl, sich sofort zur Verfügung der 3. Infanterie-Division nach Alsen zu begeben. Nach einer Annahme der Leitung war der Brückentrain des Nordkorps nebst Begleitkommando wegen verspäteter Mobilmachung auf Seeland zurückgeblieben und nunmehr mit der 3. Infanterie-Division nach Alsen gerückt.

Dieser Kriegslage entsprechend bestanden zu Beginn der Uebung auf beiden Parteien folgende Kommandobehörden und Pionierformationen:

Süd.	Nord.
Gen. Komm. IX. A. K. (Leitung),	Gen. Komm. Nord-K. (Leitung),
Komm. der 17. Res. Div.,	Komm. der 3. Inf. Div.,
Gen. St. Off. der 17. Res. Div.,	Komm. der Pion. des Nord-K.,
Res. Pion. Kp. IX. A. K. ⎫ zur 17. Res.	3. Feld-Pion.-Kp. ⎫ zur 3. Inf. Div. gehörig,
Res. Div. Br. Tr. IX. A. K. ⎬ Div. gehörig.	Div. Br. Tr. Nr. 3 ⎭
Res. Div. Tel. Abth. IX. A. K. ⎭	Lw. Pion. Kp. Nord-A. ⎫ zeitweise der 3. Inf.
1. Lw. Pion. Kp. IX. A. K. ⎫ zur 33. gem. Lw.	Br. Tr. Nord-K. ⎬ Div. zugetheilt.
Div. Br. Tr. Res. Nr. 2 ⎬ Br. gehörig,	Begleitkomm. Br. Tr. ⎭
Komm. I. Fussart. Regts. Encke, der 17. Res.	Nord-K.
Div. zugetheilt.	

Die Besetzung der kriegsstarken Verbände mit Offizieren und Unteroffizieren war möglichst genau nach den Stärkenachweisungen des Mobilmachungsplanes erfolgt.

Bei der Nordpartei beabsichtigte die 3. Infanterie-Division gemäss den erhaltenen Weisungen nach beendeter Versammlung in der Frühe des 27. Juni nach Alsen überzugehen. Vom Feinde war nur bekannt, dass die bisher dem Nordkorps gefolgten Truppen im Rückmarsch auf Flensburg begriffen seien und ihre Patrouillen im Sundewitt streiften. Der erste Uebungstag war daher den Vorbereitungen für den Uebergang gewidmet. Der Kommandeur der Pioniere erhielt den Auftrag, Vorschläge für das Uebersetzen der Avantgarde und das Ueberbrücken des Sundes zu machen und nach ihrer Genehmigung durch den Divisionskommandeur die Befehle an die unterstellten Pioniere zu ertheilen. Nach diesen hatte die Landwehr-Pionier-Kompagnie die ausgewählten vier Uebersetzstellen (siehe Skizze 1), soweit es sich vom anderen Ufer aus unbemerkt thun liess, vorzubereiten, Boote und Fahrgeräth beizutreiben, Schützengräben und Geschützdeckungen zum Schutz des Ueberganges herzustellen, Kolonnenwege zu den Uebersetzstellen abzustecken und das Uebersetzen der Avantgarde zu bewirken. Der 3. Feld-Pionier-Kompagnie lag das Ansammeln und Bearbeiten des für den Brückenschlag noch erforderlichen Behelfsmaterials und die Herstellung der Brücke ob.

Es mag zunächst fraglich erscheinen, ob nach der ganzen

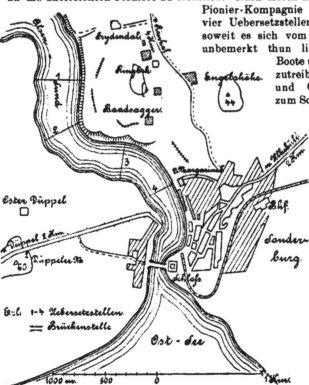

Skizze 1.

Kriegslage die von Nord beobachteten Vorsichtsmaassregeln erforderlich waren und die beabsichtigte Ausführung des Ueberganges in der Dunkelheit in den Verhältnissen genügende Begründung fand. Da Nord, im Feindesland, nur unsichere Nachrichten über den Rückmarsch des Gegners besass und dessen Erscheinen im Sundewitt nicht ausgeschlossen war, kann die Frage wohl bejaht werden; im Interesse der Uebung lag es jedenfalls, einen überraschenden Uebergang zur Darstellung zu bringen, dessen Vorbereitungen und Durchführung ungleich grössere Schwierigkeiten boten als ein Uebergang am hellen Tage.

Mit eingetretener Dunkelheit begann das Anfahren der Hakets zum Bau der Uebersetzfähren. Aus dem zur Verfügung stehenden Brückentrain des Nordkorps sollten für die Stellen 2—4 je vier Ruderfähren hergestellt werden und zwar an Stelle 2 und 3 für Infanterie, an Stelle 4 für Artillerie, wenn auch zunächst noch von Infanterie zu benutzen. An Stelle 1 war beabsichtigt, mit den beigetriebenen Kähnen Mannschaften und Gepäck einer Eskadron überzusetzen, die Pferde hingegen schwimmen zu lassen. Da die Uebersetzstellen 2 und 3 keine geeigneten Anfahrtwege besassen, hatte man sich entschlossen, sämmtliche Ruderfähren an Stelle 4 zu bauen und von hier aus zu Wasser auf die Uebersetzstellen zu vertheilen. Das Anfahren und Abladen der Hakets verlief trotz des beschränkten Raumes und des regnerischen Wetters ohne Störung. Dennoch wäre einem aufmerksamen Gegner das ganze Unternehmen nicht lange verborgen geblieben. Das Rollen der schweren Fahrzeuge, das dröhnende Geräusch beim Abladen der eisernen Pontons und bei ihrer Handhabung auf dem steinigen Ufer, das Schnauben einzelner unruhig werdender Pferde waren weithin hörbar. Soll das Moment der Ueberraschung gewahrt bleiben, so sind die Vorbereitungen weiter rückwärts zu treffen und die Hakets genügend landeinwärts abzuladen. Bei einem solchen Verfahren wird es in der Regel möglich sein, in natürlicher oder durch Masken geschaffener Deckung bei Tage zu arbeiten, die Ausrüstung der Pontons und beigetriebenen Boote auf das Sorgfältigste zu betreiben und die Vorsichtsmaassregeln in umfassendster Weise zu treffen. Immerhin bleibt dann noch die grosse Schwierigkeit, die Pontons und Boote in der Dunkelheit vorzutragen, sie ohne Geräusch ins Wasser zu bringen und zu bemannen, ehe die eigentliche Thätigkeit des Uebersetzens beginnt. Es sind dies kritische Momente, die, wie das für alle Zeiten mustergültige Beispiel des Ueberganges nach Alsen 1864 gezeigt hat, der grössten Anspannung der Kräfte aller Betheiligten bedürfen und die im Ernstfalle wie bei einer Uebung nur überwunden werden, wenn sich jeder Einzelne der auf ihm lastenden Verantwortung bewusst ist. Es ist aber auch besonderer Werth darauf zu legen, dass die Traditionen der grossen Anstrengungen, die es allein ermöglicht haben, die Heldenthaten von 1864 zu vollbringen, in der Waffe aufrecht erhalten werden, denn nur so kann das unbedingt nöthige Vertrauen zu ihren Leistungen erworben und in der Armee erhalten werden.

Um 2⁰ V. sollte das Uebersetzen der Avantgarde unter Mitwirkung der Sonderburger Garnison beginnen. Zur befohlenen Zeit lagen an den vier Uebersetzstellen die Boote und Fähren bereit. Ein wirkliches Uebersetzen konnte jedoch nur an Stelle 3 stattfinden, für die aus dem III. Bataillon Füsilier-Regiments Königin zwei kriegsstarke Kompagnien gebildet waren. Um 4⁰ V. war der Uebergang der Avantgarde beendet, der frühzeitig von den durch Radfahrerkommandos gebildeten feindlichen Patrouillen entdeckt und beschossen worden war. Der Landwehr-Pionier-Kompagnie fiel nunmehr noch die Aufgabe zu, das zum Uebersetzen benutzte

Material zur Verwendung bei dem Uebergange des Gros nach dem Sonder-burger Schloss zu fahren.

Als Brückenstelle war hier, wie beim Brückenschlage am 30. Juni 1864, die schmalste Stelle unmittelbar am Schloss gewählt worden. Damals ver-ringerte noch eine auf dem östlichen Ufer befindliche Landungsbrücke die hier vorhandene Breite des Sundes von rund 190 m; aber in der Nacht zum 30. Juni 1864 »hatte sich der Wind des vorhergehenden Abends in einen Sturm verwandelt, der das Meer gewaltig erregte. Die Wellen waren so mächtig, dass ein einzelnes Boot nur mit grosser Anstrengung in der entgegen-gesetzten Richtung fortzubewegen war«. Von den 29 damals eingebauten Pontons erhielt demzufolge ein jedes seewärts einen Anker an einfachem Tau, während auf der anderen Seite nur jedes vierte Ponton verankert wurde. Es war in technischer Beziehung dies wohl der schwierigste Brückenbau des ganzen Feldzuges.

In der Uebungsnacht vom 26. zum 27. Juni war das Wetter weniger ungünstig; zwar regnete es bis gegen 2⁰ morgens, dann aber klarte es auf.

Abbild. 1.

Im Laufe des 26. waren von der 3. Feld-Pionier-Kompagnie die Vorbereitungen für den Brückenbau getroffen, soweit sie nicht vom jenseitigen Ufer zu bemerken waren. Nach Erkundigungen bei Einwohnern war am jenseitigen Ufer des flachen Wassers wegen eine 60 bis 70 m lange Brücke aus stehenden Unterstützungen nöthig, während am östlichen Ufer sofort Pontons oder Kähne eingebaut werden konnten. Da zunächst nur das Material des Divisions-Brückentrains zur Verfügung stand, war sofort mit dem Beitreiben des noch erforderlichen Behelfsmaterials begonnen worden, wobei sich 3 grössere, 6 kleinere Kähne und eine grosse Zahl Petroleumtonnen ergeben hatte.

Um 2⁰ V., als die erste Staffel der Avantgarde übergesetzt wurde, begann der eigentliche Brückenschlag. Es wurden im Ganzen die 3 grossen Kähne, 21 Pontons und 12 stehende Unterstützungen eingebaut. Die vor-gesehenen und auch fertiggestellten Tonnenflösse gelangten nicht zur Verwendung, da die Uebersetzfähren gerade eintrafen, als die Flösse ein-gebaut werden sollten. Mit Rücksicht auf einen sich etwa einstellenden Südostwind erhielten je drei Pontons seewärts einen Anker an langen einfachen Tauen; die grossen Kähne wurden einzeln an Ketten verankert.

Der Brückenschlag war um 6¹⁰ V. beendet. Die Abbildungen 1 und 2 zeigen die fertige Brücke vom Ost- bezw. Westufer aus gesehen. Von den eingebauten Käh- nen hatte der dritte vom Lande aus durch zwei ge- koppelte Pontons ersetzt werden müssen, da er leck geworden war.

Während des Brücken- schlages erhielt der Divi- sionskommandeur ein Tele- gramm des Generalkomman- dos aus Kolding, wonach das Nordkorps am 28. Juni Apen- rade · erreichen würde und am 29. mit der 3. Infanterie- Division gemeinsam den Feind anzugreifen beabsich- tige. Die über diesen eingegangenen letzten Nach- richten besagten, dass nörd- lich Flensburg Befestigungs- arbeiten ausgeführt würden; Einwohner des Sundewitt wollten von feindlichen Patrouillen gehört haben, dass am 27. stärkere feind- liche Kräfte bei Atzbüll (etwa 10 km westlich Sonder- burg) erwartet würden. Der Divisionskommandeur be- schloss daraufhin, zunächst in einer Aufstellung bei Düppel den geeigneten Mo- ment zum Vorgehen im Verein mit dem Nordkorps abzuwarten. Um für den Vormarsch der Division die Brückentrains wieder zur Verfügung zu haben, wurde noch angeordnet, dass nach beendetem Uebergang der Division das Trainmaterial aus der Brücke auszuwech- seln und durch Behelfs- material zu ersetzen sei. Mit Einreichung von Vor- schlägen und eines Entwurfs der Arbeiten für die auf den Düppeler Höhen anzu-

Abbild. 2.

legende Vertheidigungsstellung wurde der Kommandeur der Pioniere betraut. Da die für den Ausbau dieser Stellung erforderlichen Truppen nicht zur Verfügung standen, blieb es bei der theoretischen Bearbeitung dieser Aufgabe. Die im Entwurf vorgesehenen Bataillonsgruppen lagen etwa in der Linie der Schanzen von 1864, deren Reste bei Anlage der Deckungsgräben noch hätten benutzt werden können. Aus Friedensrücksichten unterblieb auch das Auswechseln des in die Brücke eingebauten Trainmaterials. Die Kompagnien brückten von 12⁰ mittags an friedensmässig ab und marschirten am Nachmittag mit den Trains in das Quartier nach Broacker. Hiermit endete der zweite Uebungstag für die Nordpartei. —

Wie schon erwähnt, war die verstärkte 17. Reserve-Division auf die Nachricht von dem Eintreffen der Verstärkungen für Nord bei Kolding und von der Landung stärkerer feindlicher Truppen auf Alsen zunächst auf Flensburg zurückgegangen. Hier beschloss der Divisionskommandeur, wieder Front zu machen und bis zur Beendigung des ihm ertheilten Auftrages, in Flensburg lagernde Kriegsvorräthe hinter die Schlei zurückzuschaffen, in einer Stellung nördlich dieser Stadt einem Vormarsch des Feindes entgegenzutreten. Die Abwehr feindlicher Unternehmungen von der See her sollten drei Batterien des Haubitz-Bataillons aus geeigneter Aufstellung auf dem östlichen Ufer der Föhrde übernehmen; zur Verbindung dieser Batterien mit der Aufstellung der Division wurde die Herstellung einer Fährverbindung angeordnet.

Die von dem Führer der Reserve-Pionier-Kompagnie vorgeschlagene und von dem Divisionskommandeur gebilligte Stellung in der Linie Kupfermühle—Krusau—Bau (s. Skizze 2) bot Anlass zu anregenden Erwägungen und zu Vergleichen mit den Ereignissen, welche sich 1848 auf diesem Kriegsschauplatz abspielten.

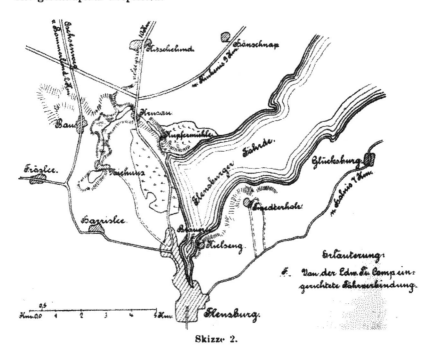

Skizze 2.

Am 8. April 1848 hatte das von Kolding kommende nordjütische Korps mit der Avantgarde Bommerlund erreicht, während das von Alsen kommende linke Flankenkorps bis Rinkenis vormarschirt war. Von letzterem Korps war ein Bataillon nach Holnis übergeschifft, um der dänischen Flottille volle Bewegungsfreiheit in der Föhrde zu sichern. Für die unter General v. Krohn bei Flensburg versammelte Streitmacht der Schleswig-Holsteiner, die kaum halb so stark war als der Gegner und theilweise aus Freischaaren bestand, konnte daher eine Offensive nicht in Betracht kommen. Der Schutz der Stadt Flensburg, deren Preisgabe aus politischen Gründen verhütet werden sollte, war somit nur durch Stellungnahme nördlich dieser Stadt zu erreichen. Die von General v. Krohn gewählte Stellung Kupfermühle—Krusau—Bau mit bis Niehuus und Harrislee zurückgebogener linker Flanke war für die geringen Kräfte zu ausgedehnt, zumal noch etwa $1/3$ derselben nach Glücksburg gegen die auf Holnis gelandeten Truppen entsandt war. Die Gefahr lag aber 1848, wie auch bei der Uebung, nicht in der Bedrohung der rechten Flanke, sondern in der Wahrscheinlichkeit, dass der Feind den rechten Theil der Stellung nur beschäftigen, den linken dagegen umfassend angreifen bezw. umgehen würde. In der That marschirten am 9. April die Dänen mit dem linken Flügelkorps in zwei Kolonnen über Hönschnap und Kitschelund gegen die Postirungen bei Kupfermühle und Krusau, mit der Avantgarde des nordjütischen Korps gegen Bau, während das Gros über Fröslee auf Harrislee dirigirt wurde. Wenn auch gegen einen solchen Angriff ein entscheidender Erfolg nicht erzielt werden konnte, so wäre die einzig wirksame Gegenmaassregel eine Offensive der bei Niehuus zu versammelnden Hauptkräfte über Bau hinaus gewesen; sie hätte wenigstens die Umgehung zum Stehen gebracht und einen geordneten Rückzug ermöglicht.

Auch bei der Uebung hatte die verstärkte 17. Reserve-Division einen bedeutend überlegenen Gegner vor sich; aber dieser stand noch in zwei weit voneinander getrennten Gruppen. Der Divisionskommandeur sah sich daher zunächst vor die Frage gestellt, ob er nicht die Vereinigung dieser Gruppen zu verhindern oder zu verzögern im Stande sei. Zur Durchführung einer solchen Absicht hätte sich eine Aufstellung der Division etwa bei Seegard und die Einrichtung einer Aufnahmestellung bei Bau empfohlen. Der Divisionskommandeur beschloss jedoch, die ihm zur Verfügung stehende Zeit zu einer gründlichen Verstärkung des Geländeabschnittes Krusau—Bau auszunutzen und hier einem Vormarsche des Feindes entgegenzutreten.

Für die anzulegenden Geländeverstärkungen war die beabsichtigte Verwendung der Truppen maassgebend. Wie im Jahre 1848 war auch hier der Schwerpunkt der Vertheidigung auf den linken Flügel zu legen. Die Behandlung des durch den Bach abgegrenzten rechten Theils der Stellung bot besonderes Interesse. Hier hinter dem Bach aufgestellte Truppen hatten ein starkes Fronthinderniss vor sich, ihnen fehlte es jedoch an Schussfeld und Bewegungsfreiheit; sie konnten durch geringe Kräfte des Feindes festgehalten werden und ein rechtzeitiges Fortkommen der Division in Frage stellen. Hieraus ergab sich, dass es in diesem Falle zweckmässiger sei, die für diesen Flügel zu bestimmenden nur schwachen Kräfte vor dem Hinderniss aufzustellen, mit dem Auftrage, nicht ernstlich zu fechten, sondern sich rechtzeitig hinter die zur Sperrung und nachhaltigsten Vertheidigung einzurichtenden Defileen zurückzuziehen. Der Wahrscheinlichkeit einer Umfassung oder Umgehung der linken Flanke trug die Aufstellung der Hauptkräfte bei Bau, links rückwärts stark gestaffelt, Rechnung.

Die Einrichtung der Stellung begann am 26. unter Betheiligung des I. und II. Bataillons Regiments Königin, deren jedes eine Bataillonsgruppe herstellte. Die Reserve-Pionier-Kompagnie steckte die nicht zur Ausführung kommenden Schützen- und Deckungsgräben ab und führte die ihr bei Einrichtung der Stellung zufallenden Aufgaben, theils theoretisch bearbeitet, aus. Für das Haubitz-Bataillon (ohne die bei Bau verwendete Batterie) wurden bei Twedterholz Stellungen erkundet und abgesteckt, aus denen die Batterien sowohl die Föhrde bestreichen als auch gegen einen Angriff auf den rechten Flügel der Stellung mitwirken konnten.

Die Landwehr-Pionier-Kompagnie hatte die Fährverbindung über die Flensburger Föhrde herzustellen. Diese hat an der von dem Kompagnieführer gewählten Stelle zwischen der Brauerei und Kielseng eine Breite von 700 m. Da das Wasser zur Zeit aussergewöhnlich flach war, ergab sich die Nothwendigkeit, Landbrücken von 101 bezw. 15 m Länge zu bauen. Zur Verfügung standen der Kompagnie die beiden Divisions-Brückentrains. Die Fähre wurde bei dem Mangel an Strom als Zugfähre eingerichtet und aus 8 Pontons hergestellt; als Zugseil fanden zwei auf der benachbarten Werft beigetriebene 400 m lange Stahltrossen Verwendung, welche, da die Schifffahrt nicht unterbrochen werden durfte, auf den Grund versenkt wurden. Zur Herstellung der Landbrücken diente das nach Bau der Fähre verbleibende Material der Divisions-Brückentrains in Verbindung mit etwa 80 lfd. m beigetriebenen Behelfsmaterials. Von 11^{30} V. ab war der Fährbetrieb aufgenommen und wurde von da ab nebst Brückendienst und Brückenwache mit zugweisem Wechsel von der Kompagnie versehen. Mit einer Ueberfahrt konnten übergesetzt werden: eine Kompagnie oder 30 Reiter und Pferde bezw. 6 leichte Fahrzeuge.

Am zweiten Uebungstage wurden die begonnenen Befestigungsarbeiten in der Stellung fortgesetzt. Die Spezialidee für diesen Tag besagte, dass ein in die Flensburger Föhrde eingelaufener feindlicher Kreuzer durch wirksame Schüsse der Haubitz-Batterien vertrieben, ein mit geringen Kräften unternommener Landungsversuch auf Holnis durch die Bedeckungstruppen der Batterien rechtzeitig entdeckt und vereitelt sei, und dass die Arbeiten zur Bergung der Kriegsvorräthe bis zum Mittag des 27. beendet sein würden. Am Nachmittage fand unter Betheiligung der Flensburger Garnison eine Besetzung eines Theils der Stellung statt, wobei der Gegner durch Abtheilungen des Füsilier-Regiments Königin dargestellt wurde. Die Landwehr-Pionier-Kompagnie setzte am 27. den Fährdienst fort. Um bei dem bevorstehenden Rückzuge der Division keine aus der Stellung nach Flensburg führende Strasse benutzen zu müssen, setzte die Kompagnie Hakets und Bespannungen der beiden Divisions-Brückentrains auf das östliche Ufer über. Noch am Abend ging von der Division der Befehl zum Abbruch der Fähre und Verladen des Trainmaterials auf die Hakets ein.

Die Division war durch ein am 27. früh eingegangenes Telegramm des Generalgouvernements der Küstenlande angewiesen, vor überlegenen Kräften den Rückzug hinter die Schlei anzutreten, um dort das Herankommen des IX. Armeekorps, das am 2. Juli bei Rendsburg eintreffen sollte, abzuwarten. Da die im Laufe des 27. eingehenden Meldungen besagten, dass der Feind von Kolding und von Alsen her in der Stärke von drei Divisionen im Vormarsch sei, beschloss der Divisionskommandeur, am folgenden Tage mit der 17. Reserve-Division auf Missunde und mit der 33. gemischten Landwehr-Brigade zum Schutz des Aufmarsches des IX. Armeekorps auf Schleswig zu marschiren. (Schluss folgt.)

Die neuen Waffen unserer Verbündeten.

Mit fünf Abbildungen.

Im Februarheft dieses Jahrganges der Zeitschrift wurden die Mittel besprochen, wodurch namhafte deutsche Gewehrkonstrukteure die dem Gewehr 88 noch anhaftenden Mängel und Fehler beseitigt haben. Es dürfte deshalb angebracht sein, auch einen Blick auf die neuesten Waffen unserer Verbündeten, Oesterreich-Ungarn und Italien, zu werfen, die ebenfalls aus den Erfahrungen der letzten Jahre wichtige Lehren gezogen haben.

Ehe jedoch diese Gewehre mit unserem G. 88 und den neueren deutschen Konstruktionen von Mauser u. s. w. in einzelnen Punkten verglichen werden, wird eine Beschreibung der beiden Gewehrmodelle interessiren.*)

Das österreichische Repetirgewehr M. 95.

Die Haupttheile des Gewehrs M. 95 sind: 1. Lauf; 2. Visireinrichtung; 3. Verschluss; 4. Kasten mit Mehrladeeinrichtung; 5. Schaft mit Oberschaft; 6. Beschlag; 7. Seitengewehr mit Scheide; 8. Zubehör.

1. **Der Lauf.** Das Laufinnere zerfällt in Patronenlager und gezogenen Theil. Der gezogene Theil besitzt 4 Züge und rechtsgängigen Drall mit Drallwinkel von 5° 44′ 26″. Der vor dem Gewinde verstärkte Lauf ist hinten zum Aufschrauben der Hülse mit Gewinde versehen und rechts seitwärts für den Patronenzieher ausgeschnitten.

2. **Die Visireinrichtung** besteht aus Visir und Korn. Das Visir ist auf einem Visirfuss angeordnet, der am Laufe aufgeschoben, verlöthet und mit einem Stift befestigt ist. Die Haupttheile des Visirs (Abbild. 1) sind: Visirrahmen (1), Visirschieber (2) mit Visirdrücker (3) und Visirfeder. Der Visirrahmen ist auf dem Aufsatzfuss um den Rahmenstift drehbar befestigt und kann nach vorn umgelegt oder senkrecht zur Laufachse aufgestellt werden. Der Rahmen hat am unteren Ende einen rechtwinklig angesetzten, kurzen Arm, in welchem die Kimme für die Normalvisirstellung (500×) eingeschnitten ist. Die Entfernungszahl 5 befindet sich bei umgelegtem Rahmen auf der dem Auge des Zielenden zugekehrten Seite des kurzen Arms. An der unteren Fläche des Rahmenausschnitts ist die Kimme für die tiefste Visirstellung (300×) eingeschnitten. Die Entfernungszahl 3 befindet sich links von der Kimme. An der linken Säule des Visirrahmens ist die Visireintheilung für die Entfernungen von 600 bis 2400× angebracht. Die Zahlen 6 bis 24 stehen oberhalb der zugehörigen Theilstriche. Für die Entfernung von 2600× ist die Kimme am oberen Rande des Rahmens eingeschnitten. Die Entfernungszahl 26 befindet sich unterhalb der Kimme. Am oberen Ende des Rahmens ist die Schiebergrenzschraube (4) angebracht, die das Hinaufschieben des Visirschiebers am Visirrahmen begrenzt. An der rechten Säule des Rahmens sind Rasten für den Zahn des Visirdrückers eingeschnitten. Die Seitenflächen des Schiebers sind geriffelt, die Mitte entsprechend dem Rahmenausschnitt geformt und mit einer Kimme für die Entfernungen von 600 bis 2400× versehen. In Verbindung mit dem Visirschieber ist der Visirdrücker (3). Er besitzt einen Zahn (5), der durch die Feder (6) stets nach links gedrückt wird. Am Visirfuss ist die Visirfeder mit Visirfederschraube befestigt. Durch die Visirfeder wird der Rahmen in

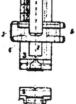

Abbild. 1.

*) Nach Heft 1, 1899, der österreichischen Mittheilungen über Gegenstände des Artillerie- und Geniewesens.

liegender wie in aufrechter Stellung festgehalten. — Das Korn ist auf
einer auf den Lauf geschobenen, durch einen Stift befestigten Kornhülse
angebracht.

3. Der Verschluss besteht aus: 1. der Hülse sammt Abzugsvorrichtung und 2. dem Schloss. Die Hülse sammt Abzugsvorrichtung
(Abbild. 2). Die Hülse (1) hat im vorderen Theile Muttergewinde, womit

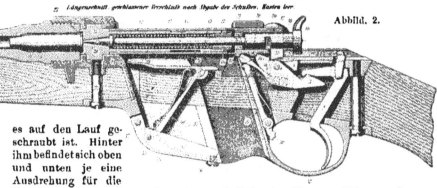

Längenschnitt, geschlossener Verschluss nach Abgabe des Schusses. Kasten leer.

Abbild. 2.

es auf den Lauf ge-
schraubt ist. Hinter
ihm befindet sich oben
und unten je eine
Ausdrehung für die
Verschlusswarzen, die nach rechts und links in die zur Führung des
Verschlusskolbens dienenden Nuthen übergehen. Der von oben nach
unten durchbrochene Mitteltheil der Hülse bildet die Patroneneinlage.
Der vordere Theil der Hülse hat unten zwei keilförmige Ansätze, wovon
der vordere zur festen Einlagerung der Hülse im Schaft dient, während
der hintere die Patroneneinlage abschliesst; dazwischen befindet sich
eine Verstärkung zur Aufnahme der Verbindungsschraube (32). Der
hintere Theil der Hülse — Hülsenkreuztheil — hat als Gleitbahn für die
Führungsansätze des Griffstücks eine breitere trapezförmige, als Führung
für die Schlagbolzenmutter eine schmälere rechteckige Nuthe und unten
zwei durchlochte Leisten. Für das Durchgreifen der Grenzstollen des Abzugs, der Abzugsvorrichtung sowie der Kreuzschraube ist das Kreuztheil
entsprechend durchbrochen; links ist eine Quernuthe für die Sicherung,
die Sicherungsrast. — Die Abzugsvorrichtung lagert zwischen den Leisten
und in den Durchbrechungen des Hülsenkreuztheils und besteht (Abbild. 2)
aus Abzug (2), Abzugshebel (3), Abzugsstollen (4), Auswerfer (5) sammt
Auswerferstift (6), Abzugsfeder (7) und Abzugsstift (8). Der Abzug (2)
besteht aus dem nach unten auslaufenden längeren und aus dem an seinem
Ende hakenförmig gestalteten kürzeren Arm. Die zahnartigen Ansätze
bilden die Grenzstollen (9). Der Abzugshebel (3), dessen vorderer Vorsprung den Sicherungsstollen*) (10) für das Griffstück bildet, liegt zwischen
den Leisten des Kreuztheils; sein hinteres Ende dient dem kürzeren
Hebelarm des Abzugs als Anlehnung. Hinter dem Sicherungsstollen ist
der Abzugshebel für den Abzugsstollen durchbrochen und für den Abzugsstift durchlocht; unten besitzt er das Lager für die Abzugsfeder, vorn das
Lager für den Auswerfer und eine Durchbohrung für den Auswerferstift.
Der Abzugsstollen (4) lagert in der Durchbrechung des Abzugshebels und
ragt aus demselben mit seinem gegen vorn abgeschrägten Kopf nach oben
heraus. Mittelst des Abzugsstiftes (8), der die Leisten des Kreuztheils,
Abzugshebel und durchlochten Arm des Abzugsstollens durchgreift, ist

---

*) Sicherung gegen unbeabsichtigtes Abdrücken bei nicht gänzlich geschlossenem
Verschluss im Gegensatz zu der Sicherung des geschlossenen und gespannten Schlosses
(23, Abbild. 3).

letzterer am Abzugshebel und dieser am Kreuztheil drehbar befestigt. Der Auswerfer (5) liegt mit seinem mittleren, durchlochten Theil — um den Auswerferstift (6) beschränkt drehbar — in dem Lager des Abzugshebels; sein oberer Arm trägt einen in die Hülse reichenden Ansatz und stemmt sich gegen eine Rast — Auswerferstütze (11) — am Sicherungsansatz des Griffstücks. Die Abzugsfeder (7) liegt unten im Lager des Abzugshebels und lehnt sich mit ihrem vorderen Ende gegen den unteren Arm des Auswerfers, mit ihrem hinteren Ende gegen den nach abwärts gerichteten Arm des Abzugsstollens. — Das Schloss besteht aus Griffstück (12) mit Sperrklappe und Sperrklappenschraube, Kammer (13) mit Kammerschraube (14), Patronenzieher, Schlagbolzen (15) mit Schlagbolzenmutter (16) und Schlagfeder (17). Das Griffstück (12) hat aussen 2 Führungsschienen und hinten eine ovale, unten geschlitzte Verstärkung, an der sich rechts der Griff mit Griffknopf (18) befindet. Unten sind vorn die beiden Führungsleisten (19), hinten der mit der Rast — Auswerferstütze (11) — versehene Sicherungsansatz (20) angebracht. Innen besitzt das Griffstück 2 schraubenförmig gewundene Leisten und dahinter die Führungshülse (21), die mit der Führungsschraube befestigt ist (22). Die Sicherung (23, Abbild. 3) ist mit der Sicherungsschraube (24) am Griffstück drehbar befestigt. Die Kammer (13, Abbild. 2) ist für den Schlagbolzen und die Schlagfeder durchbohrt und hinten mit Muttergewinden versehen. Der vordere Theil der Kammer heisst Verschlusskopf (25); er hat aussen die beiden Verschlusswarzen (26), deren vordere und hintere Begrenzungsflächen nach sanft ansteigenden Schraubenflächen geformt sind; zwischen den Verschlusswarzen befindet sich unten die Auswerfernuthe; vorn ist das Wulst-lager (27) durch einen hervorragenden, unten unterbrochenen Rand gebildet. Hinten ist die Kammer mit 2 entsprechend den schraubenförmigen Leisten des Griffstücks geformten Nuthen versehen. Von der Mitte der letzteren läuft je eine zur Kammerachse parallele Nuthe, die Patronenzieher-rasten (29). Die durchlochte Kammerschraube (14) bildet die Fortsetzung der Kammer und ist in letztere eingeschraubt. Der federnde Patronenzieher ist vorn stärker als hinten. Der stärkere Theil ist dem Verschlusskopfe entsprechend ausgenommen und endigt vorn in den abgeschrägten und abgerundeten Haken. Der Schlagbolzen (15) ist am hinteren Theil seitlich abgeflacht, hat vorn einen Teller, der in den Zündstift übergeht, und hinten Schraubengewinde. Die Schlagbolzenmutter (16) ist auf den Schlagbolzen geschraubt, hat hinten einen geriffelten Griff und unten einen Flügel (28). Links seitwärts ist die vordere Begrenzung ausgemuldet; vor dem Flügel befindet sich eine Quernuthe (30). Die Schlagfeder (17) umgiebt den Schlagbolzen, stützt sich vorn an dessen Verstärkung und hinten an die Kammerschraube.

Wirkung des Verschlusses. Bei geschlossenem Verschluss ist das Griffstück vollständig vorgeschoben; seine ovale Verstärkung liegt an der Hülse an, die Verschlusswarzen lagern in den Ausnehmungen der Hülse, die kleine Leiste des Patronenziehers befindet sich in der nach vorn laufenden Rast der Kammer. Die Schlagbolzenmutter liegt mit ihrem Flügel im Schlitz des Griffstücks, der obere Arm des Auswerfers stützt sich gegen die Rast — Auswerferstütze — des Sicherungsansatzes am Griffstück, wodurch ein unbeabsichtigtes Oeffnen des Verschlusses verhindert wird. Zum Oeffnen wird mit dem Griffknopf das Griffstück in einem kräftigen Zuge so weit zurückgezogen, als die Grenzstollen es zulassen, wodurch die Schlagfeder gespannt wird. Der Vorgang hierbei ist folgender: Im Anfang der Rückbewegung des Griffstücks gleiten dessen schraubenförmige Leisten in den Nuthen der Kammer zurück, wodurch

dieses, da es von den Verschlusswarzen an der Rückbewegung gehindert
wird, sich nach links drehen muss. Diese Drehung dauert so lange, bis
die Leiste des Patronenziehers in die nach rückwärts verlaufende Rast
einfällt. Nun stehen die Verschlusswarzen vor den nach hinten verlaufenden Nuthen der Hülse, die rechte überdies in der Ausnehmung des
Patronenziehers. Die Kammer hat sich hierbei um ein geringes Maass
zurückbewegt — gelüftet —, während das Griffstück um ein grösseres
Maass zurückbewegt wurde. Da gleichzeitig mit dem Griffstück die Schlagbolzenmutter mit Schlagbolzen zurückgeht, so drückt dessen Teller vorn
auf die Schlagfeder, die an der Verschlussstückschraube lehnt und dadurch
gespannt wird. Der weiteren Rückbewegung des Griffstückes folgt auch
die Kammer. In dieser Stellung ist der Verschluss geöffnet und die
Schlagfeder gespannt. Zum Schliessen wird das Schloss mit dem Griffknopf vorgeschoben. Die Kammer gelangt hierbei zuerst mit den Verschlusswarzen an die vordere Begrenzung der Ausnehmungen der Hülse
und die Schlagbolzenmutter mit ihrem Flügel an den Abzugsstollen. Beim
weiteren Vorschieben wird das Griffstück für sich allein vorgeschoben,
wobei seine schraubenförmigen Leisten in den Nuthen der Kammer vor-
gleiten und dieses nach rechts drehen. Hierbei wird die Leiste des
Patronenziehers aus der hinteren Rast der Kammer herausgedrückt und
fällt nach vollendeter Drehung wieder in die vordere Rast ein. Der obere
Arm des Auswerfers tritt in die Rast des Sicherungsansatzes. Die Kammer
wird dabei an das hintere Laufende angepresst. Die Schlagbolzenmutter
bleibt mit ihrem Flügel am Abzugsstollen angelehnt und hält die Schlagbolzenfeder gespannt. Soll die Schlagbolzenfeder entspannt werden, so
wird der Griff der Schlagbolzenmutter mit dem Daumen der rechten Hand
zurückgezogen, der Abzug mit dem Zeigefinger zurückgedrückt und die
Schlagbolzenmutter sammt dem Schlagbolzen langsam abgelassen. Das
Entspannen der Schlagbolzenfeder darf nur bei ungeladenem Gewehr ausgeführt werden. Befindet sich im Kasten ein gefüllter Patronenrahmen,
so bewirkt das Schliessen des Verschlusses auch das Einschieben einer
Patrone in den Laderaum, wobei der Boden der Patrone sich im Patronenlager der Kammer lagert und der Haken des Patronenziehers den Patronen-
wulst erfasst. Wird der Abzug zurückgezogen, so dreht sich sein kürzerer
Arm nach abwärts, wobei der Haken des letzteren auf das hintere Ende
des Abzugshebels drückt und diesen um den Abzugsstift hinten nach
abwärts dreht. Dadurch wird der Abzugsstollen so weit herabgezogen,
dass sein Kopf vollständig unter die rechteckige Nuthe des Hülsenkreuztheils tritt. Die Schlagbolzenmutter wird frei, die Schlagbolzenfeder
entspannt sich, wobei der Schlagbolzen vorschnellt, der Zündstift auf das
Zündhütchen der Patrone schlägt und die Pulverladung entzündet. Gleichzeitig dreht sich der vor dem Abzugsstift gelegene Theil des Abzugshebels
nach aufwärts, wodurch der Sicherungsstollen hinter den Sicherungsansatz
des Griffstücks gelangt und dieses am Zurückweichen hindert. Bei der
Abwärtsdrehung des hinteren Endes des Abzugshebels wird die Abzugsfeder zusammengedrückt. Nach erfolgtem Abziehen wird beim Aufhören
des Drucks auf den Abzug durch die sich ausdehnende Abzugsfeder das
hintere Ende des Abzugshebels gehoben, wodurch der Abzugsstollen in die
Nuthe des Hülsenkreuztheils tritt. Das Abziehen ist nur dann möglich,
wenn der Verschluss vollkommen geschlossen ist; ist dies nicht der Fall,
so lehnt sich bei Beginn des Abziehens der Sicherungsstollen unten an
den Sicherungsansatz, wodurch die Drehung des Abzugshebels und so das
vollständige Herabziehen des Abzugsstollens verhindert wird. Wird nach
dem Schuss der Verschluss geöffnet, so bewirkt die Linksdrehung der

Kammer und deren geringe Rückbewegung ein Lüften der Patronenhülse. Bei der folgenden Rückbewegung des Schlosses zieht der Patronenzieher die Patronenhülse am Rande aus dem Patronenlager. Im letzten Theil der Rückbewegung des Schlosses stösst der Boden der Patronenhülse an den Auswerfer, wodurch die Patronenhülse nach rechts vorwärts ausgeworfen wird. Die Sicherung des Gewehrs wird bei geschlossenem Verschluss durch eine Drehung nach rechts bewirkt. Ist die Schlagfeder gespannt, so gelangt hierbei der abgerundete Fortsatz der Sicherung in die Ausmuldung an der vorderen Begrenzung der Schlagbolzenmutter und hindert diese und den Schlagbolzen am Vorschnellen. Gleichzeitig tritt der zapfenförmige Fortsatz der Sicherung in die Sicherungsrast des Hülsenkreuztheils und verhindert das unbeabsichtigte Oeffnen des Verschlusses. Ist die Schlagbolzenfeder entspannt, so tritt beim Rechtsdrehen der Sicherung der abgerundete Fortsatz in die Ausmuldung der Quernuthe der Schlagbolzenmutter und der zapfenartige Fortsatz in die Sicherungsrast des Hülsenkreuztheils; hierdurch wird das Spannen der Schlagbolzenfeder und das Oeffnen des Verschlusses verhindert. Zum Entsichern wird die Sicherungsklappe nach links gedreht. ·

4. Der Kasten mit dem Zubringer. Der Kasten (31) dient zur Aufnahme des Patronenrahmens sowie des Zubringers, ist aus einem Stück hergestellt und besitzt 2 Seitenbacken, eine vordere und eine rückwärtige Wand. Die Seitenbacken haben innen je 2 vorspringende Leisten, die dem Patronenrahmen zur Führung dienen. Die vordere Kastenwand hat vorn einen für die Verbindungsschraube (32) durchlochten Ansatz; unten ist sie für den Ansatz des Kastenbodens geschlitzt und für die Kastenbodenschraube quer durchlocht. An die hintere Kastenwand schliesst der Griffbügel (33), der hinten in einem für die Kreuzschraube durchlochten Ansatz ausläuft. Die hintere Kastenwand ist für den Rahmenhalter, der Abzugsbügel für den Abzug durchbrochen. Der Kastenboden (34) bildet ein oben offenes Kästchen, dessen Seitenwände für den Zubringerstift (35) vorn durchlocht sind, und das zwischen die beiden Seitenbacken passt. Vorn trägt er einen für die Kastenbodenschraube durchlochten Ansatz, hinten ist er abgeschrägt und für die Zubringerfederschraube (36) durchlocht. Der Kastenboden ist mit der vorderen Kastenwand mittelst der Kastenbodenschraube (37) verbunden und reicht nur bis zu den vorderen Leisten der Seitenbacken, wodurch unten im Kasten eine Oeffnung entsteht. In der Durchbrechung der hinteren Kastenwand ist der Rahmenhalter (38) mit der Halterschraube als doppelarmiger · Hebel befestigt; der obere Arm endigt in einen Haken, der untere Arm hat einen geriffelten Drücker. Die Halterfeder (39) ist durch die Halterfederschraube am oberen Arm des Magazinhalters befestigt; das untere Ende der Feder stützt sich gegen die hintere Begrenzungsfläche der Durchbrechung in der hinteren Kastenwand, wodurch der obere Arm des Rahmenhalters vorgedrückt wird. — Der Zubringer bewirkt das Heben — Zubringen — der im Rahmen gelagerten Patronen und besteht aus Zubringerhebel (40), Zubringerplatte (41), Zubringerfeder (42) und Stützfeder (43). Der Zubringerhebel (40) ist am unteren Ende für den Zubringerstift (35) durchlocht und mit ihm im Kastenboden drehbar gelagert. Am anderen Ende ist die Zubringerplatte mit der Zubringerplattenschraube drehbar befestigt. Zunächst dem unteren Ende des Zubringerhebels ist die Stützfeder durch die Stützfederschraube befestigt und durch den Stützfederstift in ihrer Lage erhalten. Die Zubringerfeder ist eine mässig nach aufwärts gekrümmte Bandfeder; ihr hinteres Ende trägt eine Verstärkung, die durchlocht und mit Muttergewinden versehen ist. Sie wird hinten mit der Zubringerfederschraube

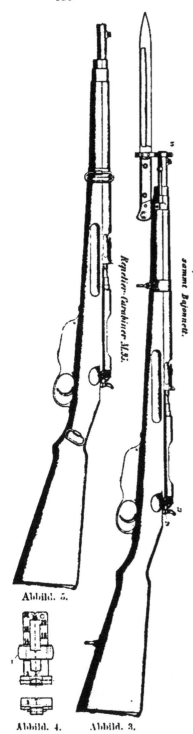

Repetier-Carabiner M.95.

Repetier-Mausen. M.95. sammt Bajonnet.

Abbild. 5.

Abbild. 4.   Abbild. 3.

am Kastenboden befestigt und lehnt sich mit ihrem vorderen Ende an den Zubringerhebel an. Das Laden und die Wirkung des Zubringers und das Ausfallen des leeren Rahmens erfolgt wie beim Gewehr 88.

5. Der Schaft hat im Allgemeinen die Einrichtung wie am Gewehr M. 90; nur erstreckt sich die Schäftung behufs Versteifung des Laufes etwas weiter gegen die Mündung. Ueberdies besitzt das Gewehr M. 95 einen Oberschaft (Handschutz), der den Lauf bis zum Visir überdeckt.

6. Der Beschlag besteht aus oberem und unterem Gewehrringe, 2 Riemenbügeln, Kolben-schiene und Kolbenschuh.

7. Das Seitengewehr unterscheidet sich von dem M. 88 dadurch, dass es in der Symmetrie-Ebene gepflanzt wird, wobei es unterhalb der Laufmündung, mit der Schneide gegen diese gerichtet, befestigt wird. Die Parirstange kann behufs Reparatur über die Spitze der Klinge ab-genommen werden. Die für die Laufmündung bestehende Durchlochung der Parirstange lässt sich nicht durch eine Zugschraube regeln.

8. Das Zubehör ist bis auf den Mündungs-deckel dasselbe wie beim Gewehr M. 90.

Der Repetirstutzen M. 95. (Abbild. 3.)

Abgesehen von der geringeren Lauflänge und der dadurch bedingten Gewichtserleichterung gegenüber dem Gewehr M. 95 zeigt er noch fol-gende Abweichungen: Das Visir reicht nur bis 2400×, die Entfernungsstriche sind abwechselnd auf beiden Rahmensäulen eingeschlagen. Der Visirschieber (7, Abbild. 4) besitzt keinen Drücker, sondern ist am Visirrahmen verschiebbar an-geordnet und wird durch Reibung mittelst einer Schieberfeder in jeder beliebigen Lage fest-gehalten. Der Oberschaft besitzt beiderseits des Visirs eine muldenförmige Ausnehmung, um das Erfassen des Visirschiebers zu erleichtern. Das Seitengewehr hat auf der Parirstange ein Korn (44, Abbild. 3), über das bei aufgepflanztem Seitengewehr visirt werden muss.

Der Repetirkarabiner M. 95. (Abbild. 5.)

Er gleicht bis auf die Tragvorrichtung in Allem dem Stutzen M. 95. Die Riemenbügel sind an der linken Seite des Schaftes angebracht. Seitengewehr, Seitengewehrhaft und Dorn zum Zusammensetzen der Gewehre fallen fort.

(Schluss folgt.)

Die Verwendung des mechanischen Zuges für den Lastentransport im Kriege.

Von Layriz, Oberstleutnant z. D.

In neuerer Zeit ist man in verschiedenen Heeren im Begriff, Maschinen-fahrzeuge, d. h. von Explosionsmotoren oder von Dampfmotoren getriebene Fahrzeuge, als Selbstfahrer allein oder als Vorspann zum Transport schwerer Lasten auf der Landstrasse zu benutzen.

Die Vortheile, die man von diesem mechanischen Zug, dem Pferde-zug gegenüber, erwartet, sind: 1. bedeutende Verkürzung der Kolonnen, 2. wesentliche Vergrösserung der Fahrgeschwindigkeit.

Wenn man bei diesen Erwartungen Benzin-Motorwagen oder leichte Dampflokomotiven (Serpollet-Dampfwagen) im Auge hat, so giebt man sich einer Illusion hin, die bei den ersten Versuchen, in eng aufgeschlossenen Kolonnen bergauf und bergab zu fahren, zerstört werden müssen. Da solche Maschinen nur je einen Beiwagen schleppen können, besteht die Kolonne aus einer grossen Anzahl Glieder, die, um Unglücksfälle zu ver-meiden, einen der Fahrgeschwindigkeit entsprechend bemessenen Abstand voneinander zu halten haben. Macht man aber diese Abstände der Kolonnenverkürzung zu Liebe klein, so muss die Fahrgeschwindigkeit ermässigt werden. Man hat also keine Aussicht, sich beider Vortheile zugleich zu erfreuen.

Es sind eben Menschen, die die Fahrzeuge führen, auf deren Nerven kein absoluter Verlass ist. Zeigt es sich doch schon bei dem geregelten Eisenbahnbetrieb im Frieden, dass Ueberanstrengung häufig die Ursache von Unglücksfällen ist.

Wie stellt man sich den Transport mittelst etwa 40 Motorwagen mit angehängten Geschützen oder Lastwagen in aufgeschlossener Kolonne vor? Glaubt man hier mit 4 m Abstand wie beim Pferdegespann auszukommen? Durch die Erfahrung bei Friedensmärschen wird das entsprechende Maass erst ermittelt werden. Man ist aber zu der Annahme berechtigt, dass die Abstände bei Kriegsmärschen grösser genommen werden müssen. Der Kriegsmarsch stellt ganz andere Ansprüche an den Wagenführer als eine Sportwettfahrt.

Das Kriegsmässige ist die auf die Nerven wenig Rücksicht nehmende Anforderung bei Dauerleistungen in Sturm und Regen. Aehnliches kommt zwar auch bei manchen Sportleistungen vor, im Kriege tritt aber oft als erschwerend hinzu, dass die Ernährung eine unzureichende ist. Man muss sich ausgehungerte, übermüdete Menschen denken, die durch längeres Nicht- oder Schlechtschlafen in einen apathischen Zustand versetzt sind. Diese sollen nun mit ihren Maschinen einen reglementmässigen Abstand halten, während ihnen im Staub die Augen brennen, während die seit Stunden den Lenkhebel dirigirende Hand zittert und während ihnen das Stehen auf der durch Stösse erschütterten Maschine so schwer fällt, dass sie fast vor Müdigkeit umsinken.

Der Vertheidiger der Automobile könnte erwidern: »Die bedauerns-werthen Fahrer der Artillerie haben es nicht besser. Von ihnen kann man auch sagen, besser gut gegangen als schlecht geritten auf müden, stolpernden Pferden. Und doch geht es hier; muss es gehen!« Gewiss, die Dauerritte im Kriege sind ausserordentlich ermüdend, und man hat hier mit der menschlichen Schwäche zu kämpfen. Dem Fahrer beim langen Nachtmarsch einen aufmunternden Rippenstoss, sich selbst in den Schenkel gezwickt, um sich vor dem Einschlafen und dem Pferdedrücken

27*

— einer Reiterschande — zu bewahren, ist im Kriege vielleicht mehr als einem Zugführer der Artillerie vorgekommen.

Da bei den von Pferden gezogenen Fahrzeugen im Kriege in den Kolonnen ein ebenso aufgeschlossenes Marschiren wie im Frieden verlangt wurde, musste man sich also wundern, dass trotz der Uebermüdung so selten Pferde stürzten und so selten Wagen ineinander fuhren. Wie erklärt sich dies? Einfach dadurch, dass das Pferd als ein mit Instinkt begabtes Wesen für die Abwehr von Zusammenstössen mit in Rechnung kommt. Sein Selbsterhaltungstrieb veranlasst es, im entscheidenden Augenblick auszuweichen oder zu stocken, bis der Reiter, aufmerksam geworden, die drohende Gefahr abwendet. Bei der Maschine ist dies anders. Hier hängt die Vermeidung des Zusammenstossens mit den anderen Fahrzeugen ganz allein vom Führer ab. Das durch die Achtsamkeit des Thieres gegebene Warnungsmittel fehlt bei den Automobilen, und nur zur Noth wird dieser Nachtheil durch die hier besser wirkenden Bremsen ausgeglichen. Wenn man die grössere Fahrgeschwindigkeit der Automobile zu sehr betont — und fast allgemein verfällt man in diesen Fehler —, so vergisst man, dass dann die Gefahr des Zusammenstosses eine grössere ist und die Folgen eines solchen bedeutendere sind. Um sie zu vermeiden, wird man eben häufig dazu geführt werden, die Abstände so zu vergrössern, dass der Vortheil der durch Einführung von Automobil-Fahrzeugen erhofften Kolonnenverkürzung wieder verloren geht.

Die Verhältnisse liegen anders und sind günstiger für den mechanischen Zug mittelst der Dampf-Strassenlokomotive. Diese ist im Stande, sechs Wagen aneinander gekoppelt, also auf ganz reducirtem Abstand einander folgend, auf der gewöhnlichen Fahrstrasse ebenso zu ziehen, wie die Lokomotive auf Schienen ganze Züge von 50 Wagen und mehr befördert. Hier ist unter allen Verhältnissen eine Verkürzung erzielt. Die Abstände von Zug zu Zug brauchen nicht grösser zu sein als bei den einzelnen mit Beiwagen verbundenen Automobilen. Die Fahrgeschwindigkeit mit solchen Wagenzügen kann so gross sein wie in den Automobil-Kolonnen. Bei beiden wird sie schon wegen des Fahrens hinter anderen Fahrzeugen mit thierischer Bespannung durchschnittlich nur 5 km betragen.

Die Anwendung der Strassenlokomotive für militärische Transporte ist nichts Neues. Viele halten sie für abgethan und es nicht mehr für werth, dass man sich auf Versuche mit ihr einlässt. Andererseits ist man in neuester Zeit doch wieder auf sie aufmerksam geworden. Sie ist ja auch nicht stehengeblieben. Die Fabriken, welche sie zu Dampfpflügen und Strassenwalzen liefern, haben bei ihr alle Verbesserungen angebracht, die sich aus der Analogie mit den gleichfalls vervollkommneten stehenden Dampfmaschinen und den Eisenbahnlokomotiven ergeben haben.

Für den militärischen Beurtheiler sollte ausschlaggebend sein, dass die Strassenlokomotive die einzige Art des mechanischen Zuges ist, die schon im Kriege ausprobirt ist. Sie wurde 1854 im Krimkrieg von den Engländern, 1870 von den Deutschen, 1877 von den Russen und Rumänen gebraucht und hat in den beiden letzteren entsprochen, wenn auch die dort gemachten Erfahrungen ihre Verbesserungsbedürftigkeit ergeben haben.

Im Frieden sind wiederholt Versuche mit Strassenlokomotiven gemacht worden. Es wurde aber hier nicht die Ausdauer und das rationelle Verfahren angewendet, dem man bei der Durchführung der Bewaffnung die grossartigen Erfolge verdankt. Sporadisch, der durch Fabrikanten gegebenen Anregung folgend, wurden bald in dem einen, bald in dem anderen Heere Versuche gewagt, manchmal mehr wie ein Schaustück ohne ernstere Absichten inscenirt, nur um in der Richtung auch einmal modern zu sein.

Sympathie und Antipathie spielen bei allen menschlichen Einrichtungen eine Rolle, die ihnen nicht zukommen sollte, wo nur rein sachliche Erwägungen am Platze sind. Es ist dies rein menschlich und soll nicht getadelt, sondern nur als Thatsache erwähnt werden. Alle neuen Erfindungen zeigen bei ihrem ersten Auftreten Mängel. Ausgesprochene Antipathie weiss diese so zu übertreiben, dass der Gedanke, die Erfindung könnte je einmal in die Praxis der Kriegsverwendung eintreten, als einfach lächerlich unterdrückt wird. Dies war das Schicksal der Strassenlokomotive in der Mitte des Jahrhunderts.

Die Pferdeliebhaber behielten Recht. Wie konnte ein schnaubendes, pustendes, qualmendes, dem Liebling des Menschen, dem Pferde, räthselhaftes Ungethüm dem auf das Reiten angewiesenen Krieger sympathisch sein? Wie im bürgerlichen Leben die Verbreitung der Dampf-Strassenlokomotive an dem Widerwillen aller Pferdebesitzer den grössten Widerstand erfuhr, so ihre militärische Verwendung durch die Abneigung der Berittenen. In allen Heeren schien die Frage des Lastentransports im Kriege mittelst der Strassenlokomotive abgethan, da erinnerte man sich ihrer in Deutschland kurz vor dem Kriege 1870/71. In den im Maiheft 8 und 9 des »Militär-Wochenblattes«, 1886, abgedruckten Etappen-Erinnerungen des Generals Baron v. der Goltz wird ausführlich nachgewiesen, was die Strassenlokomotive unter der gewandten Führung des deutschen Ingenieurs Toepffer für das deutsche Heer geleistet hat. Man wird, wenn man diesen Bericht liest, kaum begreifen, wie dieses Zugmittel ganz vergessen werden konnte, obwohl der damalige Versuch gezeigt hat, dass eine Vervollkommnung bei Aufstellung bestimmter Anforderungen von Seiten des Heeres sicher zu erreichen war. Auf keinen Fall kann von einem solchen Misserfolg der Maschinen im Kriege gesprochen werden, dass er die vollständige Aufgabe der Idee, sie zu verwenden, rechtfertigt.

Zwei improvisirt kurz vor Kriegsausbruch vom preussischen Kriegsministerium auf direkte Anregung des Generalstabschefs Grafen Moltke angeschaffte Dampfstrassenwalzen werden zu Strassenlokomotiven aptirt und bringen die erste und längere Zeit einzige heimathliche Eisenbahnlokomotive, nachdem alle französischen zurückgezogen waren, auf den feindlicherseits liegenden Theil der bei Toul und später der bei Nanteuil unterbrochenen Eisenbahn. Diese Leistung allein war von solchem Werth für die deutsche Kriegführung, dass die Ausgaben für die Maschine als Bagatelle erscheinen.*)

Während des Krieges waren die Maschinen so ziemlich vergessen. Der Initiative ihres Führers war es meistens vorbehalten, ihr Thätigkeit zu verschaffen. Diese konnte nicht so weit gehen, dass er die Kalamität des versagenden Lastentransports bei der Dritten Armee vor Paris voraussehen konnte, auf die General Blume in seiner Schrift**) hinweist. Sie würde ihn sonst früher nach Paris geführt haben; dort wäre der Platz für die Lokomotiven zur Verbindung zwischen Lagny und Villa coublay gewesen.

Zwei Lokomotiven waren natürlich nur ein Tropfen im Vergleich zum Bedürfniss, die angestauten Munitionsmassen in Fluss zu bringen, dessen Befriedigung vielleicht 50 solcher Maschinen beansprucht haben würde. Hätte man diese Maschinen frühzeitig genug vor dem Kriege in das Heer eingestellt, so dass man über ausgebildete Führer mit ausreichenden Er-

---

*) Später besorgte die Strassenlokomotive Zufuhren von Fourage und Lebensmitteln in die Magazine.
**) »Die Beschiessung von Paris 1870/71 und die Ursachen ihrer Verzögerung.« Berlin, 1899.

fahrungen verfügen konnte, so würde es vielleicht gelungen sein, das Haupthinderniss für die frühzeitige Einnahme von Paris und dadurch für frühere Beendigung des Krieges zu beseitigen. An Kohle und Wasser, den Existenzbedingungen für die Maschinen, fehlte es in der Umgebung von Paris sicher nicht.

Es gab damals Niemanden in Deutschland, der diesen Zweig des Verkehrswesens auf die Höhe gebracht hätte, dass hier ein Vorsprung erreicht werden konnte, wie man ihn Krupp im Waffenwesen zu verdanken hat. Es genügt aber auch nicht, dass einige lieferungsfähige Fabriken bestehen, sondern zur Ausnutzung der entwickelungsfähigen Verkehrsmittel sind militärischerseits permanente Kommissionen nöthig, die wie die für die Entwickelung der Handfeuerwaffen und Geschütze so einflussreichen Prüfungskommissionen, fortdauernd in Verbindung mit Fabriken stehend, sich mit der Weiterentwickelung der mechanischen Zugmittel beschäftigen und an frühere Versuche anknüpfen.

Die in einem künftigen Kriege ins Feld ziehenden Heere sind gegen 1870 vergrössert. Die thierischen Zugmittel waren damals kaum ausreichend der Quantität nach, jedenfalls nicht entsprechend in der Qualität zu beschaffen, dabei drohte am Schluss des Krieges dem ganzen Transportwesen im Rücken des Heeres eine grosse Gefahr durch die unter den Pferden der Landbevölkerung ausbrechende Rotzkrankheit. Die Frage des mechanischen Zuges ist gegenwärtig von einem anderen Gesichtspunkt aus zu betrachten. War 1870 schon der mechanische Zug wünschenswerth, so ist er jetzt nöthig.

Die den Heeren künftig bevorstehenden Verpflegungsschwierigkeiten sind überall erkannt und haben dazu veranlasst, neben der vollkommensten Ausnutzung des Bahnnetzes noch in ausgedehnter Weise den Gebrauch der transportablen Feldbahn vorzusehen. Die Vollbahnen in der Heimath sind aber beim Vormarsch eines Heeres in Feindesland so überlastet, dass das gesammte Feldbahn-Material nicht sicher rechtzeitig auf ihnen nachgeschafft werden kann. Die Strassenlokomotive muss hier ergänzend eintreten, bis Feldbahnen gebaut sind. Ein Theil der Lokomotiven und Wagen kann dann zum Betrieb auf Schienen durch Umwechselung der Räder eingerichtet werden.

Eine besonders wichtige Verwendungsart wird den mechanischen Zug im künftigen Kriege bedingen, nämlich der Transport von konservirtem Fleisch. Bisher folgte den Heeressäulen lebendes Schlachtvieh, dessen geringe und langsame Marschfähigkeit von 15 bis 20 km pro Tag bei Anordnung der Märsche berücksichtigt werden musste. Der Nährwerth war infolge der schon durch einige an heissen Tagen zurückgelegte Märsche verursachten Abmagerung rasch verringert. Die Truppen sahen sich meist in die Nothlage versetzt, das Fleisch noch lebenswarm unmittelbar nach dem Schlachten zu verkochen. Diese Uebelstände können durch eine neuere Konservirungsmethode*) vermieden werden. Durch ein einfaches, auch im Felde leicht anwendbares Verfahren beim Schlachten und Verpacken ist es möglich, den Hammel ganz, den Ochsen in drei bis vier Theilen wochenlang dem Heere nachzuführen und dann als frisches Fleisch zu verkochen. Der Gebrauch der bisherigen Konserven, an denen sich der Mann leicht ahisst, bleibt auf den von der Truppe selbst mitzuführenden eisernen Bestand beschränkt, für den er sich wegen des Vortheils der Vertheilung in kleine Portionen besonders eignet. Der mechanische Zug bietet für den Transport frischen Fleisches den grossen Vortheil, dass für

---

*) Erfunden vom Universitätsprofessor Emmerich in München.

den Abstand der Verpflegungskolonnen infolge der grösseren Tagesmarsch-Leistungen ein grösserer Spielraum wie beim thierischen Zug gegeben ist, für den in den ausfouragirten Gegenden im Rücken des Heeres die Ernährung besonders schwierig wird.

Strassenlokomotiven können ausserdem noch für Munitions- und Geschütztransport vor Festungen werthvolle Dienste leisten.

Die Entwickelung der mittelst Explosionsmotoren (Benzin, Petroleum, Spiritus u. s. w.) angetriebenen Automobilen hat auch in Deutschland die Aufmerksamkeit wieder auf den mechanischen Zug gelenkt und die Bewilligung einer grösseren Summe für Manöverversuche im Reichstag zur Folge gehabt.

Eine mögliche Enttäuschung der Erwartungen, die man in die Leistungen der Automobile setzt, ist dem mechanischen Zug überhaupt, der auch noch durch die Dampf-Strassenlokomotive vertreten ist, gefährlich. Es sei daher daran erinnert, dass diese für den Transport schwerer Lasten nach ihrer Art der Wirkung der Automobile überlegen ist. Die Benzin- u. s. w. Automobile hat den Fehler, dass sich ihre Leistung nicht nach der Beanspruchung abstufen lässt. Der Motor macht hier immer die gleich hohe Tourenzahl. Wird mehr verlangt, als er leisten kann, so bleibt er stehen. Bei der Dampfmaschine drückt sich die grössere Anstrengung, wenn sie ein gewisses Maass nicht überschreitet, in langsamerem Gang der Maschine aus. Versagt in einer Automobilkolonne ein Vorspannwagen, so kann die ihm angehängte Zuglast keinem anderen Motorwagen als Zugabe zu seinem Beiwagen angehängt werden. Das verträgt der für eine bestimmte Leistung konstruirte Motorwagen nicht. Tritt eine Ausserbetriebsetzung bei einer Strassenlokomotive in einer aus mehreren Zügen gebildeten Kolonne ein, so lässt sich die ganze Last den anderen Lokomotiven anhängen. Die Folge ist nur eine verlangsamte Fortbewegung der Last.

Der Hauptnachtheil, welcher die Anwendbarkeit der Strassenlokomotive für militärische Zwecke bis jetzt bezweifeln liess, ist die Abhängigkeit von Kohlen- und Wasservorräthen. Die Maschinenkonstruktion wurde aber seit 1870 in England für landwirthschaftliche Zwecke weiter vervollkommnet und der Verbrauch von Kohle und Wasser, der ersteren durch die Compound-Vorrichtung, des letzteren durch die Einführung von Kondensatoren des verbrauchten Dampfes, vermindert.

Der Einwand, dass es an Kohle fehlt, ist nicht mehr stichhaltig, denn auf dem Kontinent hat die Industrie eine solche Verbreitung gefunden, dass man die Kohle in allen grossen Städten findet. Bis dahin muss sie in eigenen Zügen mitgeführt werden. Ausser Kohle kann aber im Nothfall auch Holz als Feuerungsmaterial benutzt werden. Wasser bedarf die Maschine weniger als eine gleich viel leistende Anzahl Pferde, und kann sie sich auch mit schmutzigem, zum Tränken der Pferde gar nicht in Betracht kommendem Wasser begnügen.

Besonders werthvoll ist die Leistung der Strassenlokomotive als Lokomobile, mit welcher diejenige der Benzin- u. s. w. Automobile gar nicht in Betracht kommt. Jede Strassenlokomotive kann, festgestellt, als Kraftmaschine zu den verschiedensten Arbeiten verwendet werden. Mit einem Krahn versehen, ist sie zum Ein- und Ausladen der Lasten auf der Bahn, Aus- und Einlegen schwerer Geschützrohre u. s. w. zu gebrauchen. Mit einer Winde mit Stahlseil ausgerüstet, kann sie Lasten querfeldein durch jeden Boden, über jede Steigung befördern. Mit einer Dynamomaschine verbunden, kann sie zur Beleuchtung und zur Fernübertragung der Kraft an Stellen, wohin die Maschine selbst entweder wegen Geländeschwierigkeiten oder wegen Beschiessungsgefahr nicht gebracht werden kann, dienen. In den englischen Lagern und bei den Russen 1878 im Kriege ist die Maschine mit Vortheil zum Wasserpumpen verwendet worden.

Die Vortheile des mechanischen Zuges mittelst Strassenlokomotive sind demnach zusammengefasst: 1. kürzere Kolonnen; 2. rascherer Betrieb des Fuhrendienstes — grössere Tagesleistungen, Fortsetzung des Fuhrendienstes ohne Rasttage bei vorhergesehener Ablösung des Führerpersonals; 3. eine Versicherung gegen Pferdeseuchen; 4. Verminderung des Bedarfs an Pferde-futter, dafür Ausnutzung der jetzt im Lande verbreiteten Kohlenvorräthe; 5. geringere Kosten im eigenen Lande (nach englischen und russischen Erfahrungen);*) 6. Möglichkeit, Feldbahnmaterial ohne Ueberlastung der Vollbahnen rechtzeitig an den Ort der Verwendung zu bringen; 7. grössere Unabhängigkeit vom Mitführen von Schlachtvieh durch Transport kon-servirten Fleisches.

Als Nachtheile werden geltend gemacht: 1. hohe Anschaffungskosten und geringe Ausnutzbarkeit im Frieden, also todtes Kapital; 2. Belästigung der Berittenen, Verursachung von Unglücksfällen.

Die Vortheile überwiegen die Nachtheile, über die noch Einiges zu sagen wäre: Zu 1. Der Nachtheil ist nicht so gross, wie es scheint. Ab-gesehen davon, dass die Frage nach der Wirthschaftlichkeit einer kost-spieligen Einrichtung beim Heere mit Recht immer durch den Hinweis auf die dem Lande im Falle eines unglücklichen Krieges erwachsenden finanziellen Verluste beantwortet wird, so nutzt sich eine solide Strassen-lokomotive nicht so rasch ab. Wenn eine Maschine für militärische Zwecke veraltet erscheint, so kann sie für landwirthschaftliche immer noch aus-genutzt werden und hat deswegen noch einen Werth.**) Zu 2. Das war von je her der Hauptvorwurf, der sich aber heutzutage gegenüber den vervollkommneten, mit weniger Rauch und Lärm arbeitenden Maschinen nicht mehr halten lässt. An was hat sich das moderne Pferd nicht Alles gewöhnen müssen? An die elektrischen Stadtbahnen, die Radfahrer und Automobil-Fahrer! Um Käufer zu finden, mussten kaltblütige Pferde gezüchtet werden, und im Kriege sind die Pferde ermüdet, und auch bei dem heutigen Ausbildungsbetrieb der Truppen fehlt das Stallfeuer, welches aus dem Pferd ein wildes, scheues Thier macht.

Mit Unrecht wird der Lokomotive hie und da Strassenverderb vor-geworfen. Mit ihren breiten Rädern trägt sie im Gegentheil zur Ver-besserung der Strassen bei.

Man sollte sich hüten, zu viel und Unmögliches vom mechanischen Zug überhaupt und auch von der Strassenlokomotive zu verlangen. Gewiss giebt es Wege und sind Witterungsverhältnisse sowie sonstige Umstände denkbar, wo die Leistung des mechanischen Zuges, wenn nicht aufgehoben, so doch herabgesetzt ist. (Neuere Maschinen gehen zwar querfeldein mit dem Aschenkasten im Wasser.) Unter schwierigen Verhältnissen ist natürlich der Wasser- und Kohlenverbrauch ein grösserer, die Last muss verringert werden und auch die Fahrgeschwindigkeit wird geringer werden.

---

*) Nach englischen Versuchen zieht eine Maschine 25 t in 4 Wagen und legt im Durchschnitt 5, unter günstigen Verhältnissen 10 km in der Stunde zurück. Dabei kostet der Transport von 1016 kg pro englische Meile (1,6 km) 8,5 Pfg. (Templer, Oberstleutnant, ›Journal of the united service institution‹, 1894, Nr. 98.) Siehe ferner ›Russischer Invalide‹ vom 24. Februar 1879, Nr. 42: Bericht des Obersten Victor Demianovitch über Ersparnisse durch Verwendung von Strassenlokomotiven im russisch-türkischen Kriege. Vergleiche ferner die Tabelle am Schlusse dieses Artikels über Transporte bei den englischen Manövern 1893.

**) Die 1870 gebrauchten Maschinen sind heute noch bei Halberstadt auf einem Gut in Verwendung.

Der mechanische Zug soll eben nur eine Ergänzung des thierischen sein, als solcher ist er sehr werthvoll, und sollte er manchmal ganz versagen, so möge man bedenken, dass die Kriegsgeschichte auch Lagen kennt, wo die Leistung der Pferde weit unter ihrer normalen war.

Erfahrungen mit der Strassenlokomotive für militärische Verwendung sind bei zahlreichen Versuchen in den verschiedenen Heeren gemacht worden. Unter letzteren sind folgende besonders erwähnenswerth: In Deutschland ausser der Verwendung von zwei Lokomotiven im Kriege 1870 nur noch eine 1873 in Metz stattgefundene Erprobung einer Fowlerschen Maschine zum Geschütztransport gelegentlich eines im Auftrag der Firma Gruson ausgeführten Transportes schwerer Panzerplatten auf Fort Man-stein. — In Italien ist in den Jahren 1873 bis 1885 ein Versuch im Grossen — mit 60 Maschinen verschiedener Systeme auf einmal — ge-macht worden. Seitdem ist man dort wieder von ihr zurückgekommen, neigt aber gegenwärtig, angeregt durch die Turiner Ausstellung von 1898, dazu, nochmals Versuche mit dem mechanischen Zug zu machen, diesmal mit den Benzin-Automobilen. — In Russland hat man 1876 befriedigende Versuche mit Strassenlokomotiven der Firmen Aveling und Fowler im Lager von Krasnoje Sselo vor dem Zaren ausgeführt. Es wurden dann im russisch-türkischen Kriege 1877/78 zwölf Stück mit Vortheil verwendet. Jetzt ist man daran, Versuche mit neuen, verbesserten Konstruktionen aufzunehmen. — In Oesterreich sind Versuche mit Maschinen neuester Konstruktion in Pola beabsichtigt. — In Frankreich hatte man sich schon 1875 damit abgegeben, die Strassenlokomotive im Geschütztransport aus-zuprobiren. Ganze Batterien wurden damit befördert. Gegenwärtig setzt man aber dort grosse Hoffnung auf die Brauchbarkeit der Benzin-Auto-mobile für militärische Verwendung. — In England werden Strassen-lokomotiven schon seit 25 Jahren verwendet, um die Transporte für Lagerbedürfnisse bei den Herbstmanövern auszuführen. In neuerer Zeit nimmt die Verwendung der Strassenlokomotive im Heere dort zu. So sind 1898 bei den Manövern um Salisbury solche Maschinen für den Lasten-zug im Rücken der operirenden Heere gebraucht worden und haben sich nach dem Bericht des Oberkommandirenden, Feldmarschalls Lord Wolseley, recht gut bewährt.

Die Maschinen haben sich seit 1870 wesentlich vervollkommnet: 1. Statt 400 Centner wiegen sie nur noch 200 Centner, können also Schiffsbrücken oder wiederhergestellte gesprengte Brücken überschreiten; 2. sie haben wie alle heutigen Dampfmaschinen Compound-Einrichtung. Die Dampfspannung wird bei zwei Cylindern besser ausgenutzt, der Kohlen- und Wasserbedarf ist daher ein geringerer; 3. infolge der besseren Aus-nutzung der durch die Dampfspannung ermöglichten Arbeit verlässt der Dampf die Maschine nur mit 0,04 Atmosphären. Diese arbeitet also mit wenig Geräusch und geringerem Rauch, so dass Pferde weniger als früher scheuen; 4. die Maschinen sind mit Federn versehen, so dass ohne An-wendung von Gummirädern ihre feineren Theile weniger durch Stösse leiden und auch dem Führer der Maschine der Aufenthalt auf ihr erleichtert wird; 5. der Dampf wird kondensirt, so dass der Wasserersatz nicht so häufig stattfinden muss wie früher; 6. die Maschine, welche früher nur für zwei Geschwindigkeiten eingerichtet war, verfügt jetzt über drei. Bei der Anwendung der langsamsten können Steigungen von 1:10 mit 25 t Last genommen werden; 7. die Lokomotiven können mit Krahnen oder Dynamomaschinen versehen werden, die Räder sind zum Aus-wechseln eingerichtet und so für verschiedene Spurweiten auf Schienen verwendbar.

Uebersicht über die von den Strassenlokomotiven bei den Berkshire-Manövern in England 1893 geleistete Arbeit.

(Nach Oberstleutnant Templer.)

Nummer oder Name der Maschine	Zurückgelegte Zahl von Kilometern mit Ladung	ohne Ladung	im Ganzen	Durchschnittsgewicht der Ladung t	Kohlenverbrauch	Kosten pro Kilometer Mk.	Gesammtkosten für die mit Ladung ausgeführten Fahrten. Mk.	Von wem, wo und wann gefertigt.	Durchschnittliche Fahrgeschwindigkeit km	Bemerkungen.
24	1088	828	1916	24	24	1,27	1389,24	Aveling Porter, Rochester, 1884	6,4	8 HP
12	836	508	1344	14	10½	0,95	708,82	» 1873	5,6	6 HP
10	544	64	608	20	8	1,27	708,82	1872	4,8	8 HP
23	347	465	812	20	11	1,06	369,28	Fowler u. Söhne, Leeds, 1884	4	8 HP Compound
21	571	544	1115	16	12½	0,95	541,91	Aveling Porter, Rochester, 1885	6,4	6 HP
Doll	367	107	474	10	8	0,64	241,05	» 1889	4,8	4 HP
Queen	700	275	975	20	11½	0,95	671,10	1893	6,4	6 HP Compound
Frog	240	—	240	25	4½	1,91	459,66	Howard, Bedford, 1870	3,2	10 HP, 30 Jahre alt, bei Liddington zum Wasserpumpen verwendet.
	4693	2791	7484	...	96	...	5089,88			

Luftwiderstandsgesetze, gegründet auf die Ergebnisse deutscher Schiessversuche.

Von
Denecke.
Hauptmann und Kompagniechef im Badischen Fussart.-Regt. Nr. 11.

Die Frage der sog. Luftwiderstandsgesetze ist in neuerer Zeit — ich erinnere nur an die Namen Mayevski, Siacci, Hojel und Wuich — so eingehend behandelt worden, und die erlangten Ergebnisse scheinen so sicher zu sein, dass es fast überflüssig erscheinen könnte, dieselbe erneut zu erörtern. Wenn dies trotzdem geschieht, so waren hierfür drei Gründe maassgebend: einmal sind die in Betracht kommenden deutschen Versuche in dieser Hinsicht bisher nicht verwerthet worden, ferner ist der Weg, den ich bei deren Verwerthung eingeschlagen habe, ein von dem herkömmlichen verschiedener, und schliesslich sind auch die Ergebnisse, zu welchen ich gelange, zum Theil abweichende.

Bekanntlich gilt für eine Kraft W, welche auf dem Wege von s_1 bis s_2 auf eine Masse M wirkt und deren Anfangsgeschwindigkeit v_1 in v_2 verändert, die Gleichung:

$$\int_{s_1}^{s_2} W\, ds = \frac{M}{2}(v_2^2 - v_1^2).$$

Sind die Geschossbahnen, auf welche diese Gleichung angewendet werden soll, flach, so kann man ohne merklichen Fehler die tangentialen Grössen ds und v durch deren Horizontalprojektionen dx und v_x ersetzen; ist ausserdem die Geschwindigkeitsstrecke $v_1 — v_2$ nicht zu gross, so erscheint · es zulässig, die veränderliche Kraft W durch deren mittleren konstanten Werth W_m zu ersetzen und diesen der mittleren Geschwindigkeit $\frac{1}{2}(v_{x_1} + v_{x_2})$ zuzutheilen; man hat dann nach 1:

$$2. \qquad W_m = F(v_m) = \frac{M}{2} \cdot \frac{v_{x_2}^2 - v_{x_1}^2}{x_2 - x_1}.$$

Hat man mittelst dieser Gleichung für möglichst viele und verschiedene Geschwindigkeiten v_m die entsprechenden Funktionswerthe $F(v_m)$ berechnet, so ist die Abhängigkeit des Luftwiderstandes von der Geschwindigkeit, also das, was man Luftwiderstandsgesetze nennt, gegeben. Stillschweigende Voraussetzung hierbei ist, dass alle Versuche, auf welche obige Formel angewendet wird, unter gleichen äusseren Verhältnissen stattgefunden haben, also sich auf dasselbe Geschoss und die gleichen Zustände der Luft beziehen.

Nun ist nach den Lehren der Mechanik der Bewegungswiderstand in einem widerstehenden Mittel proportional der Dichtigkeit des Mittels und dem Querschnitt des bewegten Körpers; derselbe hängt ausserdem von der Form des letzteren ab.

Der Geschossquerschnitt kann bei den hier in Betracht kommenden Schussweiten als konstant und gleich dem Querschnitt des Geschützrohrs zwischen den Feldern genommen, also gleich $\frac{a^2}{4}\pi$ gesetzt werden, wenn a das Kaliber (in Metern) bedeutet. Der Einfluss der Geschossform wird durch die Spitzenform und die gesammte Oberflächenbeschaffenheit des Geschosses bedingt; bei Geschossen ähnlicher Form kann derselbe als gleich angesehen werden. Die Dichtigkeit der Luft ist abhängig von der Steighöhe des Geschosses und wird gemessen durch das Gewicht je eines Kubikmeters Luft. Auch das Luftgewicht kann bei den hier in Frage kommenden Steighöhen als konstant und gleich demjenigen in der Nähe des Erdbodens betrachtet werden.

Bezieht man also den Luftwiderstand auf einen Querschnitt von 1 qm und auf ein als normal angenommenes Luftgewicht $p_0 = 1,206$ und setzt $M = \frac{P}{g}$, worin P das Geschossgewicht in Kilogramm und g die Beschleunigung der Schwere bedeutet, so ist zu setzen:

$$3. \qquad F(v_m) = \frac{a^2\pi}{4} \cdot \frac{p}{p_0} f(v_m) = \frac{P}{2g} \cdot \frac{v_{x_2}^2 - v_{x_1}^2}{x_2 - x_1}.$$

Diese Gleichung, in welcher $f(v_m)$ ausser von v_m nur von der Geschossform abhängt, bildete bisher die Grundlage für die Untersuchungen zur Ermittelung der sog. Luftwiderstandsgesetze. Derselben haften indessen zwei wesentliche Mängel an, welche das Ergebniss der Untersuchungen leicht fehlerhaft machen können. Ist nämlich die Geschwindigkeitsstrecke $(v_{x_1} - v_{x_2})$ klein, so haben selbst geringe Fehler, wie sie bei Geschwindigkeitsmessungen unvermeidlich sind, ganz erheblichen Einfluss auf den rechnungsmässigen Werth von $f(v_m)$; ist andererseits die Geschwindigkeitsstrecke gross, so kann in Gleichung 1 die Kraft W nicht mit genügender Annäherung als konstant betrachtet werden, wobei gleichzeitig auch die Annahme, dass W_m dem arithmetischen Mittel $\frac{1}{2}(v_{x_1} + v_{x_2})$ entspricht, unzutreffend wird.

Diese Gründe haben mich dazu bestimmt, zur Ermittelung der Funktion $f(v)$ einen anderen Weg einzuschlagen.

Bedeutet ϑ den Richtungswinkel der Bahntangente und t die Zeit, so ist die Horizontalprojektion der Beschleunigung:

$$4. \qquad \frac{P}{g}\frac{d^2x}{dt^2} = \frac{P}{g}\frac{d\left(\frac{dx}{dt}\right)}{dt} = -F(v)\cos\vartheta$$

und gilt ferner allgemein

$$5. \qquad \frac{dx}{dt} = v\cos\vartheta.$$

Zur Integration dieser beiden Differentialgleichungen dient das Siaccische Verfahren, welches bekanntlich darin besteht, dass für $\cos\vartheta$ dessen mittlerer konstanter reciproker Werth v^*) eingeführt und $v\cos\vartheta = 1$ genommen wird. Ersetzt man in 4. demzufolge v durch $vv\cos\vartheta$ und $\cos\vartheta$ durch $\frac{1}{v}$ und setzt der Kürze wegen

$$6. \qquad\qquad vv\cos\vartheta = u,$$

so wird:

$$4a. \qquad \frac{P}{g}\frac{du}{dt} = -F(u)$$

und Gleichung 5 übergeht nach beiderseitiger Multiplikation mit v in:

$$5a. \qquad v\frac{dx}{dt} = u.$$

Dividirt man die gleichen Seiten der Gleichung 5a durch diejenigen von 4a, so wird:

$$7. \qquad v\frac{g}{P}\frac{dx}{du} = -\frac{u}{F(u)}$$

oder, da nach 3

$$F(u) = \frac{a^2\pi}{4}\frac{P}{P_0}f(u)$$

zu setzen ist, und wenn der Kürze wegen

$$8. \qquad \frac{a^2\pi}{4}\frac{P}{P_0}\frac{g}{P}vx = \xi$$

gesetzt wird:

$$7a. \qquad \frac{d\xi}{du} = -\frac{u}{f(u)},$$

also:

$$9. \qquad f(u) = -\frac{u}{\frac{d\xi}{du}}.$$

Wäre also die Grösse ξ als Funktion von u gegeben, so würde auch der Widerstand als Funktion der Geschwindigkeit bestimmt sein. Um nun ξ als Funktion von u darstellen zu können, ist es nöthig, dass bei einer konstanten Anfangsgeschwindigkeit u_1 durch eine Reihe von Versuchen für verschiedene Verlustwege $(x_2 - x_1)$ die zugehörigen End-

---

*) Nach den Lehren der Integralrechnung ergiebt sich für v, wenn man die Flugbahn als Parabel ansicht, der Werth $v = \dfrac{\sin\alpha + \cos\alpha^2\ln\tan(\frac{1}{4}\pi + \frac{1}{2}\alpha)}{\sin 2\alpha}$, worin α den Abgangswinkel bedeutet.

geschwindigkeiten u_2 bestimmt sind: dann kann mittelst der Ausgleichsrechnung die den Verlustwegen proportionale Grösse ξ als Funktion von u entwickelt werden.

Diesen nächstliegenden Weg betreten wir indessen nicht, weil ξ eine zu rasch veränderliche Funktion von u ist, die nur innerhalb enger Geschwindigkeitsgrenzen auf die angegebene Weise mit genügender Genauigkeit darstellbar wäre.

Wäre der Luftwiderstand ·der dritten Potenz der Geschwindigkeit proportional, also $f(u) = \frac{1}{k} u^3$ zu setzen, so ist nach 7a:

10.
$$\xi = -k \int \frac{du}{u^3}.$$

Wird der Verlustweg vom Punkte $u = u_1$ an gerechnet, so folgt hieraus:

11.
$$\xi = \frac{k}{u_1} \left(\frac{u_1 - u}{u} \right)$$

oder, wenn der Kürze wegen

12.
$$\frac{u_1 - u}{u} = \varDelta$$

gesetzt wird:

13.
$$\frac{\xi}{\varDelta} = \frac{k}{u_1}.$$

Für kubischen Widerstand ist mithin der Bruch $\frac{\xi}{\varDelta}$ konstant. In Wirklichkeit wird derselbe aber veränderlich und eine Funktion $\varphi(\varDelta)$ von $\varDelta$ sein; die Einführung der Grösse $\varDelta$ und der Funktion φ hat, wie sich zeigen wird, den Vortheil, die Durchführung der Rechnungen wesentlich einfacher und übersichtlicher zu gestalten.

Von den dem Verfasser zur Verfügung stehenden Geschwindigkeitsmessungen bieten für vorliegende Untersuchung diejenigen eine genügende Unterlage, welche sich auf die 12 cm Granate C/80, die 15 cm Granate C/80 und 21 cm Granate C/80 beziehen, Geschosse, die sich hinsichtlich ihrer Form ähnlich sind, für welche also auch f(v) als gleich betrachtet werden kann. In umstehender Tabelle 1 (Seite 430) sind diese Messungen, insoweit Endgeschwindigkeiten bis 260 m in Frage kommen, zusammengestellt.

Wir bemerken noch, dass auf den Einfluss des Windes keine Rücksicht genommen ist, weil die Versuchsergebnisse bei ruhiger Luft oder doch bei nur sehr kleiner, in die Schussebene fallender Windkomponente erlangt wurden. Ferner sind zumeist die Bahnen so flach (Abgangswinkel unter 5°), dass ohne Fehler $u = v_x$ genommen werden kann; wo die Erhöhung 5° übersteigt, also die Einführung des Faktors v erforderlich wird, ist dies bemerkt.

Die rechnerische Verwerthung der Versuchsergebnisse aus Tabelle 1 hat zunächst die Schwierigkeit zu überwinden, dass die Forderung einer konstanten Anfangsgeschwindigkeit nicht erfüllt wird. Insoweit es sich hierbei um geringe Unterschiede der Anfangsgeschwindigkeiten handelt, lassen sich die Verlustwege ξ, welche jenen Unterschieden entsprechen, ohne in das Gewicht fallenden Fehler berechnen. Für Geschwindigkeiten über 400 m gilt bekanntlich näherungsweise das quadratische Widerstandsgesetz (n = 2); mithin ist nach 7a, wenn $f(u) = \frac{1}{k} u^2$ gesetzt wird:

14.
$$\xi_{u_1}^u = k (\ln u_1 - \ln u).$$

1	2	3	4	5	6	7	8	9	10	11	12	13	14	15	16	17	18
Lfde. Nr.	Datum	Geschoss	Kaliber der Ge-schoss wicht kg	Ge-schoss ge-wicht kg	Lad-ge-wicht kg	v_0 m	x_1 m	v_{x_1} m	x_2 m	Zahl der Mes-sungen	ε_1	f	ε	$\eta(f)$	v_{x_2} be-rech-net m	Diff. gegen die be-rech-net Beob-achtung m	Bemerkungen
1	16. 4. 86	21 cm Gr. C/80	0,000	77,50	1,270	467,1	100	447,2	300	4	—0,430	0,0237	0,467	20,65	447,3	+0,1	Erhöht
2	27. 11. 85	15 cm Gr. C/80	0,1491	27,45	1,265	465,6	50	437,1	105	8	0,103	0,0574	1,052	22,21	435,4	—1,7	
3	24. 11. 85	15 cm Gr. C/80	»	»	1,280	457,8	»	430,9	105	3	0,0478	0,946	19,78	437,1	—0,6	
4	11. 85	»	»	»	1,265	454,8	100	423,8	»	2	0,0815	1,030	20,00	423,1	—0,2	
5	27. 11. 85	12 cm Gr. C/80	0,1203	16,00	1,178	421,3	100	421,3	»	4	0,141	0,0866	1,728	20,17	420,2	—1,6	
6	27. 11. 87	12 cm Gr. C/80	0,1203	16,00	1,100	457,1	300	416,4	350	3	0,487	0,0904	1,863	18,74	418,1	+0,1	
7	15. 4. 86	21 cm Gr. C/80	0,2003	77,50	1,270	465,1	100	416,9	600	5	0,339	0,0094	1,956	18,80	416,8	+2,3	
8	2. 87	12 cm Gr. C/80	0,1203	16,00	1,190	457,5	»	399,1	500	7	0,141	0,0006	20,00	400,1	+1,0	
9	2. 87	21 cm Gr. C/80	0,2003	77,50	1,270	417,5	100	384,4	»	5	0,487	0,1471	2,765	18,80	383,2	—0,1	
10	15. 86	12 cm Gr. C/80	0,1203	16,25	1,310	424,3	—50	384,1	975	9	0,347	0,1010	3,402	18,56	381,2	—1,0	
11	86	12 cm Gr. C/80	0,1203	»	1,280	397,1	100	366,9	»	3	0,347	0,1764	3,486	19,30	369,1	—0,3	
12	10. 86	12 cm Gr. C/80	0,1203	»	1,260	424,5	—50	380,6	300	8	0,1851	3,692	19,41	366,8	—0,5	
13	12. 86	15 cm Gr. C/80	»	»	1,310	421,3	100	373,3	»	5	0,2270	4,113	19,43	372,5	—0,6	
14	24. 11. 85	15 cm Gr. C/80	0,1491	27,45	1,260	457,8	»	373,1	726,5	2	0,2270	4,410	19,41	365,8	—0,5	
15		15 cm Gr. C/80				423,3	»	373,3			0,2270	4,413	19,44	372,6	—0,6		
16	27. 11. 85	15 cm Gr. C/80			1,265	421,7	»	371,6	»	10	0,1632	4,501	19,67	371,1	—0,5	
17		15 cm Gr. C/80				421,8	300	371,5	»		0,1709	4,501	19,44	372,5	—0,6		
18	30. 12. 81	12 cm Gr. C/80			1,305	415,2	50	476,5	»	5	0,111	0,2523	4,509	19,16	370,1	—1,1	
19	2. 87				1,260	438,8	100	364,5		5	0,135	0,2540	4,589	19,67	364,2	+0,4	
20		12 cm Gr. C/80	0,1203	16,00	1,170	449,3	200	362,9	800	3	0,401	0,2616	7,028	19,42	362,6	+0,7	
21	14. 87	21 cm Gr. C/80	0,2003	77,50	1,200	449,3	100	350,1	1179	3	0,401	0,3065	6,113	19,94	348,9	—0,3	
22	27. 11. 85	15 cm Gr. C/80	0,1491	27,45	1,250	455,5	50	300,4	975	6	0,103	0,3065	6,110	19,35	353,3	—1,5	
23		15 cm Gr. C/80			1,260	437,1	155	360,4	»	6	0,977	0,3117	6,038	19,13	349,6	—0,6	
24	11. 85				1,260	430,9	50	349,0	»		0,3117	6,038	19,56	349,1	+0,1		
25	11. 85				1,280	419,1	195	344,3	800		0,986	0,3111	6,938	19,56	344,0	—0,3	
26	24. 11. 83			27,47	1,240	413,5	»	344,3	1179	2	0,397	0,3335	6,346	19,46	344,6	+0,3	
27	23. 11. 80	15 cm Gr. C/80	0,1401	27,47	1,200	419,3	100	339,3	1179	3	0,675	0,3493	6,884	19,1	340,0	+0,7	
28	10. 87	12 cm Gr. C/80	0,1401	27,00	1,185	431,4	50	331,4	1200	3	0,138	0,381	7,553	19,70	332,7	+1,3	
29	2. 87	15 cm Gr. C/80	0,1203	16,00	1,200	447,3	»	330,9	1179	5	0,019	0,3831	7,503	19,97	331,2	+2,3	
30	8. 87	15 cm Gr. C/80	0,1491	27,47	1,280	421,5	100	322,2	»	3	0,497	0,3962	7,369	19,57	324,6	+1,9	
31	10. 87	12 cm Gr. C/80	0,1491	16,25	1,220	433,0	50	321,5	981,5	7	1,574	0,4187	8,861	19,56	319,2	—2,3	
32	15. 86	12 cm Gr. C/80	0,1203	16,60	1,220	429,4	»	321,3	981,5	5	1,171	0,4240	8,861	20,90	324,6	+1,9	
33		15.			1,310	429,4	»	319,0	981,5	5	1,374	0,4329	9,031	20,86	319,8	+0,9	
34	12. 86			16,25	1,290	421,3	»	319,0	1170	4	1,724	0,4351	9,672	19,48	320,1	+1,1	
35	1. 78	15 cm Gr. C/80	0,1491	15,30	1,240	420,7	100	319,6	1170	4	0,297	0,4803	10,492	21,49	314,6	1,6	
36	7. 81	15 cm Gr. C/80	0,1491	27,47	1,280	414,1	»	307,6	1170	2	0,615	0,4803	10,418	21,35	306,7	0,7	
37		15 cm Gr. C/80			1,290	414,1	»	307,1	1179	3	0,647	0,5219	11,741	21,36	306,7	0,8	
38	27. 83	12 cm Gr. C/80	0,1203	16,36	1,260	396,5	»	291,8	»	9	0,653	0,5690	12,091	22,84	295,7	2,3	
39	24. 80	12 cm Gr. C/80	0,1203	16,25	1,210	439,1	»	291,6	»	8	8,653	0,5502	12,826	22,70	290,7	—2,0	
40	8. 80	12 cm Gr. C/80	0,1203	17,59	1,240	321,0	»	240,0	1181,5	2	7,695	0,565	12,892	22,14	273,0	0,7	
41	26. 4. 81	15 cm Gr. C/80	0,1491	27,47	1,230	331,0	»	245,5	1181,5	5	1,889	0,7557	17,590	24,31	265,0	+2,0	

Der mit Hülfe dieser Gleichung aus den lfd. Nrn. 1—3 der Tabelle 1 berechnete mittlere Werth von k ist zur Berechnung derjenigen Werthe von ξ_1, welche den abweichenden Anfangsgeschwindigkeiten entsprechen, benutzt unter der Annahme einer konstanten Anfangsgeschwindigkeit von 457,8 m; letztere ist gewählt einerseits ihrer absoluten Grösse wegen, andererseits, weil sich eine grössere Anzahl von Versuchsergebnissen gerade auf diese Anfangsgeschwindigkeit bezieht. Es ist jedoch diese Art der Berechnung auf diejenigen Fälle (lfd. Nrn. 1—11) beschränkt geblieben, wo die Differenz der Anfangsgeschwindigkeiten nicht mehr als 10 m beträgt.

Um nun auch die übrigen Ergebnisse, welche sich auf Anfangsgeschwindigkeiten über 400 m beziehen, heranziehen zu können, ist aus den lfd. Nrn. 1—11 mittelst der Ausgleichsrechnung $\varphi(\varDelta)$ ermittelt worden, indem gesetzt wurde:

15. $\qquad \varphi(\varDelta) = a + b\varDelta + c\varDelta^2 + d\varDelta^3 + e\varDelta^4 + \ldots$

Es ergiebt sich:

16. $\qquad \varphi(\varDelta) = \dfrac{\xi}{\varDelta} = 21{,}71 - [1{,}4053]\varDelta + [1{,}7664]\varDelta^2.$

Die in Klammern [ ] eingeschlossenen Zahlen bedeuten Logarithmen. Mittelst dieser Gleichung sind die ξ-Werthe der lfd. Nrn. 12—39 und 42 auf die konstante Anfangsgeschwindigkeit 457,8 m reduzirt.

Wie aus Spalte 15 der Tabelle 1 hervorgeht, ist die Funktion $\varphi(\varDelta)$ bis zu Endgeschwindigkeiten von 320 m nur wenig veränderlich, darüber hinaus wächst dieselbe aber ziemlich schnell. Aus diesem Grunde würde die Ermittelung von $\varphi(\varDelta)$ gemäss 16 über das ganze hier in Frage stehende Geschwindigkeitsgebiet nur dann genau ausfallen, wenn man zu sehr hohen Potenzen von $\varDelta$ aufsteigen wollte. Da hierdurch aber die Rechnung ganz ausserordentlich erschwert werden würde, so hat Verfasser es vorgezogen, die Funktion $\varphi(\varDelta)$ durch zwei verschiedene Gleichungen darzustellen, von denen die erste die lfd. Nrn. 1—34 (Endgeschwindigkeiten von 447 bis 319 m), die zweite die lfd. Nrn. 14—43 (Endgeschwindigkeiten von 373 bis 262 m) umfasst. Hierzu ist zu bemerken, dass $\varphi(\varDelta)$ in der Nähe von u = 373 m seinen kleinsten Werth erreicht, und dass ein so weites Uebergreifen der zweiten Gleichung ausserdem deshalb nothwendig ist, weil es sich bei vorliegender Untersuchung wesentlich um den Werth von $\dfrac{d\varphi(.\varDelta)}{d\varDelta}$ handelt, welcher naturgemäss in der Nähe der Endpunkte der Kurven unsicher ist.

Für Endgeschwindigkeiten zwischen 447 und 319 m ergiebt sich:

17. $\xi = \varDelta\varphi(\varDelta) = [1{,}3341]\varDelta - [1{,}3792]\varDelta^2 + [1{,}8077]\varDelta^3 + [0{,}3750]\varDelta^4 - [1{,}9170]\varDelta^5$

und für Endgeschwindigkeiten zwischen 373 und 262 m:

18. $\xi = \varDelta\varphi(\varDelta) = [1{,}2981]\varDelta - [0{,}8874]\varDelta^2 + [1{,}3837]\varDelta^3 - [0{,}7686]\varDelta^4.$

Mittelst 17 sind die ξ-Werthe der lfd. Nrn. 40, 41 und 43 auf die konstante Anfangsgeschwindigkeit 457,8 m reducirt und die betreffenden Ergebnisse für die Aufstellung der Gleichung 18 verwerthbar gemacht.

Gemäss 12 ist:

12a. $\qquad\qquad d\varDelta = -\dfrac{u_1}{u^2}\,du,$

mithin nach 9 und 12:

9a. $\qquad\qquad f(u) = \dfrac{u^2}{(1+u)\dfrac{d\xi}{du}}.$

Für die Funktion $\dfrac{f(u)}{u^2}$, deren Verlauf der grösseren Uebersichtlichkeit halber gewöhnlich an Stelle der Funktion $f(u)$ selbst in Betracht gezogen wird, erhält man demnach:

19.
$$\frac{f(u)}{u^2} = \frac{1}{(1+A)\dfrac{d\xi}{dA}}.$$

Die Gleichungen 17 bis 19 liefern nun folgende Ergebnisse:

Tabelle 2.

		Gleichung 17		Gleichung 18	
A	u	ξ	$\dfrac{f(u)}{u^2}$	ξ	$\dfrac{f(u)}{u^2}$
1	2	3	4	5	6
0,00	457,8	0,000	0,0463	—	—
0,02	448,8	0,420	0,0474	—	—
0,04	440,2	0,830	0,0481	—	
0,06	431,9	1,220	0,0486	—	
0,08	423,9	1,605	0,0488	—	
0,10	416,2	1,980	0,0487	—	
0,12	408,8	2,355	0,0482	—	
0,14	401,6	2,725	0,0474	—	
0,16	394,7	3,095	0,0464	—	
0,18	388,0	3,470	0,0451	—	
0,20	381,5	3,850	0,0437	—	
0,225	373,7	4,330	0,0418	—	—
0,25	366,2	4,825	0,0398	4,840	0,0397
0,275	359,1	5,330	0,0380	5,350	0,0380
0,30	352,2	5,855	0,0363	5,870	0,0364
0,325	345,5	6,395	0,0347	6,405	0,0348
0,35	339,1	6,945	0,0334	6,960	0,0331
0,375	333,0	7,505	0,0324	7,525	0,0315
0,40	327,0	8,065	0,0317	8,110	0,0300
0,425	321,3	8,630	0,0315	8,710	0,0285
0,45	315,7	—	—	9,340	0,0271
0,475	310,4	—	—	9,990	0,0257
0,50	305,2	—	—	10,660	0,0244
0,525	300,2	—	—	11,355	0,0231
0,55	295,4	—	—	12,080	0,0219
0,575	290,7	—	—	12,830	0,0208
0,60	286,1	—	—	13,610	0,0197
0,625	281,7	—	—	14,410	0,0187
0,65	277,4	—	—	15,250	0,0178
0,675	273,3	—	—	16,120	0,0169
0,70	269,3	—	—	17,020	0,0161
0,725	265,4	—	—	17,950	0,0153
0,75	261,8	—	—	18,910	0,0146

Wie man aus den Spalten 4 und 6 ersieht, schneiden die sich aus 17 und 18 ergebenden Werthe von $\dfrac{f(u)}{u^2}$ zwischen $u = 366$ und $u = 339$ zweimal, während die gleichzeitigen Werthe von ξ nur sehr wenig verschieden sind. Wir benutzen die Gleichung 17 bis zum ersten bei u = 359 liegenden Schnittpunkt, für die geringeren Endgeschwindigkeiten die Gleichung 18. Um einen Ueberblick zu gewinnen, mit welcher Genauigkeit obige Gleichungen die Versuchsergebnisse wiedergeben, sind in Spalte 16 der Tabelle 1 die errechneten Endgeschwindigkeiten eingetragen, wobei sich zeigt, dass die entstehenden Fehler innerhalb solcher Grenzen liegen, wie sie erfahrungsmässig bei Geschwindigkeitsmessungen unvermeidlich sind.

(Schluss folgt.)

Die Brieftauben im Heeresdienst.
Mit vier Abbildungen.

Viele Vögel zeichnen sich durch eine grosse Anhänglichkeit an ihre Nistplätze aus, so dass sie dieselben ungern verlassen, oder nach längerer Abwesenheit wieder aufsuchen, wenn sie wie die Zugvögel dazu gezwungen sind. Es braucht wohl nur an die Störche und die Schwalben erinnert zu werden, die alljährlich zu ihren alten Nestern zurückkehren. Unter den zu unsern Hausthieren gehörigen Vögeln bethätigen besonders die Tauben diese Heimathsliebe. Werden sie von den Schlägen, in denen sich ihre Nester befinden, fortgebracht, so suchen sie dieselben so rasch wie möglich wieder zu erreichen, und dies gelingt ihnen oft selbst auf grosse Entfernungen. Man hat vielfach angenommen, dass sie dabei durch eine instinktive, uns unbekannte Fähigkeit unterstützt würden. Dies scheint aber nicht der Fall zu sein, denn nach den darüber mehrfach angestellten Beobachtungen und Versuchen muss man annehmen, dass lediglich ein ausgezeichnetes Sehvermögen, verbunden mit einem ausserordentlichen Gedächtniss für Oertlichkeiten die Tauben befähigt, ihre Heimathsschläge wieder zu finden.

Solche Versuche hat in ausgedehnter Weise der belgische Brieftauben-züchter Rodenbach angestellt und in seinem Buche »Der belgische Brieftaubensport« mitgetheilt.

Zunächst machte er an einer blinden Taube verschiedene Beobachtungen. Er liess sie mehrere Male auffliegen. Stets geschah dies in aufsteigender Linie, ohne zu kreisen. Endlich nahm er sie mit in das freie Feld und liess sie etwa 1 km vom Schlage entfernt steigen. Obgleich er sie in der Richtung desselben hielt, stieg sie doch wie früher auf und schlug dann die entgegengesetzte Richtung ein, indem sie in unregelmässigen Bewegungen diesen Weg beibehielt. Sie verschwand und ist nie wieder von ihrem Herrn gesehen worden.

Bei einem andern Versuch liess er auf 30 km Entfernung sechs alte Tauben um 10 Uhr vormittags in südlicher Richtung bei kaltem, ruhigem, klarem Wetter auf, als eine gleichmässige frische Schneedecke die Erde und die Dächer bedeckte. Keine einzige Taube kehrte an demselben Tage in ihren Schlag zurück. Man sah sie beständig unschlüssig umherkreisen, aus mässiger Höhe die Gegend prüfend. Zwei schlugen endlich die Richtung nach Südosten ein, eine dritte verirrte sich in einen fremden Schlag, die andern verliessen nicht die Stelle, wo sie in Freiheit gesetzt waren. Erst am Nachmittag des folgenden Tages, als der Wind die Dächer rein-gefegt hatte und der die Erde bedeckende Schnee zum Theil weg-geschmolzen war, kamen zwei Tauben auf dem Schlage an, von Hunger und Müdigkeit entkräftet; am andern Tage stellten sich noch zwei andere in ausgehungertem Zustande ein. Die sechste verirrte sich auf Nimmer-wiedersehn.

Sehr lehrreich sind der dritte und vierte Versuch Rodenbachs als Gegensätze zu einander. Zunächst sandte er zehn gute Tauben fort und liess sie bei trübem, nebligem Wetter auf 50 km Entfernung von ihrem Schlage am Morgen in Freiheit setzen. Die erste gebrauchte 3 Stunden 22 Minuten, um diese geringe Entfernung zurückzulegen, zwei andere 4 Stunden, die letzten trafen erst am Nachmittag ein, als der Nebel bereits vollständig verschwunden war.

Wenige Tage später liess Rodenbach dieselben Tauben bei klarem Wetter und günstigem Winde wieder an demselben Orte auffliegen. Die Tauben gebrauchten zu dem Rückwege im Durchschnitt 45 Minuten.

Bei dem fünften Versuch wurden fünf Tauben bei Nacht, tiefer Dunkelheit und nördlichem Winde, in südlicher Richtung 1 km vom Schlage entfernt aufgelassen. Keine einzige kam während der Nacht nach Hause, vier kehrten am folgenden Morgen, die fünfte überhaupt nicht zurück.

Bei dem sechsten Versuch benutzte der belgische Züchter vier ältere Tauben, die dreimal bei hellem Mondschein zunächst auf 500 m, dann auf 1 und schliesslich auf 2 km Entfernung aufgelassen wurden. Jedes Mal fanden sie den Schlag leicht und schnell wieder, jedoch mit dem Unterschiede, dass sie sich das erste Mal auf das Dach setzten und erst bei Tagesanbruch in den Schlag zurückflogen, weil der Mond nicht auf den Ausflug schien und dieser daher dunkel war.

Dem vorher Gesagten entsprechend, finden daher die Tauben auf grosse Entfernungen ihren Nistplatz nur wieder, wenn sie ganz allmählich stationsweise auf den ganzen Weg eingeübt worden sind. Bei dieser Ein-übung können allerdings die Stationen, mit kleinen Entfernungen beginnend, allmählich immer weiter voneinander gelegt werden, so dass man kaum annehmen kann, dass die Tauben von der neuen Station auch aus der Höhe die letzte vorher besuchte sehen können. Es kommt ihnen aber hierbei zu gute, dass sie die allgemeine Himmelsrichtung ihres Fluges durch die früheren Reisen kennen, zunächst also nur in dieser fortzufliegen brauchen, um eine bekannte Station zu Gesicht zu bekommen.

Die Tauben führen ihre Reisen in verhältnissmässig kurzer Zeit aus, da sie sehr schnell fliegen. Bei günstigem Winde ist das Kilometer schon in ¹/₂ Minute geleistet worden. Fluggeschwindigkeiten von 1 Minute für den Kilometer sind ganz gewöhnliche.

Diese Eigenschaften der Tauben haben schon in den ältesten Zeiten dazu geführt, sie zum Nachrichtendienst zu benutzen. Die alten Egypter nahmen auf ihren Schiffen Tauben mit, die sie auf der Rückfahrt nahe den heimischen Gestaden fliegen liessen, um von ihrer Ankunft Nachricht zu geben.

In Griechenland wurden durch Tauben die Nachrichten über Siege in den Kampfspielen beschleunigt. So liess z. B. Taurosthenes nach seinem Siege in Olympia eine mit einem Purpurläppchen gezeichnete Taube aufsteigen, um seinem in Aegina wohnenden Vater seinen Sieg mitzutheilen.

Ebenso war den Römern die Taube als Nachrichtenübermittlerin bekannt. Plinius und Aelian erzählen, dass die Benutzung der Tauben als Boten schon in die ältesten Zeiten hinaufreiche. Als Decimus Brutus in Mutina 44 v. Chr. belagert wurde, sandte er in das Lager der Konsuln Tauben, denen Briefe an den Beinen befestigt waren.

Die eigentliche Geschichte der Brieftauben beginnt aber erst mit den Kreuzzügen. Im Jahre 1098 lernten die Christen den Gebrauch der Brief-tauben bei der Belagerung von Haxar kennen. Ueberhaupt scheint im

Orient die Benutzung der Brieftauben zu Botenzwecken schon frühzeitig sehr ausgebildet gewesen zu sein.

Vollständig eingerichtete Brieftaubenposten hatte bereits der Sultan Nur-Eddin (1146—1174). Sie bestanden bis zur Zerstörung Bagdads durch die Mongolen.

In Europa werden die Brieftauben bei der Belagerung von Haarlem 1572 und der Belagerung von Leyden 1575 erwähnt. Die Belagerten erhielten durch Tauben wiederholt Nachricht, dass der Prinz von Oranien zum Entsatze heranrücke.

1815 bediente sich das Haus Rothschild der Brieftauben, um Nachrichten vom Kriegsschauplatze zu erhalten. Die Londoner Filiale Rothschilds soll auf diese Weise die Nachricht von dem Siege bei Waterloo 3 Tage früher erhalten haben als die englische Regierung und dadurch einen Gewinn von Millionen gemacht haben.

Dem Beispiele von Rothschild sind später auch andere Firmen gefolgt, auch die Kölnische Zeitung hat Nachrichten durch Brieftauben empfangen.

Nach der Einrichtung der elektrischen Telegraphen schlief das Interesse für die Brieftauben allmählich ein. Ihre Zucht, Pflege und Ausbildung wurde nur noch zu Sportzwecken, hauptsächlich in Belgien betrieben. Erst im Jahre 1870 lenkten die Brieftauben im französischen Kriege wieder die Aufmerksamkeit auf sich, als es gelang, in das eingeschlossene Paris sehr wichtige Nachrichten durch Tauben hinein zu befördern, die auf Luftballons hinausgeschafft waren.

Allgemein wurde sofort die militärische Bedeutung des Brieftaubensports gewürdigt, und alle grösseren Staaten richteten ein grösseres Nachrichtensystem durch Brieftauben in ihren Ländern ein, indem sie einerseits in ihren Festungen Brieftaubenschläge anlegten, andererseits die Brieftaubenvereine unterstützten und deren Leistungen in ein für den Krieg nützliches System brachten.

Die Brieftauben sind nicht, wie andere Rassetauben, Ergebnisse einer fortgesetzten Züchtung nach einer bestimmten Veränderung hin, sondern der Kreuzung gut fliegender Rassetauben. Die durch solche Kreuzung und durch weitere Zucht der Blendlinge und ihrer Nachkommen erzielten Brieftaubenrassen weichen daher in ihrer äusseren Gestalt wesentlich voneinander ab, wie z. B. die Lütticher und die Antwerpener Brieftauben. Es giebt aber ausser den Hauptrassen noch alle möglichen Kreuzungen, die mehr oder weniger nach den verschiedenen Urrassen hinschlagen.

Ob diese Urrassen von verschiedenen Arten wilder Tauben abstammen, steht nicht ganz fest. Für die Mehrzahl nehmen die Zoologen dies nicht an, sondern halten sie für Abkömmlinge der Felsentaube, columba livia.

Diese Taube ähnelt nicht bloss in der Gestalt und Färbung, sondern auch in ihrem Betragen unserer gewöhnlichen Haustaube, dem Feldflüchter. Nach Brehm ist die Felsentaube auf der Oberseite hellaschblau, auf der Unterseite mohnblau. Der Kopf ist hellschieferblau, der Hals bis zur Brust dunkelschieferfarben, oben hellblaugrün, unten purpurfarben schillernd, der Unterrücken weiss. Ueber die Flügel ziehen sich zwei schwarze Binden; die Schwingen sind aschgrau, die Steuerfedern dunkelmohnblau, am Ende schwarz, die äussersten auf der Aussenseite weiss. Das Auge ist schwefelgelb, der Schnabel schwarz, an der Wurzel lichtblau, der Fuss dunkelbraunroth. Männchen und Weibchen unterscheiden sich kaum durch ihre Färbung. Die Jungen sind dunkler wie die Alten.

Die Felsentaube nistet nicht auf Bäumen, sondern wählt zu ihrem Aufenthalt Felsen, altes Gemäuer. Sie ist über das südliche Asien, Afrika, die Mittelmeerländer und Westeuropa bis zu den schottischen Küsten verbreitet. Die Felsentauben sind sehr gewandte Flieger.

Unsere Haustauben sind der Mehrzahl nach den Felsentauben in der Färbung ähnlich und zeigen nur diejenigen Farbenveränderungen nach der Richtung des Leukismus oder Melanismus, welche auch bei anderen domestizirten Vögeln vorkommen. Wir finden, unter Zugrundelegung der ursprünglichen Zeichnung, röthliche und gelbliche sowie ganz oder theilweise weisse und schwarze Tauben.

Abbild. 1.

1. Feldtaube.   2. Tümmler.

Von den Haustauben konnten natürlich zur Züchtung von Brieftauben nur diejenigen Rassen in Frage kommen, die sich durch ein hervorragendes Flugvermögen auszeichnen. Es sind dies folgende:

1. Die flüchtige, langgestreckte Feldtaube (Abbild. 1, Fig. 1) steht der Felsentaube im Aeussern und im Wesen am nächsten. Sie ist scheu und sucht ihr Futter am liebsten durch Feldern, d. h. wo sie es findet, ihre Flugfähigkeit ist daher gross. Man kann Feldtauben zum Nachrichtendienst abrichten, aber nur für Entfernungen bis zu 50 km gebrauchen.

2. Der Tümmler (Abbild. 1, Fig. 2) ist eine der kleinsten Haustauben und besonders sehr kurzbeinig. Er zeichnet sich durch seinen gedrungenen, nicht sehr langen Körper, schönes Ebenmaass der Glieder, zierliche Haltung und edlen Anstand aus. Seine hervorstehenden Augen sind mit einem flachen Hautring umgeben.

Abbild. 2.

3. Mövchen.   4. Karrier.

Der Tümmler ist eine der muntersten Taubenrassen und fliegt ungemein gewandt.

In Belgien hat man bei Beginn der Brieftaubenzucht vielfach Tümmler zu Botenzwecken verwendet, aber nur solche Tümmler dazu gewählt, die beim Fliegen nicht in der Luft überschlagen. Die Tümmler sehen sehr gut auf grosse Entfernung, weniger gut in der Nähe.

3. Das Mövchen (Abbild. 2, Fig. 3), eine kleine, sehr kurz geschnäbelte Taube, die vielfach mit einer Federkrause geziert ist, hat trotz geringer Grösse starke Knochen und eine starke Wölbung des Flügels. Das Mövchen ist daher ein sehr guter Flieger.

4. Der Karrier (Abbild. 2, Fig. 4), eine sehr grosse, starkknochige Taube, scheint von einer orientalischen Brieftaubenrasse abzustammen. Er ist in seiner heutigen Form gewissermaassen als die Karrikatur einer Taube anzusehen wegen des sehr hässlichen, von den Liebhabern aber sehr bewunderten, magenartigen grossen häutigen Auswuchses an der Nase und der wulstigen Augenringe. Zur Brieftauben-

zucht hat man ihn besonders mit Rücksicht auf seinen starken Bau gewählt. Karrier, die mit den hässlichen Rassekennzeichen in höchster Potenz versehen sind, eignen sich dazu nicht. Sie fliegen schlecht, weil sie durch ihre Hautwucherungen zum Theil am Sehen verhindert werden.

Durch Kreuzungen dieser 4 Tauben-arten in mehreren Generationen sind die jetzigen Brieftaubenrassen entstanden. Als hauptsächlichste wären anzuführen der Dragoner, die Antwerpener und die Lütticher Brieftaube. Der Dragoner, auch Drachentaube genannt (Abbild. 3, Fig. 5), ist jedenfalls schon jetzt als eine fest-stehende Rasse zu betrachten, die durch Kreuzung des Karriers mit dem Tümmler oder mit der Feldtaube erzielt sein soll. Ihrer Gestalt und Grösse nach ist in dieser Kreuzung jedenfalls das Blut des Karriers vorherrschend.

Der Dragoner trägt im Allgemeinen die Farben der Felsentaube. Er bedarf geringer Pflege und zeigt grosse Sorgfalt beim Aufziehen der Jungen. Er fliegt schnell und ausdauernd. Als Brieftaube

5. Dragoner. 6. Antwerpener Brieftaube.

wird er von der Antwerpener und Lütticher Brieftaube übertroffen.

Die erstere (Abbild. 3, Fig. 6) ist durch Kreuzung des Dragoners mit dem Tümmler entstanden und trägt daher in ihrem Aeusseren mehr oder weniger die Kennzeichen dieser Voreltern. Einzelne Vögel schlagen ganz in die Gestalt des Karriers oder Dragoners, andere lassen diese Abstam-mung kaum erkennen. Im Allgemeinen soll der Schnabel lang mit mehr oder weniger Schnabelwarze versehen sein, die mit der Gruste des weissen, fleischigen Augenringes übereinstimmen muss. Die ganze Gestalt ent-spricht einem flüchtigen Wesen, die mächtigen Flügel und Schwingen stehen so weit von den Rumpffedern ab, dass die starke Knochen- und Muskelbildung sichtbar· wird. Die Antwerpener Brieftaube ist ein sehr sicherer Flieger von besonders gutem Orientirungsvermögen. Sie fliegt be-reits in den ersten Jahren sehr gut; im Alter wird sie oft zu schwer und dann leicht eine Beute der Raub-vögel. Die kleinste und zierlichste von allen Brieftauben ist die Lütticher (Abbild. 4, Fig. 7). Man hält sie für ein Erzeugniss der Kreuzung von Mövchen und Tümmler. Ersterem

7. Lütticher Brieftaube.

ähnelt sie jedenfalls in der Gestalt, besonders in der Kopf- und Schnabel-bildung. Diese Taube übertrifft die Antwerpener noch an Flugfähigkeit, gewinnt aber langsamer ihre volle Kraft, meist erst im dritten Jahre.

Ausser diesen Brieftaubenrassen giebt es nun noch alle möglichen Mischlingsrassen. Auch die in Deutschland beliebteste und leistungs-fähigste Brieftaube ist eine Mischlingsrasse der Antwerpener und Lütticher Brieftaube. Sie hat mit allen vorgenannten Stammeltern die geringste Aehnlichkeit. Die besten Brieftauben werden nur durch Verpaarung guter

Brieftauben, aber nicht durch Kreuzung mit den Stammrassetauben erzogen. Versuche in letzterer Richtung haben keine guten Erfolge gehabt,
sondern nur höchst minderwerthiges Material erzeugt.

Inwieweit Inzucht unter den Brieftauben zweckmässig ist, darüber
gehen die Ansichten der Züchter sehr auseinander. Sicher ist, dass die
höchste Steigerung gewisser Eigenschaften nur durch Inzucht erreicht
werden kann. Dagegen scheint durch zu weit getriebene Inzucht das
Fortpflanzungsvermögen der Thiere geschädigt zu werden. Daher ist eine
Blutauffrischung in gewissen Grenzen von Vortheil. Eine vollständige
Vermischung zweier gleich grosser Stämme von Tauben, besonders wenn
sie von sehr verschiedener Rasse sind, kann dagegen alle Erfolge vereiteln.
Es bilden sich dabei Rückschläge und Thiere, die den Urrassen ähnlich,
aber ganz minderwerthig sind. Uebrigens wirken auch Veränderungen in
den klimatischen Verhältnissen auf Brieftauben oft sehr ungünstig ein.
So z. B. schritten von 43 guten Tauben, die vom Rhein an die Oder gebracht worden waren, nur 6 Paar zur Paarung und erzeugten sehr minderwerthige Junge, trotzdem die Verhältnisse ihrer Unterbringung und Pflege
gut waren.

Sollen Brieftauben Tüchtiges leisten, so müssen sie gut gepflegt werden.
Hierbei spielt die Liebe und Aufmerksamkeit des Wärters eine grosse Rolle.
Wärter, die ihren Dienst zwar äusserlich ordentlich, aber ohne eigentliches
Interesse für ihre Pfleglinge versehen, erzielen niemals günstige Ergebnisse.
Ein guter Pfleger muss jede einzelne seiner Tauben kennen. Dies ist
natürlich um so schwerer, je grösser die Zahl der Tauben ist. Aus diesem
Grunde werden auch Militärbrieftaubenschläge, die oft bis zu 600 Tauben
enthalten, wenn mehrere Flugrichtungen vorhanden sind, stets nur mittel-
mässige Gesammtleistungen aufweisen, während Privatbesitzer kleiner
Schläge oft ganz ausserordentliche Ergebnisse erreichen.

Ausser dieser Liebe des Wärters zu seinen Pfleglingen ist ein Haupt-
erforderniss für das Gedeihen der Tauben die grösste Reinlichkeit, sowohl
betreffs des Schlages, wie auch besonders des Wassers. Es empfiehlt sich,
die Schläge mit Sand auszustreuen. Dies erleichtert die Reinigung sehr
und hat ausserdem den Vortheil, dass den Tauben dieses Material, das
sie neben Kalk und Lehm verschlucken, in genügender Menge geboten
wird, was für ihre Verdauung nützlich ist. In jedem Taubenschlage soll
sich auch ein Salzstein und Kalk befinden. Sehr gut sind gestossene
Eierschalen für Tauben, die eingeschlossen sind und nicht feldern können,
besonders während der Nistzeit.

Die Aufenthaltsräume für die Tauben sollen geräumig und hell sein.
Sehr vortheilhaft ist es, wenn sie ziemlich warm im Winter sind. Eine
Lage der Schläge dicht an grösseren Flüssen hat sich nach diesseitigen
Erfahrungen nicht bewährt. Die feuchte, neblige Luft, die unmittelbar
an grösseren Gewässern oft herrscht, scheint den Tauben nicht zuträglich
zu sein. Besonders in kälteren Klimaten ist darauf zu sehen, dass die
Taubenschläge nicht zu kalt sind.

Das Futter der Tauben soll nur aus Sämereien bester Beschaffenheit
bestehen. Man wählt im Allgemeinen dazu Wicken, Erbsen, kleine Pferde-
bohnen, Gerste. Auch Mais wird als Futter benutzt, soll jedoch die
Tauben leicht fett und träge machen. Vielfach setzt man in der Paarungs-
zeit dem Futter Hanfsamen zu. Es kann dies jedoch auch unterbleiben
und darf jedenfalls nur in sehr beschränktem Maasse geschehen. Wenn
die Brieftauben feldern können, was zur Entwickelung und Erhaltung
ihrer Flugfähigkeit sehr vortheilhaft ist, so kann die Fütterung entsprechend eingeschränkt werden. Lässt sich ein Feldern der Brieftauben

nicht ausführen, so ist wenigstens darauf zu halten, dass die Tauben täglich in der Umgegend des Schlages umherfliegen. Es hat sich hierbei gut bewährt, die Tauben zu bestimmten Tränkstellen fliegen zu lassen.

Man überlässt es den Tauben nicht, sich zu Paaren nach Belieben zusammen zu thun, sondern trennt die Geschlechter während des Winters und setzt im März oder, wenn der Schlag sehr warm ist, auch schon im Februar die Paare zusammen. Man kann somit durch Paaren der besten Tauben gute Nachkommenschaft erzielen und vermeidet vorzeitiges Brüten der Tauben. Zur Züchtung sind die Tauben erst zuzulassen, wenn sie etwa 2 Jahre alt sind. Ueber 10 Jahre alte Täuber und über 8 Jahre alte Tauben dürfen nicht mehr gepaart werden, wenn gute Junge erzielt werden sollen.

Gewöhnlich legt die Taube schon 14 Tage nach dem Zusammensetzen ihre Eier. Das Gelege beträgt 2 Eier. Die Jungen kriechen nach 16 bis 18 Tagen aus. Zu dieser Zeit bildet sich im Kropfe der Taube ein schleimiger Saft, der zur Fütterung der Jungen in den ersten Tagen dient. Um kräftigere Thiere zu erzielen, zieht man meist nur ein Junges auf. Die Auswahl geschieht, wenn die Jungen 6 bis 8 Tage alt sind. Bei dieser Gelegenheit sucht man oft beide Junge eines vorzüglichen Paares dadurch zu erhalten, dass man eins derselben minderwerthigen Tauben unterlegt, denen man dafür beide Junge fortnimmt. Hierbei ist zu beachten, dass man stets ältere Junge an Stelle jüngerer legen muss. Verfährt man umgekehrt, so ist der Brei, den die Taube verfüttert, für das untergeschobene Junge nicht mehr weich genug. Man lässt die Brieftauben gewöhnlich nur zweimal brüten. Die Jungen der zweiten Brut können dann vor der Mauser wenigstens noch einige Flüge machen.

Die Brieftauben brüten im Allgemeinen sehr gut. Als Nester wäblt man am besten flache Thonschalen, in die man mehrere Centimeter hoch Sand und Asche, auch etwas Insektenpulver streut. Es ist nicht nöthig, dass die Tauben in diese Nester noch etwas hineintragen. In Korbnester legt man trockenes Stroh, oder lässt es auch durch die Tauben eintragen.

Die in einem Schlage gezogenen Jungen kehren beim Ausfliegen selbstverständlich wieder in denselben zurück. Es ist aber sehr schwer, fremde Tauben in einen Schlag einzugewöhnen. Am leichtesten geschieht es in der Jugend, schwerer bei schon gepaarten Tauben. Zur Eingewöhnung muss im neuen Schlage eine lange Einsperrung stattfinden, die gewöhnlich erst aufgegeben werden darf, wenn die Tauben gepaart sind und Junge haben.

Die Ausbildung der Tauben beginnt, wenn sie 3 bis 4 Monate alt sind. Man kann diese Ausbildung sehr schnell bis auf grössere Entfernungen durchführen, erleidet aber dann meist sehr grosse Verluste. Auch sollen Tauben, die schon sehr früh grosse Strecken geflogen haben, gewöhnlich nur bis zum 5. Lebensjahr brauchbar sein. Aus diesen Gründen vertheilt man für weite Reisen die Ausbildung der Tauben gewöhnlich auf 3 Jahre und bildet die Tauben im 1. Jahre nur bis auf etwa 100 km aus. Je nach dem Zweck, dem die Brieftauben dienen sollen, muss ihre Ausbildung verschieden sein.

Im Allgemeinen kann man 3 Arten der Brieftaubenbenutzung unterscheiden, und zwar den Reiseflug, d. h. den Flug auf einer bestimmten längeren Linie, um von der Endstation oder von Zwischenstationen Nachrichten nach dem Heimathsschlage zu bringen; den Ortsflug, d. h. den Flug von verschiedenen Orten rund um den Heimathsschlag nach diesem zurück; den Hin- und Rückflug zwischen zwei Stationen.

Der Reiseflug auf einer bestimmten Strecke ist der gewöhnliche.

Die Einübung dazu beginnt mit kurzen Entfernungen und wird mit immer grösseren Entfernungen fortgesetzt, bis die Endstation erreicht ist. Um junge Tauben auf etwa 100 km auszubilden, muss man sie gewöhnlich 5 bis 6 Mal auflassen. 1. Auflassen etwa 10 bis 15 km vom Heimaths-schlage, 2. Auflassen etwa 20 bis 25 km, 3. Auflassen etwa 40 bis 45 km, 4. Auflassen etwa 70 bis 75 km, 5. Auflassen etwa 100 bis 110 km. Im 2. Jahre kann man die Ausbildung auf 300 bis 350 km ausdehnen. Erst im 3. Jahre sollen noch grössere Reisen gemacht werden. Die ein-zelnen Auflassorte können dann immer weiter auseinander gelegt werden. Man wählt dazu, wenn möglich, Punkte, die eine gute Uebersicht bieten und nicht zu tief liegen. Sind Gebirge oder grössere Waldstrecken zu überfliegen, so müssen die Auflassorte an solchen Stellen näher aneinander gelegt werden. Sehr günstig für die Orientirung der Tauben ist ein Fluss-lauf oder die Meeresküste. Grosse Wasserflächen überfliegen die Tauben nicht gern. Die beste Flugrichtung ist von Süd-Ost nach Nord-West. Die Tauben, die gewöhnlich in den frühen Morgenstunden aufgelassen werden, brauchen dann nicht gegen die Sonne zu fliegen. Doch ist dies nicht von sehr grossem Einfluss, wenn die Reisen nicht allzu gross sind, und auch in entgegengesetzter Richtung sind ganz gute Ergebnisse erzielt worden. Stilles Wetter ist für das Fliegen günstig. Starker Gegenwind verlängert die Dauer der Reise, starker seitlicher Wind treibt die Tauben von ihrer Flugrichtung ab.

Die Tauben werden an die Auflassorte in grossen Körben befördert und gewöhnlich früh am Morgen in Freiheit gesetzt. Sie steigen meist rasch in die Höhe, kreisen kurze Zeit und fliegen dann in der Richtung ihres Heimathsschlages ab. Im Allgemeinen ist es vortheilhaft, die Tauben in grösseren Schwärmen fliegen zu lassen, für das Ueberfliegen von Ge-birgen und Wäldern empfiehlt es sich jedoch, nur kleinere Gesellschaften einzusetzen. Grosse Schwärme werden nämlich durch Raubvögel, die gerade in diesen Oertlichkeiten besonders zahlreich sind, oft zersprengt und verlieren dann in dem Zustande der Angst leicht die Orientirung. Um bei wichtigen Nachrichten eine möglichst grosse Sicherheit zu haben, lässt man gewöhnlich 4 Tauben mit derselben Depesche fliegen.

Man schreibt die Depeschen entweder auf dünnes Papier, oder stellt verkleinerte Photographien auf Films her. Letzteres ist nöthig, wenn sehr lange Mittheilungen gemacht werden sollen. So wurden z. B. im Jahre 1870 von Tours nach Paris ziemlich ausführliche Nachrichten durch Brief-tauben auf Films befördert. Gewöhnlich enthielt ein Blättchen von 30 bis 40 mm Grösse 200 bis 250 Depeschen. Man liest diese photo-graphischen Depeschen entweder mit der Lupe, oder man projicirt sie ver-grössert auf einen weissen Schirm.

Die Depeschen werden zusammengerollt und gewöhnlich in eine Feder-pose gesteckt, die mit einem Wachspfropfen verschlossen wird. Man bindet diese Federpose mit einem gewachsten Seidenfaden oder mit feinem Blumendraht unten an die mittelste Schwanzfeder der Taube fest. Meist durchsticht man dabei in letzterem Falle die Feder an einer Stelle und zieht den Draht hindurch. Wenn sich die Tauben dicht vor der Mauser befinden, so muss man darauf achten, ob die Feder auch noch fest sitzt. Um die Befestigung bequem ausführen zu können, ohne durch Bewegungen der Taube behindert zu werden, hat man Kasten konstruirt, in die die Tauben gesetzt werden. Diese Kasten sind mit einem Deckel versehen und im Innern mit Filz ausgefüttert. Sie bieten gerade Raum zur Auf-nahme einer Taube, deren Kopf und Schwanz durch Löcher aus dem Kasten herausragt. Man kann die Depeschen auch befestigen, indem man sie in Gummipapier wickelt, um einen Fuss der Taube rollt und dort festbindet. Dies hat sich aber weniger bewährt, wie die Anbringung an der Schwanzfeder. Früher hat man die Depeschen auch an die Flügel gebunden, oder unter Befestigung an den Flügeln wie einen Tornister auf dem Rücken der Tauben angebracht. Dadurch werden die Tauben aber etwas am Fliegen behindert. Solche Befestigungsarten sind also unpraktisch.

Der Ortsflug von verschiedenen Richtungen nach demselben Orte wird für Brieftauben weniger eingeübt. Er kommt hauptsächlich in Frage für Tauben, die von Schiffen nach der Küste oder nach Inseln fliegen müssen, für Tauben, die von Luftballons aufgelassen werden, und für Tauben, die von verschiedenen, um einen Ort herumliegenden Punkten nach diesem Nachrichten bringen sollen. In allen diesen Fällen dürfen die Entfernungen nicht so gross sein wie beim Reisefluge. Es dürfte nicht statthaft sein, 100 km zu überschreiten. Gewöhnlich sind noch kürzere Entfernungen zu nehmen. Die Ausbildung muss sich hier in kleineren Etappen auf mehrere Richtungen erstrecken. Uebrigens fliegen die Tauben von Schiffen und von Luftballons nicht gern auf. Werden sie hinausgeworfen, so suchen sie oft wieder zurückzukehren. Beim Hinauswerfen aus einem Luftballon fliegen sie anfangs oft gar nicht, sondern fallen ein beträchtliches Stück, ehe sie die Flügel ausbreiten. Nichtsdestoweniger sind auch für den Ortsflug zum Theil ganz günstige Ergebnisse erzielt worden.

Der Hin- und Rückflug von Brieftauben zwischen zwei Orten ist zuerst 1887 durch den italienischen Hauptmann Malagoli ins Werk gesetzt worden. Er richtete Tauben dazu ab, zwischen Rom und Civitavecchia auf 67 km hin und zurück zu fliegen. Später sind ähnliche Versuche auch anderwärts mit Erfolg gemacht worden, und besteht in Deutschland eine auf Hin- und Rückflug begründete Brieftaubenverbindung, die jetzt schon 10 Jahre lang ohne Tadel im Gauge ist. Die Entfernung zwischen den betreffenden Orten beträgt allerdings nur 26 km.

Der Hin- und Rückflug wird dadurch erreicht, dass die Tauben in und bei ihrem Heimathsschlage, wo sie nisten, kein Futter bekommen, sondern dies von einem fremden Schlage holen müssen. Die Abrichtung geschieht folgendermaassen. Nachdem die Tauben auf die betreffende Linie im Reisefluge gut eingeübt sind, werden sie nach eintägigem Fasten in die andere Station gebracht und dort erst nach tüchtigem Füttern wieder fliegen gelassen. Nachdem dies mehrfach geschehen ist, stellt man das Füttern im Heimathsschlage ganz ein und bringt die Tauben einige Tage hintereinander nach der Futterstation, dann fliegen sie dieser, sobald der Heimathsschlag geöffnet wird, freiwillig zu. Sind dressirte alte Tauben vorhanden, so geht die Abrichtung der jungen etwas schneller von statten als sonst, weil sie von den alten geführt werden. Muss aus irgend einem Grunde der Flug der Tauben unterbrochen werden, so ist es nöthig, dass man trotzdem das Füttern im Heimathsschlage aussetzt. Man bringt dann die Tauben in verdeckten Körben an eine ihnen unbekannte, nahe gelegene Futterstelle, von der aus sie die Umgegend nicht sehen können. Nur brütende Weibchen muss man im Heimathsschlage füttern. Man wählt dazu die Zeit, wo die andern Tauben zum Futter geflogen sind, und entfernt noch vor deren Rückkunft alle liegen gebliebenen Futterreste. Sind die Jungen einer Erwärmung nicht mehr sehr bedürftig, so können auch die nistenden Weibchen die Reisen mitmachen.

Die Tauben fressen bei einer derartigen Gewöhnung in der Fütterungsstation so viel, dass bei ihrer Ankunft im Heimathsschlage ihre Kröpfe aufs Aeusserste gespannt und steinhart sind. Sie bleiben aber gesund und flugtüchtig.

Selbstverständlich ist es günstig, wenn die beiden Orte, zwischen welchen der Hin- und Rückflug stattfinden soll, nicht zu weit voneinander entfernt liegen. Sowohl die Einübung wie die dauernde Fortsetzung des Hin- und Rückfluges wird mit dem Wachsen der Entfernung immer schwieriger. In unserm Klima dürften 50 km nicht zu überschreiten sein. In südlicheren Ländern mit mehr gleichbleibender Witterung ist es vielleicht möglich, das Doppelte zu erreichen.   (Schluss folgt.)

————⋙ Kleine Mittheilungen. ⋘——· —

Die Motorwagen-Ausstellung, die im Monat September in Berlin abgehalten wurde, bot trotz ihrer reichhaltigen Beschickung für ausschliesslich militärische Zwecke nur eine geringe Ausbeute, indem kein einziger Aussteller mit Militär-Automobilen (Proviantwagen, Feldgeräthwagen, Hakets, Faltbootwagen u. s. w.) vertreten war. Der elektrische Fahrrad-Motorwagen ›Electra‹ zum Transport von zwei Personen erwies sich dadurch von besonderem militärischen Interesse, als zu dem Motor eine neu erfundene **transportable Elektrizität** angewendet wurde. Es ist dies eine Batterie aus galvanischen Primärelementen, in denen Zink als negative Elektroden und besonders präparirte **trockene** Platten aus Bleisuperoxyd als positive Elektroden angewandt werden, die durch einfaches Aufgiessen von Wasser sofort betriebsfertig sind und sich nach erfolgtem Verbrauch ohne Weiteres auswechseln lassen. Auf diese Erfindung, die eine weitgehende militärische Verwendung erwarten lässt und durch ein Syndikat für transportable Elektrizität (Berlin, Adalbertstr. 60) zur Einführung gelangt, wird noch zurückzukommen sein.

Neues Konservirungsmittel für Lederzeug. Die stete Schlagfertigkeit eines Heeres macht das Vorräthighalten ungeheurer Mengen von Bekleidungs- und Ausrüstungsstücken nothwendig, um es vom Friedensfuss auf den Kriegsfuss überführen zu können, und hierbei spielt das Lederzeug sowohl in der Fussbekleidung wie in Geschirr- und Stallsachen eine hervorragende Rolle. Die verwaltenden Behörden haben bei der Aufbewahrung der erwähnten Stücke besonders damit zu kämpfen, sie gegen das Brüchig- und Hartwerden sowie das Verschimmeln und Anfaulen zu sichern. Aber auch das im Friedensgebrauch der Truppen befindliche Lederzeug dieser Art bedarf der steten Sorgfalt, wenn Fussleiden und Druckschäden bei Mann und Pferd vermieden werden und die einzelnen Stücke eine längere Tragezeit erhalten sollen. Die bisher zu diesem Zweck benutzten Fette und Schmiermittel haben aber den Erwartungen nicht völlig zu entsprechen vermocht, bis die unter dem Namen ›Mars-Oel‹ in den Handel gebrachte antiseptische Lederkonserve des Fabrikanten Karl Gilg zu Gross-Lichterfelde bei Berlin sich als ein hervorragendes Mittel erwiesen hat, die Vorräthe an militärischem Lederzeug dauernd geschmeidig, schimmelfrei und stets gebrauchsfähig zu erhalten. Wer die mit Kammerstiefeln wundgelaufenen Füsse, die mit Kammergeschirren durchgezogenen Pferde kennen gelernt hat, wird den Vortheil einer solchen Lederkonserve würdigen, die auch den Stiefel wasserdicht macht, weshalb sie besonders auch für die technischen Truppen im Frieden werthvoll ist. Auch bei der Marine hat sich das Oel bewährt, so dass die sonst so schädliche Einwirkung des Salzwassers gegen Lederzeug nicht eintrat. Ebenso hat sich das ›Mars-Oel‹ als ein vorzügliches Rostschutzmittel bei der Reinigung von Handfeuerwaffen und Geschützen verwendbar gezeigt, so dass Eisentheile auch bei fortgesetztem Bespritzen durch überkommendes Seewasser auf Kriegsschiffen dauernd rostfrei blieben. Der Reitersmann erhält in dem ›Mars-Oel‹ ein vortreffliches Huffett, das billiger ist als die sonst gebräuchlichen Hufschmiermittel. Zum Gebrauch für den Soldaten wird das Oel in kleinen ›Piccolo-

Fläschchen‹ von Blech mit Auftragpinsel abgegeben, während die Kompagnie. Eskadron oder Batterie besser das Oel in Literblechflaschen verschiedener Grösse bezieht. Auch der Offizier wird das Oel mit Vortheil zur besseren Erhaltung von Stiefeln, Reit- und Sattelzeug verwenden; der herannahende Winter ist die beste Zeit zu einem Versuch.

Die Bundy Acetylengas-Lampe. (Mit 2 Abbild.) Viele der Verbesserungen, welche man an den Acetylengas-Lampen für Zweiräder gemacht hat, um deren Sicherheit und Gebrauchsfähigkeit zu erhöhen, finden sich in der Lampe, welche die Frank E. Bundy Lamp Company in Elmira, N. Y., anfertigt und deren Beschreibung sich im ›Scientific American‹ findet. Die Lampe (Abbild. 1) besteht aus der gewöhnlichen Gas-erzeugungskammer a und der Wasserkammer b. Die Erzeugungskammer a nimmt den untersten Theil der Lampe ein, und in ihr ist eine Patrone eingeschlossen, welche den Namen ›Carblot‹ trägt. Dieses Carblot ist eine neue Konstruktion und so eingerichtet, dass das Wasser nicht unmittelbar mit der Kohle in Berührung kommt. Die Patrone ist nämlich durch Löschpapier in eine Reihe ringförmiger Kohlenzellen eingetheilt, welche einen Mittelkanal umgeben, durch den Wasser

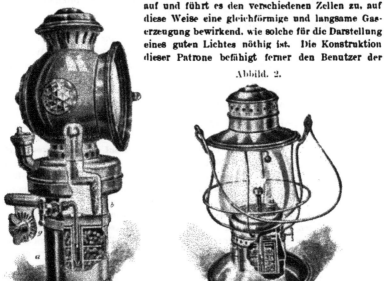

Abbild. 1.

gegossen wird. Das Löschpapier saugt das Wasser auf und führt es den verschiedenen Zellen zu, auf diese Weise eine gleichförmige und langsame Gas-erzeugung bewirkend, wie solche für die Darstellung eines guten Lichtes nöthig ist. Die Konstruktion dieser Patrone befähigt ferner den Benutzer der

Abbild. 2.

Bundy Acetylen-Zweirad-Lampe.   Bundy Acetylen-Handlaterne.

Lampe, diese zu jedesmaligem Gebrauch wieder anzustecken. Wie das Löschpapier als Aufsauger und als Vertheiler der Feuchtigkeit dient, sobald das Wasser in den Mittelkanal hereingeleitet ist, ebenso wirkt es auch als Ansammler der Feuchtigkeit, wenn das Wasser wieder abgeflossen ist, und die Hitze, welche durch die Wirkung der Feuchtigkeit auf die Kohle erzeugt wird, trocknet das Löschpapier, während dieses seinerseits wiederum die Feuchtigkeit der verbrauchten Asche aufsaugt und den Ueberschuss der Kohle vollständig trocken lässt, damit den unangenehmen Geruch nach dem Löschen des Lichtes wegnimmt und den Ueberschuss der Kohle in dem Carblot für weiteren Gebrauch aufbewahrt. Die Wasserkammer b liegt über der Erzeugungskammer und umgiebt die Gasröhre c vollständig. Das Wasser wird in der oben angegebenen Art zu der Kohle in Beziehung gebracht durch ein dünnes Rohr, welches in den Mittelkanal des Carblots eintritt.

Ein Nadelventil, welches durch eine aussen angebrachte Handhabe gedreht werden kann, kontrollirt den Wasserbedarf. Ferner findet auch die Kontrolle des Wassers automatisch durch ein Ventil statt, welches in Bewegung tritt, sobald der Gasdruck grösser wird als das Gewicht des Wassers in der Wasserkammer. Zum Trocknen des Gases, welches infolge seiner Erzeugung durch Feuchtigkeit nöthig wird, dient eine Vorrichtung in Gestalt eines Filzpfropfens, welcher in die Gasröhre eingeschraubt wird und durch welchen alles Gas durchströmen muss, bevor es in die Gasröhre gelangt. Die Gasröhre ist so eingerichtet, dass sie einen kleinen Gasometer darstellt. Das Wasser in der Wasserkammer kühlt das Gas, bevor es den Brenner erreicht, und liefert somit ein trockenes kühles Gas, welches ein glänzendes weisses Licht giebt. Wenn man die Lampe gebrauchen will, so wird die Wasserkammer zunächst durch ein kurzes Rohr c gefüllt. Die Gaserzeugungskammer wird abgeschraubt und das Carblot in den Kohlenraum eingesetzt. Dann schraubt man die Erzeugungskammer wieder an, öffnet das Nadelventil d und bringt das Wasser in Beziehung zu der Kohle. Das erzeugte Gas steigt durch die Gasröhre e und wird dann angezündet. — In ähnlicher Weise stellt dieselbe Firma auch Handlaternen her (Abbild. 2).

Elektrischer Bahnbetrieb und Mobilmachung. Die immer mehr sich ausdehnende Verwendung der Elektrizität für den Personenverkehr und Transport legt die Frage nahe, welchen Einfluss der Ersatz des Dampfbetriebes auf Eisenbahnen durch elektrischen Betrieb auf die Mobilmachung eines Landes ausüben würde. In Frankreich ist diese Erwägung bereits an das Kriegsministerium herangetreten. Die Paris—Lyon—Mittelmeerbahn hat sich an jene Behörde mit der Frage gewendet, ob sie sich der Umwandlung des Dampfbetriebes in elektrischen im Departement Isère, wo Wasserkräfte in Fülle vorhanden sind, widersetzen würde. Das Ministerium hat diese Frage bejaht und zwar unter Hinweis auf folgende Gründe: 1) Für die durchaus erforderliche Sicherstellung und Vorbereitung der Mobilmachung würde bei jeder einzelnen elektrischen Anlage die Aufspeicherung von elektrischer Kraft in einem Umfange nöthig sein, der den für den Friedensbetrieb erforderlichen um ein Bedeutendes überschritte. Daraus ergäbe sich also die Lahmlegung von Kräften und Kapitalien, die der Industrie entzogen oder nutzlos in Reserveanlagen angelegt werden müssten. 2) Der Uebergang von elektrisch betriebenen Linien zu solchen mit Dampf betrieben lässt sich kaum ohne Umladung des Transportobjekts ausführen. Es ergäbe sich also im Mobilmachungsfall ein bedeutender Zeit- und Kräfteverlust. 3) Eine zufällige oder absichtliche Beschädigung eines einzelnen Punktes auf einer elektrisch betriebenen Linie unterbricht den Strom auf dem gesammten Netz und nagelt das gesammte rollende Material auf dem Punkt fest, auf dem es sich gerade befindet. — Interessant wäre es, im Hinblick auf diese vorläufige Entscheidung in Frankreich, zu erfahren, wie der italienische Generalstab sich zu dieser Frage stellt. In Italien, wo Wasserkräfte reichlich vorhanden sind, die Kohle aber vollkommen mangelt, drängt ja Alles auf Ersatz des Dampfbetriebes durch den elektrischen. (Für Deutschland ist diese Frage für absehbare Zeit ohne Belang, zumal elektrische Betriebe vorerst nur auf ganz wenigen Nebenbahnen eingeführt sind, die auf den Gang der Mobilmachung keinerlei Einwirkung haben. Der Betrieb von Voll- und Hauptbahnen mit Elektrizität steckt aber doch noch zu sehr in den Kinderschuhen, als dass man von dem durchaus sicheren Dampfbetrieb der Eisenbahnen für militärische Zwecke abgehen sollte. D. Red.)

Technische Versuche bei den italienischen Herbstübungen. Ausser der Zutheilung einer Kompagnie Bersaglieri-Radfahrer an die Kavallerie-Division und der Zuweisung von Abtheilungen von Pionier-Radfahrern an die Kavallerie der Armeekorps, um die Zerstörung von Eisenbahnen, Wegeherstellung, Bedienung von verlassenen Telegraphenstationen u. s. w. darstellen zu können, ist in Bezug auf technische Versuche die Erprobung von zwei Systemen der Brotversorgung befohlen. Dem 1. Armeekorps ist in Uebereinstimmung mit den Mobilmachungsbestimmungen eine

Feldbäckerei-Abtheilung erster Linie mit 12 fahrbaren Feldöfen Modell 97 überwiesen;
die Truppen und die Abtheilung verwenden kriegsmässige Transportmittel. Beim
2. Armeekorps wird ein Versuch mit einem Brotbiskuit durchgeführt, das ein bis
zwei Wochen vor dem Verbrauch durch die Truppen in Rom hergestellt wird, um
seine Verwendungsfähigkeit nach dieser Zeit festzustellen. Bei der Manöverleitung
werden Versuche mit Drachen gemacht werden. Da es sich nur um die Abgabe
von Zeichen für Beginn und Ende der Uebungen, Einlegung einer Pause aus taktischen
Rücksichten, Wiederaufnahme der Uchung u. dergl. handelt, werden nur die einfacheren Konstruktionen des gewöhnlichen Drachens (ital. malese, Holzgestell, das mit
Musselin, Cambric oder Seide bezogen ist), der bei geringer Windstärke gute Dienste
leistet, und des aus zwei Schachteln zusammengesetzten Zellendrachens (System
Hargrave) zur Verwendung kommen, von der Verkoppelung mehrerer Drachen zu
tragfähigeren Tandems wird abgesehen. Doch verliert man, wie eine Studie des
Oberstleutnants Luigi de Feo beweist, die Ausnutzung des Drachens für Signaldienst
auch bei Nacht, für Photographie, Telephonie und Telegraphie, die Fortschritte,
welche das Aluminium in dieser Beziehung zu machen gestattet, auch in Italien
nicht aus den Augen.

Aus dem Inhalte von Zeitschriften.

Jahrbücher für die deutsche Armee und Marine. 1899. Heft 3: Strategische
Rückblicke auf die Ereignisse im südöstlichen Theile des französischen Kriegsschauplatzes u. s. w. (Schluss.) — Die Russen auf dem Schipka-Balkan im Winter 1877/78.
(Schluss.) — Ueber die Abfassung von Befehlen. (Schluss.) — Die Hauptverhandlung
nach der neuen deutschen Militär-Strafprozessordnung. — Umschau auf militär-
technischem Gebiet.

Marine-Rundschau. 1899. Heft 8/9: Die nordamerikanische Instruktion für
Blockadeschiffe und Kreuzer. — Umsteuerungen bei Elektromotoren, Präzisionsmess-
instrumente. — Kohlenversorgung im Seekriege. — Das Werkstattschiff »Vulkan« der
Ver. Staaten-Flotte. — Ueber die Babcock & Wilcox-Kessel und deren Verwendung in
der Marine. — Die Etappenstrasse von England nach Indien u. s. w. (Schluss.) —
Heft 10: Der Bau der Thornycroft-Kessel auf der Werft der Firma John J. Thorny-
croft & Cie. in London. — Von der Werft in Danzig. — Der Kampf zwischen »Meteor«
und »Bouvet« am 9. November 1870.

Prometheus. 1899. Nr. 515: Fernzeichner. — Das Verbrennen von Eisenbahn-
wagen. — Das Verschweissen von Strassenbahnschienen. — Nr. 516: Der Dortmund—
Ems-Kanal und das Schiffshebewerk bei Henrichenburg. — Rauchfreie Dampfkessel-
Feuerungen. (Schluss.) — Nr. 517: Der Dortmund—Ems-Kanal u. s. w. (Schluss.) —
Ein elektrischer 150 t-Drehkrahn. — Aluminium als Ersatz für Kupfer. — Vulkan-
asbest. — Nr. 518: Die elektrische Stufenbahn für die Pariser Weltausstellung im
Jahre 1900. — Das Entstehen der Windhosen. — Verwendung von Nickelstahl zu
Siederöhren. — Nr. 519: Untersuchung des Aschengehalts der Steinkohlen mittelst
Röntgenstrahlen. — Ueber Eisen-Silicium-Verbindungen, ihre Darstellung und Ver-
wendung in der Technik. — Rettungsboje mit elektrischem Licht. — Nr. 520: Ein
Thalsperrdamm von Stahl. — Runsenverbauung in Böhmen. — Das Stassano-Verfahren
zur elektrischen Eisengewinnung. — Nr. 521: Das Magnalium. — Zur Entwickelung
der Telegraphie ohne Draht. — Längenausdehnung des Nickelstahls.

Die Umschau. 1899. Nr. 35: Medizin (Anwendung flüssiger Luft). — Fern-
sprechautomaten. — Vorgänge bei Verbrennung in flüssiger Luft. — Nr. 36: Kriegs-
wesen (Unterseeboote). — Die Kolonialpolitik Grossbritanniens. — Nr. 37: Der
Panama- und der Nicaragua-Kanal. — Kohlenstaubfeuerungen. — Ozon. — Die Photo-
graphie als Holzfälscherin. — Nr. 38: Hummels Bildertelegraph (Telediagraph).
Aluminium als Ersatz für Kupfer. — Die internationale Motorwagen-Ausstellung in
Berlin. — Nr. 39: Ueber die Dezimaltheilung des Kreises und der Tageslänge. — Der
Kreislauf der Fette. — Nr. 40: Der 7. internationale Geographenkongress. — Die

Entwickelung der Methoden der theoretischen Physik in neuerer Zeit. — Nr. 41: Ueber die neuesten Forschungen im Gebiete der Nilquellen. — Spiegelphotographien.

Ueberall. Deutsche Flottenzeitung. 1899. Heft 8: Die Hamburg—Amerika-Linie. — Reisebriefe IV. — Heimkehr des Kreuzers ›Arcona‹ und des ersten Ab-lösungstransports von Kiautschou. — Nordlandreise Seiner Majestät des Kaisers. — Heft 9: Von der französischen Marine. — Jytschau. — Ein deutscher Seeheld. — Eine Haifischjagd. — Reisebriefe. — Etwas von Madeira.

Illustrirte aëronautische Mittheilungen. 1899. Nr. 4: Die Vertikalbewegungen eines Freiballons. — Neuer Ballonsport. — Einige Erfahrungen bei Freifahrten. — Graf Zeppelins Luftfahrzeug. — Der Kresssche Drachenflieger. — Carellis Drachen-flieger. — Eine Luftradlerin.

Der praktische Maschinen-Konstrukteur. 1899. Nr. 17: Schnelllaufende Eincylinder-Schieber-Dampfmaschine. — 12 PS-Zweifach-Petroleummotor. — Zwillings-Gasmotor. — Einiges über elektrische Aufzugseinrichtungen. — Nr. 18: Centrifugal-pumpen. — Grosse Schneckenrad-Zahnfräsmaschine. — Nr. 19: Grosse Cylinder-Bohr-maschine. — Hydraulischer Aufzug. — Neuer Revolverkopf. — Nr. 20: Kleiner Elektromotor. — Hydraulischer Akkumulator, System Rowland.

Mittheilungen über Gegenstände des Artillerie- und Geniewesens. 1899. Heft 8: Die Entwickelung der Sprengmittelindustrie in Oesterreich-Ungarn. — Be-stimmung der Initiierungs-Energie von Detonateuren. — Die Sonderfahrzeuge der deutschen Fussartillerie. — Bombensichere Hohlbauten in provisorischen Befestigungen. — Heft 9: Die beständige Befestigung und der Festungskrieg. — Ueber das Ver-halten des Aluminiums im Gebrauch. — Darstellung von rauchlosem Pulver aus Lösungen. — Progressives Pulver.

Organ der militär-wissenschaftlichen Vereine. 1899. Heft 3: Neuere Arbeiten im Gebiete der Photographie und der graphischen Künste, speziell die Photographie in natürlichen Farben. — Die Pflege der Geschichte in der Armee. — Heft 4: Ueber das Stellen taktischer Aufgaben. — Die verschiedenen Sporte und ihr Zweck mit besonderer Berücksichtigung des Radfahrsports.

Schweizerische militärische Blätter. 1899. Heft 7: Ueber die Neubewaffnung der Gebirgsartillerie. — Kriegsmässige Schiessausbildung. (Schluss.) — Ueber Organi-sation, Ausbildung und Verwendung von Radfahrertruppen. (Forts.) — Welche Attackenwaffe entspricht unseren Verhältnissen am besten? — Heft 8: Nochmals die Sicherung der Artillerie. — Kartographische Fragen. Schattenplastik und Farben-plastik. — Die deutsche Luftschifferabtheilung. — Ueber Küsten- und Marinegeschütze schweren Kalibers. — Ueber Organisation und Ausbildung u. s. w. (Forts.) — Welche Attackenwaffe u. s. w. (Forts.)

Journal des sciences militaires. 1899. August: L'automobilisme au point de vue militaire. — L'infanterie russe dans ses rassemblements d'été. — September: L'automobilisme etc. (Schluss.) — Modifications organiques nécessaires. — L'armée en 1900. III. L'officier de troupe. (Schluss.)

Revue d'artillerie. 1899. September: Repartition du feu de l'artillerie. (Forts.) — L'acétylène et ses applications. — Le matériel de campagne italien de 9 B. ret. mod. 80/98. — Planchettes de tir de siège. Graduations circulaires.

Revue militaire. 1899. April: La loi militaire allemande du 25. mars 1899. — Le budget de la guerre en Italie. — Mai: La situation en Chine. — De Moltke. Plans d'opérations. Campagne de 1866. — Juni: La guerre hispano-américaine. — De Moltke etc. (Schluss.) — Juli: La guerre hispano-américaine. (Forts.) — Le budget de la guerre allemand pour l'exercice 1899. — August: Le service dans les états-majors en Allemagne. — Manoeuvres du IVᵉ corps d'armée roumain en 1898. — Influence de la nouvelle organisation de l'artillerie de campagne allemande sur la conduite des troupes. — September: La guerre hispano-américaine. (Forts.) — Le réglement allemand du 18. janvier 1899 sur les transports militaires par chemin de fer.

Scientific American. 1899. Nr. 7: The production of slate. — A new miner's drill. — An electric brougham. — Fuel gas. — Nr. 8: A new acetylene gas burner. — The english mark IV cordite ammunition. — Nr. 9: Self-propelling steel canal boats. — A novel fire-escape. — The trans-sibirian railroad. — A two-wheeled barrow. — Nr. 10: Nickel steel in boiler construction. - The Allegheny observatory objective. — A new acetylene gas generator. — Ice manufacture on a new system. — Nr. 11: Simple means of cooling drinking water. — A simple chimney top and cowl. — Proposed armament for our three latest battleships. — Nr. 12: Artificial silk. — Liquid air as an explosive. — Automobile news. — A mechanically-operated cross-cut saw. — Nr. 13: A San Francisco fire fighter. — An improved vehicle-tire. — The grant roller-bearing. — Nr. 14: The Mauser pistol. — A roller-bearing for bicycles. — Navies of the world.

Army and Navy Journal. 1899. 37. Jahrg. Nr. 1: New mountain gun. — Bids for Khakai cloth. — The volunteer army.

Memorial de Ingenieros del Ejército. 1899. Nr. 8 u. 9: Gibraltar. — Higrómetro improvisado. — Locales cubiertos para el servicio de las baterias de costa.

De Militaire Spectator. 1899. Heft 9: Russisch vaandel, veroverd in het gevecht bij Bergen den 19. September 1799. — De troebelen aan de Indo-Afghaansche grens. (Forts.) — De Militaire Inundatiewet. — De Opleiding in het Schieten bij de Infanterie. (Forts.)

Artilleri-Tidskrift. 1899. 3./4. Heft: Feltartilleriets indirecte Skydning. — Spanjorernas sista kamp om Cuba. — Det nya exercisreglementet for franska fält-artilleriet. — Snabbskjutande fältartillerimateriel i Ryssland.

Sapisski imper. russ. techn. obscht. (Denkschrift der kaiserl. russ. technischen Gesellschaft.) 1899. Heft 8/9: Die Ueberschwemmungen in Petersburg und die Kampfmittel dagegen. — Die Ursachen der Ueberschwemmung in Petersburg und die Mittel zu ihrer Bekämpfung.

Ingenieur-Journal. (Inschenernyi Shurnal.) 1899. Nr. 1: Ueber die Einrichtung von Seefestungen. — Noch einmal über die Mittel der Vertheidigung und über die Taktik des Belagerungskrieges. — Flache Eisen-Beton-Deckungen und ihre Berechnung. — Bemerkungen über Ziegel-Zimmeröfen. — Aus den Bemerkungen über eine Reise nach England 1897. — Ueber die Verwendung von Stahl zur Herstellung von Pontons. — Ein Zelt aus Schnee für das Biwak. — Nr. 2: Ueber die Einrichtung von Seefestungen. — Organisation der offenen Küstenbatterie. - Flache Eisen-Beton-Deckungen u. s. w. — Bemerkungen über Wege. — Die Beleuchtung der Kasernen. — Der Uebergang über das Eis.

- · · -❋▸ Bücherschau. ◂❋◂- - · ·

Grundsätze für die Leitung des Festungskriegsspieles mit Beispielen nach der Kriegsgeschichte. Von Kunde, Oberst z. D. Mit zahlreichen Skizzen und Anlagen. Berlin 1899. E. S. Mittler & Sohn, Königliche Hofbuchhandlung. Preis Mk. 4.—.

Im Winter werden bei jedem Truppentheil Kriegsspiele abgehalten, die sich sowohl auf den Feldkrieg als auch auf den Festungskrieg beziehen. Während nun über das Feldkriegsspiel mehrere ausführliche Abhandlungen vorhanden sind, ist über das Festungskriegsspiel in der Militärlitteratur nur wenig zu finden. Dem Obersten Kunde kann man daher nur danken, wenn er unter obigem Titel eine Schrift herausgegeben hat, die eine fühlbare Lücke in der Litteratur ausfüllen helfen soll. Zur Behandlung des Stoffes ist die von dem General der Infanterie v. Verdy du Vernois begründete Methode gewählt worden, eine Methode, nach der wohl in der gesammten Armee augenblicklich die Kriegsspiele geleitet werden. Die Beispiele hat Verfasser der Kriegsgeschichte entnommen, weil es nicht zweckmässig erschien, die Erörterungen an eine zur Zeit vorhandene Festung zu knüpfen. Mit grossem Geschick sind solche Beispiele gewählt worden, die für den Festungskrieg der Zukunft bedeutungsvolle Lehren geben und allen Waffen Anregung zum Studium des Festungskrieges bieten. Der erste Theil dieser Schrift beabsichtigt die Theilnehmer am Kriegs-

spiel über die Grundsätze des Festungskrieges, die bestehenden Vorschriften und
Bestimmungen zu unterrichten, und stellt
sich zur Aufgabe, das günstigste Angriffsverfahren und die geeignetsten Ver-
theidigungsmaassnahmen für die zum
Gegenstande des Kriegsspiels gewählte
Festung zu ermitteln. So findet man in
den einzelnen Kapiteln des ersten Theils
den Zweck, die Mittel, Leistung und Anlage des Kriegsspieles, die Aufgabenstellung, Vorbereitung zum Spiel, Verlauf
des Spieles und zum Schluss die Besprechung des Spieles. Ganz besonders
beachtenswerth erscheint im ersten Theil
das Kapitel über die Aufgabenstellung,
ist doch für den Leiter eines Festungskriegsspieles die Stellung sachgemässer
Aufgaben von grosser Schwierigkeit. Auch
hier wird wieder ganz besonders auf die
Selbständigkeit der Führer der Parteien
hingewiesen; diese sollen an ihre Unterführer Aufgaben stellen, die von der Lage
der Verhältnisse bedingt werden. Hierbei
erinnert der Verfasser, dass nur solche
Aufgaben gestellt werden sollen, die das
Dispositionstalent, die Entschlussfähigkeit, die kriegsmässige Befehlsertheilung
und Meldungerstattung vervollkommnen
und zu prüfen Gelegenheit bieten. Hierhin
gehören: Befehle, Meldungen, Truppen-
eintheilungen, Instruktionen an die Truppe,
Truppendislocationen, Dienstanweisungen,
Veranschlagung von Arbeitskräften und
Transportmitteln für eine bestimmte
Thätigkeit, Skizzen und Entwürfe für
beabsichtigte Anlagen und Entwürfe zu
Unternehmungen. Der zweite Theil der
Schrift bespricht einzelne kriegsgeschicht-
liche Beispiele des Festungskrieges. So
ersehen wir in Paris eine Einschliessung
einer Festung: an Belfort ein Ausfall-
gefecht nach beendeter Einschliessung; an
Soissons einen Batteriebau im feindlichen
Feuer; an Sebastopol die Feuereröffnung
und endlich an Strassburg einen förmlichen Angriff. Zu sämmtlichen Beispielen sind recht anschauliche Skizzen
und zahlreiche Anlagen beigefügt, so dass
man durch das Studium dieser Schrift zu
der Ueberzeugung gelangt, dass das
Festungskriegsspiel in ähnlicher Weise
wie das Feldkriegsspiel mit Erfolg betrieben werden kann.

**Beiträge zur Geschichte der k. u. k.
Geniewaffe.** Nach den vom k. u. k.

Obersten des Geniestabes Heinrich
Blasek hinterlassenen Papieren und
Vorarbeiten. Im Auftrage des k. u. k.
Reichskriegsministeriums zusammen-
gestellt und bearbeitet durch Franz
Rieger, k. u. k. Obersten, Komman-
danten des Infanterie-Regiments Nr. 50.
Herausgegeben von der Redaktion der
›Mittheilungen‹ im technischen Militär-
Komitee. Wien, 1899.

Nachdem im k. u. k. Heere die Geniewaffe mit den Pionieren verschmolzen
wurde, gewinnen die vorliegenden Beiträge eine um so erhöhtere Bedeutung,
und das Reichskriegsministerium, das die
werthvollen Handschriften des Obersten
Blasek von dessen Hinterbliebenen käuf-
lich erworben hat, liefert mit dem umfangreichen Werke einen wichtigen Bau-
stein in dem Aufbau der ruhmvollen
Geschichte des k. u. k. Heeres. Das Werk
ist in zwei Theile gegliedert, deren erster
vom Obersten Rieger fertiggestellt wurde,
während die Abfassung des zweiten Theils,
die ›Geschichte der beiden Genie-Regi-
menter und des Geniestabes‹ einem später
damit zu betrauenden Offizier vorbehalten
bleibt. Der erste Theil behandelt ›das
Ingenieur-, Sappeur- und Mineurkorps von
seiner Errichtung bis zu seiner Vereinigung
im Jahre 1851‹ und gliedert sich in zwei
gesonderte Abschnitte. Der erste derselben erörtert für die drei Korps der
Ingenieure, Sappeure und Mineure die
Zeit vor ihrer Errichtung, das ist vor
1747, bezw. 1760 und 1772, und die nach-
berige Entwickelung dieser Spezialkorps
bis zu ihrer Vereinigung im Jahre 1851,
während der zweite Abschnitt die Thätigkeit und Verwendung der drei Korps im
Frieden und Kriege nach den Korps gesondert bespricht. Beide Abschnitte sind
mit einer reichlichen Anzahl hochinter-
cessanter und seltener Beilagen in der Ge-
sammtzahl von 87 versehen, die mehr als
die Hälfte des etwa 1300 Blattseiten zäh-
lenden Werkes füllen. Ausserdem sind
noch 12 Planbeilagen über die wichtigsten
Festungen oder befestigten Orte der
Kriege 1848 und 1849 in Italien und
Ungarn und ein Anhang beigefügt, in
welchem die Gebühren der drei Korps
von der Herausgabe der Traktement-
vorschrift im Jahre 1785 bis zum Jahre 1851
übersichtlich zusammengestellt sind.

Berichtigung. Im Heft 8, S. 391 wird eine in Amerika erzielte Anfangsgeschwindigkeit von 915 m als bis jetzt nirgends erreicht bezeichnet. Nach den militärischen
Reisebriefen in der ›Darmstädter Allg. Mil.-Ztg.‹ von 1895, Nr. 45, hatte bereits
damals ein Kruppsches Geschütz eine Anfangsgeschwindigkeit von 1100 m
erreicht.

Gedruckt in der Königlichen Hofbuchdruckerei von E. S. Mittler & Sohn, Berlin SW., Kochstrasse 68—71.

Ueber die Anfertigung von Ansichtsskizzen.

Mit vier Abbildungen.

Das neue Exerzir-Reglement für die Feldartillerie sagt unter Z. 351, wo von der Erkundung einer feindlichen befestigten Feldstellung die Rede ist: »Die Beobachtungen werden in einem Kroki mit erläuternden Bemerkungen gemeldet. Ansichtsskizzen einfachster Art können dabei von besonderem Worthe sein.« Derartige Ansichtsskizzen sind bei der Fussartillerie seit einer Reihe von Jahren im Gebrauch; jeder Offizier sowie die besser beanlagten Unteroffiziere sind im Stande, solche Skizzen anzufertigen und, was ebenso wichtig ist, auch zu lesen. Eine bestimmte Vorschrift über die Anfertigung dieser Skizzen giebt es nicht; wenigstens enthält das »Handbuch für die Einjährig-Freiwilligen u. s. w. der Fussartillerie« von Weigelt und Kipping keinerlei Angabe darüber; es scheint Alles mehr oder weniger dem Talent und Geschick des Zeichners überlassen zu sein, der vielleicht noch durch die Tradition unterstützt wird. Zweifellos aber wird eine Anleitung dem weniger beanlagten Zeichner höchst willkommen sein.

Bei Anfertigung einer solchen perspektivischen Skizze wird es vor Allem darauf ankommen, die am meisten ins Auge fallenden, daher zur Orientirung geeigneten Punkte — Kirchthürme, Windmühlen, Fabrikschornsteine, einzelne Bäume oder Baumgruppen u. s. w. — gewissermaassen als Netzpunkte auf der Zeichnung festzulegen; dann kann man die dazwischen liegenden Gegenstände leicht aus freier Hand nachtragen.

Ein mit einem Netz versehenes Papier erleichtert die Anfertigung einer solchen Skizze sehr. Jede Meldekarte enthält auf der Rückseite ein solches Netz, das der Zeichner also nicht erst anzufertigen braucht. Bei einer perspektivischen Zeichnung kommt es nicht auf die Längenabmessungen an, sondern auf den Winkel, unter dem die Gegenstände erscheinen. Ein Thurm von 50 m Höhe, aus einer Entfernung von 1000 m gesehen, erscheint unter einem Winkel von $^{50}/_{16}$ (genauer $^{45}/_{16}$) Grad; eine Linie von 800 m Länge, senkrecht zur Sehlinie angeschaut, wird auf einer Entfernung von 2400 m einem Winkel von etwa 20° entsprechen (siehe Abbild. 1).

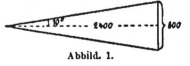

Abbild. 1.

Wenn man eine Quadratseite des Netzes der Meldekarte einem Winkel (richtiger der Tangente eines Winkels) von $^{20}/_{16}°$ entsprechen lässt, so kann man in das Netz, dessen Breite 16 oder 17 Quadratseiten umfasst, ein Bild darstellen, dessen Gesichtsfeld einem Winkel von 20 oder 21° entspricht. Es kommt also darauf an, einen Winkel von $^{20}/_{16}°$ oder sagen wir lieber, den scheinbaren Abstand zweier Gegenstände, der dem 0,02fachen ($^1/_{50}$) der Entfernung entspricht, mit einer für die Praxis genügenden Genauigkeit zu messen.

Die Länge des Armes beträgt bei einem Mann von mittlerem Wuchs durchschnittlich etwa 65 cm. Hält man mit ausgestrecktem Arm einen Maassstab wagerecht vor das Auge, so entspricht die Länge von 13 mm gerade dem gesuchten Winkel. Man hat also nur einen Streifen aus starkem Kartonpapier mit Marken im Abstande von 13 mm von einander zu versehen, um ein zweckmässiges, für die Praxis völlig ausreichendes Hülfsmittel zur Bestimmung des scheinbaren Abstandes zweier Gegenstände von einander zu haben. Der Streifen, der auch aus Holz oder Messing bestehen kann, hat zweckmässig eine Länge von etwa 10 cm (siehe Abbild. 2). Mit Hülfe eines solchen Streifens*) kann man also den

Abbild. 2.

scheinbaren wagerechten Abstand von Gegenständen im Gelände mit genügender Sicherheit feststellen und leicht in das Netz der Meldekarte übertragen. Für die Lage der Gegenstände zu einander nach der anderen Dimension (Höhe) reicht das Augenmaass aus.

Zur Anfertigung einer Ansichtsskizze muss der Offizier mit nachstehenden Gegenständen versehen sein: 1. einer Generalstabskarte, damit er die ihm auffallenden Gegenstände richtig benennen kann; 2. einer Meldekarte mit Netz und einer Unterlage; 3. einem Fernglas; 4. dem oben beschriebenen Streifen aus starkem Kartonpapier, Holz oder Messing; 5. Bleistift und Gummi.

Ein geübter Zeichner kann schliesslich des unter 4. aufgeführten Streifens entbehren, da er in seiner Hand einen für die Zwecke des Feldkriegs ausreichenden Maassstab besitzt. Die Breite der Hand ohne den Daumen beträgt ungefähr 8 cm, entspricht also bei 65 cm Armlänge etwa 0,125 der Entfernung ($^{125}/_{16}°$); die Breite der drei Finger (Zeige-, Mittel- und Ringfinger) zusammen etwa 0,1 ($^{100}/_{16}°$); die Breite des Daumens 0,04 ($^{40}/_{16}°$), die des Zeige- oder Mittelfingers 0,035, des Ringfingers 0,03, des kleinen Fingers 0,025.

Nachdem sich der mit Anfertigung der Skizze beauftragte Offizier nach der Karte orientirt hat und darüber klar geworden ist, welchen Abschnitt der feindlichen Stellung er skizziren will, wählt er einen sich besonders scharf im Gelände abhebenden Punkt aus und stellt durch Winkelmessung den scheinbaren Abstand anderer wichtiger Punkte (Kirchthürme, Windmühlen, Waldgrenzen, einzelne Häuser oder Bäume, bemerkenswerthe Bruchpunkte des Horizonts u. s. w.) fest und trägt ihre Umrisse an dem bestimmten Punkte des Netzes ein, vervollständigt die Zeichnung durch Eintragung noch bemerkenswerther Einzelheiten und namentlich des von der feindlichen Stellung Erkennbaren. Die Namen der wichtigsten Ortschaften sowie die Angabe des Standorts, von dem aus das Bild aufgenommen ist, dürfen nicht fehlen.

Nachstehend ist eine solche Ansichtsskizze, allerdings in einer vollkommeneren Ausführung, als sie im Ernstfall erwartet werden darf, beigefügt (siehe Abbild. 3). Die Karte im Maassstab 1 : 50 000 (siehe Abbild. 4) giebt das dargestellte Gelände wieder und ebenso den Standpunkt des Beschauers.

---

*) Hauptmann Frhr. v. Waldenfels hat im Jahre 1891 einen solchen »Gradstreifen« im »Archiv für die Artillerie- und Ingenieur-Offiziere des deutschen Reichsheeres« empfohlen, der aber Winkel von $^8/_{16}°$ messen sollte, der österreichische Major Schöffler zu ungefähr derselben Zeit einen »Messstab«, der noch kleinere Winkel messen sollte (vergl. Mittheilungen über Gegenstände des Artillerie- und Geniewesens« 1899).

Ob die Ansichtsskizzen im Ernstfalle den auf sie gesetzten Erwartungen entsprechen werden, ist eine offene Frage, da bis jetzt noch keinerlei Erfahrungen darüber vorliegen. Zweifellos aber ist die Anfertigung solcher Skizzen ein ganz vorzügliches Mittel, um das Auge für das Gelände zu schärfen. Wenn bereits dem Aufnehmen und Krokiren mit vollem Recht ein solcher Nutzen zugeschrieben wird, so gilt das in weit höherem Grade für die Zeichnung solcher Skizzen. Beim Aufnehmen und

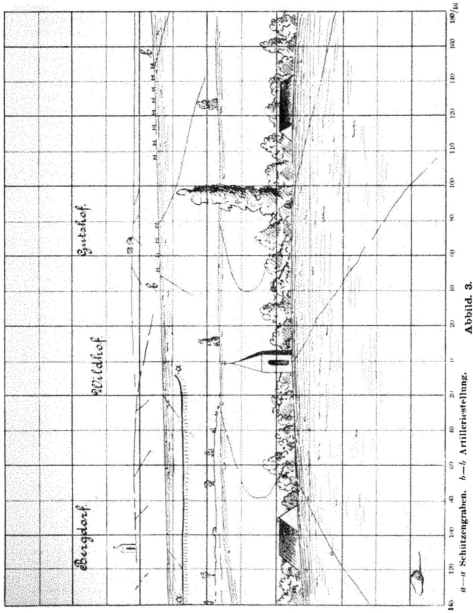

Abbild. 3.

a—a Schützengraben. b—b Artilleriestellung.

Krokiren befindet sich der Offizier in dem Gelände selbst, das er durch
die Zeichnung darstellen will; man fasst bei der Arbeit höchstens das in
nächster Nähe liegende Gelände ins Auge. Bei Anfertigung der Ansichtsskizzen aber muss man sich eine Vorstellung und ein Urtheil über das
Gelände bis an die Grenzen der Feuerwirkung, ja des Auges, bilden. Das
zwischen der eigenen und der feindlichen Stellung liegende Gelände ist der eigentliche Kampfplatz, den möglichst genau zu kennen von höchster Bedeutung ist.

Für den Zeichner kommt es vor Allem darauf an, die militärisch wichtigsten Punkte heraus zu finden. Das sind in erster Linie die muthmaasslichen Artilleriestellungen, die meist hinter dem Kamm eines Höhenzuges liegen. Hebt sich ein solcher gegen den Horizont ab, so kann er gar nicht verkannt werden; viel schwieriger ist dagegen das Erkennen niedriger, davor gelegener Wellen, die möglicher Weise, wenn die hinteren Höhen zu entfernt sind, als Artilleriestellungen gewählt werden müssen. Aber auch dann, wenn sie nicht von der Artillerie besetzt werden, ist es doch von Wichtigkeit, namentlich für die Beobachtung der eigenen Schüsse, sie als solche zu erkennen, abgesehen davon, dass sie

A Aufstellungspunkt des Zeichners. Maassstab 1 : 50 000.

Abbild. 4.

auch feindlichen Truppen eine verdeckte Versammlung gestatten.

Bei angebautem Boden erkennt man eine solche Kammlinie oft daran,
dass die vordere Welle sich von der dahinter gelegenen durch eine andere
Färbung abhebt. Bisweilen kann man sie auch daran erkennen, dass von
den hinter ihr gelegenen Gegenständen nur die oberen Theile sichtbar
sind, so von einer Fabrik nur der Schornstein, von einem Dorfe nur der

Kirchthurm oder die Dächer der Häuser, von Bäumen nur die Kronen, die dann aber leicht für Buschwerk auf der Höhe selbst gehalten werden. — Ein über eine Bodenwelle führender Weg verschwindet plötzlich hinter dem Kamm und man sieht ihn, wenn man seitwärts seiner Verlängerung steht und die nächste Welle dicht dahinter liegt, rechts oder links von dem Punkte, wo er verschwunden ist, wieder erscheinen. Mitunter begünstigt ein aufsteigender leichter Nebel auch das Erkennen einer solchen Welle.

Wichtig sind ferner Wege, weil sie der Bewegung des Feindes dienen. Die Wege selbst d. h. die Sohle derselben, wird man nur selten sehen können, weil der Anbau oder der geringste Einschnitt sie verdecken. Dagegen werden fast alle bedeutenden Wege durch Bäume begleitet; je regelmässiger die Bäume stehen, desto wichtiger pflegt der Weg zu sein.

Einzelne Bäume finden sich selten mitten in einem Felde, dagegen meist an einem Wege. In noch höherem Maasse gilt das von einzelnen Häusern. Ein einzelnes Haus ist höchst wahrscheinlich ein Wirthshaus, das gar nicht selten an dem Kreuzungspunkt von Strassen liegt. Eine Gruppe von Bäumen lässt in katholischen Gegenden auf einen Kalvarienberg, sonst auch auf einen Brunnen schliessen, die beide ebenfalls an der Strasse zu liegen pflegen.

Kleine Flüsse und Bäche werden oft durch dicht stehende Bäume oder Sträucher, Gräben durch Weiden begleitet.

Alle solche Punkte dienen auch dazu, sich auf der Karte zurecht zu finden oder die Entfernungen annähernd zu bestimmen.

Will man einen wirklichen Nutzen von den Ansichtsskizzen haben, sei es für die Erkundung oder sei es auch nur als Bildungsmittel für die Offiziere, so muss dem Offizier recht oft die Gelegenheit geboten werden, solche Skizzen zu fertigen. Es sollte daher kein Erkundungsritt, kein Schiessen auf dem Uebungsplatz und noch weniger im Gelände stattfinden, ohne dass nicht einem oder mehreren Offizieren der Auftrag ertheilt würde, eine solche Skizze anzufertigen. Ohne eine systematische Anleitung und viele Uebung fürchte ich, wird man im Ernstfall schwerlich auf irgend einen Nutzen aus der Erkundung und Anfertigung von Ansichtsskizzen rechnen dürfen. Sache der Schiessschule, vielleicht sogar schon der Kriegsschule, würde es sein, die dahin kommandirten Schüler praktisch zu unterweisen. Hierzu die Anregung zu geben, ist der Zweck der vorstehenden Zeilen. Bemerken möchte ich noch, dass in jüngster Zeit derartigen Uebungen in Frankreich ein besonderes Interesse entgegengebracht wird, wie einige sehr lesenswerthe Arbeiten der »Revue d'artillerie«, die bei dieser Studie auch benutzt sind, beweisen. H. Rohne.

Ueber grössere Pionierübungen
unter Bezugnahme auf die Uebung in Schleswig 1899.
(Schluss. Mit zwei Skizzen und zwei Abbildungen.)

Mit den beiden ersten bisher dargestellten Uebungstagen war die beabsichtigte Thätigkeit der Pioniere in dem Gelände Sonderburg—Flensburg im Wesentlichen beendet. Auf Seiten von Nord war bei dem nächtlichen Uebergange über den Alsen-Sund das Uebersetzen von Truppen, sowie ein Brückenschlag mit Anfahrt der Trains und gleichzeitiger Verwendung von beigetriebenem Material zur Ausführung gelangt. Der Südpartei hatte die Auswahl und Einrichtung der Stellung bei Bau eine lehrreiche Uebung in der Anwendung der Feldbefestigung geboten; auch die Herstellung der Fährverbindung über die Flensburger Föhrde war für die betheiligte Kompagnie von besonderem Interesse gewesen.

. Der dritte Uebungstag brachte für die Südpartei den Rückmarsch nach der Schlei (siehe Skizze 3). Hierbei ergab sich für beide Pionier-Kompagnien Gelegenheit zur Lösung einer grossen Zahl von Aufgaben aus dem Gebiete des Feldsprengdienstes, da ein Telegramm des General-

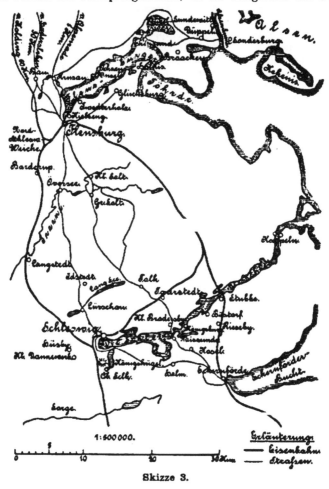

Skizze 3.

gouvernements der Küstenlande die 17. Reserve-Division anwies, bei dem Rückmarsch durch die Pioniere die Bahn- und wichtigsten Strassenlinien zur Sprengung vorbereiten, aber nur wirklich sprengen zu lassen, wenn der Feind ernstlich drängte. Die Lösung dieser Aufträge geschah an den wichtigeren Objekten in der Art, dass die berechneten Ladungen aus mitgeführten, der Sprengmunition entsprechenden Holzkörpern gebildet und mit Sprengkapseln und Glühzündern versehen angebracht wurden, worauf die Zündung feldmässig erfolgte. Durch die Betheiligung der Flensburger Garnison bei Darstellung der Arrieregarden von Süd und der Kavallerie (durch Radfahrerdetachements) von Nord erhielten die Uebungen einen kriegsmässigen Rahmen und boten besonderes Interesse, als es bei Kl. Solt und Oeversee während der Vorbereitung der Uebergänge zur Sprengung zu kleineren Arrieregarden-Gefechten kam. Am Abend des 28. Juni erreichte die 17. Reverse-Division die Gegend von Tolk und Taarstedt, die 33. gem. Landwehr-Brigade Lürschau (Annahme). Die Landwehr-Pionier-Kompagnie wurde noch am 28. zur 17. Reserve-Division herangezogen, während die Divisions-Brückentrain-Reserve Nr. 2 schon für den Rückmarsch dieser Division angeschlossen war.

Bei der Nordpartei ergab die Kriegslage am 28. einen Brückenschlag mit Anfahrt der Trains. Zur Abkürzung des Weges für die auf der Halbinsel Broacker untergebrachten Truppen beim Vormarsch auf Flensburg liess die Division am 28. früh durch die beiden Pionier-Kompagnien mit dem aus der Brücke bei Sonderburg ausgewechselten Material des Korps- und des Divisions-Brückentrains eine Brücke über den Ekensund (Skizze 3) herstellen. Unter dem Schutz der Avantgarde begann um 7⁰ V. die Erkundung der vorausgerittenen Offiziere und um 9⁰ V. der Brückenschlag. Nach Einbau von 4 Bock- und 25 Pontonstrecken wurde um 11⁰ V. die 134 m lange Brücke geschlossen. Der Brückenbau hatte an derselben Stelle und unter ähnlichen Verhältnissen wie am 17. Februar 1864 stattgefunden. Aus Vorsicht gegen einen etwaigen heftigen Südwest- oder Nordostwind war, wie auch damals, für je 2 Pontons auf jeder Seite ein Anker vorgesehen worden.

Um 11⁴⁵ V. liess die Leitung durch die zur unmittelbaren Sicherung des Brückenschlags auf dem Westufer von der Pionier-Kompagnie vorgeschobene Feldwache die Meldung eingehen, dass von ihr 11³⁷ V. ein Schiff — anscheinend ein feindlicher Kreuzer — in Höhe der Ochsen-Insel mit Volldampf in nordöstlichem Kurs fahrend bemerkt würde. Wie der »Rolf Krake« am 18. Februar 1864 den Bestand der Pontonbrücke bedroht hatte, so gab auch diese Meldung Veranlassung, die eben geschlagene Brücke gegen die Gefahr zu sichern, durchrannt oder in den Grund geschossen zu werden. Der Brückenkommandant ertheilte rasch entschlossen die nöthigen Befehle zum unvorbereiteten Ausfahren der ganzen Brücke. Trotz der starken Verankerung und der vielen abzuwerfenden Taue standen nach 16 Minuten nur noch die beiden kurzen Landbrücken, während die einzelnen Brückenglieder zu je 4 Pontons weiter nordwärts im Ekensund an beiden Ufern gesichert anlegten.

Nachdem die Gefahr als beseitigt angesehen werden konnte, wurden die Brückenglieder wieder eingefahren. Da nach der Kriegslage die Brücke für den Uebergang der Division am nächsten Tage noch hätte stehen bleiben müssen, so erfolgte das Abbrücken am Nachmittage des 28. friedensmässig. Die Kompagnien und Brückentrains rückten darauf, der Kriegslage um einen Tag vorgreifend, in ihre Quartiere nach Flensburg, Gr. und Kl. Solt, woselbst sie erst nach Mitternacht eintrafen.

Vierter Uebungstag. — Süd. — Noch am 28. erhielt in Tolk der ältere der beiden Pionier-Kompagnieführer von der Division den Befehl, in der Frühe des 29. Juni für den Weitermarsch eine Brücke bei Kl. Brodersby über die Schlei herzustellen. Da die Wasserbreite an der erkundeten Stelle beim Missunder Fährhause etwa 145 m betrug und an Material nur die beiden Divisions-Brückentrains zur Verfügung standen, wurden etwa 100 Petroleumtonnen, 2 grosse Fährprahme, Ankergeräth und etwa 80 lfd. m Oberbau beigetrieben. Es entstand somit ein gemischter Bau, der in 3½ Stunden ausgeführt wurde. Die Brücke enthielt bei einer Länge von 147,5 m 8 Böcke, 2 Prahme, in denen zum Ausgleich der Brückenbahn Einbauten angebracht worden waren, 3 Tonnenflösse und 11 Pontons.

Unter der Annahme, dass der Uebergang der Division, deren Trains und Kolonnen über Schleswig dirigirt waren, beendet sei, wurde die Brücke am Nachmittage des 29. nach dem Südufer abgebrochen. Die Division bezog Ortsunterkunft, die beiden Brigaden nebeneinander, in der Gegend von Rieseby bezw. Kosel (Annahme) und traf Vorkehrungen zur Bewachung und Sicherung der Schlei abwärts bis Kappeln. Die Reserve-Pionier-Kompagnie erhielt hierbei den Auftrag, alle auf der Schlei befindlichen Boote und Fischerkähne auf dem Südufer zu bergen. Die Landwehr-Pionier-Kompagnie trat nach Abbruch der Brücke zu ihrer Brigade nach Schleswig zurück (Annahme, vergl. Seite 457).

Die Nordpartei stellte am 29. bei dem Vormarsch auf Flensburg die Vereinigung der 3. Infanterie-Division mit dem Nordkorps her und schob, da Süd den Angriff der 3 Divisionen in der Stellung bei Bau nicht abgewartet hatte, die Avantgarden noch bis zur Linie Barderup—Oeversee—Gr. Solt vor (Annahme). Dieser Tag war vorwiegend theoretischen Bearbeitungen und Erkundungsaufträgen gewidmet. Auch die Führung der Nordpartei war vom 29. Juni ab einem Stabsoffizier übertragen, dem somit die Abfassung der Befehle für den Durchzug der Nordtruppen durch Flensburg, den Uebergang zur Ruhe und die Fortsetzung des Marsches am folgenden Tage zufiel. Von den Pioniertruppen trat die 3. Feld-Pionier-Kompagnie mit den Brückentrains am 29. zur Südpartei über (vgl. Seite 457), während die Landwehr-Pionier-Kompagnie einen Friedensmarsch nach Kl. Brodersby ausführte (siehe 30. Juni).

Die Kriegshandlung des 30. Juni wurde in der Darstellung der Ereignisse übergangen und hierbei die durch Einschieben eines Ruhetages entstandene Differenz zwischen Kalender- und Operationstagen ausgeglichen. Nach den Spezialideen beider Parteien und den von den einzelnen Führerstellen bearbeiteten Befehlen für diesen Tag hatte Nord den Vormarsch auf Schleswig fortgesetzt und ein Detachement aus 1 Bataillon Infanterie, 2 Eskadrons und der Landwehr-Pionier-Kompagnie nach Kl. Brodersby gesandt, um sich der dortigen Fähre zu bemächtigen. Die 33. gem. Landwehr-Brigade hatte vor dem überlegenen Gegner Schleswig geräumt und sich hinter die Sorge auf Rendsburg zurückgezogen, woselbst die ersten Staffeln des IX. Armeekorps am Abend des 29. eingetroffen waren. Bei Missunde war es dem Detachement der Nordpartei gelungen, durch überraschenden Vorstoss in der Nacht zum 1. Juli die Schlei zu überschreiten und sich auf dem Südufer einzunisten, da die 17. Reserve-Division, durch gleichzeitiges Vorgehen des Gegners auf der Strasse Schleswig—Eckernförde in ihrer linken Flanke bedroht, keinen ernstlichen Widerstand geleistet und sich näher an Eckernförde herangezogen hatte.

Die Nachricht von dem Eintreffen beträchtlicher Verstärkungen des Feindes bei Rendsburg veranlassten das Nordkorps, von einem Angriff auf die 17. Reserve-Division abzusehen und dem Gegner in einer vorbereiteten Stellung bei Schleswig entgegenzutreten. Der kommandirende General des IX. Armeekorps dagegen beabsichtigte, nach beendeter Versammlung des Korps die Offensive zu ergreifen, wobei die 17. Reserve-Division durch einen Vorstoss über Missunde den Angriff des Korps und der Landwehr-Brigade auf Schleswig unterstützen sollten. Zu diesem Zwecke wurden der Division der Kommandeur der Pioniere, die beiden Pionier-Kompagnien und die Brückentrains des Korps zur Verfügung gestellt. Hiermit war eine Aenderung in der bisherigen Vertheilung der Pionierformationen und in der Besetzung der höheren Führerstellen bedingt. Für den fünften und sechsten Uebungstag bestanden demnach auf beiden Parteien folgende Stäbe und Pionierformationen:

Süd.	Nord.
Gen. Komm. IX. A. K. (Leitung),	Gen. Komm. Nord-K.
Komm. der Pion. IX. A. K.,	Komm. der Pion. Nord-K.,
Komm. der 17. Res. Div.,	Führer des Détachements Kl. Brodersby.
Gen. St. Off. der 17. Res. Div.,	Lw. Pion. Kp. Nord-A. beim Detach. Kl.
1. Feld-Pion.-Kp.	Brodersby.

Gen. Komm. IX. A. K. (Leitung),
Komm. der Pion. IX. A. K.,
Komm. der 17. Res. Div.,
Gen. St. Off. der 17. Res. Div.,
1. Feld-Pion.-Kp.
   (bisher 3. Feld-Pion.-Kp. Nord-A.)
2. Feld-Pion.-Kp.
   (bisher 1. Lw. Pion. Kp. IX. A. K.)
Div. Br. Tr. No. 17
   (bisher Div. Br. Tr. No. 3 Nord-A.)
Div. Br. Tr. No. 18
   (bisher Div. Br. Tr. Res. No. 2,
Brückentrain IX. A. K.
   (bisher Br. Tr. Nord-K.)
   nebst Pion. Begleit-Komm.
Res. Pion. Kp. IX. A. K.
Res. Div. Br. Tr. IX. A. K.
Res. Div. Tel. Abth. IX. A. K.

vom IX. A. K.

von der 17. Res. Div., blieben als solche bestehen.

　　　　　Abbild. 3.

Fünfter Uebungstag. Das Nordkorps begann am 1. Juli mit der Einrichtung der Stellung bei Schleswig in der Linie Hüsby—Kl. Dannewerk—Königshügel nördlich Ober Selk (siehe Skizze 3). Zur Ausführung der Arbeiten standen Truppen nicht zur Verfügung; es blieb daher bei der theoretischen Bearbeitung, die in dem Vortrage des Kommandeurs der Pioniere und in dem Befehl des kommandirenden Generals ihren Ausdruck fand.

Da für die Behauptung der Stellung bei Schleswig das Festhalten der Schlei, wie auch 1864 die Dänen richtig erkannt hatten, von der grössten Wichtigkeit war, wurde das Detachement Kl. Brodersby in der Frühe des 1. Juli verstärkt (Annahme), so dass es nunmehr aus 2 Bataillonen, 2 Eskadrons, 1 Batterie und der Landwehr-Pionier-Kompagnie bestand. In Ausbeutung des in der Nacht errungenen Erfolges beschloss der Detachementsführer, durch schleunige Anlage von Geländeverstärkungen den

Besitz des Südufers zu sichern und damit dem Feinde den Zugang zu den Missunder Brückenstellen zu sperren. Zur eigenen Verbindung sollte eine Laufbrücke über die Schlei hergestellt werden.

Die Befestigungsanlagen wurden südlich Missunde in der Linie der Schanzen No. 59 und 60 von 1864 ausgeführt. Da bei der Uebung am 1. Juli sich 1 Bataillon Infanterie und 2 Eskadrons Husaren der Schleswiger Garnison betheiligten, konnte das Ausheben der Schützengräben und die Handhabung des Sicherheitsdienstes in kriegsgemässer Weise erfolgen. Die Laufbrücke (siehe Abbild. 3) wurde von der Landwehr-Pionier-Kompagnie vollständig aus unvorbereitetem Material hergestellt und erhielt bei 125 m Länge 8 stehende und 13 schwimmende Unterstützungen, zu denen 8 Tonnenflösse, 4 grössere Kähne und 1 Prahm verwendet wurden. Die Brücke lag etwa an der Stelle der nördlicheren der beiden dänischen Kriegsbrücken von 1864.

Während das IX. Armeekorps am 1. Juli seine Versammlung bei Rendsburg fortsetzte, traf die 17. Res.-Div. Vorbereitungen für den Angriff auf Missunde und den Uebergang über die Schlei. Die Division hatte keine genaue Kunde über die Stärke der ihr gegenüberstehenden Kräfte, die jederzeit Verstärkungen aus Schleswig erhalten konnten. Sie beschloss, den Angriff auf Missunde durch überraschendes Ueberschreiten der Schlei weiter unterhalb zu unterstützen, an einer 3. Stelle, etwa bei Stubbe (Annahme) zu demonstriren und nach dem Vertreiben des Gegners vom südlichen Schlei-Ufer eine Brücke bei Missunde herzustellen. Der Kommandeur der Pioniere erhielt am 30. Juni Befehl, Vorschläge für den Uebergang zu machen.

Von dem Rückmarsch der Division her war bekannt, dass die geeignetste Brückenstelle im Zuge der Strasse Missunde—Kl. Brodersby lag. Die Erkundung von Uebersetzstellen ergab, dass sich das Gelände bei Königsburg nicht nur in taktischer, sondern auch in technischer Beziehung ganz besonders für das Vorhaben eignete. Die für das Uebersetzen bestimmten Brückentrains und Bootskolonnen konnten, vom jenseitigen Ufer ungesehen, auf den mit hohen Knicks eingefassten Wegen bis zum Wegeknie 500 m nördlich Buborg (Skizze 4) gelangen und hier auf einer Koppel Aufstellung nehmen; von dieser aus liessen sich Pontons, Boote und Fahrgeräth, nur an wenig Stellen von jenseits bemerkbar, nach dem geräumigen trockenen Graben der Königsburg vorbringen, dort zu Fähren verbinden und ausrüsten. Die nordöstlich der Königsburg liegende Bucht begünstigte das unbemerkte Hineinbringen der hier übersetzenden Fähren; die dicht am Ufer genügend vorhandene Wassertiefe und der feste Grund erleichterten den Uebergang der Infanterie und Kavallerie; der von Bohnert bis an das Wasser führende Weg gab für Artillerie und Truppenfahrzeuge eine geeignete Anfahrt.

Auf Grund der Vorschläge des Kommandeurs der Pioniere beschloss die Division, den Uebergang bei Königsburg an den 4 in der Skizze 4 bezeichneten Stellen zu bewirken. Bei I und II sollte Infanterie auf je 10 aus Fischerbooten hergestellten Fähren übergesetzt werden; Stelle III wurde für die Kavallerie bestimmt; das Ueberbringen der Leute und des Gepäcks sollte hier mittelst 10 im Graben der Königsburg bereitgelegten Pontons bewirkt werden, die Pferde sollten schwimmen. An Stelle IV waren 4 Fähren für Artillerie und Truppenfahrzeuge herzustellen und das Material für die Landbrücken niederzulegen; zunächst sollte jedoch auch hier Infanterie übergehen, bis das jenseitige Ufer in Besitz genommen wäre.

Nach einem Telegramm des Generalkommandos IX. Armeekorps vom 30. Juni wurde die Offensive des Korps für den 3. Juli in Aussicht genommen, da dessen Versammlung erst im Laufe des 2. beendet sei. Für

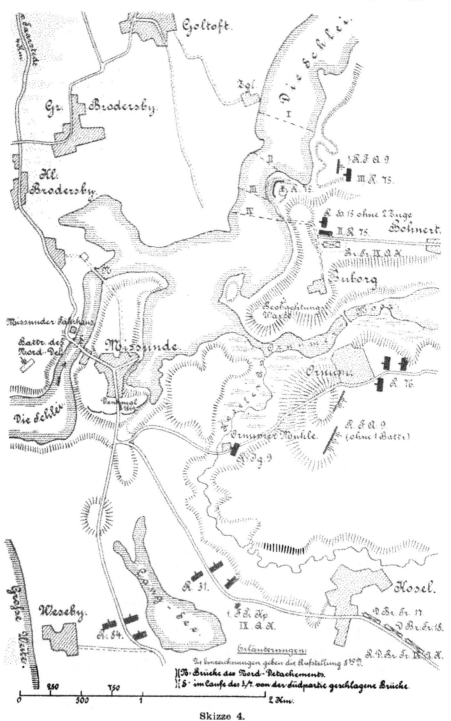

Skizze 4.

die Vorbereitungen zu dem Uebergang über die Schlei stand somit der Division die Zeit bis zum Morgen des 3. zur Verfügung. Bei der Uebung wurden diese, da der 2. Juli auf einen Sonntag fiel, am 1. Juli getroffen, wobei die an diesem Tage bei der Nordpartei zur Handhabung des Sicherheitsdienstes verwendete Infanterie und Kavallerie der Schleswiger Garnison die Kriegsmässigkeit der Ausführung bedingte. Der Kommandeur der Pioniere bestimmte zur Herstellung der nach Einnahme von Missunde an der Fährstelle zu schlagenden Brücke die 1. Feld-Pionier-Kompagnie und die drei Divisions-Brückentrains. Da dieses Material jedoch nicht ausreichte, fiel der Kompagnie die Aufgabe zu, das noch erforderliche Behelfsmaterial beizutreiben und für den Einbau vorzubereiten. Die 2. Feld-Pionier-Kompagnie traf mit dem Korps-Brückentrain und den Fischerbooten die Vorbereitungen für das Uebersetzen bei Königsburg in der vorerwähnten Weise. Die Reserve-Pionier-Kompagnie errichtete in dem Gelände nördlich Ornum eine Beobachtungswarte, von der aus das wellige, mit zahlreichen Knicks bedeckte Gelände eingesehen werden konnte, und stellte zur Abkürzung der Verbindung nach dem Uebersetzstellen eine 70 m lange, auf 13 Pfahljochen ruhende Laufbrücke über das Ornumer Noor her.

Am Abend des 2. Juli erhielt die Division den Befehl des kommandirenden Generals, den Angriff auf Missunde und den Uebergang über die Schlei gleichzeitig mit dem Eintreffen des Korps vor Schleswig zu beginnen; das Korps würde um 5⁰ V. die Sorge überschreiten. So wie die Verhältnisse beim Feinde lagen, der seine ganzen Kräfte, abgesehen von der Detachirung nach Missunde, in der vorbereiteten Stellung bei Schleswig zusammenhielt, hätte es sich empfohlen, den Angriff auf Missunde mit Tagesanbruch auszuführen, um den Gegner zu veranlassen, Verstärkungen nach dort abzuschicken. Dies hätte den Angriff des Korps und der Landwehr-Brigade auf die Stellung bei Schleswig erleichtert, ohne das Gelingen des Unternehmens bei Missunde und Königsburg in Frage zu stellen. Bei der Uebung bedingten Friedensrücksichten einen späteren Beginn.

Sechster Uebungstag. — Se. Majestät der Kaiser und Ihre Majestät die Kaiserin wohnten am 3. Juli der Uebung auf Seiten der Südpartei bei.

Die Garnisonen von Flensburg, Schleswig und Rendsburg hatten mit 6 Bataillonen, 3 Eskadrons und 1 Abtheilung die Darstellung der Truppen der 17. Reserve-Division, mit 1 Bataillon, 2 Eskadrons und 1 (Flaggen-) Batterie die des gegnerischen Detachements übernommen. Auf Allerhöchsten Befehl hatten die zum Angriff auf Missunde bestimmten Truppen, die gesammte Kavallerie von Süd, sowie die 1. Feld-Pionier-Kompagnie mit den 3 Divisions-Brückentrains zunächst auf einer Koppel unweit Kosel Aufstellung genommen, an der die übrigen Truppen der zu weiten Entfernung wegen nicht theilnehmen konnten. Nach dem Abreiten der Parade-Aufstellung begaben sich Ihre Majestäten nach der bei Buborg errichteten Beobachtungswarte, während die Truppen in ihre Gefechtsstellungen rückten.

Die Division hatte dem für den Angriff auf Missunde und den Uebergang bei Königsburg erlassenen Befehl folgende Truppeneintheilung zu Grunde gelegt.

Linke Kolonne (Generalmajor v. M.).	Rechte Kolonne (Generalmajor W.).
34. Res. Inf. Brig. ohne Res. Jäg. 9, 1 Zug Res. Hus. 15. 1. Feld-Pion. Kp. IX. A. K., Div. Br. Tr. No. 17, „ „ „ No. 18, Res. Div. Br. Tr. IX. A. K.	33. Res. Inf. Brig. ohne Res. I. R. 76, Res. Hus. 15 ohne 2 Züge, 1 Battr. Res. F. A. R. 9, 2. Feld-Pion. Kp.⎫ Res. Pion. Kp. ⎬ IX. A. K. Korps-Br. Tr. ⎭

Bei Ornum: zur Verfügung des Divisionskommandeurs Res. I. R. 76; Res. Jäg. 9, Res. F. A. R. 9 ohne 1 Batterie.

Bei Holm (Skizze 3): 1 Zug Res. Hus. 15 zur Aufklärung gegen Schleswig und zur Verbindung mit dem IX. A. K.

Dem Divisionsbefehl gemäss stand die rechte Kolonne 8⁰ V. nahe den bezeichneten Uebersetzstellen bei Königsburg, der Einsicht vom feindlichen Ufer entzogen. Die Reserve- und die 2. Feld-Pionier-Kompagnie waren auf die Stellen I und II bezw. III und IV vertheilt, Fähren und Pontons lagen durch natürliche oder künstliche Masken gedeckt, zum Einschieben in das Wasser bereit. Die zum Angriff auf Missunde bestimmte linke Kolonne nahm dicht hinter den Vorposten Aufstellung, die in der Nacht sich in der Linie Ornumer-Noor—Koseler Au—Weseby eingegraben hatten (Annahme). Die 3 Divisions-Brückentrains standen östlich Kosel. Für das Res. F. A. R. 9 waren bei Ornum Stellungen erkundet, von denen aus es die vom Feinde errichteten Verschanzungen südlich Missunde vortheilhaft beschiessen und auch gegen einen der Königsburg gegenüber sich entwickelnden Feind wirken konnte.

Um 8³⁰ V. eröffnete die Artillerie, zu deren Schutz die Reserve-Jäger nach der Ornumer Mühle vorgeschoben waren, ihr Feuer und leitete hier-

Phot. von Arthur Renard, Kiel.   Abbild. 4.

mit den Angriff auf Missunde ein. Als sich die linke Kolonne 9¹⁵ V. zur Durchführung dieses Angriffs entwickelte, begann auch das Uebersetzen der ersten Staffel bei Königsburg. Auf dem nördlichen Ufer war vom Gegner nichts bemerkt worden; auch erschwerte der seit dem frühen Morgen herrschende starke Regen die Beobachtung. Als aber die ersten Fähren vom diesseitigen Ufer abstiessen, schlug ihnen aus den Knicks von jenseits ein lebhaftes Feuer entgegen. Sofort wurde dieses von den schussbereiten Theilen der übersetzenden Bataillone und von der Batterie erwidert, die vorläufig nordöstlich der Königsburg eine Bereitstellung genommen hatte. Auch die Batterien von Ornum griffen in diesen Kampf ein. Unter dem Schutz dieses überlegenen Feuers gelangte die erste Staffel an das jenseitige Ufer. Die feindlichen Schützen hatten die Landung nicht abgewartet; sie zogen sich auf Goltoft zurück und wurden hierbei als abgesessene Kavallerie erkannt. Ohne Unterbrechung nahm nun das Uebersetzen der Infanterie seinen Fortgang; als auch die Eskadron sich gerade zum Uebergang anschickte, wurde die Uebung auf Allerhöchsten Befehl des anhaltenden strömenden Regens wegen abgebrochen.

Während dieser Vorgänge bei der rechten Kolonne war auch der Angriff der 34. Res. Infanterie-Brigade auf Missunde erfolgreich gewesen. Vor dem stark überlegenen Gegner räumte das Nord-Detachement, durch den bei Königsburg übersetzenden Feind in seinem Rückzuge bedroht, seine Stellung und ging über die Laufbrücke und mittelst einiger Ruderfähren auf das nördliche Ufer zurück. Die Pionier-Kompagnie hatte diese Brücke zur Sprengung vorbereitet; eine weithin hörbare Detonation kündete an, dass das Nord-Detachement das Missunder Ufer geräumt habe. Durch die Sprengung zweier Pfahljoche (siehe Abbild. 4) war eine 12 m breite Unterbrechung in der Brücke entstanden, wodurch ein sofortiges Nachdrängen der Südpartei verhindert wurde. Aber die 1. Feld-Pionier-Kompagnie war der Infanterie dicht gefolgt und hatte auch die Brückentrains näher herangezogen, sobald der Ausgang des Gefechts nicht mehr zweifelhaft war. Nachdem mit den zunächst ins Wasser gebrachten Pontons und einigen, bei dem eiligen Rückzuge des Nord-Detachements zurückgebliebenen Booten Infanterie übergesetzt und die Verbindung mit den bei Königsburg übergegangenen Truppen aufgenommen war, begann der Bau der Brücke, der trotz des beschränkten Raumes für die Anfahrt der Trains und des andauernd starken Regens rasch von Statten ging. Ehe jedoch der Brückenschluss erreicht war und während noch mit dem Uebersetzen von Infanterie fortgefahren wurde, traf auch hier der Befehl zum Abbrechen der Uebung ein.

Mit dem sechsten Uebungstage, der an sich und durch manche Vergleiche mit den Ereignissen des 2. Februar 1864 besonders lehrreich war, fand die diesjährige grössere Pionierübung in Schleswig ihren Abschluss.

Die neuen Waffen unserer Verbündeten.
(Schluss. Mit zehn Abbildungen.)
Das italienische 6,5 mm Repetirgewehr M. 91.

Dieses Gewehr ist ein Mehrlader mit Drehverschluss und Patronenrahmen, ähnlich wie die Konstruktion G. 88. Zum Gewehr gehört noch

Abbild. 6.

Abbild. 7.

ein abnehmbares Seitengewehr. Die Haupttheile des Gewehrs sind: 1. Lauf mit Visirvorrichtung; 2. Verschluss; 3. Magazinkasten mit Patronenzubringer; 4. Schaft; 5. Beschlag; 6. Seitengewehr mit Scheide; 7. Zubehör.

1. Der Lauf mit der Visirvorrichtung. Der Lauf, aus Stahl, äusserlich brünirt, hat ein Kaliber von 6,5 mm und besitzt 4 Züge mit Progressivdrall; nach hinten verstärkt er sich zu einem Fünfkant, auf dessen Seiten Nummer, Fabrik und Erzeugungsjahr des Gewehrs eingeschlagen sind. Nahe der Mündung ist ein Ring aufgezogen, der nach oben einen Vierkant bildet, in dem das

Korn schwalbenschwanzförmig eingeschoben ist. — Das Visir (Abbild. 6
und 7), ein Quadrantenvisir, besteht aus dem Visirfuss *a f* mit zwei Visirbacken; auf der rechten Visirbacke sind die geraden Zahlen von 6 bis 20,
auf der linken die ungeraden von 7 bis 19 eingeschlagen; diese Ziffern ent-

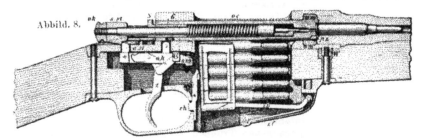

Abbild. 8.

sprechen 15 längs der äusseren Seite der rechten Visirbacke eingeritzten
Rasten. Zwischen den Visirbacken ist die Visirklappe *a k* (mit der Kimme *l*)
um den Visirstift angeordnet. Die Visirklappe trägt rechts eine Stell-
feder *stf*, die mit dem Visirstift fest verbunden
ist; Letzterer endigt an der linken Seite in einen
Druckknopf *d k*. Der Visirfuss besitzt an seiner
rückwärtigen Seite eine feststehende Kimme. —

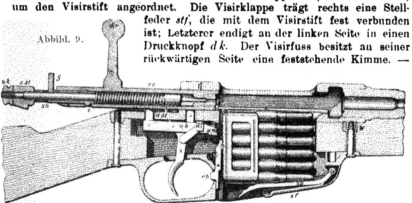

Abbild. 9.

Handhabung und Gebrauch des Visirs. Normal steht die Visirung,
wenn die Visirklappe am Visirfusse aufliegt. Wird mittelst des linken
Daumens auf den Druckknopf *d k* gedrückt und gleichzeitig mit der rechten
Hand die Visirklappe gedreht und durch deren Feder in die verschiedenen
Rasten der rechten Visir-
backe zur Einstellung ge-
bracht, so wird das Visir
auf die Entfernung von
600 m bis 2000 m gestellt,
wobei über das Visir I der
Aufsatzklappe gerichtet
wird. Wird die Visir-
klappe nach vorn (gegen
die Mündung) umgelegt,
so hat man die Stellung
des umgestürzten Visirs;
es wird mit der festen
Kimme II im Visirfusse

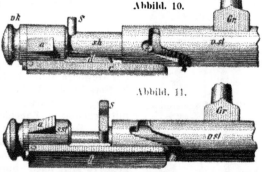

Abbild. 10.

Abbild. 11.

gerichtet, welche Visirstellung einer Entfernung von 300 m entspricht; sie
dient für das Einzelfeuer auf Entfernungen unter 400 m. Das Normalvisir
entspricht einer Entfernung von 450 m und dient für alle Schussarten

für die Entfernungen von Null bis 500 m. Das Visir von 600 m dient
für die Entfernungen von 500 m bis 650 m; jenes von 700 m für solche
von 650 bis 750 m u. s. w.

2. **Der Verschluss** (Abbild. 8, 9, 10 und 11) ist ein Drehkolben-
verschluss mit centraler Verriegelung mittelst symmetrischer Verschlusswarzen, die vorn an der Kammer angebracht sind. Die Bestandtheile
sind: A. Hülse mit Abzieh- und Auswerfervorrichtung; B. Schloss.

A. **Die Hülse mit der Abzieh- und Auswerfervorrichtung** G
(Abbild. 8 und 9), wie der Lauf brünirt, ist an dessen hinterem Theil
aufgeschraubt; in der Hülse bewegt und sichert sich das Schloss. Ein
Widerlager W nimmt den Rückstoss des Laufes auf und überträgt ihn
auf den Schaft; zwei seitliche Rillen dienen als Führung für die Verschlusswarzen, die linke auch für die Führungsleiste des Schlagstückes. Vorn
befinden sich zwei Ausnehmungen, in denen sich die Verschlusswarzen
drehen und feststellen können. — Zur Führung des Patronenrahmens sind
in der Hülse entsprechende Längsfelder eingeschnitten. Für den Abzugsstollen, Abzugshebel, Grenzstollen, Auswerfer u. s. w. sind entsprechende
Durchlochungen vorhanden. — **Die Abzieh- und Auswerfervorrichtung** (Abbild. 8 und 9) besteht aus Abzugshebel $a\,h$, Abzugsstollen $a\,st$,
Abzug z, Auswerfer $a\,w$ und Grenzstollen $g\,s$. Bemerkenswerth ist, dass
alle diese Theile mit dem Abzugshebel gelenkartig verbunden sind. Als
Abzugsfeder dient zugleich jene des Auswerfers. Am Abzug sind oben
3 Druckpunkte zu bemerken, welche das Abfeuern des Gewehrs in 2 Tempos
bewirken. (Siehe Abfeuern des Gewehrs.)

B. **Das Schloss** (Abbild. 8, 9, 10 und 11). Seine Bestandtheile
sind: a) die Kammer $v\,c$; sie besitzt an ihrer vorderen Fläche (Verschlusskopf) einen halbkreisförmigen Vorsprung, in dem der Rand der Patronenhülse sich lagert; eine Neuerung (Abbild. 12 und 13) besteht in einer

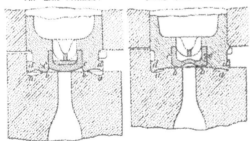

| Abbild. 12. | Abbild. 13. |
| *Vor dem Schusse.* | *Nach dem Schusse.* |

ringförmigen Eindrehung im
Verschlusskopf $a\,a$, wodurch
bei Letzterem ein erhöhter
Rand $b\,b$ entsteht, der mit
dem ähnlichen vorstehenden
Rande $c\,c$ des Bodens der
Patronenhülse in Berührung
kommt. Bei der vorliegenden
Anordnung wird demnach
der ganze Rückstoss von dem
vorstehenden Rande $c\,c$ allein
aufgenommen; hierdurch soll
eine sichere centrale Lagerung
der Patrone erreicht, eine
Deformation des Patronenrandes verhindert und die Entfernung der Hülse
aus ihrer Lagerung ohne Schwierigkeit bewirkt werden. Die Verschlusswarzen sind am vorderen Ende der Kammer symmetrisch angeordnet.
Die linke ist etwas abgestumpft, um beim Oeffnen des Verschlusses
eine anfängliche kleine Lockerung der Patronenhülse im Laderaum zu
bewirken; die rechte Warze wird vom Patronenzieher durchbrochen. Für
den Auswerfer ist in der Kammer eine geneigte Rinne eingeschnitten.
Das Griffstück Gr vermittelt die Bewegung des Verschlusses. Ein krumm-
liniger Ausschnitt (Abbild. 11) mit 2 Rasten dient dem Zahn z der
Sicherungshülse sh als Führung; endlich ein schraubenförmiger Ausschnitt
zum Spannen des Schlagstücks. Für das Entweichen der Gase bei Ueber-
strömungen ist in der Kammer ein Kanal angebracht, der mit der Rille

der rechten Verschlusswarze im Verschlussgehäuse in Verbindung steht. — b) Der Patronenzieher, dessen Haken sich in die Rille der Patronenhülse legt. — c) Schlagbolzen, mit dem Zündstift. — d) Schlagbolzenfeder. — e) Die Sicherungshülse *sh* (Abbild. 9 und 10) dient zum Sichern und Entsichern, wobei die Schlagfeder entspannt bezw. gespannt wird; sie hat einen Flügel *S*, gegen den der Daumen der rechten Hand wirkt, und einen Zahn *z*, der sich in den oben angegebenen 2 Rasten lagert. — f) Das Schlagstück *s st* besitzt die Führung *f* mit einem schraubenförmig gestalteten Ansatz *d* und einem keilartigen Ansatz *a* als Rast gegen den Abzugsstollen. — g) Die Schlagbolzenmutter *v k*, am hinteren Ende des Schlagbolzens aufgeschraubt, dient zum Zusammenhalten der vorgenannten Bestandtheile des Verschlusses.

3. Der Magazinkasten mit Patronenzubringer und Rahmenhalter (Abbild. 8 und 9). Der Magazinkasten zeigt wesentlich die Einrichtung wie beim Gewehr 88. Im Boden des Magazinkastens ist die sehr starke Zubringerfeder *zf* eingelassen, die auf den einarmigen Zubringer *zb* drückt. Der Rahmenhalter *rh* hat die gewöhnliche Einrichtung; zum Entladen des Magazins muss er etwas in den Magazinkasten hinuntergedrückt werden, damit der Haken des Rahmenhalters aus der Nase des Patronenrahmens treten kann.

4. Der Schaft ist aus einem Stück hergestellt. Als Handschutz dient ein hölzerner Schaftdeckel, der zwischen dem Visir und dem oberen Riemenbügel den Lauf von oben bedeckt.

5. Der Beschlag besteht aus dem Oberringe, der den Seitengewehrhaft trägt und Schraubengewinde für den Putzstock besitzt, dann dem oberen und unteren Riemenbügel. Der stählerne Putzstock dient entweder allein oder in Verbindung mit einem Bürstchen zur Reinigung der Waffe und zum Ausstossen von Patronenhülsen, die der Wirkung des Patronenziehers entgangen sind; er ist im Schaft gelagert und im Oberringe durch einige Schraubengewinde festgehalten.

6. Das Seitengewehr mit Scheide. Das Säbelbajonett besitzt eine einschneidige, gerade Klinge mit Parirstange und Griff. Die Parirstange ist zum Aufstecken des Seitengewehrs mit einem Ringe versehen. Die Griffschalen sind aus Apfelbaumholz. Die Scheide ist aus geschwärztem Leder; Ortband und Traghaken sind aus Messing.

7. Das Zubehör. Zum Gewehr gehören ein Tragriemen M. 1891, zwei Tragriemen für die beiden Patronentaschen, eine Patronentasche für Patronenrahmen (Magazin) mit 6 Abtheilungen, eine Patronentasche für die Aufnahme von 2 Packeten. Der Leibriemen trägt die beiden Patronentaschen und das Säbelbajonett mit der zugehörigen Tasche. Ausserdem wird jedem Gewehr ein Oelfläschchen, ein Schraubenzieher, ein Bürstchen aus Pferdehaaren, das am Putzstock aufgeschraubt wird, beigegeben. Jede Kompagnie erhält 25 messingne Putzstöcke. Behufs Ersatzes von unbrauchbar gewordenen Gewehrbestandtheilen führt jeder Schwarmführer folgende Ersatzstücke mit sich: eine Schlagbolzenfeder, eine Spiralfeder für den Auswerfer, eine Schlagbolzenmutter, einen Schlagbolzen mit Zündstift und einen Patronenzieher; diese Bestandtheile sind im Tornister untergebracht.

Wirkungsweise des Verschlusses. Normalstellung. Der Verschluss befindet sich in der normalen Stellung, wenn er geschlossen ist und das Schlagstück mit der Sicherungshülse sich hinten befindet, ob das Gewehr geladen ist oder nicht; unter diesen Umständen ist der Schlagbolzen entspannt. Diese Stellung gewährt die absolute Sicherheit bei der Handhabung des geladenen Gewehrs, weil bei entspannter Schlagbolzen-

feder unter keinen Umständen zufällig abgefeuert werden kann; auch wird
ein Oeffnen des Verschlusses durch diese Stellung der Sicherungshülse
verhindert (Abbild. 10).

Das Oeffnen des Verschlusses. Der Verschluss muss zum Oeffnen
aus der vorgeschriebenen Normalstellung in die »Feuerstellung« gebracht
werden. Hierzu drückt der Daumen der rechten Hand auf den Flügel der
Sicherung nach vorwärts und dreht diese gleichzeitig nach rechts, bis deren
Zahn z in die vordere Rast tritt (Abbild. 9 und 11). Hierdurch wird die
Schlagbolzenfeder gespannt und der Schlagbolzen in die Feuerstellung
gebracht. Hierauf wird das Griffstück nach links aufwärts gedreht und
zurückgezogen, bis die rechte Verschlusswarze am Grenzstollen Widerstand
findet. Zum Laden wird ein Patronenrahmen (Magazin) mit 6 (oder auch
weniger) Patronen auf den Zubringer gebracht und nun so lange hinuntergedrückt, bis der Haken des Rahmenhalters in die Nase des Rahmens
eingreift. — Zum Schliessen des Verschlusses wird das Griffstück kräftig
nach vorwärts geschoben und dann rechts niedergedrückt. Bei dieser
Bewegung wird die oberste Patrone vorgeschoben, vom Patronenzieher und
dem vorstehenden Rande der Kammer erfasst und in das Patronenlager
gebracht. Der Verschluss befindet sich in der Stellung zum Abfeuern,
d. h. er ist geschlossen, das Schlagstück befindet sich hinten, die Sicherungshülse vorn, der Schlagbolzen ist gespannt; der keilartige Zahn des Schlagstücks stellt sich gegen den Abzugsstollen und kann daher nicht vorschnellen; der schraubenförmige Vorsprung des Schlagsstücks steht in
Uebereinstimmung mit dem schraubenförmigen Ausschnitt der Kammer,
die Schlagfeder ist gespannt; das ist die Stellung für »Fertig!«. — Das
Abfeuern des Gewehrs erfolgt in 2 Tempos, infolge der 3 Druckpunkte
am Abzug, wie beim Gewehr 88. — Zum Wiederöffnen des Verschlusses
aus dieser Lage genügt es, das Griffstück nach links zu drehen und den
Verschluss zurückzuziehen. Bei dieser Drehung schleift der schraubenförmige Vorsprung des Schlagstücks in der gleichen Ausnehmung der
Kammer, wodurch Ersteres zu einer Rückwärtsbewegung gezwungen wird;
mit dem Schlagstück geht auch der Schlagbolzen zurück, der die Schlagfeder zwischen seinem Kopf und der vorderen Seite der Sicherungshülse
zusammendrückt. Bei vollständiger Drehung des Griffstücks tritt der
schraubenförmige Vorsprung des Schlagstücks vollständig aus dem gleichen
Einschnitt der Kammer heraus und stützt sich in einer kleinen Ausnehmung des Letzteren. Durch Drehung des Griffstücks werden die Warzen
der Kammer aus ihren bezüglichen Ausnehmungen in der Hülse zum
Austritt gebracht; hierbei schleift die linke Warze mit ihrer abgestumpften
Seite auf der entsprechenden schiefen Ebene im Hülsenkopf, zwingt
dadurch die Kammer und die Patronenhülse, etwas zurückzugehen. Beim
Zurückziehen des Schlosses schlägt die vom Patronenzieher mitgenommene
Hülse gegen den Auswerfer, der dieselbe vollständig aus dem Gehäuse
entfernt. Beim Vorstossen des Schlosses gelangt abermals eine Patrone
in den Laderaum u. s. w. Versagt eine Patrone und soll wieder gespannt
werden, so genügt es, das Griffstück auf- und niederzudrehen, ohne den
Schlagbolzen zurückzuziehen.

Zum gänzlichen Entfernen des Schlosses wird auf den Abzug ein
vermehrter Druck ausgeübt, wodurch der Grenzstollen zum Sinken gebracht
wird, über den nun die rechte Verschlusswarze frei gleiten kann.

Ganz eigenartig und einer eingehenden Besprechung würdig erscheint
die von Carcano herstammende Sicherung. Wie schon früher angedeutet,
bewirkt sie die Verschluss- und Abzugssperre bei geschlossenem Verschluss; es ist aber auch das Spannen der Schlagbolzenfeder bei ge-

schlossenem Verschluss durch blosse Handhabung des Flügels der Sicherung ermöglicht.

Wie aus den Abbild. 8, 9, 10 und 11 ersichtlich, ist die Sicherungshülse *sh* im Verschlusscylinder *vc* verschiebbar und greift mit einem Zahn *z* in einen schraubenförmig gewundenen Ausschnitt desselben ein. Die Sicherungshülse trägt hinten den festen Sicherungsflügel *S*. Um nun das geladene Gewehr zu sichern, wird der Sicherungsflügel zuerst ein wenig nach vorn gedrückt, damit der Zahn *z* aus seinem Lager treten könne; sodann wird unter beständigem Linksdrehen die Sicherungshülse so weit zurückgleiten gelassen, bis der Zahn *z* in die rückwärtige Rast des schraubenförmigen Ausschnittes eintritt. Die Schlagbolzenfeder, die ihre Anlehnung an die vordere Fläche der Sicherungshülse beibehält, ist Ursache dieser Rückbewegung und wird daher entspannt. Gleichzeitig wird durch diese Bewegung der Sicherungshülse die Verschlusssperre bewirkt, indem sich der Sicherungsflügel gegen die Führungsleiste des Schlagstücks anlehnt und die Drehung des Schlosses verhindert. — Um das gesicherte Gewehr schussbereit zu machen, wird der Sicherungsflügel mit dem Daumen der rechten Hand unter beständigem Rechtsdrehen vorgedrückt, bis der Zahn *z* der Sicherungshülse in die vordere Rast des schraubenförmigen Ausschnitts eintritt, wodurch die Schlagbolzenfeder gespannt wird.

Das Entladen geschieht in der bekannten Weise, indem bei geöffnetem Verschluss der Daumen der rechten Hand auf den Patronenrahmen so lange drückt, bis der Haken des Rahmenhalters aus der Nase des Ersteren austritt; hierauf wird mit dem Mittelfinger derselben Hand auf den Rahmenhalter gedrückt und der Patronenrahmen oben aufgefangen.

Munition.

1. Die scharfe Gewehrpatrone M. 1891. Die Hülse besitzt eine ringförmige Vertiefung (Rille) als Eingriff für den Patronenzieher. Sie hat im Boden eine ringförmige Ausdrehung, die beim Schuss an eine gleiche, ringförmige Ausdrehung in der vorderen Verschlusskopffläche sich anlegt, wodurch ein Stauchen des Patronenrandes verhindert wird (Abbild. 7 und 8). Die Patronen werden zu 6 Stück im Patronenrahmen zusammengehalten. Der Patronenrahmen (Magazin) ist aus Messing, von symmetrischer Form und kann daher nach beiden Lagen in den Magazinkasten eingeführt werden. Die früher bestandenen Magazine aus Stahlblech sind abgeschafft. Je 3 gefüllte Patronenrahmen werden zu einem Packet verpackt. In Friedenszeiten beträgt die beständige Ausrüstung mit scharfen Patronen M. 91 für jeden mit dem Gewehr M. 91 ausgerüsteten Soldaten aus 5 Packeten $(5 \times 3 \times 6) = 90$ Patronen, die im Tornister verwahrt sind. Im Kriege[*]) besteht die Ausrüstung aus 9 Packeten $(9 \times 3 \times 6) = 162$ Patronen; von diesen werden 5 Packete im Tornister, 2 Packete in der Patronentasche für Packete und 2 lose Packete, jedoch mit den Patronen im Patronenrahmen, in der Patronentasche für Magazine untergebracht. Jeder mit dem Gewehr ausgerüstete Unteroffizier (Trompeter) erhält 7, jeder Infanteriepionier 6 Packete. Die jährliche Uebungsausrüstung beträgt für jeden Mann der Infanterie, Bersaglieri = 135 (145) scharfe und 66 (72) Platzpatronen; für die jährlichen Manöver sind überdies noch 15, für die grossen Manöver 42 Platzpatronen bewilligt. — 2. Kartätschpatronen M. 91. Für den Wachtdienst sowie zur Aufrechterhaltung der

---

[*]) Zum Munitionsnachschub dienen eigene Patronentornister mit einem Fassungsraum von 12 Packeten $(12 \times 3 \times 6) = 216$ und 12 Magazine $(12 \times 6) = 72$, zusammen 288 Patronen.

öffentlichen Ordnung und Sicherheit werden sogenannte Kartätschpatronen
ausgegeben. Sie sind der scharfen Patrone ähnlich, haben jedoch nur eine
Ladung von 1,5 g Ballistit; das Geschoss ist aus 10 cylindrischen Segmenten
und einem Spitzsegment aus Hartblei zusammengesetzt, welche Theile in
einer entsprechenden Messinghülse als Mantel zusammengehalten werden.
Auch diese sind zu je 6 Stück im Patronenrahmen (Magazin) gelagert.
Drei Magazine sind zu einem Packet vereinigt. — 3. Platzpatrone M. 91.
Die Ladung besteht aus Ballistitspänen, das Geschoss ist aus orange-
rothem Papier. Verpackung wie oben. — 4. Exerzirpatrone M. 91
besteht aus einer gewöhnlichen Hülse; statt des Zündhütchens ein Stückchen
Leder; das Geschoss aus Messing, innen hohl und aussen schwarz gefärbt.

Der italienische 6,5 mm Repetirkarabiner M. 91. (Abbild. 14 u. 15.)

Er ist zur Bewaffnung der Kavallerie und Artillerie bestimmt und
unterscheidet sich vom Gewehr M. 91 nur durch den kürzeren Lauf, durch
ein kleineres Visir und durch die ständige Verbindung des Bajonetts
mit dem Lauf. — Kaliber zwischen den Feldern 6,5 mm; Länge der Waffe
mit eingelegtem Bajonett 920 mm, mit aufgepflanztem Bajonett 1260 mm;
niedrigstes Visir 300 m, höchstes Visir 1500 m; Gewicht der Waffe
sammt Bajonett 3,1 kg. — Die Anordnung der Züge ist dieselbe wie beim
Repetirgewehr; Anfangs- und Enddrall sind wenig verschieden.

Abbild. 14.

Abbild. 15.

Der Lauf hat eine Länge von etwa 45 cm; sein äusserer Durchmesser
ist an der Mündung etwas stärker; es entsteht dadurch eine etwas grössere
Fleischstärke, um den vorderen Theil des Laufes, der keine Schäftung
hat, besser zu versteifen. — Das Korn ist in einen Kornfuss eingelassen
und von einem langen Charnierringe E eingerahmt, der das Ende des
Laufes umspannt und zur Befestigung des Bajonetts dient. Sonst hat
das Korn die Form wie beim Gewehr, erscheint jedoch durch die beiden
seitlichen Backen des Ringes gegen äussere Stösse besser geschützt. —
Das Visir, nach demselben Prinzip wie beim Gewehr M. 91 eingerichtet,
ist etwas kleiner; die Visirlinie ist bloss 38 cm lang, während dieselbe
beim Gewehr 70 cm beträgt. Die Entfernungstheilung reicht nur bis
1500 m. Die rechte Visirbacke trägt die geraden Entfernungen von 6
bis 14, die linke die ungeraden von 7 bis 15. Dementsprechend hat der
Rand der rechten Visirbacke 10 Rasten zum Einstellen der Visirklappe.
Die feste Kimme ist im Visirfuss, die bewegliche in der Visirklappe eingeschnitten. Der Visirfuss ist wie beim Gewehr M. 91 durch 2 Laufzapfen
und 2 Schraubenstifte festgehalten. — Der Griffhebel des Verschlusses
ist nach rechts abwärts abgebogen, um den Karabiner um die Schulter

entsprechend tragen zu können. — Die Schäftung reicht nur bis 25 cm vor die Laufmündung. Der Lauf ist in der Höhe des Magazins durch eine doppelte Schraubenmutter *s* und durch einen Gewehrring, der zugleich als Riemenbügel dient, mit dem Schaft verbunden. Dieser Riemenbügel ist ausgehöhlt, um die umgelegte Bajonettklinge aufnehmen zu können. Den zweiten Punkt zur Befestigung des Riemens bildet ein an der rechten Seite des Kolbens angebrachter Steg *B*, der eine passende Rolle trägt. Im Kolben ist, durch eine federnde Klappe im Kolbenschuh abgeschlossen, der zweitheilige Putzstock untergebracht, dessen Theile zusammengeschraubt eine Länge von 46 cm haben. — Das charakteristische Merkmal des italienischen Repetirkarabiners M. 91 bildet dessen Bajonett, das mit ihm stets verbunden bleibt. Die Klinge ist in einem Charnier am Laufende beweglich befestigt und kann je nach Zweck aufgestellt oder umgelegt werden. Für gewöhnlich ist die Klinge unter dem Lauf umgelegt und lagert in einer Ausnehmung im Vorderschaft. Zum Aufpflanzen des Bajonetts wird die Klinge im Charnier umgedreht, wobei ein Riegel *t* die Feststellung in beiderlei Sinne bewirkt, indem dessen Enden in die Fugen n_1 bezw. n_2 einspringen.

Schlussbetrachtungen.

Während das deutsche Heer in seinem bereits so lange eingeführten Gewehr 88 immer noch eine Waffe besitzt, die trotz einiger kleinerer Mängel und trotz der Fortschritte der letzten Jahre immer noch als hervorragend kriegsbrauchbar betrachtet werden muss, scheinen sich beim österreichisch-ungarischen Gewehr M. 90 schon nach kurzem Truppengebrauch grössere Nachtheile, besonders hinsichtlich des Verschlusses und des zu grossen Gewichts, herausgestellt zu haben. Man entschloss sich deshalb im Jahre 1895, als es sich darum handelte, den Kriegsvorrath der Gewehre zu ergänzen, unter Beibehaltung der alten Patrone ein neues Gewehrmodell herzustellen, obwohl hierdurch die so äusserst wichtige Einheitlichkeit der Bewaffnung des Heeres insofern beeinträchtigt wurde, als die ins Feld mitgenommenen Reservebestandtheile des einen Modells bei dem anderen nicht verwendbar sind. Italien hat sich dagegen in dem Bestreben, die modernste und leichteste Waffe zu besitzen, bei Einführung des 6,5 mm Gewehrs M. 91 anscheinend etwas übereilt, da es eine Waffe einführte, welche in einigen Punkten noch nicht vollkommen genug erprobt war.

An die Beschaffenheit des Laufmaterials scheint man jetzt in allen drei Staaten die gleich hohen Anforderungen zu stellen. Während die Wichtigkeit dieses Punktes bei Fabrikation des M. 90 in Oesterreich-Ungarn noch nicht so recht erkannt gewesen zu sein scheint, und man sich deshalb seinerzeit entschloss, einen schweren Lauf aus weniger gutem Material, aber von grosser Wandstärke, zu benutzen, haben Deutschland und Italien von vornherein auf die Erlangung eines leichten Laufes aus vorzüglichem Laufmaterial hingearbeitet. Besonders kann Deutschland das Verdienst für sich in Anspruch nehmen, durch hohe Anforderungen, die es den Fabrikanten bezüglich der Eigenschaften des Lauf- und Kanonenmaterials stellte, den Antrieb für den raschen Aufschwung im Hüttenwesen gegeben zu haben. Es wurden, wie mir ein Hüttenmann mittheilte, kurz nach Beginn der Fabrikation des Gewehrs 88 bereits folgende Anforderungen bei Lieferung der Laufstäbe gestellt:

a) In physikalischer Beziehung. Elastizität bei 50 kg pro qmm Belastung, Dehnung auf 100 mm Versuchslänge 12 mm, Sicherheit gegen Bruch noch bei Belastung von 78 kg pro qmm. — b) In chemischer Beziehung. Kohlenstoff 66 pCt.,

Phosphor nicht mehr als 0,03 pCt., Schwefel nicht mehr als 0,03 pCt., Kupfer nicht mehr als 1 pCt., Silicium nicht mehr als 0,4 pCt., Mangan nicht mehr als 0,5 pCt.

Nach den Fortschritten der letzten Jahre werden jedoch zur Zeit wohl noch höhere Anforderungen gestellt werden können.

Oesterreich benutzt bei seinem Gewehr 95 einen Stahl der Firma Gebrüder Böhler, der sich ganz besonders durch grosse Zähigkeit aus-zeichnen soll, und ist dadurch im Stande, den Lauf 95 durch geringere Wandstärke sehr leicht zu machen.

Italien verwendet ein ähnliches Fabrikat. Während die deutschen Staatsfabriken aus Grundsatz einheimische Produkte — mit Ausnahme für Werkzeugstahl — verwenden, giebt Mauser dem Vernehmen nach für Hülsen- und Schlosstheilfabrikation dem englischen Stahl den Vorzug.

Kaliber, Züge, Drall, Anfangsgeschwindigkeit und Gasdruck sind bei den Waffen Oesterreich-Ungarns und Deutschlands sehr ähnlich, mithin auch die ballistischen Leistungen. Das italienische Gewehr zeigt dagegen das äusserst kleine Kaliber von 6,5 mm und hat damit kurz folgende Vorzüge voraus: Das Gewicht der ganzen Waffe, besonders des Laufes, ist äusserst leicht. Die Anfangsgeschwindigkeit ist trotz der schwachen Ballistitladung sehr hoch (720 m) und dadurch die Durchschlagskraft bedeutend. Die Flugbahn ist auf kurze und mittlere Entfernungen sehr rasant. Die Patrone ist kurz und nimmt nicht viel Raum ein, so dass deren 6 in einem Rahmen vereinigt werden konnten. Hierdurch wird im Vergleich mit der jetzigen Munitionsausrüstung der 8 mm Kaliber eine Ueberlegenheit von 30 Patronen erzielt. Ohne den Mann zu überlasten, können demselben 162 Patronen (4 kg.) beigegeben werden. Diesen Vor-theilen stehen jedoch auch Nachtheile gegenüber: Das kleine Kaliber und der starke, nicht gleichbleibende Drall bedingen eine erschwerte Reinigung. Das Geschoss hat auf weitere Entfernungen keine stabile Flugbahn und wird selbst durch mässigen Wind nicht unbedeutend abgelenkt.

Das 6,5 mm Geschoss verursacht nach den Erfahrungen der letzten Feldzüge nicht genügende Verwundungen. Der Progressivdrall erscheint unzweckmässig, da hierdurch der Nachtheil entstehen muss, dass bei der Bewegung des Mantelgeschosses in der Laufseele infolge der stetigen Zu-nahme des Drallwinkels die Geschossleisten fortwährend verstellt und abgeschliffen werden. Der Boden der Patronenhülse ist nicht widerstands-fähig genug, denn bei nur um Geringes erhöhtem Gasdruck tritt eine Stauchung desselben ein, wodurch die Zündglocke zu weit wird und das herausfallende Zündhütchen Ladehemmungen verursachen kann. Um diesen Fehler zu beseitigen oder abzuschwächen, hat zu einem Nothbehelf gegriffen werden müssen, indem die sich an den Patronenboden anlegenden Ver-schlussflächen der Kammer besonders gestaltet wurden (Abbild. 12 u. 13). Da sich die Hülse der scharfen Patrone durch diese Maassnahme nach dem scharfen Schuss im Boden vollkommen verändert, kann dieselbe nur einmal benutzt werden.

In Oesterreich-Ungarn hat man die alte Randpatrone beibehalten; sie ist insofern vortheilhaft, als sie grosse Haltbarkeit im Patronenboden besitzt, sich selbst bei erhöhtem Gasdruck nicht leicht deformirt und durch den Rand eine günstige Abdichtung rückwärts bewirkt. Nachtheilig ist jedoch, dass sie sich nur derart in den Patronenrahmen unterbringen lässt, dass die Einführung eines solchen in den Kasten nur von einer Seite aus möglich ist, wodurch in der Aufregung des Gefechts durch falsches Einsetzen leicht Ladehemmungen entstehen können. Die Randpatrone schliesst die Anwendung eines Magazins mit theilweise neben- und über-einander liegenden Patronen aus, wie es das von Mauser konstruirte spanische Gewehr zeigt, dass zur Zeit wohl allseitig als eins der vollkommensten angesehen wird.

Trotzdem ist es nicht ausgeschlossen, dass die Vorliebe für Randpatronen einmal wieder wächst, besonders wenn es sich herausstellen sollte, dass es nur unter Zurückgreifen auf dieselben möglich ist, erheblich grösseren Gasdruck in den Kauf zu nehmen und dadurch die Anfangsgeschwindigkeit bedeutend zu steigern.

Vorläufig sind jedoch die Versuche, die Widerstandsfähigkeit des Bodens der randlosen Patrone zu steigern, durchaus noch nicht abgeschlossen, denn neuerdings hat die rastlos fortschreitende Technik ein Mittel ersonnen, die Widerstandsfähigkeit des Hülsenmaterials durch besondere Bearbeitung ganz bedeutend zu erhöben. Es ist dies das Kugelwalzverfahren der Firma Polte in Magdeburg, durch welches den Hülsen für Schnellfeuergeschütze eine bisher ungeahnte Festigkeit, die fast die des Stahls erreicht, gegeben wird. Zwar wird es aus technischen Gründen nicht möglich sein, dieses Verfahren durch alle Stadien der Gewehrhülsenfabrikation anzuwenden, immerhin dürfte sich jedoch der Versuch lohnen, zur Erlangung eines festen Patronenbodens das Vorfabrikat zur Hülsenfabrikation anstatt durch Giessen durch Walzen aus Scheiben nach dem Polteschen Verfahren herzustellen.

Führen die Versuche der Widerstandsfähigkeit der Hülse durch Verdichtung des Materials nicht zum Ziel, so gelingt es vielleicht trotz der bisherigen Misserfolge doch noch, wohlfeile und zweckmässige Hülsen mit besonderem Bodenstück aus festem Material zu erzeugen.*)

Das deutsche und das österreichische Gewehr besitzen einander sehr ähnliche Rahmenvisire, das italienische Gewehr dagegen ein äusserst einfaches Quadrantenvisir.

Deutscherseits war man noch bei Einführung des Gewehrs 88 sehr für das Rahmenvisir eingenommen, während bald darauf hauptsächlich folgende zwei Forderungen gestellt wurden: 1. Das Visir soll derartig sichtbare Entfernungszahlen tragen, dass die richtige Einstellung vom Zug- oder Gruppenführer auch auf weitere Entfernungen hin kontrollirt werden kann. 2) Das Visir soll ein Glattvisir sein, um dem Schützen gute Sicht auf das Ziel zu gestatten.

Nach diesen einzig richtigen Grundsätzen besitzt also keins der drei Gewehre eine ideale Visireinrichtung.

Die neueren, von Mauser konstruirten kombinirten Treppen- und Rahmenvisire entsprechen schon bedeutend mehr diesen Anforderungen, da sie wenigstens auf nähere und mittlere Entfernungen Glattvisir und weithin sichtbare Visirzahlen zeigen.

Für den Schlossmechanismus ist von der deutschen Militärverwaltung und dementsprechend auch von deutschen Konstrukteuren in erster Linie immer grösstmögliche Einfachheit verlangt worden. Diese Anforderungen erfüllen das deutsche und auch das italienische Gewehr, von denen besonders das letztere, durch die Verbindung mehrerer für sich wirkender Theile zu einem Ganzen, die Bestandtheile wesentlich herabgemindert hat. Dies tritt besonders bei der Zusammensetzung der Abzugsvorrichtung zu Tage, wobei Abzug, Abzugsstange, Grenzstollen und Auswerfer von einer Feder bethätigt werden.

In Oesterreich-Ungarn scheint man sich dagegen immer noch nicht zu scheuen, zur Erlangung verhältnissmässig untergeordneter Zwecke einen grossen unübersichtlichen Schlossmechanismus mit komplizirten Theilen in den Kauf zu nehmen; denn während moderne Konstrukteure dem ein-

---

*) Vergl. II. Jahrgang, 2. Heft, Seite 51, Absatz 4 und 5.

fachen, mit geringer Kraftäusserung zu öffnenden Drehverschluss den
Vorzug geben, hat sich Oesterreich-Ungarn von seinem Geradzugsystem,
dessen Bedienung auch in der neuen Form nicht immer leicht zu bewerkstelligen sein wird, nicht trennen können und zwar nur um des zweifelhaften
Vortheils willen, beim Laden ein Tempo zu ersparen.

Charakteristisch für den österreichischen Geradzugverschluss ist es,
dass derselbe eine besondere Sicherung gegen unbeabsichtigtes Abdrücken
des Gewehrs bei nicht gänzlich geschlossenem Verschluss nothwendig macht.

Die Sicherung des geladenen Gewehrs geschieht beim österreichischen,
deutschen, spanischen sowie den meisten modernen Gewehren bei gespannter
Schlagfeder durch Feststellen des Schlösschens und des Schlagbolzens;
beim italienischen Gewehr jedoch durch Abspannen der Schlagfeder nach
dem System Carcano.

Ein Abspannen der Schlagfeder behufs Sicherung ist der Theorie
nach eigentlich das richtigste, der Praxis nach aber nicht, denn es ist
eine bekannte Thatsache, dass die allerdings vorzüglich gearbeiteten
Schlagbolzenfedern unseres Gewehrs 88 selbst nach wochenlangem Stehen-
lassen in zusammengedrücktem Zustande nicht im Geringsten an Wirksamkeit einbüssen. Von diesem Gesichtspunkte aus ist es übrigens
unverständlich, weshalb wir in unsere Büchsenmacherkästen eine so grosse
Zahl Schlagbolzenfedern unterbringen, da doch der grosse Raum, den
dieselben beanspruchen, viel günstiger zur Unterbringung wichtigerer
Gegenstände, z. B. von Fahrradtheilen, ausgenutzt werden kann.

Die Anordnung der Sicherungshülse hat beim italienischen Gewehr
den Nachtheil im Gefolge, dass nach rückwärts kein genügender Abschluss
der Kammer hergestellt wird, denn bei etwa eintretenden Zündhütchendurchschlagungen wird es vorkommen können, dass trotz der Vorkehrungen
zur Ableitung der Gase Schlagbolzen, Sicherungshülse sowie Schlagstück
u. s. w. nach hinten herausfliegen und den Schützen erheblich verletzen.

Deutschland hat bisher, um einen sicheren Kammerverschluss nach
rückwärts zu erlangen, die Kammer so konstruirt, dass Schlagbolzen mit
Feder von vorn eingeführt werden mussten, trotzdem dieses Prinzip den
Nachtheil hatte, dass ein besonderer Verschlusskopf verwendet werden
musste. Mauser benutzt bei seinem spanischen Gewehr zum Verschluss
der Kammer nach hinten ein ungeheuer starkes Gewindestück, das seinen
Zweck vollständig erfüllen dürfte. Ob der österreichische Verschluss gegen
Zündhütchendurchschlagungen genügende Festigkeit besitzt, muss dahin-
gestellt bleiben.

Das Seitengewehr ist beim österreichischen, italienischen und spanischen
Gewehr unterhalb des Schaftes in senkrechter Ebene angebracht, wodurch
erreicht wird, dass die durch das Aufpflanzen rechts oder links seitwärts
am Gewehr bedingte Seitenabweichung des Geschosses vermieden wird.

Sehr beachtenswerth ist die Anordnung des Seitengewehrs am österreichischen Gewehr mit der Schneide gegen die verlängerte Seelenachse,
sowie die Anbringung eines Hülfskorns auf der Parirstange beim Seitengewehr des Stutzens, wodurch Geschossabweichungen auch in der Höhe
vermieden werden sollen.

Auch Deutschland wird sich bei etwaiger Einführung eines neuen
Gewehrs diesen Neuerungen im Wesentlichen anschliessen müssen, wenn
es nicht vorzieht, nach Art der Seitengewehrbefestigung des englischen
Lee Metford-Gewehrs gänzlich auf eine Befestigung mittelst Parirstange
an der Laufmündung zu verzichten.

Durch die beständige Befestigung des Bajonetts am italienischen
Karabiner M. 91 erscheint der Soldat von der seine Bewegungen hindernden Seitenwaffe befreit. Diese Anordnung führt jedoch zu einer

beträchtlichen Verkürzung des Schaftes, wodurch der ohnehin dünne Lauf in einer ansehnlichen Länge ohne Auflage bleibt. Aber gerade dieser nicht unterstützte Theil des Laufs ist derjenige, welcher der vom Bajonett verursachten Beanspruchung am meisten ausgesetzt ist, sobald dessen Spitze heftigen Widerstand findet. Ferner ist zu befürchten, dass ein Fallenlassen des Karabiners eine Verbiegung hervorruft.

Vergleichende Tabelle der Gewehre des Dreibundes und Spaniens.

	Gewehrmodell	Deutschland Gewehr 88	Oesterreich-Ungarn Repetirgewehr M. 90	Oesterreich-Ungarn Repetirgewehr M. 95	Italien Repetirgewehr M. 91	Spanien M. 93
Gewehr	Länge ohne Seitengewehr	1,245 m	1,281 m	1,272 m	1,29 m	1,235 m
	" mit	1,72 m	1,525 m	1,518 m	1,59 m	
	Gewicht ohne	3,8 kg	4,495 kg	3,650 kg	3,8 kg	3,9 kg
	" mit	4,72 kg	4,965 kg	3,935 kg	4,2 kg	
	Laufmantel oder nicht?	Laufmantel	nein	nein	nein	nein
Lauf	Kaliber	7,9 mm	8 mm	8 mm	6,5 mm	7
	Zahl der Züge	4	4	4	4	4
	Drallrichtung	rechts	rechts	rechts	rechts	rechts
	Drallänge	240 mm	250 mm	250 mm	Progressivdrall, steigend von hinten	220 mm
	Neigung der Züge	gleichbleibend	gleichbleibend	gleichbleibend	530 bis vorn 220	gleichbleibend
Visir	Visirart	Rahmen	Quadrant	Rahmen	Quadrant	Rahmen
	Zahl der Klemmen	4	2	4	2	2
	Seitliche Visirlinie oder nicht?	nein	rechtsseitig	nein	nein	nein
	Visirstellungen	250, 350, 450, 500 u. s. w. mit Zwischenstellung bis 1900 m, dann 2050 m	von 300, 500, 600, 700 bis 1900 Schritt	300, 500, 600 bis 2600	—	400, 500, 600 u. s. w.
Verschluss	Anlage	doppelte, vorn oben und unten	einseitig hinten, unten durch Keil	doppelte, vorn oben und unten	doppelte, vorn oben und unten	doppelte, vorn oben und unten
	Geradzug oder Drehverschluss mit Doppelgriff	Drehverschluss mit Doppelgriff	Geradzug	Geradzug mit Drehverschluss	Drehverschluss mit Doppelgriff	Drehverschluss mit Doppelgriff
Magazin	Art des Magazins	Mittelschaftsmagazin, Kasten fest und offen	Mittelschaftsmagazin, Kasten fest und unten offen	Mittelschaftsmagazin, Kasten fest und unten offen	Mittelschaftsmagazin, Kasten fest und unten offen	Mittelschaftsmagazin, Kasten nicht sichtbar und unten offen
	Rahmen oder Ladestreifen	Rahmen	Rahmen	Rahmen	Rahmen	Ladestreifen
	Material des Rahmens	Stahlblech, lackirt	Stahlblech	Stahlblech	Messing	Stahlblech, vernickelt
	Zahl der Patronen	5	5	5	6	5
Patrone	Länge der Patrone	82,5 mm	76 mm	76 mm	76 mm	77,92 mm
	Gewicht der Patrone	27,5 g	28,35 g	28,35 g	22 g	24,3 g
	Mit oder ohne Rand	ohne	mit	mit	ohne	ohne
	Pulver	Blättchen	Scheibchen	Scheibchen	Ballistit (Würfel*)	Blättchen
	Ladung	2,67 g	2,75 g	2,75 g	1,95 g	2,55 g
Geschoss	Anfangsgeschwindigkeit	610 m	600	600	720	700
	Länge	32 mm	31,8 mm	31,8 mm	30,5 g. Bleikern mit Maillechort-Mantel**)	30,4 mm
	Gewicht	14,7 g	15,8 g	15,8 g	10,5 g	11,27 g
Schaft	Handschutz bezw. Oberschaft oder nicht?	nein	nein	Oberschaft	Handschutz	Handschutz
Seitengewehr	Bajonett oder Seitengewehr	Seitengewehr	Seitengewehr	Seitengewehr	Seitengewehr, Karabiner Bajonett	Seitengewehr
	Befestigungsort	rechtsseitig	linksseitig	unterhalb des Laufes	unterhalb des Laufes	unterhalb des Laufes
	Konstrukteur	die staatlichen Fabriken. Kasten Mannlicher	Mannlicher	technisches Militär-Komitee	Mannlicher	Mauser

*) Das Ballistit besteht aus gleichen Theilen Nitroglycerin und Nitrocellulose mit Spuren von Anilin. Binnen Kurzem soll dasselbe durch "Solenit" ersetzt werden, das die gleiche Zusammensetzung wie Ballistit hat, nur ist das Anilin durch einen Kohlenwasserstoff (Idrocarburo) ersetzt. Solenit zeigt die gleichen Leistungen wie Ballistit bei niedrigeren Spannungen im Laderaum, füllt die Hülse vollkommen aus und verhindert somit zeitweilige Ueberladungen.

**) Maillechort ist eine Legirung von 80 Theilen Kupfer und 20 Theilen Nickel.

Luftwiderstandsgesetze, gegründet auf die Ergebnisse deutscher Schiessversuche.

Von

Denecke,

Hauptmann und Kompagniechef im Badischen Fussart.-Regt. Nr. 14.

(Schluss. Mit einer Abbildung.)

Die Untersuchung muss nun noch auf kleine, sowie auf über 458 m liegende Geschwindigkeiten ausgedehnt werden.

Die für kleine Geschwindigkeiten in Frage kommenden Versuchsergebnisse sind in nebenstehender Tabelle 3 zusammengestellt.

Die bisher befolgte Methode lässt sich offenbar auf die Versuchsergebnisse der Tabelle 3 nicht anwenden und erübrigt daher nur, auf die Gleichung 3 zurückzugreifen, durch welche der jedesmalige Werth von $f(v_m) = f(u)$, also auch von $\frac{f(u)}{u^2}$ bestimmt ist. Um analoge Beziehungen wie früher zu erhalten, beachten wir Gleichung 19, nach welcher

$$20. \qquad \frac{d\xi}{d\varDelta} = \frac{1}{(1+\varDelta)}\frac{f(u)}{u^2}$$

ist, und setzen

$$21. \qquad \frac{d\xi}{d\varDelta} = \text{Const.} + a\varDelta + b\varDelta^2 + c\varDelta^3 + \dots$$

Wie schon früher hervorgehoben, ist der Werth von $\frac{d\xi}{d\varDelta}$, also auch von $\frac{f(u)}{u^2}$, in der Nähe der Endpunkte der durch die Gleichungen 17 und 18 definirten Kurven unsicher; ganz besonders ist dies der Fall bei Gleichung 18, wo nur drei Versuchsergebnisse vorliegen, bei welchen die Endgeschwindigkeit kleiner als 290 m ist. Als genügend genau wird aber jedenfalls noch der $u = 295$ entsprechende Werth $\frac{f(u)}{u^2} = 0{,}02184$ betrachtet werden können, da dieser durch vier nahe zusammenliegende Endgeschwindigkeiten (lfd. Nrn. 37—40 der Tabelle 1) bestimmt wird. Um also den Anschluss an die früheren Ergebnisse zu gewinnen, wählen wir den Punkt $u = 295$ als Ursprung für die weitere Rechnung, für welche auch die lfd. Nrn. 41—43 der Tabelle 1 (lfd. Nr. 1—3 der Tabelle 3) verwerthet werden können, wenn man die bezüglichen ξ-Werthe mittelst Gleichung 18 auf $u = 295$ reduzirt. Soll nun der Werth von $\frac{d\xi}{d\varDelta}$, also die Funktion $f(u)$, an der Stelle $u = 295$ ($\varDelta = 0$) keinen Sprung machen, so muss für die Grösse Const. in Gleichung 21 offenbar der Werth der Tangente von Gleichung 18 im Punkte $u = 295$ (Const. $= 45{,}79$) eingesetzt werden. Man findet des Weiteren:

$$22. \quad \frac{d\xi}{d\varDelta} = 45{,}79 + [2{,}0901]\varDelta - [2{,}6883]\varDelta^2 + [2{,}7604]\varDelta^3 - [2{,}3493]\varDelta^4$$

und hieraus durch Integration

$$23. \quad \xi = \xi_0 + 45{,}79\varDelta + \tfrac{1}{2}[2{,}0901]\varDelta^2 - \tfrac{1}{3}[2{,}6883]\varDelta^3 + \tfrac{1}{4}[2{,}7604]\varDelta^4 - \tfrac{1}{5}[2{,}3493]\varDelta^5,$$

Tabelle 3.

Lfde. Nr.	Datum	Geschoss	Kaliber m	Geschossgewicht kg	Luftgewicht kg	v_{x_1} m	x_1 m	v_{x_7} m	x_7 m	Zahl der Messungen	u_m m	$f(u_m)/u_m^2$	v_{x_2} berechnet nach Gl. 23 m	Differenz gegen die Beobachtung	v_{x_2} berechnet unter der Annahme $f(v)=0{,}0166\,v^2$	Differenz gegen die Beobachtung
1	26. 4. 81	15 cm Gr. C/80	0,1491	27,47	1,230	265,0	—	280,0	—	10	287,5	0,0190	279,3	—0,7	—	—
2	10. 11. 81	"	"	"	1,270	"	—	263,5	—	5	279,25	0,0194	264,8	+1,3	—	—
3	7. 5. 81	"	"	"	1,200	"	—	262,5	—	9	278,25	0,0174	261,0	—1,5	—	—
4	8. 6. 88	"	"	27,50	1,180	281,5	50	261,0	736,5	4	271,25	0,0181	261,8	+0,8	—	—
5	2. 10. 83	"	"	27,47	1,230	265,5	25	247,0	389	5	251,25	0,0146	246,7	—0,3	246,6	—0,4
6	8. 6. 88	"	"	27,50	1,180	280,0	50	241,8	736,5	4	250,9	0,0174	243,8	+2,0	243,9	+2,1
7	4. 10. 83	"	"	27,47	1,220	256,0	25	237,5	886,5	5	246,75	0,0138	235,8	—1,7	235,4	—1,9
8	4. 2. 87	"	"	27,59	1,280	250,0	»	229,5	786,5	4	239,75	0,0170	231,8	+2,3	231,5	+2,0
9	2. 10. 83	"	"	27,47	1,230	211,2	»	205,3	389	6	208,25	0,0122	203,8	—1,5	203,9	—1,4
10	8. 6. 88	"	"	27,50	1,180	210,5	50	198,6	736,5	5	203,55	0,0164	197,6	+1,0	197,5	+0,9
11	20. 9. 83	"	"	27,47	1,210	211,5	»	192,9	989	4	202,2	0,0157	193,2	+0,3	193,3	+0,4
12	2. 10. 83	"	"	"	1,230	172,9	25	165,5	391,5	5	169,2	0,0188	166,6	+1,1	166,8	+1,3
13	25. 9. 83	"	"	"	"	173,1	^	163,0	689	4	168,05	0,0142	162,0	—1,0	162,3	—0,7
14	2. 10. 83	"	"	"	"	141,7	»	136,5	391,5	5	139,1	0,0160	136,8	+0,3	136,7	+0,2

worin der Werth $\xi_0 = 12{,}13$ sich aus Gleichung 18 für u = 295 ergiebt. Die Gleichungen 22 und 23 liefern in Verbindung mit Gleichung 19 folgende Ergebnisse:

Tabelle 4.

1	2	3	4	1	2	3	4
$\varDelta$	$\dfrac{u}{m}$	$\dfrac{f(u)}{u^2}$	ξ	$\varDelta$	$\dfrac{u}{m}$	$\dfrac{f(u)}{u^2}$	ξ
0,000	295,0	0,02184	12,13	0,40	210,7	0,01485	33,12
0,025	287,8	0,02009	13,31	0,45	203,5	0,01509	35,46
0,050	281,0	0,01875	14,55	0,50	196,7	0,01536	37,69
0,075	274,4	0,01772	15,85	0,60	184,4	0,01584	41,84
0,100	268,2	0,01692	17,18	0,70	173,5	0,01598	45,63
0,15	256,5	0,01578	19,90	0,80	163,9	0,01569	49,22
0,20	245,8	0,01511	22,66	0,90	155,3	0,01517	52,72
0,25	236,0	0,01476	25,40	1,00	147,5	0,01496	56,15
0,30	226,9	0,01464	28,07	1,10	140,5	0,01569	59,37
0,35	218,5	0,01468	30,65				

Die aus Gleichung 23 sich ergebenden Endgeschwindigkeiten sind in Spalte 14 der Tabelle 3 eingetragen.

Wie aus Spalte 13 der Tabelle 3 hervorgeht, sind die Werthe von $\dfrac{f(v_m)}{v_m^2}$ sehr grossen und unregelmässigen Schwankungen unterworfen. Der Grund dieser Erscheinung ist in dem Umstande zu suchen, dass bei kleineren Geschwindigkeiten geringe Messungsfehler einen ganz erheblichen Einfluss auf jenen Werth haben. Unter solchen Verhältnissen kann daher nur eine sehr grosse Zahl von Versuchen zu einem genauen Ergebniss hinsichtlich der Grösse des Luftwiderstandes führen. Die geringe Zahl der hier vorliegenden Versuche lässt aber von vornherein das erlangte Ergebniss unsicher erscheinen. Nun ist durch frühere Untersuchungen bekannt, dass bei den hier in Frage kommenden kleineren Geschwindigkeiten unter 250 m der Luftwiderstand dem Quadrat der Geschwindigkeit proportional gesetzt werden kann, und mit dieser Erfahrung stehen jedenfalls die Angaben von Spalte 13 der Tabelle 3 nicht in Widerspruch, welche bei Annahme des quadratischen Widerstandsgesetzes unmittelbar die Proportionalitätsfaktoren selbst darstellen. Als mittlerer Werth des Proportionalitätsfaktors ergiebt sich aus den lfd. Nrn. 5—14 der Werth 0,0156, welchem die in Spalte 16 verzeichneten Endgeschwindigkeiten entsprechen. Letztere ergeben fast dieselben Abweichungen gegen die Beobachtung wie Gleichung 23, ein Beweis dafür, dass das quadratische Widerstandsgesetz in der That als zutreffend angesehen werden kann. Die vorstehend angegebene Grösse des Proportionalitätsfaktors bedarf aber nach den oben gemachten Ausführungen einer Kontrolle. Die Möglichkeit hierzu ist auf folgende Weise gegeben:

Für die Projektionen der Beschleunigung auf die rechtwinkligen Koordinatenachsen hat man allgemein

$$24. \qquad \frac{d^2x}{dt^2} = -\left[\frac{g}{P}\,\frac{a^2\pi}{4}\,\frac{p}{p_0}\,\frac{f(v)}{v^2}\,v^2\right]\cos\vartheta,$$

$$25. \qquad \frac{d^2y}{dt^2} = -g - \left[\frac{g}{P}\,\frac{a^2\pi}{4}\,\frac{p}{p_0}\,\frac{f(v)}{v^2}\,v^2\right]\sin\vartheta.$$

Eliminirt man aus beiden Gleichungen den in [ ] geschlossenen Ausdruck, so wird

26.
$$\frac{d^2 y}{d x^2} = - \frac{g}{\left(\dfrac{d x}{d t}\right)^2}.$$

Multiplizirt man, wie beim Siaccischen Verfahren, die rechte Seite der Gleichung 24 mit $v \cos \vartheta$, so wird, da für quadratischen Widerstand der Bruch $\dfrac{f(v)}{v^2}$ konstant ist, und wenn man der Kürze wegen

27.
$$v \ \frac{g}{P} \ \frac{a^2 \pi}{4} \cdot \frac{p}{p_o} \ \frac{f(v)}{v^2} = \frac{1}{2 k}$$

setzt:

28.
$$\frac{d^2 x}{d t^2} = - \frac{1}{2 k} \left(\frac{d x}{d t}\right)^2.$$

Das Integral dieser Differentialgleichung lautet, wenn c die Anfangsgeschwindigkeit und α den Abgangswinkel bedeutet:

29.
$$\frac{d x}{d t} = c \cdot \cos \alpha \, e^{-\frac{1}{2 k} x}.$$

Setzt man diesen Werth in Gleichung 26 ein und integrirt zweimal, so wird:

30.
$$y = x \tan g \, \alpha \left\{ 1 - \frac{g x}{c^2 \sin 2 \alpha} \left[\frac{2}{\left(\dfrac{x}{k}\right)^2} \left(e^{\frac{x}{k}} - \frac{x}{k} - 1 \right) \right] \right\}.$$

Für den Endpunkt der Bahn hat man dann, wenn w die Schussweite bedeutet:

31.
$$\frac{c^2 \sin 2 \alpha}{g w} = \frac{2}{\left(\dfrac{w}{k}\right)^2} \left(e^{\frac{w}{k}} - \frac{w}{k} - 1 \right).$$

Ist nun für die rechte Seite der vorstehenden Gleichung eine Tabelle (vergl. z. B. »Die Lehre vom Schuss und die Schusstafeln« von Heydenreich, Berlin 1898, E. S. Mittler & Sohn, Königliche Hofbuchhandlung) errechnet, so lässt sich, wenn Anfangsgeschwindigkeit, Abgangswinkel und Schussweite bekannt sind, der zugehörige Werth $\dfrac{w}{k}$ und hieraus gemäss Gleichung 27 der Werth von $\dfrac{f(v)}{v^2}$, d. i. im vorliegenden Falle der Proportionalitätsfaktor für quadratischen Widerstand, ermitteln.

Zu bemerken ist hierbei, dass bis zu Abgangswinkeln von etwa 30° die rechnungsmässigen Ergebnisse vorstehender Formeln nur ganz unerheblich von denjenigen abweichen, welche die strenge Rechnung liefern würde.[*])

---

[*]) Bekanntlich sind zuerst von Otto, später von St. Robert und Brachialini Tabellen für quadratischen Widerstand berechnet worden, welche auf den mathematisch strengen Differentialgleichungen fussen. Die oben erwähnten Tabellen sind indessen für praktische Zwecke viel bequemer, und erweisen nachstehende Zahlenangaben die Richtigkeit obiger Behauptung.

Für den Proportionalitätsfaktor 0,0162 ergaben sich für die 21 cm Gr. C/80 (a = 0,2105 m, P = 77,5 kg) bei 30° Abgangswinkel folgende Schussweiten:

Anfangsgeschwindigkeit	175 m	200 m	250 m
Schussweite { nach Otto	2382 m	3012 m	4360 m
{ nach Gleichung 31	2390 m	3016 m	4375 m

Die für vorliegenden Zweck brauchbaren Versuche sind in Tabelle zusammengestellt.

Tabelle

Lfde. Nr.	Datum	Geschoss	Kaliber m	Geschoss-gewicht kg	Luft-ge-wicht kg	Anfangs-geschwin-digkeit m	Abgangs-winkel Grad Min.	Schuss-weite m	f(v) v²
1		15 cm Gr.	0,1191				4°	900	
2		»	»		»		7°	1515	
		»	»	»			26°	3900	
4		»	»		»		8°	1580	
5	»	»	»				28°	3830	
		»	»			»	14° 1'	2375	
7	»	»	»			»	21°	3190	
8		_ cm Gr.	0,2105				7°	1200	
			»		»	»	11°	1785	
		»	»		»	»	17°	2500	
	1.	»					20°	2780	
		cm Gr.	0,1191				18°	2350	
		»	»	»		»	30°	3220	
14		cm Gr.	0,1203				19°	2455	
15		15 cm Gr.	0,1497				16°	1910	
16	»	»	»				26°	2705	
17		cm Gr.	0,2105				15°	1850	
	»		»		»	»	22°	2480	
		15 cm Gr.	0,1497				16° 2'	1570	
	»	»	»			»	26° 2'	2265	
		cm Gr.	»				25°	2270	
		»	0,2105				19°	1830	
23		»	»	»		»	31°	2500	
		_ cm Gr.					18°	1500	
25		cm Gr.	0,2105				14°	1205	
26		»	»	»			23°	1790	
		cm Gr. C	0,1191				30°	1885	
		cm Gr.	0,2105				20°	1220	
	»	»	»	»		»	28°	1525	

Wie aus Spalte der vorstehenden Tabelle hervorgeht, sind die aus dem Zusammenhang zwischen Anfangsgeschwindigkeit, Abgangswinkel und Schussweite gezogenen Proportionalitätsfaktoren erheblich geringeren Schwankungen unterworfen, ferner zeigt sich weder eine Abhängigkeit der Grösse derselben von der Geschwindigkeit, noch vom Abgangswinkel. Man ist daher zu dem Schluss berechtigt, dass für das in Frage kommende Geschwindigkeitsgebiet das quadratische Luftwiderstandsgesetz zutrifft und zwar mit einem Proportionalitätsfaktor welcher das Mittel der in Spalte enthaltenen ist.

Der aus Geschwindigkeitsmessungen errechnete Faktor ist also nicht unerheblich zu klein, und es müssen daher auch die aus Gleichung für Geschwindigkeiten zwischen und m folgenden Werthe dieser Verhältnisszahl hierdurch beeinflusst werden und bedürfen einer entsprechenden Berichtigung. Zu diesem Zweck legen wir durch die Punkte $\frac{f(295)}{295^2} = 0,02184$ und $\frac{f(256,5)}{256,5^2} = 0,01620$ einen Parabelbogen derart, dass die Summe der Fehlerquadrate, welche hierdurch bei den lfd. Nrn. 1—4 der Tabelle entstehen, ein Minimum wird. Es ergiebt sich

$$\frac{f(u)}{u^2} = 0,02184 - [0,4137 -] (295-u) + [0,4690 - | -u)^2$$

und hieraus:

u	$\dfrac{f(u)}{u^2}$
295,0	0,02184
287,8	0,02012
281,0	0,01879
274,4	0,01775
268,2	0,01700
256,5	0,01620.

Wie man sieht, sind die Unterschiede gegen früher nur sehr gering. Es erübrigt nun noch, die Untersuchung auf die über 457,8 m liegenden Geschwindigkeiten auszudehnen, auf welche sich folgende Versuchsergebnisse beziehen:

Tabelle 6.

1	2	3	4	5	6	7	8	9	10	11	12	13	14
Lfde. Nr.	Datum	Geschoss	Kaliber	Geschossgewicht	Luftgewicht	v_{x_1}	x_1	v_{x_2}	x_2	Zahl der Messungen	v_{x_2} berechnet	Differenz	Bemerkungen.
			m	kg	kg	m	m	m	m		m	m	
1	15. 1. 86	21 cm Gr. C/80	0,2093	77,5	1,27	465,1	100	416,9	600	5	416,4	— 0,5	
2	»	»	»	»	»	465,3	»	384,4	979	8	383,9	— 0,5	
3	»	»	»	»	»	467,1	»	447,2	300	4	447,1	— 0,1	
4	15. 7. 81	15 cm Gr. C. 80	0,1491	27,47	1,18	472,5	36	266,0	2989	3	266,8	+ 0,8	Erhöhung 6° Grad
5	9. 3. 88	»	»	»	1,25	473,5	75	357,8	1000	5	359,6	+ 1,8	
6	1. 7. 81	»	»	»	1,20	474,2	50	309,4	1781,5	3	310,2	+ 0,8	
7	10. 7. 85	»	»	»	»	491,5	100	359,9	1179	5	360,2	+ 0,3	
8	1. 7. 81	»	»	»	»	494,0	50	315,5	1781,5	3	317,1	+ 1,6	
9	15. 7. 81	»	»	»	1,18	496,1	50	338,1	1481,5	3	337,9	— 0,2	
10			»	»	»	499,7	30	390,5	879	4	389,8	— 0,9	

Es ist klar, dass obenstehende Versuchsergebnisse kein genügendes Material zur exakten Prüfung der vorliegenden Frage darbieten. Die Daten der Spalte 4 von Tabelle 2 lehren aber, dass, was bereits durch alle früheren Untersuchungen über den Luftwiderstand festgestellt ist, für Geschwindigkeiten über 400 m der Widerstand näherungsweise dem Quadrat der Geschwindigkeit proportional ist. Lässt man den dem Werthe $\mathit{\Delta} = 0$ entsprechenden Werth von $\dfrac{f(u)}{u^2}$ als zu unsicher ausser Acht, so erhält man für die Geschwindigkeitsstrecke von 440—402 m im Mittel den Proportionalitätsfaktor 0,0480, so dass innerhalb dieser Geschwindigkeitsstrecke $f(v) = 0,0480\, v^2$ gesetzt werden kann. Auf dieselbe Weise nun, wie dies auf Seite 429, Heft 9, geschehen, lassen sich unter der Voraussetzung, dass das Gesetz $f(v) = 0,0480\, v^2$ auch für Geschwindigkeiten bis zu 500 m gültig bleibt, die ξ-Werthe auf die Anfangsgeschwindigkeit 457,8 m reduziren und dann mit Hülfe der früheren Formeln die Endgeschwindigkeiten berechnen. Letztere sind in Spalte 12 der Tabelle 6 eingetragen, und die geringen Differenzen mit der Beobachtung beweisen nachträglich, dass obige Voraussetzung zutreffend ist.

In umstehender Tafel ist der Verlauf der Funktion $\dfrac{f(v)}{v^2}$, wie sich derselbe nach den vorstehenden Rechnungen ergibt, graphisch dargestellt und sind zum Vergleich die Widerstandsgesetze herangezogen, welche Mayevski in seinem Werk »Ueber die Probleme des direkten und indirekten Schiessens«, übersetzt von Klussmann, und Hojel in »De Militaire Spectator«, Ende 1883, veröffentlicht haben. Die Gesetze beider Ballistiker

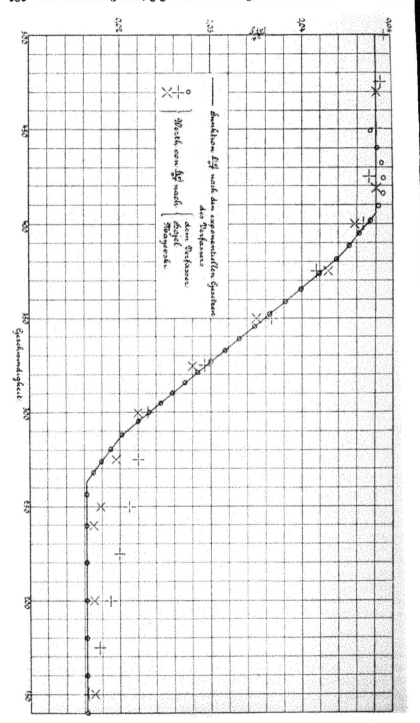

beziehen sich auf Geschosse von durchschnittlich 3 Kal. Länge, deren Bogenspitze etwa 1,3 Kal. lang war und einen erzeugenden Radius von durchschnittlich 2 Kal. Länge hatte; die Geschosse hatten nur hintere Führung.

Die 12 cm, 15 cm und 21 cm Gr. C/80 dagegen, auf welche sich die vorliegende Untersuchung bezieht, haben auch vordere Führung und sind 2,8 bezw. 2,4 bezw. 2,5 Kal. lang, die Länge der Bogenspitze ist 0,82 bezw. 0,75 bezw. 0,97 Kal., die Grösse des erzeugenden Radius 1,14 bezw. 0,92 bezw. 1,28 Kal.*) Es ist hiernach von vornherein klar, dass die Granaten C/80 einen grösseren Widerstand erleiden müssen und dass mithin zum Vergleich der verschiedenen Widerstandsgesetze eine Reduktion der Funktion $\frac{f(v)}{v^2}$ stattfinden muss.

Geht man von der Annahme aus, dass der Einfluss der Geschossform durch einen bei allen Geschwindigkeiten konstanten Faktor n (Formwerth) zum Ausdruck gebracht werden kann, so lässt sich offenbar diese Reduktion derart vornehmen, dass man das Verhältniss der Widerstände bei einer beliebigen Geschwindigkeit ermittelt und mit dem so erhaltenen Formwerth die zu vergleichende Funktion f (v) multiplizirt. Nun ist

nach Mayevski:

von $v = 700$ bis $v = 419$ m $f(v) = 0,0394\ v^4$
» $v = 419$ » $v = 375$ m $f(v) = 0,000094\ v^8$
» $v = 375$ » $v = 295$ m $f(v) = 0,0^467\ v^5$
» $v = 295$ » $v = 240$ m $f(v) = 0,0000583\ v^3$
» $v = 240$ m ab $f(v) = 0,0140\ v^2$

nach Hojel:

von $v = 500$ bis $v = 400$ m $f(v) = 0,0097105\ v^{2,23}$
» $v = 400$ » $v = 350$ m $f(v) = 0,0^466674\ v^{3,43}$
» $v = 350$ » $v = 300$ m $f(v) = 0,0^470372\ v^5$
» $v = 300$ » $v = 140$ m $f(v) = 0,001097\ v^{2,8}$

Für eine Geschwindigkeit von 450 m ist daher der Formwerth der Granate C/80 nach Mayevski $n = \dfrac{0,0480}{0,0394} = 1,218,$

nach Hojel $\qquad n = \dfrac{0,0480}{0,0097105 \cdot 450^{0,23}} = 1,212.$

Die mittelst vorstehender Formwerthe reduzirten Funktionen $\frac{f(v)}{v^2}$ nach Mayevski und Hojel sind zum Vergleich in die Tafel eingezeichnet.

Die Uebereinstimmung der Hojelschen Gesetze mit den vorliegenden Ergebnissen ist innerhalb der Grenzen von $v = 450$ bis $v = 300$ m eine überraschend gute; bei grösseren Geschwindigkeiten ist nach Hojel der Widerstand ein wenig, bei Geschwindigkeiten unter 300 m dagegen ganz erheblich grösser.

Die Mayevskische Kurve stimmt weniger gut überein, immerhin ist aber der Unterschied bis zu Geschwindigkeiten von 295 m unerheblich, von dieser Grenze an aber auch hier wesentlich grösser, wenn auch nicht

*) Die Unterschiede in der Form der drei Geschosse könnten immerhin bedeutend genug erscheinen, um auch Unterschiede in der Grösse des Luftwiderstandes erwarten zu lassen; dann würde dazu die Berechtigung fehlen, die mit den drei Geschossen erlangten Versuchsergebnisse als gleichwerthig zu betrachten. Dass aber trotzdem Letzteren zulässig war, geht nachträglich aus Spalte 17 der Tabelle 1 hervor, indem die algebraische Summe der Fehler der berechneten Endgeschwindigkeiten bei der 12 cm Gr. C/80 — 0,6 m, bei der 21 cm Gr. C/80 sogar + 2,8 m beträgt. Es ist also anzunehmen, dass die etwa vorhandenen Unterschiede in den Widerständen so gering sind, dass sie durch die Beobachtungsfehler verdeckt werden.

in demselben Maasse wie bei Hojel. Den Grund dieser Verschiedenheit könnte man zunächst darin suchen, dass wir einen für alle Geschwindigkeiten konstanten Formwerth angenommen haben, während derselbe möglicherweise eine Funktion der Geschwindigkeit ist. Demgegenüber ist zu bemerken, dass die Tafel die Konstanz des Formwerthes bis zu Geschwindigkeiten von 300 m beweist; derselbe müsste also erst von dieser Grenze ab veränderlich sein und zwar, wie leicht erhellt, abnehmen, was von vornherein unwahrscheinlich ist. Nach den Hojelschen Gesetzen ist der Formwerth der Granaten C/80 auf der Strecke von $v = 280$ bis $v = 260$ m sogar kleiner als 1, d. h. es ist der Widerstand der genannten Geschosse hier kleiner als derjenige der Hojelschen, was offenbar unmöglich ist. Eine nähere Erörterung dieser Frage würde den Rahmen der vorliegenden Untersuchung überschreiten, und wir begnügen uns vorläufig damit, festgestellt zu haben, dass die Mayevskischen und in noch höherem Maasse die Hojelschen Gesetze mit den hier erlangten Ergebnissen in Widerspruch stehen.

Die exponentiellen Gesetze, durch welche die Funktion $f(v)$ dargestellt werden kann, sind folgende (in der Tafel durch die gerissene Linie angedeutet):

von $v = 500$ bis $v = 405$ m $f(v) = 0{,}0480\ v^2$
» $v = 405$ » $v = 381$ m $f(v) = 0{,}0^35894\ v^{3{,}5}$
» $v = 381$ » $v = 288$ m $f(v) = 0{,}0^325264\ v^2 - 0{,}05265\ v$
» $v = 288$ » $v = 263$ m $f(v) = 0{,}0^71436\ v^{4{,}5}$
» $v = 263$ m ab $f(v) = 0{,}0162\ v^2$

Die Brieftauben im Heeresdienst.

(Schluss. Mit drei Abbildungen.)

Die Privat-Brieftaubenliebhaber haben eigentlich nur am Reisefluge Interesse. Der Ortsflug und der Hin- und Rückflug kommen besonders für Militär-Brieftauben in Frage, denn für militärische Zwecke werden folgende Leistungen verlangt; 1. Verbindung von Festungen unter sich und mit Stationen des Binnenlandes; 2. Nachrichtengebung von verschiedenen Punkten an der Grenze oder in Feindesland nach dem eigenen Lande; 3. Verbindung von Inseln und von Schiffen mit dem Festlande; 4. Nachrichtengebung von frei fliegenden Luftballons nach Orten des Heimathslandes. Die Verbindung von Festungen unter sich, von Inseln mit dem Festlande, von Festungen mit dem Binnenlande geschieht auf grössere Entfernungen durch Brieftauben mittelst des Reisefluges, auf kürzere auch durch Hin- und Rückflug.

Da die Tauben von grossen Militär-Brieftaubenschlägen im Allgemeinen nur mittlere Leistungen zeigen werden, wie schon früher gesagt ist, so darf man die Reiserouten nicht zu gross machen. Es empfiehlt sich nicht, 200 km wesentlich zu überschreiten, um mit den Tauben schon in deren zweitem Lebensjahre die Endstation zu erreichen, denn es kommt nicht darauf an, einzelne ganz vorzügliche Tauben in einem Militär-Brieftauben-Schlage zu haben, sondern recht viel auf ihre Reise vollständig eingeübte. Tauben auf die grössten Entfernungen, z. B. für die Reise Rom—Brüssel, auszubilden, kann nur Sache der Privatzüchter, nicht der Militär-Stationen sein. Für diese ist die grosse Zahl ausgebildeter Tauben deshalb besonders wichtig, weil die Tauben im Falle eines Krieges oft sehr lange ausserhalb ihres Heimathsschlages eingesperrt sein müssen, wonach erfahrungsgemäss grosse Verluste beim Auflassen der Tauben vorkommen. Solche Einsperrungen können bei längeren Belagerungen oft monatelang dauern. Man ist daher auch bei Militär-Brieftauben genöthigt, schon zum Schluss der Einübung, gewöhnlich im dritten Lebensjahre der Tauben einen sogenannten Dauerversuch mit ihnen anzustellen. Zu einem solchen sperrt man die Tauben nach Geschlechtern gesondert in einem Aufenthaltsraum auf der Endstation, der sogenannten Aussenstation 3 bis 6 Wochen lang ein, bevor man sie nach ihrer Heimathsstation zurückfliegen lässt. Diejenigen Tauben, welche dann ihren Flug tadellos ausführen, sind zur Nachzucht besonders zu wählen. Gewöhnlich lässt man die Tauben diesen Dauerversuch nur einmal, höchstens zweimal machen.

Ein Militär-Brieftaubenschlag muss in seinen Räumen gesonderte Abtheilungen als Heimathsstationen für jede Richtung der Reisen seiner Tauben und Aussenstationen für diejenigen Flugrichtungen enthalten, in welchen fremde Tauben abgesandt werden sollen. Es sei dies durch ein Beispiel (Abbild. 5), erläutert.

Die Festungen A, B, C, D, von denen A und B zunächst der Grenze, C und D mehr im Innern des Landes liegen, sollen unter sich und mit den Städten E und F in Verbindung durch Brieftauben gesetzt werden. Es genügt dabei, wenn von F aus nur Nachrichten in eine dieser Festungen gegeben, nicht aber von dort solche empfangen werden. Dann erhält A Heimaths- und Aussenstationen für die Festungen B und C, weil die Festung D und die Städte E und F zu weit entfernt liegen, B Heimaths- und Aussenstationen für die Festungen A, C und D, C Heimaths- und Aussenstationen für die Festungen A, B, D und die Stadt E, D Heimathsstationen für die Festungen B, C und die Stadt F Aussenstationen nur für B und C, E erhält eine Heimaths- und Aussenstation für C, F nur eine Aussenstation für D, ein Sperrfort G wird mit A durch Hin- und Rückflug verbunden. Jede solche Heimathsstation soll 150 bis 200 Tauben enthalten, für den Hin- und Rückflug genügen 40 Tauben. Es würden also für das oben geschilderte System 2000 bis 2500 Tauben erforderlich sein.

Abbild. 5.

Um die Zugehörigkeit der Tauben zu ihren Heimathsstationen sehen und Tauben, die sich in eine fremde Heimathsstation verflogen haben, leicht aussondern zu können, werden die Brieftauben jedes Schlages stationsweise gekennzeichnet. Dies geschieht am besten durch Farbenflecke, die auf der Brust oder auf dem Rücken der Tauben angebracht werden. Auch zieht man den Tauben sehr leichte, bezeichnete Ringe auf ein Bein. Dies muss sehr frühzeitig geschehen, damit die Zehen noch durch den Ring hindurch gesteckt werden können, gewöhnlich wenn die jungen Tauben 8 Tage alt sind. Ausserdem werden die Tauben jeder Station auf den Flügeln mit einem Stempel versehen. Diese Stempel und Farbenflecke müssen nach jeder Mauser erneuert werden.

Der Ortsflug kommt besonders in Anwendung, um von einer bedrohten Grenze oder aus Feindesland rasch Nachrichten nach einem benachbarten nicht zu fern im Innern des Landes liegenden Ort zu geben, um Schiffe mit dem Festlande, frei fliegende Luftballons mit einem Orte zu verbinden. In ersterem Falle werden die Tauben von Kavalleriepatrouillen mitgenommen und mit den Nachrichten über die Erkundungen fliegen gelassen. Die Patrouillen führen die Brieftauben entweder in Käfigen oder in besonders hergerichteten Taschen mit sich. Ein Reiter trägt einen solchen Käfig auf dem Rücken nach Art eines Tornisters, oder er steckt die Tauben einzeln in Taschen, die in einer Ueberweste auf der Brust und dem Rücken angebracht sind. Diese Taschen müssen fest ausgefüttert und ähnlich eingerichtet sein, wie die früher beschriebenen Kasten, in welche die Tauben zum bequemen Befestigen der Depeschen gesetzt werden. Die Köpfe und die Schwänze der Tauben ragen aus den Taschen heraus. Es ist somit auch ganz leicht, die Depeschen an den Tauben zu befestigen. Für länger dauernde Transporte setzt man die Tauben in Körbe, die von den betreffenden Schwadronen auf ihren Wagen mitgenommen werden. Sind Patrouillen, die mit Tauben ausgerüstet sind, gezwungen zu übernachten, so dürfen die Tauben nicht in den Taschen bleiben, sondern müssen in eine Kammer oder auch eine Kiste während der Zeit der Ruhe gesetzt werden. Auf den Schiffen befördert man die Tauben in geräumigen Käfigen, auf Luftballons in Körben.

Da die Tauben, wie schon früher erwähnt ist, von den Ballons aus nicht gern fliegen, so ist es oft vortheilhafter, sie erst nach dem Landen der Ballons aufzulassen. Luftballons bieten auch hauptsächlich das Mittel, um die ihren Heimathsstationen in einer belagerten Festung schon zugeflogenen Tauben wieder herauszuschaffen. Man bringt die Tauben dann wieder nach ihren Aussenstationen, oder wenn dies nicht möglich ist nach Orten, die in der ihnen bekannten Flugrichtung oder wenigstens nahe derselben liegen. In dieser Weise verfuhr man auch bei der Belagerung von Paris. Die Franzosen brachten die von dort durch Ballons herausgeschafften Tauben so viel wie möglich auf diejenigen Linien, auf welchen sie eingeübt waren,

Abbild. 6.

und liessen sie auf nicht zu grosse Entfernungen auf, gewöhnlich nicht über 50 km. — Tauben, die für den Ortsflug ausgebildet werden, bedürfen natürlich keiner Aussenstationen, sondern nur der Heimathsstation. Der Hin- und Rückflug kommt hauptsächlich zur Anwendung zur Verbindung von nahe aneinander liegenden Festungen mit einander oder von einer Festung mit einem Sperrfort.

Für Militär-Brieftaubenschläge sind besondere Taubenhäuser (Abbild. 6 u. 7) zu erbauen oder grosse Böden in Gebäuden einzurichten, die in der Festung liegen. Bombensichere Räume sind zur Zucht von Tauben unbrauchbar und können höchstens als Aussenstationen benutzt werden. Die Tauben fliegen nicht gern in Kasematten ein. — Jede Heimathsstation muss von der anderen getrennt und mit einer besonderen Oeffnung zum Ein- und Ausfliegen versehen sein. An den Oeffnungen werden Fangkasten angebracht, um Tauben, die von ausserhalb kommen, sofort einzufangen und den Brieftaubenwärter von ihrem Eintreffen zu benachrichtigen. Die Fangkasten bestehen aus etwa 1 m langen, 30 cm hohen und ebenso breiten Käfigen, die mehrere nach dem Taubenschlage hin aufschlagende, verschliessbare Thüren haben. Sie sind nach dem äusseren Einflug zu durch ein Fallgitter geschlossen. Dieses besteht aus leicht beweglichen Stäben, die sich nur nach innen schieben lassen und von den Tauben beim Eingehen in den Schlag angehoben werden. Durch das Anheben wird von dem betreffenden Stabe oben eine schwache Feder berührt und dadurch der Stromkreis für ein Läutewerk geschlossen, das sich in der Wohnung des Wärters befindet. Man schliesst die Thüren des Fangkastens und das Fallgitter, wenn Uebungsflüge gemacht oder abgesandte Tauben wieder erwartet werden. Sonst lässt man die Oeffnungen sämmtlich frei, dass die Tauben durch den Fangkasten aus· und einfliegen können.

Sollen die Tauben gut gedeihen, so muss ihnen in den Heimathsstationen genügender Raum geboten werden. Man rechnet für jede Taube auf mindestens ⁸/₄ Raummeter. Für Aussenstationen, in denen die Tauben längere Zeit eingesperrt werden müssen, ist auf jede Taube 1 Raummeter Luftraum zu rechnen, damit sich die Tauben freier bewegen können.

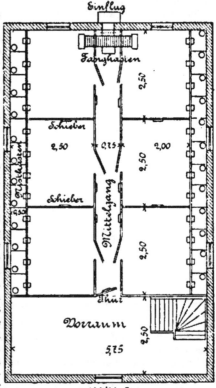

Abbild. 7.

Als Aussenstationen können beliebige helle und nicht zu kalte Räume verwendet werden. Sie sind nur durch Lattengitter in Abtheilungen zu trennen und mit Sitzstangen zu versehen. Man benutzt dazu oft die oberen Bodenräume über den Heimathsstationen. Diese sind in folgender Weise einzurichten. Wände und Decke werden geputzt, der Fussboden mit einem Cementestrich versehen. Vor dem eigentlichen Taubenschlage befindet sich ein Vorraum, der durch eine feste Wand abgeschlossen ist und durch eine feste Thür mit dem Schlage in Verbindung steht. Unten in dieser Thür ist ein Schieber angebracht, durch dessen Oeffnung Tauben aus dem Schlage in einen im Vorraum aufgestellten Taubenkorb getrieben werden können.

Der Taubenschlag erhält einen etwa 75 cm breiten Mittelgang, der durch Lattenwände abgetrennt ist, durch die nach aussen aufschlagende Thüren führen. Zu beiden Seiten dieses Ganges befinden sich 2 m breite Räume, die in Abtheilungen von 2½ m Länge durch Lattenwände getheilt sind. Durch Schieber, die am Fussboden sitzen, können Oeffnungen zwischen den Abtheilungen und dem Mittelgange geschlossen und frei gemacht werden. Die Nistkästen werden als spindenartige Verschläge an den Wänden angebracht, gewöhnlich zu drei oder vier über einander. Sie erhalten eine Grösse von 60 bis 70 cm Länge, 35 bis 50 cm Tiefe und ebensolcher Höhe. Die Nistkästen dürfen nicht zu hell sein. Das Einflugloch an ihrer Vorderseite wird etwas höher gelegt, wie ihr Fussboden, damit halbflügge Junge, die manchmal ihr Nest verlassen, nicht hinauskommen. In den einzelnen Abtheilungen müssen Sitzstangen, nicht zu fern von der Decke, angebracht werden. Man macht die Schläge nicht gern höher als 3 m, weil sonst das Einfangen der Tauben zu sehr erschwert wird. Die zum Ein- und Ausfliegen der Tauben bestimmten Oeffnungen legt man nach Osten oder Süden, ebenso die Fenster am liebsten an diese Seiten des Schlages.

Zum Transport der Tauben benutzt man sogenannte Reisekörbe, die aus einem Geflecht von dünnen Stäben bestehen und gewöhnlich 1,40 m lang, 0,80 m breit und 0,30 m hoch sind. Der Boden ist ebenso beschaffen wie die Wände, aber durch Sackleinewand dicht gemacht, damit das Futter nicht hindurchfällt und die Tauben am Weidengeflecht mit den Füssen nicht festhaken. Eine Trinkrinne kann aussen angehängt werden. Als Thür erhält jeder Korb eine seitliche Oeffnung von 60 cm Breite, die mit einer nach unten aufschlagenden Klappe verschlossen wird. Diese Klappen werden vielfach mit Federn versehen, um mehrere Körbe zugleich durch einen Bindfaden öffnen zu können. Die Klappe, die an einer oben an ihrem Rahmen angebrachten Feder einschnappt, wird von einer zweiten Feder vorgedrückt, sobald die erstere ausgelöst wird.

Die Taubenschläge müssen, falls Krankheiten in grösserem Umfange in ihnen vorgekommen sind, desinficirt werden. Ueber diese Taubenkrankheiten hier etwas anzugeben, dürfte für den Zweck des Aufsatzes zu weit führen. — Ausser durch Krankheiten leiden die Tauben besonders durch die Raubvögel, die auf die fliegenden Tauben stossen. Auch kommt es wohl vor, dass irrthümlich auf Brieftauben, die für feldernde Tauben gehalten werden, geschossen wird. Gegen die Raubvögel giebt es keinen anderen Schutz als ihre Vertilgung, jedes sonst vorgeschlagene Mittel hat sich nicht bewährt. Als ein solches sind besonders die chinesischen Taubenpfeifen angepriesen worden. Sie bestehen aus ganz leichten kugel-. förmigen aus Holz gefertigten Pfeifen, die beim Fliegen der Tauben, denen sie am Schwanz oder an den Füssen befestigt werden, einen schrillen Ton geben. Diese Pfeifen behindern nämlich die Tauben sehr beim Fliegen und erschrecken sie selbst durch ihr Getön derartig, dass sie oft zu Boden gehen und sich der Pfeifen zu entledigen suchen oder ganz verwirrt werden.

Die Tauben der Heeresverwaltung müssen im Falle eines Krieges, sobald Gefahr im Verzuge ist, aus ihren Heimathsstationen in die betreffenden Aussenstationen gebracht werden, um von dort nach Bedarf aufgelassen zu werden. Sind alle Tauben ihrer Heimathsstation wieder zugeflogen, so muss man versuchen, sie wenigstens theilweise wieder hinauszuschaffen. Dies kann in eingeschlossenen oder belagerten Festungen gewöhnlich nur durch Luftballons geschehen.

Die Brieftaubenverbindung des Heeres kann eine wesentliche Unterstützung erhalten durch die Tauben der Privatbesitzer und besonders der Brieftaubenvereine. Dass diese Tauben im Kriegsfalle ohne Weiteres in Anspruch genommen werden können, dürfte keinem Zweifel unterliegen. Um diese Privattauben aber in vollem Maasse mit Nutzen zu verwenden, ist es nöthig, dass schon im Frieden mit den Brieftaubenvereinen Abkommen getroffen werden, wonach die Flugrichtungen geregelt und über die zu Gebote stehende Anzahl von Tauben Listen angelegt werden. Den Vereinen, die ihre Tauben für militärische Linien einüben, sind Unterstützungen und Ehrenpreise zuzuerkennen. Erstere können bestehen in Bewilligung von Geldmitteln, Zuweisung überschiessender Kriegs-Brieftauben

zu Zuchtzwecken und freier Beförderung der Tauben auf ihren Uebungsreisen, letztere in Denkmünzen oder Ehrengeschenken. Auch empfiehlt es
sich manchmal, recht gute Vereinstauben zur Blutauffrischung von Kriegs-
Brieftauben anzukaufen. Ueberhaupt ist dem Brieftaubensport jede irgend
mögliche Unterstützung des Staates zuzuwenden. Nur auf diese Weise
können die Privat-Brieftauben zu einem sehr werthvollen Kriegsmaterial
werden.

Gesetze zum Schutze der Brieftauben liegen im gemeinsamen Interesse der Heeresverwaltung und der Züchter. Es ist sehr schwer, in dieser
Beziehung einen vollständig wirksamen Schutz zu erzielen, so lange gestattet ist, feldernde Tauben zu schiessen. Die Gesetze müssen jedenfalls
eine Strafe auf das Wegfangen der Brieftauben setzen, die durch Stem-
pelung gekennzeichnet sind. Ausserdem muss dafür gesorgt werden, dass
zufällig gefangene oder zugeflogene Brieftauben abgeliefert werden.

Jede im Kriege ankommende Brieftaube muss sofort, ohne ihr die
Depesche abzunehmen, zu dem Kommandanten, oder dem höchsten kom-
mandirenden Offizier eines Ortes oder Bezirkes gebracht werden. Erst in
Gegenwart dieses Offiziers wird die Depesche gelöst und gelesen.

Schliesslich wäre noch anzugeben, wie Vorsorge gegen feindliche Brieftauben zu treffen ist. In Festungen an der Grenze sind schon im Frieden
Listen über alle Taubenschläge im Ort oder dessen nächster Umgegend
zu führen und bei der Mobilmachung die Tauben wegzunehmen, oder die
Schläge zu überwachen. Jede Sendung von Tauben auf Eisenbahnen hört
für Private auf. Abschickungen von Vereinstauben bedürfen einer militärischen Bescheinigung. Nach Einschliessung einer Festung sind die nicht
zu Botenzwecken bestimmten Tauben zu tödten. In Feindesland müssen
alle aufgefundenen Tauben, so viel als möglich, vertilgt werden.

C. A.

Kleine Mittheilungen.

Der Panzerschutz im Offensivkriege. Die Benutzung von Panzerzügen, die
mit Maxim-Maschinengewehren armirt und mit Stahlplatten von allen Seiten gedeckt
sind, sind von den Engländern auf der Eisenbahn von Kapstadt nach Mafeking
mehrfach zur Anwendung gekommen, auch ist ein derartiger Panzerzug durch die Boeren
am 13. Oktober zum Entgleisen gebracht worden; jedoch scheinen die Engländer neue
Panzerzüge zur Verfügung zu haben. Auch ein gepanzerter Kriegsmotorwagen wurde
kürzlich von Vickers Sons and Maxim in London für die englische Armee gebaut.
Dieser Wagen ist ganz mit Stahlpanzerplatten bedeckt und besitzt vorn und hinten
einen Sporn zum Rammen. Die Geschützausrüstung besteht aus zwei schnellfeuernden
Maxim-Geschützen in zwei sich drehenden Thürmen. Gesteuert wird der Wagen
vermittelst Spiegel, die Mannschaft braucht sich also nicht ausserhalb der Stahlpanzer
zu zeigen. Auch ein elektrischer Scheinwerfer ist vorgesehen; die Dynamomaschine
wird von der Hauptmaschine aus, die 16 PS entwickelt, in Bewegung gesetzt. Die
Radreifen sind so stark, dass der Wagen selbst über schlechte Strassen mit geringster
Erschütterung fahren kann. Ein Eisenbahn-Inspektionswagen, der von derselben
Firma für das englische Heer gebaut wurde, ist ebenfalls vollständig mit Panzer-
platten umgeben und führt ein Maxim-Maschinengewehr. — Von weiteren englischen
Erfindungen sei eine Radlafette für Schnellfeuergeschütze mit Schutzschild für die
Bedienungsmannschaft erwähnt, welche von der Hotchkiss Ordnance Company in
London gebaut wird. Zur Bedienung dieses Geschützes sind zwei Mann nöthig, die
durch einen Stahlschutzschild, ähnlich wie bei der neuen französischen Schnellfeuer-

kanone, gegen Infanteriefeuer gedeckt sind. Die Laffete kann wie beim Maxim-Maschinengewehr in einzelne Theile zerlegt werden. Der Panzerschild besteht aus zwei zusammenlegbaren Theilen. Der untere Theil des Schildes ist auf der Radachse befestigt. In der Mitte des Schildes ist der Laffetenschwanz befestigt; links und rechts davon ist je ein verstellbarer Sitz für die Bedienungsmannschaft angebracht. Der Laffetenschwanz trägt ferner die Richtvorrichtung für das Geschützrohr, das von einem Konsol des Schildes getragen wird und an der Seite des Schildes liegt, wodurch der Vortheil entsteht, die eine Hälfte des Schildes als Schutz für die Bedienungsmannschaft zu verwenden. An der anderen Seite des Schildes ist der Munitionskasten befestigt, so dass dieser dem die Munition Zuführenden bequem zur Hand ist. Die Laffete ist leicht und dabei fest gebaut, was durch die Verlegung des Geschützrohrs nach der Seite möglich wird. — Auch in Deutschland sind neuerdings Versuche mit einem fahrenden Panzer für Infanterie gemacht worden. So hat die Firma E. Bellingrath in Dresden einen fahrbaren Panzer konstruirt, der aus einem zweiräderigen Bock besteht, welcher durch ein Fahrrad mit Tretkurbel oder vermittelst abnehmbarer Schiebestangen bewegt wird. Auch kann man den Panzer durch einen Motor in Bewegung setzen. Der Stahlpanzer ist ungefähr 2 m hoch und 1 m breit. In grösserer Zahl neben einander fahrend, bilden diese Panzer eine Schutzwand, die nicht nur gegen den Frontalschuss, sondern auch gegen schräg aufschlagende Geschosse Sicherheit gewährt. In Hakenform aufgestellt, wird durch dieselbe eine Schützenlinie auch gegen Enfilirfeuer geschützt. Der Panzer lässt sich sowohl in der Höhe wie in der Neigung den verschiedenen Zwecken entsprechend einstellen, dürfte aber wohl dem Infanteristen im Gefecht und auf dem Marsch nur gegen Gewehrfeuer Schutz gewähren. — Wir erwähnen schliesslich noch eines als Schützendeckung verwendbaren Schanzspatens von T. Rove und G. Adams in Sidney, welcher mit einem gegliederten Stiel versehen ist, damit er über der Schulter getragen werden kann, wobei das Spatenblatt die Brust des Trägers deckt. Der somit als eine Art Schild für den Träger benutzbare Spaten ist ferner durch Anbringung einer am Spatenblatt zapfenartig vorspringenden Tülle dafür eingerichtet, in geeigneter Verbindung mit einer Picke oder einem Seitengewehr als Deckung für den Kopf eines dahinter liegenden, knieenden oder stehenden Schützen zu dienen. Der Schanzspaten hat bisweilen noch einen Schiessschartenausschnitt, durch den der feuernde Schütze sein Gewehr hindurchstecken kann. — Ein Panzer-Eisenbahnzug ist auch für die deutsche Heeresverwaltung mit Grusonschen leichten Panzerplatten zum Versuch hergestellt worden.

F. v. S.

Das Mauser-Gewehr im Transvaal-Kriege. Ueber das von den Baren in dem gegenwärtigen Kriege mit den Engländern geführte Mauser-Repetirgewehr M. 96 seien nachstehende Angaben gemacht. Kaliber (Laufweite zwischen den Feldern) 7 mm; Länge des Gewehrs ohne Seitengewehr 1235 mm; Gewicht des Gewehrs ohne Seitengewehr (Magazin leer) 4 kg; Gewicht des Seitengewehrs (376 mm lang) ohne Scheide 400 g. — Lauf. Länge 738 mm; 4 concentrische Züge mit Rechtsdrall bei einer Umdrehung auf 220 mm; Dralllänge in Laufweiten 31,4; Drallwinkel 5° 42' 30"; Tiefe der Züge 0,125 mm; Breite der Züge 3,9 mm; Länge der Visirlinie, vom Standvisir aus gemessen, 642,8 mm. Das Visir hat 2 Kimmen und ist bis auf 2000 m eingetheilt. Der hölzerne Handschutz reicht von der Hülse bis unter den Unterring. — Der Verschluss ist ein Cylinderdrehverschluss mit 2 senkrechten Stützwarzen. — Das Magazin liegt im Mittelschaft und ist unsichtbar; die Patronen werden vom Ladestreifen in dasselbe abgestreift und lagern im Zickzack. Gewicht des leeren Ladestreifens für je 5 Patronen 10 g. — Patrone. Gewicht 24,8 g; Länge 78 mm; Hülse aus Messing mit Eindrehung 56,5 mm lang. — Geschoss (Hartbleikern mit nickelplattirtem Stahlmantel). Gewicht 11,2 g; Länge 30,8 mm; Länge in Laufweiten 4,4; grösster Durchmesser 7,25 mm. — Pulver (rauchschwaches Blättchenpulver). Gewicht der Ladung 2,5 g; Ladungsverhältniss 4,48. — Querschnittsbelastung auf die Laufweite zwischen den Feldern 29,1 g pro qcm; Geschossgeschwindigkeit an der Mündung 728 m; desgl. 25 m vor der Mündung 700 m (Barometer = 728 mm, Thermometer = 16° C., Hygrometer = 40 pCt.); grösster Gasdruck 3100—3300 kg; Anzahl der Umdrehungen des Geschosses in der ersten Sekunde 3200; Bewegungsarbeit des Geschosses an der Mündung 303 mkg; Rückstossgeschwindigkeit 2,04 m; Rückstosseffekt 8,15 mkg. — Eindringungstiefe des Geschosses 12 m vor der Mündung: in Tannenholz 138—140 cm, in Buchenholz 72—78 cm. — Scheitelhöhe der Flugbahn: bei 500 m Entfernung = 1034 mm, bei 550 m = 1295 mm, bei 600 m = 1636 mm. — Schiessresultate (Durchschnitt von je 3 Serien zu je 20 Schuss): auf 200 m Entfernung = Streuung 0,154 m Höhe, 0,126 m Breite; 500 m = 0,440 m, 0,280 m; 900 m = 1,183 m, 0,830 m; 1200 m = 1,863 m, 0,930 m; 1500 m = 3,333 m, 1,787 m; 2000 m = 6,277 m, 1,533 m. Gesammtschussweite bei einem Erhöhungswinkel von etwa 30° über 4000 m. Vollständig bestrichener Raum von der Mündung an: gegen stehende Infanterie (1,7 m Höhe) 600 m, gegen Kavallerie (2,5 m Höhe) 700 m. Feuergeschwindigkeit: 25 gezielte Schösse in der Minute. Mechanische Leistung: 50 Schüsse in der Minute.

Zelte aus Schnee für das Biwak. (Mit fünf Abbildungen.) Für das Biwakiren im Winter muss es von grossem Werthe sein, den Leuten eine solche Unterkunft zu schaffen, dass sie gegen Kälte geschützt werden. Bei dem russischen Heere, in dem die Truppen bei ihren Uebungen selbst im Winter biwakiren, sind verschiedenartige Versuche angestellt, um unter Zuhülfenahme der Feldzelte und des Schnees den Truppen das Biwakiren zu erleichtern. In dem Januarheft 1899 des russischen Ingenieur-Journals finden wir die Beschreibung von Zelten aus Schnee, wie sie von den Truppen hergestellt und erprobt sind. Für ein Zelt zur Aufnahme von 24 Mann (Abbild. 1) werden 6 Zeltbahnen auf dem Schnee ausgebreitet, so dass eine Seite jeder Bahn eine Seite eines regelmässigen Sechsecks bildet. An den äusseren Seiten der ausgebreiteten Zeltbahnen beschreibt man einen Kreis um das Sechseck herum. Dann werden die Zeltbahnen fortgenommen, um aus ihnen die Decke für das Zelt herzustellen. Das Innere des Kreises wird gesäubert und bildet den Boden des Zeltes. Auf dem Kreise wirft man einen Wall aus Schneeklumpen auf, der eine Höhe von 3½ Fuss (1 Fuss = 0,305 m) und eine obere Breite von 1½ bis 2 Fuss hat. Diese Höhe reicht für sitzende und liegende Leute aus. Ueber dem Wall wird die aus den Zeltbahnen hergestellte Decke ausgespannt, ohne durch Stöcke unterstützt zu werden. Das Verfahren zur Herstellung der Decke ist folgendes: Die ersten 6 Bahnen werden, wie oben angegeben, ausgebreitet. Dann legt man auf die Ecken a, und zwar Ecke auf Ecke, noch weitere 5 Bahnen, um die Zwischenräume zwischen den ersteren Bahnen zu bedecken. Alle Ecken von 3 Bahnen werden mit Zeltleinen zusammengebunden, indem das Ende jeder Leine durch die 3 entsprechenden Eckenlöcher gezogen wird. Die Enden dieser Leinen werden an den Enden der in den Wall hineingesteckten Stöcke befestigt. Ergiebt es sich, dass nach der Ueberdeckung des Walles mit diesen 11 Bahnen zwischen letzteren doch noch Zwischenräume vorhanden sind, so muss man je 2 neben einander liegende Ecken zu einer zusammenschnüren, wie in Abbild. 1 durch die punktirten Linien angedeutet ist. In dem sechsten Zwischenraum wird in dem Wall ein Durchgang gemacht, wo man die Seiten des Inneren des Zeltes mit 2 einzelnen Bahnen, Nr. 12 und 13, verhängt (Abbild. 2). Den Platz für das Feuer selbst kann man nicht mit einem Graben umziehen, da dasselbe sich selbst eine Vertiefung aufthaut und das Wasser von dem schmelzenden Schnee nicht in das Feuer fliessen darf. Wenn aber sich viel Wasser bildet, so kann man später einen Graben um das Feuer herum aushacken. Die Decke wird von besonderen Arbeitern hergestellt, während die anderen den Wall aufwerfen. Wieviel Mann zu letzterem nöthig sind, hängt von der vorhandenen Schneemenge ab. Um das Zeltdach fertigzustellen, sind 3 Mann erforderlich, zum Ausspannen mindestens 6 Mann. — Ein Zelt für 11 Mann wurde in etwas anderer Weise hergestellt. Ein Platz, der 3½ Schritt (7½ Fuss) breit und 6 Schritt (14 Fuss) lang ist, wird von dem Schnee gesäubert, um ihn mit 2 zusammengenähten Bahnen der Feldzelte bedecken

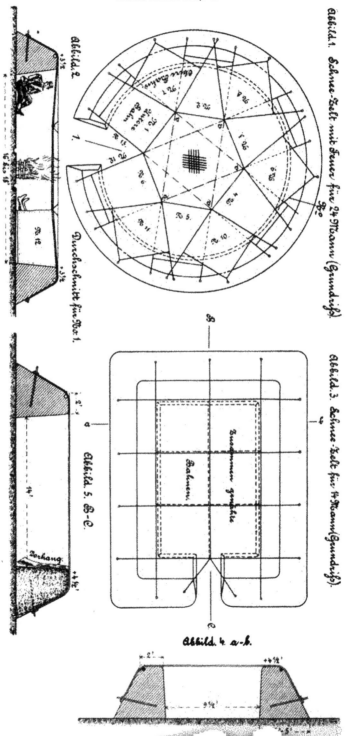

Abbild. 1. Schnee-Zelt mit Feuer für 24 Mann (Grundriß).

Abbild. 3. Schnee-Zelt für 4 Mann (Grundriß).

Abbild. 2.

Durchschnitt für Nr. 1.

Abbild. 5. B-C.

Abbild. 4. a-b.

Zelte aus Schnee für das Biwak.

zu können. Der Wall wurde aus Schnee in einer Höhe von 4½ Fuss aufgeworfen (Abbild. 3 u. 4). Die Decke wird aus 6 Bahnen, die mit 13 Leinen zusammengenäht werden, hergestellt. Diese Bahnen werden mittelst der Leinen über den Wall gezogen, welche ihrerseits dann an den in den Wall gesteckten Zeltstöcken befestigt werden. Damit die letzteren nicht stark in den Schnee einschneiden, wird unter jeden noch ein Zeltstock untergelegt. Stöcke als Stützen sind nicht erforderlich. Der Eingang befindet sich in einer der schmalen Seiten und wird innerhalb mit einer siebenten Bahn verhängt. Die übrigen nicht zur Verwendung gekommenen Bahnen werden auf dem Boden des Zeltes über einer Strohlage ausgebreitet. Es können 14 Mann in diesem Zelt untergebracht werden, indem sie mit den Füssen gegeneinander liegen, so dass das Bein des einen bis zu dem Knie des anderen reicht. — Bei den Versuchen mit diesem Zelt wurde die Temperatur innerhalb gemessen. Sie betrug ebenso viel Grad wie ausserhalb, wo es um diese Zeit + 3° R. war. Dann wurde Stroh in dem Zelt ausgebreitet und für eine Stunde 14 Mann dort untergebracht. Die Temperatur stieg bis + 7°, während ausserhalb die Temperatur auf — 1° gesunken war. Man versuchte das Feuer an den Eingang, der nicht mit einer Zeltbahn verschlossen war, zu verlegen. Dann fing aber die Temperatur innerhalb des Zeltes schnell zu sinken an. Infolge dessen brachte man schon angebranntes Holz in das Zelt und unterhielt ein kleines Feuer, wodurch innerhalb 10 Minuten die Temperatur in dem Zelt bis auf + 17° stieg. Obgleich der durch das Feuer entstehende Rauch das Zelt anfüllte, so drang er doch allmählich durch die Zeltbahnen und hielt sich überhaupt oben, so dass die liegenden Leute ihn gar nicht fühlten. Sassen die Leute, so biss der Rauch ihnen in die Augen. Nun stellte man den Versuch an, das Feuer nach aussen unweit des Zeltes zu schaffen und nach innen die angebrannten Kohlen mit Spaten hineinzutragen, wodurch es im Zelt vollständig warm wurde und der Rauch die Leute nicht behelligte.   Kr.

Das Kartätschgewehr. Der spanische Oberstleutnant der Infanterie Vaca hat ein neues Gewehr erfunden, ein sogenanntes Kartätschgewehr, mit dem gegenwärtig in Spanien Versuche gemacht werden. Ueber die Versuche mit dieser seltsamen Waffe sind folgende Einzelheiten bekannt geworden. An einer Lehmwand eines Gutshofes in der Nähe von Madrid wurde eine Scheibe von 0,50 m Breite befestigt. In einer Entfernung von 400 m stellte sich der Erfinder auf; er lud das Gewehr von der Mündung aus, weil die Metallkartuschen für sein Modell noch nicht konstruirt sind. Er verwandte nur ⅓ der Menge rauchlosen Pulvers, die einer Ladung des Mauser-Gewehrs entspricht, und feuerte ab. Bei Besichtigung der Scheibe ergab sich, dass von den 6 Geschossen 4 innerhalb der Scheibe und 2 unmittelbar daneben sassen; das eine der Geschosse hatte die Mauer, die aus gestampfter Erde bestand und eine Dicke von 0,50 m hatte, durchschlagen, die anderen waren ziemlich tief in die Mauer eingedrungen, und das eine hatte die Ziegelsteine, auf die es stiess, zertrümmert. Der Zweck des erwähnten Versuchs war, festzustellen, ob die Geschosse wirklich eine Streuung ergaben, trotzdem sie eins hinter dem andern in den Lauf geladen waren. Das Ergebniss konnte nicht besser ausfallen. Herr Vaca gab darauf einen anderen Schuss mit der gleichen Zahl von Geschossen und einer gleich grossen Ladung ab; zuvor hatte er jedoch eine starke Spiralfeder ein wenig entspannt, so dass der Kartuschraum eine grössere Ausdehnung bekam und die Streuung der Geschosse eine grössere wurde. Dieser zweite Schuss zeigte, dass seine Wirkung bei diesem System von der Stellung des Kolbens im Kartuschraum abhängig ist, und ferner, dass die Streuung von einem Erfinder gewünschte war. Das Gewehr Vaca soll mit 20 Schuss 200 Geschosse in der Minute, mit einer Streuung nach dem Belieben des Schützen und mit grosser Schussweite, fortschleudern; man hält die Waffe deshalb allen anderen bekannten Systemen überlegen. Der Kernpunkt des Systems besteht darin, dass der Kartuschraum dehnbar ist und dass man bei jedem Schuss 2 Ladungen Pulver und 2 Serien Geschosse verfeuern kann, was aber als eine Munitionsverschwendung bezeichnet wird. Wie die spanische »El dia« berichtet, ist man davon überzeugt, dass die Waffe bei den Versuchen vor den Militärbehörden mit Erfolg bestehen wird. — Wir können diese Nachrichten nur mit grossem Misstrauen aufnehmen, da wir uns von dieser seltsamen Waffe nicht viel versprechen, und müssen abwarten, ob über weitere Versuche etwas verlauten wird. (Besonders wird auch erst Näheres über die Konstruktion dieses eigenartigen Kartätschgewehrs und seine ballistischen Leistungen abzuwarten sein, um zu beurtheilen, ob es sich um eine kriegsbrauchbare Waffe oder nur um eine interessante Gewehrkonstruktion ohne weiteren kriegstechnischen Werth handelt. D. Red.) Bl.—

Das raucherzeugende Schrapnel. (Mit einer Abbildung.) Der italienische Hauptmann Pierucci will das Einschiessen gegen Ziele. welche mit Schrapnels beschossen werden sollen — und das sind wohl die meisten Ziele im Feldkriege — dadurch beschleunigen, dass er mit einem besonders konstruirten Schrapnel, das vermöge einer eigenartigen Einrichtung einen starken Rauch auf dem Erdboden sichtbar macht in dem Augenblick, in welchem es in der Luft springt, das Schiessen beginnt, und also das vorhergehende Schiessen mit Aufschlagzünder und den daran sich knüpfenden, immerhin zeitraubenden Geschosswechsel vermeidet. Dieses Schrapnel soll äusserlich genau wie die jetzigen Schrapnels konstruirt sein, also — siehe nebenstehende Abbildung — folgende Einrichtung haben: A Mundloch, B ogivale vordere Gestaltung, C cylindrische Gestalt des Hauptkörpers mit Vertiefungen für die kupfernen Führungsringe a a. Die Bodenfläche N ist von Stahl, in den cylindrischen Theil eingeschraubt. Im Inneren befinden sich ausser dem für die Kugeln bestimmten Raum zwei Kammern F und H für die Sprengladung, welche durch eine in der Mitte durchbohrte Stahlscheibe G getrennt sind. Die Kammer F wird oben durch eine bewegliche, ebenfalls in der Mitte durchbohrte Stahlscheibe E geschlossen, auf welcher die Kugeln lagern und in welche die eiserne Röhre für die Sprengladung fest eingefügt ist. Die Kammer H wird unten mit einer eisernen Büchse von starken Wänden abgeschlossen. Die Höhlung des cylindrischen Geschosstheils. in welchen diese Schachtel eingesetzt ist, trägt vier Schraubenmuttergänge, welche dieselbe Windung haben wie die Züge des Geschützes, für welches das Schrapnel bestimmt ist und in welche vier entsprechende kleine Flügel der Schachtel, die in der Abbildung nicht ersichtlich sind, eingreifen. Die Höhlung M der Schachtel enthält eine Mischung, welche leicht entzündbar ist und einen sehr starken Rauch von schöner granatrother Farbe erzeugt. Diese Mischung hat Hauptmann Pierucci selbst erfunden und versucht. Die Bestandtheile nennt er nicht. 10 g der Mischung, welche ein bedeutendes spezifisches Gewicht hat, in ein cylindrisches Rohr von 18 mm innerem Durchmesser eingefüllt und nicht zusammengepresst, aber an einer Seite der Röhre verschlossen, verbrennen in 20 Sekunden, leicht zusammengepresst in 30 Sekunden. Mit der Verdichtung also ist eine langsamere Verbrennung, selbstverständlich aber auch eine Verminderung der Stärke der Rauchsäule verbunden. So lange die Dämpfe einen Ausgang finden. brennt die Mischung ohne Explosion, wird ihnen aber der Ausgang verwehrt, so explodirt sie alsbald. Sobald das Schrapnel springt, entzündet sich die Mischung vermittelst der in dem Röhrchen c enthaltenen Stoppinen. die mit der Höhlung M durch acht Löcher d. von denen in der Abbildung zwei Löcher sichtbar

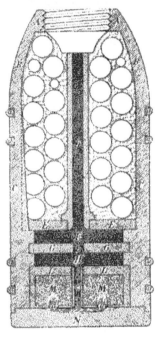

sind, in Verbindung stehen. Die Kammern F und H enthalten jede 25 g Ballistit. Diese geringere Menge Sprengladung, im Vergleich zu der Sprengladung des gewöhnlichen Schrapnels, wird in ihrer Wirkung durch die grössere Kraft des verwendeten Sprengmittels mehr als ausgeglichen. In dem Augenblick, in welchem der Zünder des Geschosses wirkt, explodirt das Ballistit in beiden Kammern gleichzeitig. Der Seitendruck, welcher von der Explosion auf die Geschosswände ausgeübt wird, ist da, wo die Wände des cylindrischen Theiles grössere Dicke haben, durch die Geschoss-wände unschädlich gemacht, neutralisirt. Der Längsdruck, welcher unter und über der Scheibe G wirkt, hebt sich gegenseitig auf, so dass die Scheibe nur einem starken Zusammenpressen ausgesetzt ist, aber an Geschwindigkeit weder verliert noch gewinnt, vielmehr dieselbe Geschwindigkeit beibehält, welche sie im Augenblick des Springens des Geschosses hatte. Der Druck, welcher unter der beweglichen Scheibe E arbeitet, stösst diese zusammen mit der Ladungsröhre in die Höhe, zerbricht den ogivalen vorderen Theil des Geschosses und giebt den Kugeln einen neuen kräftigen Stoss zu demjenigen, welchen sie mit dem ganzen Geschoss durch die Geschützladung, abzüglich des Verlustes während der Flugzeit, noch besassen. Der Druck, welcher über der Schachtel L arbeitet, schlägt auf die Bodenscheibe N zurück, verursacht den Bruch der schwachen Schraubenmutter, in welcher dieselbe eingeschraubt ist, und wirft die Schachtel mit der Bodenscheibe auf die Erde, indem er so die Geschwindig-keit auf den grossen und mittleren Entfernungen vernichtet und die Rotations-bewegung der Schachtel aufhebt. Schachtel und Bodenscheibe fallen auf diese Weise fast senkrecht vom Sprengpunkt des Geschosses zur Erde und lassen eine grosse Rauchsäule sehen. Die Bodenscheibe kann allerdings, sobald sie den Erdboden berührt, infolge der Rotation, die ihr innewohnt, noch einige Sprünge machen, die Schachtel aber bleibt fest auf dem Punkte liegen, wo sie hingefallen ist, und ent-wickelt während einer Zeitdauer von etwa 30 Sekunden einen dichten farbigen Rauch, welcher die Lage des Zieles erkennen lässt. Nach der vorstehenden Beschreibung der Erfindung des Hauptmanns Pierucci, die der »Riv. di Art. e Gen.« vom April 1899 entnommen ist, scheint das raucherzeugende Schrapnel ein sehr zweckmässig ein-gerichtetes Geschoss zu sein. Ein bestimmtes Urtheil über den Werth der Erfindung lässt sich indessen nur auf Grund wirklicher Schiessversuche fällen, die bis jetzt, wie es scheint, noch nicht stattgefunden haben.

Feldbefestigung im Manöver. Die Anlage der Herbstmanöver muss sich natur-gemäss auf die Ausbildung der drei Hauptwaffen in ihren Beziehungen zu einander in erster Linie erstrecken, während die Hülfswaffen nur nach dem eintretenden Bedarf Berücksichtigung finden können. Dieser Bedarf ist bei dem raschen Verlauf einer Manöverhandlung in der Regel ein höchst minimaler, namentlich soweit er die feld-mässigen Verstärkungen des Geländes betrifft. Die umfangreichste Feldbefestigung im Manöver ist wohl im Jahre 1890 bei den Kaisermanövern des X. Armeekorps in der Nähe von Nordstemmen zur Ausführung gekommen, wo man in eine gewaltige Stellung von geschlossenen Stützpunkten mit Unterständen und verbindenden Schützen-gräben auch 3,7 cm Schnellfeuergeschütze in Schumannschen Panzerlaffeten eingebaut hatte, um durch einen praktischen Versuch zu erproben, ob sich diese Panzerlaffeten für eine Verwendung im Feldkriege eigneten. Wenn auf dem Manöverfelde derart umfangreiche Geländeverstärkungen zur Ausführung gelangen, so wird die dazu kom-mandirte Infanterie durch die Betheiligung einer oder mehrerer Pionier-Kompagnien wesentlich unterstützt. Im Kriege werden aber nicht in allen Fällen Pioniere zur Verwendung bereitstehen können, und die Infanterie wird bei vorkommenden Ver-stärkungsarbeiten auf die eigene Kraft angewiesen sein. Dies führt zu der Noth-wendigkeit einer umfassenderen Ausbildung der Infanterie im Feldpionierdienst, für die aber bei der kurzen Dienstzeit nur wenig Zeit zu praktischer Bethätigung ver-fügbar gemacht werden kann. Um so mehr muss sich daher der Infanterist durch theoretische Bearbeitung von Feldpionier-Aufgaben üben, wozu die kleine Schrift „Taktische Spatenarbeit" des Oberleutnants Schmidt (Verlag der Königlichen Hofbuchhandlung von E. S. Mittler & Sohn) eine ganz vorzügliche Unterstützung gewährt. Eine Feldwache oder eine Stellung für das Vorpostengros lässt sich auf dem Manöver schon noch durch einen Schützengraben verstärken; schwieriger wird die Sache, wenn es sich um die einfachste Ortsbefestigung handelt, der eine einfache Mauer in der Regel bereits ein gebieterisches Halt entgegenruft, von einzelnen Häusern und Gehöften oder gar Ortschaften ganz zu schweigen. Hier muss die Bearbeitung einsetzen, und es wäre nicht unzweckmässig, wenn man in die Winteraufgaben der Offiziere die Feldpionier-Aufgaben in entsprechender Weise hineinzöge. Wie eine solche Aufgabe zu bearbeiten ist, zeigt die Schmidtsche Schrift mit ihren vortrefflich gewählten und korrekt durchgeführten Beispielen. Man bewerthe die taktische Spatenarbeit nicht zu gering, denn sie wird im Kriege der Zukunft an den Infanteristen in grösserem Umfange herantreten, als man für gewöhnlich anzunehmen geneigt ist.

Neueste Erfindungen und Entdeckungen.

1. **Geschütze, Geschosse, Artilleriewesen.** A. Nobel und A. Liedbeck in Stockholm stellen ein vollständig homogenes Pulver her aus Lösungen von Nitrocellulose, Oxynitrocellulose oder Hydronitrocellulose, Nitrostärke oder einem anderen Nitrokohlenhydrat, die nach und nach als sehr dünne Schichten auf der äusseren Seite einer rotirenden Walze oder auf der inneren cylindrischen Wand einer rotirenden Centrifuge ausgebreitet werden. Die Verdampfung des Lösungsmittels wird durch warmen Luftstrom befördert. Bevor eine neue Menge der Lösung aufgegeben wird, muss das erste Lösungsmittel vollkommen verdrängt sein. Das gewonnene Pulver ist selbst in grösstem Geschützkaliber verwendbar und von Rückständen des Lösungsmittels ganz frei. Das abgetriebene Lösungsmittel kann rückgewonnen und wieder verwendet werden. — Ein sogenanntes progressives Pulver gewinnt man mit dem vorstehend beschriebenen Verfahren, wenn man zunächst ein Häutchen Nitrocellulose von niederem Nitrirungsgrade (z. B. 10 pCt. Stickstoffgehalt) bildet und auf dieses Häutchen dann eine dickere Schicht Nitrocellulose von hohem Nitrirungsgrade (13,5 pCt. Stickstoffgehalt) nach und nach niederschlägt und die letztere wieder mit einem Häutchen schwach nitrirter Cellulose überzieht. Dieses Pulver kann entweder in Spiralen gedreht oder in kleine Blätter geschnitten und so verwendet werden. Die Nitrocellulose kann mit Oxynitrocellulose, Hydronitrocellulose oder Nitrostärke versetzt werden. (»Mitth. über Gegenst. des Art.- und Geniew.«, 1899. Heft 9.)

»Riv. di Art. e Cen.«, 1899, Septbr., beschreibt nach dem russischen Artillerie-Journal einen neuen Aufsatz für die 57 mm Kanone. Er ist ähnlich konstruirt wie ein bereits bei einigen in Gebrauch befindlichen leichten Feldkanonen und bei der 15 cm Schnellfeuerkanone vorhandener Aufsatz. Die Aufsatzhülse sitzt fest am Rohr, die Aufsatzstange ist an der linken Seite gezahnt und kann durch eine an der linken Seite angebrachte federnde Spindel in jeder Stellung festgehalten werden, so dass man den Aufsatz beim Schuss stehen lassen kann. Bei grossen Aufsatzänderungen muss die Spindelscheibe, die einen gezahnten Rand hat, aus dem Zahnrande der Aufsatzstange zurückgezogen werden, was durch schraubenartige Bewegung des Spindelgriffes leicht zu machen ist. — Die Vermeidung des Einschiebens der Aufsatzstange vor jedem Schuss und dann der jedesmaligen Neustellung des Aufsatzes für den folgenden Schuss ist gewiss praktisch. Es fragt sich nur, ob durch den Rückstoss die weit vorragende Aufsatzstange nicht verbogen wird, was allerdings bei ihren starken Abmessungen nicht wahrscheinlich ist.

Ein Bericht des Commodore O'Neil, Chef des Artilleriedienstes im amerikanischen Senat der Marine, bezeichnet die auf Kruppsche Manier hergestellten Panzerplatten als die besten, auch besser wie die Harvey-Platten. Sie hätten die Zeit der Versuche jetzt hinter sich und würden auswärts in grossen Mengen und, wenn auch in geringerem Verhältniss, von den beiden amerikanischen Gesellschaften Carnegie und Bethlehem gefertigt. Die Widerstandsfähigkeit übertreffe diejenige anderer Platten bis jetzt um 25 pCt. Auch für ein russisches, auf amerikanischer Werft zu erbauendes Schiff würden von den genannten Hütten Kruppsche Platten geliefert. (›Riv. di Art. e Gen.‹, Septbr. 1899.) — Die günstig ausgefallenen amerikanischen Versuche mit Kruppschen Platten sind im Heft 6 der ›Kriegstechnischen Zeitschrift‹, S. 279, beschrieben.

Der Hauptmann Stassano der italienischen Artillerie soll das Problem, Eisen auf elektrischem Wege herzustellen, in befriedigender Weise gelöst haben. Das Verfahren biete den Vortheil, durch verschiedene Zuschläge zu den Eisenerzen nicht nur Eisen und Stahl, sondern sogar Legirungen mit anderen Metallen, z. B. Nickel, Wolfram, Mangan u. s. w., direkt zu erzeugen. Der betreffende Hochofen besteht, ähnlich den gewöhnlichen Hochöfen, aus zwei mit den Grundflächen aufeinander gesetzten abgekürzten Hohlkegeln mit darüber befindlichem Fülltrichter. Ueber der Abstichöffnung befinden sich zwei cylindrische Kohlen-Elektroden von 10 cm Durchmesser und 1 m Länge horizontal gegenüber. Der Abstand zwischen den einander gegenüberstehenden Enden derselben und damit die Länge des Lichtbogens kann nach Bedarf regulirt werden. Nähere Beschreibung mit Abbildung befindet sich in Nr. 520 des ›Prometheus‹. Eine Gesellschaft zur Anwendung des Verfahrens im Grossen hat sich bereits gebildet. — Das Verfahren bedeutet gewiss, sofern es sich bewährt, eine wesentliche Verbesserung und Vereinfachung in der Herstellung von Metallen, insbesondere Eisen.

2. Beleuchtungs- und Signalwesen, Telegraphie, Telephonie. Nach ›Revue du Génie mil.‹, 1899, Septbr., haben, wie zur Ergänzung der bereits in der ›Kriegstechnischen Zeitschrift‹, 1899, Heft 6, S. 283, besprochenen Versuche hier angeführt wird, die Versuche mit der Marconischen Telegraphie ohne Draht, die auf amtlichen Befehl in Frankreich durch den Geniekapitän Ferrié angestellt werden, bereits zur Ermöglichung von Depeschen zwischen Frankreich und England, also auf eine Entfernung von 50 km geführt. Ferrié beschreibt die anzuwendenden Apparate genau mit Abbildungen. Auch wird erwähnt, dass bereits vor Marconi der englische Physiker Lodge 1894 und der russische Professor Popoff an der Marineschule in Kronstadt 1895 und 1896 Versuche mit Telegraphie ohne Draht gemacht haben, und dass Marconi, 1896 noch Student in Bologna, seine Versuche daran angeschlossen habe.

3. Entfernungsmesser, Orientirungsinstrumente, Geländeaufnahme. Nach ›Revue mil.‹, 1899, August, hätte ein Oberst Smart die Beobachtung gemacht, dass es bei Verwendung von Fernrohren mit violetten Gläsern möglich sei, die Explosionen des rauchlosen Pulvers auf grosse Entfernungen zu bemerken. Man wolle deshalb die Offiziere mit solchen Doppelfeldstechern und die Mannschaften mit violetten Brillen für das Schiessen auf grosse Entfernungen bewaffnen. — Ob die Beobachtung richtig ist, wäre durch Versuche leicht zu ermitteln.

4. Ausrüstung von Mann und Pferd. Verpflegung. Die ›Mitth. über Gegenst. des Art.- und Geniew.‹, 1899, Heft 9, enthalten ausführliche Gutachten zweier französischer Chemiker, Moissan und Ditte, über das Verhalten des Aluminiums im Dienstgebrauche. Das erstere Gutachten führt Regimentsberichte auf, welche den Aluminium-Kochgeschirren u. s. w. den Vorzug vor Geschirren aus anderem Material zusprechen, während das letztere Gutachten weniger günstig ist. Die Wochenschrift ›Prometheus‹, 1899, Nr. 521, spricht sich in einem Aufsatz, ›Magnalium‹ betitelt, nicht so günstig über das Aluminium aus, da es der Bearbeitung, namentlich der Löthung, immer noch grosse Schwierigkeiten entgegensetze. Der Verfasser hofft aber auf Verbesserung und Abstellung der Mängel des sonst so schätzbaren Metalles durch Legirung desselben mit Magnesium.

Dem Sattlermeister Schlüter in Bremen ist Gebrauchsmusterschutz verliehen worden für Anfertigung von Luftdruckkissen für Pferde. Diese Kissen — für Rücken und für Brust — bestehen aus doppelseitig gummirtem Stoff und haben ein Ventil zum Aufblasen, d. h. zum Füllen mit Luft. An den Stellen, die auf die Verletzungen des Pferdes zu liegen kommen würden, kann man Vertiefungen in den Kissen anbringen, so dass die Verletzungen unberührt bleiben müssen. (»Neueste Nachrichten aus dem Gebiete der Technik u. s. w.«, Nr. 27, Septbr. 1899.) — Im Allgemeinen schützt sorgfältiges und immer wiederholtes Anpassen von Reitzeug und Geschirren, namentlich in Manövern und Feldzügen, wo sich durch plötzliche Anstrengungen die Körperbeschaffenheit des Pferdes ändert, am sichersten vor Druckschäden. Immerhin aber mag es Fälle geben, wo man von diesen, natürlich für den betreffenden Fall besonders anzufertigenden Kissen Gebrauch machen kann.

5. Militärbauten zu Befestigungs- und Unterbringungszwecken. In »Revue du Génie mil.«, 1899, Septbr., finden sich ausführliche Angaben über Befestigung von Beton durch Einlage verschiedener Metallkonstruktionen. Man giebt dem Cement damit eine grosse Widerstandsfähigkeit und Haltbarkeit auch gegen Stoss und gegen Schuss und verwendet ihn mit Vortheil auch zu Schutzwänden bei Anlage von Schiessständen.

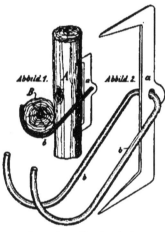

Ostscher Gerüsthalter.

An Stelle der unsicheren Verbindung der Gerüststangen mittelst Klammern und Seilen hat C. Ost in Prechlau nach den »Neuesten Nachrichten aus dem Gebiete der Technik u. s. w.«, Nr. 26, Septbr. 1899, den nebenstehend dargestellten Gerüsthalter, der absolute Sicherheit gegen Einsturz des Gerüstes bietet, gesetzlich schützen lassen. In die Rüststange A wird die Klammer a eingeschlagen. Der bei a beweglich angebrachte Doppelhaken b umfasst den Netzriegel (Querstange) B. — Die Konstruktion erscheint einfach und sicher.

6. Luftschifffahrt. Nach den »Illustr. Aëronautischen Mitth.«, Oktober 1899, geht das Luftschiff des Grafen Zeppelin seiner Vollendung entgegen. Grosse Schwierigkeiten liegen im Ablassen desselben von dem Flosse, auf dem es gebaut wird, im richtigen Ausbalanciren des langen Ballonkörpers, in der Erhaltung des aërostatischen Gleichgewichts und in der Sicherung einer gefahrlosen Landung. (Der Aufstieg ist bis zum nächsten Jahr verschoben. D. Red.)

Der Kresssche Drachenflieger ist — nach derselben Zeitschrift — fertig, harrt aber noch der Vollendung seines Motors, um die erste Erprobung zu beginnen. Leider fängt es an, an Geld zu mangeln, und man bittet um freiwillige Beiträge, die an den »Kressfonds« in Wien im Arsenal zu richten sind. — Es wäre gewiss zu wünschen, dass der Staat den bis jetzt fast nur mit Privatmitteln arbeitenden Erfindern mit reicheren Mitteln zu Hülfe käme, da doch der Nutzen eines lenkbaren Luftschiffes, namentlich auch für Kriegszwecke, ausser Zweifel steht.

7. Transportwesen im Kriege. Otto Arlt in Görlitz empfiehlt nach den »Neuesten Nachrichten aus dem Gebiete der Technik u. s. w.«, 29. Septbr. 1899, zum Schutz gegen Verletzungen des Luftschlauchs an Fahrrädern durch Scherben, Nägel u. s. w. zwischen Luftschlauch und Schutzmantel ein dünnes, der Form der Aussenwand des Luftschlauchs angepasstes Stahlblech einzuschieben und dadurch die genannten gefährlichen Gegenstände, wenn solche auch den Schutzreifen durchdringen, vom Luftschlauch fernzuhalten. Dieser Stahlblechmantel kann an jedem Rade auch nachträglich angebracht werden, ist von sehr dünnem Blech und beeinträchtigt weder die Elastizität, noch erhöht er das Gewicht wesentlich und ist ferner im Verhältniss zu seinen Vortheilen äusserst billig. — Die Einrichtung ist gewiss für Militär-Fahrräder, deren Versagen im Ernstfall verhängnissvoll werden kann, sehr zu empfehlen.

Aus dem Inhalte von Zeitschriften.

Aus dem Inhalte von Zeitschriften.

Jahrbücher für die deutsche Armee und Marine. 1899. Oktober. Heft 1: Frankreichs Kriegsmacht für einen Seekrieg. — Ueber die Wege, welche die 4. vierpfündige Batterie des Rhein. Feldart.-Regts. Nr. 8 in der Schlacht von Königgrätz gemacht hat. — Die Verwendung der Strassenlokomotive für militärische Zwecke.

Marine-Rundschau. 1899. November: Ueber Schifffahrt und Marinewesen in den homerischen Heldengesängen. — Die türkische Marine von ihren Anfängen an. (1. Forts.)

Prometheus. 1899. Nr. 522: Das Magnalium. (Schluss.) — Die Entwickelung der Telegraphie ohne Draht. (Schluss.) — Zur Entdeckung des Luftdrucks. — Nr. 523: Der Wehneltsche Stromunterbrecher, ein neuer Fortschritt auf dem Gebiete der Röntgentechnik. — Kohlentransportwagen. — Nr. 524: Vereinfachte Photographie in natürlichen Farben. — Der Wehneltsche Stromunterbrecher u. s. w. (Schluss.) — Nr. 525: Krupps Gussstahlfabrik. — Ein Eisenbahnwagen-Thürschliesser. — Nr. 526: Die Fortschritte des Bauingenieurwesens. — Der Spree-Tunnel. — Drahtlose Telegraphie bei Flottenübungen.

Die Umschau. 1899. Nr. 43: Der 7. internationale Geographenkongress. — Einfluss der elektrischen Leitungen auf die Gewitter. — Nr. 44: Schnelltelegraphen-System von Pollak und Virág. — Künstlicher Kautschuk. — Nr. 45: Von der deutschen Handfeuerwaffen-Industrie. — Fabrikmässige Erzeugung flüssiger Luft. — Afrikanische Eisenbahnprojekte. — Nr. 46: Optische Täuschungen. — Moderne Momentaufnahmen.

Ueberall. Deutsche Flottenzeitung. 1899. Heft 10: Jytschau. (Schluss.) — Von der französischen Marine. (Forts.) — Unsere Matrosenartillerie. — Das neue Trockendock in Bremerhaven. — Das italienische Schulgeschwader in Kiel.

Der praktische Maschinen-Konstrukteur. 1899. Nr. 21: Normalkonstruktion kleiner Eisenbahnbrücken. — Nr. 22: Doppeltwirkende Compound-Dampf-Wasserpumpmaschine. — 15 t elektrisch betriebener Laufkrahn. — Petroleummotor für Automobilen. — Cantilevergelenkbrücke. — Nr. 23: Speisesalz-Brickettpresse. — Hydraulische Scheere. — Berechnung eines eisernen Dachbinders.

Mittheilungen über Gegenstände des Artillerie- und Geniewesens. 1899. Heft 10: Die beständige Befestigung und der Festungskrieg. — Fahrversuche mit Kompagnie-Munitionswagen M. 1886 und mit zweispännigen Rüst- (Proviant-) Wagen M. 1888. — Flüchtige Befestigung der Gefechtsfelder. — Distanzmesser von Perucci. — Drahtglas.

Schweizerische militärische Blätter. 1899. Heft 9: Das 7,5 cm Schnellfeuergeschütz, System Nordenfelt-Paris. — Die Feldartillerie der Grossmächte. — Versuche mit kleinkalibrigen Schnellfeuergeschützen. — Ueber Organisation, Ausbildung und Verwendung von Radfahrertruppen. (Forts.) — Welche Attackenwaffe entspricht unseren Verhältnissen am besten? (Schluss.)

Rivista di Artiglieria e Genio. 1899. September: Telegrafia ottica. — Cannoni da campagna a tiro rapido. — Terni industriale. — Materiale leggiero da ponte par l'artiglieria da campagna. — Oktober: Pensieri sull' ordinamento dell' artiglieria. — Apparecchi elettrici avvisatori per colombaie militari. — Studio sopra una mitragliatrice da camp. a funzionamento automatico, ed alcune considerazioni sul suo impiego tattico. — L'arma del genio dello Stato romano durante la guerra per l'independenzia d'Italia. — Graduatore automatico di spolette a tempo.

Journal des sciences militaires. 1899. Oktober: La pacification de Madagascar. — Comment quitter Metz en 1870? — Huningue en 1814. — L'infanterie russe dans ses rassemblements d'été. (Forts.)

Revue d'artillerie. 1899. Oktober: Canons de côte à tir rapide, système Schneider-Canet. — Note sur la selle anglaise.

Revue militaire. 1899. Oktober: La guerre hispano-américaine. (Forts.) — Le nouveau règlement de la cavalerie austro-hongroise. — La guerre de 1870/71; historique du 2e corps d'armée.

Kriegstechnische Zeitschrift. 1899. 10. Heft. 32

Revue de l'armée belge. 1899. Juli-August: Le fusil à répetition système IL Pieper, mod. 96. — Etude sur le tir de l'infanterie. (Ports.) — Le chien de guerre. L'art militaire à l'exposition de Bruxelles. (Schluss.) — Le terrain, les hommes et les armes à guerre.

Scientific American. 1899. Nr. 15: The new smokeless powder factory. — An automatic acetylene-generator. — Solid hydrogen. — A new chainless bicycle. · Nr. 16: Marcony telegraphy. — The battle chariot. · — Nr. 17: A compact high speed engine. — The Philadelphia subway and tunnel. — Nr. 18: A portable acetylene gas lamp. — A racing automobile. — Wireless telegraphy at the yacht races. — Nr. 19: New York's coast defenses. — Recent applications of electro metallurgy.

Memorial de Ingenieros del Ejército. 1899. Nr. 10: Observatorios, faros de iluminación y alumbrado interior en las baterías de costa. — Proyectos de ferrocarriles.

De Militaire Spectator. 1899. Nr. 10: Ofeningen in het polderland. — De brood-verpleging van den soldat.

Sapisski imper. russ. techn. obacht. (Denkschrift der kaiserl. russ. technischen Gesellschaft.) 1899. Oktober. Nr. 10: Neues Gesetz über die Maasse und Gewichte. — Uebersicht der bewilligten Privilegien. — Angabe der nachgesuchten Privilegien. — Angabe der unterdrückten garantirten Certifikate für nachgesuchte Privilegien.

❧ Bücherschau. ❧

Mathematisches Formelbuch für höhere Unterrichtsanstalten. Von Dr. Johannes Deter. Neu herausgegeben von Erdmann Arndt, Oberlehrer an der 4. städtischen Realschule in Berlin. 4. Auflage. Berlin. Max Rockenstein.

Für den Offizier der technischen Waffen einschliesslich der Artillerie ist die Mathematik eine Hülfswissenschaft, die ihm mit ihren Tausenden von Formeln bei Konstruktionen und Berechnungen unentbehrlich ist. Nicht selten entschwindet dem Gedächtniss diese oder jene Formel, und das Deter'sche mathematische Formelbuch hat sich in solchen Fällen als ein vorzügliches Nachschlagebuch bewährt. Bei der vorliegenden Neubearbeitung von E. Arndt ist das Hauptgewicht auf die Gestaltung des elementaren Theils gelegt: Uebersichtlichkeit in der Anordnung und Vollständigkeit in den Formeln bedingen hier die Brauchbarkeit der Sammlung. Diese enthält alle Formeln aus dem Gebiete der allgemeinen Arithmetik und Algebra von $a + b = c$ an, dann die Planimetrie, Goniometrie und ebene Trigonometrie, Stereometrie und sphärische Trigonometrie, wobei alle Formeln zur stufenweisen Entwickelung fortschreiten. Wie die niedere, so ist auch die höhere Mathematik vollständig berücksichtigt worden; sie leitet in der Algebra über mit den unendlichen Reihen, woran sich alsdann die analytische Geometrie der Ebene und des Raumes nebst den Grundformen der Differential- und Integralrechnung anschliessen. Die auf das Sorgfältigste und Uebersichtlichste zusammengestellte Sammlung, die in den Bezeichnungen der mathematischen Grössen und Gebilde den gebräuchlichsten Lehrbüchern folgt, wird den auf technische Anstalten kommandirten Offizieren ebenso nutzbringend sein, wie den zur technischen Hochschule und zu der Artillerie- und Ingenieurschule kommandirten Offizieren für ihr Studium der Mathematik.

Beschreibung des Telemeters Paschwitz. Druck von J. Wasner (Inh. H. Schiele), Regensburg. 8°. 6 S.

Herr E. v. Paschwitz giebt unter Beifügung einer Figurentafel eine Beschreibung des von ihm konstruirten Entfernungsmessers, der Verfahrungsweise mit demselben und der Theorie desselben. Wünschenswerth und das Verständniss fördernd wäre noch die Abbildung des zum Gebrauch zusammengesetzten und aufgestellten Instruments gewesen. Ueber die Wichtigkeit eines zuverlässigen Entfernungsmessers besteht kein Zweifel, und man kann nur wünschen, dass ausgedehnte militärische Versuche die Ansicht des Herrn v. Paschwitz bestätigen, dass mit seinem Telemeter das vielversuchte Problem der Telemetrie seine erschöpfende Lösung gefunden habe. Die Grundlage des Telemeters Paschwitz, nämlich Anvisiren des Ziels von den beiden Endpunkten einer Basis, ist gewiss die richtige, indem sie im Gegensatz zu den Telemetern, die auf dem Satze beruhen: »Die Entfernung steht im umgekehrten Verhältniss zu der Grösse des Sehbildes«, von der Sichtbarkeit der gesammten Zielhöhe entbindet und der Sichtbarkeit nur eines Punktes des Zieles bedarf.

Gedruckt in der Königlichen Hofbuchdruckerei von E. S. Mittler & Sohn, Berlin SW., Kochstrasse 68—71.

Lightning Source UK Ltd.
Milton Keynes UK
UKHW012252110219
337137UK00006B/878/P